J. RIZZI

DER BROCKHAUS IN FÜNFZEHN BÄNDEN

DER BROCKHAUS

in fünfzehn Bänden

Fünfzehnter Band

Vis – Zz

F. A. BROCKHAUS
Leipzig · Mannheim

Redaktionelle Leitung: Marianne Strzysch, Dr. Joachim Weiß

Redaktion:
Dipl.-Geogr. Ellen Astor
Dr. Stephan Ballenweg
Dipl.-Volkswirt Michael Bauer-Emmerichs
Gerhard Baum
Dipl.-Phys. Martin Bergmann
Dr. Eva Maria Brugger
Vera Buller
Roger Bussian
Ulrike Emrich M.A.
Martin Fruhstorfer
Dr. Dieter Geiß
Christiane Gernert
Dr. Roswitha Grassl
Dr. Gerd Grill
Dipl.-Bibl. Petra Hohls
Dipl.-Bibl. Sascha Höning
Rainer Jakob
Dipl.-Ing. Helmut Kahnt
Wolfhard Keimer
Dr. Andrea Klein
Ellen Kromphardt
Heinrich Kordecki M.A.
Dipl.-Inform. Veronika Licher
Dipl.-Biol. Franziska Liebisch
Peter Neulen
Ingo Platz
Otto Reger
Dr. Erika Retzlaff
Brigitte Röser
Dr. Renate Schmitt-Fiack
Martin Steurer M.A.
Christa-Maria Storck M.A.
Dipl.-Ing. Birgit Strackenbrock
Ruth Thiessen
Johannes-Ulrich Wening

Freie Mitarbeit:
Dipl.-Phys. Carsten Heinisch, Kaiserslautern
Dr. Bernd Lukoschik, Bonn
Dr. Katja Profes, Mainz
Dr. Frauke Schmitz-Gropengießer, Freiburg
Maria Schuster-Kraemer M.A., Uffenheim

Einbandgestaltung: James Rizzi

Einbandtypographie: Jürgen Sauerhöfer

Herstellung: Günter Schwab

Typographische Konzeption: Norbert Wessel

Satz: Bibliographisches Institut & F. A. Brockhaus AG (PageOne Siemens Nixdorf) und Mannheimer Morgen Großdruckerei und Verlag GmbH

Druck: Neue Stalling GmbH, Oldenburg

Bindearbeit: Großbuchbinderei Lachenmaier, Reutlingen

Papier: 120 g/m² holzfrei, mattgestrichen, chlorfrei der Papierfabrik Aconda Paper S.A., Spanien

Die Deutsche Bibliothek – CIP-Einheitsaufnahme
Der **Brockhaus**: in 15 Bänden / [red. Leitung: Marianne Strzysch; Joachim Weiß]. – Leipzig; Mannheim: Brockhaus.
Bd. 15. Vis – Zz. – 1999
ISBN 3-7653-2365-2

ISBN für das Gesamtwerk 3-7653-2350-0
Band 15: 3-7653-2365-9

Printed in Germany

Vis

Vis [v-] (italien. Lissa), Adriainsel in Mitteldalmatien, Kroatien, 90 km², rd. 8 000 Ew.; Hauptorte sind V. und Komiža; Gemüse-, Wein- und Obstanbau; Fischerei. (→ Lissa)

VIS, Kw. für den sichtbaren (visuellen) Bereich des elektromagnet. Spektrums.

Visaya [b-] (Bisaya), Sammelbez. für mehrere Volksgruppen der christl. Filipinos mit jeweils eigener Sprache auf den Visayainseln: die Sugbuhanon (Cebuano), Hiligaynon (Ilongo), Waraywaray, Aklanon und Hantik.

Visaya|inseln [b-] (Visayas), mittlere Inselgruppe der →Philippinen, zw. den Hauptinseln Luzon und Mindanao, umfasst mit 75 595 km² ein Viertel der Staatsfläche; die größten der mehreren Tausend Inseln sind Panay, Negros, Cebu, Bobol, Leyte und Samar.

Vischer: Peter Vischer d. Ä. schuf 1507–19 zusammen mit seinen Söhnen das Sebaldusgrab in der Nürnberger Kirche Sankt Sebald

Visbek ['fısbe:k], Gemeinde im Landkreis Vechta, Ndsachs., in der Ahlhorner Heide, 9 000 Ew. – Bei V. liegen mehrere jungsteinzeitl. Megalithgräber; die beiden größten sind die »Visbeker Braut« (80 m lang) und der »Visbeker Bräutigam« (100 m lang).

Visbreaking ['vısbreıkıŋ; Kw. aus engl. **Viscosity breaking** »Viskosebrechung«] *das, Chemie:* → Cracken.

Visby ['vi:sby:], Hptst. des schwed. VerwBez. (Län) Gotland an der W-Küste der Insel Gotland, 21 000 Ew.; Hafen- und Handelsplatz; bed. Fremdenverkehr; Museum (Funde aus Wikinger- und Hansezeit); Flugplatz. – Das zur Hanse gehörende V. verlor Ende des 13. Jh. seine Vorrangstellung im Ostseehandel an Lübeck; 1361 von den Dänen erobert und gebrandschatzt; 1398–1408 im Besitz des Dt. Ordens, später unter dän. Oberhoheit; kam 1645 an Schweden. Von seiner Blütezeit zeugen Stadtmauer (13. Jh., mit 44 Türmen), Dom St. Marien (1225 vollendet) sowie Kirchenruinen aus dem 11.–13. Jh. Die Altstadt gehört zum Weltkulturerbe (UNESCO).

Vischer [f-], Erzgießerfamilie in Nürnberg. Die von Hermann V. d. Ä. (begraben Nürnberg 13. 1. 1488) gegr. Gießhütte entwickelte sich zur bedeutendsten in Dtl. unter der Leitung seines Sohnes Peter V. d. Ä. (* Nürnberg um 1460, † ebd. 7. 1. 1529). Das Meisterwerk seiner Frühzeit ist das Grabmal des Erzbischofs Ernst von Sachsen im Magdeburger Dom (1494/95). Seit 1507 schuf er das Sebaldusgrab in St. Sebald in Nürnberg, für das er bereits 1488 einen ersten Entwurf gezeichnet hatte. Es wurde 1519 von seinen Söhnen vollendet. Für das → Maximiliansgrab in Innsbruck schuf er nach Entwurfszeichnungen von A. Dürer die Bronzestandbilder des Theoderich und des Artus (1513). Seit 1514 setzten seine Söhne sein künstler. Erbe im Sinn der von der Renaissance beeinflussten Generation fort: Hermann V. d. J. (* Nürnberg um 1486, † ebd. 1. 1. 1517), der v. a. Bronzegrabplatten schuf (für Krakau, → Römhild u. a.), Peter V. d. J. (* Nürnberg 1487, † ebd. 1528), von dem die figürl. Kleinplastik des Sebaldusgrabes, Statuetten und Plaketten stammen, und Hans V. (* Nürnberg um 1489, † Eichstätt 8. 9. 1550), dessen Hauptwerk das Doppelgrab der Kurfürsten Joachim und Johann Cicero (1530) im Berliner Dom ist. Weiteres BILD Epitaph

Friedrich Theodor von Vischer

Vischer [f-], Friedrich Theodor von (seit 1870), Schriftsteller und Philosoph, *Ludwigsburg 30. 6. 1807, †Gmunden 14. 9. 1887; wurde 1837 Prof. in Tübingen; 1848 liberaler Abg. der Frankfurter Nationalversammlung; einflussreicher krit. Publizist; baute als Philosoph und Ästhet auf der Philosophie Hegels auf; verfasste u. a. eine Parodie auf Goethes »Faust II« (»Auch Einer«, R., 2 Bde., 1879) sowie Gedichte. BILD S. 5

Luchino Visconti (1958)

Visconte [v-, italien.] *der,* →Vicomte.

Visconti [v-], lombard. Adelsfamilie, seit dem 11. Jh. bezeugt. Der Ghibelline Ottone (*1207, †1295), seit 1262 Erzbischof von Mailand, erlangte 1277 die Stadtherrschaft über Mailand. Giangaleazzo V. (*1351, †1402) dehnte seine Herrschaft über einen bed. Teil Oberitaliens aus (1395 Herzogstitel). Mit seinem Sohn Filippo Maria V. (*1392, †1447), dessen Erbtochter Bianca Maria 1441 Francesco →Sforza heiratete, erlosch die Hauptlinie.

Visconti [v-], Luchino, eigtl. V. di Modrone, italien. Film- und Theaterregisseur, *Mailand 2. 11. 1906, †Rom 17. 3. 1976; Vertreter des neorealist. Films, u. a. »Ossessione – Von Liebe besessen« (1942), »Die Erde bebt« (1948), »Rocco und seine Brüder« (1960). Von seinen späteren Werken sind v. a. »Der Leopard« (1963; nach G. Tomasi di Lampedusa), »Der Tod in Venedig« (1971; nach T. Mann), »Ludwig II.« (1972) sowie »Gewalt und Leidenschaft« (1974) in die Filmgeschichte eingegangen.

Weitere Werke: Der Fremde (1967; nach A. Camus); L'Innocente – Die Unschuld (1975; nach G. d'Annunzio).

Viscount ['vaɪkaʊnt, engl.] *der,* →Vicomte.

Visegrád ['viʃɛgra:d], Ort in Ungarn, am rechten Donauufer, nördlich von Budapest, 1900 Ew.; Ausflugs- und Erholungsort. – Frühmittelalterl. Burg V. (nach 1241 erneuert; 1323–50 Residenz der ungar. Könige; 1702 gesprengt). – Urspr. röm. Lagerstadt; seit dem 9./10. Jh. belegt. – 1335 V.er Kongress der Könige von Polen, Böhmen und Ungarn. – 1991 schlossen Ungarn, Polen und die ČSFR in V. ein Bündnis (→Visegrád-Gruppe).

Visegrád-Gruppe ['viʃɛgra:d-], Bez. für die am 15. 2. 1991 in Visegrád (Ungarn) begründete wirtsch. und polit. Kooperation zw. Polen, Ungarn und der Tschechoslowakei (seit 1993 Slowak. Rep. und Tschech. Rep.). Ziel der V.-G. ist die Koordination der wirtsch., militär. und polit. Einbeziehung der ehem. kommunist. Staaten Ostmitteleuropas in den europ. Integrationsprozess (EU, NATO). Im wirtsch. Bereich haben die Mitgliedsländer am 21. 12. 1992 in Krakau das **Central European Free Trade Agreement** (Abk. **CEFTA**) unterzeichnet (in Kraft seit 1. 3. 1993). Durch schrittweisen Abbau von Zöllen und nichttarifären Handelshemmnissen und in Anlehnung an die Bestimmungen in den Assoziierungsabkommen mit der EU und den Freihandelsabkommen mit der EFTA soll bis zum Jahr 2001 eine **Mitteleuropäische Freihandelszone (Zentraleuropäische Freihandelszone)** geschaffen werden; Slowenien wurde 1995, Rumänien 1997 und Bulgarien 1998 aufgenommen. Im März 1999 traten die Tschech. Rep., Ungarn und Polen der NATO bei.

Viseu [vi'zeuj], Hptst. des Distrikts V. in Portugal, Hauptort der Beira Alta, 20 600 Ew.; landwirtsch. Versuchsanstalt; Priesterseminar; Gießereien; Weinkellereien. – Festungsartige Kathedrale (12., 16. und 17. Jahrhundert).

Vishakhapatnam [vi'ʃɑ:-] (früher Visakhapatnam), Hafenstadt in Andhra Pradesh, Indien, 750 000 Ew.; Univ.; Schiffswerft, Erdölraffinerie, Kunstdüngerind., Nichteisenhüttenwerk; Ausfuhr von Mangan, Eisenerz u. a.; Marinestützpunkt.

Vishnu [v-, Sanskrit] (Wischnu), neben Brahma und Shiva einer der drei Hauptgötter des Hinduismus; gilt als Erhalter der Welt und Garant ihrer inneren Ordnung (Dharma); seine Gattin ist →Lakshmi. Im **Vishnuismus** wird er als oberster Gott (Weltenherr) in seinen zehn ird. Verkörperungen (Avataras) verehrt, deren bekannteste →Rama und →Krishna sind. Dargestellt wird V. meist mit vier Händen, in denen er seine Symbole Keule, Muschel, Wurfscheibe und Lotos trägt. Sein Reittier ist der myth. Vogel Garuda. Weiteres BILD Hinduismus

Vishnu

Vishnu als Eber

Einst versank die Erde in einem großen Ozean. Während Gott Brahma noch darüber nachdachte, wie dies geschehen konnte, tropfte ein kleiner Eber aus seiner Nase. Dieser entwickelte sich rasch zur Größe eines Elefanten, durchschritt den Himmel und zerteilte mit seinen Hufen die Wolken. Im unergründlichen Ozean entdeckte er die Erde und rettete sie, indem er sie auf die Spitzen seiner Hauer nahm. Die anderen Götter erkannten, dass kein anderer als Vishnu in seiner Ebergestalt dieses Wunder vollbracht hatte. (nach der »Bhagavata Purana«)

Vishnu: Bronzefigur Vishnus aus Pakistan, Höhe 48,5 cm (Anfang des 7. Jh. n. Chr.; Berlin, Museum für Indische Kunst)

Visier [v-, lat.] *das,* im MA. Gesichtsschutz am Helm der Ritterrüstung.

Visier|einrichtung [v-], mechan. und opt. Vorrichtung an Schusswaffen, mit deren Hilfe die Waffe auf das Ziel eingerichtet wird. Bei Handfeuer- und Maschinenwaffen besteht die V. aus →Kimme und →Korn. Die **Visierlinie** ist die geradlinige Verbindung von Auge, Kimme, Korn und Ziel. Als **Visierwinkel** wird der Winkel bezeichnet, den die Seelenachse (d.h. die gedachte Verlängerung) des Rohrs mit der Visierlinie bildet; er soll die Krümmung der Flugbahn ausgleichen. Neben der V. für Handfeuerwaffen gibt es versch. rechnergesteuerte Zieleinrichtungen, z.B. bei der Artillerie für das Schießen auf nicht direkt sichtbare Ziele, bei Panzern für das Schießen während der Fahrt. Zur Steuerung ferngelenkter Flugkörper werden spezielle optisch oder funktechnisch gesteuerte Geräte verwendet. Zieleinrichtung und V. werden (bei Bedarf) oft mit →Nachtsichtgeräten kombiniert. (→Zielfernrohr)

Vision [v-, lat.] *die,* Traumbild, prophet. Zukunftsbild, Erscheinung; als Wirklichkeit empfundene anschauliche Gesichtswahrnehmung, der kein empirisch fassbarer Gegenstand entspricht. V. treten häufig in ekstatisch-religiösen Zuständen auf und sind oft mit Prophezeiungen verbunden.

Visitation [v-, lat.] *die, Kirchenrecht:* der regelmäßige Besuch des Trägers der kirchl. Jurisdiktion in den Gemeinden seines Jurisdiktionsbezirks; als Mittel der kirchl. Aufsicht seit dem 4. Jh. bezeugt; erfolgt in der kath. Kirche mindestens alle fünf Jahre durch den Diözesanbischof, in den evang. Kirchen in regelmäßigen Abständen durch den Bischof, Superintendenten oder Propst.

Visite [v-, frz.] *die,* kurzer Besuch; Krankenbesuch des Arztes (im Krankenhaus).

Visko|elastizität [v-], verzögerte, aber mechanisch noch reversible Elastizität, die z.B. bei thermoplast. Kunststoffen auftritt.

Viskose [v-, lat.] *die* (bis 1976 Reyon), Kurzzeichen **CV,** →Chemiefaser, die nach einem besonderen Verfahren aus Cellulose hergestellt wird. Bei diesem **V.-Verfahren** werden die über Wasserstoffbrücken miteinander verbundenen Hydroxylgruppen der Cellulose zunächst durch Behandlung mit Natronlauge aktiviert. Die dabei entstehende Alkalicellulose wird nach einem Vorreifeprozess mit Schwefelkohlenstoff zu Cellulosexanthogenat umgesetzt und in Natronlauge zu einer zähflüssigen, honiggelben Spinnlösung **(V.-Lösung)** gelöst. Nach einer mehrtägigen Nachreife wird die Xanthogenatlösung in ein saures Salzbad (wässrige Lösung von Schwefelsäure, Natriumsulfat und Zinksulfat) versponnen. Dabei wird unter Zersetzung des Xanthogenats die Cellulose regeneriert **(Celluloseregeneratfaser).** Die Fasern werden verstreckt, gewaschen (entsäuert) und einer Nachbehandlung unterworfen. V. ähnelt in ihrem Verhalten der Baumwolle. Das V.-Verfahren dient auch zur Herstellung von →Zellglas.

Viskosität [v-] *die* (Zähigkeit), die innere Reibung in Gasen und Flüssigkeiten (→Strömungslehre). Im einfachsten Fall, der bei Gasen und newtonschen →Flüssigkeiten auftritt, ist die Schubspannung τ zwischen zwei laminar strömenden Schichten dem Geschwindigkeitsgefälle D senkrecht zur Strömungsrichtung proportional, $\tau = \eta D$. Für die Kraft, die notwendig ist, um zwei Platten der Fläche A im Abstand d mit der Geschwindigkeit v im viskosen Medium gegeneinander zu verschieben, gilt dabei: $F = \eta v \cdot A/d$ **(newtonsches Reibungsgesetz).** Der Proportionalitätsfaktor η heißt **dynam. V.,** auch **Koeffizient der inneren Reibung.** SI-Einheit ist Pascalsekunde (Pa · s); veraltete Einheiten sind das Poise (P) und das Engler-Grad (°E). Die **kinemat. V.** ist $\eta/\rho = \nu$ (ρ Dichte), ihre SI-Einheit m^2/s; veraltete Einheit ist das Stokes (St). Bei Gasen nimmt η mit

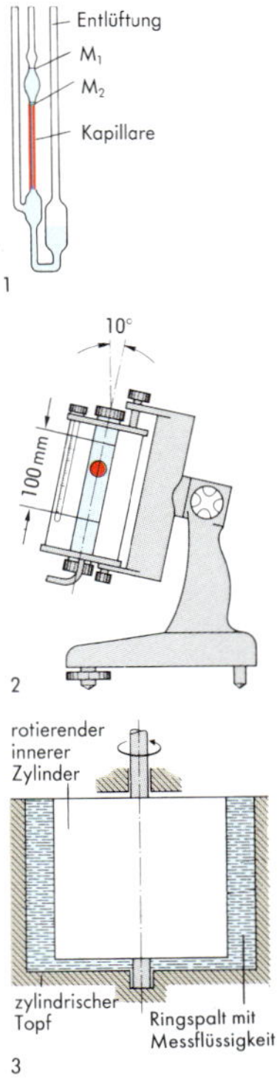

Viskosität: schematische Darstellung verschiedener Viskosimeter zur Bestimmung der Viskosität; 1 Kapillarviskosimeter, an den Eichmarken M_1 und M_2 wird der Durchgang des Flüssigkeitsmeniskus beobachtet, 2 Kugelfallviskosimeter mit einem um 10° geneigten Fallrohr und einer 100 mm langer Messstrecke zur Ermittlung der Falldauer der Kugel, 3 Rotationsviskosimeter (Schnittzeichnung)

Willem Visser't Hooft

der Temperatur zu, bei Flüssigkeiten ab. – Die V., bes. von Flüssigkeiten, wird mit **Viskosimetern** bestimmt, bei denen z. B. die Durchflusszeit einer bestimmten Flüssigkeitsmenge durch eine Düse oder Kapillare **(Kapillarviskosimeter),** die Fallzeit einer Kugel in der Messflüssigkeit (**Kugelfallviskosimeter; Höpplerviskosimeter** bei geneigter Fallbahn) oder ein durch die Flüssigkeit übertragenes Drehmoment **(Rotationsviskosimeter)** gemessen werden. Beim **Rotationsviskosimeter** wird das Drehmoment gemessen, das von einem mit konstanter Geschwindigkeit rotierenden Zylinder durch die im Zwischenraum befindl. Flüssigkeit auf einen zweiten, koaxialen Zylinder übertragen wird.

Visp [f-], Bezirkshauptort im Kanton Wallis, Schweiz, im Rhonetal, am Eingang ins Vispertal, 6100 Ew.; Wasserkraftwerk, chem. Industrie.

Vispertal [f-], von der Vispa durchflossenes Seitental der Rhone im Kt. Wallis, Schweiz, 40 km lang, teilt sich südlich von Visp in das östl. Saastal (bekannter Fremdenverkehrsort Saas Fee) und das Mattertal, in dessen Talschluss Zermatt liegt. Bei Visperterminen liegt in 700–1200 m ü. M. das höchstgelegene Rebgelände Europas.

Visselhövede [fɪsəlˈhøːvədə], Stadt im Landkreis Rotenburg (Wümme), Ndsachs., am W-Rand der Lüneburger Heide, 10600 Ew.; landwirtsch. Datenverarbeitungsanlage; Fremdenverkehr. – Seit 1450 Markt, seit 1938 Stadt.

Visser't Hooft ['visərt 'ho:ft], Willem Adolph, niederländ. evang. Theologe, *Haarlem 20. 9. 1900, †Genf 4. 7. 1985; 1948–66 Gen.-Sekr. des Ökumen. Rates der Kirchen; erhielt 1966 den Friedenspreis des Dt. Buchhandels.

visuell [v-, lat.], das Sehen betreffend.

Vitamine

Bis Ende des 19. Jahrhunderts wusste man nichts von der Existenz von Vitaminen. Den Grundstein für die Vitaminforschung legte der niederländische Hygieniker Christiaan Eijkman, als er erkannte, dass Beriberi, eine v. a. in Ostasien vorkommende Nervenkrankheit, darauf zurückzuführen ist, dass sich die Menschen dort von geschältem Reis ernähren. Die Schale, die nicht mitgegessen wird, musste also eine lebenswichtige Substanz enthalten. Er entdeckte 1897 das von ihm zunächst Antiberiberifaktor genannte Vitamin B1. Aufgrund des basischen Charakters des Vitamins B1 schlug der polnisch-amerikanische Biochemiker Casimir Funk für diesen Stoff den Begriff »Vitamin« vor. Sehr bald stellte sich jedoch heraus, dass es zahlreiche weitere Vitamine gibt, die meist keine Amine, sondern Neutralstoffe oder Säuren sind. Trotzdem wurde die Sammelbezeichnung Vitamine beibehalten. Bis etwa 1930 waren die wichtigsten Vitamine entdeckt. Zuletzt wurde 1948 das Vitamin B12 gefunden, dessen Struktur 1955 der britische Chemiker Alexander Todd aufklärte.

visuelle Kommunikation [v-], Kommunikation, bei der die Informationen über die opt. Wahrnehmung vermittelt werden, bes. über moderne Medien (Fernsehen, Video) oder Zeichen (Schrift, Bild, Gestik, Flaggensignale u. Ä.).

visuelles Gedicht [v-], Dichtung, bei der Textliches und Visuelles zusammenwirken, z. B. beim →Figurengedicht der Barockzeit; in radikaler Form tritt an die Stelle des zusammenhängenden Gedichttextes die räuml., Assoziationen anregende Konstellation von Buchstaben (Buchstabenbild), Worten oder Wortgruppen. (→experimentelle Dichtung)

DIE TRICHTER

Zwei Trichter wandeln durch die Nacht.
Durch ihres Rumpfs verengten Schacht
fließt weißes Mondlicht
still und heiter
auf ihren
Waldweg
u. s.
w.

visuelles Gedicht: Christian Morgenstern, »Die Trichter« (1904)

Visum [v-, lat.] *das,* der →Sichtvermerk.

viszeral [v-, lat.], *Anatomie:* die Eingeweide betreffend.

Vita [v-; lat. »Leben«] *die,* Lebensbeschreibung, Abriss der Lebensdaten (Curriculum Vitae); galt in der Antike Philosophen und Schriftstellern, dann u. a. auch Staatsmännern und Kaisern; nach dem antiken Schema entwickelte das MA. die Fürsten- sowie die Heiligen- und Märtyrervita.

Vitali [v-], **1)** Filippo, italien. Komponist, *Florenz um 1590, †ebd. 1653; wirkte u. a. als Kapellmeister in Florenz (seit 1642); früher Vertreter der Monodie; komponierte v. a. weltl. (Madrigale, Arien) und geistl. Vokalwerke.

2) Giovanni Battista, italien. Komponist, *Bologna 18. 2. 1632, †Modena 12. 10. 1692; einer der bedeutendsten Meister der Sonatenkomposition vor A. Corelli; schrieb außerdem Tanzsammlungen und v. a. geistl. Vokalmusik.

Vitalienbrüder [v-] (Liekedeler), mittelalterl. Freibeuter der Nord- und Ostsee; versorgten als Helfer des schwed. Königs Albrecht von Mecklenburg das 1389–92 von Königin Margarete von Dänemark belagerte Stockholm mit Lebensmitteln (Vitalien), kaperten danach auf eigene Faust v. a. Hanseschiffe in der Nordsee. 1398 wurden sie vom Dt. Orden von ihren Stützpunkten auf Gotland vertrieben, 1401 von der Hanse besiegt. Ihre Führer Klaus Störtebeker und Godeke Michels wurden 1402 in Hamburg hingerichtet.

Vitalismus [v-; zu lat. vita »Leben«] *der,* die philosoph. Lehre, dass die Lebensvorgänge anderen

Gesetzmäßigkeiten folgen als die kausalmechanisch ablaufenden leblosen Naturvorgänge und dass für sie ein eigenes, immaterielles, zweckursächl. Prinzip angenommen werden müsse (vis vitalis, »Lebenskraft«), das sich dem wiss. Nachweis entzieht; Ggs.: Mechanismus. – Der V. wurde schon in der Antike vertreten (Aristoteles) und lebte im 17. und 18. Jh. in Gegnerschaft zum kartesian. Rationalismus wieder auf (J. B. van Helmont, C. Wolff). Der **Neo-V.** (19./20. Jh.; E. von Hartmann, H. Driesch, J. Reinke, J. von Uexküll) hob die Zweckhaftigkeit des Organischen gegenüber dem Anorganischen hervor und ging dabei von der Wirkung einer Entelechie aus, der **Psycho-V.** (E. Becher) von einem überindividuellen, psych. Prinzip.

Vitalität [v-, lat.-frz.] *die,* die genetisch und von Umwelterscheinungen beeinflusste Lebenskraft (Lebensfähigkeit) eines Organismus oder einer Population; äußert sich in Anpassungsfähigkeit an die Umwelt, Widerstandskraft gegen Krankheiten, körperl. und geistiger Leistungsfähigkeit sowie Fortpflanzungsfähigkeit.

Vitalkapazität [v-], → Atmung.

Vitamine [v-; Kw. aus lat. vita und Amine], zusammenfassende Bez. für eine Gruppe von chemisch sehr unterschiedl., v. a. von Pflanzen und Bakterien synthetisierten Substanzen, die für den Stoffwechsel der meisten Tiere und des Menschen unentbehrlich (essenziell) sind, die aber vom tier. und menschl. Organismus nicht synthetisiert werden können und daher ständig mit der Nahrung zugeführt werden müssen. Einige V. können vom tier. Organismus aus bestimmten biolog. Vorstufen, den **Pro-V.**, in einem letzten Syntheseschritt hergestellt werden, z. B. die V. A_1 und A_2 aus β-Carotin. V.-Mangel führt zu den Krankheitserscheinungen der Hypo- und Avitaminosen, die durch V.-Gabe beseitigt werden können. Bei einigen V. (A und D) führt übermäßige Aufnahme ebenfalls zu Stoffwechselstörungen (Hypervitaminosen). Die V. werden üblicherweise mit einem Buchstaben und/oder einem Trivialnamen bezeichnet und nach ihrer Löslichkeit in die Gruppen der **fettlösl.** (Vitamine A, D, E, K; ihre Resorption hängt von der Funktionstüchtigkeit der Fette ab) und der **wasserlösl. V.** (Vitamine der B-Gruppe, Vitamin C) eingeteilt. Daneben werden häufig auch essenzielle Nahrungsbestandteile zu den V. gerechnet, u. a. das wasserlösl. **Vitamin P** (Rutin) sowie die oft als **Vitamin F** zusammengefassten ungesättigten Fettsäuren.

Fettlösliche V.: **Vitamin A, Retinol,** die biolog. Vorstufe (Pro-V.) sind Carotine; Vitamin A kommt in Lebertran, Leber, Milch, Butter, Eigelb vor. Das Aldehyd des Vitamin A ist Retinal, das mit Opsin den Sehfarbstoff Rhodopsin bildet; Mangel führt zu Nachtblindheit und Verhornung der Epithelien des Auges. Tagesbedarf: 1,6 mg. – **Vitamin-D-Gruppe, Calciferole,** den Steroiden nahe stehend (D_2 und D_3). D_2 und D_3 bilden sich aus versch. Vorstufen durch UV-Bestrahlung; Vorkommen in Hefe und Lebertran; notwendig für die Skelettentwicklung, bes. den Phosphat- und Calciumstoffwechsel; Mangel führt zu rachit. Skelettveränderungen; Tagesbedarf: 0,01–0,025 mg. – **Vitamin E, Tocopherol,** kommt in Weizenkeimöl, Baumwollsamenöl, Erbsen, Brunnenkresse und Erdnuss vor; hat einen antioxidativen Effekt und schützt so wohl die Zellmembranen; Mangel bewirkt bei manchen Tieren Muskelrückbildung, Frühgeburten, Fehlgeburten (beim Menschen Mangelerscheinungen nicht sicher nachgewiesen); Tagesbedarf: 15–20 mg. – **Vitamin K,** kommt als K_1 **(Phyllochinon)** in Spinat, Kohl, Brennnesseln, Tomaten, Hagebutten und Leber, als K_2 **(Menachinon)** in Darmbakterien und grünen Pflanzen vor; wichtig zur Bildung von Blutgerinnungsfaktoren, v. a. von Prothrombin; Mangel führt zu Blutungsneigungen durch Gerinnungsstörungen. Der Tagesbedarf wird weitgehend durch die normale Darmflora gedeckt.

Wasserlösliche V.: **Vitamin B_1, Thiamin (Aneurin),** kommt bes. in Hefe, Getreidekeimen, Ei und Leber vor; als Coenzym unentbehrlich für die Funktion des Nervensystems; greift vor allem in den Abbau der Kohlenhydrate ein; Mangel führt zu → Beriberi; Tagesbedarf: 1,5 mg. – **Vitamin B_2, Riboflavin,** in Molke, Hefe, Leber, Niere, Eigelb und grünen Pflanzen enthalten; als Baustein von Flavinadenindinucleotid (FAD) und Flavinmononucleotid (FMN) Wasserstoffüberträger u. a. im Zitronensäurezyklus (nur FAD) und der Atmungskette; Mangelerscheinungen sind Schädigungen der Gewebsatmung, Wachstumsstillstand, Entzündungen der Haut, Schleimhäute und Lippen sowie Magen-Darm-Erkrankungen; Tagesbedarf: 1,4–2 mg. – **Pantothensäure,** enthalten in Hefe, Getreidekeimen, Leber, Eigelb, Knollen, Wurzeln und Milch; ist Coenzymbestandteil und wichtig für den normalen Zellenaufbau; Tagesbedarf: 10 mg. – **Folsäure,** kommt in Blattgemüse sowie in Leber und Hefen vor; Vorstufe des Coenzyms Tetrahydrofolat, das Einkohlenstoffkörper (C_1) überträgt; Mangelerscheinungen sind Blutbildungsstörungen sowie Haut- und Schleimhautveränderungen; Tagesbedarf: 0,4 mg. – **Nicotinsäureamid, Nicotinamid,** kommt in Hefe, Weizen, Gemüse, Leber, Niere, Muskeln und Milch vor; Enzymbaustein im Abbaustoffwechsel; bei Mangel kann → Pellagra auftreten; Tagesbedarf: 20 mg. – **Vitamin B_6, Pyridoxol-Gruppe,** greift als Coenzym in den Aminosäurestoffwechsel ein; Mangelerscheinung sind Hautveränderungen; Tagesbedarf: 2 mg. – **Vitamin H, Biotin,** kommt in Hefe, Leber, Hirn,

Vitamine: Mikroaufnahmen verschiedener Vitamine in kristalliner Form; Vitamin A in 800facher Vergrößerung, Vitamin B_{12} in 170facher Vergrößerung und Vitamin C in 440facher Vergrößerung (von oben)

Molke, Eigelb und Maische vor; Coenzym von an Carboxylierungsreaktionen beteiligten Enzymen (z.B. Acetyl-CoA im Zitronensäurezyklus); Mangelfolgen: Ekzeme, Haut- und Schleimhautentzündungen, Blutveränderungen; Tagesbedarf: 0,1 mg. – **Vitamin B_{12}, Cobalamin,** chemisch dem Häm verwandt, jedoch kobalthaltig; kommt in Leber, Muskeln, Eigelb und Käse vor, wird von Darmbakterien gebildet; unentbehrlich bei der Entwicklung und Reifung der roten Blutkörperchen; Mangel führt zur perniziösen Anämie; als V. der normalen Blutbildung liegt der Tagesbedarf bei 0,003 mg. – **Vitamin C, Ascorbinsäure,** kommt in Früchten (bes. Zitronen), Kartoffeln, grünen Pflanzen, Milch und Leber vor; spielt eine wichtige Rolle bei Hydroxylierungen, bei der Aufnahme und Speicherung von Eisen sowie bei der Bildung bestimmter Steroidhormone in der Nebennierenrinde; Mangel verursacht Skorbut, Blutungsneigung (z.B. in Haut, Zahnfleisch) und Infektanfälligkeit; Tagesbedarf: 100 mg. – V. sind in den meisten Nahrungsmitteln, insbesondere in frischem Gemüse, Milch, Butter, Eidotter, Leber, Fleisch und Getreide, in ausreichender Menge enthalten, sodass bei einer ausgewogenen Ernährung keine V.-Mangelerkrankungen auftreten.

Aulus Vitellius, römischer Kaiser (Porträt auf einer römischen Münze, 69 n. Chr.)

📖 RAIDA, M.: *Kursbuch der V. Gesundheit nach Maß. Tests, Tabellen, Rezepte. Kreuzlingen u. a.* ^{2}*1996.* – *V. Physiologie, Pathophysiologie, Therapie, hg. v.* H. K. BIESALSKI *u. a. Stuttgart u. a. 1997.*

Vitellius [v-], Aulus, röm. Kaiser, *7. 9. 12 n. Chr., †Rom 20. 12. 69; befehligte seit 68 die niedergerman. Legionen, die ihn 69 gegen Galba zum Kaiser ausriefen; er besiegte dessen Nachfolger Otho bei Betriacum, unterlag dann jedoch Vespasian.

Viterbo [v-], **1)** Provinz in Latium, Italien, 3 612 km^2, (1995) 288 300 Einwohner.

2) Hauptstadt von 1), zw. Bolsena- und Vicosee, 60 300 Ew.; keram., Papier-, Nahrungsmittelind.; Fremdenverkehr. – Mittelalterliche Stadtmauer, Papstpalast (seit dem 15. Jh. Bischofssitz; 1257–66), Dom (12. Jh., Fassade um 1570) mit got. Glockenturm, Kirchen San Sisto (9. und 12. Jh.) und Santa Maria della Verità (12. Jh., heute Museum), gut erhaltenes mittelalterl. Pilgerviertel; am Stadtrand Santa Maria della Quercia (1470–1525). – V. geht wahrscheinlich auf die röm. Kolonie **Vicus Elbii** zurück. Durch die Pippinsche Schenkung kam es an den Kirchenstaat, stand im 14. Jh. als Signoria der Gatti und Vico in erbittertem Gegensatz zu Rom; 1435 endgültig dem Kirchenstaat einverleibt.

Vitiligo [v-, lat.] *die,* scharf begrenzte, weiße, pigmentfreie Flecken der Haut; hervorgerufen durch Melaninmangel unbekannter Ursache.

Vitium [v-, lat.] *das,* organ. Fehler, Fehlbildung, bes. **Vitium cordis,** der →Herzfehler.

Vitoria [bi-] (bask. Gasteiz, amtl. V.-Gasteiz), Stadt in N-Spanien, Hptst. der Prov. Álava und der Region Baskenland, 209 500 Ew.; Museen; Maschinen-, Landmaschinenbau, Metall-, Autoreifen-, Elektro-, Nahrungsmittel-, Möbelind., Spielkartenfabrik; Viehauktionen. – Gotische Kathedrale Santa María (14. Jahrhundert).

Vitoria [bi-], Francisco de, span. kath. Theologe, *Vitoria (Burgos?) um 1485, †Salamanca 12. 8. 1546; Dominikaner, Prof. in Valladolid und Salamanca; leitete mit der Erneuerung des Thomismus eine Wende in der span. Scholastik ein (Schule von Salamanca); legte mit dem von ihm erstmals entwickelten Gedanken von der Welt als einer durch gegenseitige Rechtsbeziehungen definierten Völkergemeinschaft die theoret. Grundlagen für die Entwicklung des Völkerrechts.

Vitória [v-], Hauptstadt des Staates Espírito Santo, Brasilien, auf der Insel V.; 258 200 Ew.; Erzbischofssitz; Univ.; Textil-, Zucker- u. a. Ind.; nahebei der Exporthafen →Tubarão für die Eisenerze des →Eisernen Vierecks.

Vitrac [viˈtrak], Roger, frz. Schriftsteller, *Pinsac (Dép. Lot) 17. 11. 1899, †Paris 22. 1. 1952; Surrealist, gründete 1926 zus. mit A. Artaud das »Théâtre Alfred Jarry«; schrieb sketchartige groteske Farcen (»Victor oder die Kinder an der Macht«, 1930).

Vitrine [v-, frz.] *die,* seit dem 18. Jh. Schauschrank mit verglastem Oberteil zur Aufbewahrung und Ausstellung wertvoller Gegenstände.

Vitriol [v-, lat.] *das,* ältere Bez. für wasserlösl. Sulfate zweiwertiger Schwermetalle, die mit sieben, seltener mit fünf Molekülen Kristallwasser kristallisieren und häufig kräftig gefärbt sind. Beispiele sind das grüne Eisen-V., $FeSO_4 \cdot 7 H_2O$, und das tiefblaue Kupfer-V., $CuSO_4 \cdot 5 H_2O$.

Vitrit [v-; zu lat. vitrum »Glas«] *der,* Gefügebestandteil der →Steinkohle.

Vitruv [v-] (Vitruvius Pollio), röm. Baumeister und Ingenieur, *um 84 v. Chr., †nach 27 v. Chr. Sein Werk »De architectura libri decem« (zehn Bücher über Architektur), das er in Anlehnung an grch. Lehrmeinungen verfasste und wohl nach 27 v. Chr. abschloss, ist das einzige aus der Antike erhaltene architekturtheoret. Werk. Es gewann als Lehrbuch für Künstler und Architekten späterer Zeiten (bes. der Renaissance) Bedeutung.

Vitry [viˈtri], Philippe de, frz. Musiktheoretiker und Komponist, *Paris 31. 10. 1291, †ebd. 9. 6. 1361; war mit F. Petrarca befreundet. Sein Traktat »Ars nova« (um 1320), der der gleichnamigen Epoche ihren Namen gab (→Ars nova), war von großer Bedeutung für die Entwicklung der Notenschrift; komponierte Motetten.

Vitry-sur-Seine [vitrisyrˈsɛn], Stadt südöstlich von Paris im Dép. Val-de-Marne, Frankreich,

82800 Ew.; Forschungszentrum für Metallurgie, Metall- (u.a. Maschinenbau), chem. Ind.; Großkraftwerk.

Vittel [v-], Stadt im Dép. Vosges, Frankreich, westlich von Épinal, 6300 Ew.; Heilbad mit vier kalten Mineralquellen; Mineralwasserabfüllung; Spielkasino; Golf- und Polosportzentrum.

Antonio Vivaldi: Ausschnitt eines Kupferstichs (1725)

Vittoria [v-], Stadt in SO-Sizilien, Prov. Ragusa, Italien, 57700 Ew. – Museum; Kunststoff- und Metallverarbeitung, Zementherstellung, Nahrungsmittelind.; größter Weinmarkt von Sizilien. – Im Ortskern ist die planmäßige barocke Stadtanlage des frühen 17. Jh. erhalten.

Vittorini [v-], Elio, italien. Schriftsteller, *Syrakus 23. 7. 1908, †Mailand 13. 2. 1966; Journalist, Mitgl. der Widerstandsbewegung und der KP (bis 1951); wurde unter dem Einfluss amerikanischer Autoren, die er übersetzte (u.a. E. Hemingway, W. Faulkner), einer der Mitbegründer des italien. Neorealismus; schrieb Romane (»Tränen im Wein«, auch u.d.T. »Gespräch in Sizilien«, 1941; »Die rote Nelke«, 1948; »Die Frauen von Messina«, 1949), Erzählungen (»Die Garibaldina«, 1955) und »Offenes Tagebuch« (1957).

Vittorio Veneto [v- v-], Stadt in Venetien, Prov. Treviso, Italien, nördlich von Venedig, 29200 Ew.; Textilind., Metallverarbeitung. – Dom Santa Maria Assunta (18. Jh., Campanile 13. Jh.), Castello di San Martino (v.a. 16./17. Jh.), Dom Santa Maria Nuova (im späten 18. Jh. umgebaut), Loggia Serravallese (1462 ff., ehem. Rathaus, heute Museum). – Bei V. V. fand vom 24. 10. bis 3. 11. 1918 die letzte Schlacht im 1. Weltkrieg an der Alpenfront statt, die mit einer österr. Niederlage endete.

Vitus [v-] (dt. Veit), nach der Legende Märtyrer unter Kaiser Diokletian, *Sizilien (?), †um 305 (?); einer der 14 →Nothelfer; Schutzpatron gegen bestimmte Nervenkrankheiten (→Veitstanz); Heiliger, Tag: 15. 6.

Vitznau [f-], Kurort im Kt. Luzern, Schweiz, am Vierwaldstätter See, 1000 Ew.; Zahnradbahn auf die Rigi.

vivace [viˈvaːtʃe, italien.], musikal. Vortragsbezeichnung: lebhaft, schnell; **v. assai, vivacissimo,** sehr lebhaft.

Vivaldi [v-], Antonio, italien. Komponist und Violinist, *Venedig 4. 3. 1678, †Wien 28. 7. 1741; 1703 zum Priester geweiht; im gleichen Jahr Violinlehrer und Dirigent am Konservatorium »Ospedale della Pietà« in Venedig (mit Unterbrechungen bis 1740). V., einer der bedeutendsten Violinisten seiner Zeit, trug wesentlich zur Entwicklung und Ausbreitung der Solokonzertform (→Konzert) bei. Sein Werk wurde erst ab 1926 durch einen bed. Handschriftenfund erschlossen. Bekannt sind etwa 770 Werke, davon 46 Opern (21 erhalten; u.a. »Orlando furioso«, 1727; »Griselda«, 1735), drei Oratorien (u.a. »Juditha triumphans«, 1716), 344 Solokonzerte (u.a. zwölf Violinkonzerte »Il cimento dell'armonia e dell'inventione« op. 8, 1725, darin die sog. »Vier Jahreszeiten«), 81 Konzerte mit zwei oder mehr Soloinstrumenten, 61 Sinfonien und Ripienokonzerte, 23 Kammerkonzerte, 93 Sonaten und Trios sowie viele weltl. und geistl. Vokalwerke.

📖 STEGEMANN, M.: *A. V. Reinbek 1996.*

Elio Vittorini

Vivarini [v-], italien. Künstlerfamilie des 15. Jh. in Venedig, Hauptvertreter der Schule von Murano, durch die sich die venezian. Malerei vom byzantin. Schematismus löste; bekannt für eine große Produktion von Altartafeln; bed. Vertreter sind Antonio da Murano, gen. V. (*um 1415, †zw. 1476 und 1484), sein Bruder Bartolomeo V. (*um 1432, †um 1499) und sein Sohn Alvise V. (*um 1445, †zw. 1503 und 1505).

Vivarium [v-, lat.] *das,* Anlage zur Pflege (meist wechselwarmer) lebender Kleintiere in Aquarien und Terrarien.

vivat [v-, lat.], Ausruf: (er, sie) es lebe hoch!

Juan Luis Vives (Ausschnitt eines zeitgenössischen Kupferstichs)

Vives [ˈbiβes], Juan Luis, span. Humanist, Philosoph und Pädagoge, *Valencia 6. 3. 1492, †Brügge 6. 5. 1540; bekämpfte die Scholastik, trat für eine auf Erfahrung gegründete Naturwiss. ein; begründete die empir. Psychologie.

Vivianit [v-, lat.] *der* (Blaueisenerz), monoklines Mineral der chemischen Zusammensetzung $Fe_3(PO_4)_2 \cdot 8\,H_2O$; die Kristalle sind langsäulig; kommt vorwiegend in strahlig-faserigen Aggregaten (Rosetten, Kugeln) oder erdig (Blaueisenerde) vor. Der farblose V. wird an der Luft durch Oxidation von zwei- zu dreiwertigem Eisen blau.

Vivianit: radialstrahlige Aggregate, aufgewachsen auf Brauneisen

Vivin [viˈvɛ̃], Louis, frz. Maler, *Hadol (Dép. Vosges) 27. 7. 1861, †Paris 28. 5. 1936; Vertreter der naiven Malerei, schuf v.a. poet. Pariser Stadtansichten mit fein gezeichneten Details.

vivipar [v-, lat.], →lebend gebärend.

Vivisektion [v-, lat.], zoolog. und medizin. Forschungszwecken (v.a. Erprobung neuer Operationstechniken) dienender Eingriff am lebenden, meist narkotisierten (oder örtlich betäubten) Tier.

Vix: Der griechische Volutenkrater aus Bronze mit Relieffries stammt aus der 2. Hälfte des 6. Jh. v. Chr. (Châtillon-sur-Seine, Musée Archéologique)

V. unterliegen den Bestimmungen des Tierschutzgesetzes.

Vix [viks], Dorf im Dép. Côte d'Or, Frankreich; Fundstelle eines frühkelt. Fürstengrabes (Ende 6. Jh. v. Chr.), in dem eine Frau mit goldenem Diadem und reichen Beigaben (u.a. grch. Bronzekrater, bronzener Mischkessel) bestattet war.

Gerald Vizenor

Vizcaya [span. biθ'kaja], **1)** span. Name der →Biscaya.

2) Provinz in der Region Baskenland, Spanien, 2217 km², (1991) 1,155 Mio. Ew.; Hptst. ist Bilbao.

Vize... [f-; lat. vice »anstelle von«], Wortbildungselement mit der Bedeutung: stellvertretend (z.B. Vizepräsident) oder Zweithöchster (im Rang), z.B. Vizemeister.

Vizenor ['vaɪzənə], Gerald, amerikan. Schriftsteller, *Minneapolis (Minn.) 22. 10. 1934; Angehöriger des Ojibwastammes; Prof. für American Indian Studies an der University of Minnesota; schreibt Prosa und Gedichte, die Themen indian. Kultur aufgreifen (»Poems born in the wind«, Ged. 1960; »The heirs of Columbus«, R., 1991); auch Literaturkritiker und Herausgeber von Anthologien indian. Literatur.

Vix

In Vix wurde 1953 am Fuß des Mont Lassois das Grab einer keltischen Fürstin entdeckt. Die quadratische Grabkammer mit einer Seitenlänge von 3 m enthielt einen 480 Gramm schweren, aufwendig verzierten Halsring aus Gold, einen Prunkwagen mit Bronzezierbeschlägen, griechische Tonschalen und etruskische Bronzegefäße. Ein griechischer Volutenkrater aus Bronze mit einem Volumen von rund 1200 Litern und 1,64 m Höhe ist das größte erhaltene Bronzegefäß der Antike.

Die wohl kurz nach 500 v. Chr. bestattete 30- bis 40-jährige Frau war Angehörige der auf dem Mont Lassois residierenden frühkeltischen Aristokratie und hatte vermutlich priesterliche Aufgaben inne. Der außerordentliche Reichtum ihres Grabes kann wahrscheinlich auf den Zinnhandel mit Südengland zurückgeführt werden, denn das Zinn wurde auf der Seine transportiert, die nur bis Vix schiffbar war. Die keltischen Fürsten kontrollierten zudem den Flussübergang, weshalb es sich bei der im Grab gefundenen riesigen Vase um ein »diplomatisches Geschenk« handeln könnte.

Vịztum (Vitztum) [f-; lat. vicedominus »Statthalter«] *der,* seit dem MA. Verwalter von fürstl. Besitz, Regierungsbeamter.

VKSE, Abk. für →**V**erhandlungen über **k**onventionelle **S**treitkräfte in **E**uropa (→KSE-Vertrag).

VLA [Abk. für engl. **v**ery **l**arge **a**rray], →Radioteleskop.

Vlaanderen ['vlaːndərə], flämischer Name für →Flandern.

Vlaardingen ['vlaːrdɪŋə], Stadt in der niederländ. Prov. Südholland, an der Nieuwe Maas, 73800 Ew.; Niederländ. Seefischereimuseum; Teil des Ind.gebiets Rotterdam-Europoort.

Vlad III. Țepeș ['vlad- 'tsepeʃ], Fürst (Hospodar) der Walachei (1448, 1456–62, 1476/77), *Schäßburg (?) um 1430, †(ermordet) bei Bukarest Dez. 1476/Jan. 1477; Sohn des Fürsten Vlad Dracul (*um 1400, †1447), daher auch Draculea oder →Dracula (»Sohn des Dracul«) genannt; kämpfte zeitweise erfolgreich gegen die Osmanen; berüchtigt wegen seiner Grausamkeit (Vlad der Pfähler) gegenüber seinen Feinden.

Vlạdislav [v-], König von Böhmen, →Wladislaw (Herrscher).

Vlaminck [vla'mɛ̃k], Maurice de, frz. Maler, *Paris 4. 4. 1876, †Rueil-la-Gadelière (Dép. Eure-et-Loir) 11. 10. 1958; begann als Autodidakt und kam durch A. Derain zur Gruppe der →Fauves. V. malte, ausgehend von V. van Gogh, später von P. Cézanne beeinflusst, v.a. Landschaften und Stillleben, die Ausdruck ungebändigter Vitalität sind. Weiteres BILD Fauves

VLB-Interferometrie, Abk. **VLBI** (engl. **v**ery **l**ong **b**aseline **i**nterferometry), Verfahren der Radioastronomie (→Radioteleskop).

V-Leute, Personen (Verbindungs-, Vertrauensleute), die keiner Strafverfolgungsbehörde angehören, aber bereit sind, diese zur Verhinderung und Aufklärung von Straftaten auf längere Zeit vertraulich zu unterstützen. Ihre Identität wird grundsätzlich geheim gehalten, ist im Strafverfahren aber zu enthüllen, wenn ihre Erkenntnisse verwertet werden sollen. (→verdeckter Ermittler)

Vlieland [v-], eine der Westfries. Inseln, Niederlande, 34 km², 1000 Ew.; Fremdenverkehr; Vogelschutzgebiet.

Vlies [f-, niederländ.] *das,* **1)** *grch. Mythos:* →Goldenes Vlies.

2) *Ordenswesen:* →Goldenes Vlies.

3) *Schafhaltung:* zusammenhängende Masse der abgeschorenen Wollhaare des Schafes.

Vliesstoff [f-], ein Textilverbundstoff, der durch Verfestigung von Spinnvliesen hergestellt wird.

Die Verfestigung geschieht mechanisch (z.B. Nadelfilz) oder chemisch, z.B. durch Verkleben, Verschweißen.

Vlissingen ['vlɪsɪŋə], Stadt in der Prov. Seeland, Niederlande, an der S-Küste von Walcheren, 44200 Ew.; Höhere Seefahrtschule; Handels- und Fischereihafen; Schiffswerft, Maschinen- und Motorenbau, Fischverarbeitung, chem. Ind., Erdölraffinerie. Seebad mit altem Stadtkern.

Vlk [v-], Miloslav, tschech. kath. Theologe, *Lišnice 17. 5. 1932; seit 1991 Erzbischof von Prag und Primas der kath. Kirche in der Tschech. Rep.; seit 1993 Präs. des Rates der Europ. Bischofskonferenzen (CCCE).

Vlorë ['vlorə] (italien. Valona), Hafenstadt im S von Albanien, 73800 Ew.; histor. Museum; Konservenherstellung, Leder-, Textil-, Zementindustrie. – Bed. die Muradiye (urspr. byzantin. Kreuzkuppelkirche, von Murad II. zur Moschee umgebaut). – V. entstand bei dem antiken **Aulon,** gehörte seit dem 4. Jh. meist zum Byzantin. Reich, 1337–1414 zu Serbien (ab 1371 eigenes Despotat), danach türkisch. 1912 Sitz der provisor. Regierung (Ausrufung der alban. Unabhängigkeit); 1914–20 und 1939–43 von Italien besetzt.

Vlotho [f-], Stadt im Kr. Herford, NRW, an der Weser, 20600 Ew.; Kunststoffwaren-, Möbel-, Textilind., Maschinen- und Fahrzeugbau; Luftkurort (Moor- und Schwefelbäder). – Stephanskirche (13. Jh.), Kirche des ehem. Zisterzienserklosters (1258–1560, 1659/60 erweitert), Fachwerkhäuser (16.–19. Jh.), Reste einer Burg (12. Jh.). – 1185 erstmals erwähnt, Anfang des 13. Jh. Stadt.

VLT [Abk. für engl. **v**ery **l**arge **t**elescope], von der Europ. Südsternwarte geplantes Großteleskop, das bis 2001 auf dem Cerro Paranal (2664 m ü. M.) in Chile entsteht. Das VLT wird aus vier 8,2-m-Spiegelteleskopen bestehen, die in jeder mögl. Kombination, also auch einzeln, betrieben werden können. Das erste Teleskop wurde im Mai 1998 in Betrieb genommen. Das Gesamtsystem entspricht der Auffangfläche eines 16-m-Teleskops und wird (wie auch das →NTT) auf der Basis →adaptiver Optik arbeiten. Durch Kopplung zweier oder mehrerer Teleskope kann das VLT als Interferometer betrieben werden, dessen Auflösung durch die Gesamtausdehnung der Anlage (>100 m) bestimmt wird. (→Spiegelteleskop)

Vltava ['v-], Nebenfluss der Elbe, →Moldau.

V-Mann, kurz für Vertrauens-, Verbindungsmann (Polizei, Geheimdienst).

VMOS-Technologie [VMOS, Abk. für engl. **v**ertical **m**etal **o**xide **s**emiconductor], weiterentwickelte MOS-Technik zur Herstellung von Feldeffekttransistoren. Der wesentl. Unterschied zu herkömml. →MOSFET liegt darin, dass der wirksame Strompfad (Kanal) nicht mehr in horizontaler Lage zw. den Elektroden Source und Drain liegt, sondern aufgrund der modifizierten Geometrie vertikal gerichtet ist. Der v-förmige Einschnitt teilt den Kanal in zwei kurze Strecken, wodurch kürzere Schaltzeiten und eine höhere Grenzfrequenz erreichbar sind.

Maurice de Vlaminck »Landschaft mit roten Bäumen« (1906; Paris, Musée Nationale d'Art Moderne)

V-Motor, →Verbrennungsmotor.

VOB, Abk. für **V**erdingungs**o**rdnung für **B**auleistungen, →Verdingung.

Voce ['vo:tʃe, italien.] *die, Musik:* Stimme; **V. alta,** hohe (auch laute) Stimme; **V. bassa,** tiefe (auch leise) Stimme. (→mezza voce, →sotto voce)

Vocke [f-], Wilhelm, Bankfachmann, *Aufhausen (heute zu Forheim, Landkr. Donau-Ries) 9. 2. 1886, †Frankfurt am Main 19. 9. 1973; Jurist, 1919–39 Mitglied des Reichsbankdirektoriums, 1948–57 Präs. des Direktoriums der Bank dt. Länder; war maßgeblich an der Neuordnung der Währung in der Bundesrep. Dtl. beteiligt.

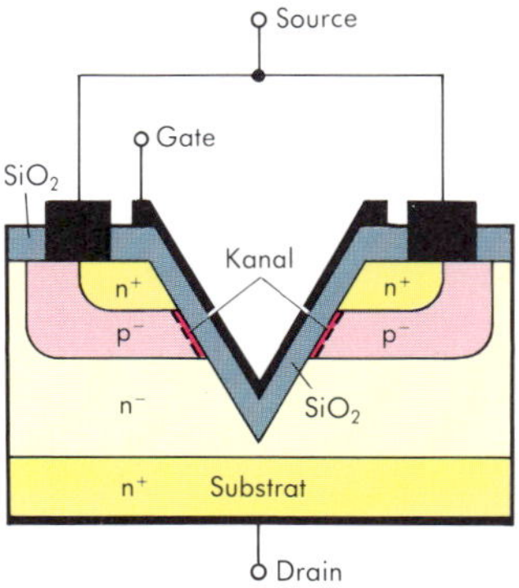

VMOS-Technologie: schematische Darstellung eines VMOS-Feldeffekttransistors; n, p bedeuten n-leitende bzw. p-leitende Zone, das Pluszeichen steht für starke Dotierung; der Stromkanal verläuft nahezu senkrecht zu den Schichten

Bernhard Vogel

Hans-Jochen Vogel

Hermann Carl Vogel

Vöcklabruck [f-], Bezirkshauptstadt in Oberösterreich, nördlich des Attersees, 11200 Ew.; Heimatmuseum im ehem. Benefiziatenhaus (15. Jh.); Waagen- und Maschinenbau, Textil- u. a. Ind., Metallgießerei. – Pfarrkirche St. Ullrich (14./15. Jh.), St. Ägidiuskirche (1688 vollendet). – 1134 erstmals erwähnt, seit 1453 Stadt.

Vocoder [engl. 'vəʊkəʊdə; Kw. von engl. **vo**ice **coder**], Gerät zur Sprachefrequenzkompression (Verminderung der Bandbreite auf ein Viertel und weniger) und künstl. Erzeugung von Sprache; bestehend aus einem Analyseteil **(Coder),** der nur wenige für die Spracherkennung wesentl. Parameter aus dem zu übertragenden Sprachsignal extrahiert, und dem **Voder** (Sprachgenerator), der ein dem ursprüngl. Sprachsignal ähnl. Sprachsignal synthetisch erzeugt. Der erste Kanal-V. wurde in den 1930er-Jahren in den USA entwickelt. Heute werden sie z. B. zum Telefonieren zw. Raumschiffen, für den Sprechverkehr zw. Datenverarbeitungsanlagen, für Sprachverfremdung, zur abhörsicheren Übertragung und für Computeransagen verwendet.

Voerde (Niederrhein) ['fø:-], Stadt im Kreis Wesel, NRW, an der Mündung des Lippe-Seitenkanals in den Rhein; 38500 Ew.; Stahl- und Apparatebau, Bau- und Kunststoffind., Erdölraffinerie; Großkraftwerke; Ind.hafen; Museum im Wasserschloss V. (17. Jahrhundert).

VOEST, Vereinigte Österreichische Eisen- und Stahlwerke AG, früheres österr. Unternehmen der Stahlind., gegr. 1938 als Tochterges. der dt. Reichswerke AG und mit der Alpine Montan AG verschmolzen, 1946 unter Abtrennung der Alpine Montan AG verstaatlicht, mit dieser 1973 als VOEST Alpine AG fusioniert. Nach Umstrukturierung (1988/89) und Umbenennung in **Austrian Industries AG** wurde diese 1993 mit dem Privatisierungsgesetz in drei Konzerne aufgeteilt: **Böhler-Uddeholm AG** (Sitz: Wien), **VOEST-ALPINE Stahl AG** (VA Stahl, Sitz: Linz) und **VA Technologie AG** (Sitz: Linz). Durch den größten österr. Börsengang seit 1945 wurde die VA Technologie 1994 mehrheitlich privatisiert.

Vögel

Welcher Vogel fühlt sich unter der Erde am wohlsten?

Eine südamerikanische Nachtschwalbe namens Guacharo, auch Fettschwalm genannt.
Die Guacharos leben bis mehrere Hundert Meter unter der Erdoberfläche in Höhlen und können sich, wie die Fledermäuse, durch ein Echolotsystem orientieren. Außerdem haben sie ein für Vögel außerordentlich ausgeprägtes Geruchsempfinden. »Fettschwalm« heißen sie auch, weil die Indianer die sehr fetten Jungtiere zur Gewinnung eines sehr reinen, halbfetten Öls »ernten«.

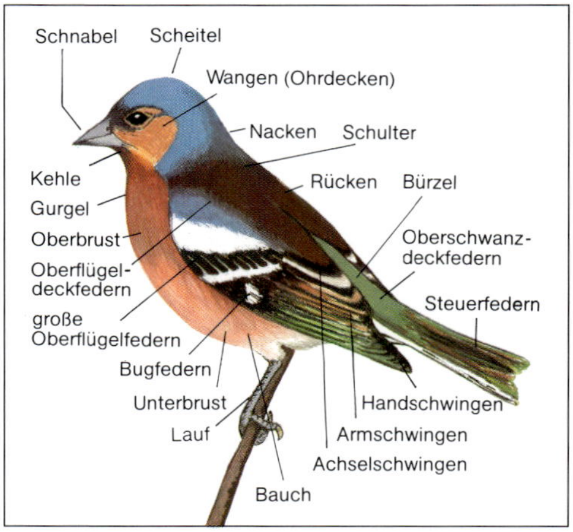

Vögel: Habitus eines Buchfinken

Vogel [f-], **1)** Bernhard, Politiker (CDU), *Göttingen 19. 12. 1932, Bruder von 2); 1965–67 MdB, in Rheinl.-Pfalz 1967–76 Kultusmin., 1974–88 CDU-Landesvors. und 1976–88 MinPräs.; in Thüringen seit 1992 MinPräs., seit 1993 dort auch Landesvors. der CDU.

2) Hans-Jochen, Politiker (SPD), *Göttingen 3. 2. 1926, Bruder von 1); 1960–72 Oberbürgermeister von München, 1972–77 SPD-Vors. in Bayern, war 1972–74 Bundesmin. für Raumordnung, Bauwesen und Städtebau, 1974–81 Bundesjustizmin. sowie von Jan. bis Juni 1981 Regierender Bürgermeister von Berlin. Von März 1983 bis Nov. 1991 leitete er die SPD-Fraktion im Bundestag. 1987–91 war V. Bundesvors. der SPD; 1972–94 MdB.

3) Hermann Carl, Astrophysiker, *Leipzig 3. 4. 1841, †Potsdam 13. 8. 1907; seit 1882 Direktor des Astrophysikal. Observatoriums Potsdam; Untersuchungen zur Spektralanalyse der Sterne, konstruierte den ersten Sternspektrographen, erkannte, dass die Bedeckungsveränderlichen Doppelsterne sind (→Algol) und führte die ersten Radialgeschwindigkeitsbestimmungen durch.

Vögel (Aves), lungenatmende, warmblütige Klasse der Wirbeltiere mit →Federn und Flügeln. Dem Flugvermögen ist die Ausbildung fast aller Organe angepasst. Das Skelett zeichnet sich durch dünne und hohle Knochen hoher Tragfähigkeit aus; die große Zahl der Halswirbel ermöglicht eine hohe Beweglichkeit des Kopfes und damit des →Schnabels, der häufig als Greiforgan dient; der Rücken ist dagegen starr, seine Wirbel sind großenteils untereinander und mit dem Becken verwachsen; die hinteren Schwanzwirbel sind plattenförmig verwachsen (Steißknochen). Auf der Unterseite des Brustkorbs befindet sich das Brustbein, das bei flugfähigen V. einen Brustbeinkamm hat, an dem die Flugmuskulatur ansetzt. Die Vordergliedmaßen sind, unter starker Reduktion der fünf Finger, zu Flügeln umgebildet. Die Hintergliedmaßen bestehen aus Oberschenkel, Unterschenkel (mit Fußwurzelknochen), dem aus Fußwurzel- und Mittelfußknochen verwachsenen Lauf und dem vierzehigen Fuß. Lauf und Zehen sind meist mit Hornschildern bedeckt.

Augen und Gehör sind sehr leistungsfähig. Der Tastsinn ist bes. in der Schnabelregion hoch entwickelt. Das außerordentlich leistungsfähige Herz gleicht dem der Säugetiere; die Aorta nimmt jedoch ihren Ausgang von der rechten statt von der linken Aortenwurzel. Die Atemluft gelangt durch die Lunge in die fünf Paar von der Lunge ausgehenden Luftsäcke; beim Ausatmen durchstreicht sie die Lunge ein zweites Mal und wird so doppelt genutzt. Das bei Ruderfüßern bis in die Knochen verzweigte Luftsacksystem dient bes. der Gewichtsersparnis. Die Lauterzeugung erfolgt meist durch einen besonderen Kehlkopf (→Syrinx).

Die Nahrung gelangt über die Speiseröhre vielfach in einen →Kropf, wo sie aufbewahrt und z.T. vorverdaut wird; der Magen ist bei Insektenfressern dünnwandig, bei Pflanzen- und Körnerfressern starkwandig-muskulös. Manche V. haben Magensteine. Der Darm, häufig mit Blindsäcken, mündet mit den Harnleitern und den ausführenden Geschlechtswegen in einen gemeinsamen Ausgang, die Kloake.

Die Geschlechtsorgane sind beim Weibchen nur linksseitig voll ausgebildet (Gewichtsersparnis). Die Begattung erfolgt innerlich durch Aneinanderpressen der Kloaken, unterstützt durch das männl. Begattungsglied. Männchen sind oft ausgezeichnet durch Farbe, Hautlappen, Sporne und Schmuckfedern; sie sind stimmbegabter (Balz, Revierbildung) als Weibchen. Die hartschaligen Eier sind nach Anzahl, Größe, Form und Färbung sehr verschieden und werden meist im selbst gebauten →Nest ausgebrütet (→Brüten, →Brutpflege). Die Jungen werden entweder gefüttert, bis sie flügge sind **(Nesthocker),** oder sie suchen sofort selbst ihre Nahrung **(Nestflüchter).** Bezüglich ihrer Zuggewohnheiten unterscheidet man Stand-V., Strich-V., Zug-V. und Teilzieher. Zug-V. verlassen nach der Brutzeit das Brutgebiet zu größeren Wanderungen (→Vogelzug).

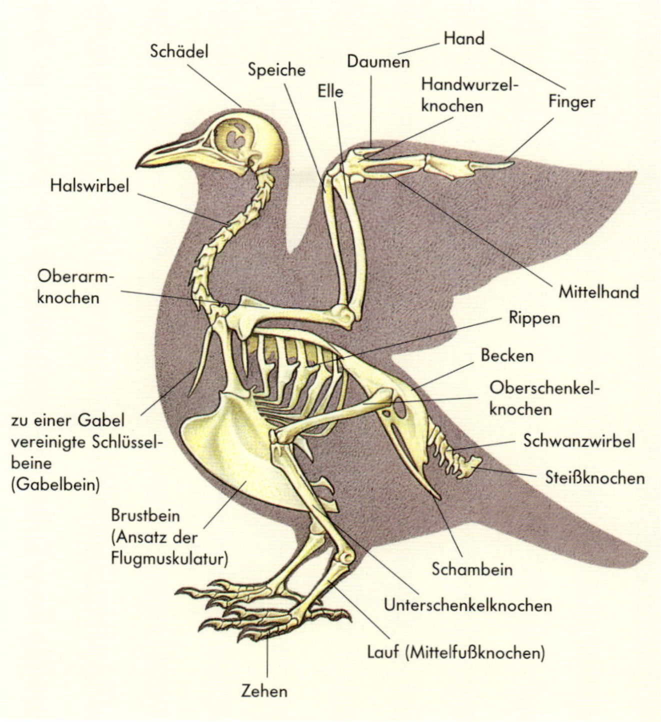

Vögel: Halbseitendarstellung eines Taubenskeletts

Heinrich Vogeler: Titelblatt zu Hugo von Hofmannsthals »Der Kaiser und die Hexe« (1900)

📖 *V. Eine Enzyklopädie der Familien u. Arten, Beiträge v.* R. Coomber. *A.d. Engl. Augsburg 1992.* – Perrins, C.: *Die große Enzyklopädie der V. A.d. Engl. München 1996.*

Vogelbeerbaum, Art der →Eberesche.

Vogeler [f-], Heinrich, Maler, Grafiker, Innenarchitekt und Kunsthandwerker, *Bremen 12. 12. 1872, †Schoroschewskoje (Kasachstan) 14. 6. 1942; siedelte sich 1894 in Worpswede an; schuf zunächst u.a. Grafiken und Buchillustrationen im Jugendstil sowie Landschaftsbilder und v.a. die Inneneinrichtung der Güldenkammer im alten Bremer Rathaus (1905). Durch das Erlebnis des 1. Weltkrieges ernüchtert, wurde er 1918 Mitgl. des Arbeiter- und Soldatenrates. Reisen in die Sowjetunion prägten sein Schaffen (nach einer Zwischenphase eines realist. Expressionismus malte er in der Art des sozialist. Realismus). Seit 1931 lebte V. in Moskau, später zwangsweise in Kasachstan.

Klaus Vogelgesang: »Was Hänschen lernt« (1976; Salzgitter, Städtisches Museum)

Vogelfedern, die → Federn.

Vogelfluglini|e, der südl. Abschnitt der kürzesten Eisenbahn- und Autofährverbindung zw. Mitteleuropa und der Skandinav. Halbinsel, führt über den Fehmarnbelt zw. Puttgarden auf Fehmarn (Dtl.) und Rødbyhavn auf Lolland (Dänemark). Der Fährverkehr wird seit 1963 von dt. und dän. Bahnen betrieben.

Vogelfuß (Ornithopus), Gattung der Schmetterlingsblütler, mit Fiederblättern und vogelfußähnlichen Gliederhülsen. Auf Sandböden Europas wächst der **Kleine V.** (Ornithopus perpusillus). Futterpflanze ist die → Serradella.

Vogelgesang [f-], Klaus, Maler und Zeichner, *Radebeul 27. 4. 1945; Vertreter des krit. Realismus in Berlin.

Vogelherdhöhle, → Stetten ob Lontal.

Vogelspinnen: Die Eigentliche Vogelspinne ist bis zu 9 cm lang

Vogelkirsche, → Kirsche.

Vogelkunde, die → Ornithologie.

Vogelmiere, → Sternmiere.

Vogelmilbe (Dermanyssus gallinae), braunrote, bis mohnkorngroße Milbe, die nachts an Hausgeflügel und Stubenvögeln Blut saugt; tagsüber hält sie sich in Ritzen der Ställe und Käfige auf.

Vogelsberg [f-], Mittelgebirge in Hessen, bis 773 m ü. M. (Taufstein); ein erloschener, abgetragener Vulkan über einem Sockel von Buntsandstein; mit rd. 2 500 km^2 größtes geschlossenes Basaltvorkommen in Deutschland; Wald- und Viehwirtschaft, in den Tälern Ackerbau sowie kleinere Ind.städte; Fremdenverkehr (Naturpark Hoher Vogelsberg).

Vogelsbergkreis [f-], Landkreis im RegBez. Gießen, Hessen; 1459 km^2, (1996) 119 100 Ew.; Krst. ist Lauterbach (Hessen).

Vogelschutz, alle Maßnahmen zum Schutz der wild lebenden (nicht jagdbaren) Vögel; v. a. eth. V. (Natur-, Tierschutz) und wirtsch. V. (zur biolog. Schädlingsbekämpfung; viele einheim. Singvögel ernähren sich bis zu 90 % von Schadinsekten). Die Maßnahmen des V. umfassen auch Biotopschutz, Schaffung von Nistgelegenheiten, Winterfütterung, Unterstützung der Arbeiten der V.-Warten. **V.-Gebiete** dienen als Regenerationsräume, Brut- und Raststätten für Vögel und andere Tiere.

Vogelschutzwarte, staatl. Institut, das sich (im Unterschied zur → Vogelwarte) dem Vogelschutz und der angewandten Ornithologie widmet. In Dtl. bestehen V. in Essen, Frankfurt am Main, Garmisch-Partenkirchen, Hamburg, Hannover, Karlsruhe, Seebach und Steckby.

Vogelspinnen (Orthognatha), Unterordnung 6–100 mm langer Spinnen, vorwiegend in den Tropen und Subtropen; gekennzeichnet durch annähernd parallel zur Körperachse einschlagbare Giftklauen. Zu den V. gehören u. a. die **Eigentl. V.** (**Buschspinnen,** Aviculariidae), bis 9 cm lang, dämmerungs- und nachtaktiv, dicht braun bis schwarz behaart; Beutetiere sind u. a. Gliedertiere und kleine Wirbeltiere.

Vogelwarte, Institut für wiss. Vogelkunde, das sich als »Beringungszentrale« vorwiegend mit der Aufklärung des Vogelzugs befasst. In Dtl. gibt es die **V. Helgoland,** Inst. für Vogelforschung, Sitz: Wilhelmshaven, die **V. Radolfzell** (ehem. **V. Rossitten**) am Max-Planck-Institut für Verhaltensphysiologie sowie die **V. Hiddensee,** die dem Zoolog. Institut der Univ. Greifswald angeschlossen ist. – In der *Schweiz* besteht die **Vogelwarte Sempach.**

Vogelweide, Walther von der [f-], mittelhochdt. Dichter, → Walther von der Vogelweide.

Vogelwicke, eine Art der → Wicke.

Vogelzug, die bei Vögeln zu beobachtende regelmäßige, jahreszeitlich bedingte Wanderung zw. zwei (häufig weit voneinander entfernt gelegenen) Gebieten (Brutgebiet und Winterquartier). Dabei unterscheidet man zw. **Herbstzug** (nach S ins Winterquartier führender Zug) und **Früh-**

Vogelzug – ausgewählte Beispiele

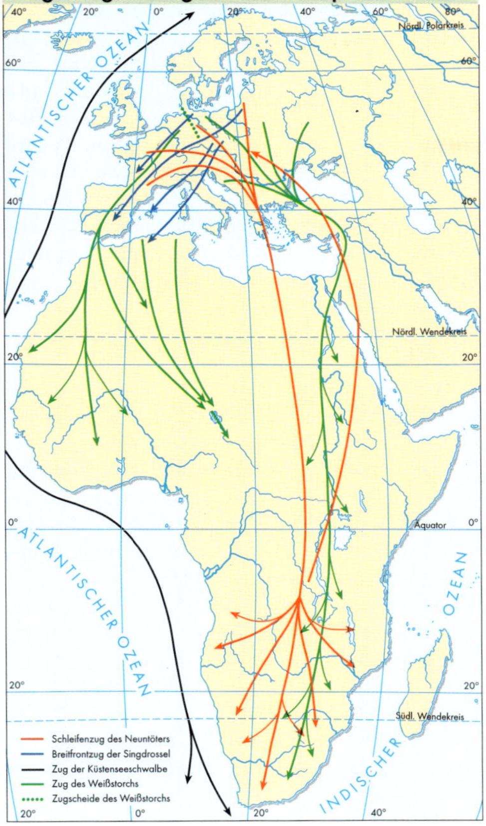

jahrszug (nach N führende Rückkehr ins Brutgebiet). Verlaufen Weg- und Heimzug auf versch. Wegen, spricht man von **Schleifenzug.** – Als Auslösefaktoren für den V. kommen wahrscheinlich innere, genetisch vorprogrammierte Faktoren in Betracht, wie hormonelle Einflüsse, ausgelöst durch Stoffwechseländerungen oder Lichtintensitätsabnahme bzw. -zunahme. Vor Zugbeginn bildet sich ein Fettdepot (bis zu 47% des Gewichts), die Aktivität erhöht sich (Zugunruhe) und die Kontaktbereitschaft zu Artgenossen (Schwarmbildung) nimmt zu. – Bezüglich der Orientierung der Tiere ist u.a. bekannt, dass sich die Tagzieher (die meisten Zugvögel) nach der Sonne und nach landschaftl. Richtmarken, die Nachtzieher dagegen (z.B. Nachtigall, Nachtschwalben, viele Grasmücken) vorwiegend nach den Sternen orientieren. Für Rotkehlchen und Dorngrasmücken ist das Magnetfeld der Erde richtungweisend.

📖 BERTHOLD, P.: *V. Eine kurze, aktuelle Gesamtübersicht. Darmstadt ³1996.*

Vogesen [v-] (frz. Vosges, früher auch Wasgenwald), Mittelgebirge in NO-Frankreich, zw. der →Burgundischen Pforte im S und der →Zaberner Steige im N. Die V. sind ein Glied des oberrhein. Gebirgssystems und entsprechen in Bau, Gesteinszusammensetzung und Oberflächenform weitgehend dem Schwarzwald. In den höheren Süd-V. (u.a. Großer Belchen 1424 m ü.M., Hohneck 1362 m ü.M., Elsässer Belchen 1247 m ü.M.) tritt das Grundgebirge (Granite, alter Schiefer u.a.) zutage, das im N von Buntsandstein bedeckt ist. Gegen O fallen die V. steil zur Vorhügelstufe und zum Oberrhein. Tiefland ab, gegen W gehen sie sanfter in die Hochflächen Lothringens über. Die V. sind überwiegend Waldland. Die Gipfellagen sind meist waldfrei (Weidewirtschaft) oder werden von sumpfigen und vertorften Arealen eingenommen. In der Landwirtschaft überwiegt die Viehwirtschaft (Käsereien), in der Vorhügelzone Ackerbau (Getreide, Obst, Mais u.a.) sowie Weinbau, der bis in die Täler der Süd-V. reicht. An Bedeutung gewinnt der Fremdenverkehr, in dem auch die Heilbäder (Contrexéville, Plombières-les-Bains, Vittel u.a.) eine Rolle spielen.

📖 EGGERS, H.: *Schwarzwald u. V. Braunschweig 1964.* – PREUSSER, H.: *Die Hochweidewirtschaft in den V. Saarbrücken 1978.*

Vogler [f-], Georg Joseph, gen. Abbé V., Komponist und Musiktheoretiker, *Würzburg 15. 6. 1749, †Darmstadt 6. 5. 1814; kath. Priester; gründete 1776 die Mannheimer Tonschule; 1786–99 (mit Unterbrechungen) Hofmusikdirektor in Stockholm, 1807 Hofkapellmeister in Darmstadt; komponierte v.a. Kirchenwerke und Opern; bed. Orgelimprovisator, Musikschriftsteller, Lehrer (u.a. von C. M. von Weber und G. Meyerbeer).

Vogt, im MA. Inhaber einer Schutzherrschaft (häufig verbunden mit der Gerichtsbarkeit), die Kirchenvogtei oder weltl. **Vogtei** sein konnte; seit dem 12. Jh., als die landesherrl. Schirmvogtei (Schirm-V., Schutz-V.) zum wichtigsten Element bei der Ausbildung der Landesherrschaft geworden war, landesherrl. Verwaltungsbeamter (Amtmann), auch Reichs-V. (Verwalter des Reichsguts, →Landvogtei); in den dt. Städten des MA. der vom Stadtherrn mit der hohen Gerichtsbarkeit Beauftragte (Stadtvogt).

Vogelzug

Warum fliegen manche Zugvögel in V-Formation?

Langstreckenflieger wie Wildenten und -gänse fliegen in V-Formation, weil jeder Vogel durch die von seinem Vordermann erzeugte Luftströmung Kraft spart. Die Ausdauer der Gruppe erhöht sich dadurch um über 70%.

Während der langen Flüge wird der Vogel an der Spitze, der ja von der Luftströmung nicht profitieren kann, regelmäßig abgelöst: Jeder führt eine Weile. Ein wirklich schönes Modell für das Zusammenwirken einer Gemeinschaft!

2 B 15/15 E D C B

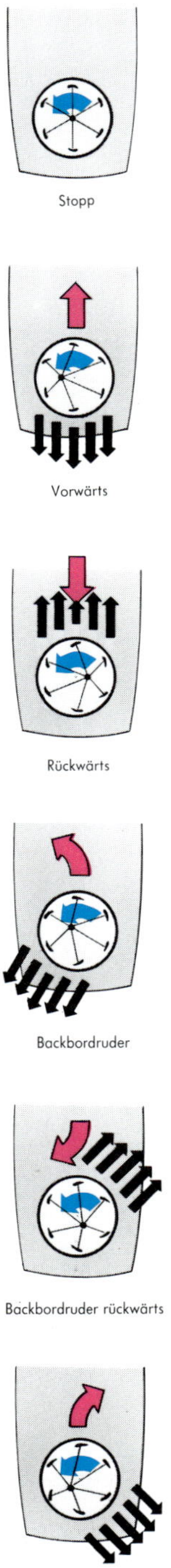

Voith-Schneider-Propeller: schematische Darstellung der Wirkungsweise des Schiffsvortriebs; der rote Pfeil gibt die Fahrtrichtung des Schiffes, der blaue Pfeil die Drehrichtung und die schwarzen Pfeile geben die Ruderwirkung je nach Anstellwinkel der Spatenflügel an

Vogt [f-], **1)** Alfred, schweizer. Augenarzt, *Menziken (Kt. Aargau) 31. 10. 1879, †Oberägeri (Kt. Zug) 10. 12. 1943; Arbeiten zur mikroskop. Augenuntersuchung mit der Spaltlampe und zur Entstehung der Augenkrankheiten.

2) Oskar, Neurologe und Hirnforscher, *Husum 6. 4. 1870, †Freiburg im Breisgau 31. 7. 1959; beschäftigte sich mit wiss. Hypnose- und v.a. mit anatom. Hirnforschung (u.a. Bestimmung von Zentren der Großhirnrinde).

3) Walter, schweizer. Schriftsteller, *Zürich 31. 7. 1927, †Muri bei Bern 21. 9. 1988; Psychiater; verfasste ironisch-sarkast. Erzählungen und Romane, v.a. im ärztl. Milieu, das sinnbildlich für gesellschaftl. Leben steht, u.a. »Husten« (Erz., 1965), »Der Wiesbadener Kongress« (R., 1972), »Altern« (R., 1981), »Maskenzwang« (Erz.en, 1985); auch Dramatik (»Die Betroffenen«, 1988).

Vogtland [f-], das Gebiet zw. Frankenwald im W, Fichtelgebirge im S und Erzgebirge im SO, in Sachsen, Thüringen und Bayern (Oberfranken) sowie mit einem kleinen Teil in der Tschech. Rep. Das V. ist eine wellige, in Staffeln von etwa 350 m auf 800 m ü.M. nach S ansteigende Schieferhochfläche (im Aschberg 935 m ü.M.). Saale, Weiße Elster und deren Nebenflüsse haben das V. in tiefe, steilwandige Täler zerschnitten. Landwirtschaft, Viehwirtschaft, Textil-, Holz-, Maschinen-, Musikinstrumentenindustrie; Kur- und Erholungsgebiet (Bad Brambach, Bad Elster u.a.); wichtigste Stadt ist Plauen. – *Geschichte:* Im 6.–9. Jh. von Sorben besiedelt; seit dem 10. Jh. ins Hl. Röm. Reich einbezogen, seit dem 12. Jh. als Reichsgut von Reichsvögten verwaltet, seit 1122/1244 von den Vögten von Weida (daher V.); seit Mitte des 14. Jh. durch Erbteilungen zersplittert (→Reuß); Plauen kam 1466 an die Wettiner, das V. 1485 (bis 1547; Ernestiner) und 1575/77 (Albertiner) an Kursachsen.

Vogtlandkreis [f-], Landkreis im RegBez. Chemnitz, Sachsen, 1344 km², (1996) 215 700 Ew.; Krst. ist Plauen.

Vohenstrauß [f-], Stadt im Landkreis Neustadt a.d. Waldnaab, Bayern, im Oberpfälzer Wald, 7600 Ew.; Porzellanind.; Fremdenverkehr. – Schloss Friedrichsburg (1586–93).

Voile [vo'a:l, frz.] *der,* durchscheinender Schleierstoff aus scharf gedrehten V.-Zwirnen oder V.-Garnen in Leinwandbindung. V. hat körnigen Griff.

Voith-Schneider-Propeller [f-], Schiffsvortrieb, bei dem an einer horizontalen, motorisch rotierenden Grundplatte vier bis sechs vertikal nach unten stehende Spatenflügel (»Messer«) mittels einer Exzentersteuerung jeweils so angestellt werden, dass Vorschub in jeder gewünschten Richtung erzeugt wird. Damit ist der V.-S.-P. gleichzeitig Vortrieb und Ruder. Er dient v.a. für Wasserfahrzeuge, bei denen extreme Manövrierfähigkeit verlangt wird.

Voitsberg [f-], Bezirkshauptstadt in der Mittelsteiermark, Österreich, im Kainachtal, 10 400 Ew.; Glashütte, Pumpen-, Röhren- und Maschinenbau; Braunkohletagebau. – Stadtpfarrkirche St. Joseph (1690–1708), St. Michael (13.–15. Jh.). – 5 km nordwestlich Schloss und Gestüt **Piber** (Aufzucht der Lipizzaner, →Lipica).

Vokabel [v-, lat.] *die,* das (einzelne) Wort, bes. aus einer fremden Sprache. **Vokabular,** Wörterverzeichnis, Wortschatz.

Vokal [v-, lat.] *der* (Selbstlaut), im Ggs. zum Konsonanten ein →Laut, bei dessen Artikulation die Atemluft verhältnismäßig ungehindert ausströmt. Die V. sind oft Silben bildend und Träger der prosod. Merkmale (Akzent, Tonhöhe u.a.).

Vokalharmonie [v-], die durch den Vokal der Stammsilbe bestimmte qualitative Angleichung des Suffixvokals; bes. verbreitet in agglutinierenden Sprachen.

Vokalisation [v-, lat.] *die* (Vokalisierung), *Sprachwissenschaft:* **1)** Kennzeichnung der Vokale im Hebräischen durch Punkte und Striche über oder unter den Konsonanten.

2) die Umwandlung eines Konsonanten in einen Vokal, z.B. »l« zu »u« (lat. a*l*ba zu frz. a*u*be, »Morgenröte«).

Vokalmusik [v-], die von Singstimmen solistisch oder chorisch mit oder ohne Instrumentalbegleitung auszuführende Musik; im Unterschied zur Instrumentalmusik stets an Sprache gebunden. Wichtige Gattungen der V. sind: Choral, Motette, Messe, geistl. Konzert, Passion, Lied, Rezitativ, Arioso, Arie, Kantate, Oratorium; auch die Oper wird i. Allg. zur V. gerechnet.

Vokation [v-, lat.] *die,* in den *evang. Kirchen* die zur staatl. Anstellung hinzutretende, mit der →Lehrverpflichtung verbundene kirchl. Beauftragung der Religionslehrer bzw. die Berufung in ein geistl. Amt; ihr entspricht in der kath. Kirche die →Missio canonica.

Vokativ [v-, lat.] *der* (Anredefall), Kasus des Anrufs und der Anrede (z.B. lat. domine »o Herr«, zu dominus »Herr«); in den neueren indogerman. Sprachen meist durch den Nominativ ersetzt.

vol., Abk. für lat. **Vol**umen, Band.

Vol.-%, Abk. für **Vol**umenprozent (→Konzentration).

Volans [v-, lat.] (Fliegender Fisch), Sternbild am Südhimmel.

Volant [vo'lã, frz.] *der* (Falbel, Rüsche), *Mode:* Stoffstreifen, der an einer Seite angekraust ist (an Kleidung oder Wäsche).

Volapụ̈k [v-; Kw. aus vol (von engl. world »Welt«) und pük (von engl. to speak »sprechen«)] *das,* eine →Welthilfssprache, erfunden von J. M. Schleyer (*1831, †1912).

Vọlhard [f-], Franz, Internist, *München 2. 5. 1872, †Frankfurt am Main 24. 5. 1950; wesentl. Beiträge zur Pathogenese und Systematik der Nierenkrankheiten.

Voliere [vol'jɛːrə, frz.] *die,* großer Flugkäfig für Vögel.

Volk [ahd. folc, wohl eigtl. »viele«], **1)** *allg.:* vielschichtiger, unterschiedlich definierter Begriff: 1) sprachgeschichtlich (veraltet) z. B. die Mannschaft eines Schiffes oder die Angehörigen eines Heerhaufens; 2) die »breite Masse« der »einfachen« Mitgl. einer Gesellschaft; 3) die ethnisch-spezif. Einheit einer Gruppe von Menschen im Sinne von Ethnie; 4) eine Gruppe von Menschen, die sich als ideelle Einheit begreift, d. h. als eine durch gemeinsame Herkunft, Geschichte, Kultur und Sprache, z. T. auch Religion verbundene Gemeinschaft. Im allgemeinen Sprachgebrauch ist dieses Verständnis von V. nicht klar abgrenzbar von dem der Nation; beide Begriffe können insofern voneinander abgehoben werden, als Nation mehr Elemente der polit. Willensbildung enthält und V. stärker emotionale Erfahrungen anspricht (Nationalbewusstsein). Die Unbestimmtheit beider Begriffe fördert ihren demagog. Gebrauch, was zur Diskreditierung des Begriffs V. (und bes. des Adjektivs »völkisch«) nach der nat.-soz. Zeit führte; 5) staatsrechtlich Träger der Staatsgewalt **(Staats-V.),** in einer Demokratie Inhaber der Souveränität (Volkssouveränität), die in Abstimmungen und Wahlen ausgeübt wird.

2) *Zoologie:* bei Tieren im Sinn von Staat (Bienen-V.) und von Schwarm, Rudel, Kette (ein V. Rebhühner).

Vọlkach [f-], Stadt im Landkreis Kitzingen, Bayern, am Main, 9 500 Ew.; Dt. Akademie für Kinder- und Jugendlit.; Metallverarbeitung; Fremdenverkehr. – Maler. Stadtbild, Renaissancerathaus mit doppelläufiger Freitreppe, Marienbrunnen von 1488 (Figur 1720); in der spätgot. Wallfahrtskirche St. Maria im Weingarten (2. Hälfte des 15. Jh.) die »Maria im Rosenkranz« (Volkacher Madonna, 1521–24), ein Spätwerk von T. Riemenschneider.

Vọlken (Volker, lat. Volcae), im Altertum kelt. Volk zw. Rhone und Pyrenäen. Später nannten die Germanen die Kelten und Romanen V. (Welsche, Walchen).

Vọ̈lker [f-], Karl, Maler, Grafiker und Architekt, *Halle (Saale) 17. 10. 1889, †Weimar 28. 12. 1962. Anfangs von Expressionismus und Konstruktivismus beeinflusst, wandte er sich später der Neuen Sachlichkeit zu; wurde bes. bekannt mit sozialkritisch engagierten Arbeiten.

Völkerball, Abwurfspiel zw. zwei zahlenmäßig gleich starken Mannschaften in je einer Spielfeldhälfte. Es siegt, wer den Gegner vollzählig abgeworfen hat.

Vokal

Sprachwissenschaftliche Untersuchungen haben ergeben, dass es 2 549 unterschiedliche Vokallaute gibt. Natürlich sind darin auch viele ganz nah verwandte Selbstlaute enthalten. Aber alle Nuancen klingen nachweisbar unterschiedlich.

Deutsch zählt mit 15 verschiedenen Selbstlauten zu den vokalreichen Sprachen. Die grönländischen Eskimo und die australischen Aranda kommen mit drei Vokalen aus.

Völkerbund (frz. Société des Nations, engl. League of Nations), von 1920 bis 1946 eine Staatenvereinigung zur Sicherung des Weltfriedens und zur wirtsch. und kulturellen Zusammenarbeit unter den Nationen; Sitz: Genf. Die Bildung des V. wurde auf der Pariser Friedenskonferenz am 14. 2. 1919 beschlossen; seine Satzung **(V.-Akte)** trat als Teil des Versailler Vertrages am 10. 1. 1920 in Kraft. Ursprüngliche Mitgl. waren die Siegermächte des 1. Weltkriegs (ohne die USA) und 13 neutrale Staaten. Weitere Staaten wurden aufgenommen (z. B. Österreich 1920, Dtl. 1926, Sowjetunion 1934). Der Austritt war zulässig (z. B. Brasilien 1928, Japan und Dtl. 1933, Italien 1937). Die Sowjetunion wurde 1940 ausgeschlossen. Organe waren die **Generalversammlung,** der **V.-Rat,** der aus vier bis sechs ständigen und zuletzt neun nichtständigen,

Völkerbund: Der deutsche Außenminister Gustav Stresemann (stehend am Pult) hält am 29. 9. 1929 eine Rede vor dem Völkerbund

von der Generalversammlung gewählten Mitgl. bestand, sowie das **Ständige Sekretariat.** Den Aufgaben des V. dienten mehrere Spezialorganisationen, bes. die →Internationale Arbeitsorganisation und der →Ständige Internationale Gerichtshof. Nach Gründung der UN beschloss der V. am 18. 4. 1946 seine Auflösung.

📖 PFEIL, A.: *Der V. Literaturbericht u. krit. Darstellung seiner Geschichte. Darmstadt 1976.* – FELLNER, F.: *Vom Dreibund zum V. Studien zur Geschichte der internat. Beziehungen 1882–1919. München 1994.*

Völkerschlachtdenkmal: Das 91 m hohe Bauwerk wurde anlässlich des 100. Jahrestages der Völkerschlacht von Leipzig zwischen 1898 und 1913 errichtet

Völkerkunde (Ethnologie), Disziplin der Kulturanthropologie, die Unterschiede und Übereinstimmungen in der Lebensweise menschl. Gemeinschaften beschreibt und zu erklären versucht. Im Wesentlichen beschränkt sich die V. dabei auf außereurop. Kulturen, nichtindustrielle Gesellschaften, schriftlose Völker und Ethnien »geringer Naturbeherrschung« (→Naturvölker). Auf der Basis der Gleichwertigkeit aller Menschen und angesichts der hohen Erkenntnisleistungen der Naturvölker (die jedoch mit anderen Methoden als bei Industriegesellschaften erzielt werden) werden solche Eingrenzungen immer häufiger hinterfragt und Kulturvergleiche auf globaler Ebene, d.h. unter Einbeziehung komplexer Gesellschaften (→Hochkulturen) außerhalb und innerhalb Europas angestellt. Die Begriffe V. und **Ethnographie** (Kulturbeschreibung) wurden um 1770 in Dtl. (Univ. Göttingen) geprägt, die Bez. Ethnologie etwa zur gleichen Zeit im frz. Sprachraum (erste ethnolog. Gesellschaft »Société Ethnologique«, Paris, 1839).

📖 *Ethnologie. Einführung u. Überblick, hg. v.* H. FISCHER. *Berlin* [3]*1992.* – THIEL, J. F.: *Grundbegriffe der Ethnologie. Berlin* [5]*1992.*

Völkermarkt [f-], Bezirkshauptstadt in Kärnten, Österreich, am Völkermarkter Stausee der Drau, 11100 Ew.; Herstellung von opt. Geräten, Baustoffen. – Roman. Pfarrkirche St. Ruprecht (11./12. Jh.), spätgot. Stadtpfarrkirche St. Magdalena (15. Jh.), Schloss Kohlhof (16. Jh., im 19. Jh. umgebaut). – 1105 erstmals erwähnt, 1254 Stadtrecht.

Völkermord (Genozid), Handlungen, die auf die vollständige oder teilweise, direkte oder indirekte phys. Ausrottung von nat., ethn., rass., religiösen oder sozialen Gruppen gerichtet sind. Als histor. Phänomen ist V. von der Antike an belegt. In der Neuzeit wurde V. begangen v.a. im Zusammenhang mit der kolonialen Expansion Europas (z.B. von den Europäern an der indian. Urbevölkerung), von verschiedenen ethn. Gruppen untereinander, z.B. in Biafra und Ruanda, sowie während des 1. und 2. Weltkriegs (Massenmorde an den Armeniern durch die Türken, nat.-soz. Rassenpolitik, v.a. die Judenvernichtung). Am 9. 12. 1948 nahm die Generalversammlung der UN (bei Nichtteilnahme Südafrikas) einstimmig die **Konvention über die Verhütung und Bestrafung des V.** an, die den V. als ein Delikt wider das Völkerrecht deklarierte. In Dtl. wird V. nach § 220a StGB mit lebenslanger Freiheitsstrafe bedroht; er verjährt nicht (§ 78 Abs. 2 StGB).

Völkerpsychologie (Ethnopsychologie), von M. Lazarus und H. Steinthal sowie W. Wundt begründete Richtung der Psychologie zur Erforschung der kulturellen Eingebundenheit der »höheren psych. Vorgänge und Entwicklungen«, die in Sprache, Religion, Mythos, Kunst, Rechtsordnung und Brauchtum ihren Ausdruck finden. Eher sozialpsychologisch orientiert war die in den 1920er-Jahren entstandene amerikan. Forschung.

Völker|recht (lat. Ius gentium), die durch Vertrag oder Gewohnheitsrecht begründeten Rechtssätze, die in Frieden und Krieg die Rechte und Pflichten, die Beziehungen und den Verkehr der Staaten und der sonstigen Rechtssubjekte des V. untereinander regeln. Geltungsgrund des V. ist der Recht schaffende Konsens der Staaten, aufbauend auf dem Grundprinzip der souveränen Gleichheit aller in der V.-Gemeinschaft verbundenen Staaten. Die normative Kraft des V. ist von deren tätiger Rechtsüberzeugung abhängig.

Ursprüngl. Rechtssubjekte des V. sind die souveränen Staaten. Nach deren Willen und in eingeschränktem Maße kommt V.-Fähigkeit auch den internat. Organisationen, einigen histor. V.-Subjekten (Hl. Stuhl, Malteserorden, Internat. Komitee vom Roten Kreuz), bestimmten Gruppen (Minderheiten, Krieg führenden Parteien) und ganz begrenzt Einzelpersonen (Menschenrechte, Völkerstrafrecht) zu. Rechtsquellen des V. sind Verträge und Gewohnheitsrecht, ergänzt durch die anerkannten allgemeinen Rechtsgrundsätze. Die völkerrechtl. Regeln über Verträge sind in dem Wiener Übereinkommen vom 23. 5. 1969 über das Recht der Verträge kodifiziert worden. Das V. wird herkömmlich in Friedensrecht und →Kriegsrecht unterteilt. Als »Vater« des klassischen V. gilt H. →Grotius.

Völkerschlachtdenkmal, zw. 1898 und 1913 in Leipzig errichtetes, 91 m hohes Ehrenmal zum Gedächtnis an die Völkerschlacht von 1813 (→Befreiungskriege); entworfen von B. Schmitz, ausgeführt (unter Verwendung von Ideen C. Thiemes) in Zusammenarbeit mit den Bildhauern C. Behrens und F. Metzner. (→Leipzig, Geschichte)

Volker von Alzei (Volker von Alzey), Gestalt des Nibelungenlieds, Ritter und Spielmann; neben Hagen der stärkste und tapferste der burgund. Helden. Er fällt auf Etzels Burg durch die Hand Hildebrands. V. ist ein adeliger Herr, seine Herkunft aus Alzey wird nur an einer Stelle (Fassung B, Strophe 9,4) erwähnt.

Völkerwanderung, 1) i. w. S. die seit Ende des 3. Jt. v. Chr. auftretenden Wanderungen ganzer Völker oder Stämme, durch Landnot, Klimawechsel oder Einfall fremder Völker hervorgerufen (z. B. die dor. Wanderung im 12. Jh. v. Chr.; die kelt. Wanderungen im 7. und 4./3. Jh. v. Chr.).

2) i. e. S. die Züge der überwiegend german. Stämme und Völker nach S- und W-Europa, die ihren Höhepunkt im 4.–6. Jh. n. Chr. fanden und zu Reichsbildungen auf dem Boden des auseinanderbrechenden Röm. Reiches führten. Frühe german. Wanderungen gab es bereits vor der Zeitenwende (Bastarnen im 3. Jh. v. Chr., Kimbern und Teutonen im 2. Jh. v. Chr.). Mit ihrer Abwanderung von der Weichselmündung zum Schwarzmeerraum lösten die Goten im 2. Jh. n. Chr. eine weitere größere Völkerverschiebung aus (→Germanen); wegen des sich verstärkenden Drucks auf die röm. Grenzen wurden dort german. Völkerschaften als röm. Bundesgenossen (»Foederaten«) angesiedelt.

Die eigentl. V. wurde durch den Einbruch der Hunnen nach S-Russland (375 Unterwerfung der Ostgoten) ausgelöst, der in den folgenden Jahrzehnten nach und nach die Abwanderung auch geschlossener Volksstämme bewirkte, von denen sich einige zu »Wanderbünden« zusammentaten (406 Wandalen, Alanen, Sweben). Die Westgoten fielen ins Oström. Reich ein (Niederlage von Kaiser Valens bei Adrianopel 378), zogen unter Alarich (395–410) nach Italien (410 Eroberung Roms) und errichteten 418/419 zw. Pyrenäen und Loire das Tolosan. Reich, das unter Eurich (466–484) die Iber. Halbinsel zu erobern begann.

Völkerwanderung

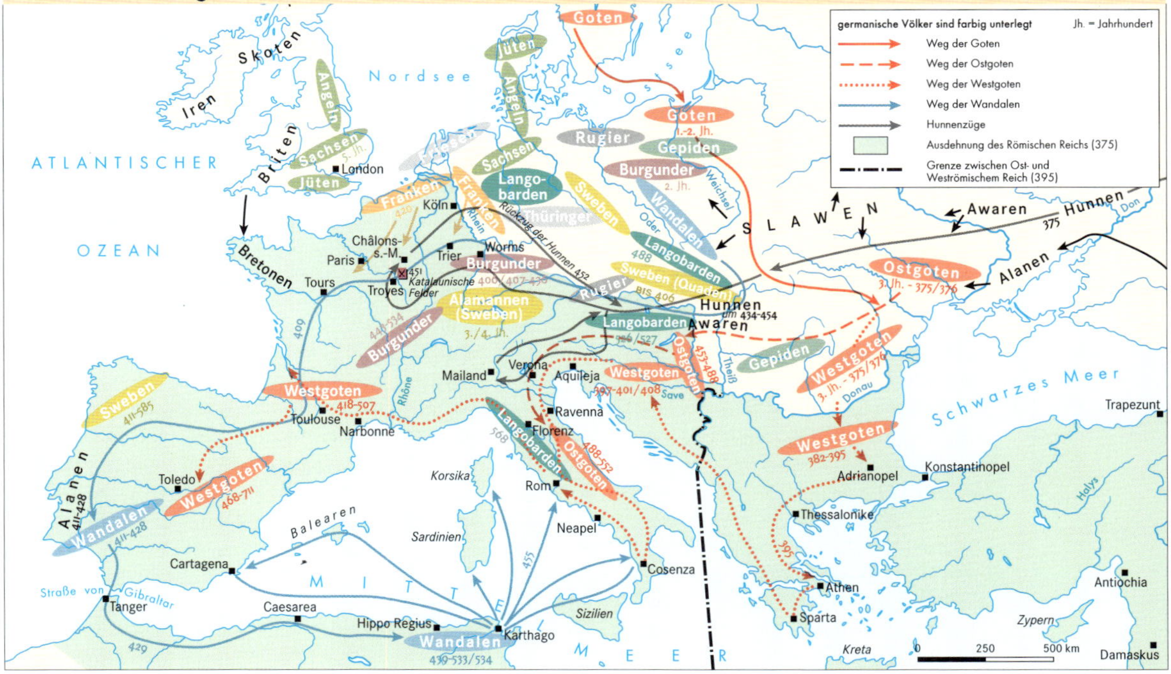

Anders als die Sweben, die ihre Herrschaft von Callaecia (Galicien) aus bis 585 gegen die Westgoten behaupteten, wanderten Wandalen und Alanen 429 unter König Geiserich (428–477) nach N-Afrika aus, das sie bis 439 eroberten. 413 nahmen Burgunder das Gebiet um Worms und Speyer in Besitz, wurden jedoch 436 von hunn. Truppen im Auftrag des Aetius besiegt und 443 in der Sapaudia (heute Savoyen) angesiedelt. Angeln, Sachsen und Jüten nahmen Mitte des 5. Jh. Britannien ein. Das Hunnenreich brach nach dem Tod König Attilas (453) zusammen. Die Ostgoten fielen 488 in Italien ein und errichteten unter Theoderich d. Gr. das Ostgotenreich (493). Zwar beseitigten die byzantin. Feldherren Belisar und Narses das Wandalenreich (533/534) und das Ostgotenreich (552), doch konnte Byzanz nicht verhindern, dass die Langobarden unter König Alboin (um 565–572) 568 in N-Italien einfielen (Langobardenreich bis 774). Die Franken unter Chlodwig I., die 486 das röm. Restreich des Syagrius in Gallien beseitigt hatten, verdrängten die Westgoten des Tolosan. Reiches 507 nach Spanien, wo sich diese bis 711 behaupteten. Dem Fränk. Reich wurden 531 auch das Thüringerreich und 532–534 das Burgunderreich einverleibt. Zu den Ergebnissen der german. V. gehören die tief greifenden Bevölkerungsumgruppierungen in ganz Europa, die mitverantwortlich für das Ende des Röm. Reichs 476 waren. Es ergab sich eine Westverlagerung der Germanen und der nachdrägenden Slawen. Neben dem Westgotenreich auf der Iber. Halbinsel war nur den Staatsgründungen der Franken, Angelsachsen und Langobarden auf dem Gebiet des ehemaligen röm. Reichs eine längere Lebensdauer beschieden.

📖 MACHATSCHKE, R.: *V. Von der Antike zum Mittelalter. Die Wandlung des röm. Reichs u. das Werden Europas. Wien 1994.* – MARTIN, J.: *Spätantike u. V. München ³1995.*

völkisch, allg. svw. das Volk betreffend, dem Volk gemäß, zum Volk gehörig; etwa seit 1875 als Verdeutschung des Wortes »national« v. a. im Sinn eines ethnisch exklusiven, meist antisemit. Nationalismus verwendet.

Völkischer Beobachter, dt. Tageszeitung, 1920 bis zur Einstellung 1945 Zentralorgan der NSDAP.

Völklingen
Stadtwappen

Völklingen [f-], Stadt im Stadtverband Saarbrücken, Saarland, an der Saar; 44 100 Ew.; Hochschule für Bildende Künste; Ind.museum »Völklinger Hütte« (die stillgelegte Hochofengruppe wurde zum UNESCO-Weltkulturerbe erklärt); Sitz der Saarstahl AG, Steinkohlenbergbau, Großkraftwerke. – 822 erstmals erwähnt, seit 1937 Stadt.

Volkmann [f-], Richard von (seit 1885), Pseud. Richard Leander, Chirurg und Schriftsteller, *Leipzig 17. 8. 1830, †Jena 28. 11. 1889; Prof. und Direktor der chirurg. Klinik in Halle (Saale) und Generalarzt der preuß. Armee; verband in den viel gelesenen »Träumereien an frz. Kaminen« (1871) Elemente des Volks- und Kunstmärchens.

Volksabstimmung (Plebiszit), *Staatsrecht:* die Abstimmung der stimmberechtigten Staatsbürger über Sachfragen, im Unterschied zur Wahl, die sich auf eine Personalentscheidung bezieht; im modernen Staatsrecht als Ausdruck der unmittelbaren Demokratie in den Formen des →Volksbegehrens und des →Volksentscheids ausgestaltet.

Volksaktilen, im Zuge der Privatisierung des industriellen Bundesvermögens mit dem Ziel einer breiten Einkommensstreuung ausgegebene Aktien in kleiner Stückelung, die teilweise mit Preisnachlässen für niedrige Einkommensgruppen und Sperrfristen für den Verkauf versehen waren. In der Bundesrep. Dtl. erstmals 1959, in Österreich 1957 ausgegeben.

Volkslanwaltschaft, in Österreich ein dem Ombudsmann ähnl., von der Nationalversammlung ernanntes Dreiergremium mit Sitz in Wien; prüft v. a. behauptete Missstände in der öffentl. Verwaltung.

Volksarmee, →Nationale Volksarmee.

Volksbanken, auf H. Schulze-Delitzsch zurückgehende gewerbl. →Kreditgenossenschaften; sie dienen bes. der organisierten Kreditversorgung des gewerbl. Mittelstands, betreiben als Universalbanken auch alle übl. Bankgeschäfte. Seit 1971 sind die V. mit den Raiffeisenbanken im »Bundesverband der Dt. V. und Raiffeisenbanken e. V.« zusammengeschlossen.

Volksbegehren (Volksanregung), das auf verfassungsrechtl. Grundlage beruhende Verlangen einer Mindestzahl von Staatsbürgern nach Erlass eines Gesetzes oder Herbeiführung eines →Volksentscheids. – In *Österreich* kennen die Verf. der Länder V. und der Bund das V. auf Erlass von Gesetzen (Art. 41 Bundes-Verfassungs-Ges.); für die *Schweiz* →Volksinitiative.

Volksbildungswerk, traditionelle Einrichtung der Erwachsenenbildung, bes. auf konfessioneller Basis, z. B. als Mütterschule, Kolpingverein, heute z. B. als Bildungswerk oder Familienbildungsstätte.

Volksbücher, durch J. Görres eingeführter Begriff, der zunächst romanhafte Prosafassungen mittelalterl. Versepen, dann auch populäre Novellensammlungen der Renaissance bezeichnete. Die Erzählstoffe entstammten meist der frz. Heldensage und den frz. Ritterromanen (u. a. »Melusine«, »Magelone«), die dt. Heldensage war Quelle für den »Gehörnten Siegfried«, das dt. höf. Epos für »Herzog Ernst« und »Tristan«. Auf Legenden beruhen »Genovefa« und die V. von Sankt Brandan. Auch antike Stoffe wurden verarbeitet. Auf oriental. Stoffe in lat. Überlieferung gehen das V. von den »Sieben weisen Meistern« und der »Ewige Jude« zurück. Zu V. wurden auch altes Erzählgut, zusammenfassende Tiergeschichten wie der →Reinecke Fuchs und Schwanksammlungen wie das »Lalebuch« und die »Schildbürger«. Die Romantik hat die V. wieder belebt.

📖 MACKENSEN, L.: *Die dt. V. Leipzig 1927.* – KREUTZER, H. J.: *Der Mythos vom Volksbuch. Studien zur Wirkungsgeschichte des frühen dt. Romans seit der Romantik. Stuttgart 1977.*

Volksbücherei, →öffentliche Bibliothek.

Volksbühne, als Zweig der Arbeitervereine gegr. Theaterbesuchsorganisation, die gegen einen niedrigen Beitrag regelmäßige Theaterbesuche ermöglicht; 1890 Gründung der ersten »Freien V.« in Berlin; 1920 wurde der »(Bundes-)Verband der dt. V.-Vereine e. V.« gegründet, Sitz: Berlin.

Volksbund Deutsche Kriegsgräberfürsorge e. V., →Kriegsgräberfürsorge.

Volksdemokratie, Bez. für eine Regierungsform in den ost- und mitteleurop. Ländern des sowjet. Einflussbereiches unmittelbar nach dem 2. Weltkrieg in der sog. Übergangsetappe zw. Kapitalismus und Sozialismus, die durch ein Mehrparteiensystem und versch. Eigentumsformen gekennzeichnet war. Nach 1947 erfolgte in der marxistisch-leninist. Lehre eine Umorientierung, aufgrund derer die V. als eine takt. Variante der Diktatur des Proletariats verstanden und entsprechend gestaltet wurde. In zahlreichen kommunistischen Staaten Mittel- und O-Europas garantierte das →Blocksystem bei formalem Weiterbestehen des Parteienpluralismus das Führungsmonopol der kommunist. Partei bis 1989/90.

Volksdeutsche, nat.-soz. Bez. für die außerhalb der Grenzen des Dt. Reiches von 1937 und Österreichs ansässigen Deutschen, v. a. in O- und SO-Europa bis zur Umsiedlung im 2. Weltkrieg (1945) und der Vertreibung (1947).

Volksdichtung, →Volkspoesie.

volks|eigener Betrieb, Abk. **VEB,** in der DDR Bez. für die in staatl. Eigentum befindl. Betriebe im Ind.- und Dienstleistungssektor. Durch die zentralist. Planwirtschaft war die Selbstständigkeit der VEB stark eingeschränkt; seit Beginn der 1980er-Jahre waren sie zum größten Teil in zentral- bzw. bezirksgeleiteten Kombinaten zusammengefasst. 1990 wurden die rd. 8 000 VEB mit ca. 4,1 Mio. Beschäftigten der staatl. Verwaltung entzogen, in Kapitalgesellschaften (GmbH, AG) umgewandelt und der Treuhandanstalt unterstellt, die diese bis zur Überführung in private Rechtsformen verwaltete.

volks|eigenes Gut, Abk. **VEG,** staatl. Landwirtschaftsbetrieb in der DDR, entstanden im Ergebnis der Bodenreform 1945; Hauptaufgaben: Erzeugung von Saat-, Pflanzgut und Zuchtvieh.

Volks|eigentum, →sozialistisches Eigentum.

Volks|einkommen, in Marktwirtschaften das Nettosozialprodukt zu Faktorkosten (→Sozialprodukt). In sozialist. Planwirtschaften entsprach dem V. das **Nationaleinkommen.** Es stellte den in einer Periode (Jahr) neu geschaffenen Wert der materiellen Produktion dar und errechnete sich aus dem **gesellschaftl. Gesamtprodukt** nach Abzug der Vorleistungen und Abschreibungen zuzüglich des Außenbeitrags (+ Import, – Export). Die Ermittlung der V.-Rechnung beruhte auf den Planabrechnungen der Betriebe, bewertet zu Planpreisen. Hauptunterschiede zum marktwirtsch. Konzept: 1) Entsprechend der marxschen Wertlehre wurde auf die materielle Produktion abgestellt, Dienstleistungen wurden i. Allg. also nicht berücksichtigt. 2) Die Preisermittlung erfolgte nicht über den Markt, sondern durch staatl. Festsetzungen und Richtlinien. 3) Die Umsatzsteuer war im Nationaleinkommen eingeschlossen, entsprach also dem Nettosozialprodukt zu Marktpreisen.

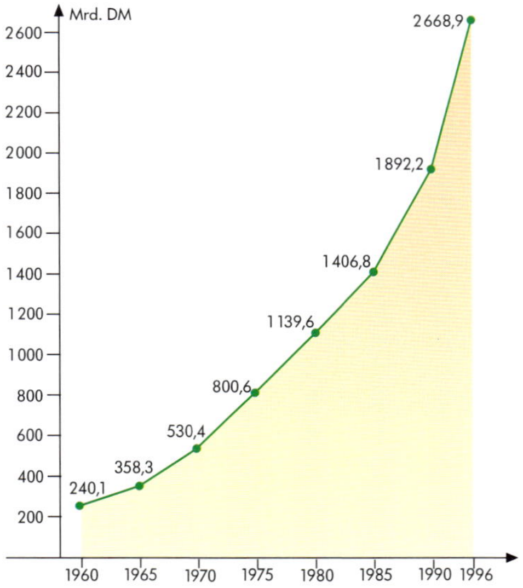

Volkseinkommen: Die Entwicklung des Volkseinkommens (in Milliarden DM) in der Bundesrepublik Deutschland von 1960 bis 1996 in den jeweiligen Preisen; 1996 einschließlich der neuen Bundesländer

Volks|entscheid (Referendum), eine unmittelbare Mitwirkung des Volkes an der staatl. Gesetzgebung oder an sonstigen staatl. Entscheidungen durch Abstimmung; häufig durch ein →Volksbegehren eingeleitet. In Dtl. gibt es nach dem GG (Art. 29 Abs. 2) den V. nur in Fragen der →Neugliederung des Bundesgebietes, jedoch sehen viele Länderverf. V. vor. – In *Österreich* ist der V. (»Volksabstimmung«) obligatorisch für Totaländerungen der Bundesverf. und fakultativ für Verf.-

und Gesetzesbeschlüsse. In einzelnen Ländern können auch die Wahlberechtigten einen V. veranlassen. In der *Schweiz* ist die Zustimmung des Volkes bei Verf.änderungen des Bundes und der Kantone notwendig. Bundesgesetze müssen dem Volk unterbreitet werden, wenn 50 000 Stimmbürger oder acht Kantone dies verlangen. Staatsverträge und kantonale Gesetze unterliegen teils dem obligator., teils dem fakultativen Referendum.

Volks|erhebung, der bewaffnete Widerstand der Bev. eines Landes gegen einen Krieg führenden anderen Staat. Nach der Haager Landkriegsordnung (1907) wird der betreffende Volksteil unter bestimmten Voraussetzungen als Kriegspartei (»legitime Kombattanten«) betrachtet.

Volks|etymologie, *Sprachwiss.:* Deutung fremden oder unverstandenen Wortguts durch Anlehnung an bekanntes Sprachmaterial, wobei z.T. die Lautform leicht verändert wird, z.B. der Raubmarder »Vielfraß« aus norweg. fjeldfross »Bergkater«.

Volksfeste, seit Ende des 18.Jh. Bez. für große örtl. oder regionale Feiern und Feste, gekennzeichnet u.a. durch religiöses, aber auch weltlich-abergläub. Brauchtum (z.B. Erntefest, Fastnacht). Viele ursprünglich kirchl. Feste (bes. die alljährl. →Kirchweih) entwickelten sich im MA. durch das Aufstellen von Ständen und Buden aller Art zu weltl. V. Im 20.Jh. entstanden neue V. (Heimatfeste, Blüten- und Weinfeste); das bekannteste dt. V. ist heute das Münchner →Oktoberfest.

Volksfrömmigkeit (auch Volksglaube), Bez. für eine Vielzahl von religiösen Praktiken und Vorstellungen, die in einem Volk (oft regional eingebunden) im Rahmen der »offiziellen« Religion gepflegt und in ihrem Sinne gedeutet werden, jedoch in vielen Fällen streng genommen nicht in Einklang mit deren Glaubenslehre zu bringen sind.

Volksfront, Bez. für eine Koalition, die neben kommunist. und sozialdemokrat. auch linksbürgerl. Parteien einschließt. Die **V.-Politik** führte zwar zunächst zu den V.-Reg. von L. Blum in Frankreich (1936/37 und 1938), 1936–39 in Spanien und 1938–47 in Chile, scheiterte aber schließlich an der ablehnenden Haltung der Kommunisten gegenüber der parlamentar. Demokratie. Nach dem 2. Weltkrieg hatte die V.-Politik in der gewandelten Form der Politik der Nat. Front (Blocksystem) wesentl. Anteil an der Durchsetzung der sog. antifaschistisch-demokrat. Ordnung und der Etablierung der kommunist. Herrschaft im europ. Einflussbereich der Sowjetunion. Weitere V.-Regierungen gab es in Finnland 1966–70 und in Chile (unter S. Allende Gossens) 1970–73.

Volksfront für die Befreiung Palästinas, →Palästinensische Befreiungsorganisation.

Volksfürsorge-Versicherungsgruppe, Versicherungskonzern, gegr. 1912 als Alte Volksfürsorge; gehört zur Aachener und Münchener Versicherungsgruppe; Sitz: Hamburg.

Volksgerichtshof, Sondergerichtshof im nat.-soz. Dtl., 1934 geschaffen; Sitz: Berlin. Urspr. als Gericht zur Aburteilung von Straftaten konzipiert, die zuvor in die Zuständigkeit des Reichsgerichts gefallen waren (v.a. Hoch- und Landesverrat), wurde seine Zuständigkeit laufend erweitert. Der V. konnte schließlich alle Handlungen, die der NS-Staat kriminalisiert und Sondergerichten zugewiesen hatte, an sich ziehen. Der V. war, bes. unter R.→Freisler, ein von rechtsstaatl. Bindungen weitgehend gelöstes Instrument zur Liquidierung und Einschüchterung von Regimegegnern. Zw. 1937 und Mitte 1944 fällte er 5 191 Todesurteile (bei 14 319 Anklagen). – Dass Urteile des V. von dt. Gerichten nach 1945 als nicht rechtsstaatswidrig und daher als gültig angesehen wurden, wurde als Indiz für die Unfähigkeit der dt. Justiz zur Selbstkritik gewertet; erst 1985 erklärte der Dt. Bundestag diese Urteile für nichtig.

Volksgruppe, nat. →Minderheit.

Volksheer, Streitkräfte, die kein Berufssoldatenheer darstellen, sondern aufgrund einer allg. Aushebung, heute aufgrund der allg. Wehrpflicht, aufgestellt werden.

Volkshochschule, öffentl. Weiterbildungseinrichtung, meist in kommunaler Trägerschaft (auch von Zweckverbänden auf Kreisebene), die in Tages- und Abendveranstaltungen ein breit angelegtes Programm anbietet. Zu ihren Zielen gehört es, Erwachsenen ein differenziertes Weiterbildungsangebot zu machen (in Vorträgen und Arbeitskreisen), u.a. Möglichkeiten zu kreativem Gestalten und gesundheitsorientierter Sportausübung zu geben und aktuelles kulturelles Geschehen zu begleiten. Einen wichtigen Anteil stellen auch Kurse, die der berufl. Weiterbildung dienen und deren Abschlüsse von den Arbeitgebern anerkannt werden. Die ländl. **Heim-V.** dagegen sind zumeist in Internatsform organisiert und betreuen in privater Trägerschaft die berufsbezogene und allg. Weiterbildung. – Die V. entwickelte sich in Dtl. seit Beginn des 20.Jh., bes. unter dem Einfluss skandinav. Vorbilder. Seit 1953 besteht der **Dt. V.-Verband.** – In *Österreich* sind alle Lehrkräfte der Volksbildung im **Verband österr. V.** zusammengeschlossen. Die V. in der *Schweiz* bilden seit 1956 den **Verband der Schweizerischen Volkshochschulen.**

Volks|initiative, im schweizer. Gesetzgebungsverfahren die von der Verf. als **Volksanregung** bezeichnete, vom Volk zu ergreifende Möglichkeit, ein konkretes Gesetz zu initiieren (Art. 120f. Bundes-Verf.). Auf Bundesebene kann durch V. nur die Einleitung einer Teil- oder Totalrevision der Bundes-Verf. verlangt werden. Hierzu sind 100 000 Unterschriften der Stimmberechtigten notwendig.

Volkskammer, höchste Volksvertretung der DDR (→deutsche Geschichte, Deutsche Demokratische Republik).

Volkskirche, eine christl. Kirche, die sich in Selbstverständnis und Organisationsstruktur als Kirche eines Volkes bzw. eines bestimmten Volksteils versteht, i. d. R. die Mehrheit der Bev. umfasst und in die der Einzelne »hineingeboren« wird, d. h., durch Kindertaufe auf der Basis konfessioneller Tradition Mitgl. wird. Die V. kann zugleich auch →Staatskirche sein; von ihr unterscheiden sich die →Freikirchen.

Volkskommissare, 1917–46 Bez. für die Minister in Sowjetrussland bzw. in der Sowjetunion; diese bildeten den Rat der Volkskommissare.

Volkskommunen, die 1958 in der VR China geschaffenen Agrar- und Produktionsgroßkollektive; sie wurden im Zusammenhang mit dem von Mao Zedong initiierten Großen Sprung nach vorn im ganzen Land gebildet und sollten die gesellschaftl. Basiseinheit beim Übergang zum Kommunismus verkörpern. Eine V. fasste jeweils 25–30 landwirtsch. Kooperativen zusammen und war in Produktionsbrigaden (120–150 Haushalte) sowie Produktionsgruppen (10–15 Familien) untergliedert; sie vereinte lokale Wirtschaft, Kommuneleitung und öffentl. Verwaltung. Ende 1958 waren (nach offiziellen Angaben) 99% der Landbevölkerung in 26578 V. zusammengeschlossen (durchschnittl. Größe etwa 4700 Haushalte). In den V. wurde nahezu der gesamte bewegl. Besitz ihrer Mitgl. vergesellschaftet; die Arbeit war nach militärähnl. Prinzipien organisiert (Einteilung der Arbeitskräfte z. B. in »Arbeitsregimenter«) und das persönl. Leben weitgehend durch das Kollektiv reglementiert (kasernierte Unterbringung der Bev., Erziehung der Kinder in Heimschulen, kostenlose Verpflegung in Großkantinen). Mit der so formierten »Produktionsarmee« erstrebte die chines. KP-Führung eine sprunghafte Steigerung des Getreideertrages und der Stahlproduktion (Kampagne zum massenhaften Bau primitiver Schmelzöfen) sowie eine Realisierung von Großprojekten (Anlage von Bewässerungssystemen u. Ä.). Darüber hinaus sollte das traditionell fest gefügte chines. Familiensystem beseitigt werden. Als die überstürzte, radikale Einführung der V. auf wachsenden Widerstand der Bauern stieß und maßgeblich die Wirtschaftskrise Anfang der 1960er-Jahre mitverursachte, wurde das System zunächst stark gelockert und dezentralisiert, später de facto aufgelöst.

📖 Romich, M. F.: *Chinas V. Revolutionäres Erbe oder Aufbruch in eine kommunist. Zukunft? Frankfurt am Main 1981.*

Volkskunde, Wiss. von den Verhaltensnormen und Gestaltungsmustern unterschiedlicher gesellschaftl. Gruppen, die sie unter dem Aspekt ihrer Geschichte, Erscheinung und Funktion untersucht; befasst sich mit Kultur- und Lebensformen der »Alltagswelt« in Geschichte und Gegenwart. Sie analysiert sowohl Verhalten (Bräuche, Feste, Volksglauben usw.) als auch Volkskultur (Arbeit und Gerät, Hausrat, Tracht, Volkskunst, -recht, -dichtung usw.).

Geschichte: In Dtl. ist die V.-Forschung eng mit der Herausbildung der wiss. Germanistik verbunden, v. a. durch die historisch-philolog. Forschungen der Brüder Grimm zu Märchen, Sage und Mythologie (dt. V.). Den gesellschaftsbezogen-empir. (sozialwiss.) Ansatz betonte W. H. Riehl. Mit zunehmender Industrialisierung wuchs das Interesse an vor- und nichtindustriellen Lebensformen; so wurde seit der Gründung kulturhistor. Museen mit volkskundl. Abteilungen sowie V.-Museen (u. a. Berlin 1889, Dresden 1896) zunehmend auch materielle Volkskultur dokumentiert; später entstanden →Freilichtmuseen. Im ersten Drittel des 20. Jh. etablierte sich die V. als selbstständiges Fach an den Univ. und Hochschulen. Nach dem 2. Weltkrieg begann eine verstärkte theoret. Hinwendung zu den anthropolog. und empir. Sozialwissenschaften. In der prakt. Forschungsarbeit der letzten Jahrzehnte wurde das Untersuchungsfeld der V. unter kulturgeschichtl. Aspekt erweitert.

📖 Bausinger, H.: *V. Von der Altertumsforschung zur Kulturanalyse. Tübingen 1987.*

Volkskunst: Patenbrief aus dem Elsass (1825; Berlin, Museum für Volkskunde)

Volkskunst, die in Motivik, Typik und Stilistik eigenen Traditionslinien folgende künstler. Betätigung und materielle Kultur der Mittel- und Unterschichten, v. a. der ländl. Handwerker und Bauern **(Bauernkunst),** aber auch der unteren Bürgerschichten (v. a. der Kleinstädte); reicht vom Alltagsgerät (z. B. Krüge) über Ziergegenstände (z. B.

Hinterglasmalerei) bis zum Brauchtumserzeugnis (z.B. Votivbild); Blütezeit 17./19.Jh. V. zeigt z.T. starke regionale und lokale Unterschiede; typisch sind v.a. vereinfachte Formelhaftigkeit, Reihung, Symmetrie, ornamental-geometr. Stilisierung. Viele Ornamente (z.B. Dreieck, Kreis, Spirale, Stern [Drudenfuß], Lebensbaum, Rad, Ei, Herz, Sonne) sowie die oft lebhafte Farbigkeit hatten kult. bzw. gemäß dem Volksglauben symbol. Bedeutung. – Als neues Phänomen entstand die →naive Kunst.

Volkslauf, Veranstaltung des Breitensports, wobei für das Erreichen des Ziels (in unterschiedl. Zeitlimits) Anerkennungen vergeben werden.

Volkslied: Titelblatt des 1808 erschienenen zweiten Bandes der Volksliedsammlung »Des Knaben Wunderhorn« von Achim von Arnim und Clemens Brentano

Volkslied, mündlich überliefertes, durch Variantenreichtum und Formelhaftigkeit gekennzeichnetes Lied, das, gebunden an bestimmte Lebensgewohnheiten, von breiten Volksschichten gesungen wird. Seine genaue Herkunft lässt sich oft nicht mehr nachweisen. Der Begriff V. wurde von J. G. Herder 1773 geprägt. Die bevorzugte Form der **V.-Strophe** besteht aus vier vierhebigen Verszeilen. Die landschaftl. Unterschiede sind bei V. groß. Auch Melodik, Art der Mehrstimmigkeit und Begleitung durch Instrumente (Gitarre, Zither u.a.) wechseln von Gegend zu Gegend. Dazu kommen noch die sozialen Unterscheidungen zw. den V. von Hirten, Bauern, Städtern, Handwerkern, Soldaten u.a. Die Bedeutung des V. im Volksleben ist bes. deutlich beim Arbeits- und Brauchtumslied. Melodien (»Töne«) werden oft übernommen oder folgen z.T. sehr alten Modellen. Alle V. unterliegen aber ständiger Wandlung. Sie werden »zersungen«; auch Vermischungen von Liedern (Kontaminationen) treten auf.

Geschichte: Handschriftl. Aufzeichnungen von V. begannen im 15.Jh. (→Lochamer Liederbuch; das »Liederbuch der Klara Hätzlerin«, 1471). Seit dem 16. Jh. gab es gedruckte V.-Sammlungen (P. Schöffers »Liederbuch«, 1513; »Bergreihen«, 1531; »Ambraser Liederbuch«, 1582). Im 17. und 18. Jh. nahmen die Dokumente wieder ab, bis durch Herders Einfluss Sammlungen entstanden, die unmittelbar aus der Volksüberlieferung schöpften, so von A. von Arnim und C. Brentano (»Des Knaben Wunderhorn«, 3 Bde., 1806–08), L. Erk (»Dt. Liederhort«, 1856; neu bearbeitet und fortgesetzt von F. M. Böhme, 3 Bde., 1893/94), Hoffmann von Fallersleben und Ernst Richter (»Schles. V.«, 1842), L. Uhland (»Alte hoch- und niederdt. V.«, 2 Bde., 1844/45), F. W. von Ditfurth (»Fränk. V.«, 2 Bde., 1855) u.a.

📖 DANCKERT, W.: *Das V. im Abendland. Bern u.a. 1966.* – DANCKERT, W.: *Das europ. V. Bonn ^{2}1970. – Handbuch des Volksliedes, hg. v.* R. W. BREDNICH *u.a., 2 Bde. München 1973–75.* – SUPPAN, W.: *V. Seine Sammlung u. Erforschung. Stuttgart ^{2}1978.* – HOLZAPFEL, O.: *Lexikon folklorist. Begriffe u. Theorien. (Volksliedforschung.) Bern u.a. 1996.*

Volksmedizin, volkstümliche heilkundl. Vorstellungen und Heilmaßnahmen, die auf überliefertem pflanzenkundl. und mineralog. Wissen, abergläub. und mythisch-religiösen Vorstellungen und Erfahrungen (Heilmagie) beruhen. – Urspr. wurde Krankheit als etwas Fremdes angesehen, sodass auch Geister und Dämonen (Alb, Pest, Schelm) als Verursacher galten. Man begegnete ihnen mit Gegenzauber, Besprechen, Wallfahrten (Pest), Amuletten oder verschiedenen Heilmitteln. – Einige der Heilverfahren der V. sind noch heute geeignet, Befindlichkeitsstörungen und leichte Erkrankungen selbst zu behandeln oder andere therapeut. Maßnahmen zu unterstützen. Große Bedeutung besitzt die Verwendung pflanzl. Drogen (z.B. Tees, Tinkturen, Extrakte).

Volksmudschaheddin, →Mudschaheddin.

Volksmusik, die Gesamtheit der, im Unterschied zur schriftlich überlieferten Kunstmusik, gedächtnismäßig weitergegebenen musikal. Tradition eines Volkes oder Landes: Volkslied, Volkstanz und instrumentale Musik; Musizierformen und Instrumentarium sind nach Landschaften, Stämmen und Volksgruppen verschieden. Im 19. und 20.Jh. haben wiss. Sammelinteresse, Massenmedien und Ausbau der Bildungseinrichtungen wesentlich auf die volksmusikal. Traditionen eingewirkt; die V. ist jetzt durch schriftl. oder phonograph. Aufzeichnung beliebig reproduzierbar. Im Ggs. zur professionell-kommerziellen Pflege von V., die heute weite Bereiche des Musikmarktes abdeckt, beschränkt sich die von Laien geübte Musik v.a. auf vereinsmäßig organisierte Gruppen (Blasmusik, Trachtenkapellen, Gesangvereine).

Volkspo|esie (Volksdichtung), auf J. G. Herder zurückgehender und v. a. von der Romantik getragener Sammelbegriff, der alle Formen mündl. Überlieferung und volkstüml. Gebrauchsliteratur sowie deren sprachl. Gestaltungen und traditionellen Inhalte umfasst, v. a. Volkslied, Volksmärchen, Volkssagen, Volksbücher.

Volkspolizei, Deutsche, Abk. **DVP,** Kw. **Vopo,** Bez. für die Polizei der DDR.

Volksrechte, *Rechtsgeschichte:* zw. dem 5. und 9. Jh. erfolgte Aufzeichnungen des Rechts german. Stämme (→germanische Volksrechte).

Volksreligion, die im Unterschied zu einer Weltreligion an die Gemeinschaft eines Volkes, Stammes oder einer bestimmten Kultur gebundene und von ihr allein getragene Religion.

Volksrepublik, Abk. **VR,** nach dem 2. Weltkrieg Bez. von Volksdemokratien innerhalb des kommunist. Staatensystems und von sozialistisch orientierten Staaten in Asien und Afrika.

Volksrichter, 1) im frühen MA. der unter Mitwirkung des Volkes zur Leitung des Volksgerichts (Ding) bestimmte Richter (Ggs.: Königsrichter, Graf); 2) die nach 1945 in der Sowjet. Besatzungszone Dtl.s im Zuge der Umgestaltung der Justiz eingesetzten Richter ohne jurist. Ausbildung.

Volks|schauspiel, Stücke, die von Laienorganisationen z. T. mit großem Personen- und Ausstattungsaufwand aufgeführt, oft auch verfasst werden. Vorläufer waren im MA. z. B. das Mysterienspiel aus religiösem oder das Fastnachtsspiel aus saisonalem Anlass.

Volks|schule, traditionell neben den höheren Schulen bestehende Schulform für die breiten Schichten der Bevölkerung; sie wurde erst im 19. Jh. unter Widerständen allg. ausgebaut, als die Schreib- und Rechenschulen nicht mehr ausreichend erschienen. Seit der Weimarer Rep. sind an die Stelle der V. zwei selbstständige Schularten getreten: die →Grundschule für alle Kinder und die →Hauptschule, in der Bundesrep. Dtl. wurden entsprechende Klassen auch in Gesamtschulen eingerichtet, heute ergänzt durch die integrierten Klassen für Haupt- und Realschüler. – In *Österreich* wird heute die vierjährige Eingangsstufe für alle Kinder als V. bezeichnet.

Volks|solidarität, Abk. **VS,** in der DDR eine Massenorganisation zur freiwilligen solidar. Hilfe, insbesondere für alte und kranke Menschen; gegr. 1945. Die VS betrieb früher u. a. Veteranenclubs und -treffpunkte, seit der dt. Vereinigung ist sie in der Altenbetreuung tätig.

Volks|souveränität [-su-], Grundprinzip der Legitimation demokrat. Herrschaft, fixiert in dem Verfassungssatz, dass alle Staatsgewalt vom Volke ausgeht. Herrschaftsausübung soll letztlich immer auf Zustimmung des Volkes, geäußert in unmittelbarer Sachentscheidung oder in Wahl und Kompetenzzuweisung (Parlamentarismus), zurückführbar sein (→Souveränität).

Volks|staat, im Unterschied zum Obrigkeitsstaat und zur Monarchie demokrat. Staatstypus (→Demokratie); entstand im 18./19. Jh. als dt. Synonym zur Bez. →Republik (auch als »freier V.«, kurz →Freistaat).

Volks|stück, von professionellen Schauspieltruppen für ein breites Publikum teils auf Wanderbühnen, teils an festen Bühnen gespieltes volkstümliches Stück; bedeutendste Ausprägungen im süddt. Raum und v. a. in Wien. In seinen Hauptvertretern J. A. Stranitzky, G. Prehauser, P. Hafner, J. A. Gleich, A. Bäuerle, F. Raimund und J. N. Nestroy entwickelte das V. eine Verbindung von Realismus, Sprachwitz (u. a. Verwendung der Mundart), Satire, Charakter-, Zeit- und Gesellschaftskritik mit Sentiment, Skurrilem und Fantastischem. Das süddt. V. faszinierte durch seine Integration literar., theatral. und volkstüml. Elemente. Moderne Autoren sind u. a. L. Anzengruber, L. Thoma, B. Brecht, Ö. von Horváth, Marieluise Fleißer, H. Lautensack, F. X. Kroetz, P. Turrini, W. Bauer und M. Sperr.

📖 MÜLLER, G.: *Das V. von Raimund bis Kroetz. Die Gattung in Einzelanalysen. München 1979.* – SCHMITZ, T.: *Das V. Stuttgart 1990.* – *Das zeitgenöss. deutschsprachige V., hg. v.* U. HASSEL *u.* H. HERZMANN. *Tübingen 1992.*

Volks|sturm, das aufgrund eines Erlasses A. Hitlers vom 25. 9. 1944 gebildete letzte militär. Aufgebot des nat.-soz. Dtl. zur Verteidigung des Reichsgebietes; rekrutierte sich aus allen nicht der Wehrmacht angehörigen, waffenfähigen Männern zw. 16 und 60 Jahren. Seine Aufstellung und Führung wurde den Gauleitern (bzw. nachgeordneten Dienststellen) der NSDAP übertragen; verantwortlich für Ausbildung, Bewaffnung und den Kampfeinsatz war der Reichsführer SS und Befehlshaber des Ersatzheeres H. Himmler. Die militär. Bedeutung des V., der angesichts der drohenden militär. Niederlage Dtl.s die Wehrmacht unterstützen sollte, blieb wegen der unzulängl. Ausbildung und Bewaffnung sowie der Altersstruktur gering; seine Einheiten erlitten z. T. schwere Verluste.

Volks|tanz, Gesamtheit der durch vorwiegend schriftlose Tradition überlieferten Tänze eines Volkes, die bei festlichen oder geselligen Anlässen mit instrumentaler oder vokaler Begleitung getanzt werden. Unterscheiden lassen sich: 1) Tänze, die an bestimmte Kulte und Bräuche gebunden sind (z. B. Tanz um den Maibaum, Tänze zur Fastnacht), 2) Geschicklichkeitstänze (z. B. Schwerttanz), 3) Werbetänze (z. B. Ländler, Schuhplattler), 4) Geselligkeitstänze (z. B. Countrydance).

Volks|tracht, landschaftlich gebundene Kleidung (Tracht) v.a. der ländlich-bäuerl. Bevölkerung, deren Differenzierung auf territorialer wie naturräuml. Abgrenzung beruht (Trachtenlandschaften), mit Blütezeit im 18. Jh. In Einzelheiten (Kopfputz, Farben) unterschieden die V. streng die versch. Altersstufen und Lebensordnungen einer Gemeinschaft (Kinder, Verheiratete, Verwitwete), z.T. auch die Konfession. Berufsständ. Trachten bildeten v.a. die Berg- und Zimmerleute aus. Von der Festtagstracht (bes. zum Kirchgang benutzt) hob sich die Trauertracht ab; eine herausragende Rolle spielte die Brauttracht. Die bäuerl. Alltagstracht war durch einfache Kleidungsstücke wie Holzschuh, Lodenumhang u.a. geprägt. Heute werden die V. in Dtl. v.a. in Trachtenvereinen durch bewusste Pflege tradiert (oder modisch abgewandelt getragen). In Skandinavien sowie O- und SO-Europa hielten sich die V. am längsten, sind aber auch hier im Schwinden begriffen.

Volks|trauertag, in der Bundesrep. Dtl. seit 1952 ein nat. Trauertag zum Gedenken der Opfer beider Weltkriege und des Nationalsozialismus: 2. Sonntag vor dem 1. Advent.

Volksverhetzung, Straftat, die begeht, wer in einer Weise, die geeignet ist, den öffentl. Frieden zu stören, 1) zum Hass gegen Teile der Bev. aufstachelt oder zu Gewalt- oder Willkürmaßnahmen gegen sie auffordert oder 2) die Menschenwürde anderer dadurch angreift, dass er Teile der Bev. beschimpft, böswillig verächtlich macht oder verleumdet (§ 130 Abs. 1 StGB); Strafe: Geld- oder Freiheitsstrafe von drei Monaten bis fünf Jahren. Ferner sind das Verbreiten volksverhetzender Schriften (Abs. 2) und in Abs. 3 die sog. Auschwitz-Lüge (Leugnen der nat.-soz. Vernichtungsverbrechen) strafbar.

Volkswagen AG: Das vergoldete millionste Exemplar des »Käfers«, Modelljahr 1955

Volksvermögen, Summe der Reinvermögen aller Wirtschaftseinheiten einer Volkswirtschaft bzw. Gesamtheit des zu einem bestimmten Zeitpunkt in einer Volkswirtschaft vorhandenen Sach- (z.B. Grund und Boden, Bodenschätze, Gebäude, Ausrüstungen, Vorräte) und immateriellen nichtfinanziellen Vermögens (Patente, Lizenzen, Humankapital u.a.) zuzüglich der Differenz zw. Forderungen und Verbindlichkeiten gegenüber dem Ausland. Aufgrund erhebl. Erfassungs- und Bewertungsprobleme ist eine umfassende und exakte Wertermittlung des V. nicht möglich.

Volksversammlung, das Zusammentreten aller stimmberechtigten Bürger eines Staatswesens zur Wahrnehmung ihrer polit. Rechte; heute noch in einigen schweizer. Kantonen üblich (→Landsgemeinde). – In einigen Staaten wird auch das Parlament als V. bezeichnet.

Volksvertretung, →Parlament.

Volkswagen AG, Abk. **VW AG,** Sitz: Wolfsburg, Automobilkonzern mit den Beteiligungs- und Tochterges. Audi AG, Ingolstadt; SEAT S. A., Barcelona, Škoda automobilová, Mladá Boleslav (Jungbunzlau), Shanghai-Volkswagen Automotive Company Ltd., Schanghai (50%), FAW-Volkswagen Automotive Co. Ltd., Changchun (40%), Rolls-Royce Motor Cars Limited u.a.

Geschichte: Konstruktion und Produktion eines preiswerten Massenautos war eine Idee F. Porsches, die von Hitler aus wirtschaftl. und propagandist. Gründen gefördert wurde. 1937 befahl dieser der Dt. Arbeitsfront (DAF) den Bau des Volkswagens, des Volkswagenwerks und einer eigenen Stadt (gegr. 1938 als »Stadt des KdF-Wagens« durch Gemeindezusammenlegung, heute Wolfsburg). Unter Porsches Leitung (seit 1938) dominierte im Volkswagenwerk die Rüstungsproduktion (Schwimm- und Kübelwagen, Flugbombe V1). 1960 erfolgte die Umwandlung in eine AG und eine Teilprivatisierung. Die Aktien wurden gezielt an Bev.schichten mit geringem Einkommen verkauft (»Volksaktien«; heute 728000 Aktionäre), das Land Niedersachsen behielt 20% des stimmberechtigten Grundkapitals. Der später als **Käfer** bezeichnete Volkswagen wurde zum Symbol des dt. Wirtschaftswunders und ist das meistgebaute Auto der Welt mit der längsten Produktionsdauer.

Volkswagenstiftung, 1961 von der Bundesrep. Dtl. und dem Land Ndsachs. unter der Bez. **Stiftung Volkswagenwerk** gegründete privatrechtl. Stiftung zur Förderung von Wissenschaft und Technik in Forschung und Lehre, seit 1989 V.; Sitz: Hannover. Die jährl. Fördermittel setzen sich v.a. aus den Erträgen des Stiftungskapitals und den Aktiengewinnen des Bundes und des Landes Ndsachs. aus dem Aktienbesitz am Volkswagenwerk zusammen.

Volkswirtschaft, Gesamtheit der miteinander verflochtenen und zusammenwirkenden privaten und öffentl. Wirtschaftssubjekte innerhalb eines (i.d.R. mit dem Staatsgebiet zusammenfallenden) Wirtschaftsraums. Dabei ergibt sich die V. nicht allein als Summe ihrer Teile, sondern erhält durch ein einheitl. Wirtschaftssystem, eine einheitl. Geld- und Währungsordnung sowie die staatl. Wirtschaftspolitik, die gegebenen rechtl., sozialen, kulturellen und gesellschaftl. Verhältnisse, die natürl. Ausstattung des Wirtschaftsraums u.a. ihr besonderes, sie von anderen V. unterscheidendes Gepräge.

volkswirtschaftliche Gesamtrechnung, die kontenmäßige Erfassung der Güter- und Einkommensströme in einer Volkswirtschaft. Die v. G. hat die Aufgabe, nach Abschluss einer Wirtschaftsperiode eine möglichst umfassende, übersichtliche und gut gegliederte quantitative Gesamtdarstellung des wirtsch. Geschehens einer Volkswirtschaft zu geben, insbesondere der Entstehung, Verteilung und Verwendung des →Sozialprodukts. Sie ist als statist. Instrument der Wirtschaftsbeobachtung wesentl. Grundlage für gesamtwirtsch. Analysen und Prognosen und findet v.a. in der Konjunktur-, Wachstums- und Strukturpolitik sowie als Ausgangspunkt für internat. Vergleiche Verwendung. In der v. G. werden die Wirtschaftseinheiten in die drei Sektoren Unternehmen, Staat und private Haushalte zusammengefasst, die ihrerseits wiederum durch Güter-, Geld- und Leistungsströme miteinander verbunden sind. Die Zusammenhänge zw. Produktion, Einkommensentstehung, -verteilung, -umverteilung und -verwendung sowie den Finanzierungsvorgängen werden mithilfe der Buchführung analysiert.

Volkswirtschaftslehre (Nationalökonomie, Sozialökonomie, Sozialökonomik, auch politische Ökonomie), Abk. **VWL,** Teilgebiet der Wirtschaftswiss., das die gesamte Wirtschaft einer Gesellschaft zum Gegenstand hat. Neben der Analyse einzelwirtsch. Phänomene untersucht sie v.a. gesamtwirtsch. Zusammenhänge und Prozesse. Kerngebiet der V. ist die Wirtschaftstheorie (i. Allg. unterteilt in →Mikroökonomik und →Makroökonomik); i.w.S. zählen zur V. auch die theoret. Wirtschaftspolitik, die Finanzwiss. und Teile der Wirtschaftsgeschichte; Hilfswissenschaften sind v.a. die Statistik sowie die →Ökonometrie. – Auf methodolog. Gebiet dringt die mathemat. Theorie (lineare Optimierung, Spieltheorie, Input-Output-Analyse), bes. der Ökonometrie, weiter vor. Eine inhaltl. Neuerung stellt die Umweltökonomie dar.

Nach Ansätzen in der Antike und im MA. beginnt die Geschichte der V. i.e.S. im 17. und 18. Jh. mit dem →Merkantilismus. Eine erste geschlossene makroökonom. Theorie entwickelte F. Quesnay, der Begründer des →Physiokratismus, mit dem »Tableau économique«. In Dtl. entwickelte sich zu dieser Zeit v.a. der →Kameralismus. Voll ausgebildet wurde die V. durch die Vertreter der →klassischen Nationalökonomie A. Smith, D. Ricardo, T.R. Malthus, J.B. Say. In der Folgezeit differenzierte sich die V. in versch. Schulen, z.B. marxistische polit. Ökonomie, →historische Schule, →Grenznutzenschule und neoklass. Schule. In neuerer Zeit erhielt die V. v.a. durch J.M. Keynes und seine Anhänger (→Keynesianismus) sowie durch den →Monetarismus wichtige Impulse.

📖 HANUSCH, H. *u.* KUHN, T.: *Einf. in die V. Berlin u.a. ³1994. – V. Problemorientiert, Beiträge v.* H.-D. HARDES *u.a. Tübingen 1995.* – WAGENBLASS, W.: *V., öffentl. Finanzen u. Wirtschaftspolitik. Heidelberg ⁶1995.* – KYRER, A. *u.* PENKER, W.: *V. Grundzüge der Wirtschaftstheorie u. -politik. München u.a. ⁵1996.* – WAGNER, A.: *Wirtschaft verstehen – national u. global. Eine moderne V. Stuttgart 1997.*

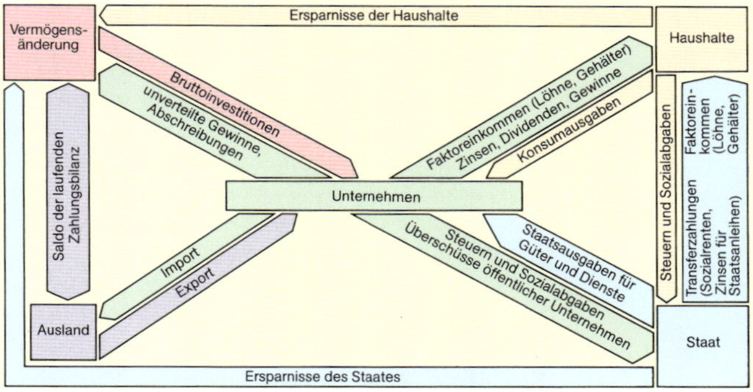

volkswirtschaftliche Gesamtrechnung: schematische Darstellung der Güter-, Geld- und Leistungsströme zwischen den Wirtschaftssektoren Unternehmen, Staat und private Haushalte im Modell des Wirtschaftskreislaufs

Volkszählung (Zensus), zu einem bestimmten Zeitpunkt (Stichtag) erfolgende staatl. Erhebung statist. Daten über die Bev. (Bev.zahl, Berufs- und Wohnungsverhältnisse usw.), die primär für staatl. Planungen und Maßnahmen notwendig sind. Um die aus einer V. gewonnen Daten zu aktualisieren (Fortschreibung), werden in jährl. Turnus Stichprobenerhebungen (ein Prozent der Bev.) durchgeführt **(Mikrozensus).** Anlässlich der von Bürgerinitiativen (V.-Boykott) 1983 verhinderten V. hat das Bundesverfassungsgericht das Recht der Bürger auf →informationelle Selbstbestimmung festgestellt. Dessen Wahrung ist in das V.-Ges. von 1987 eingeflossen. Bei V. und Mikrozensus besteht eine Auskunftspflicht. – Erste V. gab es bereits im Altertum bei Chinesen, Ägyptern und Juden (2. Sam. 24, 1–10).

Vollard [vɔˈlaːr], Ambroise, frz. Kunsthändler, Verleger und Schriftsteller, *Saint-Denis (auf Réunion) 1865, †Paris 1939; förderte in seiner Pariser Galerie P. Cézanne sowie die Impressionisten, Nabis und Fauves. Seine Bücher und lithograph. Mappen sind Höhepunkte der modernen Buchkunst.

Vollbauern (Vollhufner, Vollspänner, Vollerben), ältere Bez. für bäuerl. Hofbesitzer, abgeleitet von der vollen, ungeteilten →Hufe; sie besaßen besondere Rechte gegenüber den Besitzern nicht spannfähiger Kleinstellen (Häusler).

Vollbeschäftigung, optimale Auslastung aller Produktionsfaktoren (insbesondere des Faktors Arbeit) in einer Volkswirtschaft. V. liegt vor, wenn alle für eine Beschäftigung geeigneten Personen ohne längere Wartezeiten einen Arbeitsplatz zum bestehenden Lohnniveau finden können. Die quantitative Konkretisierung der V. erfolgt u.a. durch die Arbeitslosenquote oder den Auslastungsgrad des Arbeitskräftepotenzials. Seit der Weltwirtschaftskrise (1929) gehört die Erreichung und Erhaltung der V. zu den grundlegenden wirtschaftspolit. Zielen. (→Beschäftigung)

Andreas Vollenweider

Vollblutpferd, →Pferde.

Vollenweider, Andreas, schweizer. Harfenist und Komponist, *Zürich 4. 9. 1953; 1972–78 Mitgl. der Gruppe »Poesie und Musik«; wurde durch sein Album »Behind the gardens« (1981) und mit dem unverwechselbaren Klangbild seiner »elektroakustisch modifizierten Pedalharfe« bekannt; auch Theater-, Film- und Fernsehmusiken.

Volleyball ['vɔle-, engl. 'vɔlɪ-], wettkampfmäßig in Hallen traditionell mit den Händen gespieltes Rückschlagspiel zweier Mannschaften von je sechs Spielern auf einem Spielfeld von 18×9 m. Der 270 bis 280 g schwere Hohlball von 65 bis 67 cm Umfang ist derart über das das Spielfeld halbierende, 2,43 m (Männer) bzw. 2,24 m (Frauen) hohe Netz zu spielen, dass der Gegenspieler den Ballwechsel nicht regelgerecht fortsetzen kann. Fehler der Gegner zählen bei eigener Aufgabe als Punkt, eigene Fehler haben Aufgabewechsel und Aufstellungswechsel der gegner. Mannschaft zur Folge. 15, ggf. 17 gewonnene Punkte (bei zwei Punkten Vorsprung) ergeben einen Satz, drei Gewinnsätze den Sieg. Der 5. Satz wird im Tiebreak entschieden. Dabei entfällt die Regelung, dass nur bei Aufgaberecht gepunktet werden darf; jede fehlerhafte Aktion wird mit einem Punkt für den Gegner bestraft. Fehler sind u.a. Bodenberührung oder Verschlagen des Balles, Fangen, Halten, Ziehen des Balles, mehr als drei Ballberührungen durch eine Mannschaft hintereinander. Seit 1996 darf mit dem ganzen Körper gespielt werden. Olymp. Sportart seit 1964, Weltmeisterschaften seit 1949 (Frauen seit 1952), Europameisterschaften seit 1948 (Frauen seit 1949). →Beachvolleyball

📖 *V.-Handbuch, hg. v.* E. Christmann *u.* K. Fago. *Reinbek 20.–22. Tsd. 1995.*

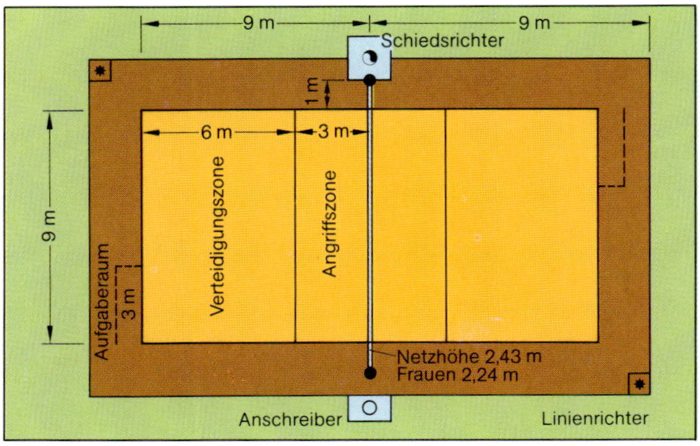

Volleyball: Spielfeld

Völligkeitsgrad, das Verhältnis von Schiffskörpervolumen oder einer Schiffsfläche (Schnittfläche durch den Rumpf) und dem entsprechend umschreibenden Quader bzw. Rechteck. Man unterscheidet den V. der Verdrängung (bezogen auf das Unterwasserschiff), den V. der Wasserlinie (bezogen auf den Wasserlinienriss) und den V. des Hauptspants (bezogen auf den Spantenriss). **Schärfegrad** ist das Verhältnis der Schiffslänge zur dritten Wurzel aus der Verdrängung. Die V. sind untereinander abhängig und haben großen Einfluss auf Stabilität und Fahrtwiderstand.

Volljährigkeit (Mündigkeit), Stufe des menschl. Alters, mit der die volle Geschäftsfähigkeit eintritt; in Dtl. mit Vollendung des 18. Lebensjahrs (§2 BGB). Damit enden das elterl. Sorgerecht und eine eventuelle Altersvormundschaft, es beginnt die Geschäftsfähigkeit und die Ehemündigkeit (§§1626, 1882, 1303 BGB). – In *Österreich* tritt die V. mit Vollendung des 19., in der *Schweiz* (seit 1993) mit Vollendung des 18. Lebensjahres ein, wobei in Österreich (§174 ABGB) ein Minderjähriger nach Vollendung des 18. Lebensjahres für volljährig erklärt werden kann. (Übersicht Alter: Lebensalter im Recht)

Vollkerf *der,* fortpflanzungsfähiges →Insekt.

vollkommene Zahlen, natürliche Zahlen, die gleich der Summe ihrer echten natürl. Teiler sind; Beispiel: $6 = 1 + 2 + 3$.

Vollkommenheit, Beschaffenheit einer Sache, die völlig ihrem Wesen und ihrem Zweck entspricht; so etwa in der Ethik der (als höchster Wert geltende) Seinszustand vollständiger Erfüllung der zu den Anlagen oder der Bestimmung des eigenen Wesens gehörenden Eigenschaften.

Vollmacht, durch Rechtsgeschäft erteilte Ermächtigung, den V.-Geber zu vertreten (→Stellvertretung). **General-V.** ermächtigt zur Vornahme aller Rechtsgeschäfte für eine Person, **Spezial-V.** nur zur Vornahme einzelner Rechtsgeschäfte. Erteilt der Bevollmächtigte seinerseits einem Dritten V., liegt eine **Unter.-V.** vor. Die V. kann auch über den Tod des V.-Gebers hinaus erteilt werden. Das Erlöschen der V. richtet sich nach dem zugrundeliegenden Rechtsgeschäft, ist aber i.d.R. frei widerruflich. Oft wird eine **V.-Urkunde** ausgestellt (§§166ff. BGB). Von einem Kaufmann wird als General-V. die →Prokura, als Spezial-V. die →Handlungsvollmacht erteilt (§§48ff. HGB). Den Inhalt der Prozess-V. bestimmen die §§81ff. ZPO.

Vollmer [f-], Antje, Politikerin (Bündnis 90/Die Grünen), *Lübeck 31. 5. 1943, Theologin; 1983–85, 1987–90 und seit 1994 MdB, 1984–85 und 1989–90 Fraktionssprecherin der Grünen im Bundestag; seit 1994 Vizepräsidentin des Bundestages.

Vollmond, eine Phase des →Mondes.

vollstreckbare Urkunde, von einem Gericht oder Notar in vorgeschriebener Form aufgenommene, die Verpflichtung zur Leistung einer Geldsumme oder anderer vertretbarer Sachen oder Wertpapiere enthaltende Urkunde, in der sich der Schuldner der sofortigen, d.h. ohne Prozess und Urteil vorzunehmenden Zwangsvollstreckung unterwirft (§794 Abs. 1 Nr. 5 ZPO). Diese erfolgt aufgrund einer vom Gericht oder Notar erteilten **vollstreckbaren Ausfertigung** der Urkunde, die mit der **Vollstreckungsklausel,** einer Bescheinigung der Vollstreckbarkeit, versehen ist.

Vollstreckungsbescheid, →Mahnverfahren.

Vollstreckungsgegenklage, die Klage des Vollstreckungsschuldners gegen den Gläubiger, die darauf zielt, dass die Zwangsvollstreckung aus dem Vollstreckungstitel für unzulässig erklärt werde, weil der Anspruch nicht oder nicht mehr bestehe (§767 ZPO). Ist der Titel (Urteile, Vollstreckungsbescheide) rechtskraftfähig, so sind solche Einwendungen nur zulässig, wenn sie nach dem Schluss der mündl. Verhandlung, in der sie im Erkenntnisverfahren spätestens hätten vorgebracht werden müssen, entstanden sind.

Vollstreckungsgericht, Amtsgericht, dem die gesetzlich zugewiesenen Maßnahmen bei einer Zwangsvollstreckung obliegen. Die Aufgaben des V. sind i.d.R. den Rechtspflegern übertragen.

Vollstreckungsklausel, →Zwangsvollstreckung.

Vollstreckungsschutz, vom →Pfändungsschutz zu unterscheidende gerichtl. Anordnung zum Schutz vor Vollstreckungsmaßnahmen. So bestimmt insbesondere §712 ZPO, dass das Prozessgericht im Falle eines für vorläufig vollstreckbar erklärten Urteils dem Schuldner auf Antrag gestatten kann, die dem Gläubiger zustehende Vollstreckung durch Sicherheitsleistung oder Hinterlegung abzuwenden, wenn die Vollstreckung dem Schuldner einen nicht zu ersetzenden Nachteil bringen würde und überwiegende Gläubigerinteressen dem nicht entgegenstehen.

Vollstreckungs|titel (vollstreckbarer Titel), →Zwangsvollstreckung.

Vollstreckungs|urteil, das →Exequatur.

Vollstreckungsvereitelung, Veräußern oder Beiseiteschaffen von Vermögensbestandteilen bei drohender Zwangsvollstreckung in der Absicht, die Befriedigung der Gläubiger zu vereiteln (§288 StGB); wird – nur auf Antrag des Gläubigers – mit Freiheitsstrafe bis zu zwei Jahren oder Geldstrafe bestraft. Ähnlich in *Österreich* (§§ 162 f. StGB) und der *Schweiz* (»Pfändungsbetrug«, Art. 164 StGB).

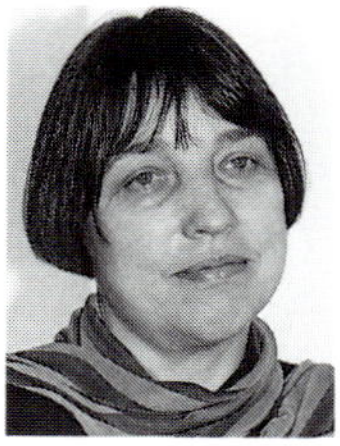

Antje Vollmer

Volltrunkenheit (Vollrausch), ein die Schuldfähigkeit ausschließender Rausch, hervorgerufen durch Alkoholgenuss oder durch andere Rauschmittel, →Rauschtat.

Vollversammlung, →Plenum.

Vollwert|ernährung (vollwertige Ernährung), von W. Kollath begründete Ernährungsweise, die die Lebensmittel hinsichtlich ihres lebensmitteltechn. Verarbeitungsgrades nach einer Wertstufeneinteilung beurteilt. Die tägl. Ernährung soll zur Hälfte aus unveränderten, naturbelassenen Nahrungsmitteln bestehen, bes. aus frischem Obst und Gemüse, Vollkornprodukten (statt Weißmehlwaren, entsprechend Naturreis statt geschältem Reis), ergänzt durch Honig, Ahornsirup u.Ä. (statt Industriezucker), naturbelassenen Fetten (Butter, kalt gepresste Speiseöle mit einfach und mehrfach ungesättigten Fettsäuren), mageren Milchprodukten. Gegart wird schonend und kurz. Der Anteil an Eiern, Fleisch und Fisch ist reduziert. Die Nahrung sollte möglichst frei von Schad- und Zusatzstoffen sein.

Volljährigkeit

Bis vor einigen Jahren wurde man in Deutschland, aber auch z.B. in Großbritannien und den USA, mit 21 Jahren volljährig. Dies geht auf das Mittelalter zurück, als die Jungen aus adligen Familien mit neun bis zehn Jahren das Haus verließen, um bei Gleichgestellten oder Höherrangigen Dienst zu tun. Bis 14 dienten sie im Allgemeinen als Pagen im Haushalt und wurden dann als Knappen einem Ritter unterstellt, dem sie die Rüstung polierten, die Pferde striegelten und der sie im Hauen und Stechen unterwies.

Bis zum 13. Jahrhundert war es üblich, dann mit 21 zum Ritter geschlagen zu werden. Entsprechend gingen in den Städten die Bürgersöhne mit 14 zu einem Meister in die Lehre, die gewöhnlich sieben Jahre dauerte.

Vollwinkel, gesetzliche Winkeleinheit ohne festgelegtes Einheitenzeichen; entspricht dem Winkel einer vollen Umdrehung: 1 Vollwinkel = 2π rad = 360°.

Vollzeitschule, Schule, die durch Unterricht und Hausaufgaben die Arbeitskraft ihrer Schüler voll beansprucht, z.B. alle allgemein bildenden Schulen, Berufsfachschulen, Fachoberschulen; Ggs.: Teilzeitschule (z.B. Berufs-, Abendschule).

vollziehende Gewalt, →Exekutive.

Vollzugspolizei, Teil der →Polizei.

Alessandro Volta

Volontä̲r [v-, frz.] *der,* v.a. in Medienunternehmen anzutreffender Arbeitnehmer, der, ohne Auszubildender zu sein, unentgeltlich oder gegen geringe Vergütung prakt. Erfahrung und Kenntnisse erwirbt. Der V. untersteht grundsätzlich den Vorschriften des Arbeitsrechts.

Vọlos [v-], Hauptstadt des VerwBez. (Nomos) Magnesia, in Thessalien, Griechenland, am Pagasäischen Golf, 71 400 Ew.; archäolog. Museum; Zementind., Maschinen- und Karosseriebau; wichtigster Hafen Thessaliens.

Volpo̲ni [v-], Paolo, italien. Schriftsteller, *Urbino 6.2.1924, †Ancona 23.8.1994; schrieb Gedichte sowie erfolgreiche, mehrfach preisgekrönte Romane, die in der Art der Sciencefiction die Entfremdung des Menschen in der modernen Industriegesellschaft aufzeigen (u.a. »Ich, der Unterzeichnete«, 1962; »Die Weltmaschine«, 1965; »Der Speerwerfer«, 1981; »Ich seh dich unter den Arkaden«, 1991).

Vọlsker [v-] (lat. Volsci), altitalischer Volksstamm, seit dem 6.Jh. v.Chr. im Bergland des südl. Latium ansässig; zw. 338 und 329 v.Chr. durch Rom unterworfen.

Vọ̈lsungar [v-], → Wölsungen.

Vọlt [v-; nach A. Volta] *das,* Einheitenzeichen **V,** SI-Einheit der elektr. → Spannung: 1 V ist gleich der elektr. Spannung oder elektr. Potenzialdifferenz zw. zwei Punkten eines fadenförmigen, homogenen und gleichmäßig temperierten metall. Leiters, in dem bei einem zeitlich unveränderlichen elektr. Strom der Stärke 1 A (Ampere) zw. den beiden Punkten die Leistung 1 W (Watt) umgesetzt wird: 1 V = 1 W/A.

vọlta [v-; italien. »Mal«], *Musik:* in der Notenschrift Bez. für versch. Schlüsse bei Wiederholungen: **prima v.,** das erste Mal, **seconda v.,** das zweite Mal.

Vọlta [v-; italien. »Drehung«] *die,* aus der Provence stammender höf. Paartanz im schnellen Dreiertakt, im 16./17.Jh. in Europa verbreitet.

Vọlta [v-] *der,* Fluss in Ghana, W-Afrika, 1600 km lang, entsteht aus dem Zusammenfluss von **Schwarzem V.** und **Weißem V.** im nördl. Ghana, mündet östlich von Accra in die Bucht von Benin; durch den **Akosombodamm** (660 m lang, 114 m hoch; Kraftwerk) zum 8480 km^2 großen **V.-See,** einem der größten Stauseen der Erde, gestaut (Fischfang, Schifffahrt).

Vọlta [v-], Alessandro Graf (seit 1810), italien. Physiker, *Como 18.2.1745, †ebd. 5.3.1827; verbesserte das Elektroskop, erfand u.a. den Plattenkondensator, die erste Form galvan. Elemente **(voltasche Säule)** und stellte die → Spannungsreihe der Elemente auf.

Voltaire [vɔlˈtɛːr], eigtl. François-Marie Arouet, frz. Schriftsteller und Philosoph, *Paris 21.11.1694, †ebd. 30.5.1778; studierte nach humanist. Ausbildung im Jesuitenkolleg Louis-le-Grand Jura; wegen krit. Äußerungen gegen den Hof 1716 verbannt; 1717 wegen einer ihm zugeschriebenen Satire auf den Regenten Philippe II. von Orléans elf Monate in der Bastille. Ersten großen Erfolg errang er mit der Tragödie »Oedipus« (1719), europ. Ruhm erreichte er mit dem Epos über Heinrich IV. »Henriade« (1723). 1726 wurde er wegen einer persönl. Auseinandersetzung mit dem Chevalier de Rohan aus Paris verbannt und ging nach Großbritannien (bis 1729), wo er sich intensiv mit der engl. Philosophie (v.a. J. Locke), dem polit. System und dem öffentl. Leben beschäftigte. Literar. Ergebnis waren die »Philosoph. Briefe«, deren (anonyme) Veröffentlichung in Frankreich 1734 ihm einen Haftbefehl einbrachte, da die Schrift erstmals die Vorstellungen der → Aufklärung über Gewissensfreiheit, religiöse Toleranz und polit. Gleichheit zusammenfasste. V. floh nach Lothringen, wo er bis 1744 auf Schloss Cirey bei der Marquise Du Châtelet-Lomont lebte und arbeitete (u.a. »Éléments de la philosophie de Newton«, 1738; »Abhandlung zur Metaphysik«, 1734). Später arrangierte er sich vorübergehend mit dem Hof (1745 Ernennung zum Hofhistoriographen, 1746 Mitgl. der Académie française), folgte aber 1750 der Einladung Friedrichs d.Gr. nach Potsdam, das er 1753 aber wieder verließ. Er kaufte das Gut Ferney

Voltaire: Gemälde des französischen Künstlers Nicolas de Largillière (1724/25; Versailles, Musée National), darunter Autogramm

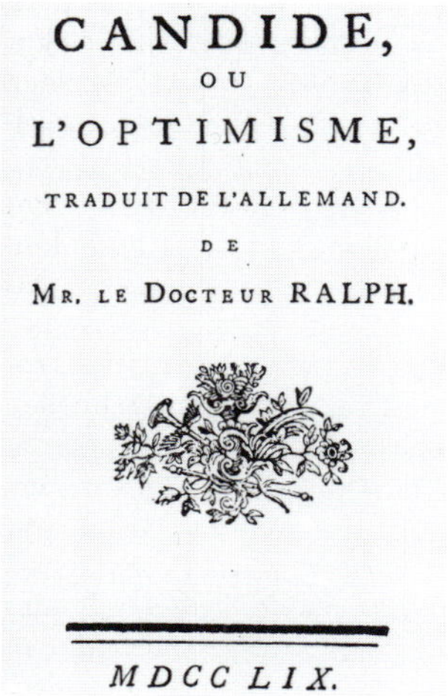
CANDIDE,
OU
L'OPTIMISME,
TRADUIT DE L'ALLEMAND.
DE
MR. LE DOCTEUR RALPH.
MDCCLIX.

Voltaire: Titelblatt der Erstausgabe des Romans »Candide oder der Optimismus« (1759)

(heute Ferney-Voltaire, Dép. Ain) an der frz.-schweizer. Grenze, wo er seit 1758 lebte. Von hier aus korrespondierte er mit fast allen bed. Persönlichkeiten Europas, v.a. aber griff er mit seinen Schriften in das polit. und gesellschaftl. Leben Frankreichs ein und erreichte die Rehabilitierung von Opfern der absolutist. Justiz. Auch an der »Encyclopédie« Diderots und D'Alemberts arbeitete er mit, wobei er in seinen Lexikonartikeln v.a. gegen Aberglauben und Fanatismus zu Felde zog (deren unheilvolle Folgen er in der kath. Kirche repräsentiert sah, die sich der weltl. Macht zur Durchsetzung ihrer Interessen bediene). Seine Religionskritik ist neben seinen polit. Aktivitäten Teil seines Kampfes gegen Ungerechtigkeit und Unvernunft. Sein »Philosoph. Wörterbuch« (1764) bot eine Zusammenfassung seines antikirchl. Denkens. Im Febr. 1778 kehrte er für die Uraufführung seiner Tragödie »Irène« nach Paris zurück; er starb kurz nach dem triumphalen Erfolg.

V.s umfangreiches Werk umfasst alle von der frz. Aufklärung gepflegten Gattungen. Die Tragödien verbinden klassizistisch strenge Form mit aufklärer. Inhalt: »Zaire« (1732), »Mahomet« (1742, dt. von Goethe, 1802). Zu den lebendigsten literar. Zeugnissen des 18. Jh. gehören die »kleinen Romane«, bes. »Candide oder der Optimismus« (1759), worin er die leibnizsche These von »dieser Welt als der besten aller möglichen« ironisch umkehrt, außerdem »Zadig« (1747) und »Das Naturkind« (1767). Neben V.s praktisch-polit. Philosophie ist sein histor. Werk (»Die Zeiten Ludwigs XIV.«, 2 Bde., 1751; »Geschichte des russ. Reiches unter der Regierung Peters d. Gr.«, 1759–63) von besonderer Bedeutung als Beispiel einer im Wesentlichen krit. Methode und als wegweisend für die moderne säkularisierte Geschichtsschreibung. Die Weltgeschichte deutet V. als eine aus immanentem Entwicklungsgesetz heraus fortschreitende Vervollkommnung der Vernunft. – Mit V. wurde der Schriftsteller zur öffentl. Macht. Seine herausragende Stellung im geistigen Leben Europas gab dem 18. Jh. den Namen »das Jahrhundert Voltaires«. Weiteres BILD Preußen

📖 HOLMSTEN, G.: *V.* *Reinbek [11]1994.* – LEPAPE, P.: *V. oder die Geburt der Intellektuellen im Zeitalter der Aufklärung. Aus dem Frz. Frankfurt am Main u. a. 1996.*

Voltameter [v-] (Coulombmeter), von A. Volta entwickeltes Gerät zum Messen elektr. Ladung durch Massenbestimmung elektrolyt. Abscheidungsprodukte.

Volt|ampere [v-; -ˈpɛːr] *das,* Einheitenzeichen **VA,** Einheit der elektr. Scheinleistung, gleichbedeutend mit → Watt.

Volta Redonda [v-], Stadt in Brasilien, nordwestlich von Rio de Janeiro, 200 000 Ew.; Zentrum der brasilian. Stahlind., daneben Walzwerke, Gießereien, Maschinen- u. a. Industrie.

Volte [v-, frz.] *die,* **1)** *Dressurreiten:* Hufschlagfigur in Form eines Kreises von sechs Schritt Durchmesser.

2) *Fechten:* Ausweichen vor einem gegner. Hieb oder Stoß durch das seitl. Ausscheren aus der Gefechtslinie, damit der Gegner beim Ausfall in die Klinge läuft.

3) *Kartenspiel:* Kunstgriff, durch den eine bestimmte Karte nach dem Mischen stets einen vorher festgelegten Platz im Stapel einnimmt.

Volterra: Das zu Beginn des 1. Jh. n. Chr. angelegte römische Theater ist ein typisch augusteischer Theaterbau mit halbkreisförmig aufgemauerten Zuschauerrängen und einer Bühnenfront mit Säulenfassade

Volterra [v-], Stadt in der Toskana, Prov. Pisa, Italien, 12 900 Ew.; Salinen, Alabasterbergbau und -verarbeitung; Fremdenverkehr. – Etrusk. Baureste, darunter die Stadtmauern (mit zwei Toren; wohl Ende des 5. Jh. v. Chr.); Reste eines röm. Theaters (1. Jh. n. Chr.); Dom (12./13. Jh.; im 16. Jh.

umgebaut) mit Fassade von N. Pisano und oktogonalem Baptisterium (1284); weitere Kirchen aus dem 13.–15. Jh.; Festung (14./15. Jh.). – V., etrusk. **Velathri,** röm. **Volaterrae,** war Mitgl. des Bundes der → Zwölfstädte.

Voltigieren [vɔlti'ʒi:rən, frz.] *das,* im Pferdesport das Turnen am auf einer Kreisbahn galoppierenden Pferd; Europa- und Weltmeisterschaften.

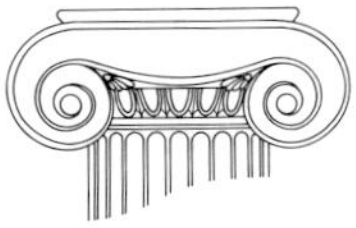

Volute eines ionischen Kapitells

Voltmeter [v-] *das,* der → Spannungsmesser.

Volturno [v-] *der,* Fluss in Süditalien, 175 km lang, entspringt in den südl. Abruzzen und mündet unterhalb Castel V. in den Golf von Gaeta.

Volubilis [v-], Ruinenstätte in N-Marokko, 30 km nordwestlich von Moulay Idris; seit 1998 UNESCO-Welterbe; einst wichtige Handelsstadt der röm. Provinz Mauretania, Blütezeit im 2./3. Jh. Frz. Ausgrabungen legten u. a. Wohnviertel, Thermen, Forum mit Kapitolstempel (3. Jh.) und Gerichtsbasilika, Triumphbogen des Caracalla (217 n. Chr.) und eine Ladenstraße frei; von der Stadtmauer (168/169) sind Teile rekonstruiert.

Volumen [v-, lat.] *das* (Rauminhalt), Zeichen **V,** die Größe des von der Oberfläche eines Körpers umschlossenen Raumes. Das V. geometrisch einfacher Körper (Würfel, Quader u. a.) ist als Produkt aus Länge, Breite und Höhe berechenbar, das beliebiger Körper mathematisch mithilfe der Integralrechnung. SI-Einheit ist das Kubikmeter (m^3) bzw. dessen dezimale Vielfache und Teile (km^3, dm^3, cm^3, mm^3). Für 1 dm^3 ist auch die Bez. Liter (l) zulässig, außerdem kann der Hektoliter (1 hl = 100 l) verwendet werden. – V.-Messgeräte nutzen bei Festkörpern u. a. die Verdrängung von Flüssigkeiten (archimed. Prinzip) aus oder bei Flüssigkeiten deren V.-Änderung beim Mischen und Verdünnen. Das V. ist eine Zustandsgröße der Thermodynamik. (→ Normvolumen, → spezifisches Volumen, → Zustandsgleichung)

Volumenprozent [v-], *Chemie:* → Konzentration.

Volumetrie [v-, lat.-grch.] *die,* die → Maßanalyse.

Voluntarismus [v-; zu lat. voluntarius »freiwillig«] *der,* Denkweise, die im Willen die Grundbestimmung des menschl. Wesens oder der Welt selbst sieht (Ggs. → Intellektualismus); der Begriff wurde 1883 von F. Tönnies geprägt. – Der klass. Vertreter des **metaphys. V.,** der die Substanz der Welt (Wirklichkeit) im Willen erblickt, ist A. Schopenhauer. Der **theolog. V.** wertet das Wollen seinsmäßig höher als das Erkennen, sodass sich nur durch willentl. Glaubensentscheidung, nicht durch Vernunfterkenntnis zu Gott gelangen lässt (Duns Scotus). Der **psycholog. V.** betrachtet den Willen als Grundfunktion der Seele (Augustinus). Die willkürlich gesetzten Voraussetzungen bei der (wiss.) Erkenntnisgewinnung betont der **erkenntnistheoret. V.** Für den **eth. V.** gründet sich eth. Handeln nicht im Wissen (G. W. Leibniz), sondern im freien Willen (Kant). Nach F. Nietzsche manifestiert sich in allem Lebendigem, v. a. im Menschen, ein »Wille zur Macht« **(anthropolog. Voluntarismus).**

Vo Nguyen Giap

Völuspá [v-; »der Seherin Weissagung«], Eröffnungsgedicht und Kernstück der »Edda« (Lieder-Edda). Das Werk enthält eine Welt- und Göttergeschichte in spätgerman. Sicht; den umschließenden Rahmen bilden die Offenbarungen einer Seherin, die rückblickend und vorausschauend das Weltgeschehen enthüllt. (→ Ragnarök)

Volute [v-, lat.] *die, Architektur:* spiralförmig eingerolltes Bauglied, bes. am Kapitell der ion. Säule, in mannigfachen Formen im Barock verwendet, meist um zw. waage- und senkrechten Bauteilen zu vermitteln.

Volvo AB [v-], schwed. Autokonzern, Sitz: Göteborg; hervorgegangen aus einer 1915 gegr. Tochterges. der Svenska Kullagerfabriken AB. Eine der Tochterges. ist die niederländ. NedCar BV.

Joost van den Vondel: Ausschnitt eines Kupferstichs des niederländischen Künstlers und Zeitgenossen Cornelis Visscher

Vondel [v-], Joost van den, niederländ. Dichter, * Köln 17. 11. 1587, † Amsterdam 5. 2. 1679; beteiligte sich lebhaft an polit. und kirchl. Streitigkeiten, wurde 1641 katholisch. V. ist der bedeutendste niederländ. Renaissancedichter; Meister des barocken Trauerspiels, der das niederländ. Nationaltheater entscheidend prägte. Nach grch. Muster schrieb er 32 Dramen (u. a. »Gysbrecht van Aemstel«, 1637; »Lucifer«, 1654). In seiner Lyrik verwendete er häufig den Alexandriner und das Sonett. Er übersetzte die Psalmen sowie Ovid und Vergil.

Vo Nguyen Giap [vɔ ŋuiən ʒap], vietnames. General und Politiker, * An Xa (nördlich von Huê) 1. 9. 1912 oder 1910; 1941 Mitbegründer der → Vietminh; 1945 Innenmin. der Demokrat. Rep. Vietnam. Als Oberbefehlshaber (seit 1946) der Vietminh-Streitkräfte errang er 1954 bei Dien Bien Phu den entscheidenden Sieg über die Franzosen; im Vietnamkrieg Oberkommandierender der nordvietnames. Truppen (maßgebl. Anteil an der Entwicklung der Strategie des modernen Guerillakampfes); 1951–82 Mitgl. des Politbüros der KP; 1954–80 Verteidigungsmin. und 1955–91 stellv. MinPräs. N-Vietnams bzw. (ab 1976) des vereinigten Vietnam.

Vonnegut ['vɔnəgʌt], Kurt, amerikan. Schriftsteller, *Indianapolis (Ind.) 11. 11. 1922; nützt realist. und surrealist. Darstellungsweisen, Elemente des schwarzen Humors und der Sciencefiction zur satir. Kritik an überkommenen Wertvorstellungen westl. Zivilisation. In seinem Roman »Schlachthof 5 oder Der Kinderkreuzzug« (1969) verarbeitete er die Bombardierung Dresdens; er schrieb ferner u.a. »Zielwasser« (R., 1982), »Galapagos« (R., 1985), »Hokus Pokus oder wohin so eilig?« (R., 1990) und »Das Nudelwerk. Reden, Reportagen, kurze Texte. 1965–1980« (dt. Auswahl, 1992).

Kurt Vonnegut

Von-Neumann-Rechner, Bez. für Rechner (Datenverarbeitungsanlagen), deren Aufbau und Funktionsweise (Rechnerarchitektur) auf dem 1946 von J. von Neumann vorgeschlagenen Konzept zur Gestaltung eines universellen programmgesteuerten Rechners mit den Funktionseinheiten Rechen-, Speicher-, Leitwerk sowie Ein- und Ausgabeeinheit beruht. Auf der Rechnerarchitektur des V.-N.-R. basieren die meisten der heute verwendeten Rechner.

VOR, →VOR-Verfahren.

Voranschlag, im Rahmen der Finanzplanung die Zusammenstellung der voraussichtl. Einnahmen und Ausgaben einer Wirtschaftsperiode; im Rechnungswesen Kurzbezeichnung für →Kostenvoranschlag.

Vorarlberg [f-], westlichstes Bundesland Österreichs, 2601 km², (1995) 343100 Ew.; umfasst die Bezirke Bludenz, Bregenz, Dornbirn und Feldkirch; Hptst. ist Bregenz. V. erstreckt sich vom Alpenrhein und südöstl. Bodensee nördlich des Ill- (Montafon) und Klostertals über den Bregenzer Wald bis auf den Arlberg, südlich davon bis zur Verwallgruppe, zum Kamm des Rätikons und der Silvretta. Die Bev. ist den Niederalemannen verwandt, die Walser sprechen Höchstalemannisch. V. hat schon seit mehr als hundert Jahren ein hohes Bevölkerungswachstum zu verzeichnen (Wanderungsgewinne). Im Rheintal und im unteren Illtal zieht sich ein fast geschlossenes Siedlungsband von Bregenz über Dornbirn und Feldkirch bis Bludenz hin. Wichtigste Wirtschaftszweige sind Viehzucht (Molkereiwirtschaft); Ackerbau (auch Obstbau) in der Rheinebene; traditionelle Textil- und Bekleidungsind., ferner Metallverarbeitung, Nahrungsmittel-, Elektro- u.a. Industrie. Bed. sind Elektrizitätsgewinnung (Wasserkraftwerke) und Fremdenverkehr. V. ist Verkehrsdurchgangsland. Die Arlbergbahn und die Arlbergstraße (mit Tunnel) verbinden V. mit Tirol; wichtige W-O-Verbindung ist die Silvretta-Hochalpenstraße.

Geschichte: 15 v. Chr. vom Röm. Reich unterworfen und in die Prov. Rätien eingegliedert; seit dem 5. Jh. alemann. Einwanderung; 537 fränkisch; 1032/40 Teilung in Bregenz, Unter- und Oberrätien; 1376–1523 Einigung unter habsburg. Herrschaft; bis 1752 und seit 1782 Tirol unterstellt, mit dem es 1805 an Bayern fiel; kam 1814 endgültig an Österreich. 1918 wurde V. von Tirol gelöst; seit 1919 österr. Bundesland (1938–45 wieder Tirol angegliedert).

📖 BILGERI, B.: *Geschichte V.s, 5 Bde. Wien [1–2]1974–87. – Land V. Eine Dokumentation. Bregenz [2]1988.*

Vorarlberg
Landeswappen

Vorarlberger Bauschule [f-], Gruppe von Baumeistern der Familien →Beer, →Thumb und →Moosbrugger, die seit etwa 1650 in Schwaben und der Schweiz, v.a. im Auftrag der Benediktiner und Prämonstratenser, Klöster und Kirchen von einheitl. Typus bauten (z.B. Obermarchtal, Einsiedeln, Weingarten). Ihre Kirchen sind tonnengewölbte Wandpfeilerbauten mit eingezogenem Chor und durchlaufenden Emporen über Seitenkapellen; der Außenbau ist streng gegliedert.

Vorauer Handschrift [f-], Sammelhandschrift aus dem Stift Vorau (Steiermark) aus dem letzten Viertel des 12. Jh. mit wichtigen Denkmälern der frühmhd. Literatur.

Voraus|abteilung, *Militärwesen:* 1) Verband, der vor der Truppe in feindl. Gebiet stößt und Aufklärungs- und Kampfaufträge durchführt; 2) Gruppe von Soldaten, die für die nachfolgende Truppe Quartier macht.

Vorausklage, Einrede der, →Bürgschaft.

Vorbehalt, *Recht:* →Eigentumsvorbehalt, →geheimer Vorbehalt, →Gesetzmäßigkeit der Verwaltung.

Vorarlberg: Blick in das Brandner Tal südwestlich von Bludenz mit der 2965 m hohen Schesaplana im Hintergrund

Vorbehaltsgut, das bei Gütergemeinschaft von der gemeinsamen Verwaltung ausgenommene Gut (→eheliches Güterrecht).

Vorbenutzung, *Patentrecht:* die Herstellung, der Gebrauch oder das Feilhalten des Gegenstands einer Erfindung vor der Anmeldung des Patents. Eine V. im Inland hindert die Erteilung des →Patents, weil das Erfordernis der Neuheit der Erfindung nicht mehr gegeben ist (§ 3 Patentgesetz).

Vorbereitungsdienst, die prakt. Ausbildung des →Referendars zw. der 1. und der 2. Staatsprüfung, der Beamten des mittleren, gehobenen und höheren Dienstes vor der Anstellungsprüfung.

Vorbereitungshandlungen, *Strafrecht:* Handlungen, die noch keinen strafbaren →Versuch bilden und straflos sind, soweit sie nicht ausdrücklich mit Strafe bedroht sind (z. B. bei Hochverrat).

Vorbeugung, die →Prophylaxe.

Vorbörse, Wertpapierhandel vor Beginn der offiziellen Börsenzeit. In der V. betreiben die Banken oft einen lebhaften Handel per Telefon, sofern sich bestimmte Kurstendenzen abzeichnen. (→Nachbörse)

Vordemberge-Gildewart [f-], Friedrich, Maler und Grafiker, *Osnabrück 17. 11. 1899, †Ulm 19. 12. 1962; wurde 1925 Mitgl. der Gruppe De →Stijl, emigrierte 1938 nach Amsterdam (ab 1950 niederländ. Staatsbürger); 1954 an die Hochschule für Gestaltung in Ulm berufen. Sein Werk, das von K. Schwitters und El Lissitzky beeinflusst ist, beruht auf den Prinzipien geometr. Abstraktion.

Vorderasi|en, der südwestl. Teil Asiens, umfasst Anatolien (Türkei), Zypern, Libanon, Israel, Jordanien, Syrien, Irak, Iran und Afghanistan, in Kaukasien, Armenien, Aserbaidschan und Georgien, außerdem die Länder auf der Arab. Halbinsel.

Vorgeschichte: Früheste Funde der Altsteinzeit stammen aus Palästina und gehören wohl dem Abbevillien an. Weite Verbreitung fand das Acheuléen in seiner frühen Ausprägung. Reich entfaltete sich das Moustérien bes. in Irak, Syrien und Palästina (Funde vom Moustérienmenschen und von seinen Bestattungen). Die späte Altsteinzeit fand unterschiedl. Ausprägungen in den einzelnen Regionen.

In der Mittelsteinzeit (etwa 10 000 v. Chr.) gewann der Vordere Orient einen kulturellen Vorsprung: Das planmäßige Ernten von Wildgetreide und darauf folgend der Getreideanbau ermöglichten ortsfeste Wohnweise und bewirkten eine erhebl. Bevölkerungszunahme sowie soziale und religiöse Differenzierung. Mit Beginn der Jungsteinzeit Anfang des 7. Jt. wurde das Gebiet des →Fruchtbaren Halbmonds entscheidend für die Entwicklung der abendländ. Zivilisation: Hier kamen zuerst Getreideanbau (u. a. Gerste) und Haustierhaltung (Schafe, Ziegen) auf. Bed. Fundorte steinzeitlicher Kulturen sind u. a. die befestigten Großsiedlungen von Jericho (vorkeram. Periode, 9./8. Jt.) und Çatal Hüyük (Türkei; Lehmziegelbauten, Kultgegenstände aus dem 7./6. Jt.). Typ. Zeugnisse der vorgeschichtl. Siedlungen in V. sind die Wohnhügel (Tell, Tall), die über viele Kulturschichten gewachsen sind (so die nach sumer. Texten älteste Stadt der Welt, →Eridu). Bereits im 7. Jt. v. Chr. wurde in V. als erstes Metall durch einen metallurg. Prozess Kupfer gewonnen; davon abgeleitet wurde die Bez. Chalkolithikum für die späte Jungsteinzeit in V. (älteste Funde in Çatal Hüyük und Ali Kosch, Iran; im 4. Jt. v. Chr. in der Beer-Sheva-Kultur). Handgeformte Keramik entstand seit dem 8. Jt. v. Chr., Massenherstellung wurde seit dem 4. Jt. mit der Erfindung der schnell drehenden Töpferscheibe möglich. Spätestens seit dem 4. Jt. ist auch die künstl. Bewässerung nachzuweisen. Die Notwendigkeit ihrer Organisation begünstigte die Entstehung polit. Einheiten: Aus den steinzeitl. Großsiedlungen entwickelten sich an günstigen Plätzen die frühesten Stadtstaaten Sumer, Uruk, Akkad und Babylon, die in den folgenden Jahrtausenden die Geschichte V. bestimmten.

📖 *Kulturgeschichte des Alten Orient. Mesopotamien, Hethiterreich, Syrien – Palästina, Urartu,* hg. v. H. SCHMÖKEL. *Augsburg 1995.*

Friedrich Vordemberge-Gildewart: »Composition Nr. 211« (1958; Münster, Westfälisches Landesmuseum)

Vorder|indi|en, der auch als Ind. Subkontinent bezeichnete mittlere Teil Südasiens, der zw. dem Arab. Meer und dem Golf von Bengalen in den Ind. Ozean vorspringt. An V. haben Indien, Pakistan, Bangladesh, Nepal, Bhutan und Sri Lanka Anteil.

V. wird im W, N und O von Gebirgsketten (Himalaja u.a.) umrahmt. Es gliedert sich in die Vorberge und Abhänge dieser Randgebirge, das Indus- und das Ganges-Brahmaputra-Tiefland, das gebirgige Mittelindien, das Hochland von Dekhan, welches im W durch die Steilstufe der Westghats, im O durch die allmählich abfallenden Ostghats begrenzt ist, und die Insel Ceylon. Die Küsten sind wenig gegliedert. Das subtrop. bis trop. Klima wird bestimmt durch den jahreszeitl. Wechsel der Monsune. Im Winter wehen trockene, kühle Winde aus NO; auf einen heißen, trockenen Frühling bringt der SW-Monsun Regen und Abkühlung. Die reichsten Niederschläge fallen an den Westghats, im südl. Himalaja, in Bengalen und Assam. Der NW und das Innere des Dekhan sind niederschlagsarm. Entsprechend der Niederschlagsverteilung ändert sich die Pflanzenwelt. Dornwälder treten im Innern des Dekhan auf und gehen im NW in Wüste über. Immergrüner Regenwald bedeckt die W-Seite der Westghats, die Bergländer Assams und die unteren Hänge des Himalaja, Mangrovesümpfe umsäumen die Küsten und die Deltagebiete. – Zur Vorgeschichte →Indien (Geschichte).

Vorderkiemer (Prosobranchia), Gruppe meist getrenntgeschlechtl. mariner Schnecken, bei denen die Kiemen vor dem Herzen liegen; u.a. Porzellan-, Pantoffel-, Tonnen- und Strandschnecken.

Vorderlader, Feuerwaffe, die von der Mündung aus geladen wird; im 19. Jh. durch den →Hinterlader abgelöst.

Vorder|österreich (Vorlande), seit dem 16. Jh. Bez. für die im 14./15. Jh. zusammengefassten südwestdt. Lande der Habsburger (Elsass, Breisgau, Ortenau, Hohenberg, Nellenburg, die Landvogtei Oberschwaben, die Waldstädte, Tettnang, Burgau); im 15.–17. Jh. mit Tirol zu einem Teilfürstentum vereinigt. 1648 fiel das Elsass an Frankreich, 1801/05 das übrige V. an Baden, Württemberg und Bayern.

Vorderradantrieb (Frontantrieb), *Kraftfahrzeugtechnik:* bei Kraftwagen Antriebsanordnung, bei der die Triebkraft des vorn liegenden Motors auf die Vorderräder übertragen wird. Motor, Kupplung, Wechselgetriebe, Achsantrieb und Ausgleichsgetriebe sind zu einem kompakten Block (Fronttriebsatz) zusammengefasst.

Vorderrhein [f-], Hauptquellfluss des Rheins.

Vorerbe, →Nacherbe.

Vorfahren, →Ahnen.

Vorfahrt, nach StVO § 8 geregelter Vorrang für Benutzer bestimmter Zufahrten von Kreuzungen und Einmündungen, den ihnen wartepflichtige Fahrzeuge anderer Richtungen gewähren müssen. Bei gleichrangigen Straßen hat V., wer von rechts kommt. Benutzer von Hauptstraßen haben V. vor Benutzern von Nebenstraßen. Linksabbieger müssen dem geradeaus fahrenden Gegenverkehr V. lassen. Verkehrsregelung mit Farbzeichen oder von Hand hebt die übl. V.-Regeln auf.

Vorfall, *Medizin:* →Prolaps.

Vorfinanzierung, vorläufige Deckung von langfristigem Kapitalbedarf durch kurzfristige Überbrückungs- oder Zwischenkredite, die später durch Eigenkapital oder langfristiges Fremdkapital ersetzt werden.

Vorflügel, bei Flugzeugen feste oder ausfahrbare Hilfsflügel an der Flügelvorderkante, die als Spalt- oder Schlitzflügel wirken und zu den auftrieberhöhenden Landehilfen zählen. Durch den Spalt gelangt die Luft von der Flügelunter- auf die Flügeloberseite und verhindert so das Ablösen der Strömung.

Vorflut, in einem Wasserlauf die Möglichkeit ungehinderten Abflusses des regelmäßig zufließenden Wassers nach dem natürl. Gefälle oder durch künstl. Hebung. Der Grundstückseigentümer darf die V. nicht zum Nachteil anderer ändern, auch nicht das Wasser über die Grenzen seines Grundstücks zurückstauen, es sei denn durch eine wasserrechtl. Genehmigung.

Vorfluter, natürl. oder künstl. Gewässer (wie Bach, Fluss, See, Kanal) und Hauptsammelschleuse, in die Abwasser oder Dränwasser geleitet wird.

Vorfrieden, →Friedensvertrag.

Vorführung, die zwangsweise Zuführung einer Person vor ein Gericht oder eine Behörde, meist aufgrund eines richterl. **V.-Befehls.** Im *Zivilprozess* ist die V. zulässig gegen ordnungsgemäß geladene, aber wiederholt ausgebliebene Zeugen, deren Erscheinen das Gericht angeordnet hat. – Im *Strafprozess* wird ein Beschuldigter bzw. Angeklagter oder Zeuge vor Gericht vorgeführt, entweder um das Erscheinen des auf Ladung unentschuldigt Ausgebliebenen zu erzwingen oder beim Vorliegen von Haftgründen (→Haft).

Vorgabe, in einigen Sportarten Ausgleichsverfahren, um allen Teilnehmern eines Wettbewerbs vergleichbare Gewinnaussichten zu geben (→Handicap).

Vorgabezeit, →Zeitstudie.

Vorgebirge [f-], Höhenrücken in NRW, →Ville.

Vorgelege, *Technik:* ein Schaltgetriebe zum Herabsetzen der Drehzahl vom Antrieb her und zum Schalten von Leer- auf Volllauf durch Änderung der Übersetzung.

Vorgeschichte (Prähistorie, Urgeschichte), Zeitraum der menschl. Frühzeit vor der durch schriftl. Überlieferungen erhellbaren Vergangenheit (Geschichte). **Prähistor. Archäologie,** Wis-

Zeit	Gliederung des Eiszeitalters		Pflanzen- und Tierwelt		Mensch	Geräte	Wirtschaft und Kultur	Epochen
0				Heutige Tierwelt. Viele Arten in den letzten Jahrzehnten ausgerottet oder gefährdet				Eisenzeit
1 000						Metallgeräte – erst Bronze, dann Eisen	Viehzucht Metallgewinnung	Bronzezeit
2 000						Keramik, geschliffene Steinbeile, Mahlsteine, Erntegeräte	Landwirtschaft, Viehhaltung Sesshaftigkeit Gräberfelder und Großsteingräber	Jungsteinzeit
5 000	Quartär (Eiszeitalter): Holozän	Nacheiszeit	Laubmischwälder mit Eiche, Linde, Buche usw.	Nacheiszeitliche Tierwelt		Mikrolithen, Angelhaken, Flechtwerk	Hoch spezialisierte Jagd- und Sammelwirtschaft, Fischfang	Mittelsteinzeit
8 000	Jungpleistozän		Birken-Kiefernwälder	Wildpferd	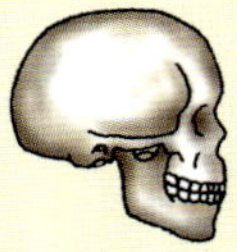		Einzelne Gräber mit Beigaben	Altsteinzeit: Jungpaläolithikum: Ahrensburger und Federmessergruppen
10 000			Birkengehölze	Ren Mammut		Knochen-, Geweih- und Elfenbeingeräte: Harpunen, Speerschleudern, Nadeln	Schmuck	Hamburger Kultur/ Magdalénien
20 000			Kältesteppe	Wollnashorn Höhlenhyäne	Cromagnon-Mensch		Spezialisierte Jagd- und Sammelwirtschaft Kunst: Ritzzeichnungen, Kleinplastiken, Höhlenmalereien	
30 000			Tundra mit Zwergsträuchern, Flechten, Moosen	Steppenwisent	Homo sapiens sapiens (anatomisch moderner Mensch)	Klingentechnologie; Klingen als Ausgangsform vieler Steingeräte		Gravettien/ Solutréen Aurignacien
40 000			Grassteppe	Saiga-Antilope	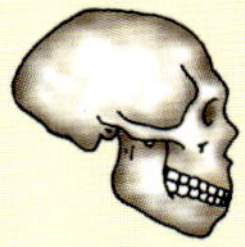		Jagd- und Fruchtbarkeitszauber Saisonjagd	
60 000			Steppe mit wenig Gehölzen	Auerochse			Winter- und Sommerlager	Mittelpaläolithikum: Moustérien
80 000		Weichsel-Kaltzeit	Wald- und Wiesensteppe		Neandertaler (Homo sapiens neanderthalensis)	geschäftete Steingeräte und spezialisierte Faustkeile	Körperbestattungen mit Beigaben	Micoquien
100 000		Eem-Warmzeit	Laubmischwälder					Spätacheuléen
150 000	Mittelpleistozän	Saale-Kaltzeit-Komplex			Homo sapiens			Jungacheuléen
200 000			In den Warmzeiten: Rückzug der Inlandvereisung, Laubmischwälder mit wärmeliebenden Pflanzen	Warmzeitliche Tiere: Waldelefant, Waldnashorn, Riesenhirsch, Rothirsch, Wildpferd, Auerochse, Elch, Höhlenbär, Luchs usw.	Präneandertaler	Abschlagindustrien mit Schabern, Spitzen, Messern	Größere Zelte	
300 000					Steinheimmensch		Gruppenjagd und Sammeln	Altpaläolithikum: Mittelacheuléen
400 000			In den Kaltzeiten: Vordringen der Inlandvereisung, Tundra, Lösssteppe; Baumbewuchs nur in den Rückzugsgebieten		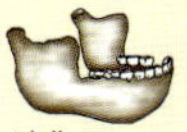	Holzlanzen		
500 000		Eiszeitalter: Gekennzeichnet durch etwa 12–15 größere Klimaschwankungen (Kalt- und Warmzeiten) von unterschiedlicher Dauer			Heidelbergmensch	fein bearbeitete Faustkeile und Abschlaggeräte	Hütten Feuergebrauch	
750 000	Altpleistozän			Waldelefant				Altacheuléen
1 000 000				Steppenelefant	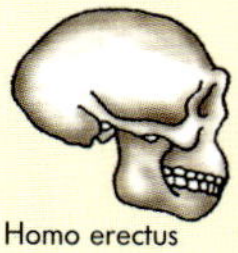	erste grobe Faustkeile		
			Auftauchen der heutigen Pflanzen	Südelefant	Homo erectus		Windschirme aus Zweigen und Blättern	
2 000 000			Verschwinden der tertiären Pflanzen		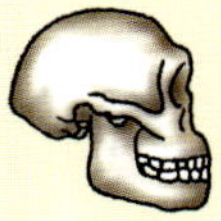	Geröllgeräte	Jagd und Sammeln	
	Tertiär: Pilozän				Homo habilis			
3 000 000						einfachste zugeschlagene Geräte		
					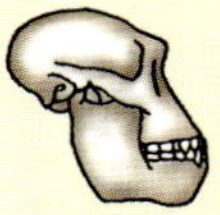	zufällige Werkzeugherstellung		
4 000 000		Im Jungtertiär allmähliche weltweite Abkühlung	zahlreiche Wärme liebende Pflanzen (z.B. Sumpfzypressen)	weiträumige Entwicklung der Ordnungen der Säugetiere	Australopithecus afarensis	Gebrauch von Naturgegenständen (z.B. Wühlstöcke, Knüppel usw.)	Sammeln	

Vorgeschichte (Übersicht)

senschaftszweig, der sich der Erforschung und Interpretation aller Überreste menschl. Aktivitäten dieser Epoche widmet.

Systemat. Bemühungen um eine zeitl. Einordnung vorgeschichtl. Funde setzten erst im frühen 19. Jh. ein. Der Däne C. J. Thomsen (*1788, †1865) begründete das Dreiperiodensystem (Nachweis einer Bronzezeit zw. Stein- und Eisenzeit). Zw. 1880 und 1912 wurden die noch heute gültigen chronolog. Systeme für die europ. V. geschaffen, deren Begriffe jedoch entweder nur regional begrenzt gültig sind (z. B. die Hallstattzeit, eine in Mittel- und Westeuropa verbreitete Kulturperiode der älteren Eisenzeit, die nach dem Periodenschema des Prähistorikers Paul Reinecke etwa um 700 v. Chr. begann) oder in den einzelnen Regionen mit zeitl. Verschiebungen vorkommen (z. B. Jungstein- und Bronzezeit). Die seit etwa der Mitte des 20. Jh. entwickelten naturwiss. Methoden der Altersbestimmung ermöglichen es zunehmend, einen Überblick über gleichzeitige Vorgänge auch in den anderen Erdteilen zu gewinnen und die meist eurozentr. Geschichtsbilder abzulösen, die ohne Kenntnis der V. konstruiert worden waren. Nach der Definition des Menschen als »Werkzeug herstellendes Lebewesen« (B. Franklin) beginnt das Forschungsgebiet der V. mit den frühesten hergestellten Werkzeugen, d. h. mit der Steinzeit, die in → Altsteinzeit (Paläolithikum), → Mittelsteinzeit (Mesolithikum) und → Jungsteinzeit (Neolithikum) eingeteilt wird. Die ältesten datierbaren Funde von Steinwerkzeugen sind 2–3 Mio. Jahre alt und wurden in O-Afrika gemacht, jedoch können andere Gebiete noch nicht als Entstehungsräume der menschl. Kultur ausgeschlossen werden. Regionale und entwicklungstypolog. Gliederungsmöglichkeiten werden erst mit dem Auftreten von Faustkeilen (Afrika, W-Europa, Iber. Halbinsel, Vorderasien, Indien) erkennbar. Außerhalb des Gebietes der Faustkeilkultur kommen in N-Frankreich und auf den Brit. Inseln, in Mähren und in Ungarn sowie in SO- und O-Asien Fundgruppen vor, bei denen sich die ältesten Belege für Feuerstellen fanden. Vor etwa 50 000 Jahren waren anscheinend auch gemäßigte und weniger günstige Klimazonen Afrikas und Eurasiens bewohnt. Es folgte die Ausbreitung nach Australien und – spätestens vor etwa 25 000 Jahren – nach Amerika. Mit der Herausbildung produktiver Wirtschaftsformen durch Kultivierung von Pflanzen und Domestikation von Tieren vor etwa 10 000 Jahren war eine starke Bev.vermehrung verknüpft, eine Voraussetzung für weitere kulturelle Aufsplitterung (Entstehung erster Hochkulturen). – Über die Verbreitung und Abfolge vorgeschichtlicher Kulturen → Afrika, → Asien, → Australien, → China, Geschichte, → Mitteleuropa, → Mittelmeerraum, → Nordamerika, → Nordeuropa, → Osteuropa, → Sibirien, Geschichte, → Südamerika, → Südosteuropa, → Vorderasien, → Westeuropa. KARTE S. 40

📖 MÜLLER-KARPE, H.: *Handbuch der V., 4 Bde. München 1974–80.* – KÜHN, H.: *Geschichte der Vorgeschichtsforschung. Berlin 1976.* – HORKEN, H. K.: *Ex nocte lux. Enträtselte Urgeschichte im Licht der Forschung. Tübingen ²1996.* – *Illustrierte Vor- u. Frühgeschichte Europas, hg. v.* B. CUNLIFFE. *A. d. Engl. Frankfurt am Main u. a. 1996.*

Vorhafen, Schiffswarteplatz vor Schleusen oder Schiffshebewerken; auch Bez. für einen → Hafen.

Vorhalt, *Musik:* ein harmoniefremder Ton, der auf einem schweren Taktteil anstelle eines dem Akkord zugehörigen Tons steht, in den der V. sich auflösen muss. Beim **vorbereiteten** (gebundenen) **V.** wird der V.-Ton aus dem vorhergehenden Akkord übernommen, beim **freien V.** ist er nicht im vorausgehenden Akkord, beim **halbfreien V.** in einer anderen Stimme dieses Akkords enthalten.

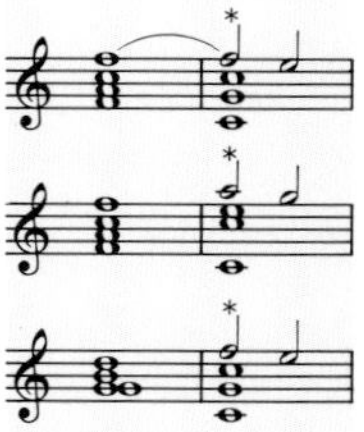

Vorhalt (von oben): vorbereiteter, halbfreier und freier Vorhalt; die Vorhalttöne sind durch einen Stern gekennzeichnet

Vorhaut, *Anatomie:* → Penis.

Vorhautver|engung (Phimose), angeborene (auch durch Geschlechtskrankheiten oder Balanitis erworbene) Verengung der Vorhaut des Penis derart, dass sie sich nicht über die Eichel zurückstreifen lässt. Die Behandlung erfolgt operativ.

Vorherbestimmung, die → Prädestination.

Vorhof (Herzvorhof), → Herz.

Vorhof|flattern (Vorhofflimmern), die Herzvorhöfe betreffende → Herzrhythmusstörungen.

Vorhölle, *kath. Theologie:* der → Limbus.

Vorhut, *Militärwesen:* Sicherungsverband, den eine auf dem Vormarsch befindl. Truppe vorausschickt.

Vorkammerverfahren, → Dieselmotor.

Vorkaufsrecht, das Recht, in einen zw. dem Vorkaufsverpflichteten und einem Dritten geschlossenen Kaufvertrag über einen bestimmten Gegenstand anstelle des Käufers zu gleichen Bedingungen einzutreten. Das V. wird ausgeübt durch die Erklärung des Berechtigten gegenüber dem Verpflichteten. Das **schuldrechtl. V.** (§§ 504–514 BGB) wirkt nur gegenüber dem Vertragsgegner, das **dingl. V.** (§§ 1094–1104 BGB), das nur an einem Grundstück oder einem grundstücksgleichen Recht zulässig ist und im Grundbuch eingetragen werden muss, wirkt dagegen gegen jeden Dritten. Ein **gesetzl. V.** besteht z. B. nach § 2034 BGB für die Miterben, wenn ein Miterbe seinen Erbanteil an einen Dritten verkauft.

Vorkeim, *Biologie:* **1)** der Gametophyt der Farnpflanzen (→ Prothallium).

2) (Proembryo) bei den Samenpflanzen die aus der befruchteten Eizelle durch Querteilungen hervorgehende Zellreihe, aus der sich der Embryo entwickelt.

Vorgeschichte – Fundstätten vorgeschichtlicher Menschen

Vorkommen, Anreicherung mineral. Rohstoffe, deren Abbau vorerst keinen wirtsch. Nutzen bringt (im Ggs. zur Lagerstätte).

Vorlage, 1) *allg.:* Muster, das abgeschrieben, abgezeichnet oder anders reproduziert wird.

2) *Baukunst:* Bauglied, das der Wand oder einem anderen Bauteil zur Verstärkung oder Gliederung vorgelegt ist (z.B. Pfeiler, Risalit, Lisene, Dienst).

3) *Chemie:* Gefäß, das bei einer Destillation zum Auffangen des Destillats dient.

4) *Sport:* in Mannschaftsspielen das Zuspiel zu einem Torschuss; im Skisport vornübergebeugte Körperhaltung.

Vorland, 1) *Geologie:* der Raum, gegen den die Faltung eines entstehenden Gebirges gerichtet ist.

2) *Geomorphologie:* Gebiet vor einem Gebirge.

3) *Wasserbau:* einem Deich vorgelagertes Land.

Vorlande, →Vorderösterreich.

vorläufige Festnahme, *Recht:* →Festnahme.

vorläufige Vollstreckbarkeit, im Zivilprozess die in der Urteilsformel i.d.R. gegen Sicherheitsleistung erklärte Vollstreckbarkeit eines noch nicht in Rechtskraft erwachsenen Urteils (Ausnahme: Ehe- und Kindschaftssachen). Die v. V. wird grundsätzlich nur gegen Sicherheitsleistung des Gläubigers ausgesprochen, und zwar im Hinblick auf Schäden, die dem Schuldner dadurch entstehen können, dass aus einem möglicherweise unrichtigen Urteil vollstreckt wird, das später in Rechtsmittelverfahren aufgehoben wird. (→Vollstreckungsschutz)

Vorleistung, *Volkswirtschaftslehre:* Wert der von anderen Wirtschaftseinheiten während eines Zeitraums gelieferten nicht dauerhaften Produktionsmittel und Dienstleistungen, die im gleichen Zeitraum im Produktionsprozess eingesetzt und dabei verbraucht werden, im Ggs. zu Arbeit, dauerhaften Produktionsmitteln, Grundstücken. Um Doppelzählungen zu vermeiden, werden die V. bei der Berechnung des Bruttoinlandsprodukts vom Produktionswert abgezogen.

Vorleistungspflicht, bei einem gegenseitigen Vertrag die Verpflichtung einer Partei, vor der anderen Partei zu leisten. Die Vorleistung kann bis die Gegenleistung bewirkt wird verweigert werden, wenn sich nach Abschluss des Vertrages die Vermögensverhältnisse des anderen Teiles wesentlich verschlechtern (§321 BGB). Vorleistungspflichtig ist kraft gesetzl. Vorschrift z.B. der Unternehmer beim Werkvertrag (§641).

Vorlesung, regelmäßige Lehrveranstaltung eines Hochschullehrers, meist für ein Semester konzipiert.

Vormärz, die der dt. Märzrevolution von 1848 vorausgehende Zeit seit 1815 (Wiener Kongress) bzw. 1830, v.a. Bez. für die nat. und liberalen Kräfte (z.B. →Junges Deutschland), die schließlich die Märzrevolution herbeiführten. (→deutsche Geschichte)

Vormerkung, vorläufige Grundbucheintragung zur Sicherung eines Anspruchs auf Eintragung einer Rechtsänderung (Eigentumsübergang usw.). Die V. zur Sicherung des Anspruchs auf

Übertragung des Eigentums an dem Grundstück bezeichnet man als Auflassungs-V. Die V. bewirkt, dass eine Verfügung (z. B. des Grundstückseigentümers), die nach der Eintragung der V. getroffen wird, insoweit unwirksam ist, als sie den durch die V. gesicherten Anspruch vereiteln oder beeinträchtigen würde (§ 883 Abs. 2 BGB).

Vormilch, das →Kolostrum.

Vormundschaft, die rechtlich geordnete Fürsorge für nicht voll geschäftsfähige und deshalb schutz- und vertretungsbedürftige Personen **(Mündel),** d. h. Minderjährige, die nicht unter elterl. Sorge stehen. Die V. wird durch das **V.-Gericht** (Amtsgericht) angeordnet. Die Übernahme einer V. ist öffentlich-rechtl. Pflicht, die nur aus bestimmten Gründen, z. B. aus Altersgründen (über 60 Jahre), abgelehnt werden kann (§ 1786 BGB). Ein Recht auf Bestellung zum Vormund hat, wer von den Eltern des Mündels durch letztwillige Verfügung benannt worden ist. Im Übrigen obliegt die Auswahl des Vormunds grundsätzlich dem Gericht. Zum Vormund können unter engen Voraussetzungen auch rechtsfähige Vereine (→Vereinsvormundschaft) sowie das Jugendamt (→Amtsvormundschaft) bestellt werden. Der Vormund hat das Recht und die Pflicht, für die Person und das Vermögen des Bevormundeten (Mündel) zu sorgen; er hat das Vermögen mündelsicher anzulegen (§ 1807 BGB). Bei erhebl. Mündelvermögen wird neben dem Vormund ein gleichberechtigter **Mit-** oder auch ein **Gegenvormund** bestellt; Streitigkeiten zw. ihnen entscheidet das V.-Gericht. Der Vormund darf bestimmte Rechtsgeschäfte nur mit Genehmigung des V.-Gerichts vornehmen (§§ 1812, 1821, 1822 BGB). Er hat diesem über seine Vermögensverwaltung i. d. R. jährlich Rechnung zu legen. Die V. wird unentgeltlich geführt; aus besonderen Gründen kann das V.-Gericht eine angemessene Vergütung bewilligen. Im Unterschied zur →Pflegschaft umfasst die V. alle Lebensbereiche. Bei Volljährigen wurde bis 31. 12. 1991 die V. angeordnet, wenn sie entmündigt waren; zum jetzt gültigen Recht →Betreuung. – Das *österr.* Recht regelt die V. in §§ 187 ff. ABGB. Es unterscheidet zw. der V. für Minderjährige und der Kuratel für die aus anderen Gründen Handlungsunfähigen. Das *schweizer.* Recht behandelt die V. in den Art. 360 ff. ZGB.

📖 DAMRAU, J. *u.* ZIMMERMANN, W.: *Betreuung u. V. Kommentar zum materiellen u. formellen Recht. Stuttgart u. a. ²1995.*

Vornahmeklage, die →Verpflichtungsklage.

Vorname, der individuelle Personenname. (→Name)

Vorneverteidigung, militärstrateg. Grundsatz der NATO, der 1963 zur offiziellen Doktrin erklärt und bis 1990/91 verfolgt wurde. Ziel der V. war, einen Angriff des Warschauer Paktes in Mitteleuropa sofort nach Überschreiten der Grenze zu stoppen.

Vorniere (Pronephros), erste, bei allen Wirbeltieren embryonal auftretende Nierenanlage; bleibt nur bei einigen niederen Wirbeltieren (Rundmäulern) auch im Reifestadium funktionstüchtig und wird sonst durch Ur- und Nachniere ersetzt.

Vorort, 1) *allg.:* im Randbereich einer größeren Stadt gelegener Ort, der eingemeindet oder selbstständig sein kann.

2) *Geschichte:* a) in der Hanse der leitende Ort (Lübeck); b) in der Schweiz bis 1848 der leitende Kanton, in dem die Tagsatzung beriet (Wechsel zw. Zürich, Bern, Luzern).

Vorpommern, 1532 vom übrigen →Pommern abgeteilter westl. Landesteil; heute Teil von Mecklenburg-Vorpommern.

Vorposten, *Militärwesen:* vorgeschobene Sicherung des eigenen See- und Küstengebietes gegen feindl. Einheiten.

Vorratsschädlinge, Sammelbez. für Insekten (v. a. Käfer, Schmetterlinge, Fliegen und/oder deren Larven), Milben und Nagetiere, die meist an pflanzl. Vorräten v. a. Fraßschäden hervorrufen. Der Verbreitung von V. durch den Handel wird mit Warenkontrollen und Quarantänebestimmungen entgegengewirkt.

Vorreiber, hebelartiger Griff, mit dem Fenster- und Türflügel im Rahmen festgehalten werden.

Vorrichtung, 1) *Bergbau:* Bez. für die an die Ausrichtung anschließenden Arbeiten (z. B. das Anlegen von Abbaustrecken), die dem Abbau vorausgehen.

2) *Fertigungstechnik:* Hilfsmittel, das Werkstücke oder Werkzeuge in ihrer Lage bestimmt und spannt. V. werden in der industriellen Fertigung verwendet, um bei gegebener Wirkkette wirtschaftlich und mit geforderter Genauigkeit zu arbeiten, z. B. Montage- und Füge-, Mess- und Prüfvorrichtungen.

Vorruhestandsregelung, gesetzl. Maßnahmen als Rahmen für tarif- oder arbeitsvertragl. Vereinbarungen, die zur Entlastung des Arbeitsmarkts das vorzeitige Ausscheiden von Arbeitnehmern aus der Erwerbstätigkeit erleichtern sollen. Rechtl. Grundlage in den alten Bundesländern war das **Vorruhestands-Ges.** vom 13. 4. 1984, das durch das Altersteilzeit-Ges. vom 20. 12. 1988 abgelöst wurde. Diese Regelung wiederum wurde ersetzt durch das Gesetz zur →Altersteilzeitarbeit. – Für die neuen Bundesländer →Altersübergangsgeld.

Vorrunde, *Sport:* erster Durchgang eines Wettkampfes, dem Zwischenrunde und Endrunde folgen.

Vorsatz, 1) *graf. Technik:* ein Doppelblatt, das Buchblock und Buchdecke verbindet.

2) *Recht:* a) Im Strafrecht das Wissen und Wollen der Verwirklichung eines mit Strafe bedrohten Tatbestandes in allen seinen Merkmalen. Vorsätzlich herbeigeführt ist nicht nur der vom Täter bezweckte **(Absicht)** oder als mit Sicherheit eintretend vorhergesehene Erfolg **(direkter V.),** sondern auch der nur mit **bedingtem V.** verursachte Erfolg. Letzterer liegt vor, wenn der Täter den schädl. Erfolg zwar nicht erstrebte, aber doch als mögl. Folge seines Tuns voraussah und ihn für den Fall seines Eintritts in Kauf nahm (→Irrtum). Strafbar ist nur vorsätzl. Handeln, fahrlässiges Handeln nur bei ausdrückl. gesetzl. Strafandrohung. b) Im Zivilrecht ein rechtswidriges Verhalten, bei dem der Handelnde den Erfolg seines Verhaltens voraussieht und bewusst herbeiführt. Für V. haftet der Schuldner stets (§276 BGB).

Vorsätze, *Messwesen:* Silben, die vor den Namen einer metr. Einheit gesetzt werden zur dezimalen Vervielfachung und dezimalen Teilung, z.B. Kilo für das 1000fache, z.B. bei Kilometer (= 1000 m). Die zugehörigen Kurzzeichen heißen **Vorsatzzeichen,** z.B. k für Kilo.

Vorschlag (italien. Appoggiatura), *Musik:* Verzierung, bestehend aus dem Einschub eines oder mehrerer Töne zw. zwei Melodietönen. Der **lange V.** ist als betonter →Vorhalt oder als →Wechselnote zu werten; i. Allg. kommt ihm auf Kosten der Hauptnote der volle notierte Zeitwert zu. Auch der **kurze V.** gehört rhythmisch zur Hauptnote, vor der er steht. Langer und kurzer V. können auch als **V. vor dem Schlag** ausgeführt werden; hierbei wird die Dauer der vorangehenden Note entsprechend verkürzt. Ein V. aus zwei Noten (häufig im Terzabstand) heißt **Doppel-V.,** bei stufenweiser Tonfolge auch **Schleifer.**

Vorschub, *Technik:* der während eines Bearbeitungsvorganges vom Werkstück oder Werkzeug zurückgelegte Weg, meist in mm/min, mm/Umdrehung oder mm/Hub angegeben.

Vorschul|erziehung (vorschulische Erziehung), Förderung von 3- bis 6-jährigen Kindern v.a. durch öffentl. Erziehungseinrichtungen zur Vorbereitung auf den Schulbesuch. Neben einer allg. Förderung des Kindes sollen eventuell vorhandene motor., sprachl., kognitive, emotionale und soziale Entwicklungsrückstände ausgeglichen oder gemildert werden. Mögl. Formen der v. E. sind v.a. (an Grundschulen eingerichtete) Vorklassen für Fünfjährige und die Arbeit des Kindergartens, des Schulkindergartens und des Sonderschulkindergartens.

Vorsehung (Providenz), die über der Welt waltende Macht; in der christl. Theologie die in der Liebe Gottes begründete Zielbestimmung von Welt, Geschichte und Menschen auf das Reich Gottes hin (Vorherwissen Gottes).

Vorsilbe (Präfix), Silbe, die vor das Grundwort oder den Wortstamm tritt.

Vorschlag: a kurzer und b langer Vorschlag in verschiedenen Notierungsvarianten

Vorsitzender, der Leiter der Geschäfte und Verhandlungen eines Kollegiums, einer Behörde, einer Gesellschaft, eines Vereins oder einer Versammlung sowie der leitende Richter eines Kollegialgerichts (Vorsitzender Richter).

Vorsokratiker, die grch. Philosophen vor Sokrates (Thales von Milet, Heraklit, Pythagoras u.a.), mit denen seit 600 v.Chr. die →griechische Philosophie begann.

Vorsorge|aufwendungen, im Einkommensteuerrecht (§10 EStG) →Sonderausgaben, die bis zu bestimmten Höchstbeträgen vom Gesamtbetrag der Einkünfte abgezogen werden können: Beiträge zu Kranken-, Unfall- und Haftpflichtversicherungen, zu den gesetzl. Rentenversicherungen und an die Bundesanstalt für Arbeit (Arbeitslosenversicherung), Beiträge zu bestimmten Versicherungen auf den Erlebens- oder Todesfall sowie Beiträge an Bausparkassen.

International festgelegte Vorsätze

Faktor, mit dem die Einheit multipliziert wird		*Vorsatz*	*Vorsatzzeichen*
10^{-18}	Trillionstel	Atto	a
10^{-15}	Billiardstel	Femto	f
10^{-12}	Billionstel	Piko	p
10^{-9}	Milliardstel	Nano	n
10^{-6}	Millionstel	Mikro	µ
10^{-3}	Tausendstel	Milli	m
10^{-2}	Hundertstel	Zenti	c
10^{-1}	Zehntel	Dezi	d
10^{1}	Zehn	Deka	da
10^{2}	Hundert	Hekto	h
10^{3}	Tausend, Tsd.	Kilo	k
10^{6}	Million, Mio.	Mega	M
10^{9}	Milliarde, Mrd.*)	Giga	G
10^{12}	Billion, Bio.*)	Tera	T
10^{15}	Billiarde	Peta	P
10^{18}	Trillion	Exa	E

*) in den USA: 10^9 = 1 Billion, 10^{12} = 1 Trillion

Vorsorgepauschale, im Einkommensteuerrecht (§10c EStG) Pauschale, mit der Vorsorgeaufwendungen von Arbeitnehmern bei der Einkommensermittlung berücksichtigt werden; wird angewendet, wenn keine höheren Aufwendungen nachgewiesen werden. Die V., die 20% des Arbeitslohns, allerdings beschränkt durch versch.

Höchstgrenzen, beträgt, ist in die Lohnsteuertabellen eingearbeitet.

Vorsorgeprinzip, umweltpolit. Prinzip, nach dem akute wie langfristige Umweltbelastungen ohne Berücksichtigung der von ihnen ausgehenden eventuellen Schädigung grundsätzlich zu vermeiden oder auf ein nach dem Stand der Technik erreichbares Minimum zu beschränken sind. Dazu gehören alle Maßnahmen, die erforderlich sind, um den Schutz vor Verunreinigungen und Gesundheitsgefahren i. Allg., von Kultur- und Naturlandschaften sowie Ressourcen zu gewährleisten, insbesondere Maßnahmen der Umweltplanung (Landes-, Landschaftsplanung u. a.), Umweltsanierung, -gestaltung, -pflege und -kontrolle.

Vorsorge|untersuchung, gezielte medizin. Untersuchung zur Früherkennung von Erkrankungen; dazu gehören z. B. Mutterschaftsvorsorge, arbeitsmedizin. Vorsorge für bestimmte berufl. Risikogruppen und v. a. Maßnahmen zur frühzeitigen Krebsfeststellung.

Vorspannung, 1) *Bautechnik:* bes. in Spannbeton durch das Anziehen der Spannglieder, die sich gegen die Betonbauteile abstützen, erzeugte Druckspannung.

2) *Elektronik, Elektrotechnik:* einer Elektronenröhre oder einem Transistor angelegte Gleichspannung, der eine Wechselspannung überlagert wird.

Vorspiel, 1) *Musik:* Präludium, Ouvertüre.

2) *Theater:* Szene oder Szenenfolge, die einem größeren Bühnenstück vorausgeht, z. B. »Vorspiel auf dem Theater« in Goethes »Faust«; auch das einleitende erste Stück einer Trilogie oder Tetralogie, z. B. »Rheingold« in R. Wagners »Der Ring des Nibelungen«.

Vorspur, *Kraftfahrzeugtechnik:* die Einwärtsdrehung der Mittelebene der Räder gegenüber der Fahrzeuglängsachse; angegeben als V.-Winkel δ_{vs} oder als Abstand *b–a* zw. dem Felgenhorn vorn (*b*) und hinten (*a*) am Rad (bis zu 3 mm). Durch Einstellen einer V. wird ein ruhiger Geradeauslauf der Räder und eine gute Spurhaltung des Fahrzeugs erreicht.

Vorstand, geschäftsführendes Organ einer jurist. Person des bürgerl. Rechts (Stiftung, Verein) und des Handelsrechts (bes. AG).

Vorsteherdrüse, die →Prostata.

Vorstehhunde, meist mittelgroße Jagdhunde, die Niederwild durch Vorstehen (Stehenbleiben in charakterist. Körperhaltung) anzeigen; u. a. Dt. Drahthaar, Dt. Kurzhaar, Dt. Langhaar, Münsterländer sowie Pudelpointer; engl. Rassen, u. a. die Gruppe der Setter, sind für das Vorstehen auf Flugwild spezialisiert.

Vorstellung, 1) *Arbeitsrecht:* das Aufsuchen eines Arbeitgebers durch den Arbeitnehmer zur Stellensuche. Dem Arbeitnehmer muss nach der Kündigung eines dauernden Arbeitsverhältnisses eine angemessene Zeit zum Suchen eines neuen Arbeitsverhältnisses (§ 629 BGB) ohne Lohnabzug gewährt werden. Veranlasst der (neue) Arbeitgeber einen Stellensuchenden zur persönl. V., hat er diesem seine Kosten (bes. Reisekosten) zu erstatten.

2) *Philosophie* und *Psychologie:* ein im Bewusstsein erlebter, gegebener Inhalt (z. B. Erinnerung an eine frühere Wahrnehmung, Fantasiebild). Sich etwas vorstellen meint, sich etwas versinnbildlichen. V. unterscheiden sich von den Denkvorgängen durch ihre Anschaulichkeit, von den Wahrnehmungen durch das Fehlen eines unmittelbar gegebenen objektiven Gegenstandes. In der Philosophie werden der Akt des Vorstellens und das Vorgestellte als Gegenstand materieller oder geistiger Art unterschieden.

Vọrster [f-], Balthasar Johannes, südafrikan. Politiker (Nationalpartei), *Jamestown 13. 12. 1915, †Kapstadt 10. 9. 1983; war 1961–66 Justizmin., 1966–78 MinPräs., 1978–79 Staatspräs.; verfolgte eine strikte Politik der Apartheid.

Vorsteuerabzug, Abzug der von Lieferanten in Rechnung gestellten Umsatzsteuer bei der Ermittlung der Umsatzsteuerschuld eines Unternehmens (§ 15 Umsatzsteuergesetz).

Vorsteven, der vordere Abschluss eines Schiffes; bei Holzschiffen ein vierkantiger Holzbalken, bei Stahlschiffen entweder aus Flacheisen oder Blechen rund geformt.

Vorstrafe, das im Strafregister eingetragene Urteil über eine frühere Straftat; i. d. R. bei der Strafzumessung von Bedeutung. Bei arbeitsvertragl. Einstellungen sind V. nur anzugeben, wenn sie einen Bezug zum Arbeitsverhältnis haben. Ist eine V. getilgt, ist sie im Rechtsverkehr nicht mehr vorhanden und darf grundsätzlich nicht mehr verwendet werden.

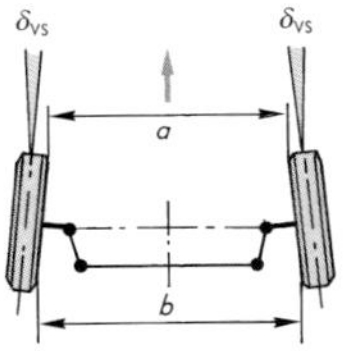

Vorspur: Die Vorspur wird als Abstand *b – a* oder als Vorspurwinkel δ_{VS} angegeben

VORTAC, Funknavigationssystem, das aus →VOR-Verfahren und →TACAN entstanden ist; findet bei zivilen Flugzeugen Anwendung.

Vortäuschen einer Straftat, die wider besseres Wissen einer Behörde gegenüber aufgestellte Behauptung, dass eine rechtswidrige Tat begangen wurde bzw. bevorstehe, um dadurch ein Einschreiten des staatl. Strafverfolgungsapparates auszulösen; mit Freiheitsstrafe bis zu drei Jahren oder mit Geldstrafe bedroht (§ 145 d StGB).

Vorteil, *Torspiele:* das Nichtbeachten einer gegner. Regelverletzung durch den Schiedsrichter, wenn dadurch die Mannschaft, gegen die sich der Regelverstoß richtet, im Ballbesitz bleibt.

Vorteils|ausgleichung, *Recht:* im Schadensersatzrecht die Anrechnung des Vorteils, der durch das schädigende Ereignis hervorgerufen wurde (bes. eine Versicherungsleistung), auf die Schadensersatzleistung. V. wird aber nur vorgenommen, wenn zw. Vorteil und Schadensereignis ein adäquater Zusammenhang besteht, die Anrechnung den Schädiger nicht unbillig entlastet und der Vorteil dauerhaft wirkt.

Vortizịsmus [v-; zu lat. vortex »Wirbel«] *der* (engl. Vorticism), literar. und künstler. Bewegung in England (etwa 1912–15) um P. W. Lewis und seine Zeitschrift »Blast, a review of the great English vortex« (zwei Nummern, 1914/15). Dem Kubismus und Futurismus nahe stehend, vertrat sie ein gegen neuromantisch-epigonale Sentimentalität und klassizist. Naturnachahmung gerichtetes Erneuerungsprogramm; zur Kerngruppe gehörten E. Pound, T. E. Hulme und T. S. Eliot.

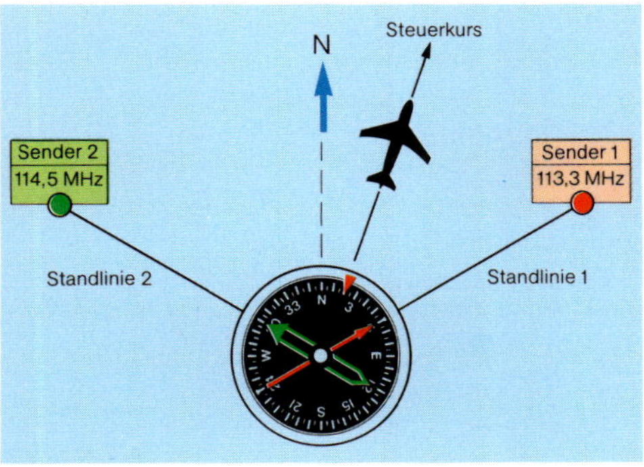

VOR-Verfahren: Funktionsprinzip; auf das Funknavigationsgerät (Radiokompass) im Cockpit sind die Frequenzen zweier VOR-Stationen aufgeschaltet; die Spitze des roten Zeigers weist auf den Sender 1 (Standlinie 60°), die des grünen Zeigers auf Sender 2 (Standlinie 300°), die dreieckige rote Markierung zeigt den Steuerkurs an (20°); da es auf der gesteuerten Kurslinie nur einen Punkt gibt, in dem sich die beiden Standlinien unter den angezeigten Winkeln schneiden, kann auf einfache Weise der Standort ermittelt werden

Vortopp, auf Segelschiffen Spitze (Topp) des vorderen (Fock-)Mastes.

Vortragsbezeichnungen, in der Notenschrift Hinweise (Worte, Zeichen, Abbreviaturen) für den musikal. Vortrag, u. a. über Zeitmaß (z. B. presto), Lautstärke (piano), Ausdruckscharakter (maestoso), Spiel- und Gesangstechnik (legato).

Vortrieb, Kraft an der Luftschraube von Flugzeugen oder an der Schiffsschraube von Wasserfahrzeugen, die die Vorwärtsbewegung hervorruft; bei Verwendung von Strahltriebwerken und bei Raketenantrieb der →Schub.

Vorurteil, eine kritiklos, ohne persönl. Urteilsbildung oder Erfahrung übernommene Meinung, die einer sachl. Argumentation nicht standhalten kann. Das V. dient der psych. Entlastung des Urteilenden in Angstsituationen, der Orientierung und dem Abbau von Unsicherheit in sozialen Handlungsfeldern. Gruppen-V., mit denen eigenes Unvermögen dadurch kompensiert wird, dass dieses u. a. auf fremde Völker oder nationale Minderheiten und/oder deren Wertsysteme übertragen wird, werden oft durch Manipulation vermittelt oder bestärkt.

Johann Heinrich Voß (Ausschnitt eines Gemäldes von Johann Heinrich Tischbein, 1818)

Vorverfahren, *Recht:* →Ermittlungsverfahren.

VOR-Verfahren [engl. 'viːəʊ'ɑː-; VOR, Abk. für engl. **v**ery high frequency **o**mnidirectional **r**ange], internat. standardisiertes Funknavigationsverfahren für die Kurz- und Mittelstreckennavigation; arbeitet mit einem am Boden installierten UKW-Drehfunkfeuer (VOR) im Frequenzbereich 108 bis 118 MHz, bestehend aus einer Rundstrahlantenne und einer mit 30 U/s umlaufenden Richtantenne, die im Empfangsgerät an Bord des Flugzeugs eine in der Phase richtungsabhängige Wechselspannung liefern, sodass mithilfe einer Phasenmessung eine Richtungsbestimmung möglich ist.

Vorvertrag, ein Vertrag, der die Verpflichtung beider Vertragsparteien zum Abschluss des beabsichtigten Hauptvertrages enthält; er bedarf i. d. R. der Form des Hauptvertrages.

Vorwahl, *Technik:* Möglichkeit zum Voreinstellen eines für später gewünschten Betriebszustandes (z. B. Drehzahl, Kamerablende), der dann selbsttätig eintritt; in der Vermittlungstechnik das Wählen einer Fernverkehrsausscheidungszahl, womit das eigene Orts- und/oder Landesnetz verlassen werden kann.

Vorzeichen, *Mathematik:* die Zeichen + (positives V., Pluszeichen) und – (negatives V., Minuszeichen), mit denen man die Zahlen über Null (positive Zahlen) von denen unter Null (negative Zahlen) unterscheidet.

Vorzeichnung, *Musik:* Bez. für die gesamten am Beginn des Liniensystems stehenden Zeichen, die Tonhöhe (→Schlüssel), Tonart und Taktart angeben.

Vorzugsakti|en, →Aktie.

Vorzugszoll (Präferenzzoll), gegenüber dem allg. Zollsatz ermäßigter Zoll auf ein bestimmtes Importgut aus einem bestimmten Land (→Präferenzsystem).

Vọscherau [f-], Henning, Politiker, *Hamburg 13. 8. 1941; Jurist, seit 1974 Mitgl., 1982–87 Vors. der SPD-Fraktion in der Hamburger Bürgerschaft; war 1988–97 Erster Bürgermeister von Hamburg.

Vosges [voːʒ], **1)** frz. Name der →Vogesen.

2) Dép. in Ostfrankreich, Lothringen, 5 874 km², (1995) 373 000 Ew.; Hptst. ist Épinal.

Vọ̈slau, Bad [f-], →Bad Vöslau.

Vọß [f-], Johann Heinrich, Dichter und Übersetzer, *Sommerstorf (heute zu Grabowhöfe, bei Waren [Müritz]) 20. 2. 1751, †Heidelberg 29. 3. 1826; Mitgl. des Göttinger Hains, 1775 Mithg. des »Göttinger Musenalmanachs« in Wandsbek. Seine dichter. Leistung liegt in seinen Idyllen. V. erschloss mit Nachdichtungen grch. und röm. Autoren (Homer, Ovid, Vergil, Horaz, Hesiod, Aristophanes) seiner Zeit ein neues Verhältnis zur Antike.

Voss [f-], Gert, Schauspieler, *Schanghai 10. 10. 1941; kam 1947 nach Dtl.; seit 1974 enge Zusammenarbeit mit C. Peymann, zunächst in Stuttgart, ab 1979 in Bochum, ab 1986 am Wiener Burgtheater; seit 1993 am Berliner Ensemble.

Vossische Zeitung [f-], Berliner Tageszeitung, entstanden aus einer titellosen Postzeitung von 1617, seit 1751 verlegt von Christian Friedrich Voss (*1724, †1795). Seit 1911 erschien sie unter dem Titel V. Z.; 1934 erloschen. Zu ihren Mitarbeitern gehörten u.a. G. E. Lessing und T. Fontane.

Voßler [f-], Karl, Romanist, *Hohenheim (heute zu Stuttgart) 6. 9. 1872, †München 18. 9. 1949; Prof. in Heidelberg, Würzburg und München; wandte sich gegen den sprachwiss. Positivismus der Junggrammatiker und forderte die ästhet. Betrachtung der Sprache unter Einbeziehung von Philosophie und Kulturgeschichte (»Positivismus und Idealismus in der Sprachwiss.«, 1904); bed. Literaturkritiker und Übersetzer; schrieb u.a. »Italien. Literaturgeschichte« (1900), »Die göttl. Komödie. Entwicklungsgesch. und Erklärung« (2 Bde. in 4 Tlen., 1907–10), »Einführung in die span. Dichtung des goldenen Zeitalters« (1939), »Aus der roman. Welt« (4 Bde., 1940–42); ferner Monographien, u.a. über J. de La Fontaine (1919), G. Leopardi (1923), J. Racine (1926), Lope F. de Vega Carpio (1932) und Tirso de Molina (1940).

Vostell [f-], Wolf, Künstler, *Leverkusen 14. 10. 1932, †Berlin 3. 4. 1998; Initiator vieler Happenings und Fluxusaktionen, Vertreter der Videokunst. Als Grafiker begann V. mit »Décollagen« durch Abreißen von Plakatwänden, später folgten übermalte (Foto-)Montagen und Skulpturen mit polit. und gesellschaftskrit. Thematik.

Wolf Vostell: »The Fall of the Berlin Wall VI« (1990; Privatbesitz)

Hannsjörg Voth: »Himmelstreppe« nordwestlich von Erfoud, dem Hauptort der Oasengruppe Tafilalt in Südmarokko, Höhe 16 m (1986–89)

Voth [f-], Hannsjörg, Künstler, *Bad Harzburg 6. 2. 1940; gestaltet aufwendige Großprojekte mit archaisierenden Symbolen (umwickelte Pfähle als »Feldzeichen«, 1975; »Reise ins Meer«, ein rheinabwärts treibendes Floß mit einer einbandagierten Riesenmumie an Bord, 1976–78; in Marokko aus heim. Lehmbauweise eine 16 m hohe »Himmelstreppe«, 1986–89), die durch Rückgriffe auf den Mythos gegen zeitgenöss. Zwänge stehen; zahlr. Zeichnungen (Studien zu den Projekten).

votieren [v-, lat.], für etwas stimmen.

Votiv [v-; lat. votivus »geweiht«] *das,* → Weihegabe.

Votivbild [v-], ein aus Dank für Errettung aus Gefahren oder Gebetserhörung gestiftetes Bild (→ Weihegabe), oft von Laien gemalt, bes. in Wallfahrtskirchen; es stellt meist die angerufenen heiligen Patrone, den Bittenden und sein Anliegen oder Erlebnis dar. BILDER Karl IV., Weihegabe, Wenzel

Votum [v-; lat. »Gelübde«] *das,* Urteil, Stimme; Gutachten; (Volks-)Entscheidung.

Vouet [vwɛ], Simon, frz. Maler, getauft Paris 9. 1. 1590, †ebd. 30. 6. 1649; ging 1604 nach England, 1611 nach Konstantinopel und lebte ab 1612 in Italien. Ludwig XIII. berief ihn 1627 nach Frankreich zurück, wo er im Auftrag des Hofes und der Kirche Gemälde, Dekorationen und Entwürfe für Gobelins schuf.

Voute [vu:t(ə), frz.] *die, Baukunst:* Deckenkehle, Übergang (konkav gerundet) zw. Decke und Wand.

Voyager [ˈvɔɪədʒə; engl. »Reisender«], Name zweier amerikan. Planetensonden zur Naherkundung der äußeren Planeten des Sonnensystems. V. 1 und V. 2 erreichten 1979 den Jupiter (geringster

Gert Voss

Karl Voßler

Franz Vranitzky

Hugo de Vries

Jaroslav Vrchlický

Abstand etwa 278 000 km), V. 1 1980, V. 2 1981 den Saturn. V. 1 wurde nach Übermittlung aller Daten abgeschaltet, V. 2 flog zum Uranus (1986) und zum Neptun (1989), ehe die Sonde das Sonnensystem verließ. Die V.-Sonden ermöglichten weit reichende neue Erkenntnisse über die Planeten.

Voyeur [vwaˈjœːr, frz.] *der,* Person, die durch heiml. Zuschauen bei sexuellen Handlungen anderer Personen Luststeigerung erfährt.

VPS [Abk. für **V**ideo**p**rogramm**s**ystem], System zur automat. Steuerung von Videorekordern zur Aufzeichnung von Fernsehsendungen; ein zu Beginn der Sendung ausgestrahlter Code schaltet den Rekorder ein und am Ende der Sendung aus.

VR, Abk. für **V**olks**r**epublik.

Vranitzky, Franz, österr. Politiker, *Wien 4. 10. 1937; Wirtschaftswissenschaftler, war 1981–84 Generaldirektor und Vorstandsvors. der Länderbank, 1984–86 Bundesmin. für Finanzen; 1986–97 Bundeskanzler, 1988–97 auch Bundesobmann (Vors.) der SPÖ. In seiner Amtszeit als Bundeskanzler trat Österreich der EU bei.

Vrbas [ˈvrbaːs] *der,* rechter Nebenfluss der Save in Bosnien und Herzegowina, 240 km lang, entspringt im Bosn. Erzgebirge, durchfließt unterhalb von Jajce eine 50 km lange, 200–300 m tiefe Schlucht, mündet nördlich von Banja Luka.

Vrchlabí [ˈvrxlabiː] (dt. Hohenelbe), Stadt im Ostböhm. Gebiet, Tschech. Rep., am Fuß des Riesengebirges, 13 400 Ew.; Riesengebirgsmuseum, Textil-, Papierind., Maschinenbau.

Vrchlický [ˈvrxlitskiː], Jaroslav, eigtl. Emil Bohuš Frída, tschech. Schriftsteller, *Louny (Nordböhm. Gebiet) 17. 2. 1853, †Domažlice 9. 9. 1912; schrieb epische und lyrische Dichtungen: »Epische Gedichte« (1876), »Geist und Welt« (1878), »Die Nacht auf dem Karlstein« (1885); vielseitiger Übersetzer (Dante, Goethes »Faust« u. a.). Durch seine Übersetzungen und seine Lyrik fand die tschech. Literatur Anschluss an die literar. Entwicklung Europas.

Vredeman de Vries [v-, v-], Hans (Jan), niederländ. Baumeister und Maler, *Leeuwarden 1527, †Antwerpen 1606; Schüler von C. Floris, veröffentlichte dessen Ornamentik in z. T. abgewandelter Form in Stichserien und Musterbüchern, die wesentlich zur Verbreitung des niederländ. Dekorationsstils des Manierismus beitrugen.

Vreden [f-], Stadt im Kr. Borken, NRW, im westl. Münsterland, an der niederländ. Grenze, 20 900 Ew.; Hamaland- und Bauernhausmuseum; Maschinen- und Fahrzeugbau, Textil-, Bekleidungs-, graf. u. a. Industrie. Nahebei Naturschutzgebiet Zwillbrocker Venn mit Moormuseum und biolog. Station. – Unter der 1945 zerstörten got. Kirche St. Georg (Neubau 1952–57) wurden bed. Reste von Vorgängerbauten aus karoling. und späterer Zeit freigelegt. Die ehem. Stiftskirche (12., 15. und 16. Jh.) mit Krypta (Mitte 11. Jh.) wurde nach dem 2. Weltkrieg wieder aufgebaut.

Vries [f-], **1)** Adriaen de, niederländ. Bronzebildhauer, *Den Haag 1545, †Prag 15. 12. 1626; Schüler des Giambologna in Florenz, seit 1593 für Kaiser Rudolf II. tätig, zunächst in Rom, seit 1601 in Prag, später für Christian IV. von Dänemark und Wallenstein. V.' Werke gehören dem Spätmanierismus an; in seinen späten Arbeiten kündigt sich bereits der Frühbarock an.

Werke: Merkurbrunnen (vollendet 1599) und Herkulesbrunnen (vollendet 1602) in Augsburg; Bronzebüsten Rudolfs II. (1603, 1607; Wien, Kunsthistor. Museum); Neptunbrunnen für Schloss Frederiksborg (1616–23; Drottningholm, Park). BILD niederländische Kunst

2) Hans (Jan) de, niederländ. Baumeister und Maler, →Vredeman de Vries, Hans.

3) Hugo de, niederländ. Botaniker und Genetiker, *Haarlem 16. 2. 1848, †Lunteren (Prov. Gelderland) 21. 5. 1935; hat gleichzeitig mit C. E. Correns und E. Tschermak die mendelschen Vererbungsgesetze wieder entdeckt; begründete die Mutationslehre (»Die Mutationstheorie«, 2 Bde., 1901–03; »Arten und Varietäten und ihre Entstehung durch Mutation«, 1905).

4) Theun de, niederländ. Schriftsteller, *Veenwouden (bei Leeuwarden) 26. 4. 1907; im 2. Weltkrieg Redakteur eines illegalen Blattes, 1944–45 KZ-Haft; schrieb Gedichte, Hörspiele sowie sozialkrit., Geschichts- und Heimatromane, darunter »Rembrandt« (1931), »Die Freiheit geht im roten Kleid« (1945), »Das Mädchen mit dem roten Haar« (1956), »Die blinde Venus« (1980).

Vring [f-], Georg von der, Schriftsteller, *Brake (Unterweser) 30. 12. 1889, †(tot aufgefunden) München 1. 3. 1968; schrieb liedhafte Liebes- und Naturlyrik sowie antimilitarist. Romane über Krieg und Gefangenschaft (»Soldat Suhren«, 1927; »Camp Lafayette«, 1929), Unterhaltungs- und Kriminalromane (»Die Spur im Hafen«, 1936).

Vršac [ˈvrʃats] (dt. Werschetz), Stadt in der Wojwodina, Jugoslawien, im Banat, 36 900 Ew.; Weinbau; Brauerei, Textil- u. a. Industrie.

V. S. O. P. [Abk. für engl. **v**ery **s**uperior **o**ld **p**ale, »ganz bes. alt und blass«], Qualitätsprädikat für Cognac, das auf ein Alter von mindestens fünf Jahren hinweist.

Vt., Abk. für den Bundesstaat **V**ermon**t**, USA.

VTOL-Flugzeug [Abk. für engl. **v**ertical **t**ake-**o**ff and **l**anding], →Senkrechtstarter.

Vuillard [vɥiˈjaːr], Édouard, frz. Maler und Grafiker, *Cuiseaux (Dép. Saône-et-Loire) 11. 11. 1868, †Baule (bei Orléans) 21. 6. 1940; einer der Hauptvertreter der →Nabis; malte v. a. Interieurs und dekorative Wandbilder, bei denen die pastellhaft wirkenden Farben als bildstrukturierendes Element in der Fläche fungieren. Als Lithograph gehörte er zu den Wegbereitern der modernen Grafik.

Vukovar [v-], Stadt in Kroatien, am rechten Ufer der Donau, (1991) 44600 Ew., heute sollen etwa 20000 Menschen in V. leben, vorwiegend Serben; Stadtmuseum; Schuhfabrik; Textil- und Holzverarbeitung, Spirituosenherstellung; Donauhafen. – V. erlitt während des Bürgerkriegs 1991 schwere Schäden.

Vulcano [v-], eine der →Liparischen Inseln.

Vulcanus [v-, lat.] (Volcanus, Vulkan), altitalischer Gott des Feuers, dem grch. →Hephaistos gleichgesetzt.

Vulci ['vultʃi, italien.], im Altertum eine der reichsten Städte der Etrusker, südwestlich des Bolsenasees; in den ausgedehnten Nekropolen wertvolle Funde, u.a. Bronzegeräte des 6. Jh. v. Chr., frühe Steinskulpturen sowie etwa 4000 grch. Vasen des 6./5. Jh. v. Chr. Nur aus der 1857 entdeckten sog. Tomba François sind Wandmalereien (spätes 4. Jh. v. Chr.) erhalten, die Szenen aus der grch. und etrusk. Sage darstellen (der größte Teil heute in Rom, Villa Albani-Torlonia). Weiteres BILD griechische Kunst

Vulgärlatein [v-], →lateinische Sprache.

Vulgarrecht [v-], Spätform des →römischen Rechts.

Vulgata [v-, lat.] *die,* auf Hieronymus zurückgehende, seit dem 8. Jh. maßgebl. und durch das Tridentinum (1546) als allein verbindlich erklärte (»authent.«) lat. Bibelübersetzung. Im Auftrag Papst Damasus' I. begann Hieronymus um 383 mit der den grch. Urtext berücksichtigenden Revision des altlat. Textes (→Itala) des N. T. und um 390 mit der Übersetzung des A. T. (außer den deuterokanon. Büchern) aus dem Hebräischen; seit 1907 Erarbeitung einer krit. Textausgabe. Eine 1969/71 auf Veranlassung Papst Pauls VI. an den Urtexten revidierte Neufassung der Psalmen und des N. T. **(Neo-V.)** wurde 1979 veröffentlicht.

vulgo [v-, lat.], gewöhnlich, meist.

Vulkan [v-; nach dem röm. Gott Vulcanus] *der,* eine Stelle der Erdoberfläche, an der Magma austritt, i.e.S. ein dabei entstandener Berg. Als Sitz der vulkan. Kräfte gelten vulkan. Herde, Magmaansammlungen in 10–20 km Tiefe. – Der Austritt des Magmas und seiner Gase, die **Eruption,** erfolgt durch einen **Schlot,** dessen oberes Ende sich oft zu einem Krater erweitert, oder durch eine **Spalte.** Die Intensität der Eruption wird wesentlich vom Gasgehalt bestimmt, der zu 80% aus Wasserdampf besteht. Die Temperatur der Lava beträgt 1000–1200 °C. Kieselsäurereiche Lava **(Blocklava)** ist sehr zähflüssig und kann bereits im Schlot erstarren (Quellkuppe). Dünnflüssig sind dagegen bas. Schmelzen **(Stricklava),** die häufig aus Spalten austreten und flachgeböschte **Schild-V.** (Hawaii) oder ausgedehnte **Plateaubasalte** bzw. **Lavadecken** (Island, Dekhan) bilden. Typisch für untermeer. V. sind **Kissen-** oder **Pillowlaven.** Häufiger als diese **Lava-V.** sind die aus Lagen von Lava und Tuff aufgebauten **gemischten** oder **Strato-V.** (Vesuv). Wird nur Lockermaterial (Aschen) zutage gefördert, kann es deckenförmig ausgebreitet oder als **Aschenkegel (Aschen-V.)** aufgehäuft werden. Die Schlote der Gas-V., die oft gesellig vorkommen (→Maare in der Eifel), enthalten Trümmer vulkan. Festgesteine und solche des Nebengesteins. Morphologisch treten diese **V.-Embryonen** kaum in Erscheinung. Die südafrikan. **Pipes** führen Diamanten. Postvulkanisch treten Fumarolen, Solfataren und Mofetten auf. – Bei der Eruption oder durch nachträgl. Einsturz kann ein großer **Kraterkessel** (Caldera) entstehen (Durchmesser bis rd. 20 km). – **Untätige V.** befinden sich vorübergehend in Ruhe (Vesuv von 1139 bis 1631); **erloschene V.** haben ihre Tätigkeit eingestellt (Rhön, Kaiserstuhl). – V. treten vorzugsweise in tektonisch aktiven Zonen der Erde auf, so bes. in jungen Falten-

Édouard Vuillard: »Im Bett« (1891; Paris, Musée National d'Art Moderne)

Vulci: Die trojanischen Gefangenen werden von Achill geopfert, Ausschnitt eines Freskos aus der Tomba François (spätes 4. Jh. v. Chr.; Rom, Villa Albani-Torlonia)

Vulkan: Die Aufnahmen zeigen Mount Saint Helens im Staat Washington, USA, am 12. 4. 1980 vor dem Ausbruch (links) und am 30. 6. 1980 nach dem Ausbruch des Vulkans

Christian August Vulpius (zeitgenössische Zeichnung)

gebirgen längs Kontinentalrändern (Japan, Anden) und bed. Bruchlinien (Ostafrikan. Grabenzone; untermeer. Schwellen). Weitere BILDER Ätna, Auvergne, Fuji, Hot Spot, Stromboli, Surtsey, Vesuv

📖 DECKER, R. *u.* DECKER, B.: *Von Pompeji zum Pinatubo. Die Urgewalt der V.e. Aus dem Engl. Basel u. a. 1993.* – SCHICK, R.: *Erdbeben u. V.e. Entstehung – Formen – Prognose. München 1997.*

Vulkanfiber [v-], ein Schichtpressstoff, der durch Behandlung von ungeleimten Papierbahnen mit konzentrierter Zinkchloridlösung gewonnen wird; verschleißarm und vielseitig verwendbar, z. B. in der Maschinen- und Elektroindustrie.

Vulkaninseln [v-] (Kazaninseln, japan. Kazanrettō), subtrop. Inselgruppe im Pazifik, zw. den Bonininseln und den Marianen, gehört zur Präfektur Tokio, Japan; etwa 200 Ew.; Schwefelvorkommen, Fischerei. – Die V. sind seit 1891 japanisch; 1951–68 unter amerikan. Verwaltung.

Vulkanisation [v-] *die,* Verfahren, bei dem thermoplast. natürl. →Kautschuk und →Synthesekautschuk in elast. Weichgummi (Elastomere, →Kunststoffe) überführt werden. Bei der V. werden die Makromoleküle der Kautschuke z. B. über Schwefelbrücken vernetzt, sodass sich die Moleküle nicht mehr frei gegeneinander bewegen können. Für Kautschuke mit Doppelbindungen (z. B. Naturkautschuk, Styrol-Butadien-Kautschuk) ist Schwefel das wichtigste **V.-Mittel.** Da Schwefel allein nur langsam und erst bei hoher Temperatur reagiert, werden außerdem **V.-Beschleuniger** (bes. Thiazole) und Aktivatoren (z. B. Zinkoxid) zugesetzt. Kautschuke ohne Doppelbindung (z. B. Siliconkautschuk) lassen sich nur mit Peroxiden (z. B. Dicumylperoxid) vulkanisieren. Die V. ist auch ohne V.-Mittel mithilfe von energiereichen Strahlen (z. B. γ-Strahlen) möglich.

Vulkanismus [v-] *der,* Bez. für alle Kräfte und Erscheinungen, die mit dem Aufsteigen von heißen gasigen, flüssigen oder festen Stoffen aus dem Erdinnern an die Erdoberfläche zusammenhängen, im Unterschied zu den magmat. Vorgängen im Erdinnern, dem **Plutonismus.**

Vulkanite [v-] (vulkanische Gesteine, Effusivgesteine, Ergussgesteine, Extrusivgesteine), magmat. Gesteine, die an der Erdoberfläche sehr schnell erstarrt sind. Typisch für V. ist ein glasiges, feinkörniges, dichtes oder porphyr. Gefüge; z. B. Basalt, Bimsstein, Obsidian.

Vulpius [v-], **1)** Christian August, Schriftsteller, *Weimar 23. 1. 1762, †ebd. 26. 6. 1827, Bruder von 2); Schwager Goethes, in Weimar erst Theater-, dann Bibliothekssekretär; schrieb Bühnenstücke, fantast. Räuber- und Schauerromane (»Rinaldo Rinaldini, der Räuberhauptmann«, 3 Bde., 1797).

2) Christiane, →Goethe, Christiane.

Vulva [v-, lat.] *die* (Scham), die äußeren weibl. Geschlechtsorgane.

VU-Meter [Kw. für **V**olume-**u**nit-Meter], *Elektroakustik:* Einrichtung zur Kontrolle der Signalgrößen (meist Tonsignalspannung) an Magnetbandgeräten, Niederfrequenzverstärkern u. a. VU-M. zeigen den lautstärkebestimmenden Signaldurchschnittswert an (1 VU = 1 dB).

Vuoksi [v-] *der* (schwed. Vuoksen), wasserreicher Abfluss des finn. Seengebiets Saimaa zum Ladogasee; bildet den Imatrafall (→Imatra).

v. u. Z., Abk. für **v**or **u**nserer **Z**eitrechnung, entspricht v. Chr.

VVaG, Abk. für →**V**ersicherungs**v**erein **a**uf **G**egenseitigkeit.

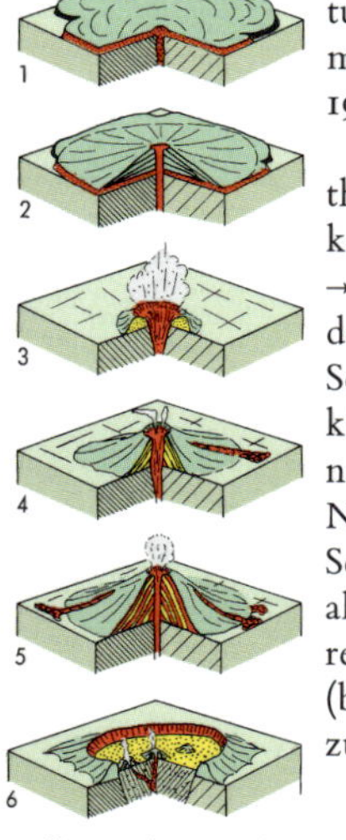

Vulkan: schematische Darstellungen verschiedener Vulkantypen (nach Hans Cloos); 1 vulkanische Decke, 2 Schildvulkan, 3 Maar, 4 Aschenvulkan, 5 Stratovulkan, 6 Kraterkessel

Aktive Vulkane (Auswahl)

Name	Staat	Lage	Höhe in m ü. M.	letzter größerer Ausbruch
Asien				
Kljutschewskaja Sopka	Russland	Kamtschatka	4750	1994
Kerinei	Indonesien	Sumatra	3805	1987
Fuji (Fujisan)	Japan	Honshū	3776	1707
Semeru	Indonesien	Java	3676	1994
Merapi	Indonesien	Java	2911	1994
Tambora	Indonesien	Sumbawa	2851	1880
Mayon	Philippinen	Luzon	2416	1993
Bromo	Indonesien	Java	2392	1910
Kelud	Indonesien	Java	1731	1990
Pinatubo	Philippinen	Luzon	1475	1994
Unzen	Japan	Kyūshū	1359	1993
Krakatau	Indonesien	Sundastraße	813	1928
Taal	Philippinen	Luzon	311	1988
Europa				
Ätna	Italien	Sizilien	3323	1993
Hekla	Island	Südisland	1491	1947 (1991)
Vesuv	Italien	Kampanien	1281	1944
Stromboli	Italien	Liparische Inseln	926	1993 (ständige Tätigkeit)
Fossa	Italien	Vulcano (Liparische Inseln)	391	1890
Eldfell	Island	Heimaey (Westmännerinseln)	226	1973
Surtsey	Island	Westmännerinseln	173	1967
Nea Kameni	Griechenland	Santorin (Thera)	124	1950
Afrika				
Kamerunberg	Kamerun	Westkamerun	4070	1982
Pico de Teide	Spanien	Teneriffa	3718	1909
Nyiragongo	Demokrat. Rep. Kongo	Virungavulkane	3470	1977
Nyamuragira	Demokrat. Rep. Kongo	Virungavulkane	3055	1991
Pico de Cano	Kap Verde	Fogo	2829	1995
Piton de la Fournaise	Frankreich	Réunion (Indischer Ozean)	1823	1991
Nordamerika				
Mount Saint Helens	USA	Cascade Range	2530	1993
Katmai	USA	Alaskahalbinsel	2047	1974
Süd- und Mittelamerika				
Cotopaxi	Ecuador	Ostkordillere	5897	1975
Popocatépetl	Mexiko	Cordillera Neovolcánica	5452	1997
Nevado del Ruiz	Kolumbien	Zentralkordilleren	5200	1994
Soufrière	Großbritannien	Montserrat (Karibik)	3000	1997
Paricutín	Mexiko	Cordillera Neovolcánica	2575	1952
El Chichón	Mexiko	Bergland von Chiapas	2225	1982
Montagne Pelée (Mont Pelé)	Frankreich	Martinique (Karibik)	1932	1932
Ozeanien				
Mauna Loa	USA	Hawaii	4169	1987
Ruapehu	Neuseeland	Nordinsel	2797	1992
Mount Ngauruhoe	Neuseeland	Nordinsel	2291	1975
Mount Lamington	Papua-Neuguinea	Neuguinea	1785	1956
Kilauea	USA	Hawaii	1243	1993 (ständige Tätigkeit)
Tavurvur (und Vulcan)	Papua-Neuguinea	New Britain	?	1994 (1997)
Antarktis				
Mount Erebus		Rossinsel	3794	1991

V-Waffen, Kw. für **V**ergeltungswaffen, von der dt. Wehrmacht Ende des 2. Weltkriegs entwickelte Waffensysteme: Die **V1** war ein unbemannter Flugkörper (Nutzlast 850 kg Sprengstoff, Reichweite rd. 330 km, Erstflug Dez. 1942, erster Einsatz 14. 6. 1944); sie wurde von einem Katapult gestartet und durch eine Selbststeuerung zum Ziel geführt; 80% der etwa 8000 eingesetzten V1 wurden abgeschossen. Die **V2** war eine ballist. Flüssigkeitsrakete (Nutzlast 1000 kg Sprengstoff, Reichweite rd. 320 km, Erstflug Okt. 1942, Einsatz von Sept. 1944 bis März 1945); rd. 2400 Raketen erreichten ihr Ziel, davon rd. 1100 London und Südengland. Eine Bekämpfung der V2 in der Luft war mit den damaligen Abwehrmitteln nicht möglich.

VwGO, Abk. für **V**er**w**altungs**g**erichts**o**rdnung (→Verwaltungsgerichtsbarkeit).

Vytautas [vi-], Großfürst von Litauen, →Witold.

W

w, W [ve:], **1)** Konsonant (→Laut); der 23. Buchstabe des dt. Alphabets, im MA. durch Verdoppelung des V entstanden, bezeichnet im Deutschen meist den stimmhaften labiodentalen Reibelaut [v].

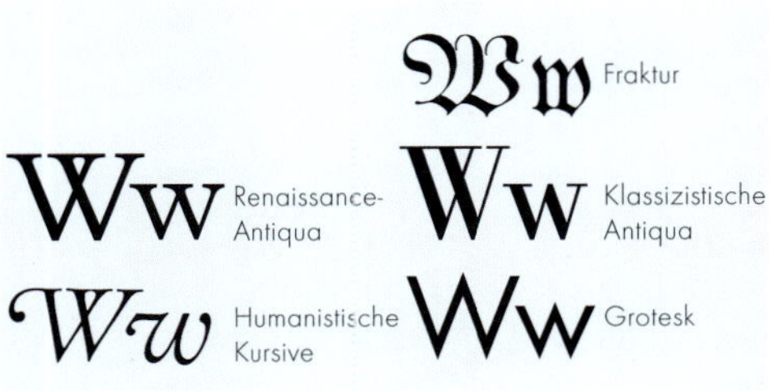

Druckschriftvarianten des Buchstabens **W**

2) **W,** Abk. für **W**esten.

3) *Chemie:* **W,** chem. Symbol für →Wolfram.

4) *Einheitenzeichen:* **W** für →Watt.

5) *Formelzeichen: W* für →Arbeit und →Energie.

Waadt
Kantonswappen

Waadt [vat, va:t] *die* (Waadtland, amtlich frz. Vaud), Kanton der Schweiz, 3219 km², (1996) 605 700 meist französischsprachige Ew.; Hptst. ist Lausanne. Die W. umfasst den SW des Schweizer Mittellandes mit Anteil am Genfer und Neuenburger See und erstreckt sich im W auf den Kettenjura (im Mont Tendre 1679 m ü.M.), im O auf die Ausläufer der Freiburger und Berner Alpen (Les Diablerets 3209 m ü.M.). Haupterwerbszweige sind Uhren- und feinmechan. Ind.; im Mittelland Acker-, Wein- und Obstbau, Tabakanbau; im Gebirge Almwirtschaft; Fremdenverkehr.

Geschichte: Seit 58 v.Chr. römisch, seit dem 5.Jh. burgundisch, kam mit Burgund 1032 an das Hl. Röm. Reich. Im 13./14.Jh. von Savoyen unterworfen; ab 1536 Berner Untertanengebiet (Anschluss an die Eidgenossenschaft; Einführung der Reformation); Jan. bis April 1798 unabhängig, dann als Kt. Léman Teil der Helvetischen Republik, seit 1803 Kt. Waadt.

🕮 GUTERSOHN, H.: *Geographie der Schweiz, Bd. 2, Tl. 2. Bern* ^{2}*1974.*

Waag *die* (slowak. Váh), linker Nebenfluss der Donau in der Slowak. Rep., 378 km lang, entsteht in der Tatra, vereinigt sich bei Kolárovo mit der Kleinen Donau zur Waagdonau, mündet bei Komárno; zahlr. Stauseen mit Wasserkraftwerken.

Waage, 1) *Astronomie:* (lat. Libra) zum →Tierkreis gehörendes Sternbild der Äquatorzone.

2) *Messwesen:* Gerät zur Bestimmung der Masse eines Körpers. Man unterscheidet nach dem Aufbau Hebel-W., Feder-W. und hydraul. Waagen. Bei der **Hebel-W.** werden die Drehmomente, die von einer bekannten (Wägestück) und der unbekannten Masse unter Einfluss der Schwerkraft an einem um eine horizontale Achse drehbar gelagerten Hebel hervorgerufen werden, verglichen (direkter Massenvergleich). Hebel-W. sind die gleicharmigen Balken-W. mit angehängten Scha-

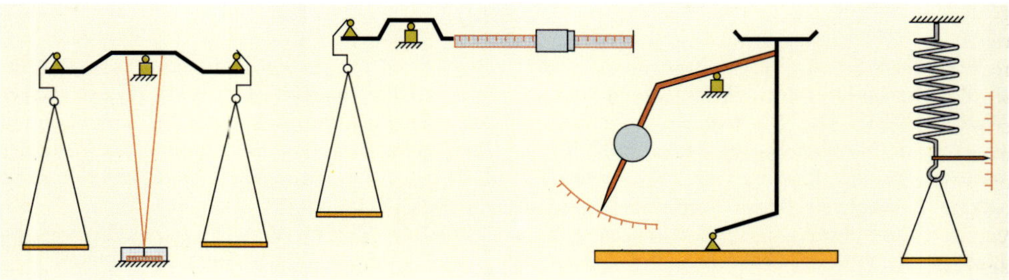
Waage 2): schematische Darstellung verschiedener Waagen; gleicharmige Balkenwaage, Laufgewichtswaage, Neigungswaage und Federwaage (von links)

len und Wägesatz, die ungleicharmigen W. mit verschiebbaren Wägestücken bzw. Gewichten (Laufgewichts-W.) und die Neigungs-W., bei denen der W.-Balken die Form eines Winkelhebels hat (z. B. Brief-W.). Eine zusammengesetzte Hebel-W. ist die →Dezimalwaage. Zähl-W. sind zusammengesetzte Hebel-W. mit konstanten Hebelverhältnissen zur Ermittlung großer Stückzahlen gleicher, meist kleiner Teile (z. B. Schrauben). Bei der **Feder-W.** und **Torsions-W.** wird die der Masse proportionale elast. Formänderung einer Feder bzw. die Verdrillung von Drähten oder Bändern auf ein Zeigerwerk übertragen. **Hydraul. W.** dienen zum Wägen sehr großer Massen, die hierbei auf den Kolben eines mit Flüssigkeit gefüllten Zylinders drücken; der Flüssigkeitsdruck wird durch ein Manometer angezeigt. Bei **elektron. W.** (elektromechan., elektromagnet. W.) wird das durch die zu wägende Masse verursachte Drehmoment mit einer elektromagnet. Kraft kompensiert. Durch den Einbau von Mikroprozessoren in elektron. W. können von diesen vielfältige Funktionen (z. B. Gewichtsumrechnung) übernommen werden. – Die internat. Einstufung der W. unterscheidet Grob-W., Handels-W., Präzisions-W. und Fein-W. (z. B. Mikro- und Analysenwaage).

📖 *Hb. des Wägens, hg. v.* M. KOCHSIEK. *Braunschweig u. a. ²1989.*

3) *Sport:* turner. Übung bzw. Figur, bei der der Körper in waagerechter Lage gehalten wird; Kürelement beim Eis- und Rollkunstlauf.

Waagepunkt, *Astronomie:* der →Herbstpunkt.

Waal *die,* Hauptrheinarm und wichtigster Schifffahrtsweg im Rhein-Maas-Delta; →Rhein.

Waals, Johannes Diderik van der, niederländ. Physiker, *Leiden 23. 11. 1837, †Amsterdam 7. 3. 1923; begründete die kinet. Theorie der Flüssigkeiten und entwickelte um 1880 die Zustandsgleichung der realen Gase (→Van-der-Waals-Gleichung). 1889 formulierte er die Theorie binärer Gemische, später auch thermodynam. Theorien der Oberflächenspannung und der Kapillarität. Van der W. erhielt 1910 den Nobelpreis für Physik.

Waart, Edo de, niederländ. Oboist und Dirigent, *Amsterdam 1. 6. 1941; war 1973–79 Chefdirigent des Philharmon. Orchesters in Rotterdam, 1977–85 des San Francisco Symphony Orchestra; wurde 1986 Leiter des Minnesota Symphony Orchestra sowie 1989 der Niederländ. Radio Philharmonie; seit 1995 Chefdirigent des Sydney Symphony Orchestra.

Waasland (fläm. Land van Waas, frz. Pays de Waes), fruchtbare, dicht besiedelte Landschaft in der belg. Prov. Ostflandern, westlich von Antwerpen; Viehzucht, Acker- und Gartenbau; Textilind. und Maschinenbau.

Wabe, aus vielen im Querschnitt sechseckigen Zellen aus körpereigenem Wachs gefertigter Bau von Bienen; dient zur Aufzucht der Larven und zur Speicherung von Honig und Pollen.

Johannes Diderik van der Waals (1910)

Wabenkröte, Froschlurch, die →Pipa.

Wace [engl. weɪs, frz. vas] (Robert Wace), anglonormann. Dichter, *auf Jersey um 1100, †Caen (?) um 1174; Kanonikus in Bayeux; erster namentlich bekannter Dichter der frz. Literatur. W. schrieb Heiligenleben (u. a. »La vie de Saint-Nicolas«) sowie zwei Reimchroniken: »Le roman de Brut« (beendet 1155, über 15 000 Verse; nach der »Historia regum Britanniae« des Geoffrey of Monmouth), der die Tafelrunde des Königs Artus in die frz. Literatur einführte, sowie »Le roman de Rou« (unvollendet, begonnen 1160; 11 480 Verse), eine Darstellung der Geschichte der normann. Herzöge bis 1106.

Edo de Waart

Wachau *die,* 30 km lange Engtalstrecke der Donau zw. Melk und Krems an der Donau, Niederösterreich; auf Lössböden Obst- (Marillen) und Weinbau; reger Fremdenverkehr, bes. im Hauptort Dürnstein.

Wache, *Militärwesen:* kleine Truppenabteilung für den Wachdienst, schützt und sichert militär. Dienststellen, Einrichtungen und Anlagen.

Wachmann, *österr.:* Polizeibeamter.

Wacholder (Juniperus), Gattung der Zypressengewächse mit rd. 60 Arten auf der N-Halbkugel, immergrüne, meist zweihäusige Sträucher oder Bäume; Blätter nadelartig oder schuppenförmig; Zapfen zur Samenreife beerenartig, aus mehreren verwachsenen Schuppen gebildet. Einheimisch ist u. a. der geschützte **Gemeine W. (Heide-W., Machandelbaum, Kranewitt,** Juniperus communis), ein säulenförmiger Strauch oder bis 12 m hoher Baum mit stechenden Nadeln und schwarzblauen, bereiften, dreisamigen Beerenzapfen **(W.-Beeren);** auf Sand- und Heideböden der nördl. gemäßigten und kalten Zonen. Die W.-Beeren dienen zur Herstellung von Säften und Branntweinen (u. a. Gin), als Tee (harntreibend)

Wacholder: Zweig des Gemeinen Wacholder

sowie als Gewürz. Das aus dem Holz gewonnene **W.-Teeröl** (Cadeöl) wird äußerlich bei rheumat. Beschwerden angewandt. Niederliegende Formen des →Sadebaums werden als Ziersträucher angepflanzt, wie auch zahlr. aus Nordamerika und O-Asien stammende Arten.

Wachsbildnerei: Francesco Segala, »Bildnis Erzherzog Ferdinands II.«, gefärbtes Wachs mit Perlen und Edelsteinen (um 1580; Wien, Kunsthistorisches Museum)

Wachsbildnerei (Keroplastik, Zeroplastik), Herstellung von Modellen und selbstständigen Bildwerken aus Wachs, das durch Zusatz von Öl und Terpentin modellierfähig gemacht wird. – Bei den Römern wurden **Wachsmasken** der Verstorbenen im Trauerzug getragen und im Haus aufgestellt. Der Brauch, die Toten bei den tagelangen Leichenfeiern in Wachsnachbildungen darzustellen, wurde im 14. Jh. vom engl. und frz. Hof und Adel aufgenommen und bis ins 17. Jh. geübt, in Venedig bis ins 18. Jh. Außer Bildwerken des Totenkults wurden seit dem MA. auch Weihgaben in Wachs gearbeitet, darunter lebensgroße Figuren. Seit der Renaissance wurden auch Porträtbüsten und -reliefs in Wachs modelliert. Zur W. zählen außerdem die für den Bronzeguss (→Bronzekunst) gefertigten Modelle aus Wachs. – Aus dem gegen Ende des 17. Jh. aufkommenden Brauch, lebensgroße Wachsfiguren hoher Persönlichkeiten öffentlich zu zeigen, gingen die **Wachsfigurenkabinette** hervor (Kabinett der Madame Tussaud in London, Musée Grévin in Paris). In Wachs nachgebildete anatom. Objekte für Lehrzwecke befinden sich in der Josephin. Sammlung in Wien und im Museum in Bologna. Weiteres BILD Ludwig XIV.

📖 BÜLL, R.: *Das große Buch vom Wachs. Gesch., Kultur, Technik, 2 Bde. München 1977.*

Wachsblume 2): Kleine Wachsblume (Höhe 15–60 cm)

Wachsblume, 1) (Hoya) südostasiatisch-austral. Gattung der Schwalbenwurzgewächse, strauchige Kletterpflanzen mit Luftwurzeln, ledrigen gegenständigen Blättern und dichten Dolden wachs- und porzellanähnl., fünfzipfliger, fleischiger Blüten. Zimmerpflanze ist die **Porzellanblume (Honigblume,** Hoya carnosa) mit weißen oder rosafarbenen, stark duftenden Blüten.

2) (Cerinthe) Gattung der Borretschgewächse; mit weißl. Knötchen besetzte Kräuter mit längl., stängelumfassenden Blättern und gelben, in Wirbeln stehenden Blüten, z. B. auf Alpenmatten die **Alpen-W.** (Cerinthe glabra) und auf Weg- und Ackerrändern in Mittel- und SO-Europa die **Kleine W.** (Cerinthe minor).

Wachsch *der,* rechter Quellfluss des Amudarja, in Kirgistan und Tadschikistan, 524 km lang; entspringt im Transalai, vereinigt sich mit dem →Pjandsch; mehrere Wasserkraftwerke.

Wachse, Bez. für chemisch uneinheitl. organ. Stoffe, die i. d. R. bei 20 °C knetbar, fest bis brüchig hart, durchscheinend bis opak und polierbar sind und die über 40 °C in eine relativ niedrigviskose Schmelze übergehen. **Tierische W.** (z. B. Walrat, Bienen-W.) und **Pflanzen-W.** (z. B. Karnauba-W., Zuckerrohr-W.) bestehen überwiegend aus Estern höherer Fettsäuren (z. B. Palmitinsäure) mit höheren Alkoholen (z. B. Cetylalkohol, Myricylalkohol). Natürlich vorkommendes **Erdwachs** (Ozokerit und das daraus hergestellte Ceresin) und **Erdöl-W.** sind Gemische fester Paraffine. **Synthet. W.** sind z. T. Ester, oder sie leiten sich von Polyäthylen, chlorierten Kohlenwasserstoffen u. a. ab; Verwendung für Kerzen, Schuh- und Möbelpolituren sowie für wasserfeste Imprägnierungen und elektr. Isolierungen.

Wachshaut, weiche, stark verdickte Basis des Oberschnabels mancher Vögel (z. B. Papageien, Tauben und Greifvögel); oft auffällig gefärbt; umschließt meist die Nasenlöcher.

Wachsmalerei, antike Maltechnik, →Enkaustik.

Wachsblume 1): Die Porzellanblume mit ihren weißen oder rosafarbenen, in der Mitte rot gefleckten, wohlriechenden Blüten ist eine beliebte Zimmerpflanze

Wachsmann, Konrad, amerikan. Architekturtheoretiker dt. Herkunft, *Frankfurt (Oder) 16. 5. 1901, †Los Angeles (Calif.) 27. 11. 1980; wurde bekannt durch Konstruktionssysteme für industrielles Bauen; emigrierte 1941 in die USA, wo er zus. mit W. Gropius eine der ersten Fabriken für industriell vorgefertigte Bauelemente gründete.

Wachsmotten (Bienenmotten), zwei Schmetterlingsarten aus der Gruppe der Zünsler. Die **Große Wachsmotte** (Bienenwolf, Galleria mellonella), Flügelspannweite 30 mm, legt ihre Eier in Bienenstöcke; die Raupen (»Rankmaden«) leben in den Waben. Die Raupen der **Kleinen Wachsmotte** (Achroia grisella) fressen Pollen, Wachs und Bienenkot.

Wachspalmen, an den Blättern Wachs ausscheidende trop. Palmenarten, z.B. die **Karnaubapalme** (Copernicia cerifera), eine Fächerpalme Brasiliens.

Wachspapier (Paraffinpapier), mit Paraffin imprägniertes wasserfestes Papier für Verpackungszwecke.

Wachsschildlaus (Ericerus pela), bis etwa 5 mm große, in O-Asien gezüchtete Schildlausart; männl. Larven scheiden Pelawachs aus, das z.B. für Kerzen verwendet wird.

Wachstuch, ein linksseitig gerautes Gewebe bes. für Tischdecken, das rechtsseitig mit Kunststoff beschichtet ist.

Wachstum, 1) *Biologie:* an die Lebenstätigkeit der Zellen gebundene irreversible Formveränderung von Organismen, die durch eine bleibende Volumen- und Substanzzunahme bis zu einer genetisch festgelegten Endgröße charakterisiert ist. Das W. beruht auf dem Aufbau körpereigener Substanz und ist daher eine Grundeigenschaft des Lebens; es wird bei mehrzelligen Lebewesen hormonell gesteuert. Bei den Wirbeltieren und beim Menschen z.B. wirken das W.-Hormon Somatotropin und das Schilddrüsenhormon Thyroxin wachstumssteigernd, während die Geschlechtshormone das W. beenden. Bei den höheren Pflanzen wird das W. durch versch. Phytohormone geregelt. Das W. ist in seiner Intensität auch abhängig von äußeren Faktoren (v.a. Ernährung, Temperatur, bei Pflanzen auch Licht). Einzellige Lebewesen wachsen nur durch Zunahme ihrer Masse (Erhöhung der Eiweißkonzentration, der Packungsdichte von Zellorganellen); nach Erreichen einer bestimmten Kern-Plasma-Relation ist das W. abgeschlossen. Bei mehrzelligen Tieren und beim Menschen beruht das W. auf Zellteilung und daraus resultierender Zellvermehrung verbunden mit Plasmaneubildung. Die W.-Geschwindigkeit der einzelnen Organe und Körperteile ist unterschiedlich. – Bei Pflanzen hält das W. die gesamte Lebensdauer über an, bewirkt durch ständig teilungsfähige, undifferenzierte (embryonale) Zellen. Das W. der Pflanzen beruht im Unterschied zu dem der Tiere weniger auf der Zunahme der Zellenzahl als vielmehr auf einer starken Streckung der Zellen.

2) *Wirtschaft:* (Wirtschaftswachstum) i.w.S. die Zunahme einer wirtsch. Größe (z.B. Sozialprodukt, Umsatz, Staatsausgaben) im Zeitablauf. W. wird i.d.R. angegeben als prozentuale Veränderung im Zeitablauf **(W.-Rate).** Wenn die betrachtete Größe abgenommen hat und die prozentuale Veränderung negativ ist, spricht man von »Minus-W.« und bei ausbleibender Veränderung entsprechend von »Nullwachstum«. W. ist im wirtsch. und sozialen Leben ein grundlegender und i.d.R. positiv besetzter Begriff. W. des Sozialprodukts wurde lange mit der Zunahme von Wohlstand und Lebensqualität gleichgesetzt. Da das →Sozialprodukt hierfür aber nur bedingt als Indikator tauglich ist, wird inzwischen von qualitativem W. gesprochen. Damit kommt zum Ausdruck, dass eine allgemeine Betrachtung von W. nicht genügt, sondern dessen Bestimmungsfaktoren und deren Zusammenhang mit anderen Prozessen (z.B. Einkommensverteilung, Umweltqualität) berücksichtigt werden müssen.

Wachsmotten: Große Wachsmotte (Spannweite 30 mm)

Wachstum

Eindeutiger Rekordhalter bei den Sprossachsen ist der Bambus, der jeden Tag einen Meter wachsen kann. Am langsamsten hingegen wachsen die Arten der kalten Regionen nahe der Arktis. Hier hält wahrscheinlich eine Sitkakiefer den Rekord, die in einem Jahrhundert weniger als 30 cm gewachsen ist. Die Borstenkiefer legt im Durchmesser pro Jahrhundert vermutlich nur 1 cm zu.

Der größte Baum, der jemals vermessen wurde, ist ein Eukalyptus in Australien, den die Natur entwurzelt hatte. Er hatte eine Höhe von 132,50 m erreicht. Den größten Umfang aller Baumstämme zeigte bislang eine Montezumazypresse in Mexiko. Sie brachte es auf eine Gürtelweite von 35,8 m.

Die **W.-Theorie** untersucht, von welchen Produktionsfaktoren das W. bestimmt wird und inwieweit der W.-Prozess durch vermehrten Einsatz von Produktionsfaktoren (automatisch) zu einem stabilen Gleichgewicht führt und gesamtwirtschaftlich optimal ist. Die zentrale Rolle der Rendite auf das eingesetzte Kapital (Profitrate) im W.-Prozess wurde von D. Ricardo bereits zu Beginn des 19. Jh. hervorgehoben. K. Marx und A. Schumpeter haben die Wirkung der techn. Neuerungen und des Konkurrenzkampfes auf die Profitrate und das W. untersucht. Insbesondere Schumpeter wies auf die das W. steigernde Wirkung der Produkt- und Verfahrensinnovationen der »Pionierunternehmer« hin. Mit der Weltwirtschaftskrise

1929–33 wurde bes. deutlich, dass Wirtschafts-W. und Vollbeschäftigung nicht automatisch übereinstimmen. Das hat insbesondere J. M. Keynes belegt und auf die Bedeutung der Nachfrageseite hingewiesen. Für die (post)keynesian. W.-Theorie herrscht ein langfristiges W.-Gleichgewicht bei Vollbeschäftigung nur dann, wenn die für die Auslastung des wachsenden Produktionspotenzials erforderl. W.-Rate des Sozialprodukts (befriedigende oder gleichgewichtige W.-Rate) mit der durch Bev.wachstum und techn. Fortschritt mögl. W.-Rate (natürl. W.-Rate) übereinstimmt. Liegt die natürl. über der befriedigenden W.-Rate, kommt es zu wachsender Arbeitslosigkeit, da das W. des Produktionspotenzials für die Beschäftigung des Arbeitskräftepotenzials nicht ausreicht. Die neoklass. W.-Theorie untersucht die gesamtwirtschaftl. Produktionsfunktion, die die Abhängigkeit des realen Sozialprodukts vom Arbeits- und Kapitaleinsatz sowie vom techn. Fortschritt angibt. Die W.-Rate des Sozialprodukts hängt demnach von den W.-Raten des Arbeits- und Kapitaleinsatzes, von den Produktionselastizitäten dieser Faktoren und von der W.-Rate des techn. Fortschritts ab. Ein die Beschäftigung sicherndes W. stelle sich ein, sofern die Löhne sinken würden.

Jewgeni Wachtangow

Aufgabe der **W.-Politik** ist es, die wirtsch. Rahmenbedingungen so zu gestalten und zu beeinflussen, dass die von der W.-Theorie analysierten W.-Faktoren ungehindert wirksam werden können und die mit dem W. verbundenen strukturellen Wandlungen von der Gesellschaft akzeptiert werden. Das Stabilitäts-Ges. verpflichtet die Bundesreg. für ein »stetiges und angemessenes Wirtschafts-W.« zu sorgen. Die herrschende W.-Politik betrachtet W. als wesentl. Voraussetzung für die Beseitigung von Armut und die Vermehrung von Wohlstand, Erhöhung der Beschäftigung, Schaffung des Potenzials zur Beseitigung und Verhinderung von Umweltschäden, Förderung eines sozialverträgl. Strukturwandels, bessere Versorgung mit kollektiven Gütern (v. a. techn. und soziale Infrastruktur), Bekämpfung von Unterentwicklung. Die am wirtsch. Liberalismus orientierte W.-Politik hält sich mit Eingriffen in den Wirtschaftsprozess möglichst zurück, um die Wirksamkeit des Marktmechanismus nicht zu stören. Demgegenüber steht die Auffassung, dass der Staat mit (marktkonformen) Mitteln vermehrt in den Wirtschaftsprozess eingreifen müsse, um die Entwicklung im Sinne eines qualitativen W. zu fördern, nicht zuletzt deswegen, weil externe Kosten (z. B. Luftverschmutzung durch den Verkehr) im Preismechanismus nicht wirksam werden. In der Diskussion der letzten Jahre über qualitatives W. wurde auf die Notwendigkeit der Dezentralisierung von Produktions- und Konsumstrukturen und von alternativen Lebensstilen in den Industrieländern hingewiesen. Der Zusammenhang von W. und Umweltverträglichkeit wird auch unter dem Aspekt → nachhaltige Entwicklung beleuchtet.

🕮 Krelle, W.: *Theorie des wirtschaftl. W. Berlin u. a. ^{2}1988.* – Kromphardt, J.: *W. u. Konjunktur. Göttingen ^{3}1993.* – Wagner, H.: *W. u. Entwicklung. München u. a. 1993.* – *Die Grenzen des W. Bericht des Club of Rome zur Lage der Menschheit, Beiträge v.* D. Meadows *u. a. Aus dem Amerikan. Stuttgart ^{16}1994.* – Zinn, K.-G.: *Konjunktur u. W. Aachen ^{2}1995.*

Wachstumshormon, das → Somatotropin.

Wachstumspolitik, → Wachstum.

Wachstumsregulatoren, synthet. Stoffe, die ähnlich den Pflanzenhormonen fördernd oder hemmend auf den Pflanzenstoffwechsel wirken; v. a. im Nutzpflanzenbau eingesetzt.

Wachstumstheorie, → Wachstum.

Wachtangow, Jewgeni Bagrationowitsch, russ. Regisseur, * Wladikawkas 13. 2. 1883, † Moskau 29. 5. 1922; gilt neben W. E. Meyerhold und A. J. Tairow als Hauptvertreter des revolutionären russ. Theaters, das sich vom Realismus abwandte.

Wachtberg, Gemeinde im Rhein-Sieg-Kreis, NRW, 18 700 Ew.; Forschungsanstalt für angewandte Naturwiss.; traditionelle Töpferwarenherstellung und Steinzeugind. in Adendorf.

Wächte, an Hochgebirgskämmen vom Wind über den Grat auf die Leeseite hinausgeschobene Schneemasse; bei Abbruch besteht Lawinengefahr.

Wachtel (Größe etwa 20 cm)

Wachtel (Coturnix coturnix), rebhuhnähnl. Feldhuhn in Europa, Asien und südl. Afrika, im Unterschied zu den anderen Feldhühnern ein Zugvogel. Die etwa 20 cm lange europ. W. zieht im Herbst zur Überwinterung in das nördl. Afrika. Die 7–14 Eier werden von der Henne bebrütet, die auch die Jungen allein führt. Nach der Roten Liste ist der Bestand stark gefährdet.

Wachtelkönig, die → Wiesenralle.

Wachtelweizen: Wiesenwachtelweizen (Höhe 10–50 cm)

Wachtelweizen (Melampyrum), Gattung der Rachenblütler in der nördl. gemäßigten Zone; auf Wurzeln schmarotzende Kräuter mit gegenständigen Blättern. In Wäldern und Gebüschen der **Hain-W.** (Melampyrum nemorosum), mit grünen, blauen oder violetten Blütentragblättern und gelben Blüten; auf Äckern und Halbtrockenrasen der **Acker-W.** (Melampyrum arvense), mit roten Blütentragblättern und rötlich gelben Blüten; in lichten Laub- und Nadelwäldern, Hochmooren und auf Heiden der **Wiesen-W.** (Melampyrum pratense), mit gelblich weißen Blüten.

Wächterlied, das → Tagelied.

Wächtersbach, Stadt im Main-Kinzig-Kreis, Hessen, an der Kinzig, 11 700 Ew.; Ausbildungsstätte des Dt. Entwicklungsdienstes; Apparatebau, Herstellung von Gummiwaren, Kunststoff, Kartonagen und Steingut (»Wächtersbacher Keramik«); Brauerei. – Schloss (15.–19. Jh.), Fachwerkrathaus (1495, heute Heimatmuseum), Fachwerkhäuser (17./18. Jahrhundert). – Seit 1404 Stadt.

Wachtmeister, 1) Amtsbezeichnung für einen Beamten des einfachen oder mittleren Polizei- oder Justizvollzugsdienstes.

2) militär. Dienstgrad (→Feldwebel).

Wach|traum (Tagtraum), Fantasieerlebnis im entspannten Wachzustand.

Wackenroder, Wilhelm Heinrich, Schriftsteller, *Berlin 13. 7. 1773, †ebd. 13. 2. 1798; Exponent der Romantik; u. a. Geigen- und Kompositionsunterricht bei C. F. Fasch und C. F. Zelter; enge Freundschaft mit L. Tieck (u. a. Briefwechsel über Literatur, Theater und Musik). W. hinterließ eine Sammlung von Aufsätzen über das Wesen der Kunst, die unter dem Titel »Herzensergießungen eines Klosterbruders« 1796 erschienen sind (darin neben der Novelle »Das merkwürdige musikal. Leben des Tonkünstlers Joseph Berglinger« v. a. literar. Porträts von Renaissancekünstlern).

Wadi am Rand der Wüste Namib im Westen Namibias

Wackernagel, 1) Jacob, schweizer. Sprachwissenschaftler, *Basel 11. 12. 1853, †ebd. 22. 5. 1938, Sohn von 2); bed. Indogermanist; Arbeiten zur Grammatik des Griechischen und zur Syntaxforschung. Sein Hauptwerk ist die »Altind. Grammatik« (5 Tle., 1896–1964; fortgeführt von J. A. Debrunner u. a.).

2) Wilhelm, Germanist, *Berlin 23. 4. 1806, †Basel 21. 12. 1869, Vater von 1); Schüler von K. Lachmann, neben J. Grimm der angesehenste Germanist seiner Zeit; bed. Herausgeber dt. und frz. Literatur des MA. (»Altfrz. Lieder und Leiche«, 1846).

Waco ['weɪkəʊ], Stadt in Texas, USA, südlich von Dallas, 104 000 Ew.; Baptistenuniv.; Handelszentrum eines Baumwollanbau- und Rinderzuchtgebiets, daneben Reifen- und Glasindustrie.

Wad [wɔd, engl.] *das* (Manganschaum), lockeres bis pulvriges, wasserhaltiges Manganomelan.

Wadai, vorkoloniales islam. Reich im mittleren Sudan, entstanden um 1635, seit dem 18. Jh. stärkste Macht zw. Tschadsee und Niltal; wurde 1912 frz. Kolonialgebiet.

Wade, die durch den kräftigen dreiköpfigen W.-Muskel stark muskulöse Rückseite des Unterschenkels des Menschen.

Wadenbein, Unterschenkelknochen, →Bein.

Wadenkrampf, schmerzhafte, krampfartige Zusammenziehung der Wadenmuskeln, meist nach Überanstrengung.

Wadenstecher, →Stechfliegen.

Wädenswil, Stadt im Kt. Zürich, Schweiz, am linken Ufer des Zürichsees, 412 m ü. M., 19 400 Ew.; Eidgenöss. Forschungsanstalt und Ingenieurschule für Obst-, Wein- und Gartenbau; Textilind., Metallverarbeitung. – Ref. Kirche (1764–67), ehem. Landvogteischloss (1552–56) mit klassizist. Hauptgebäude; zahlr. Bauern- und Bürgerhäuser aus dem 16. und 17. Jahrhundert.

Wader, Hannes, Folksänger und Liedermacher, *Bielefeld 23. 6. 1942; trat v. a. mit sozialkrit. Songs hervor, auch mit Volksliedern und Shantys.

Wadern, Stadt im Kr. Merzig-W., Saarland, 17 300 Ew.; Gummiverarbeitung, Maschinenbau. – Kath. Pfarrkirche (1817) mit roman. Turm des Vorgängerbaus.

Wadgassen, Gemeinde im Kr. Saarlouis, Saarland, an der Saar, 19 000 Ew.; Zweiradmuseum. – Von der ehem. Prämonstratenserabtei (1135 gegr.) sind Kloster- und Wirtschaftsgebäude erhalten.

Wadi *das* (frz. Oued), Talform der Wüsten, meist mit schroffen Talwänden, i. Allg. wasserlos (Trockental), nur bei den seltenen Platzregen von reißendem Wasser erfüllt.

Wad Medani (Wad Madani), Regionshptst. in der Rep. Sudan, am Blauen Nil, 218 700 Ew.; Univ.; Wirtschaftszentrum im Bewässerungsgebiet →Gesira mit Großgerberei, Zigarettenfabrik, Herstellung von Aluminiumwaren; Flugplatz.

Waechter ['væ-], **1)** Eberhard, österr. Sänger (Bariton), *Wien 9. 7. 1929, †ebd. 29. 3. 1992; wurde 1955 Mitgl. der Wiener Staatsoper, gastierte an zahlreichen bed. Bühnen; übernahm 1987 die Direktion der Wiener Volksoper, 1991 die der Wiener Staatsoper; machte sich v. a. als Interpret des deutschsprachigen Repertoires einen Namen.

2) F[riedrich] K[arl], Karikaturist und Schriftsteller, *Danzig 3. 11. 1937; bekannt durch seine satir. Zeichnungen für »Pardon«, »Zeitmagazin«, »Titanic«; schrieb und illustrierte zahlr. Kinderbücher; seit den 1980er-Jahren Film- und v. a. Theaterproduktionen für Kinder. BILD S. 56

Waerden ['wa:rdə], Bartel Leendert van der, niederländ. Mathematiker, *Amsterdam 2. 2. 1903, †Zürich 12. 1. 1996; Prof. in Groningen, Leipzig, Amsterdam und Zürich; bedeutende Arbeiten zur Algebra, Statistik, Zahlentheorie, Gruppentheorie und Quantenmechanik.

Wilhelm Heinrich Wackenroder (Marmorrelief von Christian Friedrich Tieck, 1798)

Jacob Wackernagel

Wilhelm Wackernagel

Eberhard Waechter

F. K. Waechter: Titelblatt der Cartoonsammlung »Wahrscheinlich guckt wieder kein Schwein« (1978)

Wafd *der,* von →Saghlul Pascha gegr. nationalist. Partei in Ägypten, forderte die Unabhängigkeit des Landes von Großbritannien. Die Partei stellte bis 1952 zahlreiche MinPräs.; nach der Revolution von 1952 wurde sie 1953 verboten. 1977 neu gegr., löste sie sich 1978 selbst auf. Der 1983 gegr. Neo-W., liberal-konservativ orientiert, steht in Opposition zur Regierung.

Wafer [ˈweɪfə, engl.] *der, Mikroelektronik:* →Chip.

Waffen, alle Mittel, die zur Bekämpfung von Zielen dienen, meist sowohl zum Angriff wie zur Verteidigung. Gebilligt wird ihr Gebrauch im Militär- und Polizeidienst, auch zu jagdl. oder sportl. Zwecken. Man unterscheidet oft (v.a. mit Blick auf die W.-Geschichte): Hieb- und Stich-W. (kalte, bei Verwendung von Metall blanke W. wie Messer, Dolch, Schwert, Lanze, Spieß, Degen, Säbel, Bajonett), Schlag-W. (seit der Steinzeit Keule, Kolben, Axt, Beil, Hammer, Morgenstern sowie Schlachtgeißel, eine Form des Flagellums), Feuer-W. (heiße W.), Wurf-W. (Wurfäxte, -hölzer und -messer, Schleudern, Speere, Bumerang, Blasrohr, Pfeil und Bogen, Armbrust, Wurfmaschinen) und reine Schutzwaffen. Eine andere Unterteilung ist die in Nah- und Fernkampfwaffen. Zu den Fernkampf-W. gehören seit dem späten MA. und der frühen Neuzeit v.a. die Feuer-W. (Schuss-W.), die man nach ihrer Größe in Faustfeuer-W. (Pistolen, Revolver), Handfeuer-W. (Gewehre) und Geschütze unterteilt. Im Rahmen der techn. Entwicklung im 19. und 20. Jh. entstanden weitere, Spreng- und Splitterwirkungen entfaltende W. (Handgranaten, Minen, Torpedos, Bomben), ebenso Brandstoffe enthaltende Brandkampfmittel (Brandbomben, Flammenwerfer, Napalmbomben). Neben diese herkömml. (konventionellen) W. traten im 1. Weltkrieg die chem. W. (Kampfgas), im 2. Weltkrieg die Kernwaffen. Zus. mit den biolog. W. bilden sie die →ABC-Waffen. Ergänzt wurde das W.-Spektrum v.a. nach 1945 durch die breite Einführung von →Flugkörpern (v.a. →Raketenwaffen und →Cruisemissile).

Ernst Wagemann

📖 *Vom grch. Feuer zur Wasserstoffbombe, bearb. v.* F. WINTERBERG. *Herford u.a. 1992.* – LAMPEL, W. *u.* MAHRHOLD, R.: *Waffenlexikon. Neuausg. München u.a. 1994.*

Waffengattungen, frühere Bez. für Truppengattungen.

Waffenleitsystem (Feuerleitsystem), *Waffentechnik:* Einrichtungen und Anlagen zum optimalen Einsatz von Waffen, i.e.S. auch zur Führung von gelenkten Waffen.

Waffenrecht, die Rechtsvorschriften, die Herstellung und Vertrieb, Besitz, Tragen und Gebrauch von Waffen regeln. Das allg. W. wird durch das Waffengesetz i.d.F.v. 8. 3. 1976 geregelt. Die gewerbsmäßige Herstellung, Bearbeitung und Instandsetzung von Schusswaffen und Munition, der Handel sowie die Einfuhr bedarf der behördl. Erlaubnis (§§7, 27 Waffengesetz). Für Schusswaffen besteht eine Kennzeichnungspflicht (§13). Handfeuerwaffen sind durch →Beschuss amtlich zu prüfen und mit amtl. Beschusszeichen zu versehen (§§16ff.). Raketenmunition und Geschosse mit pyrotechn. Wirkung unterliegen der Zulassung durch die Bundesanstalt für Materialprüfung (§23). Verboten ist die Herstellung bestimmter Arten von Schuss-, Hieb- und Stichwaffen sowie von Munition (1. VO zum Waffengesetz).

Erwerb und Besitz von Waffen bedürfen ebenfalls der behördl. Erlaubnis; sie wird durch Ausstellen der **Waffenbesitzkarte** erteilt (§28). Inhaber von Jagdscheinen sind von der Erlaubnispflicht befreit. Der Erwerber von Munition benötigt einen behördl. **Munitionserwerbschein** (§29). Für das Führen von Schusswaffen bedarf der Inhaber eines **Waffenscheins** (§35). Ausnahmen gelten z.B. für Jagdscheininhaber. – Bei Wahrnehmung dienstl. Aufgaben dürfen Soldaten, Polizisten und sonstige mit Vollzugs- oder Sicherungsaufgaben betraute Personen Schusswaffen außerhalb der Bestimmungen des Waffen-Ges. führen. Der **Schusswaffengebrauch** ist für Vollzugsbeamte des Bundes, für Soldaten und zivile Wachpersonen der Bundeswehr, für Vollzugsbeamte der Länder spezialgesetzlich geregelt. – **Kriegswaffen** dürfen nach Art. 26 Abs. 2 GG nur mit Zustimmung der Bundesreg. hergestellt, befördert und in den Verkehr gebracht werden. Nähere Einzelheiten sind im Kriegswaffen-Ges. i.d.F.v. 22. 11. 1990 enthalten.

📖 Schrötter, G.: *Waffen u. W. von A–Z, 2 Tle. München u. a. 1981–88.* – Potrykus, G.: *W., bearb. v.* J. Steindorf. *München* ^{6}*1995.*

Waffenruhe, *Völkerrecht:* Vereinbarungen über eine vorübergehende Einstellung bewaffneter Handlungen zw. Kriegsparteien, um z. B. die Bergung von Verwundeten, die Evakuierung der Zivilbevölkerung oder den Durchlass von Parlamentären zu ermöglichen.

Waffen-SS, seit 1939/40 gebräuchl. Bez. für die bewaffneten Formationen der **S**chutz**s**taffel (Abk. SS); umfasste die im Krieg eingesetzten militär. Verbände und die Wachmannschaften der KZ; Grundstock waren die Polit. Bereitschaften der SS (später SS-Verfügungstruppe) und die Totenkopfverbände. Nach dem Polenfeldzug 1939 wurden die SS-Verfügungsdivision und die SS-Totenkopfdivision gebildet, die Grundlage für den Ausbau der W. von 100 000 (1940) auf rd. 900 000 Mann (1944) waren. Die Konkurrenzsituation zur Wehrmacht bei der Rekrutierung und die Kriegslage führten dazu, dass zunehmend Volksdeutsche (rd. 300 000, z. T. zwangsverpflichtet) und ausländ. Freiwillige (wenigstens 200 000) in die W. aufgenommen wurden. Ihre aktiven Verbände kämpften im Rahmen des Heeres, wurden z. T. aber auch zu verbrecher. Sonderaktionen eingesetzt; zw. den KZ-Wachmannschaften und den Feldeinheiten gab es im Krieg Personalaustausch.

📖 Wegner, B.: *Hitlers polit. Soldaten. Die Waffen-SS 1933–45. Paderborn u. a.* ^{5}*1997.*

Waffenstillstand, über die Waffenruhe hinausgehende Vereinbarung zw. Krieg führenden Parteien, die Kampfhandlungen zeitweilig oder dauernd, allg. oder für einen Teil des Kriegsgebietes zu beenden, den Kriegszustand aber rechtlich bis zum →Friedensvertrag aufrechtzuerhalten.

Waffentanz (Kriegstanz), bei manchen Völkern (Maori, Indianer) verbreiteter, von bewaffneten Männern ausgeführter Tanz vor oder nach einem Kampf, um eine Zauberwirkung auf die Tänzer oder auf ihre Feinde auszuüben. Bei den Germanen war der **Schwerttanz** verbreitet, der im MA. zum Schautanz wurde.

Waganowa, Agrippina Jakowlewna, russ. Tänzerin und Ballettpädagogin, *Sankt Petersburg 6. 7. 1879, †ebd. 5. 11. 1951; war 1934–41 Leiterin der (seit 1957 nach ihr benannten) Leningrader Ballettschule. Sie entwickelte das W.-Unterrichtssystem, das zur Grundlage der Ballettausbildung in der UdSSR wurde und auch im Ausland Anerkennung fand.

Wagemann, Ernst, Volkswirtschaftler und Statistiker, *Chañarcillo (Region Atacama, Chile) 18. 2. 1884, †Bad Godesberg (heute zu Bonn) 20. 3. 1956; 1923–33 Präs. des Statist. Reichsamts, Gründer (1925) und (bis 1945) Direktor des Inst. für Konjunkturforschung in Berlin (heute Inst. für Wirtschaftsforschung).

Wagen, 1) *Astronomie:* (Großer W., Kleiner W.) die von den hellsten Sternen der Sternbilder Großer bzw. Kleiner →Bär gebildeten Sternbilder. Bild Kallisto

2) *Fahrzeugtechnik:* meist zweiachsiges Räderfahrzeug zum Transport von Personen, Gütern u. a. (z. B. →Kraftwagen, →Eisenbahnwagen); im ursprüngl. Sinn ein bespanntes, d. h. von Zugtieren (v. a. Pferden) gezogenes Fuhrwerk mit drehbarer Vorderachse und damit verbundener Deichsel (z. B. Droschke, Kutsche, Leiter- u. a. Ackerwagen). Die Räder laufen auf den Achsschenkeln der Achsen. Damit sie auch Seitenkräfte aufnehmen können, sind sie gegen die Fahrzeuglängsachse geneigt (Radsturz).

Kulturgeschichte: Der W. entwickelte sich mit der Erfindung des Rades in der späten Jungsteinzeit (etwa 4. Jt. v. Chr.). Um 2000 v. Chr. kam das Rad mit Speichen in N-Mesopotamien auf. Der zweirädrige, von Pferden gezogene →Streitwagen spielte seit der 1. Hälfte des 2. Jt. v. Chr. eine wesentl. Rolle. Auch der Norden kannte seit der Bronzezeit Streit- und Lastwagen. Erst die Erfindung des Kummetgeschirrs (9./10. Jh.) machte den Pferde-W. für größere Lasten geeignet. Durch die Erfindung der drehbaren Vorderachse im 13. Jh. wurde der W. wendig. Eine Verbesserung der starren Verbindung von W.-Kasten und Fahrgestell brachte die Mitte des 15. Jh. aufgekommene Kutsche, bei der der W.-Kasten am Fahrgestell mittels Ketten, Lederriemen oder Seilen aufgehängt war. Der geschlossene Post-W. (Postkutsche) wurde im letzten Viertel des 18. Jh. eingeführt. Weitere Bilder Bronzezeit, Kultwagen, Rad

📖 Tarr, L.: *Karren, Kutsche, Karosse. Eine Gesch. des W. A. d. Ungar. Berlin (Ost)* ^{2}*1978. – Achse, Rad u. W. 5000 Jahre Kultur- u. Technikgeschichte, hg. v.* W. Treue. *Neuausg. Göttingen 1986.*

3) *Technik:* Maschinenteil zum Führen eines Gegenstandes.

Wagenburg, ringförmige Aufstellung von Wagen zur Verteidigung gegen Feinde; im Altertum und MA., später in den nordamerikan. Indianerkämpfen und im Burenkrieg verwendet.

Wagenfeld, Wilhelm, Industriedesigner, *Bremen 15. 4. 1900, †Stuttgart 28. 5. 1990; wurde 1929 Leiter der Metallwerkstatt des Bauhauses, später Lehrer an der Kunsthochschule Berlin, Werkakademie Dresden und Hochschule für bildende Künste in Berlin; besaß seit 1954 eine Werkstatt in Stuttgart. W. trat für eine kompromisslose

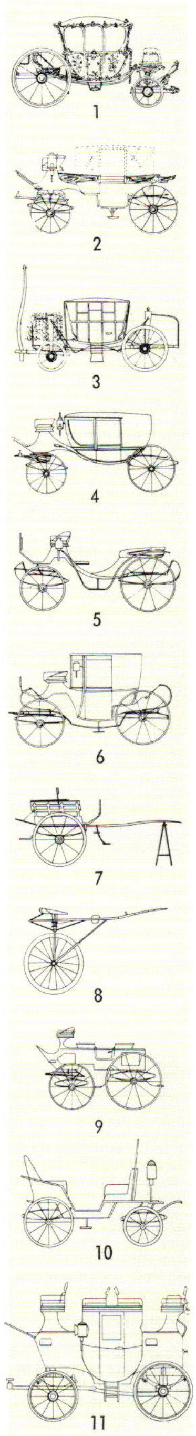

Wagen 2): 1 Berline, 2 Landauer, 3 Diligence de Lyon (Postkutsche), 4 Kalesche, 5 Victoria-Phaeton, 6 viersitziges Coupé, 7 einspänniger Dogcart, 8 Sulky, 9 Break, 10 Ponychaise, 11 Mailcoach

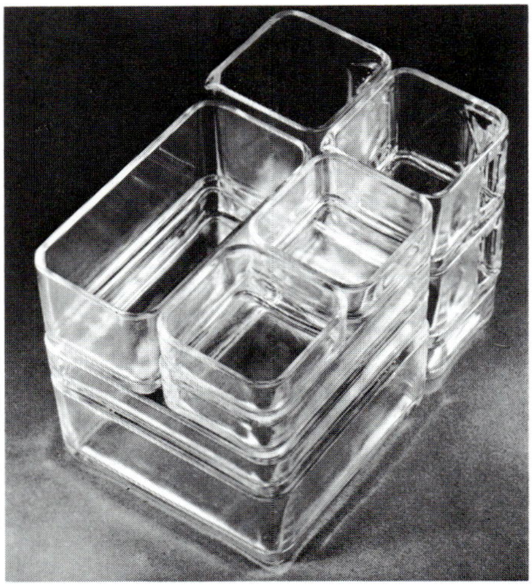

Wilhelm Wagenfeld: Service in Kubusform (1938; Privatbesitz)

Durchsetzung des Qualitätsgedankens bei Industrieerzeugnissen (Industriedesign) ein. Er schuf vorbildl. Entwürfe v.a. für Glas und Porzellan. Weiteres BILD Bauhaus

Wagengrab, Bestattungsform v.a. der Bronze- und Eisenzeit in Mittel- und W-Europa, bei der dem Toten neben reichen Beigaben ein Wagen mit ins Grab gegeben wurde.

Karl Heinrich Waggerl

Wagenheber, meist mithilfe einer Schrauben- bzw. Zahnstangenwinde bewegtes Gerät zum Anheben eines Kraftwagens, z.B. bei Radwechsel, Wasch- und Pflegearbeiten.

Wageningen ['wa:xəniŋə], Stadt in der Prov. Gelderland, Niederlande, am Neder-Rijn, 32800 Ew.; landwirtsch. Univ.; Tabak-, Möbel-, elektrotechn. und Druckindustrie; Binnenhafen.

Wagenrennen, beliebter Wettkampf im Altertum (z.B. bei den →zirzensischen Spielen). Länge der Strecke bis zu 9 km.

Wagengrab: In der Grabanlage des chinesischen Kaisers Qin Shi Huangdi östlich von Lin-ong gefundener vierspänniger Reisewagen aus dem 3. Jh. v. Chr.

Wagenseil, 1) Georg Christoph, österr. Komponist und Pianist, *Wien 29. 1. 1715, †ebd. 1. 3. 1777; einer der Hauptvertreter der Wiener Schule (Vorklassik) mit bed. Einfluss auf J. Haydn und W. A. Mozart; schrieb Opern, Oratorien, Sinfonien, Konzerte, Kammermusik.

2) Johann Christoph, Jurist, Kulturhistoriker, *Nürnberg 26. 11. 1633, †Altdorf (b. Nürnberg) 9. 10. 1705; schrieb Monographien über den dt. Meistersang (»Von der Meister-Singer Holdseligen Kunst«, 1697) und über das Jiddische (»Belehrung von der Jüdisch-Teutschen Rede- und Schreibart«, 1699).

Waggerl, Karl Heinrich, österr. Schriftsteller, *Badgastein 10. 12. 1897, †Wagrain (Pongau) 4. 11. 1973. Seine bäuerl. Herkunft war bestimmend für sein Schaffen, das das einfache, beständige, der Natur zugewandte Leben oft humorvoll fabulierend schildert, v.a. in »Brot« (R., 1930), »Schweres Blut« (1931), »Das Jahr des Herrn« (R., 1933), »Wagrainer Tagebuch« (1936), »Fröhl. Armut« (Erz., 1948), »Ein Mensch wie ich« (Autobiographie, 1963), »Wagrainer Bilderbuch. Eine Bildchronik von 1921–1971« (1973).

Wagner, 1) Adolph Heinrich Gotthilf, Volkswirtschaftler und Finanzwissenschaftler, *Erlangen 25. 3. 1835, †Berlin 8. 11. 1917; war 1882–85 Mitgl. des preuß. Abgeordnetenhauses und seit 1910 des preuß. Herrenhauses; führender Vertreter des dt. →Kathedersozialismus; Mitgründer des »Vereins für Socialpolitik«.

2) Cosima, *Como 24. 12. 1837, †Bayreuth 1. 4. 1930; Tochter F. Liszts und der Gräfin d'Agoult, ab 1857 ⚭ mit H. von Bülow, ab 1870 mit 9). Aus der Verbindung mit diesem gingen Isolde, Eva und Siegfried W. (→Wagner 11) hervor. Sie übernahm nach dem Tod von Richard W. bis 1906 die Leitung der Bayreuther Festspiele.

3) Heinrich Leopold, Dramatiker, *Straßburg 19. 2. 1747, †Frankfurt am Main 4. 3. 1779; neben F. M. von Klinger und J. M. R. Lenz typ. Vertreter des Sturm-und-Drang-Dramas, bes. mit den realist., sozialkrit. Dramen: »Die Kindermörderin« (1776, umgearbeitet »Evchen Humbrecht, oder Ihr Mütter merkts Euch!«, 1779).

4) Hermann, Geograph, *Erlangen 23. 6. 1840, †Bad Wildungen 18. 6. 1929; verdient um Methodik und den Ausbau der Geographie; gab ab 1877 das von H. Guthe begründete »Lb. der Geographie« (5 Tle., [4]1877–79) heraus.

5) Johann Martin von, Bildhauer und Kunstsammler, *Würzburg 24. 6. 1777, †Rom 8. 8. 1858; lebte ab 1804 v.a. in Rom. W. schuf u.a. den Germanenfries der Walhalla bei Regensburg (1830–41) und die Plastiken des Münchener Siegestores (1843–52). Für die Glyptothek in München erwarb er u.a. die Ägineten (1812) und den »Barbarin.

Faun«. Seine Sammlung antiker Kunst, Handzeichnungen und Stiche vermachte er der Univ. Würzburg **(Martin-von-Wagner-Museum).**

6) Johann Peter Alexander, Bildhauer, getauft Obertheres (heute zu Theres, Kr. Haßberge) 26. 2. 1730, † Würzburg 7. 1. 1809; schuf im Stil des Rokoko und später des Frühklassizismus Bildwerke für unterfränk. Kirchen und Schlösser (Figuren im Treppenhaus und im Hofgarten der Würzburger Residenz und in Veitshöchheim).

7) Martin, Architekt, *Königsberg (Pr) 5. 11. 1885, † Cambridge (Mass.) 28. 5. 1957; 1926–33 Stadtbaurat von Berlin, wo er mit B. Taut, O. Häring, L. Mies van der Rohe, W. Gropius, H. Scharoun Wohnsiedlungen und mit H. Poelzig die Messeanlagen baute; nach seiner Emigration 1938–50 Prof. an der Harvard University.

8) Otto, österr. Architekt, *Penzing (heute zu Wien) 13. 7. 1841, † Wien 11. 4. 1918; Vorkämpfer für ein durch Zweck, Material und Konstruktion bestimmtes Bauen; schuf u.a. Bauten in Wien in einem zurückhaltenden Historismus (Postsparkassenamt, 1904–06; Landesheilanstalt, 1904–07). Durch seine publizist. Tätigkeit wirkte W. bis weit ins 20. Jahrhundert.

Otto Wagner: Das mit Steinplatten verkleidete Postsparkassenamt in Wien wurde 1904–06 nach Plänen des Architekten erbaut

9) Richard, Komponist, *Leipzig 22. 5. 1813, † Venedig 13. 2. 1883; begann seine musikal. Ausbildung 1831 bei dem Thomaskantor C. T. Weinlig. 1833 wurde er Chordirektor in Würzburg, 1834 Musikdirektor in Magdeburg, 1837 Kapellmeister in Riga. 1836 heiratete er die Schauspielerin Minna Planer (*1809, †1866). 1839–42 lebte W. in ärmlichsten Verhältnissen in Paris. 1843 wurde er in Dresden zum Königlich-Sächs. Hofkapellmeister ernannt. Durch die Teilnahme am Maiaufstand 1849 belastet, musste er fliehen. Bis 1858 lebte W.

Cosima (um 1865) und **Richard Wagner** (1882)

in Zürich (Liebe zu Mathilde → Wesendonck). 1861 trennte er sich endgültig von seiner Frau. Die nächsten Jahre verbrachte er in Venedig, Luzern, Brüssel, Paris, Wien. 1864 berief ihn König Ludwig II. von Bayern nach München, doch schon 1865 musste er Bayern wieder verlassen, wurde aber von Ludwig II. bis zu seinem Tod unterstützt. 1866–72 wohnte W. hauptsächlich in Tribschen bei Luzern. 1870 heiratete er Cosima (→ Wagner 2). 1872 übersiedelte W. nach Bayreuth und legte den Grundstein zu seinem Festspielhaus, das 1876 mit dem »Ring des Nibelungen« eingeweiht wurde. Nach der Uraufführung des »Parsifal« 1882 reiste W. nach Venedig, wo er 1883 an einem chronischen Herzleiden starb.

W. gehörte zu den umstrittensten, bedeutendsten und wirkungsreichsten Musikern seiner Zeit, mit großer Nachwirkung im In- und Ausland. Er ist der Schöpfer des »Musikdramas«, bei dem sich die Musik den Anforderungen des Dramas fügt, die geschlossenen Formen der Oper (z.B. Arien, Chöre) in der »unendlichen Melodie« aufgehen und das Orchester den Hauptteil am musikal. Geschehen erhält (dabei spielt das Leitmotiv, das in Verbindung mit bestimmten Personen, Gegenständen, Gefühlen oder Handlungskonstellationen auftritt, eine wichtige Rolle im dramat. Geschehen). Die Texte zu sämtl. Werken stammen von ihm selbst. Das Streben, die Oper im Sinn der dramat. Wahrheit zu erneuern, ist schon in »Rienzi« wirksam; »Tannhäuser« und »Lohengrin« bedeuten den Höhepunkt der romant. Oper; erst die folgenden Werke verwirklichen die Idee des musikal. Gesamtkunstwerks völlig, in dem die Einzelkünste, bes. Dichtung und Musik, zu einer übergreifenden Ganzheit verschmelzen. Die Scheidung von Rezitativ und Arie wird zugunsten des ganz den Gesetzen der Sprachmelodie folgenden Sprechgesangs aufgegeben, die engen Schranken des harmon. Geschehens werden durch reiche chromat. Bildungen erweitert. Die Harmonik des »Tristan« steht bereits an der Schwelle zur Neuen Musik.

Adolph Wagner

Richard Wagner: Paul Flora, »Wagner, von der Muse geküsst« (1984; Privatbesitz)

Siegfried Wagner

Werke: Bühnenwerke: Die Feen (1834, aufgeführt 1888); Das Liebesverbot (1836); Rienzi (1840, aufgeführt 1842); Der fliegende Holländer (1841, aufgeführt 1843); Tannhäuser (1845, Pariser Bearbeitung 1861); Lohengrin (1847, aufgeführt 1850); Tristan und Isolde (1859, aufgeführt 1865); Die Meistersinger von Nürnberg (1867, aufgeführt 1868); Der Ring des Nibelungen: Das Rheingold (1854, aufgeführt 1869); Die Walküre (1856, aufgeführt 1870); Siegfried (1871, aufgeführt 1876); Götterdämmerung (1874, aufgeführt 1876); Parsifal (1882). – Orchesterwerke: Sinfonie C-Dur (1832); Faustouvertüre (1840, umgearbeitet 1855); Siegfried Idyll (1870); Kaisermarsch (1871). – Lieder: 5 Gedichte für eine Frauenstimme, 1858 (Texte von M. Wesendonck). – Zahlreiche Schriften: u.a. Das Kunstwerk der Zukunft (1849); Oper und Drama (3 Tle., 1851); Mein Leben (4 Bde., 1865–80).

🕮 *R.-W.-Handbuch, hg. v.* ULRICH MÜLLER *u.* P. WAPNEWSKI. *Stuttgart 1986.* – GREGOR-DELLIN, M.: *R. W. Tb.-Ausg. München u.a. ²1995.* – MAYER, HANS: *R. W. Reinbek 129.–131. Tsd. 1995.* – DAHLHAUS, C.: *R. W.s Musikdramen. Neuausg. Stuttgart 1996.* – *Das W.-Kompendium. Sein Leben – seine Musik, hg. v.* B. MILLINGTON. *A.d. Engl. München 1996.*

Richard Wagner: Anfang des Orchesterwerks »Siegfried Idyll« (1870), Autograph

10) Richard, rumäniendt. Schriftsteller, * Lowrin (bei Temesvar) 10. 4. 1952; war Lehrer und Journalist; leitete ab 1972 die »Aktionsgruppe Banat«, eine literar. Vereinigung rumäniendt. Autoren, die 1975 von staatl. Seite zerschlagen wurde; seit 1987 (zus. mit seiner Frau Herta Müller) in der Bundesrep. Dtl.; veröffentlichte u.a. »Klartext« (Ged., 1973); »Der Himmel von New York im Museum von Amsterdam« (Prosasammlg., 1992, u.a. mit »Der Anfang einer Geschichte«, 1980).

11) Siegfried, Komponist, * Tribschen (heute zu Luzern) 6. 6. 1869, † Bayreuth 4. 8. 1930, Sohn von 2) und 9); wirkte seit 1896 als Dirigent und Regisseur bei den Bayreuther Festspielen mit und übernahm 1908 deren künstler. Oberleitung. Als Komponist folgte er seinem Lehrer E. Humperdinck mit selbst gedichteten Märchenopern. Seit 1915 ⚭ mit Winifred W., geb. Williams (* 1897, † 1980), die nach seinem Tod die künstler. Leitung der Festspiele bis 1944 innehatte. Aus ihrer Ehe gingen u.a. Wieland (* 1917, † 1966) und Wolfgang (* 1919) hervor, die die Festspiele seit 1951 mit z.T. neuartigen Inszenierungen weiterführten.

Wagner-Régeny [- ˈreːgɛni], Rudolf, Komponist, * Sächsisch-Reen (heute Reghin, Kr. Mureș, Rumänien) 28. 8. 1903, † Berlin 18. 9. 1969; 1950–68 Prof. an der Dt. Hochschule für Musik in Berlin (Ost), schrieb in einfacher, klarer Tonsprache und mit sparsamen Mitteln Opern lehrhaften Charakters, u.a. »Der Günstling« (1935), »Die Bürger von Calais« (1939), »Das Bergwerk zu Falun« (1961); Orchester- und Kammermusik.

Wagnertuba (Waldhorntuba), eng mensurierte Tuba mit Waldhornmundstück und vier Ventilen, für R. Wagners »Ring des Nibelungen« vermutlich 1854 gebaut.

Wagner von Jauregg, Julius Ritter, österr. Psychiater, * Wels 7. 3. 1857, † Wien 27. 9. 1940; führte 1917 die Malariaimpfung zur Behandlung der progressiven Paralyse ein (hierfür 1927 Nobelpreis für Physiologie oder Medizin).

Wagram *der,* Geländestufe (20–30 m hoch) nördlich der Donau zw. dem unteren Kamp und Stockerau, Niederösterreich, N-Begrenzung des Tullner Beckens.

Wagrilen, Teil des Ostholstein. Hügellandes zw. Kieler und Lübecker Bucht, Schlesw.-Holst.; das Zentrum nehmen die Probstei, der Bungsberg und die Holstein. Schweiz ein. – Nach dem slaw. Stamm der **Wagrier** (Teilstamm der Abodriten) benannt, denen Karl d. Gr. das Land 804 überließ; um 968 Gründung des Bistums Oldenburg (in Holstein); 983 Slawenaufstand; seit 1126 Neubeginn der Mission durch den hl. Vicelinus; ab 1143 Ansiedlung dt. Siedler.

Wahhabiten, islam. Reformbewegung, benannt nach ihrem Begründer, dem aus Innerarabien stammenden Theologen Mohammed ibn Abd al-Wahhab (*1703, †1792). Die W. wollten den Islam in seiner ursprüngl. Gestalt wiederherstellen, z.B. durch strikte Befolgung der altarab. Strafgesetze, Ausdehnung des Genussmittelverbots auf Kaffee und Tabak, Ablehnung von Totenkult und Heiligenverehrung (einschl. der Person Mohammeds) und die unbedingte Pflicht zum hl. Krieg. Um 1740 gewann Ibn Abd al-Wahhab den Stammesscheich Mohammed Saud (*1735, †1765) für seine Auffassungen; dessen Nachfolger breiteten sie über ganz Zentralarabien aus, eroberten 1804 Medina, 1806 Mekka und bedrohten die osman. Herrschaft über Arabien. 1883 wurde die Dynastie Ibn Saud aus Riad vertrieben; 1902 gelang es Abd al-Asis III. Ibn Abd ar-Rahman (→Ibn Saud) zurückzukehren; die Lehren der W. (weitgehend übereinstimmend mit der Glaubens- und Pflichtenlehre des sunnit. Islam) wurden zur herrschenden religiösen Doktrin in dem von ihm begründeten Königreich Saudi-Arabien.

📖 PESKES, E.: *Muhammad b. 'Abdalwahhāb (1703–92) im Widerstreit. Untersuchungen zur Rekonstruktion der Frühgesch. der Wahhābīya. Stuttgart 1993.*

Wahl, Verfahren in Staaten, Gebiets- u.a. Körperschaften sowie Personenvereinigungen und Organisationen zur Bestellung von repräsentativen Entscheidungs- oder herrschaftsausübenden Organen. Aus W. können Abg. (bei Landtags- und Bundestags-W.), Kreis-, Stadt-, Gemeinderäte (bei Kommunal-W.), Vereinsvorstände, Präs. und Reg.chefs, Betriebsräte usw. hervorgehen. Diese Amts- oder Mandatsinhaber erhalten ihre Legitimation dadurch, dass eine Personengruppe in einem vorher festgelegten Verfahren ihren Willen äußert. Die Summe der Einzelentscheidungen führt zur Gesamtentscheidung, der Wahl.

Wahldelikte, zusammenfassende Bez. für Straftaten (§§107ff. StGB), die im Zusammenhang mit Wahlen zu den Volksvertretungen, zum Europ. Parlament und sonstigen Wahlen und Abstimmungen des Volkes in Bund, Ländern, Gemeinden und Gemeindeverbänden sowie bei Urwahlen in der Sozialversicherung begangen werden, v.a. **Wahlbehinderung** (gewaltsame Verhinderung oder Störung einer Wahl bzw. der Feststellung ihres Ergebnisses), **Wahlfälschung** (Herbeiführen eines unrichtigen Wahlergebnisses), **Wählerbestechung** (das Anbieten, Versprechen oder Gewähren von Geschenken oder anderen Vorteilen dafür, dass nicht oder in einem bestimmten Sinne gewählt wird), **Verletzung des** →Wahlgeheimnisses und **Fälschung von Wahlunterlagen** (z.B. hinsichtlich einer Eintragung in die Wählerliste).

Wahlen, Friedrich Traugott, schweizer. Politiker (BGB/SVP), *Gmeis (Gem. Mirchel, bei Konolfingen, Kt. Bern) 10. 4. 1899, †Bern 7. 11. 1985; Agronom, 1957/58 Vizegeneraldirektor der FAO, in der Schweiz 1958–65 Bundesrat, dabei u.a. 1961–65 Leiter des Polit. Departements; 1961 Bundespräsident.

Wähler|initiative, in der Bundesrep. Dtl. im Wahlkampf auftretende Gruppe parteiungebundener Persönlichkeiten, die zur Wahl einer bestimmten Partei auffordern. Die älteste W. ist die 1965 von G. Grass gegr. »Wählerinitiative ES-PE-DE«.

Wahlfeststellung, in einem Strafurteil die Feststellung, dass der Beschuldigte durch seine Tat entweder die eine oder die andere strafbare Handlung begangen hat, ohne dass bewiesen werden kann, welche von beiden er begangen hat. Nach der Rechtsprechung des Bundesgerichtshofs ist die W. nur statthaft, wenn sicher ist, dass der Täter eine der beiden Straftaten begangen hat und beide psychologisch und rechtsethisch gleichartig sind (z.B. Diebstahl und Hehlerei, aber nicht Diebstahl und Betrug). Bestraft wird nach dem mildesten der maßgebl. Gesetze.

Wahlgeheimnis, Grundsatz der geheimen Wahl, der die freie Wahlentscheidung und den Wähler davor schützt, dass seine Stimmabgabe gegen seinen Willen anderen bekannt wird, im GG durch Art. 28 und 38 garantiert. Wer das W. in der Absicht verletzt, sich oder einem anderen Kenntnis zu verschaffen, wie jemand gewählt hat, wird mit Freiheitsentzug bis zu zwei Jahren oder Geldstrafe bestraft (§107c StGB). – In *Österreich* wird auf Bundesebene das W. durch Art. 26 Bundes-Verfassungsgesetz garantiert und durch §268 StGB strafrechtlich geschützt. In der *Schweiz* ist die Verletzung des Abstimmungs- und W. durch Art. 283 StGB strafbewehrt.

Julius Wagner von Jauregg

Wahlkapitulation [nach der Aufzählung der Zusagen in Kapiteln], im MA. und in der Neuzeit schriftlich fixierter Vertrag über die vor einer Wahl von dem zu Wählenden für den Fall seiner Wahl den Wählern gegebenen Zusagen. Wichtig für die dt. Geschichte sind die W. (Capitulatio caesarea), die den Röm. Königen seit Karl V. (1519) von den Kurfürsten unterbreitet wurden; seit 1711 gab es eine ständige unveränderl. W. (Capitulatio perpetua); sie galt als Grundgesetz des Hl. Röm. Reiches.

Wahlkreis, Unterteilung des Staatsgebiets zur Vornahme der Wahl für die Volksvertretung. Dtl. ist für die Wahl zum Dt. Bundestag in 328 W. gegliedert; ab 2002 soll es nur noch 299 W. geben. In *Österreich* ist das Bundesgebiet in räumlich geschlossene Landes-W. (entsprechend den neun Ländern) geteilt; diese sind wiederum in 43 räumlich geschlossene Regional-W. untergliedert. In der *Schweiz* bildet für die Wahl zum Nationalrat jeder Kanton und jeder Halbkanton einen Wahlkreis.

Wahlmänner, → Wahlrecht.

Wahlmonarchie, eine Monarchie, bei der der neue Herrscher (z.B. nach dem Tod des Monarchen) durch Wahl bestimmt wird; z.B. Polen 1572–1795; Ggs.: Erbmonarchie.

Per Wahlöö

Wahlöö, Per, schwed. Schriftsteller, *Lund 5. 8. 1926, †ebd. 23. 6. 1975; schrieb Kriminalromane und Novellen, bevor er zw. 1965 und 1975 mit seiner Frau May → Sjöwall mit dem zehnteiligen Romanzyklus »Roman über ein Verbrechen« nachhaltigen Erfolg errang.

Wahlperiode (Legislaturperiode), der Zeitraum, für den die Volksvertretung gewählt ist.

Wahlpflichtfach, ein Unterrichtsfach, das in der gymnasialen Oberstufe aus mehreren Angeboten eines Wahlpflichtbereichs (z.B. Sprachen) gewählt werden muss.

Wahlprüfung, Verfahren zur Feststellung der Gültigkeit einer Wahl; für die Wahlen zum Dt. Bundestag geregelt in Art. 41 GG und im W.-Gesetz vom 12. 3. 1951. Die W. erfolgt nur auf Einspruch. Die Entscheidung über den Einspruch trifft der Bundestag mit einfacher Mehrheit nach Vorbereitung durch seinen W.-Ausschuss. Gegen diese Entscheidung ist Beschwerde beim Bundesverfassungsgericht zulässig.

Wahlrecht, **1)** die Befugnis, jemanden zu wählen **(aktives W.,** Stimmrecht), sowie die Befähigung, in ein Amt oder Mandat gewählt zu werden **(passives W.,** Wählbarkeit).

2) die Gesamtheit der Vorschriften über die Wahl. Die Rechtsgrundlagen für das W. sind meist in den Verfassungen enthalten, die Einzelheiten, bes. das **Wahlverfahren,** in Wahlgesetzen und -ordnungen festgelegt.

Die Befugnis zur Wahl knüpft i.d.R. an die Staatsbürgerschaft an. Im Rahmen der EU führte der EG-Vertrag (EGV) 1992 eine Unionsbürgerschaft ein, als deren Folge jeder Unionsbürger in einem Mitgl.staat, dessen Staatsangehörigkeit er nicht besitzt, in dem er aber seinen Wohnsitz hat, das aktive und passive W. bei Kommunalwahlen haben soll. Bestrebungen, das W. auch für andere Ausländer (bes. Türken), die ihren Wohnsitz und damit den Mittelpunkt ihrer Lebensbeziehungen im Gastland haben, zuzulassen, hatten in Dtl. bislang keinen Bestand.

Wahlgrundsätze: 1) **allg. W.:** alle Staatsbürger, die bestimmten unerlässl. Voraussetzungen genügen (Mindestalter, Besitz der bürgerl. Ehrenrechte, volle Handlungsfähigkeit u.a.), besitzen Stimmrecht; Ggs.: **beschränktes W.:** die Stimmberechtigung hängt von bestimmten Voraussetzungen hinsichtlich Vermögen, Bildung usw. ab. 2) **gleiches W.:** alle abgegebenen Stimmen werden gleich bewertet; Ggs.: **ungleiches W.:** die Stimmen werden abgestuft nach Besitz, Alter u.a., z.B. → Dreiklassenwahlrecht, → Pluralwahlrecht. 3) **direkte Wahl:** der Wähler wählt unmittelbar den Abg., Staatspräs. usw.; Ggs.: **indirekte Wahl:** die Wähler (Urwähler) wählen Wahlmänner, die ihrerseits ihr Votum abgeben (z.B. USA: Wahl des Präs.). 4) **geheime Wahl:** Abstimmung durch Abgabe verdeckter Wahlzettel; Ggs.: **öffentl.** (mündl.) **Stimmabgabe.** 5) **freie Wahl:** jede Art von Druck auf die Wahlberechtigten von öffentl. oder privater Seite ist untersagt; jeder Wähler wählt freiwillig. In Dtl. gelten für die Wahlen zu allen Volksvertretungen die Grundsätze der allg., unmittelbaren (direkten), freien, gleichen und geheimen Wahl (Art. 38 Abs. 1 GG).

Wahlsysteme: Es wird zw. Mehrheits-, Verhältnis- und Mischwahlsystemen unterschieden. Bei der **Mehrheitswahl** bestehen u.a. folgende Verfahren: In Einerwahlkreisen (pro Wahlkreis wird ein Abg. gewählt) ist derjenige Kandidat gewählt, der die relative bzw. absolute Mehrheit der Stimmen auf sich vereinigt. Bei absoluter Mehrheitswahl wird ein 2. Wahlgang erforderlich (**Stichwahl;** oft zw. den beiden Bestplatzierten), wenn im 1. Wahlgang keiner der Kandidaten die absolute Mehrheit erreicht. In Mehrfachwahlkreisen (pro Wahlkreis wird eine festgelegte Anzahl von Abg. gewählt) hat bei Persönlichkeitswahl i.d.R. jeder Wähler so viele Stimmen, wie Mandate im Wahlkreis zu vergeben sind. Bei der **Verhältniswahl** (Proportionalwahl, Listenwahl) stellen die Parteien für das ganze Land (Einheitswahlkreis) Listen auf, zw. denen die Wähler zu entscheiden haben. Mischwahlsysteme kombinieren Mehrheits- und Verhältniswahlsysteme. Die Verhältniswahl will verhindern, dass die in der Minderheit Verbliebenen ohne Einfluss bleiben. Der ihr innewohnenden Gefahr der Stimmen- und Parteienzersplitterung kann bis zu einem bestimmten Grad durch die Sperrklausel vorgebeugt werden, wonach Mandate nur auf solche Listen zugeteilt werden, die einen bestimmten Prozentsatz der Gesamtstimmenzahl erreichen (→ Fünfprozentklausel).

In Dtl. gelten für die Wahl zum Bundestag das Bundeswahl-Ges. (Neufassung vom 23. 7. 1993) und die Bundeswahlordnung. Wahlberechtigt und wählbar ist jeder Deutsche, der das 18. Lebensjahr vollendet hat (Art. 38 Abs. 2 GG). Abstimmen darf nur, wer in der **Wählerliste** (Stimmliste) des

Wahlbezirks eingetragen ist oder einen Wahlschein für die Briefwahl erhalten hat. Aufgrund des Mischwahlsystems hat jeder Wähler zwei Stimmen, eine →Erststimme für die Wahl eines Wahlkreisabgeordneten, eine Zweitstimme für die Wahl einer Landesliste, wobei er mit beiden Stimmen versch. Parteien wählen kann (sog. Splitting). Seit 1985 werden die auf die Parteien entfallenden Mandate auf der Grundlage der Zweitstimmen nach dem → Hare-Niemeyer-Verfahren errechnet, das das bis dahin praktizierte d'hondtsche Höchstzahlverfahren abgelöst hat. Wenn feststeht, wie viele Sitze auf jede Partei entfallen, werden von dieser Gesamtzahl die durch die Erststimmenauszählung bereits gewonnenen Direktmandate abgezogen. Die restl. Sitze werden aus den Landeslisten in der dort festgelegten Reihenfolge besetzt (→Überhangmandat).

Manche Wahlgesetze (z.B. in Bad.-Württ. für Kommunalwahlen) erlauben dem Wähler eine stärkere Differenzierung seiner Präferenzen. Er kann z.B. so viele Stimmen haben, wie Abg. zu wählen sind, und sie wenigstens z.T. auf einen Bewerber häufen (kumulieren) oder, ohne an die Liste einer Partei gebunden zu sein, versch. Kandidaten verschiedener Listen berücksichtigen (panaschieren).

Eine **Nachwahl** ist erforderlich, wenn in einem Wahlbezirk die Wahl nicht durchgeführt worden ist oder wenn ein Wahlkreisbewerber nach Zulassung des Kreiswahlvorschlags, aber vor der Wahl, stirbt; eine **Wiederholungswahl** ist erforderlich, wenn bei der Wahlprüfung eine Wahl ganz oder teilweise für ungültig erklärt wird.

In *Österreich* und in der *Schweiz* wird der Nationalrat nach den Grundsätzen der Verhältniswahl gewählt; in der Schweiz wird das →Hagenbach-Bischoff-Verfahren angewandt.

📖 *Landeswahlgesetz, Bezirkswahlgesetz, Landeswahlordnung. Handkommentar, bearb. v.* E. BOETTCHER *u.* R. HÖGNER. *München* [14]*1994.* – SCHREIBER, W.: *Hb. des W. zum Dt. Bundestag. Köln u. a.* [5]*1994.*

Wahlschuld (Alternativobligation), ein Schuldverhältnis, bei dem mehrere Leistungen in der Weise geschuldet werden, dass nur die eine oder die andere als Erfüllung zu bewirken ist. Das Wahlrecht steht im Zweifel dem Schuldner zu (§262 BGB).

Wahlstatt (heute Legnickie Pole), Gemeinde in der Wwschaft Legnica (Liegnitz), Polen, südöstlich von Legnica, 5800 Ew.; Museum. – Benediktinerabtei (nach 1241 gegr., 1535 aufgehoben, bestand erneut 1703–1810), Klostergebäude (1723–32), Klosterkirche St. Hedwig von K. I. Dientzenhofer (1727–31) mit Fresken von C. D. Asam (1733). – Zur Schlacht auf der W. (1241) →Legnica. – Nach der Schlacht an der Katzbach (26. 8. 1813) erhielt Blücher den Titel Fürst von Wahlstatt.

Wahl|unterricht, neben Pflicht- und Wahlpflichtfächern zusätzlich frei wählbare Unterrichtsangebote (solche Wahlfächer sind häufig Arbeitsgemeinschaften, Projekte, mus. Fächer).

Wahlstatt: Die 1723–32 errichteten Klausurgebäude der Benediktinerabtei auf beiden Seiten der 1727–31 nach Plänen von Kilian Dientzenhofer erbauten Klosterkirche Sankt Hedwig dienen heute als Krankenhaus

Wahlverteidiger, *Strafprozessrecht:* →Verteidigung.

Wahn (Wahnidee, Wahngedanke), inhaltl. Störung der Denktätigkeit; bei sonst intaktem Denken und Bewusstsein bildet sich eine falsche Vorstellung oder Überzeugung heraus, die trotz log. Einwände nicht unterdrückt werden kann, subjektiv nicht als krankhaft anerkannt wird und somit auch nicht korrigierbar ist; z.B. Beziehungs-, Eifersuchts-, Verfolgungs- oder Größen-W.; tritt v.a. bei Schizophrenie, Psychose oder Paranoia auf.

Wahn, seit 1975 Stadtteil von Köln, mit dem Flughafen Köln-Bonn in der Wahner Heide.

Wahnfried, Wohnsitz (Villa) R. Wagners in Bayreuth, 1873/74 von C. Wölfel erbaut; mit Wagner-Archiv; im Garten Grab Richard und Cosima Wagners.

Wahnsinn, allgemeinsprachl. Bez. für psych. Störungen, bei denen Wahnideen und als Folge sinnlose Handlungen auftreten (→Psychose).

Wahnverbrechen (Putativdelikt), Begehung einer erlaubten Handlung in der irrigen Annahme, dass sie strafbar sei; im Unterschied zum untaugl. Versuch nicht strafbar.

Wahrheit, die Übereinstimmung der Erkenntnis mit ihrem Gegenstand; ein unabhängig vom Gegenstand gültiges W.-Kriterium gibt es nicht. Die Philosophie beantwortet die Grundfrage nach der Möglichkeit, den Kriterien und der Erkennbarkeit von W. in den einzelnen Systemen unterschiedlich. In der Logik ist W. die inhaltl. Übereinstimmung eines Satzes mit den Tatsachen; zu unterscheiden von der »Richtigkeit«, worunter die formale Gültigkeit eines Satzes verstanden wird.

Wahrheitsbeweis, im Fall der üblen Nachrede der Beweis der Wahrheit der ehrenrührigen Behauptung. Der W. schließt Bestrafung wegen Verleumdung oder übler Nachrede aus, lässt jedoch Bestrafung wegen einfacher Beleidigung zu, wenn die Behauptung oder Verbreitung nach Form oder Umständen unangemessen war.

Wahrheitspflicht, die Pflicht der Parteien im Prozess, ihre Erklärungen vollständig und wahrheitsgemäß abzugeben (§138 ZPO). Die W. gilt auch in anderen Verfahrensordnungen.

Wahrheitstafeln (logische Matrizen), *Logik:* die schemat. Darstellung der Wahrheitswerte (in der klass. Aussagenlogik »wahr« und »falsch«) einer log. Verknüpfung zweier oder mehrerer Aussagen in Abhängigkeit von den Wahrheitswerten der Einzelaussagen.

Wahrnehmung, psychophys. Prozess, in dessen Verlauf ein Organismus aufgrund von äußeren und inneren Reizen eine anschaul. Repräsentation der Umwelt und des eigenen Körpers erarbeitet. Mit der W. als einer der Grundlagen der menschl. Erkenntnis beschäftigt sich die Philosophie (Erkenntnistheorie), mit den organ. Grundlagen die Sinnes- und Neurophysiologie; als Prozess der Informationsverarbeitung ist die W. Gegenstand der Wahrnehmungspsychologie.

Wahrnehmungspsychologie, ein Gebiet der Psychologie, das die Beziehungen zw. den objektiven Merkmalen des Wahrgenommenen und den der W. zugrunde liegenden physiolog. und psycholog. Prozessen einerseits sowie den dabei auftretenden Sinneserlebnissen andererseits untersucht. Die W. erforscht dabei u.a. den Einfluss der Wahrnehmung auf das Verhalten und die Beziehungen zu anderen psych. Prozessen sowie die Abhängigkeit der W. von individuellen und sozialen Gegebenheiten.

Wahrsagen, die vorgebl. Fähigkeit, etwas zu entdecken oder vorauszusehen, was durch die normale Sinneserfahrung nicht zu bestimmen ist. Die Methoden des W. reichen vom Handlesen, Wahrträumen und Kartenlegen bis zur Sterndeutung (Astrologie). W. ist in versch. Religionen von Bedeutung und wird dort oft als besondere göttl. Gabe angesehen.

Wahrscheinlichkeit, allg. ein Begriff zur klassifikator., komparativen oder quantitativen Einstufung von Aussagen oder Urteilen nach dem Grad ihres Geltungsanspruchs zw. Möglichkeit und Gewissheit; insbesondere in Mathematik und Statistik der Grad der Möglichkeit bzw. Voraussagbarkeit des Eintretens eines Ereignisses (→Wahrscheinlichkeitsrechnung).

Wahrscheinlichkeitsrechnung, Teilgebiet der Mathematik, das sich mit den Gesetzmäßigkeiten zufälliger Ereignisse befasst, die bei Massenerscheinungen verschiedenster Art auftreten.

Definition der Wahrscheinlichkeit: Gegeben sei eine Menge von unbeschränkt wiederholbaren Versuchen oder Stichproben, wie die Menge aller mögl. Würfe mit einem Würfel. Die mögl. Ergebnisse der Versuche, z.B. die Augenzahlen 1, 2, 3, 4, 5 oder 6, nennt man Elementarereignisse. Gewisse Mengen von Elementarereignissen bezeichnet man als →Ereignisse (z.B. Würfeln einer geraden Augenzahl), sie bilden die Gesamtheit der günstigen Fälle. Die Annahme der klass. W., dass alle Elementarereignisse gleich wahrscheinlich sind, führte zur laplaceschen Definition der **klass. Wahrscheinlichkeit:** Die Wahrscheinlichkeit $P(E)$ für das Eintreten des Ereignisses E ist gleich dem Quotienten aus der Anzahl g der für das Ereignis günstigen und der Anzahl m der mögl. Elementarereignisse: $P(E) = g/m$. Eine wesentl. Einschränkung dieser Definition ist durch die Bedingung der gleichmögl. Fälle gegeben. Man führt daher die Definition der **statist. Wahrscheinlichkeit** ein, indem die Wahrscheinlichkeit für das Eintreffen des Ereignisses E als Grenzwert der **relativen Häufigkeit** des Ereignisses E bei unendl. Anzahl von Beobachtungen bestimmt wird:

$$P(E) = \lim_{m \to \infty} g/m.$$

Nach dem **Gesetz der großen Zahlen** nähert sich die statist. Wahrscheinlichkeit $P(E)$ bei genügend großer Anzahl von Beobachtungen einem konstanten Wert. – Der Aufbau der W. als einer axiomat. Theorie, der sich auf Mengenlehre und Maßtheorie stützt, geht auf A. N. Kolmogorow zurück.

Eigenschaften von Wahrscheinlichkeiten (kolmogorowsches Axiomensystem): 1) Jedem Ereignis E wird eine Zahl $P(E)$, seine Wahrscheinlichkeit, zugeordnet, wobei $0 \leqq P(E) \leqq 1$. 2) Die Aussagen $P(E) = 1$ bzw. $P(E) = 0$ bedeuten, dass E ein sicheres bzw. ein unmögl. Ereignis ist. Ist $P(E)$ die Wahrscheinlichkeit für das Eintreten von E, so ist $1-P(E)$ die Wahrscheinlichkeit für das Nichteintreten von E. 3) **Additionssatz der W.:** Sind A und B unvereinbare Ereignisse, so gilt für das Eintreten von A oder B: $P(A \cup B) = P(A)+P(B)$. – Die Wahrscheinlichkeit eines Ereignisses A unter der Bedingung, dass ein anderes Ereignis B mit $P(B) \neq 0$ bereits eingetreten ist, wird mit $P(A|B)$ bezeichnet und heißt **bedingte Wahrscheinlichkeit.** Können Ereignisse gleichzeitig eintreten, so bezeichnet man sie als **(stochastisch) unabhän-**

gig, wenn das Eintreten des einen die Wahrscheinlichkeit für das Eintreten des anderen in keiner Weise beeinflusst, d.h., wenn gilt: $P(A|B) = P(A)$. Für diese Ereignisse gilt der **Multiplikationssatz der W.:** $P(AB) = P(A) \cdot P(B)$.

Historisch entstanden (um 1650) aus der mathemat. Durchdringung der Glücksspiele (→Kombinatorik), findet die moderne W. als Grundlage der mathemat. Statistik insbesondere in Physik (Atomphysik, kinet. Gastheorie), Biologie (Populationsdynamik, Genetik) und den Wirtschaftswiss. Anwendung.

🕮 BASLER, H.: *Grundbegriffe der W. u. statist. Methodenlehre. Heidelberg* ^{11}*1994.* – BEHRENDS, E.: *Überall Zufall. Eine Einführung in die W. Mannheim u. a.* ^{11}*1994.* – BOSCH, K.: *Lexikon der Statistik. München u. a.* ^{2}*1997.* – HAUSER, W.: *Die Wurzeln der W. Stuttgart 1997.*

Wahrscheinlichkeitsverteilung, →Zufallsgröße.

Wahrspruch (Verdikt), veraltet für Strafurteil. In der österr. StPO (§§ 330 ff.) auch der Spruch der Geschworenen.

Währung, i. w. S. die gesetzliche Ordnung des Geldwesens eines Landes (Geldordnung, Geldverfassung), bes. die Festlegung des Münzsystems, die Bestimmung der mit Annahmezwang ausgestatteten gesetzl. Zahlungsmittel und die Festlegung ihres Austauschverhältnisses gegenüber den ausländ. Währungen; i. e. S. die Geldeinheit, das gesetzl. Zahlungsmittel eines Landes oder eines Territoriums. – Der Außenwert der W. ist die Kaufkraft der inländ. W. im Ausland, die durch den Wechselkurs festgelegt wird. Über den Wechselkurs ergibt sich die **W.-Parität,** d. h. das Verhältnis zweier W. zueinander (→Parität). Das **W.-Gebiet** ist der Raum, in dem eine W. gilt. Man unterscheidet zw. den an Metalle **gebundenen W.** (z. B. →Goldwährung) und den **freien W.** (→Papierwährung), bei denen die Zentralbanken die Geldmengenregulierung entsprechend den wirtschafts- und konjunkturpolit. Gegebenheiten übernehmen. Bei der **Index-W.** ist der Geldwert an einen bestimmten Preisindex gebunden.

🕮 LECHNER, H. H.: *Währungspolitik. Berlin u. a. 1988.* – JARCHOW, H.-J. *u.* RÜHMANN, P.: *Monetäre Außenwirtschaft, 2 Bde. Göttingen* $^{3-4}$*1993–94.* – POHL, R.: *Geld und W. Mannheim u. a. 1993.*

Währungspolitik, Gesamtheit der Maßnahmen des Staates und der Zentralbank (→Deutsche Bundesbank) zur optimalen Gestaltung der Währungsordnung, zur Versorgung der Volkswirtschaft mit den notwendigen Zahlungsmitteln sowie zur Erreichung wirtschaftspolit. Zielsetzungen durch Beeinflussung des Wertes der Währung: 1) Stabilisierung des Innenwertes der Währung (Preis-

Währungen (Stand Ende August 1998)

Staat oder abhängiges Gebiet	Währungseinheit (Abk.)	Untereinheiten (Abk.)
Afghanistan	Afghani (Af)	100 Puls (Pl)
Ägypten	Ägypt. Pfund (ägypt £)	100 Piasters (PT)
Albanien	Lek	100 Qindarka
Algerien	Alger. Dinar (DA)	100 Centimes (CT)
Andorra	span. Peseta und Französ. Franc[1)]	
Angola	Readjusted Kwanza (Kzr)	
Antigua und Barbuda	Ostkarib. Dollar (EC$)	100 Cents
Äquatorialguinea	CFA-Franc	
Argentinien	Argentin. Peso (arg$)	100 Centavos
Armenien	Dram (ARD)	100 Luma (Lm)
Aruba	Aruba-Florin (Afl.)	100 Cent (c, ct)
Aserbaidschan	Aserbaidschan-Manat (A.M.)	100 Gepik (G)
Äthiopien	Birr (Br)	100 Cents (ct.)
Australischer Bund	Austral. Dollar ($A)	100 Cents (c)
Bahamas	Bahama-Dollar (B$)	100 Cents (c)
Bahrain	Bahrain-Dinar (BD)	1 000 Fils
Bangladesh	Taka (Tk.)	100 Poisha (ps.)
Barbados	Barbados-Dollar (BDS$)	100 Cents
Belgien	Belg. Franc (bfr)	100 Centimes (c)
Belize	Belize-Dollar (Bz$)	100 Cents (c)
Benin	CFA-Franc	
Bermudainseln	Bermuda-Dollar (BD$)	100 Cents
Bhutan	Ngultrum (NU)[2)]	100 Chetrum (CH, Ch.)
Birma (Myanmar)	Kyat (K)	100 Pyas (P)
Bolivien	Boliviana (Bs)	100 Centavos (c.)
Bosnien und Herzegowina	Konvertible Mark (BAM)[3)]	
Botswana	Pula (P)	100 Thebe (t)
Brasilien	Real (R$)	100 Centavos
Brunei	Brunei-Dollar (BR$)[4)]	100 Cents (¢)
Bulgarien	Lew (Lw)	100 Stótinki (St)
Burkina Faso	CFA-Franc	
Burundi	Burundi-Franc (F.Bu)	100 Centimes
Cayman Islands[2)]	Cayman-Dollar (CI$)	100 Cents
Chile	Chilen. Peso (chil$)	100 Centavos
China	Renminbi ¥uan (RMB.¥)	10 Jiao = 100 Fen
Cookinseln	Cookinseln-Dollar (Ci$)[5)]	100 Cents (c)
Costa Rica	Costa-Rica-Colón (₡)	100 Céntimos (c)
Dänemark	Dän. Krone (dkr)	100 Øre
Deutschland	Deutsche Mark (DM)	100 Deutsche Pfennig (Pf)
Djibouti	Djibouti-Franc (FD)	100 Centimes (c)
Dominica	Ostkarib. Dollar (EC$)	100 Cents
Dominikanische Republik	Dominikan. Peso (dom$)	100 Centavos (cts)
Ecuador	Sucre (S/.)	100 Centavos (Ctvs)
Elfenbeinküste	CFA-Franc	
El Salvador	El-Salvador-Colón (¢)	100 Centavos
Eritrea	Nakfa (Nfa)	100 Cents
Estland	Estn. Krone (ekr)	100 Senti
Falklandinseln	Falkland-Pfund (Fl£)	100 Pence (p)
Fidschi	Fidschi-Dollar ($F)	100 Cents (c)
Finnland	Finnmark (Fmk)	100 Penniä (p)
Frankreich	Französ. Franc (FF)	100 Centimes (c)
Gabun	CFA-Franc	
Gambia	Dalasi (D)	100 Bututs (b)
Georgien	Lari (GEL)	100 Tetri
Ghana	Cedi (₡)	100 Pesewas (p)
Gibraltar	Gibraltar-Pfund (Gib£)	100 Pence (p)
Grenada	Ostkarib. Dollar (EC$)	100 Cents
Griechenland	Drachme (Dr.)	100 Lepta
Großbritannien und Nordirland	Pfund Sterling (£)	100 Pence (p)
Guatemala	Quetzal (Q)	100 Centavos (c, cts)
Guinea	Guinea-Franc (F.G.)	
Guinea-Bissau	CFA-Franc	
Guyana	Guyana-Dollar (G$)	100 Cents (¢)
Haiti	Gourde (Gde.)	100 Centimes (cts.)
Honduras	Lempira (L)	100 Centavos (cts.)
Hongkong	Hongkong-Dolllar (HK$)	100 Cents (c)

Währungen (Stand Ende August 1998; Fortsetzung)

Staat	Währungseinheit (Abk.)	Untereinheiten (Abk.)
Indien	Ind. Rupie (iR)	100 Paise (P.)
Indonesien	Rupiah (Rp.)	100 Sen (S)
Irak	Irak-Dinar	1 000 Fils
Iran	Rial (Rl)[6]	100 Dinars (D.)
Irland	Irisches Pfund (Ir£)	100 Pence (p)
Island	Isländ. Krone (ikr)	100 Aurar
Israel	Neuer Schekel (NIS)	100 Agorot
Italien	Italien. Lira (Lit)	100 Centesimi (Cent.)
Jamaika	Jamaika-Dollar (J$)	100 Cents (c)
Japan	Yen (¥)	100 Sen
Jemen	Jemen-Rial (Y. Rl.)	100 Fils
Jordanien	Jordan-Dinar (JD.)	1 000 Fils (FLS)
Jugoslawien	Jugoslaw. Neuer Dinar (Din)	100 Para (p)
Kambodscha	Riel (CR)	10 Kak = 100 Sen
Kamerun	CFA-Franc	
Kanada	Kanad. Dollar (kan$)	100 Cents (c)
Kap Verde	Kap-Verde-Escudo (KEsc)	100 Centavos (CTS)
Kasachstan	Tenge (T)	100 Tiin
Katar	Katar-Riyal (QR)	100 Dirhams
Kenia	Kenia-Schilling (K. Sh.)	100 Cents (cts)
Kirgisistan	Kirgisistan-Som (K. S.)	100 Tyin
Kiribati	Austral. Dollar/Kiribati ($A/K)	100 Cents
Kolumbien	Kolumbian. Peso (kol$)	100 Centavos (c, cvs)
Komoren	Komoren-Franc (FC)	
Kongo	CFA-Franc	
Kongo, Demokrat. Rep.	Kongo-Franc	
Korea (Nord-Korea)	Won	100 Chon
Korea (Süd-Korea)	Won (₩)	100 Chon
Kroatien	Kuna (K)	100 Lipa (lp)
Kuba	Kuban. Peso (kub$)	100 Centavos (¢)
Kuwait	Kuwait-Dinar (KD.)	1 000 Fils
Laos	Kip	
Lesotho	Loti[7] (M; Plural Maloti)	100 Lisente (s)
Lettland	Lats (Ls)	100 Santim (s)
Libanon	Libanes. Pfund (L£)	100 Piastres (P. L.)
Liberia	Liberian. Dollar (Lib$)	100 Cents (c)
Libyen	Libyscher Dinar (LD.)	1 000 Dirhams
Liechtenstein	Schweizer Franken (sfr)	100 Rappen (Rp)
Litauen	Litas (LTL)	100 Centas (ct)
Luxemburg[8]	Luxemburg. Franc (lfr)	100 Centimes (c)
Macao	Pataca (Pat.)	100 Avos (Avs)
Madagaskar	Madagaskar-Franc (FMG)	100 Centimes (c)
Makedonien	Denar (Den)	100 Deni
Malawi	Malawi-Kwacha (MK)	100 Tambala (t)
Malaysia	Malays. Ringgit (RM)	100 Sen (c)
Malediven	Rufiyaa (Rf)	100 Laari (L)
Mali	CFA-Franc	
Malta	Maltes. Lira (Lm)	100 Cents (c) = 1 000 Mils (m)
Marokko	Dirham (DH)	100 Centimes (C)
Marshallinseln	US-Dollar (US-$)	100 Cents (c, ¢)
Mauretanien	Ouguiya (UM)	5 Khoums (KH)
Mauritius	Mauritius-Rupie (MR)	100 Cents (c)
Mexiko	Mexikan. Peso (mex$)	100 Centavos (c)
Mikronesien	US-Dollar (US-$)	100 Cents (c, ¢)
Moçambique	Metical (MT)	100 Centavos (Ct)
Moldawien	Moldau-Leu (MDL)	100 Bani
Monaco	Französ. Franc (FF)	100 Centimes (c)
Mongolei	Tugrik (Tug.)	100 Mongo
Namibia	Namibia Dollar (N$)[7]	100 Cents (c)
Nauru	Austral. Dollar ($A)	100 Cents (c)
Nepal	Nepales. Rupie (NR)	100 Paisa (P.) = 2 Mohur
Neukaledonien	CFP-Franc[9]	
Neuseeland	Neuseeland-Dollar (NZ$)	100 Cents (c)
Nicaragua	Córdoba (C$)	100 Centavos (c, cts)
Niederlande	Holländ. Gulden (hfl)	100 Cents (c, ct)
Niederländische Antillen	Niederländ. Antillen-Gulden (NAf)	100 Cents (c, ct)
Niger	CFA-Franc	

stabilität); 2) Stabilisierung des Außenwertes der Währung, v.a. durch Interventionen der Zentralbank; 3) Erhaltung von Vollbeschäftigung und wirtsch. Wachstum durch Geldschöpfung. Träger der W. der Europ. Wirtschafts- und Währungsunion ist ab 1999 die Europ. Zentralbank; für die **internat. W.** sind es v.a. der IWF und die Bank für Internationalen Zahlungsausgleich.

Währungsreform, i.w.S. die Neuordnung eines – meist zerrütteten – Geldwesens durch gesetzl. Maßnahmen, i.e.S. die Umstellung von Reichsmark (RM) auf Dt. Mark (DM) in den westl. Besatzungszonen am 20./21. 6. 1948 und Berlin (West) am 25. 6. 1948 nach Anordnung der westl. Alliierten und auf Grundlage des Währungs-Ges. sowie des Emissions-Ges. und nach Gründung der Bank dt. Länder. Notwendig geworden war die W. v.a. durch die zurückgestaute Inflation als Folge der nat.-soz. Kriegswirtschaft. Während in Ges. und Verwaltungsakten durch die Ersetzung der Bez. RM durch DM im Verhältnis 1:1 – mit etlichen Ausnahmeregelungen – umgestellt wurde, galt für die meisten Verbindlichkeiten aufgrund § 16 Umstellungs-Ges. ein Verhältnis von 10:1; davon wurden jedoch Löhne und Gehälter, Miet- und Pachtzinse sowie Renten und Pensionen (im Verhältnis 1:1 umgestellt) ausgenommen.

Die sog. Altgeldguthaben in RM wurden im Verhältnis 10:1 umgestellt und zunächst zur Hälfte auf einem Freikonto, zur anderen Hälfte auf einem Festkonto gutgeschrieben. Letztere wurden später aufgrund des Festkonto-Ges. zu 20% auf das Freikonto und zu 10% auf ein besonderes Anlagekonto überführt, die restl. Guthaben erloschen. Am Währungsstichtag erhielt jede natürl. Person einen Kopfbetrag von 40 DM gegen RM im Verhältnis 1:1; im Aug. wurden auf die gleiche Weise weitere 20 DM pro Person ausgezahlt. Unternehmen erhielten außerdem einen Betrag von 60 DM je Arbeitnehmer.

Zur Regelung der Folgen der W. wurde in den nächsten Jahren weitere Ges. erlassen, z.B. das DM-Bilanz-Ges. vom 21. 8. 1949, das den Unternehmen die Erstellung von Eröffnungsbilanzen in DM auf den Stichtag der W. vorschrieb. Unmittelbare Folge der W. war ein sprunghafter Anstieg des Angebots an Konsumgütern durch die Auflösung der bis dahin gehorteten Warenlager. Längerfristig erwies sich die W. als erfolgreich durch den gleichzeitigen Übergang zur Marktwirtschaft. – In der SBZ wurde auf Anordnung der Sowjet. Militäradministration in Dtl. vom 24. bis 28. 6. 1948 ebenfalls eine W. durchgeführt, bei der das gesamte Bar- und Girogeld im Verhältnis 10:1 von RM auf Dt. Mark umgestellt wurde (Ausnahmen: u.a. Kopfbetrag pro Bürger 70 RM Bargeld 1:1, Spareinlagen seit dem 9. 5. 1945 bis zu 100 RM 1:1, bis zu 1000 RM 5:1). – Die separaten W. bilden den Auftakt der Spaltung Dtl.s (→deutsche Geschichte). – Mit der →Währungsunion zw. der Bundesrep. Dtl. und der DDR wurde das Währungssystems der DDR am 1. 7. 1990 auf die D-Mark. umgestellt.

🕮 WANDEL, E.: *Die Entstehung der Bank dt. Länder u. die dt. W. 1948. Frankfurt am Main 1980. – W. u. soziale Marktwirtschaft, hg. v.* W. FISCHER. *Berlin 1989.*

Währungsreserve, i. w. S. der Bestand an international einsetzbaren liquiden Mitteln eines Landes. Dazu zählen z. B. der Goldbestand, Guthaben bei ausländ. Banken und Geldanlagen im Ausland sowie Kredite u. a. Forderungen an das Ausland. W. i. e. S. sind die von der zentralen Währungsbehörde (Notenbank) gehaltenen Bestände (Reserven). Die W. der Dt. Bundesbank umfasst u. a. Forderungen an den Europ. Fonds für währungspolit. Zusammenarbeit, Sonderziehungsrechte und die Reserveposition im IWF. Die W. dienen der Zentralbank zum Spitzenausgleich im internat. Zahlungsverkehr sowie zur Stützung des Wechselkurses der eigenen Währung.

Währungsschlange, Bez. für das Wechselkurssystem in den Ländern der EU mit enger Schwankungsbreite bei nach außen flexiblen Wechselkursen (Blockfloating). Die 1972 beschlossene W. wurde 1979 durch das Europ. Währungssystem abgelöst.

Währungssystem, Währungsordnung eines Landes; Formen: 1) **gebundene Währung,** an einen bestimmten Stoff (Metall) gebunden. Bei dieser Metallwährung ist das gesetzl. Zahlungsmittel entweder an ein einziges Metall gebunden (Monometallismus), wobei zw. →Goldwährung und Silberwährung unterschieden wird, oder gleichzeitig an zwei Metalle (Bimetallismus). Bei der **Parallelwährung** kann das gesetzl. Zahlungsmittel in Gold und Silber geprägt werden, ohne dass das Wertverhältnis zw. beiden zueinander fixiert wäre; bei der **Doppelwährung** dagegen ist das Wertverhältnis festgelegt, bei der **hinkenden Währung** wird das Wertverhältnis durch die bewusste Verknappung des nicht ausprägbaren Metalls fixiert; 2) **freie Währung,** nicht an einen Metallwert gebunden; die Zentralbank passt Zahlungsmittelbedarf und -umlauf den wirtsch. Erfordernissen an. Hierunter fallen manipulierte Währungen in Form von Papier- oder Indexwährung. Freie Währungen sind insofern manipuliert, als eine zentrale Instanz auf die umlaufende Geldmenge Einfluss ausübt. (→Europäisches Währungssystem)

Währungs|union, Zusammenschluss von Staaten zur Bildung eines gemeinsamen Währungsgebietes mit einheitl. Währung und Währungspolitik. Die W. zw. der Bundesrep. Dtl. und der DDR

Währungen (Stand Ende August 1998; Fortsetzung)

Staat	Währungseinheit (Abk.)	Untereinheiten (Abk.)
Nigeria	Naira (₦)	100 Kobo (k)
Norwegen	Norweg. Krone (nkr)	100 Øre (Ø)
Oman	Rial Omani (R. O.)	1 000 Baizas (Bz.)
Österreich	Schilling (S)	100 Groschen (Gr, g)
Pakistan	Pakistan. Rupie (pR)	100 Paisa (Ps)
Palau	US-Dollar (US-$)	100 Cents (c, ¢)
Panama[10]	Balboa (B/.)	100 Centésimos (c, cts)
Papua-Neuguinea	Kina (K)	100 Toea (t)
Paraguay	Guaraní (₲)	100 Céntimos (cts)
Peru	Neuer Sol (S/.)	100 Céntimos
Philippinen	Philippin. Peso (P)	100 Centavos (c)
Polen	Złoty (Zł)	100 Groszy (Gr, gr)
Portugal	Escudo (Esc)[11]	100 Centavos (c, ctvs)
Ruanda	Ruanda-Franc (F. Rw)	100 Centimes
Rumänien	Leu (l)	100 Bani
Russland	Rubel (Rbl)	100 Kopeken
Saint Kitts und Nevis	Ostkarib. Dollar (EC$)	100 Cents
Saint Lucia	Ostkarib. Dollar (EC$)	100 Cents
Saint Vincent and the Grenadines	Ostkarib. Dollar (EC$)	100 Cents
Sankt Helena	St.-Helena-Pfund (SH£)	100 Pence (p)
Salomoninseln	Salomonen-Dollar (SI$)	100 Cents (¢)
Sambia	Kwacha (K)	100 Ngwee (N)
San Marino	Italien. Lira (Lit)	100 Centesimi (Cent.)
São Tome und Príncipe[11]	Dobra (Db)	100 Cêntimos
Saudi-Arabien	Saudi Riyal (S. Rl.)	20 Qirshes = 100 Hallalas
Schweden	Schwed. Krone (skr)	100 Öre
Schweiz	Schweizer Franken (sfr)	100 Rappen (Rp)/ Centimes (c)
Senegal	CFA-Franc	
Seychellen	Seychellen-Rupie (SR)	100 Cents (c)
Sierra Leone	Leone (Le)	100 Cents (c)
Simbabwe	Simbabwe-Dollar (Z$)	100 Cents (c)
Singapur	Singapur-Dollar (S$)	100 Cents (c)
Slowakische Republik	Slowak. Krone (Sk)	100 Heller (h)
Slowenien	Tolar (SIT)	100 Stotin
Somalia	Somalia-Schilling (So. Sh.)	100 Centesimi (Cnt.)
Spanien	Peseta (Pta)	
Sri Lanka	Sri-Lanka-Rupie (S. L. Re.)	100 Sri-Lanka-Cents (S. L. Cts.)
Südafrika	Rand (R)	100 Cents (c)
Sudan	Sudan. Dinar (sD)[12]	100 Piastres (PT.)
Surinam	Surinam-Gulden (Sf)	100 Cent
Swasiland	Lilangeni (E; Plural Emalangeni)	100 Cents (c)
Syrien	Syr. Pfund (syr£)	100 Piastres (PS)
Tadschikistan	Tadschikistan-Rubel (TR)	
Tahiti	CFP-Franc	
Taiwan	Neuer Taiwan-Dollar (NT$)	100 Cents (¢)
Tansania	Tansania-Schilling (T. Sh.)	100 Cents (Ct.)
Thailand	Baht (฿)	100 Stangs (St., Stg.)
Togo	CFA-Franc	
Tonga	Pa'anga (T$)	100 Seniti (s)
Trinidad und Tobago	Trinidad-und-Tobago-Dollar (TT$)	100 Cents (cts)
Tschad	CFA-Franc	
Tschechische Republik	Tschech. Krone (Kč)	100 Heller (h)
Tunesien	Tunes. Dinar (tD)	1 000 Millimes (M)
Türkei	Türk. Pfund/Türk. Lira (TL)	100 Kuruş (krş)
Turkmenistan	Turkmenistan-Manat (TMM)	100 Tenge
Tuvalu	Austral. Dollar	100 Cents (c)
Uganda	Uganda-Schilling (U. Sh.)	
Ukraine	Griwna (UAH)	100 Kopeken
Ungarn	Forint (Ft)	100 Filler (f)
Uruguay	Uruguayischer Peso (urug$)	100 Centésimos (cts)
Usbekistan	Usbekistan-Som (U. S.)	100 Tijin
Vanuatu	Vatu (VT)	
Vatikanstadt	Italien. Lira (Lit)	100 Centesimi (Cent.)
Venezuela	Bolívar (Bs.)	100 Céntimos (c, cts)

Währungen (Stand Ende August 1998; Fortsetzung)

Staat	Währungseinheit (Abk.)	Untereinheiten (Abk.)
Vereinigte Arabische Emirate	Dirham (Dh.)	100 Fils
Vereinigte Staaten von Amerika	US-Dollar (US-$)	100 Cents (c, ¢)
Vietnam	Dong (D)	10 Hào = 100 Xu
Wallis und Futuna	CFP-Franc	
Weißrussland	Belarus-Rubel (BYR)	100 Kopeken
Westsamoa	Tala (WS$)	100 Sene (s)
Zentralafrikanische Republik	CFA-Franc	–
Zypern	Zypern-Pfund (Z£)	100 Cents (c)

[1] eigene Währungseinheit auf Gedenkmünzen auch der Diner. – [2] gesetzl. Zahlungsmittel auch die Ind. Rupie. – [3] eingeführt im August 1997 als Buchgeld, im Juni 1998 als Banknote. – [4] gesetzl. Zahlungsmittel auch der Singapur-Dollar. – [5] gesetzl. Zahlungsmittel auch der Neuseeland-Dollar. – [6] für 10 Rials ist auch die Bez. Toman gebräuchlich. [7] gesetzl. Zahlungsmittel auch der Südafrikan. Rand. – [8] gesetzl. Zahlungsmittel auch der Belg. Franc. – [9] CFP war urspr. die Abk. für Colonies Françaises du Pacifique. – [10] gesetzl. Zahlungsmitte auch der US-Dollar. – [11] die Rechnungseinheit für 1 000 Esc (1 000 Dobra) ist 1 Conto. – [12] gesetzl. Zahlungsmittel auch das Sudanes. Pfund

Wilhelm Friedrich Waiblinger (Selbstbildnis, Federzeichnung, um 1825)

Theo Waigel

(verbunden mit einer Wirtschafts- und Sozialunion) wurde am 1. 7. 1990 als erster Schritt zur Vereinigung beider dt. Staaten realisiert (Zeitpunkt und Modus waren umstritten). Der Staatsvertrag zw. beiden Staaten vom Mai 1990 legte als Umtauschkurs von Mark der DDR auf DM fest: Löhne, Gehälter, Renten, Mieten, Pachten u.a. wiederkehrende Zahlungen im Verhältnis 1:1, andere Forderungen und Verbindlichkeiten im Verhältnis 2:1. Für private Spareinlagen (Umtausch nur über Bankguthaben möglich) galt bis zu bestimmten Grenzen (i.d.R. 4000 Mark) ein Umtauschkurs von 1:1, darüber hinausgehende Einlagen wurden 2:1 umgestellt. Guthaben von Personen und Firmen ohne Sitz in der DDR wurden im Verhältnis 3:1 getauscht. Seit 1990 wird aufgrund des Vertrags von Maastricht eine →Europäische Wirtschafts- und Währungsunion errichtet. Weitere W. sind u.a. die Westafrikan. W. und die Zentralafrikan. W. mit der gemeinsamen Währung CFA-Franc im Rahmen der Franc-Zone. Elemente einer W. vereint auch ein **Währungsblock (Währungszone),** d.h. eine Gruppe von Ländern, die ihre nat. Währungen eng an eine (dominierende) Währung oder einen Währungskorb binden. Dadurch sind die versch. nat. Währungen untereinander durch vergleichsweise stabile Wechselkursverhältnisse gekennzeichnet. Währungsblöcke i.w.S. bilden auch jene Länder, die ihre Währung (einseitig) an eine Leitwährung oder eine Währungskombination gebunden haben (z.B. Dollar-Zone, Rubel-Zone).

📖 GAWEL, E.: *Die deutsch-deutsche W. Verlauf u. geldpolit. Konsequenzen. Baden-Baden 1994.* – TOLKSDORF, M.: *Ein Geld für Europa? Entwicklung u. Funktionsweise der Europ. W. Opladen 1995.* – POSER, A. M. VON: *Europ. W. Struktur u. Perspektive. Stuttgart ²1996.*

Waiblingen, Krst. des Rems-Murr-Kreises, Bad.-Württ., 50300 Ew.; Große Kreisstadt; Maschinenbau (Motorsägen), Herstellung von Ind.ausrüstungen, Süßwaren, Ziegeln u.a.; Großgärtnereien. – Got. Michaelskirche (1634 nach Brand restauriert), doppelgeschossiges »Nonnenkirchle« (1496), evang. Stadtpfarrkirche (15. Jh.); Altes Rathaus mit Fachwerkobergeschoss (17. Jh.), Teile der Stadtmauer mit zwei Türmen. – Als karoling. Pfalz 885 erstmals erwähnt; später Mittelpunkt stauf. Macht (danach »Waiblinger« für Staufer, italien. »Ghibellinen«); um 1250 Stadtrecht.

Waiblinger, Wilhelm Friedrich, Dichter, *Heilbronn 21. 11. 1804, †Rom 17. 1. 1830; am Tübinger Stift mit E. Mörike, L. Bauer, G. Schwab u.a. befreundet, v.a. beeinflusst von J. C. F. Hölderlin; lebte seit 1826 in Italien, um der in Dtl. empfundenen Enge zu entgehen; bed. als romant. Lyriker (»Lieder der Griechen«, Ged., 1823; »Phaeton«, Roman, 2 Tle., 1823).

Waid (Isatis), Kreuzblütlergattung, meist im östl. Mittelmeergebiet; in Dtl. der zweijährige **Färber-W.** (Isatis tinctoria), bis zu 1 m hoch, eine gelbblütige Staude mit indigoartigem Farbstoff; wurde früher als Färberpflanze angebaut.

Waidhofen an der Thaya, Bezirkshauptstadt in Niederösterreich, im nördl. Waldviertel, 510 m ü.M., 5600 Ew.; Heimat-, Silo- und Webereimuseum; Bekleidungs- und Elektroindustrie. – Rathaus (16. Jh.), Stadtpfarrkirche (1716–23), Schloss (Umbau von 1770) mit Gemälde- und Gewehrsammlung. – Um 1230 Stadtrecht.

Waidhofen an der Ybbs [- 'ɪps], Stadt mit eigenem Statut in Niederösterreich, in den nördl. Ausläufern der Eisenwurzen, 358 m ü.M., 11400 Ew.; Fachschulen; altes Zentrum der Eisenind. mit Maschinen- und Fahrzeugbau, Metallverarbeitung, Büromöbelfabrikation; Fremdenverkehr. – Pfarrkirche St. Maria Magdalena (um 1470), Schloss (um 1407 ausgebaut, 1885–87 verändert) mit got. Bergfried, Bürgerhäuser des 16. und 17. Jh. – 1186 erstmals erwähnt; 1277 als Stadt genannt; gehörte bis 1803 dem Bischof von Freising (Bayrisch-W. genannt).

Waigatsch, russ. Insel im Nordpolarmeer zw. Barents- und Karasee, 3383 km² groß, bis 170 m ü.M.; von Tundra bedeckt.

Waigel, Theodor (Theo), Politiker (CSU), *Oberrohr (heute zu Ursberg, Kreis Günzburg) 22. 4. 1939; Jurist, seit 1972 MdB, Okt. 1982 bis April 1989 Vors. der CSU-Landesgruppe und 1. stellv. Vors. der CDU/CSU-Bundestagsfraktion; 1988–99 CSU-Vors., 1989–98 auch Bundesminister der Finanzen.

Waika, ein Indianervolk, →Yanomami.

Wain [weɪn], John Barrington, engl. Schriftsteller, *Stoke-on-Trent 14. 3. 1925, †Oxford 24. 5. 1994; schrieb realistisch-satir. Romane über antiheroische Außenseiter und den Konformismus in der Gesellschaft; verwendet als Lyriker auch experimentelle Formen; u.a. »Blick auf morgen« (R., 1955), »Liebhaber und Machthaber« (R., 1958), »Poems 1949–1970« (Ged., 1980), »Young shoulders« (R., 1982), »Open country« (Ged., 1987); Kurzgeschichten, Essays.

Waise, 1) *Familienrecht:* (Waisenkind) Kind ohne Eltern (Voll-W.) oder mit nur einem Elternteil (Halbwaise).

2) *Metrik:* →Reim (ÜBERSICHT).

Waiblingen: Das Alte Rathaus mit Fachwerkobergeschoss stammt aus dem 17. Jahrhundert

Waisenfürsorge, früher Bez. für Hilfsmaßnahmen zum Wohl von Waisen; heute ist die W. Bestandteil der Kinder- und Jugendhilfe. Ziel ist die volle Eingliederung elternloser Kindern in Familien, u.a. durch Pflegschaft oder Adoption oder Aufnahme in Kinderdörfer.

Waisengeld, monatl. Bezüge der Waisen von Beamten (§§ 23, 24 Beamtenversorgungs-Ges.), die zum Todeszeitpunkt Ruhegehalt erhalten haben oder hätten erhalten können. Es beträgt 12% des Ruhegehalts (Vollwaisen 20%).

Waisenhäuser, früher Erziehungsheime für Voll- oder Halbwaisen. W. entwickelten sich aus mittelalterl. Findelhäusern, bes. aber aus den Gründungen der Pietisten seit dem 17. Jh. (→Franckesche Stiftungen). Heute werden Waisen unter Aufsicht der Jugendämter als Pflegekinder in Familien oder in Heimen (→Kinderdörfer) betreut.

Waisenrente, Hinterbliebenenrente in der Sozialversicherung oder an Hinterbliebene von Kriegsopfern.

Waits ['weɪts], Tom, eigtl. Thomas Alan **W.,** amerikan. Rockmusiker, Komponist und Filmschauspieler, *Pomona (Calif.) 7. 12. 1949; schrieb neben zahlr. Songs auch Filmmusiken (u.a. zu »Night on Earth«, 1991); wirkte in Filmen mit (u.a. »Down By Law«, 1986; »Short Cuts«, 1993).

Waitzen, Stadt in Ungarn, →Vác.

Wajda, Andrzej, poln. Filmregisseur, *Suwałki 6. 3. 1926; musste 1983 als Leiter (seit 1972) der Warschauer Filmgesellschaft »Studio X« und als Vors. des Verbandes Poln. Filmregisseure (seit 1978) zurücktreten. Seine Bedeutung für den poln. Film begründete die Trilogie »Generation« (1954), »Der Kanal« (1956), »Asche und Diamant« (1958); die jüngere Vergangenheit Polens reflektierende Filme sind u.a. auch »Das gelobte Land« (1974), »Der Mann aus Marmor« (1976), »Der Mann aus Eisen« (1981), »Korczak« (1990); außerdem »Danton« (1982); bed. Theaterinszenierungen (v.a. am Stary Teatr in Krakau); seit 1989 Direktor des Powszechny-Theaters Warschau.

Wakasugi, Hiroshi, japan. Dirigent, *Tokio 31. 5. 1935; wurde 1975 Dirigent des Kyoto Symphony Orchestra; 1977–83 Chefdirigent des Sinfonieorchesters des WDR in Köln, 1982–86 Generalmusikdirektor der Dt. Oper am Rhein in Düsseldorf/Duisburg, 1987–91 Generalmusikdirektor des Tonhalle-Orchesters Zürich, 1986–95 des Tokyo Metropolitan Symphony Orchestra; seit 1995 ständiger Dirigent des Sinfonieorchesters NHK in Tokio.

Wakayama, Hptst. der Präfektur W., auf Honshū, Japan, an der Inlandsee, 395 500 Ew.; Univ., medizin. Hochschule; Baumwoll-, Leder-, pharmazeut. Ind., Maschinenbau. – Der Turm des zerstörten Schlosses (1585) wurde 1958 erneuert.

Wakeboarding ['weɪkbɔːdɪŋ, engl.] *das,* Wassergleiten auf einem dem Surfboard ähnl., aber kürzeren Brett (1,40–1,50 m lang, 35–40 cm breit, 3 kg schwer); die Fußbefestigung entspricht etwa der beim Wasserski.

Wakefield ['weɪkfiːld], Stadt in N-England, Verw.sitz der Metrop. Cty. West Yorkshire, am Calder, 61 000 Ew.; Museen, Kunstgalerie; Textil-, chem. Ind.; Maschinen-, Waggonbau, Eisen- und Stahlind., Brauereien. – Kathedrale All Saints (urspr. normannisch, 1329 ff. erneuert).

Wake Island [weɪk 'aɪlənd], Koralleninsel im Pazifik, zw. Hawaii und Guam, rd. 8 km^2, seit 1899 zu den USA; Luftfahrtstützpunkt; meteorolog. und ozeanograph. Station.

Waksman ['wɑːksmən], Selman Abraham, amerikan. Mikrobiologe russ. Herkunft, *Priluki (bei Kiew) 22. 7. 1888, †Hyannis (Mass.) 16. 8. 1973; isolierte aus dem Strahlenpilz Streptomyces griseus das Streptomyzin und aus Streptomyces fradiae das Neomyzin; erhielt 1952 den Nobelpreis für Physiologie oder Medizin.

Wal, im Wasser lebendes Säugetier, →Wale.

Walachei *die* (rumän. Țara Românească), histor. Landschaft in Rumänien, zw. Südkarpaten und

John Wain

Andrzej Wajda

Hiroshi Wakasugi

Walchensee: Zwischen dem Walchensee und dem Kochelsee (im Vordergrund) liegt das Walchenseekraftwerk, das den Höhenunterschied von 200 m zwischen den beiden Seen nutzt; links der Luftkurort Kochel am See, hinter den Bergen am Südufer des Walchensees erstreckt sich das Karwendelgebirge als Teil der Nordtiroler Kalkalpen, im Hintergrund die Zentralalpen

Donau, durch den Alt geteilt in die **Große W.** (Muntenien) im O und die **Kleine W.** (Oltenien) im W; umfasst im N eine den Karpaten vorgelagerte Hügelzone mit Erdöl-, Erdgas-, Kohle- und Steinsalzlagerstätten; ertragreiche Landwirtschaft auf fruchtbaren Böden, im Hügelland Obst- und Weinbau. Die Ind. konzentriert sich um Bukarest und im Erdölgebiet.

Geschichte: Fürst Basarab I. (um 1310–52) errichtete auf dem Gebiet der W. ein selbstständiges Fürstentum (bis 1330 unter ungar. Lehnshoheit); ab 1415/17 unter türk. Oberhoheit, 1599/1600 erstmals mit Siebenbürgen und der Moldau vereinigt; 1716–1821 Herrschaft der Phanarioten; nach dem Vertrag von Adrianopel (1829) Einschränkung des osman. Einflusses (russ. Protektorat unter osman. Oberhoheit; 1831 Verfassung), 1848–56 von russ. und osman. Truppen besetzt; 1859/62 Vereinigung mit der Moldau (Entstehung Rumäniens).

Helmut Walcha

Derek Walcott

Walạchen, i. e. S. die Bewohner der Walachei, i. w. S. seit dem 10. Jh. Bez. für die Rumänen.

Wạlahfrid Strạbo [lat. »der Schieler«], Dichter und Benediktiner, * in Schwaben 808 oder 809, † (in der Loire ertrunken) 18. 8. 849; Mönch im Kloster Reichenau, 826–829 Studien bei Hrabanus Maurus in Fulda, seit 829 Hofmeister des späteren Kaisers Karl II., des Kahlen, in Aachen; wurde 838 Abt von Reichenau; verfasste lat. Dichtungen und theolog. Schriften.

Wałbrzych ['vau̯bʒix] (dt. Waldenburg in Schlesien), Hauptstadt der Wwschaft Wałbrzych, Polen, im Waldenburger Bergland, 140 300 Ew.; Filiale der TH Breslau; Bezirksmuseum (mineralog. und Porzellansammlung), Theater; Steinkohlenbergbau, Kokereien, Porzellanfabriken, Metall-, Maschinenbau-, Nahrungsmittel-, Textilind., Glashütte. – Klassizist. evang. Kirche (1785–88) von C. G. Langhans, Marienkirche (14. Jh., im 18. Jh. umgebaut), klassizist. Schloss; Ruinen der mittelalterl. Burg.

Wạlcha, Helmut, Organist, * Leipzig 27. 10. 1907, † Frankfurt am Main 11. 8. 1991; mit 16 Jahren erblindet; bed. Bach-Interpret.

Wạlchensee, See in den Bayer. Voralpen, 802 m ü. M., bis 192 m tief, 16,4 km². Das **W.-Kraftwerk,** 1918–22 erbaut, nutzt den Höhenunterschied von 200 m zum Kochelsee aus; der W. dient dabei als Speicher, der über Stollen Wasser von der Isar erhält und, seit 1949, durch Einleitung des Rißbachs gespeist wird.

Walcheren ['walxərə], ehem. Nordseeinsel in der niederländ. Prov. Seeland, 217 km², heute im Rahmen der →Deltawerke durch Brücken und Dämme mit Nord- und Südbeveland sowie dem Festland verbunden; Hauptort ist Middelburg.

Walcott ['wɔ:lkət], Derek, Schriftsteller aus Saint Lucia, * Castries 23. 1. 1930; war Theater- und Kunstkritiker; Prof. für Literatur in Boston. In seinem Lyrik und Theaterstücke umfassenden Werk (»Das Königreich des Sternapfels«, dt. Ausw., 1989; »Omeros«, 1990; »Erzählungen von den Inseln«, dt. Ausw., 1993) verschmilzt er europäisch-literar. Einflüsse mit der afrikanisch-karibischen mündl. Tradition; 1992 Nobelpreis für Literatur.

Wałcz [vau̯tʃ] (dt. Deutsch Krone), Stadt in der Wwschaft Piła (Schneidemühl), Polen, auf dem Pommerschen Landrücken, zw. Schloss- und Großem Radunsee, 26 000 Ew.; Nahrungsmittelind.; Wassersportzentrum. – 1303 als Stadt in der Nähe eines slaw. Fischerortes gegründet.

Wald, natürl. Lebensgemeinschaft und Ökosystem von dicht stehenden Bäumen mit spezieller Tier- und Pflanzenwelt sowie mit besonderen Klima- und Bodenbedingungen. Hinsichtlich der Entstehung des W. unterscheidet man zw. dem **Natur-W.** (Urwald), dem nach menschl. Eingriffen (z.B. Rodung) natürlich nachwachsenden **Sekundär-W.** und dem vom Menschen angelegten **Wirtschafts-W.;** hinsichtlich des Baumbestandes zw. Reinbestand (eine einzige Baumart) und Mischbestand (mehrere Baumarten; **Misch-W.**). Nach der Höhe des Bewuchses unterscheidet man pflanzensoziologisch Boden-, Streu-, Kraut-, Strauch-, Stamm- und Kronenschicht. Die Pflanzen stehen miteinander in ständiger Wechselbeziehung, indem sie sich gegenseitig fördern oder miteinander um Licht, Wasser und Nährstoffe konkurrieren. Als Tief- und Flachwurzler schließen sie den Boden auf, verändern und entwickeln das Bodenprofil und schaffen einen Oberboden, in dem eine spezielle Mikroflora und Mikrofauna gedeihen und ihre Wirkung entfalten. Das **W.-Klima** zeichnet sich im Verhältnis zum Klima offener Landschaften durch gleichmäßigere Temperaturen, höhere relative Luftfeuchtigkeit, geringere Lichtintensität und schwächere Luftbewegung aus. Der W. hat einerseits eine sehr hohe Transpirationsrate, andererseits vermag er in seinem Boden große Wassermengen schnell aufzunehmen und darin zu speichern. Unter entsprechenden Klimabedingungen gilt der W. als dominierende pflanzl. Formation. Er entwickelt sich ganz allmählich in größeren Zeiträumen. Im Natur-W. der Nordhalbkugel stellt sich diese Entwicklung wie folgt dar: **Vor-W.** (Pionierbaumarten sind z.B. Birke, Robinie, Espe, Erle, Pappelarten) besiedelt ein baumfreies Gelände. Der dadurch verbesserte Frost- und Strahlenschutz lässt zunehmend Schatten ertragende Baumarten **(Zwischen-W.)** gedeihen. Diese wachsen zum Gefüge des **Haupt-W.** heran, bis das oberste Kronendach keinen Jungwuchs mehr aufkommen lässt. Wird dieser **Schluss-W.** etwa durch Feuer, Sturm oder Schädlingskatastrophen zerstört, so wiederholt sich der Vorgang der W.-Bildung. – In der Randzone eines W. (W.-Saum, W.-Mantel, W.-Trauf), in der die Bäume gewöhnlich fast bis zum Boden beastet sind, wächst eine reichhaltige Strauch- und Krautvegetation. Die Randzone bietet somit Schutz gegen Wind, übermäßige Sonneneinstrahlung und Bodenerosion.

Die Wälder der Erde unterscheiden sich wesentlich in ihrem Baumbestand, der durch die jeweils unterschiedl. ökolog. Faktoren bedingt ist. Der trop. W. in den niederschlagsreichen Gebieten ist durch üppiges Wachstum und Artenreichtum charakterisiert. In den Subtropen erscheinen mit zunehmender Trockenheit Hartlaubgehölze. Die gemäßigte Region ist durch sommergrüne Laubwälder (in Gebirgslagen bes. durch Nadelwälder) charakterisiert, die auf der Nordhalbkugel in einen breiten Nadelholzgürtel übergehen. Im Einzelnen lassen sich folgende **W.-Formationsklassen** unterscheiden: (trop. oder subtrop.) →Regenwald (grundwasserbedingt sind die Unterklassen Mangrove und Galerie-W., luftfeuchtigkeitsbedingt der Nebel-W. im Wolkenbereich trop. und subtrop. Gebirge), regengrüner W. (auch Monsun-W.), regengrüner Trocken-W., Lorbeer-W., Hartlaub-W., sommergrüner Laub-W. und borealer Nadelwald. Der größte Teil der W.-Fläche entfällt auf die beiden breiten (heute nicht mehr ganz so geschlossenen) Gürtel des trop. Regen-W. und des borealen Nadel-W., die zus. rd. 80 % des Gesamtwaldbestandes der Erde ausmachen. – Dtl. liegt in der Zone des sommergrünen Laub-W., in den

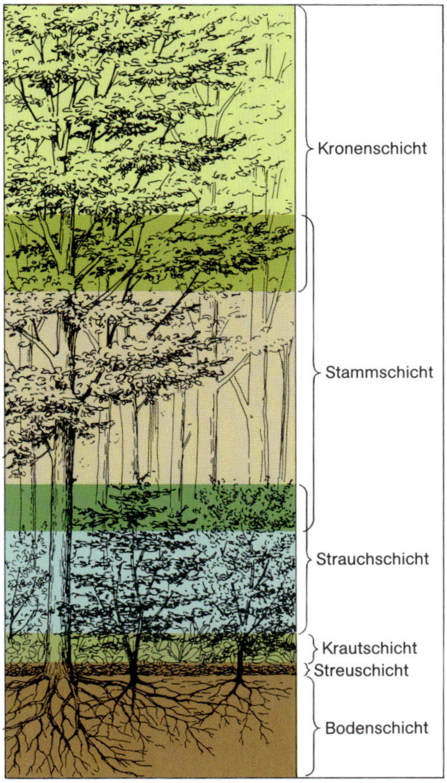

Wald: schematische Darstellung der nach Bewuchshöhe unterschiedenen pflanzensoziologischen Schichtung

montane Nadelwaldareale eingestreut sind. Von gewissen Naturwaldreservaten abgesehen gibt es nur den nach waldbaul. Grundsätzen angelegten Wald. Dabei unterscheidet man (als Bewirtschaftungsformen) **Nieder-W.** (Laub-W., bei dem sich der Baumbestand aus Stöcken und Wurzeln der gefällten Bäume erneuert), **Hoch-W.** (der Baumbestand wird durch Anpflanzen oder Saat erneuert) und **Mittel-W.** (in ein dichtes, alle 10–15 Jahre geschlagenes und immer wieder neu austreibendes Unterholz sind besser geformte Stämme eingestreut). – Der W. gewinnt in den letzten Jahrzehnten immer stärkere Bedeutung als Faktor zur Sicherung der natürl. Lebensgrundlagen und der Erholung der Bevölkerung. Zu den Funktionen des W. gehören auch Speicherung, Reinigung und Abflussverteilung des Wassers, Filterung und Verbesserung der Luft, Dämpfung von Lärm. Der W. schützt ferner den Boden vor Erosion und dämmt im Hochgebirge die Lawinengefahr ein; daher werden dort schon seit langem Schutzwälder angelegt. Der W. mindert die Klimaextreme und die Windgeschwindigkeit; er trägt zur Bewahrung des biolog. Gleichgewichts bei und ist eines der wichtigsten Elemente der Landschaft. In den letzten Jahren wurden die Funktionen des W. durch das →Waldsterben beeinträchtigt. – Oberstes Ziel im wirtschaftlich genutzten W. ist bei – voller Erhaltung der Nachhaltigkeit – meist höchstmögl. Produktivität und Rentabilität der Holzerzeugung. Zu den Nebennutzungen gehören u.a. Jagd, Gewinnung von Harzen, Flechtmaterial, Gerbstoffen sowie von Pilzen und Beeren. (→Forstwirtschaft)

Recht: Das Bundeswald-Ges. vom 2. 5. 1975 enthält Grundzüge eines bundeseinheitl. Forstrechts. Es bezweckt die Erhaltung des W. wegen seines wirtsch. und ökolog. Nutzens, seines Erholungswertes sowie die Sicherung seiner ordnungsgemäßen Bewirtschaftung. Es bemüht sich um einen Ausgleich der Interessen der Allgemeinheit und der Waldbesitzer.

Geschichte: Während der Eiszeiten war Europa weitgehend eisfrei. Gegen Ende der letzten Eiszeit (vor etwa 10000 Jahren) konnten Bäume allmählich wieder nach Mitteleuropa vordringen, zunächst behindert von großen, Pflanzen fressenden Säugetieren. Manche der heute charakteristischen Baumarten erreichten Mitteleuropa erst vor wenigen Jahrtausenden wieder (z.B. Rotbuche vor etwa 2500 Jahren). Es entstanden ausgedehnte Wälder, die etwa seit der Völkerwanderung (4. Jh. n. Chr.) durch Rodungen auf rd. ein Drittel der Bestände reduziert wurden. Die vielfältigen Versorgungsfunktionen des W. für den Menschen wurden zunehmend beeinträchtigt. Seit dem 15. Jh. gibt es in Mitteleuropa keinen besitzlosen Wald mehr. Die W.-Verwüstung erreichte in Mitteleuropa im 18. Jh. ihren Höhepunkt, u.a. durch den hohen Holzverbrauch frühindustrieller Unternehmungen, z.B. Glashütten. Die Kahlflächen wurden dann mit Kiefern oder Fichten aufgeforstet. Seit dem 19. Jh. werden außerdem z.B. Douglasien, Sitkafichten, Japanlärchen und Roteichen verwendet, wobei heute bei Neuaufforstungen Mischbestände von Laub- und Nadelhölzern bevorzugt werden.

📖 Schute, R.: *Der W. Funktion – Pflege – Gefährdung. Heidelberg 1988.* – Leibundgut, H.: *Der W. als Erbe u. Verpflichtung. Bern u. a. 1991.* – Röhrig, E.: *Der W. als Vegetationstyp u. seine Bedeutung für den Menschen. Hamburg u. a. 61992.* – Hofmeister, H.: *Lebensraum W. Pflanzengesellschaften u. ihre Ökologie. Berlin 41997.*

Wald, Gem. im Kr. Sigmaringen, Bad.-Württ., im Voralpenland, 2800 Ew. – Ehem. Zisterzienserinnenkloster (1212 gegr.) mit barocker Kirche (1698) nach Entwurf von Jodok Beer (†1688).

Wald: Nebelwald in Mexiko (links) und tropischer Trockenwald im Norden von Ghana

Wald [wɔ:ld], George, amerikan. Biochemiker, *New York 18. 11. 1906, †Cambridge (Mass.) 12. 4. 1997; entdeckte die Vitamine A_1 und A_2 in der Netzhaut des Auges und arbeitete über den Mechanismus des Farbensehens; erhielt mit H. K. Hartline und R. A. Granit 1967 den Nobelpreis für Physiologie oder Medizin.

Waldböcke: Buschbock (Kopf-Rumpf-Länge 1,2 - 1,5 m)

Waldaihöhen, kuppige, seenreiche, dicht bewaldete Endmoränenlandschaft im NW Russlands, bis 343 m ü.M., Quellgebiet von Wolga, Düna und Dnjepr.

Waldbau, 1) *Forstwirtschaft:* (naturnaher W.) eine Waldwirtschaft, die sich nicht am Altersklassenwald (der Zusammenfassung von Baumbeständen nach ihrem Alter), sondern an den natürl. Strukturen und Lebensabläufen in Waldökosystemen orientiert und sich durch standortgerechte natürl. Baumartenzusammensetzung und die Mischung versch. Altersklassen auszeichnet. Kahlschläge, Einsatz von Großmaschinen und Pestiziden werden abgelehnt. Naturnahe Wälder sind unempfindlicher als Monokulturen gegen Schädlinge und Windbruch.

2) *Forstwissenschaft:* Teil der forstl. Produktionslehre (→Forstwissenschaft), befasst sich mit der sachgemäßen Begründung, Erziehung und Pflege des Waldes. Ziel des W. ist hohe und hochwertige, zugleich optimale wirtsch. Produktion.

Waldböcke (Waldantilopen, Tragelaphinae), Unterfamilie reh- bis rindergroßer, schlanker und hochbeiniger Paarhufer (Familie Horntiere) mit rd. zehn Arten, v.a. in Wäldern, Dickichten und Savannen Afrikas und Indiens. Zu den W. gehören u.a. Großer und Kleiner →Kudu, →Elenantilope und der **Buschbock** (Tragelaphus scriptus; Kopf-Rumpf-Länge 1,2 bis 1,5 m), der bis in 4000 m Höhe vorkommt und meist in Wassernähe lebt.

Waldbrand, Schadfeuer in Wäldern, das als **Bodenfeuer** oder **Lauffeuer** (am häufigsten), als **Gipfelfeuer** oder **Kronenfeuer,** als **Stammfeuer** (an Einzelstämmen) oder als **Erdfeuer** (unterird. Feuer von Torf- und Rohhumus) entsteht. Die Bekämpfung von W. erfolgt je nach dem Ausmaß der Gefährdung, Windrichtung und -geschwindigkeit u.a. durch Löscharbeiten (auch vom Flugzeug aus), durch Aufhalten (»Ausfegen«) des Feuers und Begrenzung durch Anlegen holzfreier Isolierstreifen oder durch Anlegen von Feuer, das dem eigentl. Brand die Nahrung entzieht (Vor- oder Gegenfeuer, das durch den Sog des Großfeuers angezogen wird).

George Wald

Waldburg, staufisches Ministerialengeschlecht, urspr. bei Wolfegg ansässig (1179 erstmals erwähnt), seit 1219 nach der Burg W. (1150 erstmals erwähnt) benannt, führte 1419–1808 den Titel Truchsess von W.; erhielt 1214 das Reichstruchsessen-, 1525 das Reichserbtruchsessenamt; in einigen Linien (seit 1429) 1628 in den Reichsgrafenstand erhoben, 1803 Reichsfürstenwürde; 1805/06 von Bayern und Württemberg mediatisiert. Heute noch bestehen die Linien **W. zu Wolfegg und Waldsee** und **W. zu Zeil und Trauchberg.** Bed. Vertreter:

1) →Gebhard Truchsess von Waldburg.

2) Georg Truchsess von W., gen. der Bauernjörg, Feldhauptmann des Schwäb. Bundes, *Waldsee (heute Bad Waldsee) 25. 1. 1488, †ebd. 29. 5. 1531; kämpfte 1519 gegen Herzog Ulrich von Württemberg und warf 1525 im →Bauernkrieg die aufständ. Bauern grausam nieder. Danach wurde er österr. Statthalter von Württemberg.

Waldeck, 1) Stadt im Landkr. Waldeck-Frankenberg, Hessen, am N-Ufer des Edersees, 7900 Ew.; Luftkurort; Herstellung von Büromöbeln. – Das maler. Fachwerkstädtchen wird beherrscht von der mächtigen Burg (12. und 13. Jh., Bastionen

Waldeck 1): Die bis auf das 12. Jh. zurückgehende Burg Waldeck beherbergt heute ein Hotel und ein Burgmuseum

Herwarth Walden (Zeichnung von Emil Orlik, 1926)

aus dem 16.–18. Jh., heute Hotel und Burgmuseum). – Seit 1232 Stadt; bis 1665 Residenz der Grafschaft, später des Fürstentums Waldeck.

2) histor. Land in Hessen und Ndsachs.; Hptst. war Arolsen. – Die Grafen von W. (seit 1180; ihre Grafschaft ab 1349 Reichslehen) erwarben 1625 auch die Grafschaft Pyrmont und wurden 1682/1712 in den Reichsfürstenstand erhoben. 1807 traten die Fürsten dem Rheinbund, 1815 dem Dt. Bund bei; 1867 ging die Verw. an Preußen über. Im Nov. 1918 wurde W. Freistaat. 1922 wurde Pyrmont mit Preußen (Prov. Hannover) vereinigt, aufgrund einer Volksabstimmung am 1. 4. 1929 auch das Hauptland (Prov. Hessen-Nassau). Seit 1945 gehört W. zu Hessen. BILD Bad Arolsen

Waldecker Upland, im äußersten N des Hochsauerlandes gelegener Teil des Rothaargebirges in Hessen und NRW, bis 843 m ü. M.; um den Luftkurort Willingen (Upland) Wintersport.

Waldeck-Frankenberg, Landkreis in Hessen, RegBez. Kassel, 1849 km², (1996) 170 900 Ew.; Verw.sitz ist Korbach.

Waldenser (13.–15. Jahrhundert)

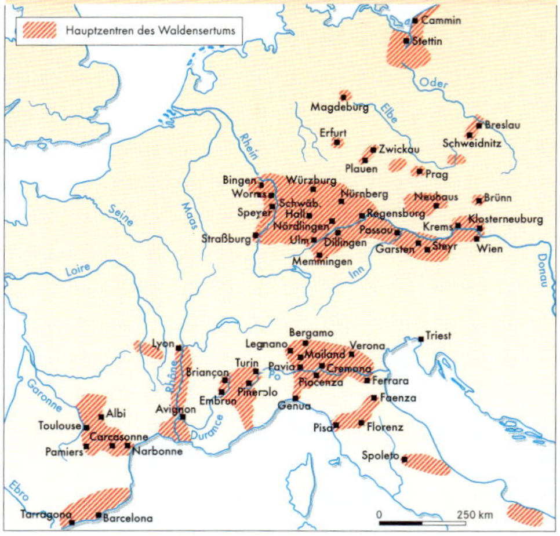

Waldemar, Herrscher:

Brandenburg: **1) Woldemar,** Markgraf (1308–19), *1281 oder früher, †Bärwalde Nm. (heute Mieszkowice, bei Chojna) 14. 8. 1319; vereinigte den unter mehrere Linien zersplitterten Besitz der Askanier. – Gegen die Wittelsbacher, an die Brandenburg 1323 nach Aussterben der Askanier in der Mark (1320) gefallen war, trat 1348 der **Falsche W.** (†1356) auf, angeblich der von langer Pilgerfahrt zurückgekehrte Markgraf W. Er fand viel Anhang, wurde von Karl IV. mit der Mark belehnt, 1350 als Betrüger verurteilt und später hingerichtet.

Dänemark: **2) W. I., d. Gr.,** König (1157–82), *14. 1. 1131, †12. 5. 1182, Vater von 3); stellte nach längeren inneren Wirren die Reichseinheit wieder her; erkannte 1162 die Lehnshoheit Friedrichs I. Barbarossa an, um Unterstützung gegen Heinrich den Löwen zu erhalten; eroberte im Kampf gegen die Wenden 1168 Rügen und verstärkte das →Danewerk durch die Waldemarsmauer.

3) W. II., der Sieger, König (1202–41), *1170, †28. 3. 1241, Sohn von 2); erstrebte die Herrschaft über die Küstengebiete der Ostsee (u. a. 1219 Eroberung Estlands), wurde aber von den verbündeten norddt. Fürsten 1227 bei Bornhöved besiegt.

4) W. IV. Atterdag, König (1340–75), *um 1320, †24. 10. 1375; verkaufte 1346 Estland an den Dt. Orden; erkannte 1360 die Ständerechte in der Handfeste von Kalundborg an und vereinte im selben Jahr Schonen wieder mit Dänemark; unterwarf 1361 Gotland und geriet dabei wegen der Eroberung von Visby in Konflikt mit der Hanse, die ihn in einem langwierigen Krieg besiegte und durch den Frieden von Stralsund (1370) die Vormacht in der Ostsee errang.

Walden, Herwarth, eigtl. Georg Levin, Musiker, Kunstkritiker und Schriftsteller, *Berlin 16. 9. 1878, †(im Straflager) Saratow 31. 10. 1941; 1901–11 ⚭ mit E. Lasker-Schüler, gründete 1910 die Zeitschrift »Der Sturm«, in der er sich für die neuen Kunstrichtungen Expressionismus, Futurismus, Kubismus und deren Künstler einsetzte; veranstaltete Kunstausstellungen von europ. Rang und schrieb u. a. expressionist. Dramen und Romane. W. ging 1932 nach Moskau, wo er bis zu seiner Deportation 1941 am Fremdspracheninstitut tätig war. Weiteres BILD Der Sturm

Waldenburg, Stadt im Hohenlohekreis, Bad.-Württ., in Spornlage über der Hohenloher Ebene, 3 100 Ew.; Urweltmuseum, Siegelmuseum; Bau von Ventilatoren; Luftkurort. – Malerisch gelegenes Barockschloss mit spätbarocker Michaelskirche. – W. entstand bei der 1200 errichteten Stauferburg.

Waldenburg in Schlesien, Stadt in Polen, →Wałbrzych.

Waldenburger Bergland (poln. Wałbrzyskie Góry), ein Teil der W-Sudeten, zw. Riesengebirge, Heuscheuer, Eulen- und Katzbachgebirge; bis 869 m ü. M.; einst bed., heute stark zurückgehender Steinkohlenabbau.

Waldenser (Arme von Lyon), zw. 1170 und 1176 in S-Frankreich entstandene Buß- und Armutsbewegung; benannt nach ihrem Begründer, dem Lyoner Kaufmann P. Waldes († zw. 1184 und 1218), der sein Vermögen unter die Armen verteilte und mit Gleichgesinnten die konsequente Nachfolge Jesu im Geist der Bergpredigt anstrebte. Die W., zunächst eine Laienbewegung innerhalb der kath. Kirche, wurden v. a. wegen der von ihnen trotz kirchl. Verbots praktizierten Laienpredigt

1184 als Häretiker verurteilt. Von der Inquisition verfolgt, siedelten sie v.a. in den Alpentälern von Piemont, wo sie sich, die kirchl. Hierarchie und das Lehramt ablehnend, als eigenständige Laienkirche organisierten, deren Ethik durch eine einfache Lebensweise, die Ablehnung von Eid und Todesstrafe und die Verweigerung des Kriegsdienstes bestimmt war. 1532 schlossen sich die W. dem ref. Zweig der Reformation an; sie sind heute in Italien (20500 W.) und Südamerika (Uruguay, Argentinien) evang. Minderheitskirchen. Weltweit gibt es etwa 50000 W.; in Rom besteht seit 1922 eine theolog. Fakultät.

Waldersee, Alfred Graf von, preuß. Generalfeldmarschall (seit 1900), *Potsdam 8. 4. 1832, †Hannover 5. 3. 1904; 1888–91 als Nachfolger H.v. Moltkes Chef des Generalstabs; stärkte die Selbstständigkeit des Militärs und übte starken Einfluss auf den jungen Kaiser Wilhelm II. aus. Er war 1890 am Sturz Bismarcks beteiligt, verlor aber danach bald die Gunst Wilhelms II. Während des chines. Boxeraufstandes war W. 1900/01 Oberbefehlshaber der europ. Interventionstruppen.

Waldgenossenschaft, →Genossenschaftswald.

Waldgrenze, die Grenze des geschlossenen Waldes gegen Gebiete, die infolge Kälte oder Trockenheit baumlos sind. Für die Ausbildung der polaren und alpinen **Kälte-W.** ist neben starken Winden v.a. zu geringe Sommerwärme verantwortlich. Daher folgt die W. i. Allg. der 10 °C-Isotherme des wärmsten Monats und verläuft in kontinentalen Gebieten nördlicher (z.B. Sibirien gegenüber Grönland) oder in größerer Höhe (z.B. Zentralalpen gegenüber Voralpen) als in ozeanischen. Der Verlauf der **Trocken-W.** beim Übergang zu Steppen und Savannen ist eine Frage genügenden Wasservorrates im Boden.

Waldheim, Stadt im Landkreis Döbeln, Sachsen, im unteren Zschopautal, 9600 Ew.; Möbelbau, Kosmetikproduktion. – Ehem. kurfürstl. Schloss (1589–91), seit 1716 u.a. Zuchthaus; talaufwärts liegt Burg **Kriebstein.** – Um 1200 entstanden; 1286/1324 als Stadt genannt.

Waldheim, Kurt, österr. Politiker und Diplomat, *Sankt Andrä-Wördern (Bez. Tulln) 21. 12. 1918; 1968–70 Außenmin., war 1972–81 Gen.-Sekr. der UN, 1986–92 (als Kandidat der ÖVP) Bundespräsident. Seine Amtszeit war überschattet durch schwere polit. Auseinandersetzungen um seinen Kriegseinsatz im Rahmen der dt. Wehrmacht während des 2. Weltkriegs auf dem Balkan.

Waldheimer Prozesse, von der Justiz der DDR von April bis Juni 1950 im Zuchthaus von Waldheim durchgeführte Gerichtsverfahren gegen etwa 3400 Personen, die unter dem Vorwurf, Kriegs- und nat.-soz. Verbrechen begangen zu haben, angeklagt und bis dahin in sowjet. Internierungslagern (bes. Bautzen, Buchenwald, Sachsenhausen) festgehalten worden waren. Die Verurteilungen erfolgten unter Verstoß gegen elementare Regeln rechtsstaatl., justizförmigen Verfahrens, was ein Unterscheiden von Unschuldigen und Schuldigen verhinderte: Die W.P. wurden von polit. Gremien der SED dirigiert, die Richter waren nach polit. Zuverlässigkeit ausgewählt, der Zeitrahmen für die Verfahren festgelegt, die Schuld der Einzelnen wurde vorausgesetzt, Strafen nicht unter fünf Jahren Zuchthaus erwartet, die Verteidiger, soweit sie in den Verfahren überhaupt tätig werden durften, waren abkommandierte Staatsanwälte. Es wurden 32 Todesurteile gefällt (24 wurden vollstreckt); nur 14 Verurteilte erhielten Freiheitsstrafen unter fünf Jahren. Nach weltweiten Protesten wurden 1952 zahlreiche Verurteilte freigelassen und in vielen Fällen das Strafmaß reduziert. – Die Urteile unterliegen nach dem Untergang der DDR der →Rehabilitation. Unter dem Vorwurf v.a. der Rechtsbeugung und Freiheitsberaubung sind nach 1989 gegen Richter und Staatsanwälte der W. P. Strafverfahren durchgeführt worden.

Alfred Graf von Waldersee

Kurt Waldheim

Waldhorn, Blasinstrument, →Horn.

Waldhufendorf, Form des Reihendorfes (→Dorf); der überwiegend geschlossene Flurbesitz (Hufe) liegt meist hinter den entlang Straßen oder Bächen oder in Gruppen angeordneten Höfen.

Waldhühner, andere Bez. für die →Raufußhühner.

Burkard Waldis: Titelblatt der Erstausgabe des Fastnachtsspiels »De parabell vam vorlorn Szohn« (1527)

Waldis, Burkard, Dichter, *Allendorf (heute zu Bad Sooden-Allendorf) um 1490, †Abterode (heute zu Meißner, Werra-Meißner-Kr.) 1556; zu-

Ferdinand Waldmüller: »Junge Bäuerin mit drei Kindern am Fenster« (1840; München, Neue Pinakothek)

nächst Franziskaner in Riga, wechselte den Glauben und war seit 1544 evang. Pfarrer in Abterode; schrieb das geistl., in niederdt. Sprache uraufgeführte Fastnachtsspiel »De parabell vam vorlorn Szohn« (1527), ferner eine volkstüml. Fabelsammlung »Esopus« (1548).

Waldrebe: Gemeine Waldrebe (Höhe bis zu 7 m)

Waldkarpaten, überwiegend in der Ukraine gelegener Teil der →Karpaten, bis 2061 m ü. M. (Gowerla).

Waldkauz, eine Art der →Eulen.

Waldkirch, Stadt im Landkreis Emmendingen, Bad.-Württ., an der Elz, 19600 Ew.; Kneipp- und Luftkurort; Textil-, Metall verarbeitende, optisch-elektron. Ind. – Pfarrkirche (1732–34) mit Rokokoausstattung, Ruine der Kastelburg (13.–16. Jh.). – Vor 1283 gegr.; 1300 Stadtrecht; 1805 an Baden.

Waldkraiburg, Stadt im Landkreis Mühldorf a. Inn, Oberbayern, am unteren Inn, 24800 Ew.; chem., Metall verarbeitende, Gummi-, Kunststoffind., Glasveredlung, Musikinstrumentenbau. – Seit 1960 Stadt.

Waldlehrpfad, Lehrpfad am oder im Wald, der angelegt ist, um über die Waldlandschaft, Pflanzen und Tiere zu informieren; ein Naturlehrpfad bezieht auch andere Landschaften ein.

Waldmeister (Galium odoratum), Art der Pflanzengattung Labkraut, mit quirlig stehenden, schmalen Blättern, unterirdisch kriechendem Wurzelstock, weißen Blüten und borstigen Früchten; Laubwaldpflanze; enthält →Cumarin; kann bei Verwendung für W.-Bowle Unverträglichkeitserscheinungen hervorrufen.

Waldmüller, Ferdinand Georg, österr. Maler, * Wien 15. 1. 1793, † Hinterbrühl (bei Mödling) 23. 8. 1865; ein Hauptvertreter des Biedermeier; ab 1829 Prof. in Wien, verfasste Streitschriften gegen den Schulbetrieb der Wiener Akademie und wurde 1857 entlassen. W. malte, zeichnerisch genau und zugleich die farbige Erscheinung erfassend, Porträts (Beethoven, 1823), Landschaftsbilder, später auch bäuerl. Genregruppen.

Waldorfschulen, private Schulen in freier Trägerschaft mit eigener pädagog. Prägung, 1919 in Stuttgart von dem Direktor der Waldorf-Astoria-Zigarettenfabrik, Emil Molt, für die Kinder der Mitarbeiter seines Werkes gegründet. Der erste Leiter dieser Schule, R. Steiner, arbeitete die pädagog. und organisator. Leitideen auf der Grundlage der →Anthroposophie aus. Bis zum Verbot durch das nat.-soz. Regime 1938 gab es acht Schulen in Dtl. und weitere im Ausland; nach 1945 zahlr. Neugründungen, bes. auch Kindergärten. Schulträger jeder W. ist ein eigener Schulverein, in dessen Vorstand Eltern und Lehrer gleichberechtigt sind. Einen Schwerpunkt des Unterrichts bilden die künstler. und handwerkl. Fächer (die v. a. rein intellektuelle Fähigkeiten fördernde Pädagogik der öffentl. Schularten soll durch eine breit angelegte Begabtenförderung ersetzt werden). Fremdsprachl. Unterricht (Englisch, Französisch, z. T. Russisch) beginnt im 1. Schuljahr. Wichtiger Teil

Waldsassen: Die 1724–26 ausgestattete Bibliothek des 1681–1704 erbauten Zisterzienserinnenklosters gehört mit den Schnitzarbeiten und Stuckaturen zu den Meisterwerken des deutschen Barock

des künstler. Unterrichts ist die von Steiner entwickelte →Eurythmie. In einem zwölfjährigen Bildungsgang erhalten die Schüler einen ihrer jeweiligen Entwicklungsstufe entsprechenden Unterricht (Abiturienten besuchen eine 13. Klasse); die Zeugnisse werden durch Elternbriefe und Schülercharakteristiken ersetzt. Ein Sitzenbleiben gibt es nicht. Die Hiberniaschule in Herne bietet berufl. Abschlüsse und das Abitur (dieses wird staatlich abgenommen und setzt die Leistungen einer gymnasialen Oberstufe voraus). Bis zum 8. Schuljahr unterrichtet i. d. R. ein Klassenlehrer, danach Fachlehrer. Seit 1970 erfolgte eine rasche Ausweitung der Waldorf-Kindergärten.

📖 *Die Pädagogik der Waldorfschule u. ihre Grundlagen, hg. v.* S. Leber. *Darmstadt* ³*1992. – Waldorfschule heute. Einführung in die Lebensformen einer Pädagogik, hg. v.* S. Leber. *Stuttgart* ²*1996.*

Waldrapp (Geronticus eremita), 75 cm großer →Sichler Vorderasiens, Nord- und Ostafrikas.

Waldrebe (Clematis), Gattung meist kletternder Hahnenfußgewächse mit gegenständigen, gefiederten Blättern. In Auwäldern verbreitet ist die giftige, bis zu 7 m hohe **Gemeine W.** (Clematis vitalba) mit weißen Blütenrispen; zahlr. Zierpflanzen als Klettersträucher mit einzeln stehenden blauen, violetten oder roten Blüten, z. B. die **Italienische W.** (**Klematis,** Clematis viticella).

Waldsassen, Stadt im Landkreis Tirschenreuth, Bayern, in der Wondrebsenke zw. Oberpfälzer Wald und Fichtelgebirge, 7900 Ew.; Stiftlandmuseum; Porzellan-, Glasind., Ziegelei, Mineralwasserabfüllung. – Kirche (1685–1704, u. a. von G. Dientzenhofer) und Bibliothek (1724–26) des Zisterzienserinnenklosters (1133 gegr.) sind bed. Zeugnisse des Barock.

Waldsee, Bad, →Bad Waldsee.

Waldseemüller (Waltzenmüller), Martin (latinisiert M. Hylacomilus, Ilacomilus), Kartograph, * in oder bei Freiburg im Breisgau zw. 1470 und 1475, † Saint-Dié (Lothringen) um 1518–21; veröffentlichte 1507 ein dreiteiliges Werk (zwei Weltkarten und eine Schrift), auf der sich erstmals der Name »America« findet; schuf 1516 seine zwölfblättrige Weltkarte »Carta marina navigatoria«.

Waldshut, Landkreis im RegBez. Freiburg, Bad.-Württ., 1131 km², (1996) 163300 Ew.; Krst. ist Waldshut-Tiengen.

Waldshut-Tiengen [-ˈtɪŋən], Kreisstadt des Landkreises Waldshut, Bad.-Württ., am rechten Ufer des Hochrheins, 22100 Ew.; Große Kreisstadt; elektrochem., Textil- u. a. Ind. – In Waldshut frühklassizist. Pfarrkirche (1804–06), spätbarockes Rathaus (18. Jh.), spätgot. Stadttore, Greifenegg-Schlösschen (15.–18. Jh.); in Tiengen/Hochrhein barocke Marienkirche (von P. Thumb, 1753–57), Schloss (1571–1619). – 1975 durch Zusammenschluss von Waldshut, Tiengen/Hochrhein und Gurtweil entstanden.

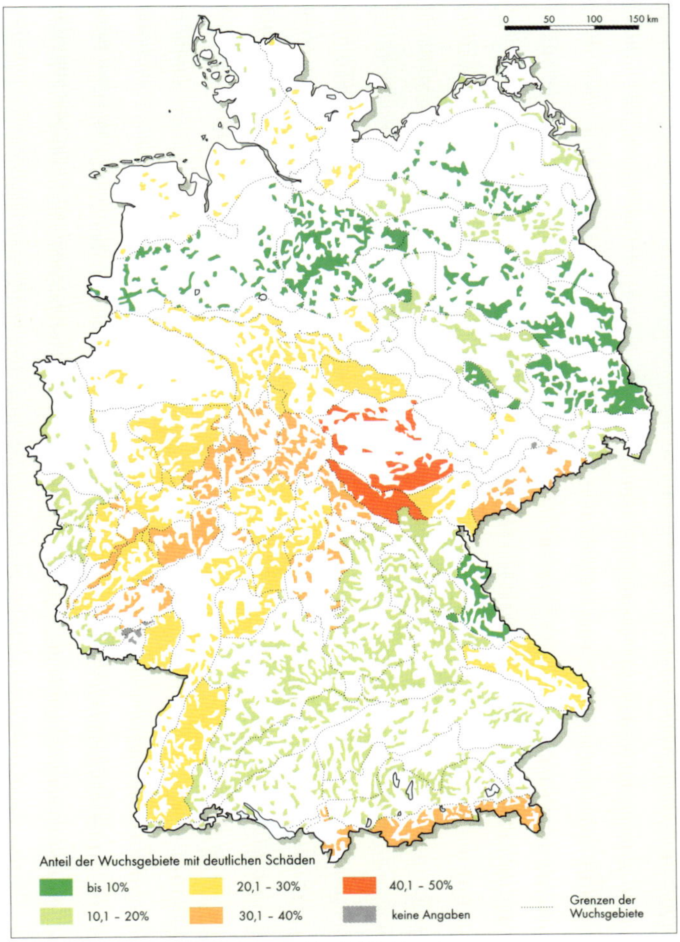

Waldsterben: Waldschäden in Deutschland 1997; bei der Angabe der geschädigten Waldflächen des jeweiligen Wuchsgebietes sind die vergleichbaren geologischen, klimatischen und pflanzensoziologischen Verhältnisse einer Landschaft für die Baumarten berücksichtigt

Waldsportpfad (Trimm-dich-Pfad), Waldweg, auf dem in Abständen Trainingsgeräte aufgestellt sind; nach skandinav. Vorbild entstanden.

Waldstädte, die vier bis 1805 zu Vorderösterreich gehörenden Städte Rheinfelden, Säckingen, Laufenburg und Waldshut.

Waldshut-Tiengen Stadtwappen

Waldstätte, die um den Vierwaldstätter See gelegenen schweizer. Kantone Uri, Schwyz, Unterwalden und Luzern.

Waldsterben, das großflächige Absterben von Bäumen (Baumsterben), das zuerst bei Weißtannen beobachtet wurde (Tannensterben). Schon seit dem 19. Jh. sind Waldschäden durch Abgase von Ind.anlagen, allerdings ausschl. in deren Nahbereich, bekannt. Seit etwa 1975 treten jedoch auch in

Waldviertel: Der nordwestlichste Landesteil Niederösterreichs umfasst eine waldreiche Hochfläche; im Bild die nordöstlich der Bezirkshauptstadt Zwettl gelegene Burg Ottenstein

emittentenfernen Gebieten unterschiedl. neuartige Waldschäden auf. Diese Entwicklung wurde zunächst an Nadelbäumen beobachtet, hat aber in den letzten Jahren nahezu alle Waldbaumarten erfasst. Charakterist. Symptome sind: 1) Verfärbung und Abwurf von Nadeln oder Blättern (Verlichtung der Krone); 2) große Schäden im Feinwurzelsystem, wodurch die Wasser- und Nährstoffaufnahme des Baumes vermindert wird; 3) Wachstumsstörungen. Die Ursachen des W. sind noch nicht eindeutig geklärt, auch sind es z. B. im Flachland andere als im Gebirge (komplexe Hochlagenerkrankung u. a. durch stärkere Ozoneinwirkung), ein Zusammenwirken mehrerer Faktoren ist jedoch gesichert. Als Schadfaktoren gelten der →saure Regen, die durch Kfz, Haushalte, Industrie und Landwirtschaft erzeugten Stickstoffoxide, Schwermetalle, →Photooxidantien und Ammoniak. Auch andere Faktoren, z. B. extreme Witterungs- und Klimaereignisse, waldbauliche Fehler, Pilze, Bakterien und Schadinsekten, können Sekundärschäden verursachen oder die Wirkung der Schadstoffe verstärken.

Waldvögelein: Rotes Waldvögelein (Höhe 30–50 cm)

Derzeit kommt in der Waldschadensforschung den Stickstoffoxiden (bes. dem starken Anstieg der Emissionen durch den Straßenverkehr) und dem Ammoniak, das in Gebieten mit intensiver Tierhaltung verstärkt freigesetzt wird, besondere Bedeutung zu. Der erhöhte Stickstoffeintrag stört das labile Gleichgewicht der →Mykorrhiza (Symbiose zw. Waldbäumen und Pilzen) so, dass die normalerweise weitgehend von Mykorrhizapilzen übernommene Wasser- und Nährstoffversorgung des Baumes durch das Absterben des Pilzgeflechtes eingeschränkt wird und der Baum an Wasser- und Nährstoffmangel leidet. – Aufgrund der bereits aufgetretenen Waldschäden (nach dem Waldschadensbericht 1998 für Dtl. liegt der Anteil der Bäume mit deutl. Schäden im Durchschnitt bei 21 % und der Anteil der Bäume mit schwachen Schäden bei 41 %) ist es dringend geboten, bes. durch →Luftreinhaltung, die weitere Ausbreitung des W. zu verhindern.

📖 *Die Bedrohung der Wälder. Schäden, Folgeerscheinungen u. Gegenmaßnahmen, hg. v.* H. FRANZ. *Wien 1989.* – THOMAS, J.: *Die »neuartigen Waldschäden« u. die »Klimakatastrophe«. Frankfurt am Main 1992.* – *Farbatlas Waldschäden. Diagnose von Baumkrankheiten, Beiträge v.* G. HARTMANN *u. a. Stuttgart ²1995.* – *Waldschäden. Stand der Forschung u. Ausblick. München 1995.*

Waldteufel, Emil, eigtl. Charles Émile Lévy, frz. Komponist, *Straßburg 9. 12. 1837, †Paris 12. 2. 1915; komponierte über 250 Tänze für Orchester, bes. Walzer.

Waldviertel, nordwestlichster Landesteil Niederösterreichs, eine waldreiche Hochfläche (400–700 m ü. M.) westlich des Manhartsberges und nördlich der Donau; Land- und Forstwirtschaft bestimmen die Wirtschaft; aus dem Heimgewerbe entwickelten sich Textil-, Glas- und Holzind.; Wasserkraftwerke am Kamp; Erholungsgebiet.

Waldvögelein (Zimbelkraut, Cephalanthera), Orchideengattung der nördl. gemäßigten Zone. Das 30–50 cm hohe, unter Naturschutz stehende **Rote W.** (Cephalanthera rubra) wächst in trockenen Wäldern und auf Waldwiesen.

Waldweide, Benutzung des Waldes zu Weidezwecken; kann zu beträchtl. Schäden führen.

Wale (Cetacea), weltweit verbreitete Ordnung der Säugetiere von etwa 1,25–33 m Körperlänge und rd. 25 kg bis über 135 t Gewicht; mit Ausnahme weniger Zahnwalarten ausschl. im Meer; Gestalt torpedoförmig, fischähnlich (jedoch waagerecht gestellte Schwanzflosse, Fluke); Vorderextremitäten zu Flossen umgewandelt, Hinterextremitäten vollständig rückgebildet; Rückenfinne fast stets vorhanden; mit Ausnahme von zerstreuten Borsten am Kopf (Sinneshaare) Haarkleid rückgebildet; Haut ohne Schweiß- und Talgdrüsen, von mehr oder minder stark ausgebildeter Fettschicht unterlagert, die der Wärmeisolierung dient und aus der v. a. bei Barten-W. Tran gewonnen wird; äußeres Ohr fehlt; Augen sehr klein; Nasenlöcher (»Spritzlöcher«) paarig (Barten-W.) oder unpaarig (Zahn-W.), weit nach hinten auf die Kopfoberseite verschoben (ausgenommen Pottwal); Gesichtssinn schwach, Geruchs- und Gehörsinn meist gut entwickelt; Verständigung zw. Gruppenmitgliedern der meist sehr gesellig lebenden W. durch ein umfangreiches, teilweise im Ultraschallbereich liegendes Tonrepertoire; Gebiss aus zahlr. gleichförmigen, kegelartigen Zähnen (Fisch fressende Zahn-W.), teilweise rückgebildet (Tintenfisch fressende Zahn-W.) oder völlig reduziert und funktionell durch Barten (vom Oberkiefer in die Mundhöhle herabhängende Hornplatten, mit denen sie Nahrung aus dem Wasser seihen) ersetzt (Barten-W.). – W. sind ausgezeichnete Schwimmer und Taucher; sie können z.T. bis rd. 2000 m Tiefe (z.B. Pottwal) und ggf. länger als eine Stunde tauchen. – Nach einer Tragzeit von rd. 11–16 Monaten wird meist nur ein Junges geboren, das bei der Geburt etwa $\frac{1}{4}$ bis $\frac{1}{3}$ der Länge der Mutter hat. – Die W. zählen zu den intelligentesten und lernfähigsten Tieren. Wegen verschiedener industriell nutzbarer Produkte (z.B. Walrat, Amber, Fischbein, Öl, Vitamin A, aus der Leber) wurden W. mit modernen Walfangschiffen stark bejagt, was zu drast. Bestandsabnahmen und bei einigen Arten (z.B. Blau-W., Grönland-W.) fast zum Aussterben geführt hat. Versuche des gesetzl. Schutzes und der Fangbeschränkung gibt es seit 1937 (→Walfang). BILDER Furchenwale, Glattwale, Grauwale, Gründelwale, Pottwale

📖 GEWALT, W.: *W. u. Delphine. Spitzenkönner der Meere. Berlin u.a. 1993.* – *Herrscher der Meere. W. – Delphine – Haie, bearb. v.* M. BRIGHT. *A.d. Engl. München* ^{2}*1993.* – DEIMER, P.: *Das Buch der W. Tb.-Ausg. München* ^{3}*1995.*

Walensee, Alpenrandsee in den Kantonen St. Gallen und Glarus, Schweiz, 24 km^2 groß, bis 145 m tief. Zuflüsse sind Seez, Murg, Linth; Abfluss der Linthkanal zum Zürichsee.

Wales [weɪlz] (walisisch Cymru), Landesteil von →Großbritannien und Nordirland; umfasst die in die Irische See vorspringende Halbinsel zw. der Liverpoolbucht im N und dem Bristolkanal im S, mit der Insel Anglesey 20779 km^2, (1995) 2,917 Mio. Einwohner. Hptst. ist Cardiff.

Wales: Steilküste im Süden des Landes mit Blick auf den Bristolkanal

Das Land ist größtenteils gebirgig. Die höchsten Gipfel liegen im NW (Snowdon 1085 m ü.M.). Die Flüsse Severn und Weye gehören nur im Oberlauf zu W. Knapp 20% der Bev. sprechen neben Englisch noch Walisisch (Kymrisch). Das kühle, regenreiche Klima begünstigt Grünlandwirtschaft (Rinder- und Schafzucht). Das Klima an den Küsten ist mild (Seebäder). Rauweiden nehmen ein knappes Drittel der landwirtsch. Nutzfläche ein; 62% sind Dauergrünland, 5,1% Ackerland auf besseren Tieflandböden. Wälder, überwiegend jüngere Aufforstungen, nehmen 11% der Gesamtfläche ein. – Einen starken Niedergang verzeichnen seit den 1950er-Jahren der Bergbau und die traditionellen Ind., v.a. Steinkohlenbergbau, Stahl- und Zinkblechind. Die im Rahmen regionalplaner. Maßnahmen entstandene neue Ind.struktur wird bestimmt durch Elektronik-, Metall verarbeitende, Elektro-, pharmazeut., petrochem. und chem. Industrie; Fahrzeugbau und Fahrzeugzubehörind.; der Dienstleistungssektor wurde stark ausgebaut; wichtig ist der Fremdenverkehr.

Geschichte: Das von kelt. Kymren besiedelte W. stand vom 1. bis 5. Jh. unter röm. Herrschaft. Die sich danach bildenden Kleinkönigreiche wurden seit dem 6. Jh. Rückzugsgebiet der von den Angelsachsen verdrängten brit. Kelten, die mit den Kymren verschmolzen (in dieser Zeit auch Christianisierung). Nach der normann. Eroberung (1066) belehnte Wilhelm I. Ritter aus seinem Gefolge mit den Grenzgebieten und Teilen des südl. W. (sog. marcher lords). Die im 13. Jh. noch einmal erstarkten walis. Fürstentümer (v.a. Gwynedd) konnten erst unter Eduard I. nach zwei erfolgreichen Feldzügen (1277 und 1282–84) dem engl. Herrschaftsbereich eingegliedert werden. Den Titel →Prince of Wales übertrug Eduard 1301 seinem Sohn, dem späteren Eduard II. (seitdem dem engl. Thronfolger verliehen). Den letzten Versuch, die nat. Unabhängigkeit zu erlangen, unternahm um 1400 Owen Glendower, der sich mit frz. Unterstützung bis 1408/09 behaupten konnte. Eine endgültige Unterwerfung der Waliser gelang erst den Tudors, die selbst walis. Abstammung waren. Durch die Acts of Union von 1536 und 1542 wurde W. von Heinrich VIII. mit England vereinigt. Eine neue Belebung erfuhr das nat. Bewusstsein durch die »kelt. Renaissance« des 18. Jh. Ein weiterer Ggs. zu Großbritannien entstand durch die konfessionelle Sonderentwicklung; viele Waliser bekannten sich im 19. Jh. zum prot.-methodist. Nonkonformismus. Walis. Autonomieforderungen erwirkten zu Beginn des 20. Jh. Zugeständnisse von der brit. Reg. im kulturellen Bereich. Die Welsh Disestablishment Bill von 1912 entband die walis. Nonkon-

Wales
Flagge

formisten von der Oberhoheit der anglikan. Kirche. 1997 stimmten die Waliser in einer Volksabstimmung für ein eigenes Parlament, das im Mai 1999 erstmals gewählt wurde.

📖 JENKINS, G. H.: *The foundations of modern W., W. 1642–1780. Oxford u. a. 1987.* – SAGER, P.: *W. Literatur u. Politik, Industrie u. Landschaft. Köln* ⁴*1992.* – DAVIES, J.: *A history of W. London 1994.*

Lech Wałęsa

Wałęsa [va'u̯ɛ̃sa], Leszek (Lech), poln. Politiker, *Popowo (Wwschaft Bydgoszcz) 29. 9. 1943; Elektromonteur, 1970 und 1980 Streikführer der Werftarbeiter in der Danziger Bucht, setzte die Zulassung freier Gewerkschaften in Polen durch. 1980–90 war er Vors. der →Solidarność (1981/82 interniert). 1983 erhielt er den Friedensnobelpreis. Nach dem polit. Umbruch in Polen (1989/90) war W. 1990–95 Staatspräsident.

Walhall

Das Leben der gefallenen Helden im Jenseits ist mit Kämpfen und irdischen Genüssen ausgefüllt; sie feiern Trinkgelage und lassen sich von den Walküren bewirten. Diese fröhliche Vorstellung vom Totenreich scheint sich jedoch erst im 8.–10. Jahrhundert herausgebildet zu haben. Ursprünglich wurde Walhall wohl als freudlos-düsteres (zum Teil unterirdisches) Totenreich gedacht, in das der Mensch gegen seinen Willen durch unumstößlichen Schicksalsbeschluss der Götter gelangt.

Walfang, gewerbsmäßige Jagd auf Wale, heute mit modernen **W.-Flotten,** bestehend aus W.-Mutterschiff (Fabrikschiff) und bis zu 25 Fangschiffen. Das von der **Internat. W.-Kommission (IWC)** für 1986 geplante (fünfjährige) Fangverbot für die stark bedrohten Wale wurde erst 1988 wirksam, aber nicht von allen Staaten eingehalten. Island war 1992 aus Protest gegen das W.-Verbot aus der IWC ausgetreten. Seit 1993 hat die norweg. Reg. den Abschuss von Zwergwalen für kommerzielle Zwecke, entgegen dem 1993 verlängerten Verbot der IWC, wieder freigegeben. Auch Japan forciert Bestrebungen zur Wiederaufnahme des W. – Seit Dez. 1994 ist auf einer Fläche von 8 Mio. km² rund um die Antarktis ein Walschutzgebiet eingerichtet, in dem bedeutende Bestände an großen Walen und Zwergwalen leben. Dennoch fingen Japan und Norwegen auch 1996/97 Wale in der Schutzzone.

Walfang

Vom deutschen Matrosen Heinrich Zimmermann, der James Cook auf seiner dritten Weltreise (1776–79) begleitete, stammt eine der ältesten Beschreibungen der Waljagd an der Pazifikküste Nordwestamerikas. Er schreibt in seinem 1781 veröffentlichten Reisebericht:

»Das gesamte amerikanische Volk ist in der Fischerei sehr geschickt, sie wissen sogar Walfische zu fangen. Sie haben Harpunen von Bein und diese gleich ihren Pfeilen vorne mit einem geschliffenen scharfen Stein versehen. In der Mitte hat diese Harpune ein Gewerbe (Gelenk), und wenn sie in den Walfisch eingeworfen ist, kann sie wegen des Gewerbes nicht mehr heraus. Sie verfolgen den Walfisch beständig und werfen so lange Harpunen auf ihn, bis er sich verblutet.«

Walfisch (lat. Cetus), Sternbild der Äquatorzone mit dem veränderl. Stern →Mira.

Walfischbai (engl. Walvis Bay), Hafenstadt an der Walfischbucht, Namibia, 30 000 Ew.; bed. Tiefwasserhafen; Fischfang und -verarbeitung; Eisenbahnendpunkt, Flugplatz. – Kam 1878 unter brit. Hoheit; seit 1884 von der Kapkolonie verwaltet; 1910 Teil der Südafrikan. Union; 1922–77 von Südwestafrika, danach von der Kapprovinz verwaltet, 1992–94 von Namibia und der Rep. Südafrika gemeinsam verwaltet; seit 1. 3. 1994 Teil Namibias.

Walhall *die* (altnord. Valhöll), *altnord. Mythos:* die Totenhalle, in die Odin die gefallenen Krieger und Helden beruft.

Walhalla *die,* Nachahmung eines griechischen Tempels bei Donaustauf (Landkr. Regensburg), 1830–42 nach dem Entwurf von L. von Klenze für König Ludwig I. von Bayern erbaut; als Ruhmeshalle mit Bildnisbüsten berühmter Deutscher gestaltet.

Wali [arab.] (türk. Vali), der höchste Regierungsvertreter (Statthalter) in einer Prov. des Osman. Reiches, heute eines Verw.gebiets der Türkei.

Walisisch, eine der →keltischen Sprachen (→Kymren).

walisische Literatur, →kymrische Literatur.

Walken, 1) *Lederherstellung:* Bearbeitung von zu gerbenden Häuten und Leder durch Umwälzen in rotierenden Fässern.

2) *Textiltechnik:* Verdichten und Verfilzen textiler Flächen aus oder mit Wolle durch Stoßen, Drücken, Reiben.

Walker (Polyphylla fullo), Art der Blatthornkäfer; 24–38 mm lang, den Maikäfern ähnlich, dunkelbraun mit unregelmäßiger weißl. Fleckung, lebt meist auf Kiefern; seine Larve (Engerling) schädigt durch Wurzelfraß.

Walker ['wɔ:kə], **1)** Alice, amerikan. Schriftstellerin, *Eatonton (Ga.) 9. 2. 1944; Dozentin u. a. an der Yale University; eine der bedeutendsten afroamerikan. Gegenwartsautorinnen; wurde internat. bekannt mit dem Roman »Die Farbe Lila« (1982, 1986 verfilmt). Sie behandelt in Erzählungen und Gedichten aus der Sicht der Afroamerikanerinnen v. a. Schicksale der unter Gewalt und Brutalität leidenden Frau, u. a. »Freu dich nicht zu früh! 14 radikale Geschichten« (1981), »Im Tempel meines Herzens« (R., 1989).

2) John Ernest, brit. Molekularbiologe, *Halifax 7. 1. 1941; leitet das Medical Research Council La-

Walhalla: Die Nachahmung eines griechischen Tempels wurde 1830–42 nach einem Entwurf von Leo von Klenze als Ruhmeshalle östlich von Regensburg über der Donau gebaut

boratory of Molecular Biology in Cambridge. W. erhielt 1997 für die Aufklärung des enzymat. Mechanismus der Synthese von Adenosintriphosphat (ATP, →Adenosin) zus. mit Paul D. Boyer (*1918) den Nobelpreis für Chemie.

3) William, amerikan. Abenteurer (Flibustier), *Nashville (Tenn.) 8. 5. 1824, †(hingerichtet) Trujillo (Honduras) 12. 9. 1860; versuchte, Mittelamerika unter seine Herrschaft zu bringen; konnte 1855 Nicaragua erobern (1856/57 dort Präs.); wurde 1857 vertrieben; bei einem Invasionsversuch in Honduras 1860 gefangen genommen.

Walk|erde, die →Bleicherde.

Walkie-Talkie ['wɔ:kɪ'tɔ:kɪ; engl. zu to walk »gehen« und to talk »sprechen«] *das,* tragbares Funksprechgerät für Wechselsprechverkehr.

Wallabys 2): Bennettkänguru mit Jungtier

Walking ['wɔkɪŋ, engl.] (Powerwalking), Trendsportart: schnelles Gehen (um 8 km/h), bei dem ständig Bodenkontakt gehalten werden muss; das Bein muss bis zum Abheben durchgestreckt sein, die Spezialschuhe erleichtern die wichtigste Technik, das Abrollen der Füße von der Ferse über die Ballen.

Alice Walker

Walkman® ['wɔ:kmən, engl.] *der,* Handelsname für kleinen, leichten, netzunabhängigen Kassettenrekorder mit miniaturisierten Kopfhörern zur Wiedergabe. Für Compact Discs wurde der Discman® entwickelt.

Walküren [altnord. valkyria »Totenwählerin auf dem Kampfplatz«], *altnord. Mythos:* überird. weibliche Wesen, die als Dienerinnen Odins auf ihren schnellen Rossen über die Schlachtfelder reiten und die von ihm bestimmten toten Helden (→Einherier) nach Walhall bringen. – Oper »Die Walküre« (1856) von R. Wagner.

Wall [aus lat.], **1)** *allg.:* Erdaufschüttung zur Einfriedung und Befestigung.

2) *Pferdesport:* ein Naturhindernis bei Springprüfungen, das mit einem oder mehreren Aufsprüngen und einem Absprung genommen wird.

John Walker

Wallabys ['wɔləbɪz, engl.], **1)** *Rauchware:* Felle von Kängurus.

2) *Zoologie:* i. w. S. mehrere Gattungen kleinerer und mittelgroßer →Kängurus; i. e. S. die Gattung Wallabia, u. a. das heute weitgehend ausgerottete Bennettkänguru (Wallabia rufogrisea).

Wallace ['wɔlɪs], **1)** Alfred Russel, brit. Zoologe und Forschungsreisender, *Usk (Cty. Monmouthshire) 8. 1. 1823, †Broadstone (Cty. Dorset) 7. 11. 1913; teilte die Erde in tiergeograph. Regionen **(W.-Linie)** ein. Er stellte unabhängig von C. Darwin die Selektionstheorie als Ursache des Artenwandels auf, woraufhin C. Darwin veranlasst wurde, seine eigenen Forschungen zu veröffentlichen.

Edgar Wallace

2) Edgar, engl. Schriftsteller, *Greenwich (heute zu London) 1. 4. 1875, †Los Angeles (Calif.) 10. 2. 1932; schrieb neben Südafrikaromanen (»Sanders vom Strom«, 1911) rd. 170 viel gelesene Kriminalromane (z. B. »Der Hexer«, 1925; »Der Zinker«, 1927) und -erzählungen (zahlr. Verfilmungen).

3) Henry Agard, amerikan. Politiker, *Adair (Ia.) 7. 10. 1888, †Danbury (Conn.) 18. 11. 1965; als Landwirtschaftsmin. (1933–40) einer der führenden Politiker des →New Deal; 1941–45 Vizepräsident.

4) Lew, eigtl. Lewis W., amerikan. Schriftsteller, *Brookville (Ind.) 10. 4. 1827, †Crawfordsville (Ind.) 15. 2. 1905; General im Bürgerkrieg, Botschafter in Istanbul (1881–85); schrieb den histor. Roman »Ben Hur« (1880; verfilmt).

Otto Wallach

Wallach [urspr. »Pferd aus der Walachei«], kastriertes männl. Pferd.

Wạllach, Otto, Chemiker, *Königsberg (Pr) 27. 3. 1847, †Göttingen 26. 2. 1931; erhielt für seine Forschungen über äther. Öle, Kampfer u. a. Terpene 1910 den Nobelpreis für Chemie.

Hans Wallat

Heinz Wallberg

Raoul Wallenberg

Wallasey ['wɔləsɪ], Stadt in der Metrop. County Merseyside, England, westlich der Merseymündung, 90 000 Ew.; Docks, Nahrungs-, Genussmittel- und chem. Industrie. Zu W. gehört das Seebad New Brighton.

Wạllat, Hans, Dirigent, *Berlin 18. 10. 1929; war 1965–70 Generalmusikdirektor in Bremen, 1970–80 in Mannheim, 1979–85 in Dortmund, 1986–96 der Dt. Oper am Rhein in Düsseldorf; auch Gastdirigent.

Wạllberg, Heinz, dt.-österr. Dirigent, *Herringen (heute zu Hamm) 16. 3. 1923; war 1961–74 Generalmusikdirektor des Hess. Staatstheaters Wiesbaden, 1964–75 Chefdirigent des Niederösterr. Tonkünstlerorchesters in Wien, 1975–82 des Münchner Rundfunkorchesters, 1975–91 der Essener Philharmoniker.

Wạlldorf, Stadt im Rhein-Neckar-Kreis, Bad.-Württ., im Oberrhein. Tiefland, 14 000 Ew.; Heimatmuseum (Astorhaus); Druckmaschinenbau, Computertechnik; in der Umgebung Tabak- und Spargelanbau. – W., seit 769/770 urkundlich belegt, wurde 1903 Stadt.

Walldụ̈rn, Stadt im Neckar-Odenwald-Kreis, Bad.-Württ., 11 400 Ew.; Elfenbeinmuseum, Odenwälder Freilandmuseum; Herstellung von Wachswaren, künstl. Blumen, elektrotechn. Ind. – Wallfahrtskirche Heilig Blut (1698 bis 1714) mit Heilig-Blut-Altar (1722–26); Fachwerkrathaus (1448).

Wạllenberg [-bɛrj], Raoul, schwed. Diplomat, *Stockholm 4. 8. 1912; entstammte einer bed. Bankiers- und Unternehmerfamilie; ging im Juli 1944 im Auftrag einer amerikan. Hilfsorganisation (»War Refugee Board«) nach Budapest; rettete dort als Sekr. der schwed. Gesandtschaft in gefahrvollem Einsatz das Leben Tausender Juden, die die SS (A. Eichmann) zur Deportation in Vernichtungslager vorgesehen hatte. Nach dem Einmarsch der Roten Armee wurde W. am 17. 1. 1945 vom sowjet. Geheimdienst verhaftet; er blieb seit seiner anschließenden Verschleppung in die UdSSR verschollen. Laut einer 1957 von der sowjet. Führung abgegebenen Erklärung (»Gromyko-Note«) soll W. am 16. 7. 1947 im Moskauer Lubjanka-Gefängnis verstorben sein (1992 erneut durch einen hohen KGB-Mitarbeiter bestätigt); demgegenüber wollen ihn Augenzeugen noch viele Jahre später in sowjet. Haftanstalten gesehen haben.

Wallenstein: Bildnis auf einer zeitgenössischen Medaille

Wạllenstein, Albrecht Wenzel Eusebius, Herzog von Friedland (seit 1625; daher **der Friedländer** gen.) und Mecklenburg (seit 1629), Fürst von Sagan (seit 1627), Feldherr während des Dreißigjährigen Krieges, *Hermanitz (heute Heřmanice, bei Königgrätz) 24. 9. 1583, † (ermordet) Eger 25. 2. 1634; aus dem altböhm. Adelsgeschlecht **Waldstein** (tschech. **Valdštejn**); konvertierte 1601 (1606?) zum Katholizismus; ab 1604 in habsburg. Diensten; gewann durch Heirat (1609) mit Lucrezia von Vičkov († 1614) reichen Besitz in Mähren. Während des Böhm. Aufstands (1618/19) kaisertreu, verlor W. seinen gesamten Besitz, wurde nach der Schlacht am Weißen Berg 1620 Militärbefehlshaber in N-Böhmen, 1622 Gubernator (Landvogt) des Königreichs Böhmen und erwarb große Ländereien (mit Friedland, Jitschin, Reichenberg) im NO Böhmens (1624 zum Fürstentum Friedland erhoben; W. wurde damit Reichsfürst). 1623 Heirat mit der Tochter eines der engsten Vertrauten des Kaisers. 1625 stellte W. auf eigene Kosten Kaiser Ferdinand II. ein Söldnerheer zur Verfügung und erhielt den Oberbefehl (»Generalissismus«) über alle kaiserl. Truppen im (Hl. Röm.) Reich. Am 25. 4. 1626 besiegte er an der Dessauer Elbbrücke die Armee Graf Ernsts II. von Mansfeld, 1627 vertrieb er mit Tilly König Christian IV. von Dänemark aus N-Dtl. und drang bis Jütland vor. Die Stärkung der kaiserl. Macht durch den Verständigungsfrieden von Lübeck (1629) – und damit auch W.s – veranlasste die in Opposition stehenden Reichsfürsten, die Entlassung W.s zu erzwingen

Wallenstein

Nach der Ermordung Wallensteins am 25. Februar 1634 entstand, unter dem Titel »Neue Wallensteinsche Grabschrift«, dieses wenig ehrerbietige Lied zu seinem Andenken:

Hie liegt der Wallenstein
ohne Fried,
Des Reichs ein Fürst und doch
kein Glied,
War ohne Schiff ein Admiral,
Und offne (ohne?) Schlacht
ein General,
Ein Landsass in dem Herzogstand,
Im Kopf ein Herr in keinem Land,
Gut römisch und kein Mameluck,
Aufrichtig voll der Untreu Stuck,
Mit Krieg im Sinn ein Friedenmann,
Von süßen Worten ein Tyrann,
Wollt endlich mehr als Kaiser sein,
Büßt drüber miteinander ein
Leib, Ehr, Gut, fast Seel darzu –
Ei secht doch, was die Ehrsucht tu!

(Regensburger Kurfürstentag 1630). Doch die Eroberung nahezu ganz Dtl.s durch die Schweden führte zur erneuten (von W. nur zögernd akzeptierten) Übertragung des Oberbefehls mit unbeschränkter Vollmacht für Kriegführung und Friedensverhandlungen (Göllersdorfer Kapitulation, 14. 4. 1632). W. vertrieb die Schweden aus S-Dtl. und zog sich nach der Schlacht bei Lützen (16. 11. 1632; Tod Gustavs II. Adolf) nach Böhmen zurück. Seine Versuche, teils durch seine militär. Überlegenheit, teils durch Friedensgespräche v.a. mit Sachsen und Schweden die Basis eines allg. Reichsfriedens zu schaffen (1633), führten dazu, dass der Kaiser W. absetzte und schließlich des Hochverrats (angebl. Verschwörungspläne gegen den Kaiser; Pilsener Revers) bezichtigte (Geheimpatent vom 22. 2. 1634). Darauf fielen fast alle Offiziere von W. ab, er wurde mit seinen letzten Getreuen (C. Freiherr von Ilow, A. E. Terzky und W. Kinský) von kaiserl. Offizieren in Eger ermordet. – Dramentrilogie von F. Schiller (1799). (→Seni)

📖 MANN, G.: *W. Frankfurt am Main [6]1994.*

Waller ['wɔlə], Fats, eigtl. Thomas Wright W., amerikan. Jazzpianist, *New York 21. 5. 1904, †Kansas City 15. 12. 1943; meist Solist, komponierte viele bekannte Themen des Jazz.

Wallfahrt, religiös motivierte Fahrt oder Wanderung zu hl. Stätten, Gräbern oder Gnadenbildern (→Pilgerstraßen); in den meisten Religionen verbreitet; bei den **Wallfahrern** (Pilgern) i.d.R. mit der Vorstellung verbunden, am **W.-Ort** Gott bes. nahe zu sein, und verknüpft mit der Erwartung, dort Stärkung des persönl. Glaubens, Gewinn religiöser Erkenntnis, Heilung von Krankheiten und Hilfe in persönl. Notlagen zu erlangen. Bed. W.-Orte sind: Jerusalem (für das Judentum); Fatima, Jerusalem, Kevelaer, Loreto, Lourdes, Rom, Santiago de Compostela, Tschenstochau (für das Christentum); Mekka und Medina, Kerbela (für den Islam); Varanasi (Benares; für den Hinduismus); Kandy (für den Buddhismus).

Wallis *das* (frz. Le Valais), Kanton der Schweiz, 5226 km², (1996) 271300 Ew.; Hptst. ist Sitten. Das W. umfasst den obersten Talabschnitt des Rhonetals bis zur Mündung in den Genfer See, mit der steilen S-Abdachung der Berner Alpen und dem größten Teil der →Walliser Alpen südlich der Rhone. Das dt.sprachige **Ober-W.** reicht von den Pässen Furka und Grimsel bis zum Pfinwald bei Leuk, nach W schließt das frz.sprachige **Unter-W.** an; im Rhonetal Getreide-, Gemüse-, Obst-, Weinanbau, in den höheren Lagen Almwirtschaft; vielseitige Ind., darunter bes. Metall-, Chemie-, Maschinen-, Holz- und Nahrungsmittelind.; bed. Fremdenverkehr. Durch das W. laufen wichtige Alpentransversalen.

Geschichte: 25 v.Chr. von den Römern erobert; gehörte später zur Prov. Rätien. Im 5. Jh. drangen Burgunder ins heutige Unter-W. ein, später die Alemannen ins heutige Ober-W. (→Walser). 999 kam die Grafschaft W. an den Bischof von Sitten. Die sieben Zenden (bäuerl. Gemeindeorganisationen des Ober-W.) eroberten 1475–77 das savoyische Unter-W. und verwalteten es bis 1798 als gemeine Herrschaft. 1416 wurde das W. zugewandter Ort der Eidgenossenschaft. Im 16. Jh. erzwangen die Zenden ihre Unabhängigkeit vom Bischof. Napoleon Bonaparte erklärte das W. 1802 zur unabhängigen Republik (Freistaat), 1810 zum frz. »Département du Simplon«. Seit 1814 Kt. der Eidgenossenschaft, 1845–47 Mitgl. des Sonderbundes.

Wallis: Ansicht des von dem rechten Rhonezufluss Lonza geprägten Lötschentals im Oberwallis mit den Walliser Alpen im Hintergrund

📖 GUTERSOHN, H.: *Geographie der Schweiz, Bd. 2, Tl. 1. Bern [2]1971.* – MATHIEU, J.: *Eine Agrargeschichte der inneren Alpen. Graubünden, Tessin, W. 1500–1800. Zürich 1992.*

Wallis ['wɔlɪs], John, brit. Mathematiker, *Ashford (Cty. Kent) 3. 12. 1616, †Oxford 8. 11. 1703; Prof. in Oxford. Er führte das Symbol ∞ für »unendlich« ein und stellte die Zahl $\pi/2$ als das unendl. Produkt **(wallissches Produkt)** dar.

$$\frac{\pi}{2}=\left(\frac{2}{1}\cdot\frac{2}{3}\right)\cdot\left(\frac{4}{3}\cdot\frac{4}{5}\right)\cdots\left(\frac{2k}{2k-1}\cdot\frac{2k}{2k+1}\right)\cdots$$

Wallis
Kantonswappen

Walliser Alpen (früher Penninische Alpen), Gebirgsgruppe der Schweizer Alpen, südlich des Walliser Rhonetals, zw. dem Griespass im O und dem Großen Sankt Bernhard im W, mit Monte-Rosa-Massiv (Dufourspitze 4634 m ü.M.) und Matterhorngruppe (Matterhorn 4478 m ü.M.). BILD Alpen

Wallis und Futuna (frz. Wallis et Futuna), frz. Überseeterritorium im südl. Pazif. Ozean, umfasst die zw. Fidschi und Westsamoa liegenden Inselgruppen Îles Wallis und Îles de Horn, 274 km², (1991) 13 800 Ew.; Hptst. ist Mata Utu auf Uvéa. Einziges Exportprodukt ist Kopra.

Wallmann, Walter, Politiker (CDU), *Uelzen 24. 5. 1932; Jurist, 1972–77 MdB, 1977–86 Oberbürgermeister von Frankfurt am Main, 1982–91 Landesvors. der hess. CDU; war 1986–87 Bundesmin. für Umwelt, Naturschutz und Reaktorsicherheit, 1987–91 MinPräs. von Hessen.

Paul Wallot ist der Architekt des 1884–94 erbauten Reichstagsgebäudes in Berlin; die Fotografie zeigt das Gebäude vor der Zerstörung im Zweiten Weltkrieg

Wallonen, Bez. für die eine frz. Mundart **(Wallonisch)** sprechende Bevölkerung Belgiens.

Wallonische Bewegung, Anfang des 20. Jh. in Reaktion auf die →Flämische Bewegung entstandene Sammlungsbewegung unter der frankophonen Bev. Belgiens mit dem Ziel, deren kulturelle, polit. und wirtsch. Sonderinteressen zu wahren. Mit der Verlagerung des wirtsch. Schwergewichts nach Flandern seit dem 2. Weltkrieg gewann die W. B. zunehmend an Bedeutung und brachte Parteien hervor (Front Démocratique des Bruxellois Francophones; Rassemblement Wallon, 1985 im Parti pour les Wallons aufgegangen), wobei die Zielsetzung zw. Regionalisierung (1970/80 erreicht) und Anschluss an Frankreich variierte.

Wallot, Paul, Architekt, *Oppenheim 26. 6. 1841, †Langenschwalbach (heute Bad Schwalbach) 10. 8. 1912; sein Hauptwerk ist das Reichstagsgebäude in Berlin (1884–94).

Günter Wallraff

Wallraff, (Hans) Günter, Schriftsteller, *Burscheid 1. 10. 1942; Mitgl. der Dortmunder Gruppe 61 und Mitinitiator des Werkkreises Literatur der Arbeitswelt; verfasste Reportagen aus der Arbeitswelt, u. a. »Ihr da oben, wir da unten« (1973; mit B. Engelmann). Aufsehen erregten seine ungewöhnl. Methoden der Recherche (v. a. durch Verbergen seiner Identität). W. veröffentlichte außerdem u. a. »Wir brauchen Dich. Als Arbeiter in dt. Industriegebieten« (1966; Neuausg. 1970 u. d. T. »Industriereportagen«), »Die unheiml. Republik« (1982, mit H. Hannover), »Ganz unten« (1985, Erfahrungen in der Rolle des Türken »Ali«).

Wallraf-Richartz-Muse|um, städt. Kunstmuseum in Köln, gegr. 1824, mit der Samml. des Kanonikus F. F. Wallraf, 1854 errichtet mit der Geldstiftung des Kaufmanns J. H. Richartz; nach Zerstörung des Gebäudes im 2. Weltkrieg 1953–56 von R. Schwarz und J. Bernard neu erbaut. Das W.-R.-M. enthält v. a. Werke der →Kölner Malerschule, der niederländ. Malerei und der Kunst des 19. Jh. Die Bestände des 20. Jh. wurden in das Museum Ludwig überführt (→Ludwig, Peter).

Wallsend ['wɔːlzend], Stadt in der Metrop. Cty. Tyne and Wear, NO-England, am Tyne, 45 000 Ew.; Schiff-, Maschinenbau, chem., Glasind. – W. liegt an der Stelle eines röm. Lagers am Ende des Hadrianswalls (daher der Name).

Wall Street ['wɔːlstriːt, engl.] *die,* Banken- und Börsenstraße (→New York Stock Exchange) im S des New Yorker Stadtteils Manhattan; im übertragenen Sinne Bez. für die New Yorker Börse, auch für das Finanzzentrum in den USA.

Walnuss [mnd. walnut, eigtl. »welsche Nuss«] (Walnussbaum, Juglans), Gattung der W.-Gewächse im südöstl. Europa, im gemäßigten Asien, in Nordamerika und in den nördl. Anden; sommergrüne Bäume mit großen, unpaarig gefiederten Blättern und einhäusigen Blüten; Steinfrucht mit essbaren Samen; wichtige Holzlieferanten. Bekannte Arten sind: **Gemeine W. (W.-Baum, Nussbaum,** Juglans regia), ein bis 30 m hoher, aus SO-Europa stammender Baum mit aus 5–9 länglich-eiförmigen, ganzrandigen Blättchen zusammengesetzten Blättern; Früchte kugelig, grün mit hellbraunem, gefurchtem Steinkern, der Samen liefert ein wertvolles Speiseöl; **Schwarznuss (Schwarze W.,** Juglans nigra), bis 50 m hoch, im östl. Nordamerika; Borke tief rissig, Blätter 30–60 cm lang, mit 15–23 ei- bis lanzettförmigen Fiederblättchen; Früchte kugelig, 4–5 cm groß, mit rauer, sehr dicker, in reifem Zustand dunkelbrauner Schale und schwarzer, dickschaliger Nuss; Kern süßlich und sehr ölreich.

Walpole ['wɔːlpəʊl], **1)** Horace (Horatio), Earl of Orford, engl. Schriftsteller, *London 24. 9. 1717, †ebd. 2. 3. 1797, Sohn von 3). Sein Roman »Die Burg von Otranto« (1764) und seine Gräueltragödie »The mysterious mother« (1768) wiesen der neu aufkommenden »Schauerliteratur« (→Gothic Novel) den Weg.

2) Sir (seit 1937) Hugh Seymour, engl. Schriftsteller, *Auckland (Neuseeland) 13. 3. 1884, †London 1. 6. 1941; schrieb Kriegsromane, Kindergeschichten (Trilogie: »Jeremy«, 1919; »Jeremy und sein Hund«, 1923; »Jeremy auf der Schule«, 1927) sowie zeitkrit. Romane.

3) Sir (seit 1725) Robert, 1. Earl of Orford, brit. Staatsmann, *Houghton Hall (Cty. Norfolk) 26. 8. 1676, †London 18. 3. 1745, Vater von 1); Führer der Whigs; 1708–10 Kriegsmin. Als Erster Schatzlord und Schatzkanzler (1715–17 und 1721–42) war W. der erste eigentl. »Premiermin.« Großbritanniens. Er ordnete die Staatsfinanzen, verhalf Handel und Industrie zu neuem Aufschwung und vermied militär. Konflikte; sah sich infolge wachsender Opposition 1739 zur Kriegserklärung an Spanien gedrängt und trat 1742 zurück.

Walpurga (Walpurgis, Walburg, Walburga), angelsächs. Benediktinerin, *Wessex um 710, †Heidenheim (Kr. Weißenburg-Gunzenhausen) 25. 2. 779; wurde von ihrem Verwandten, dem hl. Bonifatius, als Missionshelferin nach Dtl. gerufen; seit 761 Äbtissin des Doppelklosters Heidenheim; Heilige, Tag: 25. 2.

Walpurgisnacht, die Nacht vor dem 1. Mai, in der nach dem Volksglauben die Hexen zu ihren Tanzplätzen (→Blocksberg) fliegen. Die hl. Walpurga wurde als Beschützerin vor Zauberpraktiken angerufen.

Walras [val'ra], Marie Esprit Léon, schweizer. Volkswirtschaftler, *Évreux (Frankreich) 16. 12. 1834, †Clarens (heute zu Montreux) 5. 1. 1910; urspr. Literaturwissenschaftler; war 1871–92 Prof. in Lausanne (Vorgänger von V. Pareto); Begründer und führender Vertreter der Lausanner Schule der Grenznutzentheorie (→Grenznutzenschule). Seine Theorie des allg. ökonom. Gleichgewichts ist stark mathematisch orientiert.

Werke: Theorie des Geldes (1886); Études d'économie politique appliquée (1898).

Walrat (Cetaceum), weißl. wachsartige Masse, die aus bestimmten Körperhöhlen (v. a. den Stirnbeinhöhlen) des Pottwals gewonnen wird; besteht aus einem Gemisch von Wachsestern sowie Fettsäureglyceriden und wird z. B. als Salbengrundlage oder als Überfettungsmittel für Seifen verwendet.

Walross (Odobenus rosmarus), plumpe, etwa 3,8 m lange, gelbbraune bis braune Robbe im N-Pazifik und Nordpolarmeer; Haut dick, von einer starken Fettschicht unterlagert; obere Eckzähne stark verlängert, liefern Elfenbein, was zu übermäßiger Bejagung und gebietsweiser Ausrottung geführt hat; Bestände gegenwärtig teilweise gefährdet. – Man unterscheidet drei Unterarten: **Polarmeer-W.,** im Nordatlantik; **Laptewsee-W.,** an den Küsten N-Sibiriens; **Pazif. W.,** bes. an der Beringseeküste und an den Küsten N-Kanadas.

Walsall ['wɔ:lsɔ:l], Stadt in der Metrop. County West Midlands, England, nördlich von Birmingham, 262 300 Ew.; Ledermuseum; Lederwaren-, chem. Ind., Maschinenbau.

Walschap ['walsxap], Gerard, fläm. Schriftsteller, *Londerzeel (Prov. Flämisch-Brabant) 9. 7. 1898, †Antwerpen 25. 10. 1989; schrieb Romane und Erzählungen, bes. über das fläm. Bauern- und Bürgertum (»Jan Houtekiet«, 1939; »Schwester Virgilia«, 1951).

Walser, aus dem oberen Wallis (Goms) stammende, Höchstalemannisch sprechende Volksgruppe, die sich im 12. u. 13. Jh. südlich des Monte-Rosa-Massivs (Aostatal, Piemont), später in Graubünden und ab Mitte des 14. Jh. in Vorarlberg (Großes und Kleines Walsertal) in den obersten Talregionen ansiedelte. Nach ihrem Kolonistenrecht nannten sie sich »Freie Walser«. Teile ihrer Kultur haben sich bis heute erhalten.

📖 *Geschichte der W., bearb. v.* E. Rizzi. *A. d. Italien. Anzola d'Ossola 1993.*

Walser, 1) Karl, schweizer. Maler und Grafiker, *Biel 8. 4. 1877, †Bern 28. 9. 1943, Bruder von 3); war seit 1902 in Berlin bes. als Bühnenbildner und Illustrator tätig; er lebte seit 1914 in der Schweiz, wo er großzügige Wandmalereien schuf.

2) Martin Johannes, Schriftsteller, *Wasserburg (Bodensee) 24. 3. 1927; war 1949–57 Rundfunk- und Fernsehregisseur. Regionale Bezüge spiegeln sich in seinen Romanen »Ehen in Philippsburg« (1957), »Halbzeit« (1960, 1. Bd. einer Trilogie, 2. Bd. »Das Einhorn«, 1966, 3. Bd. »Der Sturz«, 1973), »Das Schwanenhaus« (1980), »Brief an Lord Liszt« (1982), »Brandung« (1985), »Ohne einander« (1993), »Finks Krieg« (1996) sowie in den Novellen »Ein fliehendes Pferd« (1978), »Dorle und Wolf« (1987), die ein krit. Bild der bundesrepublikan. Gesellschaft zeichnen. Ein wichtiges Thema sind die Konflikte des nach Selbstverwirklichung strebenden Individuums in der bürgerl. Gesellschaft. Als eines der ersten Werke in Dtl., das neben der Geschichte der dt. Teilung auch die dt.-dt. Vereinigung thematisiert, gilt der Roman »Die Verteidi-

Robert Walpole (Ausschnitt aus einem zeitgenössischen Gemälde)

Martin Walser

Walross: Das etwa 3,8 m lange Polarmeerwalross hat stark verlängerte obere Eckzähne aus Elfenbein

Bruno Walter

Otto F. Walter

Mika Waltari

gung der Kindheit« (1991); schrieb auch Hörspiele und zahlr. Theaterstücke, u.a. »Eiche und Angora« (1962; revidiert 1963), »Die Zimmerschlacht« (1967), »Aus dem Wortschatz unserer Kämpfe« (1971) und »Das Sauspiel« (1975); auch polit. Essays (z.B. »Heimatkunde«, 1968, »Über Dtl. reden«, 1988, erweitert 1990). 1981 erhielt W. den Georg-Büchner-Preis, 1998 den Friedenspreis des Dt. Buchhandels.

🕮 Reich-Ranicki, M.: *M. W. Neuausg. Frankfurt am Main 1996.* – Fetz, G. A.: *M. W. Stuttgart 1997.*

3) Robert, schweizer. Schriftsteller, *Biel 15. 4. 1878, †bei Herisau 25. 12. 1956, Bruder von 1); lebte 1905–13 in Berlin, danach wieder in Biel, ab 1921 als Archivar in Bern; 1929 Einlieferung in eine Nervenheilanstalt, ab 1933 in der Nervenklinik Herisau. W. hinterließ ein von seinen Zeitgenossen mit Ausnahme von F. Kafka, R. Musil und W. Benjamin wenig beachtetes, erst nach 1945 wieder entdecktes Erzählwerk. Charakteristisch für seine Romane, Erzählungen und Kurzprosa (davon über 1000 Texte erhalten, 300 gelten als verschollen) ist die analyt. Beobachtungsgabe en detail. Autobiographisch geprägt, schildert W.s Werk das Leben von Außenseitern, denen die Eingliederung in die Gesellschaft nicht gelingt (»Geschwister Tanner«, R., 1907; »Der Gehülfe«, R., 1908; »Jakob von Gunten«, R., 1909; »Der Spaziergang«, Erz., 1917; »Aus dem Bleistiftgebiet. Mikrogramme …«, auf 6 Bde. berechnet, hg. seit 1985).

🕮 Mächler, R.: *Das Leben R. W.s. Neuausg. Frankfurt am Main 1992* – Amann, J.: *R. W. Zürich u. a. 1995.*

Wạlsertal, Siedlungsgebiet der Walser in Vorarlberg, Österreich; das **Große W.** ist ein rechtes Seitental der Ill (Hauptort: Sonntag); das **Kleine W.,** ein linkes Nebental der Iller (von der Breitach durchflossen), ist dt. Zollgebiet mit bed. Fremdenverkehr (Hauptorte: Mittelberg, Hirschegg, Riezlern).

Walsrọde, Stadt im Landkreis Soltau-Fallingbostel, Ndsachs., in der Lüneburger Heide, 23700 Ew.; Vogelpark; Heidemuseum; Fremdenverkehr.

Walstatt, in der german. Heldensage das Schlachtfeld, der Kampfplatz.

Wạlsum, ehem. Stadt in NRW, 1975 nach Duisburg eingemeindet.

Wạ̈lsungen, → Wölsungen.

Wạltari, Mika, finn. Schriftsteller, *Helsinki 19. 9. 1908, †ebd. 26. 8. 1979; schrieb v.a. histor. Romane, von denen »Sinuhe, der Ägypter« (1945) ein Welterfolg wurde.

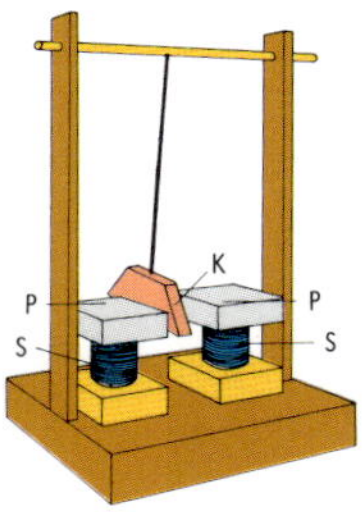

waltenhofensches Pendel: schematische Darstellung; beim Einschalten des Elektromagneten (P Polschuhe, S Spulen) wird das zuvor frei schwingende Pendel durch Wirbelstrombildung im Pendelkörper K stark gebremst

Walt Disney Company [wɔːlt ˈdɪznɪ ˈkʌmpənɪ], von W. Disney 1922 gegr. Medienkonzern, Sitz: Burbank (Calif.); tätig u.a. in den Bereichen Filmproduktion und -vertrieb (Walt Disney Studios, Touchstone Pictures, Buena Vista), Hörfunk und Fernsehen (Capital Cities/ABC Inc., Disney Channel, Super RTL 50%), Buch- und Zeitschriftenverlag und Vergnügungsparks: »Disneyland« in Anaheim (Calif.), gegr. 1955; »Walt Disney World« (bei Orlando), gegr. 1971, und »Disney Animal Kingdom«, gegr. 1998, in Florida; »Euro Disney S.C.A.« bei Paris, eingeweiht 1992.

Robert Walser (Radierung aus dem Jahr 1976 nach einer zeitgenössischen Fotografie)

wạltenhofensches Pendel [nach dem österr. Physiker Adalbert von Waltenhofen, *1828, †1914], Pendelinstrument zum Nachweis der Bremswirkung von → Wirbelströmen, dessen Pendelkörper aus einer Kupferscheibe besteht, die zw. den Polen eines Elektromagneten schwingt.

Wạlter, 1) Bruno, eigtl. B. W. Schlesinger, Dirigent, *Berlin 15. 9. 1876, †Beverly Hills (Calif.) 17. 2. 1962; wirkte u.a. in München, Berlin, Leipzig und Wien; 1939 Emigration in die USA, ab 1948 auch wieder in Europa tätig; v.a. bed. Mozart-, Bruckner- und Mahler-Interpret.

2) Fritz, Fußballspieler, *Kaiserslautern 31. 10. 1920; Spielführer der dt. Weltmeisterschaftsmannschaft 1954, Ehrenspielführer der dt. Nationalmannschaft; 61 Länderspiele (1940–58).

3) (auch Walther), Johann, prot. Kirchenmusiker, *Kahla oder Großpürschütz (bei Kahla) 1496, †Torgau 25. 3. 1570; ebd. und in Dresden tätig; Berater Luthers, gab 1524 das erste evang., mehrstimmige Gesangbuch heraus; komponierte Lieder, Motetten, Magnificats, Passionen.

4) Otto F. (Friedrich), schweizer. Schriftsteller, *Aarau 5. 6. 1928, †Solothurn 24. 9. 1994; schrieb Prosa, v.a. Romane, über seel. und zwischenmenschl. Problematik: »Der Stumme« (1959). Unter dem Eindruck der Studentenbewegung 1968 wandte er sich polit. Themen zu: »Die ersten Unruhen« (1972), »Die Verwilderung« (1977). Der Montagetechnik bediente er sich in dem Prosagemälde »Zeit des Fasans« (1988); ferner u.a. »Die verlorene Geschichte« (Erz., 1993) und Dramen.

Walter-Antrieb, ein von dem Maschinenbauer Hellmuth Walter (*1900, †1980) seit 1933 entwickeltes luftsauerstoffunabhängiges Triebwerk, das auf der Zersetzung von hochprozentigem Wasserstoffperoxid, H_2O_2, beruht. Das dabei entstehende Sauerstoff-Wasserdampf-Gemisch dient als Vortriebsstrahl bei Raketen oder zum Antrieb einer Turbine. Die prakt. Anwendung erfolgte erstmals im 2. Weltkrieg, v.a. in U-Booten und im Raketenflugzeug Me 163.

Waltershausen, Stadt im Landkreis Gotha, Thür., am Fuß des Thüringer Waldes, 12 100 Ew.; Spielwaren- (bes. Puppen), Gummi-, Glas-, Textilindustrie, Fahrzeugbau. – Barocke Stadtkirche (1719–23, Turm von 1458); Schloss **Tenneberg** (1176 bezeugt, Hauptbauzeit 16. Jahrhundert).

Waltharius (Waltharilied), mlat. Epos (»Waltharius manu fortis«, »Walther mit der tapferen Hand«), wahrscheinlich um 930 entstanden; erzählt von der Flucht Walthers von Aquitanien und seiner burgund. Verlobten Hildegund vom Hof des Hunnenkönigs Attila. Als Verfasser gilt der St. Galler Mönch Ekkehart I. Als Quelle nimmt man ein german. Heldenlied an.

Walther, 1) Franz Erhard, Künstler, *Fulda 22. 7. 1939; ein Hauptvertreter der →Prozesskunst; entwickelte ein Konzept der plast. Arbeit als Handlungsform, die nicht mehr als Objekt, sondern als Instrument für körperl. Aktionen verstanden wird.

2) Johann Gottfried, Musiker, Musiktheoretiker und -lexikograph, *Erfurt 18. 9. 1684, †Weimar 23. 3. 1748; Schüler von J. S. Bach, ab 1707 Stadtorganist in Weimar; komponierte Klavier- und Orgelkonzerte, Präludien, Fugen und Tokkaten. Bedeutend sind seine Musiklehre »Praecepta der Musicalischen Composition« (1708) und sein »Musicalisches Lexicon« (1732), das erste dt.sprachige und das erste biograph. Musiklexikon.

Walther von Châtillon [-ʃatiˈjɔ̃], mlat. Dichter, *Lille etwa 1135, †wohl Amiens gegen 1200; schrieb ein Epos in antikisierendem Stil über Alexander d. Gr. (»Alexandreis«) und kleinere Dichtungen (v.a. auch Weihnachtslieder).

Walther von der Vogelweide, bedeutendster mhd. Lyriker, *um 1170, †um 1230; galt bereits zu seinen Lebzeiten und das MA. hindurch als einer der herausragenden Liederdichter; später v.a. durch die im 18. Jh. einsetzende Wiederentdeckung (bes. durch J. J. Bodmer, J. J. Breitinger, dann L. Uhland, K. Lachmann und K. Simrock). Geburtsort und Stand sind nicht bekannt. Seine Texte thematisieren häufig das Problem der gesellschaftl. Anerkennung und legen damit niederen Adel oder noch geringere Herkunft nahe. W. v. d. V. lebte eine Zeit am Hof der österr. Herzöge in Wien; vermutlich wegen des Todes Friedrichs I. (1198) musste er diesen verlassen und lebte als fahrender Berufssänger und im Dienst versch. Landesfürsten (Landgraf Hermann von Thüringen, Markgraf Dietrich dem Bedrängten von Meißen u.a.); etwa um 1220 erhielt er von Kaiser Friedrich II. ein Lehen. Letzte, einigermaßen sicher datierbare Lieder stammen von 1228/29. Nach glaubhafter Überlieferung liegt W. v. d. V. im Kreuzgang (heute: Lusamgärtlein) des Neumünsters in Würzburg begraben. – Erhalten in über 30 Textzeugnissen (u.a. in der »Kleinen Heidelberger Liederhandschrift«, der »Maness. Handschrift« und der »Weingartner Handschrift«) sind die Texte von mehr als 100 Liedern und musikalisch zusammengehörigen Strophengruppen (»Sangsprüche«, →Spruchdichtung). Sein Werk umfasst Lieder zu den Themenbereichen »Liebe«, »Moral/Ethik«, »Religion« und »Politik«. Die mutmaßlich frühen Liebeslieder orientierten sich an der Ideologie der hohen Minne (→Minnesang) in der Art von Reinmar dem Alten.

Franz Erhard Walther: »Gruß an Byzanz«, Wandinstallation (1983; Privatbesitz)

Die Selbststilisierung **Walthers von der Vogelweide** *in der ersten Strophe des »Reichstons« diente auch als Vorbild für die Miniatur des Dichters in der Manessischen Liederhandschrift.*

»Ich saz ûf einem steine,
dô dahte ich bein mit beine,
dar ûf sazte ich mîn ellenbogen
ich hete in mîne hant gesmogen
daz kinne und ein mîn wange.«

W. v. d. V. hat die Konzeption der hohen Minne zunehmend problematisiert und das Ideal einer gegenseitigen, gleichberechtigten und erfüllten Liebe propagiert, die aber v.a. durch das Ideal der »mâze« (Vermeiden der Extreme) gekennzeichnet ist. In allen Formen der Liebeslyrik wie auch in ar-

Walther von der Vogelweide: Miniatur aus der Manessischen Handschrift (1. Hälfte des 14. Jh.; Heidelberg, Universitätsbibliothek)

gumentativ komplizierter Gedankenlyrik sind ihm Texte von höchstem poet. Rang gelungen. Dasselbe gilt auch für diejenigen Strophen und Lieder, in denen er religiöse Themen, Probleme der richtigen und falschen Lebensführung, der Politik seiner Zeit sowie der eigenen Sängerexistenz behandelt. Er wurde zum Schöpfer der dt. polit. Lyrik: Eingespannt in ein Netz von Abhängigkeiten, verfasste er im Dienst versch. Reichsfürsten und immer wieder auch für gegensätzl. Interessen polit. Texte, in denen er sich als hoch begabter Propagandist zeigte. Hervorzuheben ist auch seine Alterslyrik, die in eindrucksvollen Bildern die Vergänglichkeit der Welt und den Glauben an Gott darstellt. Sein »Preislied« diente A. H. Hoffmann von Fallersleben als Anregung für das »Deutschlandlied« (1841).

📖 KUHN, H.: *Minnelieder W.s von der V. Ein Kommentar. Tübingen 1982.* – HALBACH, K. H.: *W. von der V., neu bearb. v.* M. G. SCHOLZ. *Stuttgart ⁴1983.* – HAHN, G.: *W. von der V. Eine Einführung. München u. a. ²1989.* – NOLTE, T.: *W. von der V. Höfische Idealität u. konkrete Erfahrung. Stuttgart 1991.* – *W. von der V. Epoche – Werk – Wirkung, Beiträge v.* H. BRUNNER *u. a. München 1996.*

Ernest Walton

Walton ['wɔːltən], **1)** Ernest Thomas Sinton, irischer Physiker, *Dungarvan (Cty. Waterford) 6. 10. 1903, †Belfast 25. 6. 1995; entwickelte mit J. D. Cockcroft den **Cockcroft-W.-Generator** (→Kaskadengenerator), mit dem beide 1932 die ersten Kernumwandlungen mit künstlich beschleunigten Protonen durchführten; erhielt mit Cockcroft 1951 den Nobelpreis für Physik.

2) Izaak, engl. Schriftsteller, *Stafford 9. 8. 1593, †Winchester 15. 12. 1683; schon zu Lebzeiten berühmt durch sein nostalgisch-pastorales, mit Gedichtzitaten und philosophisch-religiösen Betrachtungen durchwirktes Kompendium »Der vollkommene Angler« (1653), das als ländl. Idylle in Kontrast zu den polit. Wirren der Zeit stand.

Waltrop, Stadt im Kr. Recklinghausen, NRW, 30 600 Ew.; Maschinen- und Fahrzeugbau, chemisch-pharmazeut. Fabrik, Hafen am Dortmund-Ems-Kanal. Das 1898 gebaute Schiffshebewerk **Henrichenberg** wurde 1965 stillgelegt und ist Teil des Westfäl. Industriemuseums.

Walze, 1) *Bautechnik:* Erdbau- oder Straßenbaugerät.

2) *Landwirtschaftstechnik:* Gerät zur Bodenbearbeitung (z. B. Glatt-W. und profilierte Walze).

3) *Maschinenbau:* zylinderförmiger Körper (Umformwerkzeug) zum Verformen bildsamer Stoffe oder zum Transport von Gegenständen.

Walzen, Verfahren zur spanlosen Formung; →Walzwerk.

Walzenmühle, →Mühle.

Walzenspinnen (Solifugae), Ordnung bis 7 cm langer Spinnentiere, mit scherenförmigen Kieferfühlern und beinartigen Kiefertastern. Der walzen- oder birnenförmige Hinterleib ist gegliedert. Die W. sind versteckt lebende Steppenbewohner, die meist nachts jagen; ihr Biss ist schmerzhaft, aber für Menschen ungefährlich.

Walzer, um 1770 aus dem Ländler hervorgegangener dt. Drehpaartanz im $^3/_4$-Takt mit stark betontem erstem Taktteil und urspr. langsamem, später schnellem Zeitmaß. Seine Blütezeit erlebte der W. als **Wiener W.** durch J. Lanner, J. Strauß Vater und Sohn. Stilisiert drang er in die Kunstmusik ein bei C. M. von Weber, J. Brahms, F. Chopin, F. Liszt, R. Strauss u. a. Abarten des W. sind →Boston und →English-Waltz.

Walzwerk (Walzstraße), Anlage zum spanlosen Umformen von metall. Werkstoffen, deren Streckung bzw. Stauchung durch Warm- oder Kaltwalzen dabei im Spalt zw. zwei umlaufenden Walzen erfolgt. Die bei einem Durchgang, dem **Stich,** erzielbaren Querschnittsabnahmen – und damit die Anzahl der Stiche vom Rohblock bis zum Fertigprodukt – sind u. a. von Werkstoff und Temperatur abhängig. Für das Formen von Platten, Blechen und Bändern werden Walzen mit glatter Oberfläche verwendet, für die Herstellung anderer Querschnittsformen (z. B. Profileisen) profilierte **Kaliberwalzen.**

Bei kontinuierlich arbeitenden W. sind die Arbeitsgänge vom Rohblock bis zum Endprodukt durch Hintereinanderschaltung der entsprechenden Walzgerüste, Transport- und Hilfsvorrichtungen teilweise oder auch vollständig automatisiert. Walzgerüste mit Antriebs-, Hilfs- und Adjustagevorrichtungen werden zu sog. **Walzstraßen** zusammengefügt. Block-W. dienen dem Walzen schwerer Blöcke und Knüppel, Grob- und Halbzeugstraßen der Formung von Knüppeln, Platinen,

Trägern und Schienen; Stab- und Winkelstahl sowie Träger werden auf Mittelstraßen und Stab-W. hergestellt, Schienen-, Stab- und Profilstahl, Winkel-, Form- und Bandstahl auf Feinstraßen und Formstahlwerken. Grob- und Feinbleche werden auf Blech-W., Drähte auf Draht-W. hergestellt.

Wamme, 1) *Rauchware:* Bauchteil von Fellen.

2) *Zoologie:* die von der Kehle bis zur Brust reichende Hautfalte an der Unterseite des Halses versch. Tierarten (v.a. der Rinder).

Wampum [Algonkin] *der,* Mosaikarbeit der Indianer des östl. Nordamerika aus kleinen zylindrisch geschliffenen weißen und violetten Muschelperlen, meist in Form eines Gürtels. Die W. dienten als Geld, urspr. als Urkunde bei Verträgen mit eingestickten Figuren und Mustern.

Wampum: Wampumgürtel der Algonkin

Wams (frz. Pourpoint), urspr. der unter dem Panzerhemd getragene gesteppte Leibrock, wurde im 14. Jh. in der Männertracht zu einem kurzen Obergewand mit langen Ärmeln, das vorne zu schließen war und unter dem ärmellosen Rock, seit dem 16. Jh. auch ohne Rock mit Kniehosen getragen wurde.

Wanadsor (bis 1935 Karaklis, 1935–92 Kirowakan), Stadt in Armenien, im Pambak-Hochtal, 1350 m ü. M., 159000 Ew.; Chemiewerk, Maschinenbau, elektrotechn., Textilindustrie.

Wand, flächiger, vertikaler Raumabschluss. Nach der stat. Beanspruchung unterscheidet man u.a. tragende und nicht tragende Wände, nach der Lage bezüglich des Gebäudes Außen- und Innenwände, nach der Funktion Trenn- und Brandwände.

Wand, Günter, Dirigent, *Elberfeld (heute zu Wuppertal) 7. 1. 1912; leitete 1946–73 das Kölner Gürzenich-Orchester und unterrichtete (seit 1948 Prof.) an der Kölner Musikhochschule; 1982–90 Chefdirigent des NDR-Sinfonieorchesters in Hamburg; zahlr. Gastdirigate.

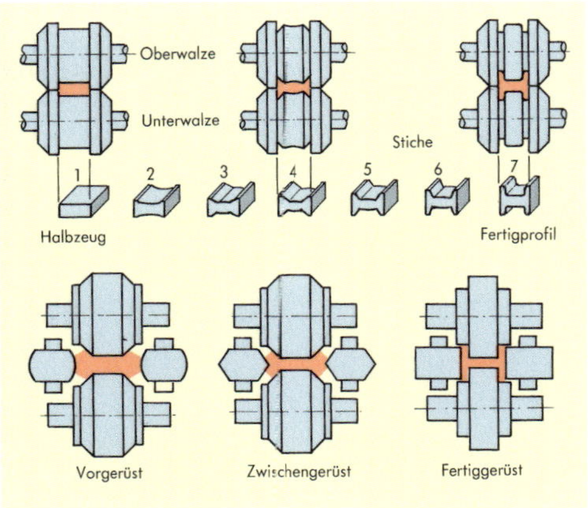

Walzwerk: Schema der Stichabfolge beim Warmwalzen eines Formstahls mit Kaliberwalzen (oben) und Warmwalzen eines Stabstahls mit Walzgerüsten in Horizontal-vertikal-Anordnung; das Fertigprofil ist jeweils Doppel-T-förmig

Wandalen (Vandalen), german. Volk, dessen ursprüngl. Siedlungsgebiet wohl in N-Jütland oder Mittelschweden lag. Seine bedeutendsten Teilstämme waren die **Silingen** (um die Zeit vor Christi Geburt im Besitz Mittelschlesiens) und **Hasdingen** (im 2. Jh. n. Chr. nördlich von Dakien nachweisbar). 406 überquerten die W. zus. mit Sweben und Alanen den Rhein und stießen 409 über Gallien nach Spanien vor. Dort von den Westgoten bedrängt, wurden die W. zus. mit den Alanen 429 von →Geiserich nach N-Afrika geführt (435 Föderatenvertrag mit Rom); sie gründeten dort mit dem 439 von ihnen eroberten Karthago als Hptst. ein Reich, das das westl. Mittelmeergebiet beherrschte. 455 plünderten die W. Rom. 533/534 wurde ihr Reich durch den oström. Feldherrn Belisar zerstört.

📖 Pischel, B.: *Kulturgeschichte u. Volkskunst der W., 2 Tle. Frankfurt am Main u. a. 1980–86.*

Wandalismus *der* (Vandalismus), blinde Zerstörungswut. Der Begriff wurde 1794 geprägt von H. Grégoire, Bischof von Blois, für die Zerstörung von Kunstwerken (in Anlehnung an die Plünderung Roms durch die Wandalen 455).

Walzer: Beginn des Walzers »An der schönen blauen Donau« von Johann Strauß (Sohn) aus dem Jahr 1867

Wandelgeschäft, Börsentermingeschäft, bei dem der Käufer oder Verkäufer vorzeitige Lieferung (Abnahme) fordern kann.

Wandelndes Blatt, Insekt, →Gespenstheuschrecken.

Wandelrös|chen [nach der sich verändernden Blütenfarbe], die →Lantane.

Wandelsterne, historisch bedingte Bez. für die →Planeten im Ggs. zu den Fixsternen (→Sterne).

Wander, Maxie, Schriftstellerin, *Wien 3. 1. 1933, †Berlin (Ost) 20. 11. 1977; siedelte 1958 zus. mit ihrem Mann Fred Wander (*1917) in die DDR über. Sie wurde bekannt durch ihre Frauenprotokolle nach Tonbandaufzeichnungen (»Guten Morgen, Du Schöne«, 1977), die genau und sensibel die Problematik der Rolle der Frau in der Gesellschaft beider dt. Staaten treffen.

Wander|ameisen, →Treiberameisen.

Wander|arbeiter, Arbeiter, der seinen Arbeitsplatz weit entfernt von seinem Wohnort aufsuchen muss; häufig Synonym für **Saisonarbeiter,** da die Beschäftigung von W. in Saisonbetrieben traditionell eine große Rolle spielt.

Wanderbühne, wandernde Schauspielertruppe ohne festes Haus, aber mit eigenem Fundus. Die W. versorgten die dt. Residenzen und Städte bis ins 19. Jh. mit Theateraufführungen.

Wanderdüne, in der vorherrschenden Windrichtung langsam vorrückende →Düne.

Wanderfalke, eine Art der →Falken.

Wanderfeldröhre (Lauffeldröhre, engl. Travelling Wave Tube, Abk. TWT), eine Elektronenröhre für Mikrowellen, bei der ein Elektronenstrahl mit einer elektromagnet. Welle in Wechselwirkung tritt, wobei eine Verstärkung der Welle durch Laufzeiteffekte der Elektronen erzielt wird. Die W. weist gerade Elektronenbahnen und ein Magnetfeld zur Strahlbündelung auf; sie dient als Senderverstärker in Richtfunkverbindungen.

Wanderheuschrecken: Weibchen der Europäischen Wanderheuschrecke (Größe etwa 3,5 cm), Solitärphase (oben) und Wanderphase

Wanderheuschrecken, versch. Arten bes. subtrop. und trop. Feldheuschrecken, die unter günstigen Ernährungs- und klimat. Bedingungen zur Massenvermehrung neigen und dann große Schäden an Kulturpflanzen verursachen. In z.T. riesigen Schwärmen wandern sie, als Larven auf der Erde kriechend, als erwachsene Tiere im Flug, aus ihrem Ursprungsgebiet aus, wobei nicht selten Entfernungen von mehreren hundert km überwunden werden. Ein mittlerer Schwarm von 5–12 km² Ausdehnung umfasst bis 2 Mrd. Tiere, die im Laufe ihrer Entwicklung etwa 60 000 t Grünmasse vertilgen. Die wichtigsten Arten sind: **Wüstenheuschrecke** (Schistocera gregaria), in N-Afrika und Vorderasien; bis 8 cm lang; **Marokkan. W.** (Dociostaurus maroccanus), im Mittelmeergebiet; etwa 2–3 cm lang; **Europ. W.** (Locusta migratoria), in versch. Teilen Asiens, Afrikas und S-Europas; bis 6 cm lang. – Zur W.-Bekämpfung werden v.a. Insektizide eingesetzt; an Methoden zur biolog. Bekämpfung, z.B. durch Pilzinfektion, wird gearbeitet. Es wird auch der Einsatz von Häutungshemmern und Juvenilhormon-Analoga getestet, die Entwicklungsstörungen bewirken, an denen die Insekten sterben.

Wanderjahre (Wanderschaft), →Wanderzwang.

Wanderlieder, seit dem 16. Jh. nachweisbare Lieder der wandernden Handwerksburschen und Landsknechte. Seit Beginn des 19. Jh. besangen Dichter wie L. Uhland, J. von Eichendorff, J. V. von Scheffel, Wilhelm Müller und A. H. Hoffmann von Fallersleben die Wanderfreuden in bald weit verbreiteten Liedern.

Wandern, umfasst vielfältige Formen aktiver Erholung: W. zu Fuß, Rad-W., Wasser-W. (mit versch. Booten), Ski-W., W. zu Pferd. In Dtl. bemühen sich der Verband Dt. Gebirgs- und Wandervereine (Sitz: Stuttgart), als Jugendorganisation die Dt. Wanderjugend (Sitz: Winnenden) um die Pflege des W. – In *Österreich* betreuen die Österreich. Bergsteigervereinigung (ÖBV, →Alpenvereine) und der Österreich. Volkssportverband das W., in der *Schweiz* die Schweizer. Arbeitsgemeinschaft für Wanderwege (SAW). 1970 wurde die Europ. Wandervereinigung gegründet.

Wanderniere, die →Nierensenkung.

Wanderpreis (Wanderpokal), Sportpreis, der jeweils an den neuen Sieger weitergegeben wird; er kann nach mehreren Siegen in Folge Eigentum des Sportlers oder des Vereins werden.

Wanderung (Migration), sozialwiss. und politisch-histor. Begriff, der Prozesse räuml. Bewegung von Menschen bezeichnet. In der amtl. Statistik bezeichnet W. den mit einem Umzug verbundenen Wechsel der Hauptwohnung. Die W. wird unterteilt in Binnen-W. (W. innerhalb eines Gebietes) und Außen-W. (über die Grenzen des Gebietes). Die Außen-W. ist aus der Sicht des Ziellandes gleichbedeutend mit →Einwanderung und aus der Sicht des Herkunftslandes mit →Auswanderung. Die W. hat in den letzten Jahrzehnten ständig zugenommen, v.a. W. von den nord- und schwarzafrikan. Ländern sowie den osteurop. und GUS-Staaten nach Europa, von S- und SO-Asien in die Golfstaaten und nach Saudi-Arabien, von Mexiko und der Karibik sowie von SO-Asien in die USA, von Indien und Indonesien nach Korea, Japan und Taiwan.

Als Ursachen werden »Push«- und »Pull«-Faktoren (Druck- und Sogfaktoren) unterschieden; bei den Ersteren handelt es sich um Faktoren wie Menschenrechtsverletzungen, Bedrohungen von Minderheiten, Krieg und Bürgerkrieg, Armut, Arbeitslosigkeit und Hunger, Verelendung und Umweltprobleme. Zu den Sogfaktoren zählen die Hoffnungen und Erwartungen der Individuen, ggf.

15

Wandervogel

Der Wandervogel entstand ab 1896 aus einer Schülerwandergruppe am Steglitzer Gymnasium in Berlin und wurde zu einer über das ganze Deutsche Reich verbreiteten und in die deutschsprachigen Nachbarländer ausstrahlenden Bewegung.

So wurde z.B. 1911 in Wien der Österreichische Wandervogel gegründet.

Als »Jugendkultur« bildete der Wandervogel einen eigenen Lebensstil aus, zu dem besondere Kleidung, Lagerleben, Wanderfahrten, Volkstanz sowie -musik ebenso gehörten wie die Gruppenführerauslese und die Selbsterziehung und -gestaltung in den jugendlichen Gemeinschaften.

Die verschiedenen Bünde, die nach diesem Vorbild entstanden, vereinigten sich 1912/13 im Wandervogel e.V. (1913: 25 000 Mitglieder); aufgenommen wurden nun auch Mädchen und Volksschüler.

Im 1. Weltkrieg entstanden Gruppen eines Feld-Wandervogels. 1922 löste sich der Zentralverband auf. Bestand hatten Einzelverbände, die sich 1926 mit Pfadfindergruppen zum Bund der Wandervögel und Pfadfinder zusammenschlossen.

1933 wurden die Bünde im Zuge der nationalsozialistischen Gleichschaltung verboten.

Wanderungen – Prognostizierte Migrationsströme 1991–2000

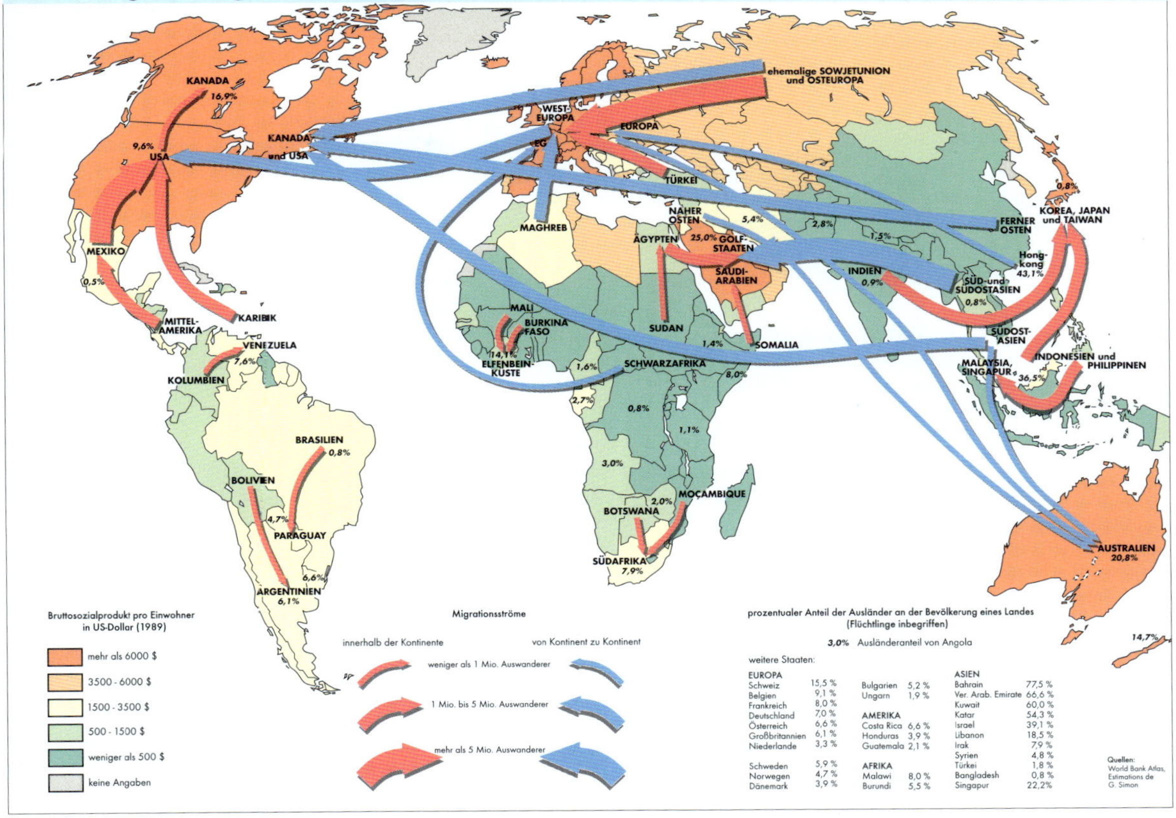

auch die ihnen gemachten Versprechungen und Angebote, ebenso objektiv bessere Ausbildungsmöglichkeiten und ein breiteres Angebot des Arbeitsmarkts. (→Flüchtlinge, →Mobilität)

Wandervogel, 1896 begründete Gruppenbildung, die zum Ausgangspunkt der dt. Jugendbewegung wurde. Angestrebt wurde die Überwindung der Großstadtzivilisation und ein jugendspezif. Lebensstil; nach wechselhaften Gruppierungen und Bünden entstand 1927 dann die Dt. Freischar, 1933 Auflösung im Zuge der nat.-soz. Gleichschaltung; nach 1945 einige Neugründungen.

Wanderwellen, *Elektrotechnik:* sich wellenartig längs einer elektr. Leitung ausbreitende Überspannungen, hervorgerufen durch atmosphär. Entladung bei Gewittern, durch Schalthandlungen bzw. Kurz- oder Erdschluss. W. gefährden die Isolierungen der Maschinen und Geräte und werden durch Überspannungsableiter beseitigt.

Wanderwellenbeschleuniger, →Linearbeschleuniger.

Wanderzwang, im europ. Handwerk seit dem 16. Jh. für Handwerksgesellen übl. Pflicht, für längere Zeit Arbeit außerhalb ihres Heimatgebiets (mindestens 50 km) zu nehmen **(Wanderjahre).** Die Zunftsatzungen schrieben den W. vor, um den Gesellennachwuchs mit fremden Arbeitsweisen bekannt zu machen und die heim. Wettbewerbslage zu entlasten. Auch nach der Aufhebung des Zunftzwanges blieb das Gesellenwandern **(Wanderschaft, Walz)** fester Brauch, z.B. bei den Zimmerleuten. (→Zunft)

Wanderungen zwischen Deutschland und dem Ausland[1] (in 1 000)

Jahr	Zuzüge (aus)			Fortzüge (nach)		
	insgesamt	europ. Ländern	außereurop. Ländern[2]	insgesamt	europ. Ländern	außereurop. Ländern[2]
1980	768	614	154	466	381	85
1985	512	349	163	457	342	115
1987	646	496	150	431	320	111
1989	1 186	1 000	186	581	428	153
1991	1 199	986	197	597	441	141
1992	1 502	1 164	326	720	563	139
1993	1 277	943	326	815	643	154
1994	1 083	756	314	768	553	188
1995	1 096	763	319	698	505	169

[1] ab 1991 einschließlich der Fälle, bei denen das Herkunfts- bzw. Zielland ungeklärt ist oder keine Angaben darüber vorliegen. – [2] einschließlich unbekanntes Ausland

Wandflechte (Gelbe W., Schüsselflechte, Xanthoria parietina), eine weit verbreitete gelbe Blattflechte mit flachen Lappen, auf Rinde und Zäunen.

Wandler, → Direktumwandler, → Messwandler.

Wandlung, 1) *kath. Theologie:* die in der Feier der Eucharistie kraft der im Auftrag Jesu Christi durch den Priester gesprochenen Einsetzungsworte (1. Kor. 11, 23–25) erfolgte substanzielle Verwandlung (Transsubstantiation) von Brot und Wein unter Wahrung ihrer äußeren Gestalt in Leib und Blut Jesu Christi, wodurch er unsichtbar, aber wirklich (»leibhaftig«) in der Gemeinde gegenwärtig ist (Realpräsenz); liturg. Höhepunkt der Messe, äußerlich angezeigt durch das Erheben von Hostie und Kelch (Elevation).

2) *Recht:* das Rückgängigmachen eines Kaufs oder eines Werkvertrags wegen eines vom Verkäufer oder Unternehmer zu vertretenden Sachmangels (§§ 462, 634 BGB). Die W. ist vollzogen, wenn der Verkäufer oder Unternehmer sich auf Verlangen des Käufers oder Bestellers mit ihr einverstanden erklärt; sie kann auch durch Klage auf Rückgewähr des Kaufpreises **(W.-Klage)** oder im Prozess durch Einrede geltend gemacht werden. Der Anspruch auf W. verjährt bei bewegl. Sachen in sechs Monaten von der Ablieferung, bei Grundstücken in einem Jahr von der Übergabe an (§ 477).

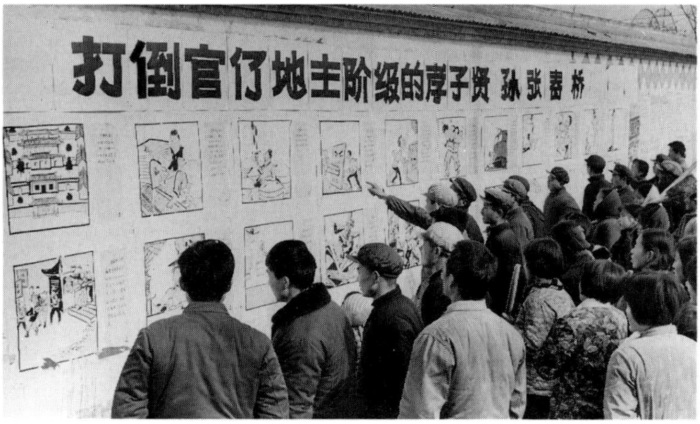

Wandzeitung in Peking, auf der 1976 nach Maos Tod ein Mitglied der »Viererbande« kritisiert wird

Wandmalerei, im Unterschied zur → Tafelmalerei jede Art von Malerei auf Wänden, an Decken und Gewölben. Der Farbauftrag erfolgt auf den noch feuchten Putz (al fresco, → Freskomalerei) oder auf die trockene Wand (al secco). Sonderformen sind die Arbeit in noch feuchtem Kratzputz (→ Sgraffito) oder auf bestimmte trockene Untergründe (→ Silikatmalerei) sowie → Graffiti. Die Malereien können auch auf Holz oder Leinwand ausgeführt und dann in die Wand oder Decke eingelassen werden. Die W. kann figürlich oder ornamental sein. Sie kann das Flächige der Wand zu wahren suchen oder die Illusion der Körperlichkeit im dreidimensionalen Raum erstreben (illusionist. W.). Meist ist ihr wegen einer geforderten Fernwirkung ein monumentaler Zug eigen.

Die frühesten Zeugnisse sind vorgeschichtl. Höhlenmalereien. Aus dem Altertum sind bed. Reste v. a. der ägypt., der kretisch-myken. und der röm. W. erhalten, aus frühchristl. Zeit die Malereien der Katakomben. In Byzanz und Italien wurde die W. vielfach durch das → Mosaik ersetzt. Zu hoher Blüte gelangte sie in roman. Zeit. Während ihr in der Gotik die Auflösung der Wand die Entfaltungsmöglichkeiten entzog, wahrte sie ihren Rang in Italien (auch in der Renaissance), wo v. a. Fresken entstanden (Cimabue, P. Cavallini, Giotto). Nördlich der Alpen herrschte seit dem ausgehenden MA. die Tafelmalerei vor. Einen Aufschwung nahm im Barock die → Deckenmalerei, nun bes. in Dtl. Im 19. Jh. stand die W. meist im Dienst der Historienmalerei. Neue Möglichkeiten der W. suchten u. a. E. Delacroix, H. von Marées, P. Puvis de Chavannes, im 20. Jh. F. Hodler, O. Schlemmer, H. Matisse.

Wandsbecker Bothe, Der, von J. J. Bode in Wandsbek gegründete, 1771–75 von M. Claudius geleitete Tageszeitung, die durch Rezensionen bes. die zeitgenöss. junge Literatur förderte; Mitarbeiter waren u. a. J. G. Herder, Goethe und G. E. Lessing.

Wandsbek, östl. Stadtbezirk von Hamburg; kam 1867 mit Holstein an Preußen, 1937 an Hamburg.

Wandteppich, gewirkter Wandbehang, → Bildwirkerei.

Wandzeitung, meist handgeschriebener Anschlag mit Informationen, Meinungen und Appellen; vorwiegend an zentraler Stelle angebracht; existiert generell nur in einem Exemplar; spielte z. B. in China v. a. während der Kulturrevolution als Mittel der Kritik und der Selbstkritik eine bed. Rolle.

Wanen, german. Göttergeschlecht, → Vanen.

Wang Anshi [-ʃi] (Wang An-shih), chines. Staatsmann und Literat, *Linchuan (Prov. Jiangxi) 18. 12. 1021, †Jiangning (Prov. Jiangsu) Mai/Juni 1086; bedeutender Reformer im kaiserl. China; trat 1058 für die Bildung eines unbürokrat. Fachbeamtentums ein; leitete als Kanzler (1068–76, 1078–85) u. a. Maßnahmen zur Dämpfung der Staats- und Militärausgaben ein und schuf staatl. Darlehen für verschuldete Bauern, scheiterte jedoch mit seinen Reformen am Widerstand der Oberschicht.

Wangchuk [-tʃʊk], Jigme Singhye, König von Bhutan (seit 1972), *Thimphu 11. 11. 1955; übernahm 1972 als 4. Regent aus der W.-Dynastie die Herrschaft (1974 offizielle Krönung).

Wange, 1) *Anatomie:* (Backe) Gesichtsteil zw. Nase, Auge und Ohr.

2) *Schreinerei:* Seitenwand, z.B. einer Treppe, eines Chorgestühls.

Wangen, 1) Wangen an der Aare, Bezirkshauptort im Kt. Bern, Schweiz, 2000 Ew.; Textilind., Bürstenfabrikation, Edelsteinschleiferei. – Gut erhaltenes mittelalterl. Stadtbild mit Mauer und vier Ecktürmen, hochmittelalterl. Festung.

2) Wangen im Allgäu, Stadt (Große Kreisstadt) im Kr. Ravensburg, Bad.-Württ., an der Oberen Argen, 25700 Ew.; Luftkurort; Textil-, Nahrungsmittel-, Elektroind., Holz-, Kunststoffverarbeitung. – Martinskirche (14.–15. Jh.), Spital (1446), Rathaus (15.–18. Jh.). – W., 815 erstmals genannt, wurde um 1215–20 Stadt, 1347 Reichsstadt und kam 1802 an Bayern, 1810 an Württemberg.

Wangenbein, das →Jochbein.

Wangerooge, die östlichste der Ostfries. Inseln, Landkreis Friesland, Ndsachs., 5,01 km²; in der Mitte das Nordseeheilbad W. mit 1300 Ew.; Fremdenverkehr.

Wang Hongwen (Wang Hung-wen), chines. Politiker, *Changchun 1935, †Peking 3. 8. 1992; wurde 1973 Mitgl. des Ständigen Ausschusses des Politbüros der KP und einer der stellv. Parteivors., gehörte zum ultralinken Führungskern der KP. Er wurde deshalb 1976 als Mitgl. der →Viererbande verhaftet und aus der Partei ausgeschlossen, in einem Prozess wegen Verbrechen während der Kulturrevolution 1981 zunächst zum Tode verurteilt, später zu lebenslanger Haft begnadigt.

Wang Jingwei [-dʒɪŋ-] (Wang Ching-wei), chines. eigtl. Wang Zahoming, chines. Politiker, *Kanton 4. 5. 1883, †Nagoya (Japan) 10. 11. 1944; gehörte als Vertrauter Sun Yat-sens seit 1917 zu den Führern der Kuomintang. 1932–35 war er Min.-Präs. 1939 brach er endgültig mit Chiang Kai-shek; 1940–44 Präs. einer von Japan unterstützten Marionettenregierung.

Wang Meng, chines. Schriftsteller, *Peking 15. 10. 1934; wurde 1958 als »Rechtselement« verurteilt, später verbannt, 1979 Rehabilitation; 1986 bis zur Unterdrückung der Demokratiebewegung im Juni 1989 Kulturmin. Sein stark autobiographisch geprägtes, v.a. aus Erzählungen bestehendes Werk spiegelt exemplarisch die innere Auseinandersetzung des vom Sozialismus an sich überzeugten chines. Intellektuellen mit dem von der KPCh gelenkten Staat wider.

Wankel, Felix, Maschinenbauer, *Lahr/Schwarzwald 13. 8. 1902, †Heidelberg 9. 10. 1988; beschäftigte sich seit 1926 mit der Konstruktion eines →Kreiskolbenmotors. 1957 lief bei den NSU Motorenwerken AG in Neckarsulm, mit denen W. zusammenarbeitete, der erste Kreiskolbenmotor **(W.-Motor);** der erste Kraftwagen mit Kreiskolbenmotor (NSU-Spider) ging 1964 in Serienproduktion.

Felix Wankel

Wanne-Eickel, ehem. selbstständige Stadt in NRW, seit 1975 zu →Herne.

Wannsee, Ortsteil im Berliner Stadtbezirk Zehlendorf, am **Großen W.,** einer 2,7 km² großen Havelausbuchtung (Wassersport).

Wannseekonferenz, am 20. 1. 1942 abgehaltene Konferenz von Spitzenvertretern oberster Reichs- und NSDAP-Dienststellen unter dem Vorsitz von R. Heydrich in Berlin Zehlendorf »Am Großen Wannsee 56–58« (seit 1992 Gedenkstätte »Haus der W.«); legte im Zuge der »Endlösung der Judenfrage« (→Judenverfolgungen) Maßnahmen zur Vernichtung der europ. Juden fest.

📖 PÄTZOLD, K. *u.* SCHWARZ, E.: *Tagesordnung: Judenmord. Die Wannsee-Konferenz am 20. Januar 1942. Eine Dokumentation zur Organisation der »Endlösung«. Berlin* ³*1992.*

Want, starkes Stahltau, auf Segelbooten auch Hanftau, das paarweise den Mast seitlich abstützt.

Wanzen (Ungleichflügler, Halbflügler, Heteropteren, Heteroptera), weltweit verbreitete Ordnung land- oder wasserbewohnender Insekten; Körper meist abgeflacht, 1 mm bis 12 cm lang; Kopf mit stechend-saugenden Mundwerkzeugen und entweder langen (Land-W.) oder sehr kurzen Fühlern (Wasser-W.); Brustsegment durch großen ersten Abschnitt gekennzeichnet (oft als Halsschild ausgebildet); Hinterflügel weichhäutig, oft Stinkdrüsen (Wehrdrüsen). Die Fortpflanzung erfolgt meist durch Eiablage; die Larven machen i. Allg. fünf Entwicklungsstadien durch. Die meisten W. sind Pflanzensauger, andere Arten saugen Körpersäfte erbeuteter Insekten, wieder andere können Blutsauger bei Vögeln und Säugetieren und beim Menschen sein (z.B. Bettwanze).

Wanzleben, Stadt im Bördekreis, Sa.-Anh., 5900 Ew.; Landwirtschaftszentrum in der Magdeburger Börde; Ziegelei, Holz-, Nahrungsmittelind. – Rathaus (nach 1550), Pfarrkirche St. Jakob (urspr. spätroman. Basilika, 1550 zur spätgot. Hallenkirche umgebaut, 1840 restauriert). – Burg W. ist 968 bezeugt; seit 1376 Stadt; bis 1994 Kreisstadt.

Wapiti [Algonkin] *der,* Unterart des Edel- oder Rothirsches. Der nordamerikan. W. oder **Elk** wiegt bis zu 400 kg.

Wappen [mhd. wapen »Waffe«], farbiges Abzeichen, das eine Person, Familie **(Familien-W.),** Körperschaft oder Institution **(Amts-W.)** repräsentiert (zu den Bestandteilen des Voll-W. und zur W.-Gestaltung ÜBERSICHT Heraldik). – Seit Beginn des 12. Jh. war das W. in W- und Mitteleuropa das auf dem Schild der gleichförmig gerüsteten Ritter angebrachte Unterscheidungszeichen (z.B. beim

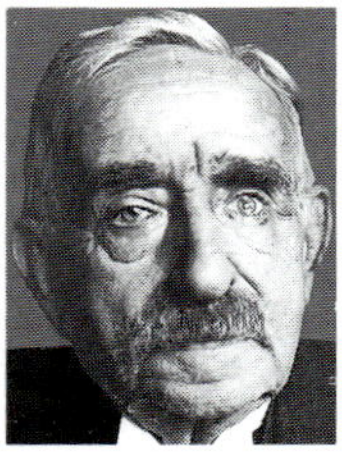
Emil Warburg

Otto Warburg

Mary Ward (Ausschnitt aus einem zeitgenössischen Gemälde)

Turnier); etwa zur selben Zeit entstanden aus den Heerbannzeichen bzw. den fürstl. Haus-W. die **Landes-W. (Staaten-W.)**; im 13./14. Jh. wurde das W. mit dem Niedergang des Rittertums zum Symbol von Adels- und Bürgerfamilien, aber auch von Klerikern, Bistümern, Abteien und Städten (**Städte-W.**; entstanden im 14. Jh. aus den Siegeln). Herolde und Kanzleien erstellten **W.-Verzeichnisse** (**W.-Rolle, W.-Buch,** seit dem 13. Jh. angelegt) als Hilfsmittel zur Identifizierung der W.; sie entwickelten W.-Recht und herald. Regeln, nach denen W. seit dem 14. Jh. vom Oberherrn (Kaiser, Fürst usw.) durch **W.-Briefe** (Urkunde über die Verleihung und Änderung des W.; heute bei Gleichsetzung des W.-Rechts mit dem Namensrecht nur noch Bestätigung der Registrierung im W.-Register, z. B. der Dt. W.-Rolle) verliehen wurden.

Recht: Die staatl. W. sind gegen Verunglimpfung und Missbrauch geschützt (§ 90a StGB, § 124 Ordnungswidrigkeiten-Ges.). Die Annahme eines Familien-W. steht jedem frei. Der Nachweis wird seit 1922 in Dtl. durch W.-Rollen erbracht. BILD Adler

Wappendichtung, die → Heroldsdichtung.

Wappenkunde, die → Heraldik.

Wappenpfahl (Totempfahl), großer geschnitzter, reich bemalter Zedernpfahl bei vielen Indianern der NW-Küste Nordamerikas (Haida, Kwakiutl u. a.). Die Schnitzereien stellen meist Tiere dar, aber auch anthropomorphe Wesen, die eine Art Sippengenealogie repräsentieren. BILD Indianer

Waräger [russ.], Bez. für die seit dem 8./9. Jh. nach O-Europa vorgedrungenen, v. a. aus Schweden stammenden Wikinger (→ Normannen). Ihre Rolle bei der Gründung des Kiewer Reichs ist in der russischen Geschichtswiss. umstritten (→ Normannisten; → Russland, Geschichte).

Warane: Der etwa 3 m lange Komodowaran ist auf der Sundainsel Komodo beheimatet

Warane [arab.] (Varanidae), Familie etwa 20 cm bis über 3 m langer Echsen in Afrika, S-Asien (einschl. Sundainseln) und Australien; tagaktive, räuberisch lebende Tiere mit kräftigen, scharf bekrallten Beinen und langem Schwanz; Zunge lang und sehr tief gespalten; u. a. der etwa 3 m lange, grauschwarze **Komodowaran** (Varanus komodoensis).

Warburg, Stadt im Kr. Höxter, NRW, an der Diemel im Weserbergland, 24 300 Ew.; Maschinenbau, chem., Papier-, Kunststoff verarbeitende, Textilind., Zuckerfabrik, Brauerei. – Mittelalterl. Befestigungsanlage, Neustädter St.-Johannes-Kirche (13.–15. Jh.), Altstädter Marienkirche (13. Jh.), Rathaus (1568). – 1015 erstmals erwähnt, 1186 als Stadt gen.; kam 1033 an das Bistum Paderborn, 1802/15 an Preußen.

Warburg, 1) Emil, Physiker, * Altona (heute zu Hamburg) 9. 3. 1846, † Grunau (heute zu Bayreuth) 28. 7. 1931, Vater von 2); Prof. in Straßburg, Freiburg und Berlin; 1905–22 Präs. der Physikal.-Techn. Reichsanstalt. W. lieferte mit seinen Experimenten zur inneren Reibung, Wärmeleitung und spezif. Wärme der Gase eine Bestätigung der kinet. Gastheorie.

2) Otto Heinrich, Biochemiker, * Freiburg im Breisgau 8. 10. 1883, † Berlin (West) 1. 8. 1970, Sohn von 1); bed. Arbeiten u. a. über Atmungsenzyme, Stoffwechselvorgänge und über die Photosynthese; erhielt für seine Arbeiten zur Zellatmung 1931 den Nobelpreis für Physiologie oder Medizin.

Warburg Institute [ˈwɔːbəːg ˈɪnstɪtjuːt], aus der Bibliothek des Hamburger Historikers Aby Moritz Warburg (* 1866, † 1929) hervorgegangenes kunstwiss. Forschungsinstitut in London für das Studium über das Nachleben der Antike.

Ward [wɔːd], **1)** Sir (seit 1918) Leslie, Pseudonym Spy, brit. Karikaturist, * London 21. 11. 1851, † ebd. 15. 5. 1922; schuf für die Zeitschrift »Vanity Fair« berühmte Karikaturen zeitgenöss. Persönlichkeiten.

2) Mary, engl. kath. Ordensstifterin, * Mulwith (bei Ripon, Cty. North Yorkshire) 23. 1. 1585, † Hewarth (heute zu York) 30. 1. 1645; zunächst Klarissin, gründete 1609 nach dem Vorbild des Jesuitenordens eine eigene Kongregation (»Jesuitinnen«; → Englische Fräulein).

Wardein [aus mlat. guardianus »Aufsichtführender«] *der,* bis zum 19. Jh. Münzprüfer **(Münz-W.)** oder Bergbeamter **(Berg-W.; Hütten-W.),** der den Metallgehalt oder das Erz prüfte.

Ware, Handelsgut. Handelsrechtlich sind W. alle umsatzfähigen Sachen, die Gegenstand des Handelsverkehrs sind oder nach der Anschauung des Verkehrs in Betracht kommen können.

Warendorf, 1) Kreis im RegBez. Münster, NRW, 1316 km², (1996) 274 300 Einwohner.

2) Kreisstadt von 1) in NRW, im östl. Münsterland an der Ems, 37 400 Ew.; Dt. Reiterl. Vereinigung, Dt. Reitschule und Sitz des Dt. Olymp. Ko-

Warendorf 2): Die ehemalige Stiftskirche Sankt Bonifatius im Stadtteil Freckenhorst stammt aus dem frühen 12. Jahrhundert

mitees für Reiterei, Landgestüt NRW (1826 gegr.), Dt. Lehranstalt für Agrartechnik; Maschinenbau, Futtermittelerzeugung, Inlettweberei. – Laurentiuskirche (15. Jh., neugotisch erweitert), Franziskanerkirche (1652–73), spätgot. Rathaus (mehrfach umgebaut), Bürgerhäuser (16.–19. Jh.). Im Stadtteil **Freckenhorst** ehem. Stiftskirche (1129 geweiht) und ein Teil der ehem. Stiftsgebäude (13. Jh.) erhalten. – Seit um 1200 Stadt; Mitgl. der Hanse.

Waren|eingangsbuch, Nebenbuch der Buchführung zur Erfassung der Wareneingänge (Art, Preis, Tag der Lieferung und Bezahlung) bei gewerbl. Unternehmen. Das W. muss von allen Gewerbetreibenden für steuerl. Zwecke geführt werden, die von der Führung von Handelsbüchern befreit sind. Großhändler, die Waren an Gewerbetreibende veräußern, sind verpflichtet, alle Warenausgänge in einem **Warenausgangsbuch** zu verbuchen.

Warenkonto, *Buchführung:* früher meist als »gemischtes Konto« geführtes Konto, heute in **Wareneingangskonto** (Bilanzkonto) und **Warenverkaufskonto** (Erfolgskonto) aufgeteilt.

Warenkorb, → Lebenshaltungskosten.

Waren (Müritz), Kreisstadt des Landkreises Müritz, Meckl.-Vorp., an der Müritz, 22 200 Ew.; Museum; Holz-, Nahrungsmittelind., Herstellung von Schiffsschrauben und Wellpappe; Binnenhafen. – Frühgot. Backsteinbauten der Georgenkirche (14. Jh., im 16. und 17. Jh. sowie im 19. Jh. verändert) und der Marienkirche (14. Jh., im 18. Jh. verändert); Fachwerkhäuser. – W. entstand um 1260/70 bei einer Burg; 1292/1331 als Stadt genannt.

Warenpapiere, Urkunden, die eine Warenforderung verbriefen, wie kaufmänn. Anweisungen, wenn sich das darin verbriefte Recht auf eine fungible Ware bezieht; ferner **Dispositionspapiere,** mit denen ein dingl. Recht an einer auf dem Transport befindlichen oder eingelagerten Ware verbunden ist, z. B. → Konnossement, → Ladeschein, Lagerschein (→ Lagergeschäft).

Warensendung, tarifbegünstigter postal. Versand von Warenproben, Mustern oder kleinen Gegenständen in offener Umhüllung ohne briefl. Mitteilung.

Warentermingeschäft, → Termingeschäft mit Waren.

Warentest, vergleichende Prüfung von Waren und Dienstleistungen versch. Anbieter auf Qualität und Preis (z. B. durch die → Stiftung Warentest).

Warenverzeichnis, systemat. Klassifizierung zur statist. Erfassung der für den Markt produzierten, exportierten, importierten und transportierten Waren. Beispiele sind das Internat. W. für den Außenhandel (SITC, Standard International Trade Classification) der UN und die Kombinierte Nomenklatur (KN) für die Europ. Union.

Warenwirtschaftssysteme, EDV-gestützte Informationssysteme, die dazu dienen, die betriebl. Waren- und Geldströme mengen- und wertmäßig zu erfassen, zu speichern und zu verarbeiten und die daraus resultierenden Warenbestände zu ermitteln. Voraussetzung ist die artikelgenaue Erfassung der Verkaufsdaten am Verkaufspunkt (Point of Sale) durch elektron. Kassen (Scannerkassen), die die mit der Europ. Artikelnummer (EAN-System) codierten Etiketten lesen.

Warenzeichen, die → Marken.

Warften, Siedlungshügel, → Wurten.

Warhol ['wɔ:hɔl], Andy, eigtl. Andrew Warhola, amerikan. Maler, Grafiker, Filmregisseur und Fotograf, * Pittsburgh (Pa.) 6. 8. 1928, † New York 22. 2. 1987; seit 1952 in New York, wo er als Werbegrafiker tätig war. W., einer der Begründer amerikan. → Pop-Art, schuf eine neue Ästhetik (»all is pretty«). Seine Bilder und Siebdrucke zeigen u. a. Gegenstände der Konsumwelt (Konservendosen) oder Idole der modernen Mediengesellschaft (Elvis Presley, Marilyn Monroe) in serieller Vervielfältigung. Seit 1963 produzierte er Filme in Kollektivarbeit mit anderen, u. a. »The Factory«; er schuf Experimentalfilme (»Sleep«, 1963; »Empire«, 1964) und Spielfilme (»Flesh«, 1968, »Trash«, 1970; Regie P. Morrissey). BILD S. 96

📖 ROMAIN, L.: *A. W. München 1993.* – SABIN, S.: *A. W. Reinbek 9.–10. Tsd. 1997.*

Warley ['wɔlı], Stadt in der Metrop. Cty. West Midlands, England, westlich von Birmingham, 152 000 Ew.; Glas-, Metall-, Maschinen-, chem. u. a. Industrie.

Warendorf 2)
Stadtwappen

Andy Warhol

Andy Warhol: »Marilyn Monroe«, Siebdrucke (1967; Hamburg, Kunsthalle)

Warlords ['wɔlɔːdz, engl.], Bez. für die regionalen Militärmachthaber in China, die nach dem Tod von Staatspräs. Yuan Shikai (1916) den N des Landes beherrschten und gegeneinander kämpften. Mit dem Nordfeldzug (1926–28) konnte Chiang Kai-shek ihre Macht stark einschränken.

Warmbeet, *Gartenbau:* jede Einrichtung zur Erhöhung der Bodenwärme für Pflanzen.

Warmblut (Warmblutpferd), Zuchtform des Hauspferdes, →Pferde.

Warmblüter (eigenwarme Tiere, homöotherme Tiere), im Unterschied zu den Kaltblütern Tiere, deren Körperinnentemperatur durch die Thermoregulation trotz abweichender Umgebungstemperaturen nahezu konstant gehalten wird (Vögel, Säugetiere einschl. des Menschen); die Körpertemperatur der Vögel liegt zw. 38 und 44 °C, die der Säugetiere zw. 30 und 41 °C.

Warmbrunn, Bad (poln. Cieplice Śląskie Zdrój), seit 1976 Teil der Stadt →Jelenia Góra.

Wärme (Wärmeenergie, thermische Energie, Wärmemenge), Formelzeichen Q, spezielle Energieform, die als Bewegungsenergie der ungeordneten Bewegung **(W.-Bewegung)** der atomaren Teilchen eines Körpers angesehen wird; sie entspricht z.B. in Gasen und Flüssigkeiten der Summe der Translations-, Rotations- und Schwingungsenergie aller Atome und Moleküle (→brownsche Bewegung, →kinetische Gastheorie). In der Thermodynamik wird als W.-Energie eine Form der Änderung der →inneren Energie bezeichnet. Sie ist nicht mit einer makroskop. Bewegung des Körpers verbunden, kann aber durch →Wärmeübertragung auf die Umgebung übertragen oder zur Verrichtung von mechan. Arbeit genutzt werden. Vorgänge ohne W.-Austausch bezeichnet man als →adiabatisch. Im Ggs. zur inneren Energie hängt die W.-Energie nicht nur vom Anfangs- und Endzustand eines Prozesses, sondern wesentlich von dessen Verlauf ab. Änderungen der W.-Energie sind Inhalt der Hauptsätze der →Thermodynamik und stehen im Zusammenhang mit Änderungen der →Temperatur. – Eine Zufuhr von W.-Energie hat i. Allg. eine **W.-Ausdehnung** (therm. →Ausdehnung) zur Folge, wobei bei Festkörpern zw. Längen- und Volumenausdehnung unterschieden wird. – Umgangssprachlich versteht man unter W. die der physikal. Erscheinung zugrunde liegende Sinnesempfindung.

SI-Einheit der W.-Menge ist das →Joule (J), die Einheit Kalorie (cal) ist veraltet: 1 cal ≈ 4,186 J. Dadurch sind auch die bei der Umwandlung von W. in andere Energieformen gebräuchlichen Umrechnungsfaktoren zw. den einzelnen Energieformen überflüssig, das mechanische W.-Äquivalent (1 cal ≈ 0,427 kpm) und das elektrische W.-Äquivalent (1 cal ≈ 4,186 Ws).

Wärme|austauscher (Wärmetauscher, Wärmeübertrager), techn. Apparat, in dem Wärme von einem fluiden Medium (z.B. Gas, Flüssigkeit) höherer Eintrittstemperatur stetig an eines niedrigerer Eintrittstemperatur übertragen wird. Wird dabei der Aggregatzustand verändert, spricht man von Kondensator oder Verdampfer. In einem Kühler wird die Wärme eines Mediums durch Wasser oder Luft an die Umgebung abgeführt. Während bei →Rekuperatoren die Wärmeübertragung durch eine Trennwand erfolgt, arbeiten Regeneratoren mit einer Feststoffspeichermasse, die von den beiden fluiden Medien periodisch erwärmt bzw. abgekühlt wird. – W. haben in der Verfahrenstechnik (z.B. bei Rohöldestillation, Luftzerlegung) und Energietechnik (z.B. bei der Abkühlung von Rauchgasen vor einer Rauchgaswäsche und der anschließenden Wiederaufheizung) große Bedeutung und leisten wesentl. Beiträge für die Energieeinsparung bei Industrieprozessen.

Wärmebehandlung, 1) *Medizin:* Heilverfahren, das durch Wärmezufuhr oder Verhinderung der Wärmeabgabe eine Steigerung des Gewebsstoffwechsels und der Durchblutung anstrebt; von außen z.B. durch Wärmestrahlung (Sonnenbad), trockene (Heizkissen) und feuchte Wärme (Bäder, Duschen), im Innern des Körpers durch →Kurzwellenbehandlung.

2) *Metallurgie:* zeitlich genau festgelegte Erwärmung von metall. Werkstücken bzw. Halbzeugen auf bestimmte Temperaturen mit nachfolgender geregelter Abkühlung, um unerwünschte Eigenschaften oder Zustände zu beseitigen (Sprödigkeit, Spannungen, Kristallverformung u.a.) oder gewünschte zu erhalten (Festigkeit, Zähigkeit, Härte, Kristallgefüge, Verformbarkeit u.a.). Das →Eisen-Kohlenstoff-Diagramm ist die theoret. Grundlage jegl. W. von Eisenwerkstoffen. Die grundsätzl.

Arten der W. sind Glühen, Härten, Anlassen und Vergüten.

Wärmebrücke, als Durchgangsstelle für Wärme innerhalb einer Baukonstruktion dienendes Bauteil mit im Vergleich zur Umgebung hoher Wärmeleitfähigkeit, z. B. Stahlbetonstütze im Ziegelmauerwerk.

Wärmedämmung, der → Wärmeschutz.

Wärmedurchgang, Wärmeübertragung zw. zwei strömenden Medien (Gas, Flüssigkeit), die durch eine feste Wand voneinander getrennt sind. Dabei treten an den Begrenzungsflächen Wärmeübergang und in den Medien Wärmeleitung auf. Der W. wird mithilfe des **W.-Koeffizienten (W.-Zahl)** k beschrieben; SI-Einheit ist $Wm^{-2}\,K^{-1}$. Die W.-Zahl ist zahlenmäßig gleich der Wärmemenge in Joule, die im stationären Zustand je Sekunde durch 1 m² der Wand übertragen wird, wenn zw. den beiderseits angrenzenden strömenden Medien ein Temperaturunterschied von 1 K besteht. Der Zahlenwert von k **(k-Wert)** gilt jeweils nur für eine bestimmte Wanddicke.

Wärme|energie, → Wärme.

Wärmekapazität, Formelzeichen C, der Quotient aus der einem Körper zugeführten Wärmemenge und der dadurch bewirkten Temperaturerhöhung. SI-Einheit ist Joule pro Kelvin (J/K). Die W. ist gleich dem Produkt aus Masse und → spezifischer Wärmekapazität des Körpers.

Wärmekonvektion, Form der → Wärmeübertragung durch strömende Gase.

Wärmekraftmaschinen, Kraftmaschinen, die Wärmeenergie in mechan. Energie umwandeln: → Dampfmaschine, → Dampfturbine, → Verbrennungsmotor, → Gasturbine.

Wärmekraftwerk (thermisches Kraftwerk), Anlage, in der die chem. Energie primärer Energieträger (z. B. Kohle, Gas, Erdöl) in Wärme und dann mittels Wärmekraftmaschinen in mechan. Energie zum Antrieb der elektr. Generatoren umgewandelt wird. Die häufigsten W. sind **Dampfkraftwerke;** zu ihnen gehören die Kohlekraftwerke und die Kernkraftwerke. Sie bestehen im Wesentlichen aus Verdichter, Dampferzeuger, Turbine, Generator und Kondensator. Der Dampf liefert bei Entspannung in der Dampfturbine die Energie zum Antrieb des Generators. Kohlekraftwerke sind u. a. noch mit Rauchgasreinigungsanlagen (Entschwefelungs-, Entstickungs- und Entstaubungsanlagen) ausgestattet. Bei **Gasturbinenkraftwerken** (→ Gasturbine) werden die Verbrennungsgase entweder durch die Turbine ins Freie geleitet oder im geschlossenen Prozess zurückgeführt. Bei **GuD-Kraftwerken** (Kombination von Gas- und Dampfkraftwerk) werden die auf hohem Temperaturniveau anfallenden Abgase der Gasturbine auf einen Abhitzekessel geleitet, um dort Wasserdampf für eine nachgeschaltete Dampfturbine zu erzeugen. Dadurch kann ein höherer Wirkungsgrad erzielt werden. Im **Kernkraftwerk** wird die Wärmeenergie nicht durch Verbrennungsprozesse, sondern aus Kernreaktionen gewonnen. **Dieselkraftwerke** sind mit mehreren Dieselmotoren ausgerüstet, die spezielle Synchrongeneratoren antreiben. Die geothermischen Kraftwerke (→ geothermische Energie) und die → Sonnenkraftwerke werden zu den W. oder zu Sonderausführungen von Kraftwerken gerechnet.

Wärmelehre, Teilgebiet der Physik, das sich mit dem Begriff → Wärme und den damit zusammenhängenden Erscheinungen befasst; i. e. S. die → Thermodynamik.

Wärmeleitfähigkeit (Wärmeleitzahl, spezifisches Wärmeleitvermögen), Formelzeichen λ, Materialeigenschaft, die die Wärmeübertragung eines homogenen Stoffes durch Wärmeleitung charakterisiert; SI-Einheit ist W/(m · K). Die W. gibt die Wärmemenge an, die in einer Sekunde durch einen Würfel der Kantenlängen von 1 m übertragen wird, zw. denen ein Temperaturgefälle von 1 K besteht. Stoffe mit hoher W. sind gute Wärmeleiter.

Wärmeleitfähigkeit einiger Stoffe
in W/(m · K), bei 20 °C und 1 bar

Silber	458	Wasser	0,5996
Kupfer (rein)	393	Steinkohle	ca. 0,26
Aluminium	221	Schmieröle	0,12–0,18
Stahl	ca. 46	Alkohol	ca. 0,5
Graphit	12–175	Holz	ca. 0,5
Beton	0,3–1,5	Kork	ca. 0,05
Glas	ca. 0,8	Wolle	ca. 0,04
Mauerwerk	0,25–1,05	Luft	0,026

Wärmeleitung, Form der → Wärmeübertragung.

Wärmemauer, die → Hitzemauer.

Wärmemenge, → Wärme.

Wärmepumpe, Maschinenanlage mit Kompressor, die durch einen thermodynam. Kreisprozess einem relativ wärmeren Körper (z. B. Flusswasser, Erdreich, Luft) mithilfe eines Arbeitsmittels (Gas oder Flüssigkeit) Wärme entzieht und einem kälteren Körper zu Heizzwecken zuführt. Das Verfahren entspricht dem der → Kältemaschine, nur dass bei der W. die erzeugte Wärme ausgenutzt wird. Zum Antrieb dient meist ein Elektromotor. Anwendung: Raumheizung, Wärmerückgewinnung aus Wärmeträgern, Abwärmenutzung. BILD S. 98

Wärmeregulation, die → Thermoregulation.

Wärmerohre, die → Heatpipes.

Wärmeschutz (Wärmedämmung), Verhinderung oder Reduzierung der Wärmeleitfähigkeit mithilfe von Dämmstoffen, der Wärmestrahlung durch Reflexion an spiegelnden Flächen oder der

Wärmekonvektion durch Verminderung durch evakuierte Zwischenräume.

Wärmesinn, der →Temperatursinn.

Wärmespeicher, techn. Anlage zur zeitweisen Aufnahme, Speicherung und bei Bedarf Abgabe von Wärme. Für Solarheizungen sind W. unentbehrlich, um Intensitätsschwankungen der Sonneneinstrahlung auszugleichen. In Dampfkraftanlagen dienen meist →Ruths-Speicher als W. Verbraucher-W. sind Heißwasserspeicher und Speicheröfen.

Wärmestrahlung (thermische Strahlung), allg. jede elektromagnet. Strahlung, die intensiv genug ist, um Wärme zu erzeugen oder zu übertragen, insbesondere die Infrarotstrahlung. Beruht die Emission elektromagnet. Strahlung auf der therm. Anregung der Strahlungsquelle, so ist die Strahlung von deren Temperatur abhängig **(Temperaturstrahlung).**

Wärmetod, *Physik:* hypothet. Endzustand des Weltalls, der durch einen aus dem Entropiesatz (2. Hauptsatz der →Thermodynamik) folgenden Ausgleich aller Temperaturdifferenzen in dem als thermodynamisch abgeschlossenen System »Weltall« gekennzeichnet ist. In diesem Zustand überall gleicher, endl., minimaler Temperatur (daher auch **Kältetod**) könnten keine Energieumwandlungen mehr stattfinden, sodass alle thermodynam. Prozesse aufhören würden. Nach heutiger Erkenntnis ist diese einfache Anwendung der Thermodynamik auf das Weltall als Ganzes nicht statthaft.

Wärmeträger (Wärmeübertragungsmittel), flüssige, gasförmige oder feste Stoffe, die für die indirekte Beheizung von Industrieanlagen oder für die Abführung von Reaktionswärme verwendet werden. Wichtige W. sind: Wasserdampf (bis 370 °C), organ. Flüssigkeiten (z.B. Öle, bis 340 °C), Salzschmelzen (bis 550 °C), flüssige Metalle (bis 800 °C), Rauchgase (bis 1000 °C).

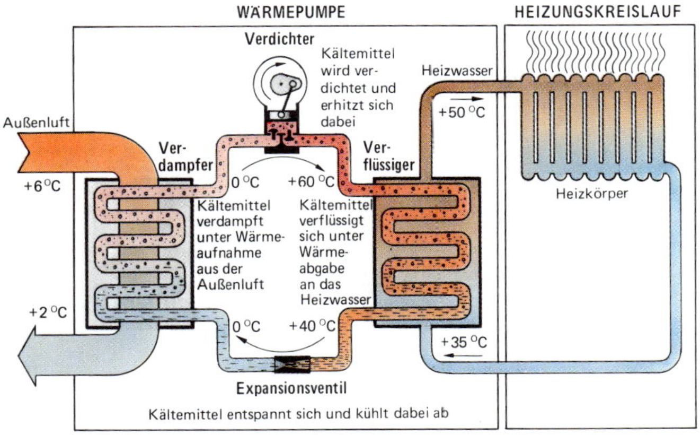

Wärmepumpe: Funktionsschema

Wärme|übergang, die zw. einem festen Körper und einem strömenden Medium (Flüssigkeit oder Gas) stattfindende →Wärmeübertragung. W. tritt z.B. bei physikal. Umwandlungen und chem. Reaktionen auf.

Wärme|übertragung (Wärmeausbreitung, Wärmetransport), die Übertragung von →Wärme von einem Ort höherer Temperatur zu einem Ort tieferer Temperatur, die durch **Wärmeleitung, Wärmekonvektion** und **Wärmestrahlung** (sowie durch Kombination dieser drei Formen) erfolgen kann. Die W. geschieht bei ruhenden Flüssigkeiten und festen Körpern durch Wärmeleitung, indem energiereichere (wärmere) Teilchen kinet. Energie in Stoßprozessen oder durch Photonenwechselwirkungen an energieärmere (kältere) Teilchen abgeben. Der zu erwärmende (oder abzukühlende) Körper wird mit einem wärmeren (oder kälteren) in Kontakt gebracht, bis beide Körper die gleiche Temperatur angenommen haben. Ein Maß für die Wärmeleitung ist die →Wärmeleitfähigkeit.

Im Ggs. zur Wärmeleitung ist die Wärmekonvektion (Wärmeströmung), bei der die Wärme durch strömende Flüssigkeiten oder Gase transportiert wird, mit der Verlagerung von Materie verbunden (→Konvektion). V.a. bei Gasen, Flüssigkeiten und an Festkörperflächen ist die W. berührungslos durch →Wärmestrahlung möglich.

Wärmezähler, in der Heiztechnik ein Gerät zur Erfassung der von Wärmeerzeugern abgegebenen Wärmemengen; berechnet aus der Menge des durchfließenden Wärmeträgers (Heizwasser) und der Temperaturdifferenz zw. Vor- und Rücklauf. Bei Dampfheizungen ist die Menge des anfallenden Kondensats ein Maß für die verbrauchte Wärmemenge. – Fälschlicherweise werden an Heizkörpern befestigte →Heizkostenverteiler als W. bezeichnet.

warmfeste Werkstoffe, →Hochtemperaturwerkstoffe.

Warmformung, spanloses Umformen nach vorhergehendem Anwärmen des Werkstücks, z.B. (Warm-)Walzen, Schmieden, Strangpressen.

Warmfront, *Meteorologie:* →Front.

Warmhauspflanzen, meist aus trop. und subtrop. Gebieten stammende Zierpflanzen, die hohe Ansprüche an die Temperatur (mindestens 18 °C) und meist auch an Luftfeuchtigkeit stellen (z.B. Anthurien, Philodendron- und Ficusarten).

Wạrmia, histor. Landschaft in Polen, →Ermland.

Warmzeit, zw. kälteren Zeiten liegender wärmerer Zeitabschnitt; i.e.S. das Interglazial. (→Eiszeitalter)

Wạrna (Varna, 1949–56 Stalin), Hauptstadt der Region W., Bulgarien, am Schwarzen Meer,

307200 Ew.; Kultur- und Wirtschaftszentrum; Hochschulen für Maschinenbau und Pädagogik, Marinehochschule, Schauspielhaus, Museen; Schiffbau, chem. u.a. Industrie; bed. Hafen; Eisenbahnfähre nach Iljitschowsk (Ukraine); internat. Flughafen; Seebad. – Gräberfeld (Anfang 5. Jt. v. Chr.) mit reichen Funden von Gold- und Kupferbeigaben (weiteres BILD Goldschmiedekunst); bed. Reste röm. Bauten, u.a. Tempel, Thermen; frühchristl. Kirchen. – Als **Odessos** im 6. Jh. v. Chr. von den Griechen gegr., gehörte die Stadt seit Ende des 7. Jh. zum 1. Bulgar. Reich; ab 1391 türkisch, ab 1878 wieder bulgarisch. – Bei W. siegten am 10. 11. 1444 die Osmanen unter Murad II. über ein polnisch-ungar. (Kreuzzugs-)Heer.

Warna: Die zwei kleinen Stiere aus dünnem Goldblech und das kunstvoll bearbeitete Goldplättchen sind Fundstücke aus dem jungsteinzeitlichen Gräberfeld

Warnblink|anlage, beim Kfz eine elektr. Anlage, die ein synchrones Aufblinken **(Warnblinklicht)** aller Blinkleuchten bewirkt. Die W. darf nur in bestimmten Situationen eingeschaltet werden, z.B. bei einer Panne oder Gefährdung anderer Verkehrsteilnehmer, beim Abschleppen.

Warndreieck, trag- und klappbare Warneinrichtung in dreieckiger Form zur Sicherung liegen gebliebener Kraftfahrzeuge. Die Bauart muss amtlich genehmigt sein.

Wạrndt *der,* Waldgebiet auf Buntsandstein westlich der mittleren Saar, beiderseits der dt.-frz. Grenze, im Saarland und im frz. Dép. Moselle. Im Untergrund des W. lagern wertvolle Steinkohlen, die von dt. und frz. Seite abgebaut werden.

Warnemụ̈nde, Stadtteil von Rostock, Meckl.-Vorp., Ostseebad an der Warnowmündung; Eisenbahnfähre nach Gedser; Werft; Standort der Bundesmarine.

Warnfunk, Funkmeldungen über Behinderungen und Gefahren im Verkehr durch Wetter u.a. Ereignisse; ausgestrahlt z.B. durch Küstenfunkstellen im Seefunk, durch Rundfunksender im Verkehrsfunk, über Funksprecheinrichtungen im Flugverkehr.

Wạrnow [-o:] *die,* Fluss in Meckl.-Vorp., 128 km lang, entspringt nördlich von Parchim, mündet bei Warnemünde in die Ostsee.

Warntracht, auffällige Farben und Muster giftiger oder wehrhafter Tiere (z.B. Bienen), die Fressfeinde abschrecken.

Warrant ['wɔrənt, engl.] *der,* → Optionsschein.

Earl Warren

Warren ['wɔrɪn], **1)** Earl, amerikan. Jurist und Politiker (Republikan. Partei), * Los Angeles (Calif.) 19. 3. 1891, † Washington (D. C.) 9. 7. 1974; war 1939–43 Generalstaatsanwalt und 1943–53 Gouv. von Kalifornien; 1953–69 Oberster Bundesrichter der USA. Der Bericht (1964) einer von ihm geleiteten Untersuchungskommission über die Ermordung J. F. Kennedys **(Warrenreport),** der von der Alleinverantwortung L. H. Oswalds für die Tat ausging, wurde in seiner Glaubwürdigkeit immer wieder angezweifelt.

Robert P. Warren

2) Robert Penn, amerikan. Schriftsteller, * Guthrie (Ky.) 24. 4. 1905, † Stratton (Vt.) 15. 9. 1989; ein Hauptvertreter der regionalistischen traditionalist. Literatur der Südstaaten (»Alle Wünsche dieser Welt«, R., 1943; »Des Königs Troß«, R., 1946; »Amantha«, R., 1955; »Now and then«, Ged., 1978) und des New Criticism (»Understanding fiction«, 1943, hg. mit C. Brooks, 1943; »New and selected essays«, 1989).

Warrington ['wɔrɪŋtən], Stadt (New Town) in der Cty. Cheshire, England, zw. Liverpool und Manchester, 135 600 Ew.; Herstellung von Baumwoll-, Aluminium-, Eisen- und Stahlwaren, Chemikalien, Maschinen und Fetten.

Warschau
Stadtwappen

Wạrschau (poln. Warszawa), Hauptstadt von Polen und Verw.sitz der Wwschaft Warszawa, erstreckt sich über 485 km^2 in 90–116 m ü.M. beiderseits der Weichsel, 1,638 Mio. Ew.; Sitz des Präs., der Reg., des Parlaments (Sejm), der oberen Gerichte sowie eines kath. Erzbischofs und zahlr. wiss. und kultureller Einrichtungen, bes. Univ. (1816 gegr.), Poln. Akademie der Wiss., theolog. Akademien, medizin., Sport-, Musik-, Kunst-, wirtschaftswiss. Akademie, TH, PH, Theaterhochschule. Neben der Oper gibt es 25 weitere Theater und eine Philharmonie; zahlr. Museen, Bibliotheken und Archive, zoolog. und botan. Garten; internat. Buchmesse und Chopinfestspiele (alle fünf Jahre). Zweitgrößtes poln. Industriezentrum mit elektrotechn., elektron., Maschinenbau-, pharmazeut., feinwerktechn. Ind., Automobil-, Traktorenbau, Nahrungsmittel-, Konfektions-, graf., Kosmetik- u.a. Industrie; Edelstahlhütte. W. ist wichtigster Verkehrsknotenpunkt Polens, U-Bahn (im Bau); im SW der Stadt internat. Flughafen Okęcie.

Stadtbild: Die im 2. Weltkrieg weitgehend zerstörte Stadt wurde nach 1945 unter modernen städtebaul. Gesichtspunkten wieder aufgebaut, histor. Bauten wurden vorbildlich rekonstruiert. Die Altstadt wurde von der UNESCO zum Weltkulturerbe erklärt. Stadtzentrum und daran anschließende Stadtviertel liegen auf dem W-Ufer der Weichsel, die Industrievorstadt Praga (Praga-Południe, Praga-Połnoc) auf dem O-Ufer. Die Altstadt ist mit Stadtmauern aus dem 14./15. Jh. (Barbakane 16. Jh.) umgeben. Zu den bed. Baudenkmälern der Innenstadt gehören der Schlossplatz mit der Barocksäule König Sigismunds III. (1643/44, 1949 z. T. rekonstruiert) und dem Königsschloss (urspr. got. Burg, Umgestaltung seit dem späten 16. Jh., Wiederaufbau seit 1971), der rechteckige Alte Markt mit rekonstruierten Renaissance- und Barockhäusern sowie der Neue Markt mit ebenfalls erneuerten Häusern des 18. und 19. Jh. und der Kirche der Sakramentsschwestern (1688); zahlr. Kirchen (v.a. aus Gotik und Barock): Johannes-Kathedrale, Marienkirche, St.-Anna-Kirche (alle urspr. gotisch) sowie Kirchen und Klöster der Kapuziner, Karmeliter, Dominikaner, Hl.-Kreuz-Kirche aus dem 17. Jh.; Adelspaläste aus dem 17., 18. und 19. Jh.: v.a. Palais Krasiński, Palais Radziwiłł, Palais Łazienki (Ende des 18. Jh. angelegt, im Park weitere Schlösser) sowie die klassizist. Bauten des Staszic-Palais und des Großen Theaters; im S der Stadt liegt das Barockschloss → Wilanów. Weiteres BILD polnische Kunst

Warschau: Die Renaissance- und Barockbürgerhäuser am Alten Markt wurden nach Zerstörung im Zweiten Weltkrieg unter Verwendung erhaltener Steinsubstanz rekonstruiert

Geschichte: W., dessen Anfänge wohl bis ins 10. Jh. zurückreichen, entwickelte sich im 12./13. Jh. zu einer Handwerker- und Kaufmannssiedlung, die im 14. Jh. (1339?) dt. Stadtrecht erhielt; 1413–1526 Sitz der Herzöge von Masowien; wurde 1526 poln. Kronbesitz, ab 1569/70 ständiger Versammlungsort des Sejm und ab 1596 Königsresidenz. Der rasche Aufschwung der Stadt unter den Wasa-Königen (1587–1668) wurde nur kurz durch die schwed. Invasion (1655/56) unterbrochen und setzte sich im 18. Jh. fort. Die Niederschlagung des Aufstandes unter T. Kościuszko durch russ. Truppen führte 1794 zu blutigen Gefechten im Stadtteil Praga. Mit der 3. Poln. Teilung (1795) fiel W. an Preußen; 1807–15 war es Hptst. des von Napoleon I. geschaffenen Großherzogtums Warschau, dann des in Personalunion mit Russland vereinigten Königreichs Polen (sog. Kongresspolen); im Novemberaufstand 1830/31 und im Januaraufstand 1863/64 Zentrum der nat. Bewegung; während des 1. Weltkrieges 1915–18 von dt. Truppen besetzt (Sitz des Generalgouverneurs); ab 1918 Hptst. der Rep. Polen. Im 2. Weltkrieg war W. von dt. Truppen besetzt (Kapitulation am 27./28. 9. 1939) und gehörte zum → Generalgouvernement. – Die dt. Besatzungsmacht errichtete 1940 im nordöstl. Zentrum der Stadt das jüd. Getto (rd. 4 km^2, ab 1941 durch eine Mauer abgeriegelt), in dem zeitweilig rd. 500 000 Menschen leben mussten (etwa 100 000 starben in den ersten 1½ Jahren); 1942 wurden von dort etwa 310 000 Juden in Vernichtungslager (v.a. Treblinka) deportiert und ermordet. Gegen die endgültige Liquidierung des Gettos richtete sich 1943 ein Aufstand der Juden (19. 4. bis 16. 5., **Aufstand im Warschauer Getto**), den SS-Truppen erst nach zähem Widerstand der schlecht bewaffneten jüd. Kampforganisation blutig unterdrückten. Fast alle der noch im Getto verbliebenen Juden (rd. 50 000) wurden während der Kämpfe bzw. danach in den Vernichtungslagern getötet, das Getto völlig vernichtet. – Nach dem → Warschauer Aufstand von 1944 wurde W. weitgehend zerstört und im Jan. 1945 von poln. und sowjet. Truppen eingenommen. BILD Polen

📖 SZAROTA, T.: *W. unter dem Hakenkreuz.* Paderborn 1985. – *W., Text v.* R. SCHNEIDER, *Fotos v.* C. JÖRSS. *Rostock 1993.*

Warschauer Aufstand, 1) Aufstand im Warschauer Getto, → Warschau (Geschichte).

2) im 2. Weltkrieg die gegen das dt. Besatzungsregime gerichtete Erhebung in Warschau (1. 8. bis 2. 10. 1944); ausgelöst durch die der Londoner Exilreg. unterstehende poln. Armia Krajowa (»Armee im Lande«) mit dem Ziel, Warschau noch vor der anrückenden Roten Armee zu befreien. Nach Anfangserfolgen musste das Oberkommando der Armia Krajowa unter T. Bór-Komorowski aber am

2.10. kapitulieren, da die dt. Truppen die Kontrolle über strategisch wichtige Punkte der Stadt behielten (seit 5.8. Gegenaktion unter Führung des SS-Generals E. von dem Bach-Zelewski) und die Versorgung durch die Alliierten aus der Luft unzureichend war. Zudem unterließ die im Sommer 1944 bis an das rechte Weichselufer herangekommene sowjet. Armee unter General K. K. Rokossowski, mit der die poln. Militäroperation nicht abgestimmt war, wirksame Hilfe. Nach der Niederschlagung des W. A., der etwa 166000 Polen (darunter 150000 Zivilisten) das Leben kostete, wurde die Stadt von SS-Einheiten fast völlig verwüstet.

📖 ZAWODNY, J. K.: *Nothing but honour. The story of the Warsaw uprising, 1944. Stanford, Calif., 1978.*

Warschauer Pakt, Militärbündnis der europ. kommunist. Staaten, gegr. am 14. 5. 1955 in Warschau mit dem von Albanien (fakt. Austritt 1961, offiziell 1968), Bulgarien, der DDR, Polen, Rumänien, der ČSSR, der Sowjetunion und Ungarn unterzeichneten »Vertrag über Freundschaft, Zusammenarbeit und gegenseitigen Beistand« **(Warschauer Vertrag)** sowie mit dem Beschluss über die Bildung eines »Vereinten Oberkommandos der Streitkräfte«. Neben dem → Rat für gegenseitige Wirtschaftshilfe war der W. P. die wichtigste multilaterale Organisation dieser Staaten. Die Sowjetunion sah in dem Bündnis, das durch Truppenstationierungsverträge ergänzt wurde, v.a. ein Gegengewicht zur NATO. Der W. P. löste sich zum 30. 6. 1991 auf.

Warschauer Schule, die aus dem Schülerkreis von K. Twardowski hervorgegangene, auch als Schule von Lemberg und Warschau bezeichnete, v.a. in Warschau in Teamarbeit forschende und lehrende Schule der Logik (Aussagenlogik, mehrwertige Logik, formale Semantik). Als Begründer gelten S. Leśniewski und J. Łukasiewicz, als wichtigster Repräsentant A. Tarski.

Warschauer Vertrag, 1) am 7.12.1970 in Warschau unterzeichneter Vertrag zw. der Bundesrep. Dtl. und der damaligen Volksrep. Polen; am 3. 6. 1972 in Kraft getreten. Die Vertragspartner bekräftigten die Unverletzlichkeit ihrer bestehenden Grenzen jetzt und in Zukunft (→ Ostpolitik).

2) → Warschauer Pakt.

Warstein ['va:r-, 'var-], Stadt im Kreis Soest, NRW, im nördl. Sauerland, 28200 Ew.; Metallverarbeitung, Elektro-, Textilind., Schotterwerke, Großbrauerei; südwestlich von W. die → Bilsteinhöhle.

Warszawa [var'ʃava], Hauptstadt von Polen, → Warschau.

Warta *die,* Fluss in Polen, → Warthe.

Wartburg, ehemalige landgräfl. Burg auf einem Bergfelsen (früher: Wartberg; 394 m ü.M.), südwestlich von Eisenach. Die W., der Sage nach 1067 von Graf Ludwig II., dem Springer, erbaut, wurde unter Landgraf Ludwig III. (1172–90) und

Wartburg: Die auf einem Bergfelsen gelegene Burganlage südwestlich von Eisenach geht auf das späte 12. Jh. zurück

Hermann I. (1190–1217) als Sitz der Landgrafen von Thüringen spätromanisch ausgebaut. Auf der Hauptburg liegen der roman. Palas (untere Geschosse um 1190–1220; Obergeschoss um 1250, Fresken von M. von Schwind, 1854–56), ein Bergfried und das neu erbaute Gästehaus, nördlich davon die im 19. Jh. in alter Form errichtete Mittelburg mit Vorhalle, Rüstkammer, Kemenate und Bergfried sowie die Vorburg mit Torturm, Ritterhaus und Vogtei (16. Jh.). 1838–90 wurde die verfallene W. im Sinne der Romantik wieder aufgebaut, Anfang der 1980er-Jahre erneut restauriert. – Im MA. ein Zentrum höf. Kultur; 1211–27 Wohnsitz der hl. Elisabeth, der Landgräfin von Thüringen; 1521–22 Zufluchtsort M. Luthers, der hier das N. T. aus dem Griechischen übersetzte.

Wartburgfest, von der Jenaer Burschenschaft veranstaltete Zusammenkunft von etwa 500 (meist evang.) Studenten aus elf dt. Univ. auf der Wartburg am 18./19. 10. 1817 zur Erinnerung an das Reformationsjahr 1517 und die Völkerschlacht bei Leipzig 1813; es wurde zu einer Demonstration patriot. und liberaler Kräfte und gilt als bed. Manifestation der frühen dt. studentischen Nationalbewegung.

Wartburgkreis, Landkreis in Thür., 1305 km^2; (1998) 147800 Ew.; Krst. ist Bad Salzungen.

Wartburgkrieg (Sängerkrieg auf der Wartburg), um 1260/70 in Thüringen entstandene Sammlung mehrerer urspr. selbstständiger Gedichte in versch. Strophenformen; am wichtigsten das »Fürstenlob«, Rollenspiel eines angebl. Sängerwettstreits am Hof Hermanns I. von Thüringen zu Anfang des 13. Jh., bei dem Heinrich von Ofterdingen unterliegt, und das »Rätselspiel« (»Urrätselspiel«, um 1239), in dem Klingsor (literar. Gestalt

Wartburgkrieg: Teilnehmer am Sängerkrieg auf der Wartburg (unten), darüber Landgräfin und Landgraf Hermann I. von Thüringen, Miniatur aus der Manessischen Handschrift (1. Hälfte des 14. Jh.; Heidelberg, Universitätsbibliothek)

aus dem »Parzival«) und Wolfram von Eschenbach gegeneinander antreten; Wolfram siegt als inspirierter Laiendichter über den Gelehrten. R. Wagner nahm das Motiv des Sängerstreits im »Tannhäuser« (1845) wieder auf.

Wartenburg, Stadt in Ostpreußen, →Barczewo.

Warteschlangentheorie (englisch Queueing Theory, Bedienungstheorie), Teilgebiet des →Operationsresearch; befasst sich mit der mathemat. Analyse von Warteschlangenprozessen, bei denen bestimmte Einheiten ein Bedienungssystem durchlaufen, z.B. Kunden an Abfertigungsschaltern, Schiffe in Kaianlagen.

Wartezeit (Karenzzeit), Versicherungszeit, die für einen Leistungsanspruch zurückgelegt sein muss, bes. in der gesetzl. Rentenversicherung und in der Arbeitslosenversicherung.

Warthe *die* (poln. Warta), rechter und größter Nebenfluss der Oder, in Polen, 808 km lang; entspringt südlich von Tschenstochau, durchfließt das poln. Tiefland und mündet unterhalb von Kostrzyn (Küstrin). Nebenflüsse von links Prosna und Obra, von rechts Welna und Netze; auf 407 km schiffbar; durch einen Kanal zur oberen Netze mit der Weichsel verbunden, bei Sieradz aufgestaut; zw. Landsberg und Kostrzyn der von Flussarmen durchzogene **Wartebruch,** 1767–82 nach dem Plan Friedrichs II., d. Gr., urbar gemacht.

Wartheland, nach der Besetzung Polens durch Erlass Hitlers 1939 errichteter Reichsgau, der die RegBez. Posen, Hohensalza, Litzmannstadt (Łódź) umfasste; für SS und NSDAP Experimentierfeld für die nat.-soz. Volkstumpolitik (»Eindeutschung«, »Entpolonisierung«).

Warve [schwed.] *die,* innerhalb eines Jahres abgelagerte Schicht aus wechselnd tonigem und feinsandigem Material, bes. ausgeprägt beim Bänderton. Die **W.-Forschung,** von G. von Geer († 1943) begründet, ermöglicht die zeitl. Bestimmung der Halte- und Rückzugsphasen von Gletschern.

Warwickshire ['wɔrɪkʃɪə], County in Mittelengland, 1981 km^2, (1991) 498 700 Ew.; Verw.sitz ist Warwick.

Warze (Verruca), gutartige, durch Infektion mit dem W.-Virus hervorgerufene und mit vermehrter Hornbildung verbundene Neubildung der Haut, v.a. bei Kindern und Jugendlichen. Im Alter treten manchmal harmlose, bräunlich schwärzl. Wucherungen (Alters-W.) aus unbekannter Ursache auf. Die Behandlung erfolgt v.a. durch Ätzen mit W.-Mitteln (z.B. Trichloressigsäure) oder elektrochirurg. Entfernen.

Warzenfortsatz, hinter der Ohrmuschel liegender Fortsatz des Schläfenbeins.

Wasa (schwed. Vasa), schwed. Adelsgeschlecht aus dem Uppland, Mitte des 13. Jh. urkundlich bezeugt. Die W. gelangten 1523 mit Gustav I. auf den Königsthron in Schweden und herrschten dort bis 1654 (Thronverzicht Christines, der Tochter Gustavs II. Adolf). Eine kath. Linie regierte 1587–1668 in Polen.

Wasalauf, *Skisport:* jährlich durchgeführter Langlauf von Sälen nach Mora in Schweden (86 km); erstmals 1922 zur Erinnerung an die Flucht des schwed. Königs Gustav I. vor den Dänen (1521) und seine triumphale Rückkehr ausgetragen.

Waschbären (Procyon), Gattung der Kleinbären in Nord-, Mittel- und Südamerika; Länge rd. 40–70 cm; Färbung überwiegend grau bis schwärzlich mit schwarzer Gesichtsmaske; geschickt kletternde und gut schwimmende Allesfresser. Der **Nordamerikan. W.** (Procyon lotor) verbreitete sich nach Einbürgerung (1934) in ganz Mitteleu-

Waschbären: Nordamerikanischer Waschbär (Kopf-Rumpf-Länge 50–70 cm, Schwanzlänge 20–25 cm)

ropa; Länge rd. 50–70 cm, Schwanz etwa 20–25 cm lang, buschig, braun und schwarz geringelt; reibt seine Nahrung häufig mit rollenden Bewegungen der Vorderpfoten auf einer Unterlage, manchmal auch im flachen Wasser.

Waschbüsch, Rita, Politikerin (CDU), *Landsweiler (bei Lebach) 22. 5. 1940; seit 1970 im Saarland MdL, war 1988–97 Präs. des Zentralkomitees der dt. Katholiken (ZdK).

Waschen, 1) *Bergbau:* bei der Aufbereitung von Erzen und Kohle das Entfernen von Begleitstoffen aus den zerkleinerten Rohstoffen durch Behandeln mit fließendem Wasser.

2) *Chemie:* das Entfernen von Verunreinigungen aus Gasen, Filterrückständen u. a. durch geeignete Waschflüssigkeiten; i. e. S. das Reinigen von Textilien mithilfe von geeigneten Waschflüssigkeiten (Lösungen wasserlösl. Waschmittel).

Waschflasche, *Chemie:* Glasflasche mit Einleitungsrohr, in der Gase beim Durchleiten durch flüssige Absorptionsmittel (Waschflüssigkeiten) von Nebenbestandteilen befreit werden.

Waschmaschine, Maschine mit einem als Trommel gestalteten Wäschebehälter, in dem die Wäsche nach einem gesteuerten oder vorgewählten automat. Programm gewaschen und beim **Waschautomaten** auch geschleudert wird. Außer dem Heizungssystem mit Temperaturregler bestimmen das Bewegungssystem (Rührwerk-, Schneckenrad-, Wirbelrad- oder Trommel-W.), die Laugenpumpe zum Entleeren sowie durch Wasserstandsregler gesteuerte Ventile den Waschvorgang; das Waschresultat wird wesentlich vom Waschmittel und der Waschbewegung beeinflusst.

Waschmittel, zum Waschen von Textilien verwendete Gemische aus Tensiden (früher Seife) und zahlr. weiteren, der Verbesserung des Waschvermögens dienenden Substanzen. Man unterscheidet Koch- (Voll-), Bunt- und Synthetik- sowie Fein-W. Die für alle Waschtemperaturen (bis 95 °C) geeigneten **Voll-W.** enthalten neben 10–15 % Tensiden 30–40 % Gerüststoffe (Builder) zur Wasserenthärtung (v. a. Alkalipolyphosphate oder Natriumaluminiumsilikate), 20–30 % Bleichmittel (v. a. Natriumperborat), 2–4 % Bleichmittelstabilisatoren, die das Zersetzen der Bleichmittel bei der höchsten Waschtemperatur verhindern (z. B. Magnesiumsilikat), 2–4 % Schaumregulatoren (v. a. Seifen langkettiger Fettsäuren), 1–2 % Vergrauungsinhibitoren (v. a. Carboxymethylcellulose), 5 % Korrosionsinhibitoren zum Schutz von Waschmaschinenteilen (v. a. Natriumsilikate), 0,1–0,3 % opt. Aufheller, 0,1–1 % Enzyme (Proteasen) zum Auswaschen eiweißhaltiger Flecken, 0,2 % natürl. oder synthet. Parfümöle zur Geruchsverbesserung des W. und der Wäsche sowie 5–30 % Füllstoffe (v. a. Natriumsulfat). Die bis 60 °C wirksamen **Bunt-** und **Synthetik-W.** enthalten mehr Komplexbildner (35–60 %), aber keine Bleichmittel und Korrosionsinhibitoren. Die bis 30 °C Waschtemperatur verwendeten **Fein-W.** bestehen aus einem höheren Anteil an Waschrohstoffen (20–35 %), enthalten aber keine Bleichmittel, opt. Aufheller und Korrosionsinhibitoren.

Rechtliches: Das In-Verkehr-Bringen von W. unterliegt den Bestimmungen v. a. des Wasch- und Reinigungsmittel-Ges. i. d. F. v. 5. 3. 1987. Es bezweckt, Gewässer und Abwasseranlagen vor Beeinträchtigungen durch Wasch- und Reinigungsmittel zu schützen. Die W.-Hersteller haben Kennzeichnungs- und Hinweispflichten zu erfüllen und gewässerschonende Dosierungsempfehlungen zu geben. W. sind nicht zugelassen, wenn sie den Anforderungen der Phosphathöchstmengen-VO vom 4. 6. 1980 und der Tensid-VO vom 30. 1. 1977 nicht entsprechen.

Waschmaschine

Warum drehen sich Waschmaschinentrommeln beim Waschvorgang vor und zurück?

Um den Schmutz zu lösen, muss die Wäsche in der Maschine bewegt werden. Drehte sich die Trommel ständig in eine Richtung, so würde die Zentrifugalkraft die Wäsche und damit auch den Schmutz zusammenballen.

Waschung, *Religionsgeschichte:* rituelle Reinigung des Körpers, um kult. → Reinheit zu erlangen.

Waschzettel, kurze Darstellung von Inhalt und Zweck eines Buches, vom Verlag den Besprechungsstücken beigegeben.

Waschzwang, krankhaftes Bedürfnis, sich mit unnötiger Häufigkeit und Sorgfalt zu waschen; ist i. d. R. Symptom einer Zwangsneurose.

Wash., Abk. für den Staat **Wash**ington, USA.

wash and wear ['wɔʃ ənd 'weə; engl. »waschen und tragen«], Bez. für Textilien, die nach dem Waschen (fast) ohne Bügeln wieder getragen werden können.

Washington ['wɔʃɪŋtən], **1)** Abk. **Wash.,** Staat im NW der USA, an der Grenze zu Kanada, 176 479 km^2, (1995) 5,431 Mio. Ew.; Hptst. ist Olympia, größte Stadt Seattle (mit der University of W.). W. hat Anteil an den Coast Ranges, an der Cascade Range (Mount Rainier, 4392 m ü. M.) und am Columbiaplateau; die Küstenregion ist dicht bewaldet (Kiefern, Tannen, Fichten). Anbau von Getreide, Kartoffeln, Hopfen, Futterpflanzen und Obst; bed. Holzwirtschaft; Lachsfang und -zucht. Wichtigster Wirtschaftszweig ist die Luft- und Raumfahrtind. sowie Computertechnologie; Maschinen- und Schiffbau, chem., Holz- und Papierind., Aluminium-, Kupfergewinnung; Wasserkraftgewinnung, Kernenergieversuchszentrum. –

Washington 1)
Flagge

Washington (D.C.)

1

2

3

4

| **1** Blick über den Reflecting Pool auf den 1848–84 errichteten, 169 m hohen Obelisk des Washington-Monuments mit der Kuppel des Kapitols im Hintergrund | **2** Auf den schwarzen Granitblöcken des 1982 eingeweihten Vietnam Veterans Memorial wurden die Namen von mehr als 58 000 im Vietnamkrieg Gefallenen eingraviert | **3** Auf dem Arlington National Cemetery am rechten Ufer des Potomac sind unter der ewigen Flamme John F. Kennedy, seine Frau Jacqueline Bouvier Kennedy Onassis und zwei ihrer im Säuglingsalter verstorbenen Kinder beigesetzt | **4** In der Mitte des 1939–43 erbauten Jefferson-Memorial am Fuß des Tidal Bassin steht eine 6 m hohe Bronzestatue von Thomas Jefferson

Washington (D. C.)
Stadtwappen

1775 wurde das Küstengebiet von W. durch Spanier erkundet; 1792 befuhr der amerikan. Kapitän R. Gray den Columbia River. 1811 gründeten Amerikaner unter J. J. Astor das Fort Okanogan. 1846 kam das Gebiet von W. durch Teilung des britisch-amerikan. Kondominiums Oregon in den Besitz der USA. 1853 entstand das Territorium W. (seit 1863 in den heutigen Grenzen); nach Goldfunden im NO (1855) und mehreren Kriegen mit den Indianern (z. B. mit den Nez Percé 1877) trat W. 1889 als 42. Staat der Union bei.

2) W. (D. C.), Bundeshauptstadt der USA, zugleich Bundesdistrikt (**District of Columbia,** Abk. **D. C.;** 178 km²), am Potomac; (1995) 554 300 Ew., davon über 70 % Schwarze. W. ist Sitz eines Erzbischofs, mehrerer Univ., darunter die George Washington University, die Catholic University of America, die Georgetown University (gegr. 1795) und die Howard University sowie die Nat. Akademie der Wissenschaften. Führende Bildungsstätten, Museen und Bibliotheken befinden sich in W., u. a. die Smithsonian Institution, die National Gallery of Art, das National Museum of Natural History, das National Air and Space Museum und die →Library of Congress; mehrere Theater, botan. und zoolog. Garten; bed. Dienstleistungssektor und Fremdenverkehr; U-Bahn, drei Flughäfen (W. National Airport, Dulles International Airport, Baltimore-W. International Airport).

Das Zentrum von W. entstand nach dem 1791 im Auftrag von G. Washington entworfenen Plan des Franzosen P. C. L'Enfant am linken Ufer des Potomac. Die größtenteils im Schachbrettmuster angelegten Straßen werden durch breite Diagonalsysteme (die Avenues) durchbrochen, die auf Mittelpunkte wie →Kapitol und →Weißes Haus zustreben. Später einbezogene Akzente sind das Washington Monument (1848–85), das Lincoln Memorial (1914–22) sowie das Jefferson Memorial (1939–43). Die meisten Bauten wurden in historisierendem Stil errichtet. Im Zentrum, zw. Kapitol und Washington Monument, erstrecken sich die Parkanlagen »The Mall«, gesäumt von vielen Museen und Verwaltungsgebäuden, u.a. unweit des Kapitols die Gebäude der Nationalbibliothek (Library of Congress; 1888–97) und der Oberste Gerichtshof (Supreme Court; 1929–35). Bed. Bauten sind ferner das am rechten Ufer des Potomac gelegene, 1934 von G. E. Bergstrom u.a. entworfene Pentagon sowie das 1971 eröffnete, von E. D. Stone entworfene John F. Kennedy Center for the Performing Arts (Oper, Konzerthalle, Theater u.a.), das Smithsonian Building (1847–56) und das East Building von I. M. Pei (1978 eröffnet). – 1790 gegr., wurde W. (nach dem Präs. G. Washington ben.) 1800 Sitz der Bundesreg. und erhielt 1802 Stadtrechte. 1814 durch brit. Truppen z.T. zerstört, erlebte W. nach dem Sezessionskrieg (1861–65) ein rasches Wachstum.

📖 BOWLING, K. R.: *The creation of W., D. C. The idea and location of the American capital. Fairfax, Va., 1991.*

Washington ['wɔʃɪŋtən], **1)** Booker T. (Taliaferro), amerikan. Sozialreformer und Pädagoge, *bei Hale's Ford (Franklin County, Va.) 5. 4. 1856, †Tuskegee (Ala.) 14. 11. 1915; als Sklave geboren, Arbeiter, Ausbildung zum Lehrer; seit 1881 Leiter des neu gegründeten Normal and Industrial Institute in Tuskegee, das sich zur führenden Bildungsanstalt für Schwarze in den USA entwickelte. W. setzte sich für deren allmähl. soziale Angleichung durch Bildung sowie gewerbl. Ausbildung ein und warb für eine Zusammenarbeit zw. Weißen und Schwarzen. Seine Haltung stieß auf Ablehnung durch radikalere Vertreter der Bürgerrechtsbewegung (u.a. W. E. B. Du Bois). Autobiographie »Vom Sklaven empor« (1901).

Booker T. Washington

2) Denzel, amerikan. Schauspieler, *Mount Vernon (N.Y.) 28. 12. 1954; mit großer Intensität agierender Bühnen- und Filmschauspieler (»Schrei nach Freiheit«, 1987; »Glory«, 1989; »Malcolm X«, 1993; »Philadelphia«, 1994; »Crimson Tide – In tiefster Gefahr«, 1995).

Denzel Washington

3) George, erster Präs. der USA (1789–97), *Wakefield (Va.) 22. 2. 1732, †Mount Vernon (Va.) 14. 12. 1799; Tabakpflanzer, kämpfte als Offizier der Kolonialmiliz von Virginia seit 1754 gegen Franzosen und Indianer im Ohiotal; 1758–74 Mitglied der Bürgerversammlung von Virginia, schloss sich der Unabhängigkeitsbewegung an und nahm am 1. und 2. Kontinentalkongress teil. Als Oberbefehlshaber der Armee der Kolonien (1775–83) entschied er mit frz. Unterstützung durch den Sieg über die brit. Truppen bei Yorktown (19. 10. 1781) den Nordamerikan. Unabhängigkeitskrieg. 1787 Vors. des Verfassungskonvents; 1789 zum ersten Präs. der USA gewählt (1792 wieder gewählt). W. vertrat den Gedanken einer starken Zentralreg., befürwortete den Ausgleich mit Großbritannien und wahrte Neutralität in den europ. Kriegen der Revolutionsära; innenpolitisch entwickelte er das Kabinettssystem. Bereits zu Lebzeiten erfuhr W. als einer der Gründerväter der USA weite Verehrung; sein Besitz in Mount Vernon wurde zur nat. Gedenkstätte. Weiteres BILD Mount Rushmore National Memorial

📖 FERLING, J. E.: *The first of men. A life of G. W. Knoxville, Tenn., 1988.*

George Washington
(Ausschnitt eines Gemäldes von Gilbert Stuart, 1796)

Washingtoner Artenschutzabkommen ['wɔʃɪŋtən-], am 3. 3. 1973 in Washington (D.C.) unterzeichnetes »Übereinkommen über den internat. Handel mit gefährdeten Arten der frei lebenden Tier- und Pflanzenwelt« (CITES); Beitritt der Bundesrep. Dtl. am 22. 3. 1976, der Schweiz am 9. 7. 1974. Das W. A. enthält, entsprechend dem Grad der Schutzbedürftigkeit der Arten, abgestufte Maßnahmen (vom weltweiten Handelsverbot bis zu Teilbeschränkungen in einzelnen Staaten).

Washingtoner Flottenabkommen ['wɔʃɪŋtən-], zw. den USA, Großbritannien, Japan, Frankreich und Italien 1921/22 abgeschlossener Vertrag, der v.a. die Flottenstärken festlegte (bestand bis 1936); 1934 durch Japan gekündigt.

Wash-out ['wɔʃaʊt, engl.] *der,* →radioaktiver Niederschlag.

Wash, The [ðə wɔʃ], flache Nordseebucht an der O-Küste Englands, 35 km lang, 25 km breit; Teile der ehem. größeren Bucht wurden durch Einpolderung in Marschland verwandelt.

Wasjugansümpfe, Sumpfgebiet im S des Westsibir. Tieflands, Russland, zw. Irtysch und Ob, etwa 100 000 km²; Erdöl-, Erdgasgewinnung.

Wasmann, Erich, dt.-niederländ. Zoologe, *Meran 29. 5. 1859, †Valkenburg (Niederlande) 27. 2. 1931; seit 1875 Jesuit; tierpsycholog. und insektenkundl. Forschungen; schrieb u.a. »Instinkt und Intelligenz im Tierreich« (1897).

Wasmosy Monti, Juan Carlos, paraguayischer Politiker, *Asunción 15. 12. 1938; Ingenieur, hatte unter der Stroessner-Diktatur eine Schlüsselstel-

Juan Carlos Wasmosy Monti

Wiktor Michailowitsch Wasnezow: Die Gemächer des Grafen Berendei, Entwurf zum Bühnenbild des zweiten Aktes der Oper »Schneeflöckchen« von Nikolai Rimski-Korsakow (1885; Moskau, Tretjakow-Galerie)

lung in der Bauwirtschaft inne, als Kandidat der Colorado-Partei 1993 zum Präs. gewählt.

Wasnezọw [-ts-], Wiktor Michailowitsch, russ. Maler, *Lopjal (Gebiet Kirow) 15. 5. 1848, †Moskau 23. 6. 1926; gestaltete Themen aus Geschichte und Volksepos in einer monumental-dekorativen Auffassung; entwarf die Kirche in Abramzewo und die Fassade der Tretjakow-Galerie in Moskau.

Wasow ['vazɔf], Iwan Mintschow, bulgar. Schriftsteller, *Sopot (Gebiet Plowdiw) 9. 7. 1850, †Sofia 22. 9. 1921; gestaltete revolutionär-romantische Themen aus der Zeit vor der Befreiung Bulgariens (1878), bes. in seinem Roman »Unter dem Joch« (1894); histor. Romane und Dramen.

Wasser, chem. Verbindung von Wasserstoff und Sauerstoff, H_2O. Im W.-Molekül sind die beiden Wasserstoffatome kovalent so an den Sauerstoff gebunden, dass das Molekül ein gleichschenkliges Dreieck bildet, wobei der Winkel H–O–H 104,5° beträgt. Die Ladungsdichte des gemeinsamen Elektronenpaares jeder O–H-Bindung verteilt sich wegen der unterschiedl. Elektronenaffinität nicht symmetrisch auf der Bindungsachse, sondern befindet sich näher am Sauerstoffatom. Das W.-Molekül hat deshalb ein beträchtl. Dipolmoment. – W. siedet unter Normdruck (1,01325 bar) bei 100 °C, geht aber auch bei tieferen Temperaturen langsam in W.-Dampf über (Verdunstung) und erstarrt bei 0 °C zu Eis. Schmelzpunkt und Siedepunkt dienen zur Festlegung der Celsius-Temperaturskala. Die Dichte von flüssigem W. beträgt bei 0 °C 0,999818 g/cm³, von Eis bei 0 °C nur 0,9168 g/cm³; bei 4 °C ist das Dichtemaximum von 1,000000 g/cm³ erreicht, bei weiterem Erwärmen nimmt die Dichte wieder ab (bei 20 °C 0,998231 g/cm³). Deshalb schwimmt Eis auf flüssigem W. und gefrieren Gewässer stets von der Oberfläche her. Die Volumenvergrößerung von etwa 9% beim Gefrieren von W. bewirkt das Platzen von mit W. gefüllten Gefäßen bei Frost sowie die Frostsprengung von Gesteinen. – W. ist die häufigste chem. Verbindung auf der Erdoberfläche; es bedeckt die Erdoberfläche zu 71% und ist in Form von W.-Dampf bis zu 4% in der Atmosphäre enthalten. – Nach dem Salzgehalt unterscheidet man **Süß-W.** (W. fließender oder stehender Binnengewässer mit einem Salzgehalt kleiner als 0,02%), **Salz-W.** (v.a. das →Meerwasser) und →Brackwasser, der Gehalt an Calcium- und Magnesiumionen bestimmt dabei die Härte des Wassers (→Wasserhärte). Chemisch reines W. zur Verwendung in der analyt. Chemie und Medizin erhält man durch Destillation (sog. **destilliertes W.**) oder über Ionenaustauscher. **Trink-W.** enthält alle mineral. Bestandteile, ist aber weitgehend keimfrei. In chem. Verbindungen eingebautes W. heißt **Hydrat-W. (Kristall-W.).** Im gewöhnl. W. kommen neben gewöhnl. Wasserstoff auch die Isotope →Deuterium und →Tritium vor; →schweres Wasser (Deuteriumoxid) ist in gewöhnl. W. zu etwa 0,02% enthalten und kann durch Elektrolyse daraus gewonnen werden. W., das am meisten gebrauchte Lösungsmittel, ist selbst nur in sehr geringem Maße dissoziiert; infolgedessen leitet reines W. den elektr. Strom fast gar nicht. Wegen der hohen Dielektrizitätskonstanten des W. dissoziieren Stoffe mit Ionenbindung (Salze, Säuren, Basen) in wässriger Lösung. Zw. dem flüssigen W. auf der Erdoberfläche, dem durch Erwärmung aus ihm entweichenden W.-Dampf und dem gasförmig in der Atmosphäre und in Form feiner Tröpfchen in den Wolken befindlichen W. besteht ein ständiger →Wasserkreislauf. Der natürl. Wasserkreislauf wird technisch zur Energiegewinnung in →Wasserkraftwerken genutzt.

Für Existenz und Stoffwechsel bei allen Organismen ist W. überaus wichtig (→Wasserhaushalt). Pflanzen bestehen z.T. zu über 90%, höhere Tiere und der menschl. Körper zu mehr als 50% aus W.

15 Wasser

Ein Liter Wasser wiegt bei 0 °C 999,8 g. Im Zustand seiner größten Dichte, also bei 4 °C, wiegt er exakt 1 000 g. Erwärmt man Wasser jedoch weiter, nimmt sein Gewicht wieder ab. So bringt es ein Liter bei 20 °C nur noch auf 998 g.

Das ist aber noch nicht die letzte Merkwürdigkeit des Wassers. Zum Beispiel wiegt ein Liter Eis von 0 °C mit 916,14 g erheblich weniger als ein Liter Wasser der gleichen Temperatur und kann deshalb auf ihm schwimmen.

Das W. vermittelt die chem. und physikal. Prozesse innerhalb und außerhalb der Zellen, das Strömen und die Diffusion der Gewebs- und Nahrungsflüssigkeiten und den Aufbau des kolloidalen Zustands der Körperbestandteile. Es regelt ferner die Körpertemperatur, indem es durch Verdunsten an der Oberfläche Wärme entzieht. – Technisch ist W. in erster Linie als Kühl-, Lösungs- und Reinigungsmittel sowie als Ausgangsstoff für die Gewinnung von Wasserstoff und viele Synthesen in der chem. Industrie von Bedeutung.

📖 *Kulturgeschichte des W., hg. v.* H. BÖHME. *Frankfurt am Main 1988. – W., hg. v.* K.-F. BUSCH. *Leipzig ²1988. –* CROUTIER, A. L.: *W., Elixier des Lebens. A. d. Amerikan. München 1992. – Landschaftswasserhaushalt, Beiträge v.* B. WOHLRAB *u. a. Hamburg u. a. 1992.*

Wasser|amseln (Cinclidae), Familie bis zu fast 20 cm langer, kurzschwänziger, meist braun, grau und weiß gefärbter Singvögel, v. a. an schnell strömenden Gebirgs- und Vorgebirgsbächen großer Teile Eurasiens, Nord-, Mittel- und Südamerikas; in Europa als einzige Art die **Eurasiat. W.** (**Wasserschwätzer,** Cinclus cinclus).

Wasser|aufbereitung, Gewinnung von nutzbarem Wasser aus Grund- bzw. Oberflächenwasser mittels chemisch-physikal. und physikal. Aufbereitungsverfahren. Die Behandlung von Abwasser zum Zweck des Gewässerschutzes ist Aufgabe der →Abwasserreinigung. Während die Trinkwasseraufbereitung v. a. hygienisch einwandfreies Wasser liefern muss, ist die Brauchwasseraufbereitung häufig dem jeweiligen Verwendungszweck angepasst. Die W. hängt von der Güte des Rohwassers ab. Bei der Aufbereitung von Oberflächenwasser zu Trinkwasser werden zunächst vorhandene Schwebstoffe durch Flockung in voluminösere Teilchen umgewandelt und durch Filtration mit Kiesfiltern aus dem Wasser entfernt. Durch Belüftung wird das Wasser mit Sauerstoff angereichert. Gleichzeitig kann ein Ausblasen von korrosivem Kohlendioxid und eine oxidative Umwandlung von gelösten Eisen(II)-Ionen in unlösl. Eisen(III)-oxid-Hydrat **(Enteisenung)** erreicht werden. Gelöste organ. Stoffe werden durch Adsorption an Aktivkohle und/oder biolog. Abbau in Langsamfiltern oder durch Bodenpassage (Versickerung) entfernt. Die Desinfektion von Trinkwasser geschieht durch Zusatz von Chlor, Chlordioxid oder Natriumhypochlorit **(Chlorung)** oder durch Behandlung mit Ozon **(Ozonisierung).** Ozon tötet Bakterien und Viren schneller ab als Chlor. Es zersetzt sich aber sehr schnell, sodass keine Langzeitwirkung erreicht wird. Bei längeren Leitungssystemen

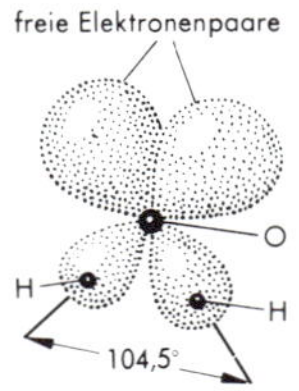

Wasser: Struktur des Wassermoleküls

Wasseramseln: Eurasiatische Wasseramsel

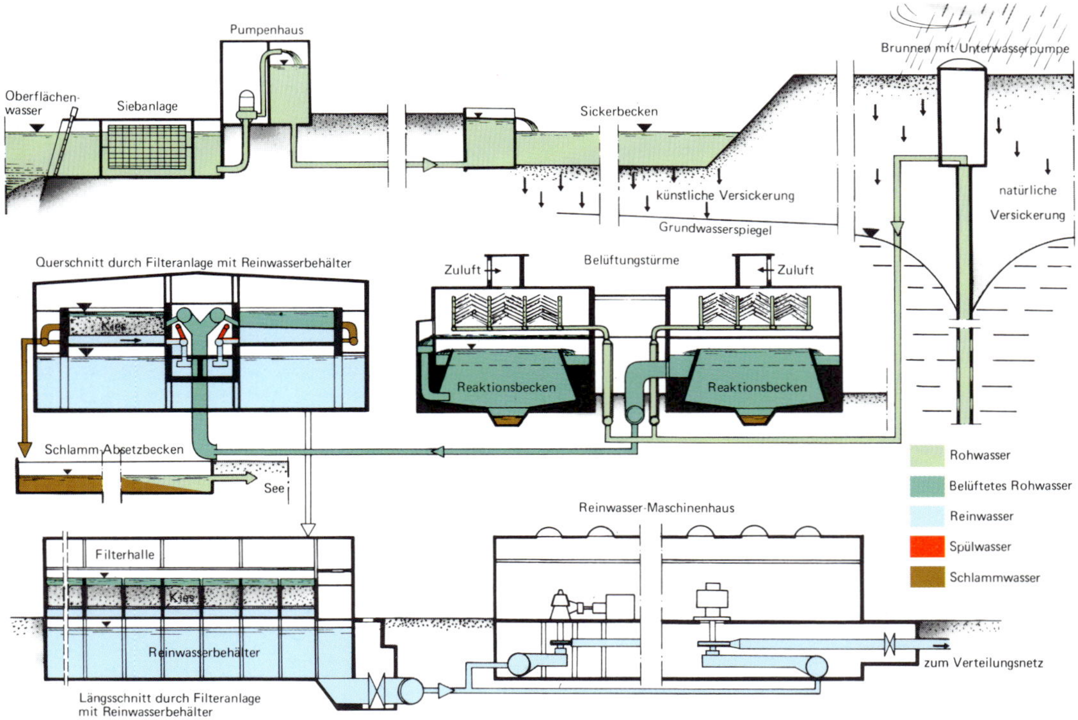

Wasseraufbereitung: schematische Darstellung; durch Niederschlags- und Oberflächenwasser angereichertes Grundwasser gelangt als Rohwasser in Belüftungs- und Filteranlagen, aus denen – gegebenenfalls nach Desinfektion – das Reinwasser in Wasserbehälter und in das Verteilungsnetz gefördert wird

kann deshalb eine zusätzl. Chlorung erforderlich sein. Grundwasser kann ohne Flockung und häufig auch ohne Desinfektion zu Trinkwasser aufbereitet werden. Wasser mit hoher Carbonathärte (→Wasserhärte) muss für viele Zwecke teilenthärtet werden. Weiter gehende Verfahren der W. sind die **Enthärtung** und die **Vollentsalzung** mithilfe von Ionenaustauschern.

📖 HANCKE, K.: *W. Düsseldorf* [3]*1994.*

Wasserburg a. Inn: Blick über den südlichen Teil der Innschleife auf die Innenstadt; in der Bildmitte die Kirche Sankt Jakob, rechts die Frauenkirche

Wasserball, mit den Händen gespieltes, im Wasser schwimmend ausgeübtes Torspiel zweier Mannschaften von je sieben Spielern (ein Torwart und sechs Feldspieler) und sechs Auswechselspielern; Spielfeldmaße 20 m × 30 m. Der 400 bis 450 g schwere Hohlball von 68 bis 71 cm Umfang soll möglichst oft in das gegner. Tor befördert werden. Die Spielzeit beträgt 4 × 7 min effektiv. Der Ball darf nur mit einer Hand gespielt werden, der Torwart darf beide Hände oder die Faust benutzen. Regelverstöße werden in einfache und schwere Fehler (z. B. Treten, Schlagen, Untertauchen) unterteilt; sie werden mit Frei- oder Strafwurf für den Gegner oder (Zeit-)Herausstellung bestraft. Olymp. Sportart seit 1900, Weltmeisterschaften seit 1973, Europameisterschaften seit 1926.

Wasserbilanz, →Wasserhaushalt.

Wasserblüte, grüne oder goldgelbe bis rote Verfärbung des Wassers und der Wasseroberfläche durch massenhaftes Auftreten plankton. Flagellaten, Blau- oder Grünalgen; ein bedrohl. Zeichen für die →Eutrophierung des Gewässers.

Wasserböcke, →Riedböcke.

Wasserbombe, Unterwassersprengkörper zur Bekämpfung getauchter U-Boote mit auf versch. Tiefen einstellbaren Wasserdruck- oder Zeitzündern; W. werden von Schiffen oder U-Jagd-Flugzeugen abgeworfen. Sie werden heute zunehmend von U-Jagd-Raketen und -Torpedos abgelöst.

Wasserbruch (Hydrozele), schmerzlose Flüssigkeitsansammlung in den Hodenhüllen mit Vergrößerung des Hodensacks. Die Behandlung erfolgt bei größerer Ausdehnung operativ.

Wasserbüffel, Art der →Büffel.

Wasserburg a. Inn, Stadt im Landkreis Rosenheim, Bayern, 11200 Ew.; Museen, Theater; Elektro-, Kunststoff-, Metallind., Milchverarbeitung, Arzneimittelwerk. – Maler. Altstadt unterhalb der ehem. Wasserburg (1526 Umbau zum Schloss, seit 1780 mehrfach verändert, jetzt Kloster): Frauenkirche (14. Jh., Barockausstattung), Kirche St. Jakob (1410 begonnen), Doppelkapelle St. Michael (1501–03), Hl.-Geist-Spital (1341; 1568 erneuert), Rathaus (1457–59, mehrfach verändert), Wohnhäuser des 14. bis 16. Jh. mit Lauben, Erkern und Grabendächern. – W. entstand nach 1137 bei der 1085 erstmals genannten »Burg am Wasser«; seit dem 13./14. Jh. Stadtrecht; im MA. bed. Handelsstadt (Innschifffahrt, Salzstraße).

Wasserdampf, verdampftes (gasförmiges) Wasser. In Luft enthaltener W. wird als Luftfeuchtigkeit bezeichnet. **Heißdampf** ist trocken und scheidet bei geringfügiger Abkühlung keine Wassertröpfchen ab. **Sattdampf** mit 2–3 bar (Niederdruckdampf) ist ein wichtiger industrieller Wärmeträger. (→Dampf)

Wasserdampfdiffusion, Bewegung von Wasserdampf von Stellen mit höherem zu solchen mit niederem Dampfdruck.

Wasserfall, senkrechter Absturz eines natürl. Wasserlaufs über eine Stufe oder über mehrere **(Kaskade);** Erosion oder Unterwaschung verursachen eine ständige Rückwärtsverlagerung. BILDER Iguaçu, Krimml, Niagarafälle, Victoriafälle

Wasserfalle (Aldrovanda vesiculosa), Sonnentaugewächs, seltene, frei schwimmende Wasserpflanze mit quirlig stehenden Blättern, Spreite blasig aufgetrieben, als Klappenfalle zum Fang kleiner Insekten und Krebstiere; in Dtl. nach der Roten Liste ausgestorben.

Wasserfarben, Farben, die mit leimartigen Bindemitteln versetzt und nur mit Wasser vermalt werden (→Aquarellmalerei).

Wasserfarne (Hydropterides), zwei Gruppen auf und im Wasser lebender Farne; mit sehr verschiedenartigen Blättern und verschiedengeschlechtigen Sporen **(Heterosporie).** Zu den W. gehören z. B. →Kleefarn und →Pillenfarn.

Wasserfeder (Hottonia), Gattung der Primelgewächse mit zwei Arten; einheimisch ist die unter Naturschutz stehende **Wasserprimel** (Hottonia palustris), eine bis 50 cm hohe Staude mit fiederteiligen Blättern und in Quirlen stehenden, blassrosa Blüten; in stehenden oder langsam fließenden Gewässern.

Wasserflöhe (Cladocera), Unterordnung im Durchschnitt etwa 0,4–6 mm langer Krebstiere (Unterklasse Blattfußkrebse) mit über 400 Arten; gekennzeichnet durch hüpfende Schwimmweise; u.a. Daphnia und Rüsselkrebschen; Arten der Gattung **Daphnia,** z.B. der bis zu 4 mm lange **Gemeine Wasserfloh** (Daphnia pulex), dienen als Futter für Aquarienfische.

Wasserflorfliegen, →Schlammfliegen.

Wasserflugzeug, Flugzeug, das durch untergesetzte Schwimmkörper (Schwimmerflugzeug) oder durch Ausbildung des Rumpfes als →Flugboot schwimmfähig ist und von Wasserflächen aufsteigen und darauf niedergehen kann.

Wassergeister, *Volksglauben:* die →Elementargeister im Wasser (Undinen).

Wasserglas, Bez. für glasartig erstarrte Alkalisilikate mit der allg. $M^{I}_{2}O \cdot (SiO_2)_x$ $(x = 1–4)$; daneben auch Bez. für ihre stark basisch reagierenden, viskosen wässrigen Lösungen. Das **Natron-** oder **Natrium-W.** und das **Kali-** oder **Kalium-W.** werden durch Schmelzen von Quarzsand mit Soda (Natriumcarbonat) oder mit Pottasche (Kaliumcarbonat) hergestellt und kommen als Festglas in den Handel. Flüssiges W. (unter Druck in Wasser gelöstes Festglas) wird als Imprägnierungs-, Binde- und Korrosionsschutzmittel, als Kleb- und Füllstoff, Natron-W. auch als Konservierungsmittel und zur Gewinnung säurefester Kitte, Kali-W. auch als Flammschutzmittel verwendet.

Wasserhaltung, bergmänn. Wasserwirtschaft; umfasst die Hebung des Grund- oder Oberflächenwassers aus Grubenräumen (Grubenwasser) oder Tiefbaustellen durch Pumpen und Leitungen sowie Methoden zur Grundwasserabsenkung.

Wasserharnruhr, *Medizin:* der →Diabetes insipidus.

Wasserhärte (Härte des Wassers), im Wesentlichen durch Calcium- **(Kalkhärte)** und Magnesiumsalze **(Magnesiahärte)** bewirkter Gehalt des Wassers an Erdalkaliionen. Die **temporäre W. (Carbonathärte)** wird durch Hydrogencarbonate der Erdalkalimetalle hervorgerufen; durch Kochen werden diese als Carbonate ausgefällt. Calcium- und Magnesiumsulfate verursachen **permanenten W.** oder **Nichtcarbonathärte;** temporäre und permanente W. ergeben die **Gesamt-W.** Die W. wird meist in Härtegraden angegeben. Die in der Bundesrep. Dtl. verwendete Maßeinheit wird als **deutscher Härtegrad** (Einheitenzeichen °d oder °dH) bezeichnet; dieser entspricht einem Gehalt von 10,00 mg Calciumoxid (CaO) je Liter Wasser oder der äquivalenten Menge eines anderen Erdalkalioxids. – Die W. führt beim Erhitzen von Wasser in Dampfkesseln, Waschmaschinen, Geschirrspülern u.a. zur Abscheidung von →Kesselstein. Seife wird durch W. in schwerlösl. Calcium- und Magnesiumseifen (bes. →Kalkseife) umgewandelt, sodass die Waschwirkung stark vermindert wird und ein stumpfes, »hartes« Gefühl auf der Haut entsteht.

Wasserhärte: Härtebereich und Wassercharakter

Härtebereich	Gesamthärte (mmol/l)	Härtegrad (°d)	Wassercharakter
1	bis 1,3	0-7	weich
2	1,3-2,5	7-4	mittel
3	2,5-3,8	14-21	hart
4	über 3,8	über 21	sehr hart

Wasserhaushalt, 1) *Physiologie:* die Prozesse der Aufnahme, Verteilung und Abgabe von Wasser, durch die der Wassergehalt des Organismus bestimmt wird. Der W. ist funktionell eng mit dem Elektrolythaushalt verknüpft und wird mit diesem bei Mensch und Tier durch Osmoregulation (→Osmose) im Gleichgewicht gehalten. Der relative Wassergehalt der fettfreien Körpermasse wird sehr konstant auf 70–75% reguliert, er nimmt mit zunehmendem Alter ab. Die Wasseraufnahme erfolgt mit der festen und flüssigen Nahrung und wird durch Bildung von Wasser im Stoffwechsel (sog. Oxidationswasser) ergänzt. Bereits bei einem Wasserverlust von etwa 0,5% des Körpergewichts entsteht Durst. Die Wasserabgabe wird durch die Nieren reguliert. Der Körper gibt über Lunge und Haut ständig Wasserdampf ab, was auch der Temperaturregulation des Körpers dient. Überschüssiges Wasser, Salze und Stoffwechselprodukte werden mit dem Harn ausgeschieden. Ferner wird Wasser mit dem Kot abgegeben und als Schweiß abgesondert. Durch Rezeptoren, die den osmot. Druck des Blutes, die Dehnung der Blutgefäße im Brustraum (Blutvolumen) und den Natriumgehalt

Wasserflöhe: Gemeiner Wasserfloh (Größe bis zu 4 mm)

Wasserflugzeug: Schwimmerflugzeug

Wasserhyazinthe: Eichhornia crassipes

in der Hirnflüssigkeit messen, werden über das Zwischenhirn Durst und Wasserausscheidung reguliert, wobei Vasopressin der wesentl. Mittler ist. – Der W. der Pflanzen hängt von der Wasserabgabe durch Blätter **(Transpiration),** von der Wasseraufnahme durch Wurzeln und Blätter sowie vom Wasserdampfdruck der umgebenden Luft ab. Die Wasserabgabe wird z.T. durch Spaltöffnungen reguliert. Manche Pflanzen (Flechten, Moose) ertragen Wasserverluste bis zur Austrocknung, die meisten höheren Pflanzen sind aber auf gleich bleibenden Wassergehalt angewiesen. Anpassungen an die Wasserverhältnisse ihres Standorts zeigen bes. Trockenpflanzen **(Xerophyten)** und Feuchtpflanzen **(Hygrophyten).**

2) *Wasserwirtschaft:* (Wasserbilanz) mengenmäßige Erfassung des Wasserkreislaufs für einen Bewirtschaftungsbereich und einen Betrachtungszeitraum. Einnahmen: Niederschlag, ober- und unterird. Zuflüsse; Ausgaben: Entnahmen, ober- und unterird. Abflüsse. Die Vorratsänderung im Einzugsgebiet durch Rücklage oder Aufbrauch kann positiv **(Überschuss-W.)** oder negativ sein **(defizitärer Wasserhaushalt).**

Wasserhaushalt: Tägliche Wasserbilanz des Menschen

Wasseraufnahme in ml/Tag		Wasserabgabe in ml/Tag	
Trinkwasser	1 200	Harn	1 400
Nahrung	900	Haut und Lungen	900
Oxidationswasser	300	Kot	100
gesamt	2 400	**gesamt**	2 400

Wasserhaushaltsgesetz, als Teil des Wasserrechts das Ges. zur Ordnung des Wasserhaushalts in Dtl. i.d.F.v. 12.11.1996. Das Ges. befasst sich mit den oberird., d.h. den in Betten fließenden, stehenden oder abfließenden Gewässern, den Küstengewässern und dem Grundwasser. Es stellt Grundsätze für die Wassernutzung auf, wobei es den Grundeigentümern Beschränkungen auferlegt und u.a. Bestimmungen über Wasserschutzgebiete, Errichtung von Rohrleitungen und zur Haftung bei Änderung der Wasserbeschaffenheit trifft.

Wasserheilkunde, die →Hydrotherapie.

Wasserhose, *Meteorologie:* →Trombe.

Wasserhyazinthe (Eichhornia), Gattung im trop. und subtrop. Südamerika heim. Schwimmpflanzen. Die bekannteste, heute in den gesamten Tropen und Subtropen als lästiges Wasserunkraut auftretende Art ist **Eichhornia crassipes** mit starker Ausläuferbildung, Rosettenblättern mit blasenartig aufgetriebenen Blattstielen und großen, violettpurpurfarbenen bis blauen Blüten.

Wasserjungfern, *Zoologie:* die →Libellen.

Wasserkäfer, zusammenfassende Bez. für vorwiegend im Wasser lebende Käfer mit Schwimm- oder Ruderfüßen, z.B. Schwimmkäfer, Taumelkäfer, einige Kolbenwasserkäfer.

Wasserkelch (Cryptocoryne), Gattung der Aronstabgewächse; Wasserpflanzen in Südostasien, mit ausläufertreibendem Wurzelstock, eiförmigen bis lanzettförmigen Unterwasserblättern und dickfleischiger Blütenscheide; Aquarienpflanzen.

Wasserkopf (Hydrozephalus), abnorm vergrößerter Hirnschädel infolge übermäßiger Ansammlung von Gehirn-Rückenmark-Flüssigkeit in den Hirnkammern (Hirnventrikel); angeboren oder im frühen Kindesalter auftretend, hervorgerufen durch intrauterine Entwicklungsstörungen oder versch. Gehirnmissbildungen oder -erkrankungen. Behandlung: neurochirurgisch durch Ventrikeldränage zur Ableitung der Gehirn-Rückenmark-Flüssigkeit.

Wasserkraftmaschine, Strömungskraftmaschine, die dem Wasser potenzielle und kinet. Energie entzieht und in einer rotierenden Welle weiterleitet (→Wasserturbine, →Wasserrad).

Wasserkraftwerk, Anlage zur Nutzung der kinet. und potenziellen Energie des natürl. Wasserkreislaufs. Dabei lässt man vom Oberwasser (z.B. Stausee, Stauhaltung) Triebwasser zum Unterwasser (z.B. Flusslauf, Auffangbecken) durch eine Wasserturbine fließen, die die anfangs potenzielle Energie des Wassers in kinet. Energie umformt. Ein mit der Wasserturbine direkt oder über ein Getriebe gekuppelter elektr. Generator formt diese in elektr. Energie um. Man unterscheidet nach der Betriebsweise **Lauf-W. (Laufkraftwerke),** bei denen das zufließende Wasser durch ein Wehr aufgestaut und »laufend« verarbeitet wird, und **Speicherkraftwerke,** bei denen das ankommende Wasser in Stauseen gespeichert und nach Bedarf entnommen wird. Nach der Bauform unterscheidet man **Niederdruckkraftwerke** (Nutzfallhöhe unter 10 m, vorwiegend Laufkraftwerke), **Mitteldruckkraftwerke** (Nutzfallhöhe zw. 10 und 50 m, Speicher- und auch Laufkraftwerke) und **Hochdruckkraftwerke** (Nutzfallhöhe über 50 m, Speicherkraftwerke). Werden Druckrohrleitung und

Kraftwerk im Berg eingebaut, entsteht ein Kavernenkraftwerk. Pumpspeicherkraftwerke (Pumpspeicherwerke) können bes. wirtschaftlich zur Deckung von Belastungsspitzen eingesetzt werden. Das → Gezeitenkraftwerk nutzt Tidenhub (potenzielle Energie) und Strömung (kinet. Energie) der Gezeiten des Meeres aus.

🕮 GIESECKE, J. *u.* MOSONYI, E.: *Wasserkraftanlagen. Planung, Bau u. Betrieb. Berlin u. a. 1997.*

Wasserkreislauf, natürl., auch mit Änderungen des Aggregatzustandes verbundene Bewegung des Wassers auf der Erde zw. Ozeanen, Atmosphäre und Festland. Erwärmte Luft nimmt bis zu einem gewissen Grad durch Verdunstung entstandenen Wasserdampf auf. Bei Abkühlung gibt die Luft Wasser ab, das unter Wolkenbildung kondensiert oder sublimiert. Weitere Abkühlung führt zum Niederschlag. Das Niederschlagswasser fließt ab oder versickert. Treibende Kraft für Wasserdampfbildung und -transport ist die Sonnenenergie, für Niederschlagsbildung und Fließbewegung des Wassers primär die Gravitation. Von der gesamten von der Erde aufgenommenen Sonnenenergie dient etwa ein Viertel zur Aufrechterhaltung des W. Lufttemperatur, Luftfeuchtigkeit und Luftbewegung (Winde) bestimmen die Höhe der Verdunstung.

Wasserkultur, die → Hydrokultur.

Wasserkünste, i. w. S. bauliche Anlagen zur Erzeugung künstl. Fontänen, Kaskaden, Wasserlaubengänge und Wassertheater in Gartenanlagen der Renaissance und des Barock; i. e. S. auch techn. Einrichtungen zur Nutzwasserversorgung in Spät-MA. und Renaissance.

Wạsserkuppe, höchster Berg Hessens, ein Basaltrücken in der Hohen Rhön, 950 m ü. M.; Segelflugzentrum mit Fliegerschule, Museum und Wetterstation; Radarstation; Wintersportgebiet.

Wasserläufer, 1) (Tringa) Gattung lerchen- bis hähergroßer, langbeiniger Schnepfenvögel, v. a. an Süßgewässern, auf Sümpfen und nassen Wiesen Eurasiens und Nordamerikas; melodisch pfeifende Watvögel, die mithilfe ihres langen, geraden Schnabels im Boden nach Nahrung (bes. Insekten, Würmer) stochern; Zugvögel. Dazu gehört u. a. der fast 30 cm lange, oberseits hellbraune, unterseits weiße **Rotschenkel** (Tringa totanus) mit langen orangeroten Beinen. Ein regelmäßiger Durchzügler Mitteleuropas ist der **Grünschenkel** (Tringa nebularia), etwa 30 cm lang; mit langen, grünen Beinen, dunkelgrauer Ober- und weißer Unterseite sowie weißem Hinterrücken.

2) Landwanzen, die auf der Oberfläche von Gewässern leben und sich schnellend darauf fortbewegen oder langsam schreiten. Sie haben ein so geringes Gewicht, dass die Oberflächenspannung des Wassers sie trägt.

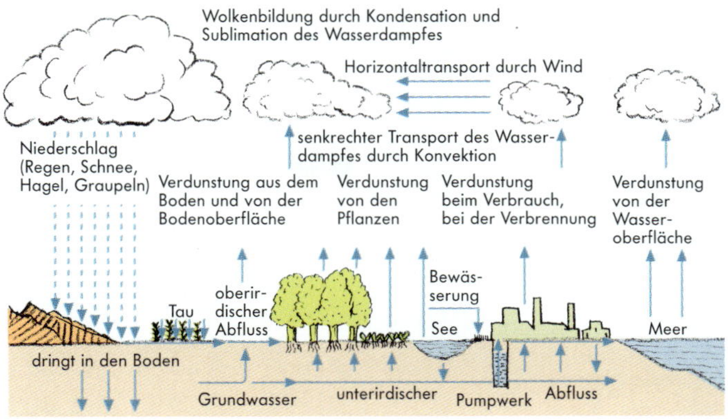

Wasserkreislauf: natürlicher Wasserkreislauf

Wasserleitung, → Rohrleitung zur Wasserversorgung; früher → Aquädukt.

Wasserlini|e, Schnittlinie der Wasseroberfläche mit dem Schiffskörper. Man unterscheidet: 1) Konstruktions-W. (CWL oder KWL), Ebene, bis zu der das Schiff bei der seiner Berechnung zugrunde liegenden Verdrängung eintaucht; 2) Leichtladelinie, Linie, bis zu der das seeklare Schiff ohne Ladung eintaucht; 3) Tiefladelinie (Volleiche), Linie, bis zu der das Schiff bei voller Ladung eintauchen darf.

Wasserlinse (Entenflott, Entengrün, Entengrütze, Lemna), Gattung der einkeimblättrigen Pflanzenfamilie W.-Gewächse; Schwimmpflanzen mit grünen, z. T. linsenförmigen, blattähnl. Sprossgliedern, die Luft enthalten. Die **Kleine W.** (Lemna minor) schwimmt massenhaft auf stehenden oder schwach strömenden Gewässern Mitteleuropas; wichtige Nahrungsgrundlage für viele Fische und Wasservögel.

Wasserlinse: Kleine Wasserlinse

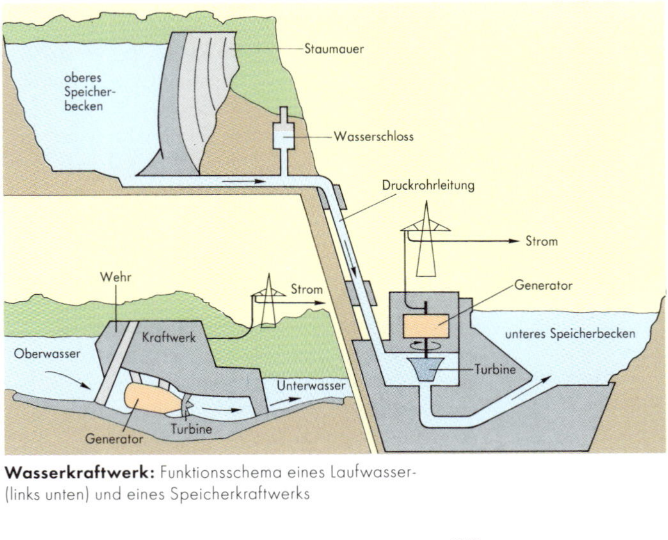

Wasserkraftwerk: Funktionsschema eines Laufwasser- (links unten) und eines Speicherkraftwerks

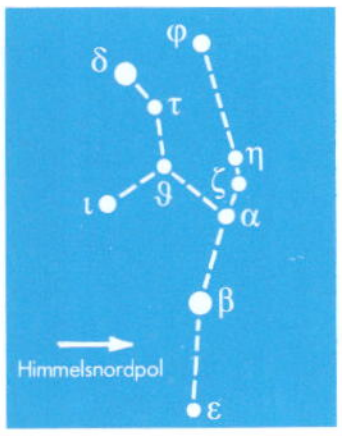

Wassermann: Die markantesten Sterne

August von Wassermann

Jakob Wassermann

Wasserrad: unterschlächtiges (oben) und oberschlächtiges Wasserrad

Wasserlungenschnecken (Basommatophora), Lungenschnecken, die sekundär zum Wasserleben übergegangen sind (u.a. die Schlammschnecken und die Posthornschnecke).

Wassermann (lat. Aquarius), das 11. Tierkreiszeichen (Zeichen: ≈) und Sternbild des südl. Himmels (→Tierkreis).

Wassermann, 1) August von, Bakteriologe und Serologe, *Bamberg 21. 2. 1866, †Berlin 16. 3. 1925; baute die Immunitätslehre aus und entwickelte die →wassermannsche Reaktion.

2) Jakob, Schriftsteller, *Fürth 10. 3. 1873, †Altaussee (Steiermark) 1. 1. 1934; behandelte in von der Psychoanalyse beeinflussten Romanen häufig sensationelle Stoffe. Sein Engagement für Gerechtigkeit wurde von den Nationalsozialisten als »jüdisch« denunziert; seine Werke, u.a. die Romane »Die Juden von Zirndorf« (1897), »Caspar Hauser oder Die Trägheit des Herzens« (1908), »Der Fall Maurizius« (1928), wurden verboten; schrieb auch Novellen, Essays, Autobiographisches.

wassermannsche Reaktion [nach A. von Wassermann], Abk. **WaR,** älteste (seit 1906), dem Nachweis einer bestehenden syphilit. Infektion dienende serolog. Reaktion zw. dem Patientenserum und einem Organextrakt mithilfe eines hämolyt. Systems als Indikator; inzwischen durch sicherere Verfahren ersetzt.

Wassermelone (Citrullus), Gattung der Kürbisgewächse, verbreitet im trop. und südl. Afrika sowie vom Mittelmeergebiet bis Indien. Die wichtigsten Arten sind: **Echte Zitrulle** (**Koloquinte,** Citrullus colocynthis) mit grün bis gelblich weiß gezeichneten, etwa orangegroßen, hartschaligen Früchten; die **W.** i.e.S. (**Arbuse, Dschamma,** Citrullus vulgaris, C. lanatus) wird in allen wärmeren Ländern angebaut; Früchte mit dunkelgrüner, glatter Schale und hellrotem, säuerlich schmeckendem Fruchtfleisch, das bis zu 93 % Wasser enthält.

Wassermesser (Wasserzähler, Hydrometer; unkorrekt: Wasseruhr), Messgerät zur Ermittlung des Wasserdurchflusses in geschlossenen Rohrleitungen (Bestimmung des Wasserverbrauchs). Der Flügelradzähler überträgt die Drehungen eines Flügelrades auf ein Zählwerk. Beim Ringkolbenzähler werden die durch einen umlaufenden Ringkolben bewirkten Füllungen und Entleerungen einer Messkammer gezählt.

Wassermotten, →Köcherfliegen.

Wassernabel (Hydrocotyle), Gattung weltweit verbreiteter Doldenblütler. In Dtl. wächst auf nassen Wiesen und Flachmooren der **Gemeine W.** (Hydrocotyle vulgaris) mit lang gestielten, runden Schildblättern und sehr kleinen, weißl. oder rötlich weißen Blüten.

Wassernuss (Trapa), Gattung der W.-Gewächse, einjährige Schwimmpflanzen mit grünen Nebenwurzeln, lineal., abfallenden Unterwasserblättern, ungeteilten Schwimmblättern an blasigen, luftgefüllten Stielen und Zwitterblüten mit vier zur Fruchtzeit verdornenden Kelchblättern und einer scheinfruchtartigen Nuss. Die in Dtl. geschützte **W.** (Trapa natans), bis 3 m lang, mit weißen Blüten, wächst in kalkarmen Gewässern Europas.

Wasserpest (Elodea), Gattung in Nord- und Südamerika beheimateter Froschbissgewächse; untergetaucht lebende Wasserpflanzen mit meist quirlig stehenden Blättern. Weltweit verbreitet ist die **Kanad. W.** (Elodia canadensis) mit bis 3 m langen Sprossen.

Wasserpfeife, Form der Tabakspfeife, bei der Rauch durch Rosenwasser gefiltert wird. Bei der oriental. **Nargileh** wird der Rauch durch einen langen Schlauch, bei der ind. **Huka** durch ein seitl. Loch eingesogen.

Wasserpflanzen (Hydrophyten), höhere Pflanzen mit (im Unterschied zu den Landpflanzen) besonderen morpholog. und physiolog. Anpassungen an das Leben im Wasser. W. treten als wurzellose Schwimmpflanzen oder im Boden verankert, submers (ganz untergetaucht) oder an der Wasseroberfläche schwimmend auf. Die Versorgung submerser W. mit Kohlendioxid, Sauerstoff und Nährsalzen erfolgt aus dem Wasser durch Diffusion über die häufig durch starke Zerteilung der Wasserblätter vergrößerte Oberfläche.

Wasserpocken, die →Windpocken.

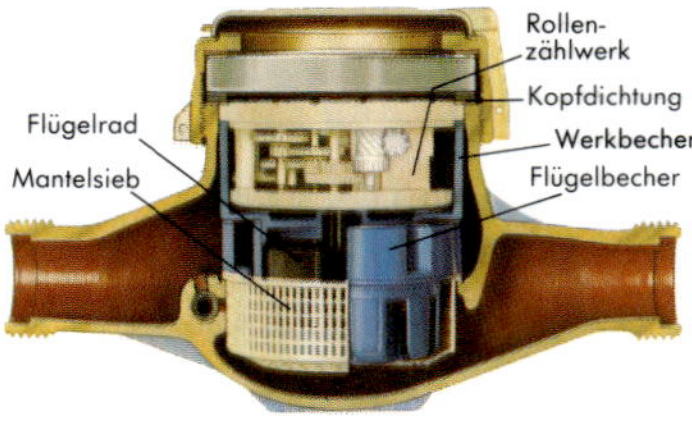

Wassermesser: Flügelradzähler

Wasser|rad, die älteste Wasserkraftmaschine, bestehend aus einem am Umfang mit Schaufeln versehenen, sich meist in senkrechter Ebene drehenden Laufrad. **Gewichts-W.** haben kastenförmige (Zellenrad) oder ebene Schaufeln (Schaufelrad). Nach der Art des Wasserzulaufs unterscheidet man als Hauptformen oberschlächtige (Zulauf unmittelbar hinter dem höchsten Punkt des Rades) und unterschlächtige Räder (Zulauf auf der Unterseite). W. haben nur geringe Drehzahlen und somit eine geringe Leistung, können jedoch Wirkungsgrade von bis zu 75 % erreichen. – Schon im Altertum waren **Stoß-** oder **Strom-W.** bekannt; sie nutzten die Bewegungsenergie der Flüsse ohne Stauanlagen aus. Im MA. verbreitete sich das W. seit dem 9./10. Jh. rasch, zunächst als Antrieb für

Mahl- und Schöpfwerke, später u.a. auch für Walkereien und Sägewerke. Nach dem Aufkommen der Wasserturbinen im 19. Jh. verloren die W. immer mehr an Bedeutung. BILD Faijum

Wasser|ratte, umgangssprachlich für → Schermaus.

Wasser|recht, die gesetzl. Bestimmungen über Wasserschutz und Wasserbenutzung, Be- und Entwässerung. Zu unterscheiden sind die Regelungen bezüglich des Wassers als Verkehrs- und Transportweg (→ Wasserstraßen, → Binnenschifffahrt) vom Wasserwirtschaftsrecht, das teils Bundes-, teils Landesrecht ist. Die Länder haben das → Wasserhaushaltsgesetz des Bundes ergänzende Wasser-Gesetze erlassen, die bes. Aufgaben und Zuständigkeit der Gewässeraufsicht, den Gewässerschutz, die Reinhaltung, die Unterhaltung und den Ausbau der Gewässer, die wasserwirtsch. Planung sowie die Zuständigkeit der Wasserbehörden regeln. (→ Wasser- und Bodenverbände) – In *Österreich* ist das W. ausschl. Bundessache. Das W.-Gesetz von 1959 unterscheidet öffentl. und Privatgewässer. Privatgewässer sind Zubehör des Grundstücks. Zur Erhaltung des Wasserlaufs und der Ufer, zur Wasserversorgung, Ent- und Bewässerung u.ä. Zwecken ist die Bildung von Wassergenossenschaften vorgesehen. In der *Schweiz* ist das W. grundsätzlich Sache der Kantone unter Oberaufsicht des Bundes. Eine den Gemeingebrauch übersteigende Nutzung bedarf einer Konzession. Die Bildung von Wassergenossenschaften zur besseren Nutzung der Wasserkräfte kann von einzelnen Kantonen erzwungen werden.

Wasser|reis (Zizania aquatica), dem Reis verwandtes haferähnl. Sumpf- und Wassergras Nordamerikas und NO-Asiens, diente den Indianern als Getreide **(Kanadischer Reis, Tuscarorareis, Wasserhafer).**

Wasserscheide, Linie, die benachbarte Einzugsgebiete von Flüssen trennt, meist der Kamm eines Höhenzugs **(Kamm-W.),** aber auch in Ebenen und Tälern **(Tal-W.). Haupt-W.** trennen Einzugsgebiete der zu versch. Meeren fließenden Gewässer (z.B. W. Rhein/Rhone/Donau).

Wasserschlange, *Astronomie:* 1) **Weibl., Große** oder **Nördl. W.,** lat. **Hydra,** Sternbild der Äquatorzone, flächenmäßig größtes Sternbild; 2) **Männl., Kleine** oder **Südl. W.,** lat. **Hydrus,** Sternbild in der Nähe des südl. Himmelspoles.

Wasserschlauch (Utricularia), Gattung der Familie W.-Gewächse, wurzellose, meist trop. Wasser- und Sumpfpflanzen; die schwimmenden Arten haben fein zerteilte Blätter und traubig stehende Blüten mit zweilippiger Blumenkrone und Sporn. Blätter und Stängel tragen z.T. grüne Bläschen; diese haben zw. Borsten einen Klapptürzugang zum Fang von Insekten oder Kleinkrebsen. Der **Gemeine W.** (Utricularia vulgaris), vereinzelt in Seerosenbeständen anzutreffen, steht in Dtl. unter Naturschutz.

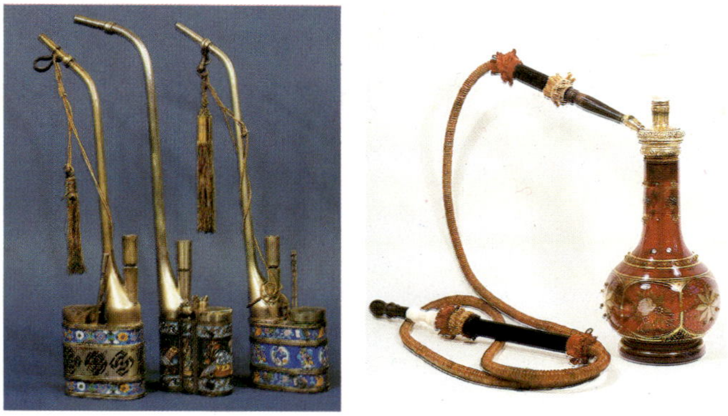

Wasserpfeife: chinesische Wasserpfeifen (um 1890; links) und orientalische Wasserpfeife (um 1900)

Wasserschloss, 1) *Baukunst:* von mit Wasser gefülltem Umfriedungsgraben (Graft) umgebenes Schloss am Ufer eines Sees oder Flusses, auch auf einer Insel. W. haben meist burgähnl. Charakter.

2) *Technik:* bei Hochdruckwasserkraftanlagen ein Bauwerk an Druckrohrleitungen zum Kraftwerk, das Druckunterschiede infolge Wasserstandsveränderungen ausgleicht.

Wasserschlauch: blühender Spross des Gemeinen Wasserschlauchs

Wasserschraube (Vallisneria), Gattung der Froschbissgewächse mit zwei Arten v.a. in den Tropen und Subtropen; untergetaucht lebende Pflanzen mit langen, bandförmigen Rosettenblättern. Die wichtigste Art, v.a. als Aquarienpflanze, ist die **Schraubenvallisnerie (Gemeine Sumpfschraube,** Vallisneria spiralis) mit bis zu 80 cm langen, grasartigen Blättern. BILD S. 114

Wasserschutzgebiet, das nähere Einzugsgebiet einer Wassergewinnungsanlage, das zum

Wasserrad: Die 1705 erbaute Schleifmühle in Schwerin wird von einem unterschlächtigen Wasserrad angetrieben

Schutz des Wassers Nutzungsbeschränkungen unterliegt. Die Errichtung von W. ist durch das Wasserhaushaltsgesetz geregelt.

Wasserschutzpolizei, Landesbehörden des polizeil. Vollzugsdienstes zur Überwachung des Verkehrs auf den schiffbaren Wasserstraßen, soweit diese Aufgabe nicht von der Strom- und Schifffahrtspolizei des Bundes wahrgenommen wird.

Wasserschwätzer, Art der → Wasseramseln.

Wasserschwẹin (Hydrochaeris hydrochaeris), meerschweinartiges, aber bis 1 m langes Nagetier an und in südamerikan. Gewässern; guter Schwimmer; frisst Gräser, Rinde und Wasserpflanzen.

Wasserski [-ʃiː], das Laufen auf der Wasseroberfläche mit einem oder zwei 25 cm breiten Wasserskiern im Schlepp eines Motorbootes (ab 30 kW und 35 km/h) oder eines Lifts; die Zugleine (mit Handgriff) von 23 m Länge ist vom Sportler bis auf 11,25 m verkürzbar. Wettkampfdisziplinen mit Kombinationswertung sind (am Boot oder am Lift): a) Slalom (mit Wasserskiern von 1,60–1,80 m Länge) auf einer 259 m langen Bojenstrecke; b) Figurenlauf (Trick), bei dem in zwei Durchgängen zu je 20 s beliebige (Sprung-)Drehungen auszuführen sind; c) Springen: mit vorgeschriebener Schleppgeschwindigkeit ist über eine im Wasser aufgebaute 6,40–6,70 m lange, 3,70–4,30 m breite, 1,80 m (Frauen 1,50 m) hohe Sprungschanze zu springen; d) Barfuß-W. (Startfiguren, Tricks, Slalom, Springen, Kombination); e) W.-Racing (mit Spezialski) umfasst Langstreckenläufe über 100 km (Frauen 40–60 km). – Weltmeisterschaften seit 1949, Europameisterschaften seit 1947.

Wasserskorpion (Nepa rubra), etwa 2 cm lange, räuberisch lebende, bräunl. Wasserwanze in Mitteleuropa; an der Hinterleibsspitze befindet sich ein Atemrohr.

Wasserschraube: Die Schraubenvallisnerie hat bis zu 80 cm lange, grasartige Blätter und ist eine beliebte Aquarienpflanze

Wasserspeier, *Baukunst:* Abflussvorrichtung für Regenwasser, am grch. Tempel ausgebildet als Löwenkopf, im MA. an got. Kirchen oft in Gestalt fantast. Tiere, Menschen und Fabelwesen.

Wasserspeier am Münster in Freiburg im Breisgau

Wasserspinne (Argyroneta aquatica), graubraune Art der Trichterspinnen; lebt in Teichen und Tümpeln; Männchen bis 15, Weibchen bis 9 mm lang; baut zw. Wasserpflanzen ein glockenförmiges Nest, in das sie Luft, die an der Behaarung des Hinterleibs haften bleibt, von der Wasseroberfläche einträgt.

Wassersport, zusammenfassende Bez. für alle auf und im Wasser betriebenen Sportarten.

Wasserspringen, im Schwimmsport die Ausführung vielfältiger Sprünge von einem Sprungturm oder -brett in ein Wasserbecken mit einer Mindestwassertiefe zw. 3,40 und 4,50 m. Wettkampfmäßig werden **Kunstspringen** (vom 1 oder 3 m hohen federnden, in der Federung verstellbaren Brett) und **Turmspringen** (von 5 bis 10 m hoher starrer Plattform) betrieben. Alle Sprünge werden nach Ausgangsstellung und Drehrichtung in Sprunggruppen eingeteilt: Vorwärts-, Rückwärts-, Auerbach-, Delphin-, Schrauben- und (nur vom Turm) Handstandsprünge. Jeder Sprung hat einen festgelegten Schwierigkeitsgrad zw. 1,0 und 3,6. Sprünge können in vier Ausführungsarten (gestreckt, gehechtet, gehockt, freie Haltung) gezeigt werden. Im Wettkampf werden Kürsprünge mit und ohne Schwierigkeitsbegrenzung absolviert (Kunstspringen: Männer 5 mit, 6 ohne, Frauen je 5 Sprünge; Turmspringen: Männer 4 mit, 6 ohne, Frauen je 4 Sprünge). Die Bewertung erfolgt mit 0 bis 10 Punkten. – Olymp. Sportart seit 1904, Weltmeisterschaften seit 1973, Europameisterschaften seit 1926.

Wasserstand, die Höhe des Wasserspiegels stehender oder fließender Gewässer, bezogen auf einen angenommenen Nullpunkt; wird durch Pegelmessungen (→ Pegel) ermittelt. Das arithmet. Mittel des W. in einem bestimmten Zeitraum heißt **Mittelwasser** (MW). Daneben werden unterschieden: mittleres **Hochwasser** (MHW) und absolutes **Höchstwasser** (HHW), mittleres **Niedrigwasser** (MNW) und absolutes **Tiefstwasser** (NNW). **Gewöhnlichwasser** oder **Zentralwert** (ZW) ist das errechnete Häufigkeitsmittel aller W. eines Gewässers.

Wasserstoff (Hydrogenium), chem. Symbol **H,** leichtestes Element, das allg. in der ersten Hauptgruppe des →Periodensystems der chemischen Elemente eingeordnet wird; Ordnungszahl 1, relative Atommasse 1,0079, Dichte von flüssigem W. (beim Siedepunkt) 0,0700 g/cm^3, Dichte von festem W. (beim Schmelzpunkt) 0,0763 g/cm^3, Schmelzpunkt −259,2 °C, Siedepunkt −252,8 °C. Von W. sind drei Isotope bekannt, die beiden stabilen Isotope ^1H (leichter W., **Protium;** Anteil am natürlichen W. 99,985 %) und ^2H oder D (schwerer W., →Deuterium; Anteil am natürlichen W. 0,015 %) und das radioaktive Isotop ^3H oder T (überschwerer W., →Tritium; Anteil am natürlichen W. etwa 10^{-15} %). – W. ist ein farb- und geruchloses, leicht brennbares Gas. Im Normalzustand liegt er in Form zweiatomiger Moleküle, H_2, vor, in denen die beiden W.-Atome kovalent gebunden sind. Chemisch ist reiner molekularer W. nur mäßig reaktionsfähig, nur mit Fluor reagiert er schon bei tiefen Temperaturen explosionsartig unter Bildung von Fluorwasserstoff, HF. Mit Chlor vereinigt sich W. beim Belichten mit energiereicher Strahlung zu Chlorwasserstoff, HCl (Chlorknallgas). Mit Sauerstoff bildet W. ebenfalls ein hochexplosives Gemisch (→Knallgas). Mit den übrigen Elementen reagiert W. meist erst beim Erwärmen oder bei Anwesenheit von Katalysatoren. Wesentlich reaktionsfähiger als der molekulare ist der atomare W., der nur kurze Zeit beständig ist. Er entsteht im Augenblick der Bildung von W. aus anderen Verbindungen, z. B. bei der Einwirkung von Säuren auf Zink (»naszierender W.« oder »W. in statu nascendi«) oder durch Einwirkung eines Lichtbogens auf molekularen Wasserstoff.

W. ist mit 0,88 Massenprozent an der Zusammensetzung der festen Erdkruste beteiligt und steht damit in der Häufigkeit der chem. Elemente an 9. Stelle. Er ist v. a. in gebundener Form als Wasser sowie in Form von organ. Verbindungen weit verbreitet. Freier W. findet sich in höherer Konzentration nur in einigen Vulkangasen; im Übrigen kommt er in den unteren Schichten der Atmosphäre nur in Spuren vor. Im Weltall dagegen ist W. das bei weitem häufigste Element: Nach Schätzungen entfallen auf ihn etwa drei Viertel der gesamten Masse des Weltalls. W. wird technisch v. a. aus den durch Umsetzen von Erdgas mit Wasserdampf (→Steamreforming) oder von Erdölprodukten (Schweröl, Destillationsrückstände) mit Sauerstoff hergestellten Gasgemischen (→Synthesegas) durch Entfernen des neben W. gebildeten Kohlenoxids und anschließende Reinigung gewonnen. In den Handel gelangt technisch erzeugter W. meist auf 200 bar verdichtet, in roten, mit einem Linksgewinde versehenen Stahlflaschen. – W. wird in der chem. Technik für zahlreiche Synthesen und Umsetzungen benötigt; v. a. wird er zur Synthese von Ammoniak, Chlorwasserstoff, Blausäure, Methanol, von Aldehyden und Alkoholen (in der Oxosynthese), zum Hydrieren von Erdölcrackprodukten und zur Fetthärtung verwendet. In der Metallurgie dient er als Reduktionsmittel für viele Metalloxide, bei der Metallverarbeitung im Gemisch mit Sauerstoff zum Schweißen. Flüssiger W. wird u. a. als Kühlmittel sowie in Detektoren der Hochenergiephysik (Blasenkammern) verwendet. W. ist auch ein sehr guter Raketentreibstoff.

Wasserstoffbombe, →ABC-Waffen.

Wasserstoffbrennen, physikalisch nicht exakte Bez. für eine Phase der →Sternentwicklung, bei der durch Kernfusion von Wasserstoffkernen zu einem Heliumkern Energie freigesetzt wird.

Wasserstoffbrückenbindung (Wasserstoffbrücke), Bez. für →chemische Bindungen zw. einem Wasserstoffatom, das an ein elektronegatives Element (Protonendonator; bes. Fluor, Sauerstoff, Stickstoff) kovalent gebunden ist, und einem anderen elektronegativen Atom (Protonenakzeptor). W. treten zw. **(intermolekulare W.)** oder innerhalb **(intramolekulare W.)** von Molekülen auf. Sie bedingen u. a. die Bildung von Molekülassoziationen und deren relativ hohe Schmelz- und Siedepunkte (z. B. beim Wasser). Eine zentrale Rolle spielen W. bei der Bildung und Stabilisierung von Nucleinsäuren (z. B. DNS) und Proteinen.

Wasserstoff|energietechnik, Bereich der Energietechnik mit der Aufgabe, Wasserstoff für die Energiegewinnung vielfältig nutzbar zu machen. Wasserstoff gilt als idealer Sekundärenergieträger. Er wird z. B. durch Elektrolyse aus Wasser gewonnen und verbrennt wieder zu Wasser, damit ist er unerschöpflich und liefert einen ökologisch unbedenkl. Energiekreislauf. Für seine Herstellung (Spaltung von Wasser in Wasserstoff und Sauerstoff) muss allerdings erst eine billige und umweltfreundl. Energiequelle gefunden werden. Langfristig bietet sich die Solarenergie an, gegenwärtig scheint aber ein wirtsch. sinnvoller Einsatz noch nicht möglich. Mit der Pilotanlage »Solar-Wasserstoff Bayern« in Neunburg vorm Wald werden alle derzeit verfügbaren Anwendungstechniken der W. untersucht. Weiterhin arbeiten Forscher an dem sog. »Euro-Quebec-Hydrogen-Pilotprojekt«, das durch ein kanad. Angebot initiiert wurde. Dieses Projekt sieht vor, Wasserstoff mithilfe kostengünstigen Stroms aus Wasserkraft in

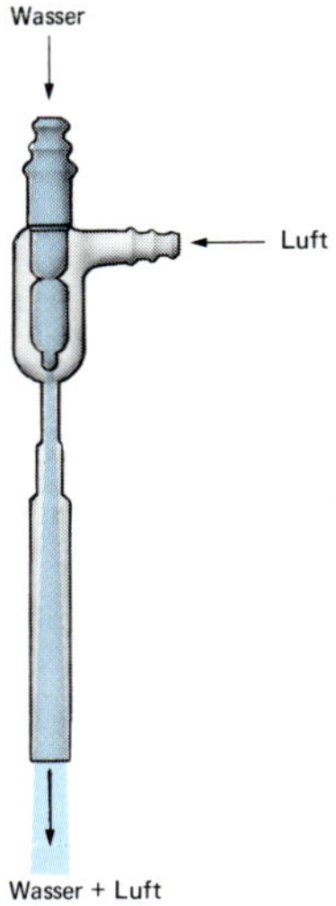

Wasserstrahlpumpe

Kanada zu erzeugen, ihn zu verflüssigen und mit Spezialschiffen nach Europa zu transportieren (Verarbeitungsschwerpunkt Hamburg). Zentrales Anliegen des Projekts ist der Aufbau einer solaren Wasserstoffwirtschaft mit den Schwerpunkten: direkte Nutzung solarer Wärme, direkte Verwendung solarer Elektrizität sowie Einsatz von solar gewonnenem Wasserstoff zur Energiegewinnung für Heizung, Autos und Flugzeuge. Wasserstoff ist energiespezifisch etwa um den Faktor drei leichter als z.B. Kerosin. Deshalb werden heute bereits Raketen mit Wasserstoff angetrieben. Der Einsatz von Wasserstoff als Antrieb für Kraftfahrzeuge ist in der Entwicklungphase. Ab Herbst 1998 soll es die erste öffentl. Wasserstofftankstelle in München geben. An diesem Pilotprojekt sind versch. Unternehmen u.a. aus der Automobilindustrie und der Petrochemie beteiligt. Ein breiterer Einsatz wird aber erst im nächsten Jahrtausend erwartet.

📖 Weber, R.: *Der sauberste Brennstoff. Der Weg zur Wasserstoffwirtschaft. Oberbözberg* ²*1991.* – Hoffmann, V. U.: *Wasserstoff – Energie mit Zukunft. Stuttgart u. a. 1994.*

Wasserstoff|ionenkonzentration, *Chemie:* →pH-Wert.

Wasserturbine: Laufradformen der Pelton-, Francis- und Kaplan-Turbine (von links)

Wasserstoffper|oxid (früher Wasserstoffsuperoxid), H_2O_2. Reines W. ist eine farblose, mit Wasser in jedem Verhältnis mischbare Flüssigkeit, die bei Zimmertemperatur sehr langsam in Wasser und Sauerstoff zerfällt. Durch Verunreinigungen (bes. Schwermetallionen), Erhitzen oder Bestrahlung mit energiereichen Strahlen wird die Zersetzung beschleunigt und kann explosionsartig erfolgen. W. ist ein starkes Oxidationsmittel, das zum Bleichen von Textilien, Pelzen, Hölzern, Papier u.a., zur Herstellung von Epoxiden und organ. Peroxiden sowie als Desinfektionsmittel verwendet wird. – Technisch wird W. v.a. durch Oxidation (Autoxidation mit Luftsauerstoff) von Anthrahydrochinonderivaten hergestellt. Die dabei anfallenden wässrigen Lösungen werden (z.B. durch Destillation im Vakuum) konzentriert; handelsüblich sind Lösungen mit 3% oder 30% W. (Perhydrol); konzentrierte Lösungen mit über 70% W. dienen als Oxidator für Raketentreibstoffe. – Konzentrierte W.-Lösungen wirken stark ätzend auf Haut und Schleimhäute, bes. der Atemwege und der Augen.

Wasserstoffsäuren, Bez. für Säuren, die außer Wasserstoff nur ein einziges Element (z.B. Salzsäure, HCl) oder eine einfache Atomgruppe (z.B. Blausäure, HCN) enthalten.

Wasserstoffsuper|oxid, frühere Bez. für →Wasserstoffperoxid.

Wasserstrahlpumpe, mit Leitungswasser betriebene Vakuumpumpe für geringes Vakuum (Enddruck rd. 15 mbar). Ein Wasserstrahl strömt durch eine geschlossene Düse, an deren Ende seitlich ein zweites Rohr mündet. Aufgrund der Querschnittsverengung verringert sich der Druck und erhöht sich die Geschwindigkeit des Wasserstrahls, wodurch Luft durch das seitl. Rohr angesaugt wird. W. haben keine bewegl. Teile, ihr Wirkungsgrad ist gering.

Wasserstraßen, oberird. Gewässer (Flüsse, Kanäle und Seen), die als **Binnen-W.,** sowie Küstengewässer (einschl. Tideflüsse, Meeresbuchten und Seekanäle), die als **See-W.** dem Personen- und Güterverkehr mit Schiffen dienen. Das Binnenwasserstraßennetz (nur Flüsse und Kanäle) in Dtl. umfasst (1994) 7467 km schiffbare Wasserstraßen.

Das **W.-Recht** umfasst die Rechtssätze über Verw. und Benutzung der See- und Binnen-W. In Dtl. ist die W.-Verwaltung für die →Bundeswasserstraßen Sache des Bundes (Bundeswasserstraßen-Gesetz i.d.F.v. 23. 8. 1990). Die W. stehen für den Schifffahrtsverkehr in Gemeingebrauch. – Mit *Österreich* ist die Benutzung der Donau in Art. 31 des Staatsvertrages vom 15. 5. 1955 geregelt. Mit der *Schweiz* bestehen Abmachungen über die Benutzung des Rheins.

Wassersucht, das →Ödem.

Wassertreten, Form der Kneippkur, bei der wenige Minuten in kaltem fließendem Wasser auf und ab gegangen wird; dient der Abhärtung.

Wasserturbine, Strömungskraftmaschine, in deren Laufrad die potenzielle und kinet. Energie des Wassers in mechan. Arbeit umgewandelt wird. Das Laufrad sitzt auf der Welle, die i. Allg. direkt

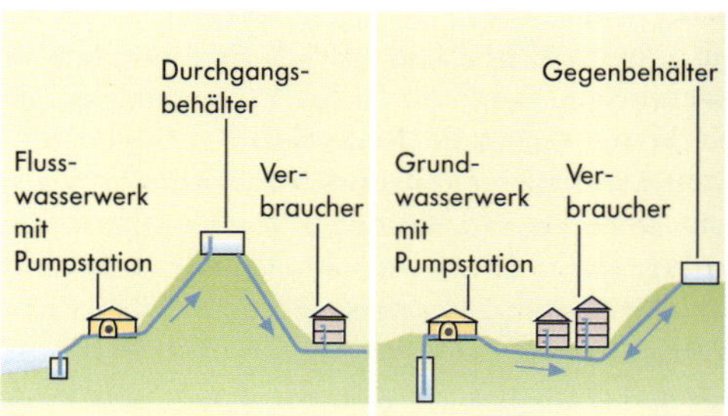

Wasserversorgung: schematische Darstellung einer Wasserversorgung mit Durchgangsbehälter (links) und Gegenbehälter

die Arbeitsmaschine (Generator) antreibt. Wird das Wasser nur an wenigen Punkten des Umfangs auf das Laufrad geleitet, so ist die W. teilbeaufschlagt; wird längs des ganzen Umfangs Wasser zugeführt, so ist die W. vollbeaufschlagt. Bei **Freistrahlturbinen (Peltonturbinen)** trifft das Wasser aus einer Düse (Leitapparat) in Richtung der Radtangente auf die am Laufrad sitzenden Schaufeln. Beim Aufprall auf die Schaufeln ändert das Wasser seine Geschwindigkeit (Betrag und Richtung) und überträgt die entsprechende Energie auf das Rad; der Druck des Wassers ändert sich innerhalb der Turbine nicht (Gleichdruck-Aktionsturbine). Freistrahlturbinen werden für verhältnismäßig kleine Wasserströme bei großen Fallhöhen verwendet. Die **Francis-** und **Kaplan-Turbinen** sind vollbeaufschlagte Überdruckturbinen, d.h., der Wasserdruck nimmt stetig vom Eintritt gegen den Austritt hin ab. Das Leitrad wird mit drehbaren Schaufeln ausgeführt und dient als Regel- und Absperrorgan. Die Turbinenwelle ist mit der Generatorwelle meist fest gekuppelt. Überdruckturbinen werden sowohl mit stehender als auch mit liegender Welle gebaut. Francisturbinen werden auch für große Fallhöhen, Kaplanturbinen für geringere Fallhöhen und mit Laufraddurchmessern von rd. 10 m ausgeführt. Eine Sonderbauart der Überdruckturbinen ist die **Rohrturbine** zur wirtsch. Ausnutzung kleiner Fallhöhen in Fluss- und Gezeitenkraftwerken. Die Wirkungsgrade der W. liegen oft über 90%, bei großen Turbinen mitunter über 95%.

📖 PFLEIDERER, C. u. H. PETERMANN: *Strömungsmaschinen. Berlin* [6]*1991.* – BOHL, W.: *Strömungsmaschinen. Würzburg* [5–7]*1995–98.*

Wasserturm, hoch gelegenes, turmartiges Gebäude mit einem Behälter, in dem Wasser für die Wasserversorgung und Konstanthaltung des Druckes gespeichert wird. W. wurden früher im Flachland häufig gebaut. Heute ist die Druckerzeugung mittels Pumpen meistens wirtschaftlicher.

Wasser|uhr (grch. Klepshydra), eines der ältesten Zeitmessgeräte (Ägypten, 2. Jt. v. Chr.), bestehend aus einem zylindr. oder kon. Gefäß, bei dem der durch ein- oder ausfließendes Wasser sich ändernde Wasserspiegel als Zeitmaß dient. – Der Begriff W. wird oft unkorrekt für →Wassermesser verwendet.

Wasser- und Bodenverbände, Körperschaften des öffentl. Rechts mit besonderen Aufgaben auf wasserwirtsch. Gebiet, z.B. Gewässerregulierung, Herstellung und Unterhaltung von Schifffahrtsanlagen, Stauanlagen und Wasserkraftanlagen, Ent- und Bewässerung von Grundstücken und deren Schutz vor Hochwasser und Sturmflut (Wasserverbands-Ges. vom 12. 2. 1991).

Wasser- und Schifffahrtsbehörden, Behörden, die in Dtl. dem Bundesmin. für Verkehr unterstehen und für die Wasserstraßenverwaltung zuständig sind. Aufgaben der **Wasser- und Schifffahrtsdirektionen** sind Planung, Bau, Betrieb und Unterhaltung der Bundeswasserstraßen, der bundeseigenen Häfen und Talsperren, Sicherung des Fahrwassers, Lotsenwesen u.a. Ihnen unterstehen die **Wasser- und Schifffahrtsämter** sowie die diesen gleichgestellten Dienststellen (wie Wasserbauämter und Wasserstraßen-Maschinenämter.

Wasserverdrängung (früher Deplacement), das Gewicht der Wassermenge, die von dem im Wasser befindl. Teil eines Schiffs verdrängt wird (angegeben in t oder ts); entspricht dem Gewicht des Schiffs.

Wasserverschmutzung, die →Gewässerverschmutzung; →Gewässerschutz, →Gewässergüteklassen.

Wasserversorgung, die Bereitstellung von Trink- und Brauchwasser aus Flüssen, Seen, Talsperren, Grund- und Quellwasser zur Befriedigung des Bedarfs der Bev., der Ind. und Landwirtschaft. Für Trink- und Brauchwasser erfolgt eine unterschiedl. →Wasseraufbereitung in Wasserwerken. Der Wassertransport vom Wasserwerk zu den Verbrauchern erfolgt heute durchweg über ein Pumpwerk in Druckrohrleitungen, die im Boden unterhalb der Frostgrenze verlegt werden. Zum Ausgleich von Verbrauchsspitzen und zur Erzielung eines ausreichenden, aber nicht zu hohen, etwa gleichbleibenden Versorgungsdrucks schaltet man, wenn die Geländehöhen es zulassen, einen hoch gelegenen Durchgangsbehälter oder Gegenbehälter ein.

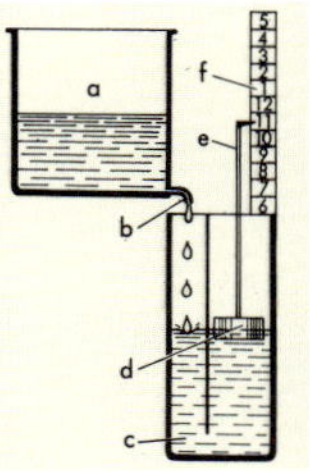

Wasseruhr: Schnittzeichnung; a Wasserbehälter, b Ausflussrohr, c Auffanggefäß, d Schwimmer, e Zeiger am Schwimmer, f Skale oder Zifferblatt

Wasserwaage

Auch ein einfacher Schlauch kann als Wasserwaage dienen: An beiden Enden steht der Wasserspiegel gleich hoch, und so kann man z.B. eine Mauer oder einen Dachfirst waagerecht ausrichten. Zugrunde liegt das Prinzip der kommunizierenden Röhren. – Die »Schlauchwaage« funktioniert aber nicht, wenn der Schlauch verknotet ist. Die eingeschlossenen Luftblasen verfälschen dann das Ergebnis.

Wasserwaage (Setzwaage), Gerät zum Prüfen und Feststellen der senkrechten und waagerechten Lage ebener Flächen; enthält eine leicht gekrümmte Glasröhre **(Röhrenlibelle)** oder eine Glasdose mit leicht kugeligem Deckel **(Dosenlibelle),** die bis auf eine kleine Gasblase mit Alkohol gefüllt ist. Die Gasblase steht bei horizontaler Lage der W. genau in der Mitte.

Wasserwacht, eine dem Dt. Roten Kreuz angeschlossene Organisation mit der Aufgabe, Rettungsstationen einzurichten, Rettungsmaßnahmen an Flüssen, Seen und an der Küste durchzuführen und Rettungsschwimmer auszubilden.

Wasserweihe, 1) *kath. Kirche:* die feierl. Weihe des Taufwassers in der Osternacht; auch die Segnung des Weihwassers.

2) *Ostkirchen:* zur Erinnerung an die Taufe Jesu im Jordan am Vorabend des Epiphaniasfestes (5. 1.) vollzogener Ritus zur Gewässersegnung; wird am Epiphaniasfest außerhalb der Kirche an einem Fluss oder See durch dreimaliges Eintauchen eines hl. Kreuzes wiederholt.

Waterloo

Ich wollte, es würde Nacht oder die Preußen kämen!

Diesen Satz soll der britische Feldmarschall Herzog von Wellington gesagt haben, als in der Schlacht von Waterloo die Lage für seine Truppen durch massive Angriffe Napoleons bedrohlich wurde. Er wurde erhört: Angeführt von Blücher traf die preußische Unterstützung ein und attackierte die Flanke der französischen Linien; Napoleon wurde geschlagen.

Wasserwerfer, Polizeiwaffe, bestehend aus einem Wassertank und Spritzdüsen, aus denen das Wasser durch Pumpen gedrückt wird.

Wasserwerk, größere Anlage zur Aufbereitung von Rohwasser (Grund- oder Oberflächenwasser) für die Wasserversorgung.

Wasserwirtschaft, die planmäßige Bewirtschaftung des ober- und unterird. Wasservorrates, der Menge wie der Güte nach. Sie umfasst die Regelung der Bodenfeuchtigkeit durch Bewässerung und Entwässerung, die Wasserversorgung mit Trink- und Brauchwasser, den Bau von Talsperren und Wasserkraftwerken, die Stadtentwässerung und Abwasserreinigung, den Ausbau der Binnenwasserstraßen und die Regelung ihres Wasserstandes (Flussregelung) sowie den Schutz der Gewässer (Gewässerschutz).

W. ist eine Hoheitsaufgabe des Staates, die von der **W.-Verwaltung** mit ihren **W.-Ämtern,** für die Wasserstraßen von den **Wasserstraßenämtern** wahrgenommen wird; gesetzl. Grundlage ist das → Wasserhaushaltsgesetz. (→ Wasserrecht)

Wasserzähler, der → Wassermesser.

Wasserzeichen, durchscheinendes Herkunfts- oder Sortenzeichen im Papier, dient auch zur Sicherung gegen Fälschungen bei Banknoten, Aktien, Urkunden und Briefmarken. »Echte W.« werden in der Siebpartie der Papiermaschine erzeugt; sie bewirken, dass an diesen Stellen das Papier dünner ist. »Unechte W.« werden in nachgefeuchtetes Papier gedrückt oder aufgedruckt.

Wasserzieher, Ernst, Sprachforscher, *Stettin 15. 5. 1860, †Halberstadt 21. 4. 1927; bemühte sich um die Pflege der dt. Sprache; schrieb »Woher? Ableitendes Wörterbuch der dt. Sprache« (1918), »Schlechtes Deutsch« (1920).

Wassmo, Herbjørg, norweg. Schriftstellerin, *Myre (Vesterålinseln) 6. 12. 1942; wurde bekannt mit der »Tora«-Romantrilogie (»Das Haus mit der blinden Glasveranda«, 1981; »Der stumme Raum«, 1983; »Gefühlloser Himmel«, 1986) über das norweg. Tabuthema der »Tyskerunge« (nichtehel. Kinder norweg. Frauen und dt. Besatzungssoldaten); Aufmerksamkeit erlangte auch der histor. Roman »Das Buch Dina« (1989).

Wästberg ['vɛstbærj], Per, schwed. Schriftsteller, *Stockholm 20. 11. 1933; war 1979–86 Präs. des P. E. N.; reflektiert in sozialkrit. Romanen (»Gelöste Liebe«, 1969) und Reportagen (»Auf der schwarzen Liste«, 1960) die Suche nach Freiheit und Unabhängigkeit hinter der Scheinwelt materieller Werte; auch Hg. afrikan. Literatur.

Wasungen, Stadt im Landkreis Schmalkalden-Meiningen, Thür., im Vorland des südwestl. Thüringer Waldes, an der Werra, 4000 Ew.; Dachpappenfabrik, Holz-, Glasveredelungs-, feinmechan. Industrie. – Stadtkirche (1584–96); zahlr. Fachwerkbauten des 16. und 17. Jh., ehem. Adelshöfe und Bürgerhäuser. – 874 erstmals genannt; Stadtrecht 1308; kam 1660 an Sachsen-Meiningen.

Watenstedt-Salzgitter, 1942–1950 Name der Stadt → Salzgitter.

Waterford ['wɔ:təfəd] (irisch Port Láirge), **1)** County an der Südküste der Rep. Irland, 1800 km², (1991) 51300 Einwohner.

2) grafschaftsfreie Stadt (County Borough) und Verw.sitz von 1), am Suir, 40300 Ew.; Kristallglasfabriken, Papiermühle, Gießereien, Düngemittelind., Fleischkonservenfabriken; Hafen. – Reginald's Tower (11. Jh.), Reste der Dominikaner- und der Franziskanerkirche (13. Jh.), Kathedralen Holy Trinity (vollendet 1796) und Christ Church (1779, 1891 verändert); City Hall (1788), Chamber of Commerce (1795), historist. Court House (1849 vollendet). – W. erhielt 1171 Stadtrecht.

Watergate-Affäre ['wɔ:təgeɪt-, engl.], nach einem Büro- und Hotelgebäudekomplex in Washington (D. C.) benannter innenpolit. Skandal in den USA. Ein Einbruch im demokrat. Wahlkampfhauptquartier in den Watergate-Apartments im Sommer 1972 und die zw. den Tätern und dem Komitee für die Wiederwahl des republikan. Präs. R. M. Nixon bestehenden Verbindungen führten zu einer erhebl. Belastung engster Mitarbeiter des Präs. und schließlich Nixons selbst. Daraufhin bereitete der Kongress ein → Impeachment gegen Nixon vor, dem dieser durch seinen Rücktritt (Aug. 1974) zuvorkam. Sein Nachfolger G. R. Ford befreite Nixon kurz danach von jeder Strafverfolgung, während hohe Funktionäre der Nixon-Administration gerichtlich verurteilt wurden.

Waterloo, Gemeinde in der Prov. Wallonisch-Brabant, Belgien, südlich von Brüssel, 25000 Ew.;

Wellington-, Napoleon-Museum; chem., Nahrungsmittel-, Textil-, Metallindustrie. – Die **Schlacht bei W.** am 18. 6. 1815 (nach einem Gehöft bei W. auch Schlacht bei **Belle-Alliance** gen.) war die Entscheidungsschlacht der →Befreiungskriege, in der die Truppen Wellingtons und die Preußen unter Blücher die Armee Napoleons I. endgültig besiegten.

Waterloo, Anthonie, niederländ. Maler, *Lille (?) um 1610, †Utrecht 23. 10. 1690; bereiste Dtl., Flandern und Italien; stellte in Radierungen, Zeichnungen und Gemälden v. a. Waldlandschaften dar.

Waterton-Glacier International Peace Park ['wɔːtətən 'gleɪʃə ɪntə'næʃnl 'piːs 'pɑːk], internat. Naturschutzpark (seit 1932) in den Rocky Mountains mit Waterton Lakes National Park (Prov. Alberta, Kanada; 526 km^2) und Glacier National Park (Montana, USA; 4100 km^2).

Watling Island ['wɔtlɪŋ 'aɪlənd, engl.], →San Salvador.

Watson [wɔtsn], **1)** James Dewey, amerikan. Biochemiker, *Chicago (Ill.) 6. 4. 1928; entwickelte mit F. H. C. Crick ein Modell für die räuml. Struktur der DNS-Moleküle **(»W.-Crick-Modell«).** W. erhielt 1962 (mit Crick und M. H. F. Wilkins) den Nobelpreis für Physiologie oder Medizin.

2) John Broadus, amerikan. Psychologe, *Greenville (S. C.) 9. 1. 1878, †New York 25. 9. 1958; Prof. in Baltimore, Hauptbegründer des →Behaviorismus mit starkem Einfluss auf die Milieu- und Verhaltenstherapie.

3) Johnny »Guitar«, amerikan. Popmusiker (Gitarre, Gesang, Klavier) und Songschreiber, *Houston (Tex.) 3. 2. 1935, †Yokohama 17. 5. 1996; wandelte seinen Stil vom Rhythm and Blues zum Funk; bekannt für seine unkonventionelle Art, Gitarre zu spielen; Hits u. a. »Those Lonely, Lonely Nights«, »A Real Mother for Ya«.

Watson-Watt ['wɔtsn wɔt], Sir (seit 1942) Robert Alexander, brit. Physiker, *Brechin (Angus, Schottland) 13. 4. 1892, †Inverness 6. 12. 1973; Erfinder in der Radartechnik. 1935 gelang es, mit seinen Geräten Flugzeuge auf 10 bis 60 km Entfernung festzustellen.

Watt (niederländ. Wadden, Schoren), der bis 30 km breite, seichte Saum der niederländisch-dt. Nordseeküste, i. w. S. auch Bez. für den aus Sand und Schlick bestehenden Meeresboden flacher Gezeitenküsten; er liegt bei Ebbe ganz oder teilweise trocken und wird bei Flut vom **Wattenmeer** überspült. Die viel verzweigten Priele und die Gats oder Tiefs zw. den Inseln durchziehen das W. und bilden die Zu- und Abflussrinnen der Gezeitenströme, die das W. bald ablagernd, bald abtragend formen. Der durch die Beimischung von organ. Stoffen und Schwefeleisen graue bis bläulich schwarze fette Schlickboden besitzt eine reiche Mikrofauna; davon nähren sich zahlr. Würmer, Muscheln, Schnecken, Krebse, Fische. An der Oberfläche entsteht aus dem Wattenschlick fruchtbarer Marschboden. Der Salz liebende Queller, die Strandaster, Strandnelke, das Andelgras, das Schlickgras u. a. fangen Schlick auf, erhöhen damit das Niveau des Bodens und tragen zur →Landgewinnung bei. An trop. Küsten tritt anstelle der W.-Vegetation die Mangrove, Küsten arider Gebiete bestehen aus vegetationslosen Salztonebenen. – Wegen ihrer ökolog. Bedeutung wurden die dt. Wattengebiete zum Schutzgebiet erklärt (»Natio-

Per Wästberg

James D. Watson

Watt (von links): Übergang vom Watt zur Marsch an der Nordwestspitze von Eiderstedt mit dem Leuchtturm Westerhever; Pferdefuhrwerke beim Durchqueren eines Priels auf dem Wattenweg zwischen Cuxhaven und der Insel Neuwerk (im Hintergrund)

nalpark Wattenmeer« in Ndsachs., Schlesw.-Holst. und Hamburg); die Möglichkeit wirtsch. Nutzung bleibt jedoch vorerst in unterschiedl. Umfang bestehen.

📖 *Wattenmeer, hg. v.* J. ABRAHAMSE. *A. d. Niederländ. Neumünster* *⁴1984. – Warnsignale aus dem Wattenmeer. Wissenschaftl. Fakten, hg. v.* J. L. LOZÁN. *Berlin u. a. 1994. – Ökosystem Wattenmeer, hg. v.* C. GÖTZE *u. a. Berlin 1998.*

Watt [nach J. Watt] *das,* Einheitenzeichen **W,** abgeleitete SI-Einheit der Leistung. Es ist 1 W = 1 V · A = 1 J/s = 1 N · m/s.

James Watt: Ausschnitt eines zeitgenössischen Gemäldes des schwedischen Porträtmalers Carl Fredrik von Breda (London, National Portrait Gallery)

Watt [wɔt], James, brit. Ingenieur und Erfinder, *Greenock 19. 1. 1736, †Heathfield (heute zu Birmingham) 19. 8. 1819; verbesserte 1765 die (atmosphär.) Dampfmaschine T. Newcomens durch Einführung des vom Zylinder getrennten Kondensators und schuf damit die erste direkt wirkende Niederdruckdampfmaschine; entwickelte 1782–84 eine doppelt wirkende Niederdruckdampfmaschine (mit Drehbewegung), die seit 1787 als Antriebskraft in Textilbetrieben verwendet wurde.

Watte, lose zusammenhängendes Faservlies aus gereinigten und aufbereiteten Baumwollfasern oder Zellwolle, die zu kosmet. und medizin. Zwecken verwendet wird.

Watteau [va'to], Jean Antoine, frz. Maler, *Valenciennes 10. 10. 1684, †Nogent-sur-Marne 18. 7. 1721; lebte seit 1702 in Paris, wo er im Hause des Kunstsammlers P. Crozat Meisterwerke europ. Kunst und das Leben der eleganten Gesellschaft kennen lernte; wurde 1717 in die Akademie aufgenommen, 1719/20 hielt er sich in England auf. Anfangs wurde er von fläm. und italien. Vorbildern beeinflusst (P. P. Rubens, Tizian, Paolo Veronese), doch war in der eleganten Leichtigkeit der Figuren und der bei aller Leuchtkraft zart bleibenden Farbigkeit seine Eigenart bereits früh ausgeprägt. Die Farben verschmolzen zu einem schimmernden Gesamtton, der Landschaft und Figuren zart und duftig erscheinen lässt. Er gilt als Schöpfer einer neuen Bildgattung, der »Fêtes galantes«, intimer Gesellschaftsstücke, die eine verfeinerte, von Erotik und mytholog. Anspielungen geprägte höf. Kultur vorstellen. Daneben malte er auch Genre- und Theaterszenen (v. a. Commedia dell Arte, u. a. »Gilles«, 1718 = Figur des Pierrot), vereinzelt auch aus dem Soldaten- und Bauernleben. – Eine reiche Sammlung seiner Werke befindet sich in den Staatl. Museen in Berlin (Cythère, 1718; Ladenschild des Kunsthändlers Gersaint, 1720, u. a.); andere Hauptwerke bes. im Louvre (Cythère, 1717) und in der Dresdener Galerie.

📖 ROLAND-MICHEL, M.: *W., 1684–1721. A. d. Frz., München 1984.*

Wattenmeer, → Watt.

Wattens, Marktgemeinde in Tirol, Österreich, im Unterinntal, 6800 Ew.; Museum (Vorgeschichte und Industrie); Großbetrieb der Glasschleiferei, Feinpapierfabrik. – A. Heller schuf 1995 in W. die auf Dauer angelegte Installation »Kristallwelten« in einem unterird. Raumsystem.

Wattenscheid, ehem. kreisfreie Stadt, seit 1975 Stadtteil von → Bochum.

Wattmeter [nach J. Watt] *das,* ein elektr. Messgerät, → Leistungsmessgerät.

Watts [wɔts], **1)** George Frederic, brit. Maler und Bildhauer, *London 23. 2. 1817, †Compton (Cty. Surrey) 1. 6. 1904; studierte 1843–46 in Italien; malte unter dem Einfluss von W. Blake und Michelangelo meist ernste mytholog. oder allegor. Themen; bed. Porträts renommierter Zeitgenossen; monumentale klassizist. Skulpturen.

2) Robert, amerikan. Bildhauer, Happeningkünstler, *Burlington (Iowa) 14. 6. 1923. Seine Aktionen (Environments, Mixedmedia-, Happening- und Fluxusveranstaltungen) beruhen auf der sug-

Jean Antoine Watteau: »Gilles« (1718; Paris, Louvre)

George Frederic Watts: »Hoffnung« (1885; London, Tate Gallery)

gestiven Konfrontation von Alltagsobjekten mit elektronischen und akust. Medien.

Wattwil, Gemeinde im Kanton St. Gallen, Schweiz, an der Thur, zentraler Ort des Toggenburg, 8200 Ew.; Schweizer. Textilfachschule; Textilindustrie, Maschinenbau.

Watussi (Tutsi), in Ruanda und Burundi Name der →Hima.

Watussirind, großwüchsige ostafrikan. Hausrinderrasse mit über 1m langen, leierförmigen Hörnern.

Watvögel (Limikolen), Sammelbez. für mehrere Familien meist hochbeiniger Vögel mit langen Schnäbeln, die in flachen Süß- und Salzgewässern waten bzw. in Sümpfen oder anderen feuchten Landschaften leben.

Watzmann, Bergstock in den Berchtesgadener Alpen, fällt nach O steil zum Königssee ab, Mittelspitze 2713m ü.M., Südspitze 2712m ü.M.; aufgebaut aus Dachsteinkalk. Von der Mittelspitze zieht der Felsklippengrat der **Watzmannkinder** zum **Kleinen W.** (2307m ü.M.). BILD Königssee

Wau, die Pflanzengattung →Reseda.

Waugh [wɔ:], Evelyn Arthur St. John, engl. Schriftsteller, *London 28. 10. 1903, †Combe Florey (bei Taunton) 10. 4. 1966; neben G. Greene der bedeutendste Vertreter der neukath. engl. Literatur; konvertierte 1930 zum Katholizismus. W. übte zunächst in den ironisch-satir. Romanen »Auf der schiefen Ebene« (1928), »... aber das Fleisch ist schwach« (1930) und »Eine Handvoll Staub« (1934) scharfe Kritik an der zeitgenöss. dekadenten Gesellschaft. In seinen späteren Werken betonte er v.a. das religiöse Element, u.a. in »Wiedersehen mit Brideshead« (R., 1945), »Tod in Hollywood« (R., 1948), »Gilbert Pinfolds Höllenfahrt« (R., 1957); schrieb auch Erzählungen, Biographien und Reiseberichte.

📖 STANNARD, M.: *E. W., 2 Bde. London 1986–92.*

Wawel *der,* Burgberg mit Schloss und Kathedrale am südl. Stadtrand von Krakau, bis 1596 Sitz der Herzöge und Könige Polens.

Wawilow, Sergei Iwanowitsch, sowjet. Physiker, *Moskau 24. 3. 1891, †ebd. 25. 1. 1951; Prof. in Moskau, ab 1932 Leiter des Staatl. optischen Inst. (heute Wawilow-Inst.) und des Physikalisch-mathemat. Instituts der Akad. der Wiss. der UdSSR (heute Lebedew-Inst.); ab 1945 Akademiepräsident; bed. Arbeiten zur Quantentheorie des Lichts, insbesondere zur nichtlinearen Optik.

Wayang, →Schattenspiel.

Wayne [weɪn], John, eigtl. Marion Michael Morrison, amerikan. Filmschauspieler, -regisseur und -produzent, *Winterset (Iowa) 26. 5. 1907, †Los Angeles (Calif.) 11. 6. 1979; wurde als Typ des rauen Abenteurers und bes. als traditioneller Westernheld erfolgreich: »Höllenfahrt nach Santa Fé« (1939, auch u.d.T. »Ringo«), »Bis zum letzten Mann« (1948), »Der Mann, der Liberty Valance erschoß« (1961), »Der Marshal« (1971).

Wb, Einheitenzeichen für →Weber.

WC [Abk. für engl. **w**ater **c**loset »Wasserklosett«], →Toilette.

WCHUTEMAS [fxu-], russ. Abk. für »Höhere künstlerisch-techn. Werkstätten«, 1920 in Moskau gegr. Lehranstalt, die, von der Konzeption einer neuen Einheit der Künste ausgehend, Künstler, Kunsthandwerker und Industriedesigner in enger Verbindung ausbildete; 1926 Umbenennung in **WCHUTEIN** (Abk. für »Höheres künstlerisch-techn. Institut«) und mit stärkerer Spezialisierung der Ausbildung; 1930 aufgelöst.

Weald, The [ðə wi:ld], Hügellandschaft in SO-England, zw. den Schichtstufen North Downs und South Downs; z.T. bewaldet, Erholungsgebiet für die Londoner Bevölkerung.

Weaver ['wi:və], Sigourney (Susan), amerikan. Schauspielerin, *New York 8. 10. 1949; Darstellerin des (experimentellen) Theaters; Filmrollen übernahm sie u.a. im »Alien«-Zyklus (4 Tle., 1979–97), in »Ghostbusters« (2 Tle., 1984–89), »Dave« (1993), »Der Tod und das Mädchen« (1994) und »Copykill« (1995).

Webb, 1) John, engl. Baumeister, *London 1611, †Butleigh (Cty. Somerset) 30. 10. 1672; Schüler und Mitarbeiter seines Onkels I. Jones. Seine Entwürfe übten Einfluss auf den Palladianismus im 18. Jh. aus; gestaltete Bühnen- und Festdekoratio-

Evelyn Waugh

John Wayne

Sigourney Weaver

Philip Webb: »Red House« in Bexley Heath, London (1859/60)

nen, u.a. für höf. Fastnachtsspiele; entwarf Herrenhäuser und Collegebauten.

2) Philip Speakman, brit. Architekt, Innenarchitekt und Kunsthandwerker, *Oxford 12. 1. 1831, †Worth (Cty. West Sussex) 17. 4. 1915; erbaute 1859/60 für W. Morris das »Red House« in Bexley Heath (heute zu London), das auf Reform und Neuorientierung des modernen Wohnens gerichteten Tendenzen Ausdruck gab; entwarf u.a. Kirchen- und Raumausstattungen.

3) Sidney James, Lord Passfield of Passfield Corner (seit 1929), brit. Sozialwissenschaftler und Politiker, *London 13. 7. 1859, †Liphook (Cty. Hampshire) 13. 10. 1947; führend in der →Fabian Society. Die meisten seiner Schriften verfasste er gemeinsam mit seiner Frau Beatrice W. (*1858, †1943), u.a. »Theorie und Praxis der engl. Gewerkvereine« (2 Bde., 1897), »Das Problem der Armut« (1911).

Carl Maria von Weber: Ausschnitt aus der Arie der Agathe aus dem 2. Akt der Oper »Der Freischütz« (1821), Autograph

Wẹber [nach W. Weber] *das,* Einheitenzeichen **Wb,** abgeleitete SI-Einheit des magnet. Flusses, 1 Wb = 1 V · s = 1 N · m/A.

Wẹber, 1) Alfred, Volkswirtschaftler und Soziologe, *Erfurt 30. 7. 1868, †Heidelberg 2. 5. 1958, Bruder von 8); Begründer der industriellen Standortlehre (→Standort) und Vertreter einer universellen Kultursoziologie.

Werke: Reine Theorie des Standorts (1909); Kulturgeschichte als Kultursoziologie (1935); Der dritte oder der vierte Mensch (1953).

2) A(ndreas) Paul, Zeichner, *Arnstadt 1. 11. 1893, †Ratzeburg 10. 11. 1980; schuf Buchillustrationen zu Werken von H. Sachs, C. De Coster, Goethe u.a.; seine fantasievollen Bildreihen (»Leviathan«, 1954) werden von Themen der Zeitkritik und polit. Satire beherrscht (»Krit. Kalender«, jährlich 1959–72).

3) Carl Maria von, Komponist, *Eutin 18. oder 19. 11. 1786, †London 5. 6. 1826; Schüler u.a. von M. Haydn in Salzburg und Abbé Vogler in Wien; ab 1813 Operndirektor in Prag, ab 1817 Leiter der neu gegr. Dt. Oper in Dresden. W.s Bedeutung liegt v.a. auf dem Gebiet der Oper. Bes. für die Geschichte der dt. Oper nach Mozart und Beethoven und vor R. Wagner war »Der Freischütz« (1821) das wichtigste Werk, das schlaglichtartig und unmittelbar verständlich poet. Vorstellungen und operntheoret. Forderungen der literar. Romantik in die Sprache des Theaters umsetzte. Das Textbuch von Johann Friedrich Kind (*1768, †1843) hat W. zu einer Fülle treffender musikal. Gestaltungen angeregt. Volksnahe Melodien, Chöre der Bauern und Jäger, Naturbilder und Geisterszenen (dargestellt durch neuartige Orchesterfarben) schaffen wirkungsvolle Kontraste, die durch wiederkehrende Klangelemente und ein einheitl. Grundkolorit zusammengehalten werden. Daneben fanden die anderen Opern W. (u.a. »Abu Hassan«, 1811; »Die drei Pintos«, 1820, 1888 von G. Mahler vollendet; »Oberon«, 1826) trotz neuer Elemente weniger Anerkennung. Das gilt bes. für die musikalisch und musikdramatisch beziehungsreich durchgeformte Oper »Euryanthe« (1823), die wegen ihres schwachen Librettos wenig erfolgreich war, aber als durchkomponiertes Werk ohne gesprochenen Text die Gattungsgeschichte über den »Freischütz« hinaus deutlich weiterentwickelt und durch ihre Erinnerungsmotivik und reich abgestufte Klangschattierungen auf Wagners Musikdrama vorausweist. W.s Lied- und Chorkompositionen enthalten ausdrucksvolle Beispiele romant. Vokalmusik. Seine Instrumentalmusik wirkte durch rhythm. Vitalität, harmon. Reichtum, lyr. Timbre und konzertante Gestik stilbildend. Als Schriftsteller schrieb W. scharfsinnige Kritiken, Operneinführungen, humorvolle Glossen und ein romantisierendes Romanfragment »Tonkünstlers Leben«.

📖 HÖCKER, K.: *C. M. von W. Schöpfer der Romant. Oper. Neuausg. München 1988.* – LAUX, K.: *C. M. von W. Leipzig [3]1989.* – LEINERT, M.: *C. M. von W. Reinbek 17.–19. Tsd. 1989.* – WAGNER, W. M.: *C. M. von W. u. die dt. Nationaloper. Mainz u. a. 1994.*

Carl Maria von Weber: Ausschnitt eines zeitgenössischen Gemäldes der deutschen Porträtmalerin Caroline Bardua (Berlin, Musikinstrumenten-Museum)

4) Ernst Heinrich, Anatom und Physiologe, *Wittenberg 24. 6. 1795, †Leipzig 26. 1. 1878, Bruder von 11); wurde v. a. durch seine Untersuchungen des Kreislaufs, des Pulses, des Gehörs, der Atmung und bes. des Tastsinns zum Mitbegründer der physikalisch-mathemat. Richtung in der Physiologie. (→ Weber-Fechner-Gesetz)

5) Friedrich Wilhelm, Schriftsteller, *Alhausen (heute zu Bad Driburg) 25. 12. 1813, †Nieheim (Kr. Höxter) 5. 4. 1894; Arzt, verfasste das Versepos »Dreizehnlinden« (1878) über die Bekehrung der Sachsen zum Christentum.

6) Helene, Politikerin, *Elberfeld (heute zu Wuppertal) 17. 3. 1881, †Bonn 25. 7. 1962; Lehrerin, führend in der kath. Frauenbewegung, 1919/20 Mitglied der Weimarer Nationalversammlung, 1921–24 des preuß. Landtags, 1924–33 MdR (Zentrum), 1949–62 MdB (CDU); leitete 1952–61 das Dt. Müttergenesungswerk.

7) Hermann, Historiker, *Mannheim 23. 8. 1928; zunächst Publizist; war 1945–54 Mitgl. der KPD und wurde 1955 Mitgl. der SPD; seit 1975 Prof. in Mannheim. W. gilt als einer der führenden Sachkenner der polit. Zustände in der DDR (u. a. »DDR. Grundriß der Gesch. 1945 bis 1990«, 1991) sowie des dt. und internat. Kommunismus.

8) Max, Nationalökonom und Soziologe, *Erfurt 21. 4. 1864, †München 14. 6. 1920, Bruder von 1); Prof. in Berlin, Freiburg im Breisgau, Heidelberg, Wien und München. W. begründete die **verstehende Soziologie,** die neben kausalen Erklärungen Sinnzusammenhänge aufzudecken versucht und histor. Elemente mit dem method. Instrument der Idealtypen verbindet; diese schildern geschichtl. Vorgänge bzw. Personen abstrahiert von subjektiven Handlungsmotiven. Er prüfte die erkenntnistheoret. Grundlagen der Sozialwiss. und erstrebte (i. Ggs. z. B. zum Marxismus) insbesondere deren Wertfreiheit, d. h. die exakte Trennung von objektiver wiss. Aussage und persönl. Wertung. W. gilt überdies als Begründer der Musik- und Religionssoziologie, leistete bed. Beiträge zur Wissenschaftssoziologie und -lehre sowie u. a. zur Wirtschafts- und Religionsgeschichte. In seinem Hauptwerk »Wirtschaft und Gesellschaft« (hg. 1922) beschreibt W. den Entwicklungsprozess der Industriegesellschaft als zunehmende »Entzauberung der Welt«, die dem Menschen einerseits die Möglichkeit besserer Umweltbeherrschung bietet, andererseits aber »Gehäuse neuer Hörigkeit« schafft. W. war Mitgl. der Kommission für die Ausarbeitung der Reichsverfassung. Weiteres BILD Totenmaske

Weitere Werke: Gesammelte Aufsätze zur Religionssoziologie (3 Bde., 1920/21); Wirtschaftsgeschichte (1923); Gesammelte Aufsätze zur Soziologie und Sozialpolitik (1924); Gesammelte Aufsätze zur Sozial- und Wirtschaftsgesch. (1924).

📖 FÜGEN, H. N.: *M. W. Reinbek 17.–18. Tsd. 1995.* – HEINS, V.: *M. W. zur Einführung. Hamburg [2]1997.*

9) Max, amerikan. Maler dt.-poln. Herkunft, *Białystok 18. 4. 1881, †New York 4. 10. 1961; lebte seit 1891 in den USA, wurde während seines Parisaufenthaltes (1905–07) von P. Cézanne und H. Matisse beeinflusst. Zurückgekehrt nach New York, erregte W. mit seinen zur Abstraktion tendierenden Bildern, die sich nacheinander am Fauvismus, Kubismus, Futurismus orientierten, Aufsehen.

10) Vincent, Maler und Grafiker, *Monschau 16. 11. 1902, †Frankfurt am Main 6. 3. 1995; ausgebildet am Bauhaus, Assistent von A. Hoelzel in Stuttgart; schuf farbintensive rhythm. Kompositionen.

11) Wilhelm Eduard, Physiker, *Wittenberg 24. 10. 1804, †Göttingen 23. 6. 1891, Bruder von 4); gehörte zu den → Göttinger Sieben; Hauptarbeitsgebiete: Elektrizität und Magnetismus. W. baute 1833 mit C. F. Gauß die erste größere elektromagnet. Telegrafenanlage und entwickelte, an Gauß anknüpfend, das absolute elektr. Maßsystem.

Weberameisen (Oecophylla), Gattung etwa 1 cm langer, gelbbrauner Schuppenameisen in Afrika und S-Asien; bauen in Baumkronen Nester, indem die Arbeiterinnen die ein klebriges Speicheldrüsensekret abgebenden Larven in den Mandibeln halten, sie von Blatt zu Blatt führen und die Blätter so zusammenspinnen.

Weberaufstand, Schlesischer, spontane Erhebung schles. Weber in Peterswaldau und Langenbielau vom 4. bis 6. 6. 1844 als Folge der dramat.

Alfred Weber

Wilhelm Weber

Max Weber (Nationalökonom und Soziologe)

Verschlechterung ihrer sozialen Lage (→Maschinenstürmer, →Verlagssystem); durch preuß. Truppen brutal niedergeschlagen. – Künstler. Gestaltung u. a. durch H. Heine (Gedicht), G. Hauptmann (Drama), K. Kollwitz (Grafikzyklus).

Weberdistel, *Botanik:* →Karde.

Weberei, Herstellung von Geweben auf dem Webstuhl (Hand-W.) oder in der Webmaschine (industrielle W.) aus **Kett-** und **Schussfäden** (kurz Kette und Schuss), die sich in fachgemäßer Bindung rechtwinklig kreuzen. Kett- und Gewebelauf schreiten kontinuierlich fort, indem Kette vom Kettbaum freigegeben und Gewebe auf den Gewebe-(Brust-)Baum aufgewickelt wird. Webschäfte, von einer Fachbildungsvorrichtung gesteuert, heben und senken die Kettfäden in zwei Ebenen und binden bei jedem Wechsel den Schussfaden ein, der mittels eines die Schussspule tragenden Webspulenschützens, eines Greiferschützens, Greifers, Luft- oder Wasserstrahls in das jeweils offene Fach eingetragen wird. – Auch Bez. für einen Betrieb, der Gewebe erzeugt.

Wẹber-Fẹchner-Gesetz, von E. H. Weber 1834 zuerst formulierte Annahme, dass über einen großen Reizstärkebereich hin das Verhältnis des Reizzuwachses, der nötig ist, um einen merkl. Empfindungszuwachs zu bewirken, zur Intensität des Ausgangsreizes in einem gleich bleibenden Verhältnis steht; je intensiver der Reiz, desto stärker muss der Zuwachs sein, um eine Unterschiedswahrnehmung zu bewirken. G. T. Fechner leitete 1860 hieraus das psychophys. Grundgesetz ab, nach dem die Intensität einer Empfindung dem Logarithmus des Reizes proportional ist. Das W.-F.-G. wird heute nur noch für Reize mittlerer Stärke als näherungsweise gültig angesehen.

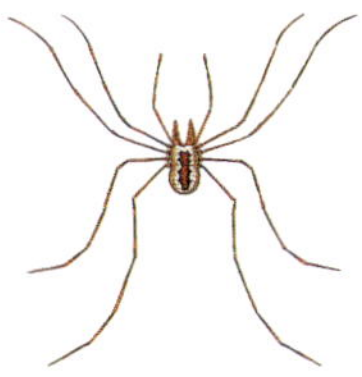

Weberknechte: Phalagium opilia (Körperlänge 4–5 mm)

Weberknechte (Kanker, Opiliones), weltweit verbreitete Ordnung bis über 2 cm langer, landbewohnender Spinnentiere mit z. T. extrem (bis 16 cm bei der einheimischen Art **Phalangium opilia)** langen, dünnen Beinen (brechen leicht an einer vorgebildeten Stelle ab und lenken dann durch Eigenbewegungen einen Angreifer ab); Spinn- und Giftdrüsen fehlen; fressen Pflanzenstoffe und kleine Wirbellose.

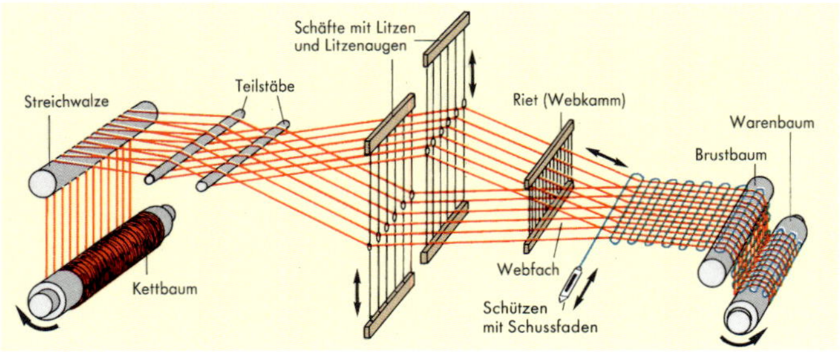

Weberei: Schema des Webvorgangs

Wẹbern, Anton (von), österr. Komponist, * Wien 3. 12. 1883, † Mittersill (Pinzgau) 15. 9. 1945; 1904–08 Schüler von A. Schönberg, durch den er Alban Berg kennen lernte, mit dem ihn eine lebenslange Freundschaft verband; ab 1938 Aufführungs- und Publikationsverbot. In W.s kompositor. Schaffen steht die Textvertonung im Mittelpunkt; zunächst der Spätromantik verpflichtet, vollzog er die Entwicklung zu einem Hauptrepräsentanten des musikal. Expressionismus; er gelangte durch klangl. und rhythm. Aufspaltung des musikal. Materials zu einem höchst differenzierten (punktuellen), streng konstruktiven Stil der Zwölftonmusik und wirkte stark auf die junge Komponistengeneration (P. Boulez, K. Stockhausen, H. Pousseur u. a.). W. komponierte Kantaten, Lieder, Chöre, Klavierstücke, Orchester- und Kammermusik; unter dem Titel »Der Weg zur Neuen Musik« wurde 1960 von W. Reich eine Vortragsreihe W.s herausgegeben.

Anton Webern: Gemälde von Max Oppenheimer (um 1908/10; Wuppertal, Von der Heydt-Museum)

📖 CHOLOPOWA, V. *u.* CHOLOPOW, J.: *A. W. Leben u. Werk. A. d. Russ. Berlin (Ost) 1989.* – ZUBER, B.: *Gesetz + Gestalt. Studien zum Spätwerk A. W.s. München 1995.*

Webervögel (Weber, Ploceidae), Familie etwa 10–20 cm langer (mit den Schmuckfedern des Schwanzes oft bis fast 70 cm messender) Singvögel in Steppen und Savannen Afrikas und S-Asiens, von wo aus einige Arten bis nach Europa vorgedrungen sind; gesellige, während der Fortpflanzungszeit oft prächtig gefärbte Vögel mit meist kleinem, kegelförmigem Schnabel; bauen oft kunstvoll gewebte Beutel- oder Kugelnester aus feinen Pflanzenfasern mit langer, abwärts gerichteter Einflugröhre. Zu den W. gehören u. a. →Witwen und die **Eigentl. Weber** (Ploceinae) mit rd. 70 Arten, darunter der **Bajaweber** (Ploceus philippinus), dessen Männchen bis zu vier hängende Nester webt. W. werden auch als Volierenvögel gehalten wie Textor-, Feuer- und Orangeweber, häufig zus. mit den verwandtschaftlich nahe stehenden Prachtfinken, z. B. Diamantfink.

Wẹbe Shebele [-ʃ-] *der* (Webi Schebeli, Wäbi Schäbäle), Fluss in NO-Afrika, etwa 1900 km lang, entspringt im Äthiop. Hochland, fließt nach SO durch Somalia, begleitet im Unterlauf die Küste, versiegt meist vor Erreichen des Juba im Dünengebiet; wird zur Bewässerung des wichtigsten Agrargebiets von Somalia genutzt.

Webmaschine, Maschine zur Mechanisierung des Webvorgangs; im einfachsten Falle der Handwebstuhl (→ Webstuhl), heute meist komplexe, hochleistungsfähige Anlagen mit den für das Weben (→ Weberei) notwendigen Kettablass-, Fachbildungs-, Schusseintrags- und Gewebeabzugsvorrichtungen sowie zusätzl. Anlagen zur Überwachung und Steuerung. Nach dem Prinzip des Eintragens des Schussfadens werden nichtautomat. und automat. W. unterschieden. – Nichtautomat. W.: Bei der **Spulenschützen-W.** wird der Webvorgang durch Nachfüllen des Spulenschützens unterbrochen. Auf den **Hodgsonstühlen** werden leichte Baumwoll-, Wollmisch- und Seidengewebe hergestellt, auf den schweren, langsamer laufenden **Cromptonstühlen** Wollgewebe, Möbelbezugsstoffe und Teppiche. Genügt bei einfachen Mustern zur Fachbildung eine Trittvorrichtung, müssen bei größeren Mustern die Hubbewegungen der Schäfte durch Schaftmaschinen nach Musterkarten gesteuert werden. Komplizierte Webmuster werden auf **Jacquard-W.** hergestellt. – Automat. W.: Bei **Webautomaten** werden Spulen bzw. Schützen selbstständig gewechselt (Spulenwechsel- bzw. Schützenwechsel-Webautomat). Auf der bis zu 3,5 m breiten **Buckskin-W.** werden schwere Oberbekleidungsgewebe hergestellt. **Polgewebe-W.** haben Einrichtungen zur Schlingenbildung der Polkette, **Ruten-W.** bewegl. Schneid- bzw. Zugruten, um Samte, Plüsche u. a. herzustellen. **Doppel-W.** erzeugen in einem Arbeitsgang gleiche Gewebe (Ober- und Unterware), die durch ein zw. beiden Geweben bewegtes Messer getrennt werden. Bei **Band-W.** können mehrere als Bandketten auf Scheiben gewickelte Kettfäden nebeneinander gewebt werden. Auf **Rund-W.** wird Schlauchware, auf **Bobinet-W.** werden Tüllgardinen hergestellt. Bei der **Greiferschützen-W.** übernimmt der Greiferschützen, der keine Spule trägt, abwechselnd von beiden Seiten den Schussfaden und trägt ihn ein, während beim **Greiferwebautomaten** der Schussfaden durch einen bzw. zwei beiderseits angebrachte Greifer eingetragen wird. Der Schusseintrag bei **Düsen-W.** erfolgt pneumatisch (Luftstrahl) oder hydraulisch (Wasserstrahl).

Webster ['webstə], **1)** John, engl. Dramatiker, * London (?) um 1580, † ebd. um 1625; gestaltete Tragödien, die an zeitgeschichtl. Mordfällen in virtuoser Dramaturgie und facettenreicher poet. Sprache Extremfälle der Leidenschaft und Bewährung darstellen (»Der weiße Teufel«, 1612).

2) Noah, amerikan. Lexikograph, Grammatiker, * Hartford (Conn.) 16. 10. 1758, † New Haven (Conn.) 28. 5. 1843; veröffentlichte »An American dictionary of the English language« (2 Bde., 1828), das laufend neu bearbeitet wird und bis heute als »Webster« das maßgebl. Nachschlagewerk für den amerikan. Sprachgebrauch ist.

Webstuhl, Gerät zur Herstellung von Geweben (→ Weberei). Nach der Antriebsart unterscheidet man **Hand-W.,** bei denen alle Bewegungen zur Gewebeherstellung von den Händen und Füßen des Handwebers durchgeführt werden, und **Maschinen-W.** (→ Webmaschine).

Wechsel, eine in bestimmter Form schriftlich übernommene, unbedingte Verpflichtung zur Zahlung einer bestimmten Geldsumme an den legitimierten Inhaber der Urkunde. Die Zahlungsverpflichtung ist von dem Grund, aus dem die Schuld entstanden ist, unabhängig; der W.-Schuldner kann einem späteren Erwerber des W. Einreden aus dem Grundgeschäft (etwa eine Mängelrüge) nicht entgegenhalten. Das W.-Recht ist in Dtl. durch das W.-Gesetz vom 21. 6. 1933 geregelt und wurde wie die meisten europ. W.-Gesetze auf der Grundlage der Genfer W.-Konferenz von 1930 erlassen. Wesentlich für den W. ist die Bez. als »W.« (W.-Klausel) im Text der Urkunde. Der W. ist ein → Orderpapier. Der Aussteller des W. kann sich entweder selbst zur Zahlung der W.-Summe verpflichten oder einen anderen mit der Zahlung beauftragen. Danach unterscheidet man den im Wirtschaftsleben seltenen **eigenen W. (trockener W., Sola-W.),** der ein Schuldversprechen ist, und den **gezogenen W. (Tratte),** der die Form einer Anweisung hat. Letzterer muss enthalten: 1) die W.-Klausel; 2) die unbedingte Anweisung, eine bestimmte Geldsumme zu zahlen; 3) die namentl. Angabe dessen, der zahlen soll **(Bezogener, Trassat);** 4) die Angabe des Fälligkeitstages **(Verfall);** 5) die Angabe des Zahlungsortes; 6) den Namen dessen, an den oder an dessen Order gezahlt werden soll **(W.-Nehmer, Remittent);** 7) die Angabe des Tages und des Ortes der Ausstellung; 8) die Unterschrift des Ausstellers **(Trassant).** Eine Urkunde, der einer dieser Bestandteile fehlt, gilt i. d. R. nicht als W., ausgenommen der **Blanko-W.,** der unvollständig (z. B. ohne W.-Summe), aber mit der Absicht späterer Vervollständigung

Webervögel: Bajaweber beim Nestbau

Noah Webster

ausgegeben wird. – Erst durch die **Annahme** (das **Akzept**), die üblicherweise durch »Querschreiben« seines Namens auf der linken Vorderseite des W. erfolgt, wird der Bezogene, der nunmehr **Annehmer (Akzeptant)** heißt, W.-Schuldner; er wird damit – als Hauptschuldner des W. – allen W.-Berechtigten gegenüber wechselmäßig zur Zahlung am Verfalltag verpflichtet. Der W. kann durch →Indossament (Giro) übertragen werden. Dies kann entweder durch ein den Namen des Indossatars angebendes **Namens-** oder **Vollindossament** geschehen oder durch ein dessen Namen nicht angebendes **Blankoindossament,** für das die Unterschrift des Indossanten auf der Rückseite des W. genügt. Durch das Indossament erhält der Indossatar alle Rechte aus dem W., unabhängig von der Berechtigung seines Indossanten und der übrigen Vormänner. Der W. ist dem Annehmer spätestens am 2. Werktag nach Fälligkeit zur Zahlung vorzulegen (zu präsentieren).

Zahlt der Annehmer nicht, so kann der Inhaber des W. gegen jeden seiner auf dem W. genannten Vormänner Rückgriff (Regress) nehmen **(W.-Rückgriff),** es sei denn, diese hätten sich durch entsprechende Klauseln (**à forfait,** ohne Obligo) davor geschützt. Die Zahlungsverweigerung muss durch einen rechtzeitig erhobenen W.-Protest (→Protest) festgestellt werden. Alle, die einen W. ausgestellt, angenommen, indossiert oder mit einer Bürgschaftserklärung (→Aval) versehen haben, haften dem Inhaber als Gesamtschuldner. Der Inhaber kann sie der Reihe nach **(Staffelrückgriff)** oder außer der Reihe **(Sprungregress)** oder alle zusammen im Wege des Rückgriffs beanspruchen (→Wechselprozess). Er ist verpflichtet, seinen unmittelbaren Vormann und den Aussteller von der Protesterhebung zu benachrichtigen **(Notanzeige, Notifikation).** Der Empfänger der Nachricht muss sie an seinen eigenen Vormann weitergeben. Der zahlende Rückgriffsschuldner kann Aushändigung des W. mit einer Rechnung über die gezahlte Summe **(Rückrechnung)** verlangen. Hat ein Rückgriffsschuldner seiner Verbindlichkeit genügt, so kann er seinerseits Rückgriff **(Remboursregress)** nehmen. Dem letzten Rückgriffsverpflichteten bleibt der Anspruch gegen den Hauptschuldner. Jeder Rückgriffsschuldner kann im W. eine Notadresse nennen, die für den nicht zahlenden Annehmer eintritt (→Ehreneintritt).

Besondere Arten des gezogenen W. sind: der **Rekta-W.,** der durch einfache Abtretung übertragen wird, der Domizilwechsel, der **Tag-W.,** der an einem genau bezeichneten Tag, der **Sicht-W.,** der am Tag der Präsentation, und der **Nachsicht-W.,** der nach der Präsentation fällig ist, der **Dato-W.,** dessen Verfalltag auf eine bestimmte Zeit nach dem Ausstellungstag festgesetzt ist, und der →Platzwechsel.

Man unterscheidet nach dem Anlass der W.-Ziehung: **Handels-** oder **Waren-W.** (es liegt eine Schuld aus einem Umsatzgeschäft zugrunde), **Finanz-W.** (Geldbeschaffung) und **Kautions-W.** (Sicherungszweck). Der W. ist als Kreditpapier eine der Grundlagen der Kreditschöpfung der Banken. Zum Verkauf von W. an Banken →Diskont.

In *Österreich* gilt das W.-Gesetz vom 16. 2. 1955. In der *Schweiz* hat das einheitl. W.-Gesetz Aufnahme in das Obligationenrecht gefunden (Art. 990ff.). Wesentlich abweichend ist das W.-Recht der USA.

📖 JUNG, K.-H.: *Der W. Stuttgart* [2]*1994.* – HEFERMEHL, W.: *Wechselgesetz u. Scheckgesetz, begründet v.* A. BAUMBACH. *München* [19]*1995.*

Wechselbäder, wechselweises Anwenden von heißem und kaltem Wasser; fördert die Durchblutung und regt das Atemzentrum an.

Wechselburg: Triumphkreuz in der ehemaligen Stiftskirche, farbig gefasstes Holz, Höhe 5 m (um 1230)

Wẹchselburg, Gemeinde im Landkreis Mittweida, Sachsen, an der Zwickauer Mulde, südlich von Rochlitz, 2300 Einwohner. – Die roman. ehem. Stifts-(Schloss-)Kirche (1160–80, Gewölbe 15. Jh.; bed. spätroman. Lettnerplastik, Triumphkreuzgruppe, 1230–35; Grabmal des Stifterpaares Dedo und Mechthild von Groitzsch, um 1235) wurde zum UNESCO-Weltkulturerbe erklärt; Barockschloss (1735–56), barocke Pfarrkirche (1730–37).

Wechselfieber, die →Malaria.

Wechseljahre (Klimakterium, Klimax), die Zeitspanne, in der bei der Frau die Eierstöcke allmählich die Produktion reifer Eizellen einstellen, da der bei der Geburt vorhandene Vorrat von rd. 700 000 Eizellen weitgehend aufgebraucht ist; in diesen Abschnitt, der meist zw. dem 45. und dem 55. Lebensjahr, selten auch wesentlich früher oder später liegt, fällt auch das Auftreten der letzten Periodenblutung **(Menopause)** und damit das Ende der Fruchtbarkeit. Die W. sind gekennzeichnet durch unregelmäßiges Auftreten und schließlich Aufhören der Menstruation infolge Nachlassens der Eierstockfunktion. Dabei ist bes. die Verminderung der Eierstockhormonproduktion, v.a. der Östrogene, Ursache für das Auftreten vegetativer Störungen wie Hitzewallungen, Schwindelerscheinungen und Schweißausbrüche, daneben können aber auch psych. Beschwerden wie Schlaflosigkeit oder Depression auftreten. Außerdem kann die verminderte Hormonkonzentration im Blut eine verstärkte Neigung zu Fettansatz, Haarausfall und degenerativen Gelenkerkrankungen bewirken. Gegen solche Beschwerden werden natürl. Lebensweise (Vollwertkost, Vermeiden von Alkohol und Nikotin, körperl. Betätigung möglichst an frischer Luft) sowie Östrogenpräparate empfohlen.

📖 *Die Frau im Klimakterium. Eine ganzheitliche Betrachtung, Beiträge v.* J. C. HUBER *u. a. Stuttgart u. a. 1995.* – KÄSTNER, HELGA: *W. als Chance. Veränderungen verstehen, Beschwerden behandeln, neue Kräfte entdecken. München 1996.*

Wechselkurs (Devisenkurs), Preis für eine Währungseinheit, angegeben als Preis einer ausländ. Währungseinheit in heim. Währung **(Preisnotierung)** oder als Preis einer heim. Währung in ausländ. Währung **(Mengennotierung).** Der W. bildet sich an Devisenmärkten (z.B. Devisenbörse) aus Devisenangebot (u.a. aus Exportgeschäften und Kapitalimporten) und -nachfrage (Bezahlung von Güterimporten; Kapitalexporte).

In einem System **flexibler W. (freier W.)** führen Änderungen von Devisenangebot und -nachfrage zu. W.-Änderungen ohne staatl. Eingriffe (Floating). Übersteigt das Devisenangebot die Devisennachfrage, sinkt der W. (Abwertung der fremden, Aufwertung der heim. Währung). Im System **fester W.** geben die Regierungen der beteiligten Länder einen bestimmten W. vor (Parität) und die Zentralbanken halten diesen durch Interventionen (Devisenan- oder -verkäufe) konstant. Änderungen von Devisenangebot und -nachfrage lösen bei flexiblen W. Kursschwankungen, bei festen W. Schwankungen der Währungsreserven aus.

W.-Änderungen beruhen u.a. auf internat. Inflations-, Wachstums- und Zinsunterschieden sowie auf Währungsspekulation. Da die Notenbanken bei festen W. zu Interventionen gezwungen sind und deren Umfang nicht selbst bestimmen können, ist ihre Handlungsautonomie im Ggs. zum System flexibler W. eingeschränkt. Für die Ausweitung von Handel und Kapitalverkehr sind feste W. günstiger, da sie nicht durch unkalkulierbare W.-Schwankungen beeinträchtigt sind.

Wechselnote (Wechselton, italien. Nota cambiata), *Musik:* vom Akkord- oder Melodieton in die Ober- oder Untersekunde und zurück wechselnder, meist harmoniefremder Ton.

Wechselplattenspeicher, →Magnetplattenspeicher.

Wechselprozess, beschleunigter Prozess, in dem Ansprüche aus Wechseln geltend gemacht werden können. Der W. ist eine Unterart des →Urkundenprozesses, ein summar. Verfahren mit Beschränkung der Beweismittel auf Urkunden, Parteivernehmung, aber bes. kurzer Einlassungsfrist (§§ 602 ff. ZPO).

Wechselrichter, ein →Stromrichter zur Umwandlung von Gleichstrom in ein- oder mehrphasigen Wechselstrom. Für kleine Leistungen ist der früher verwendete **Pendel-W. (Zerhacker),** der mit mechan. Kontakten als Polwender (period. Umschaltung der Spannungspolarität im Takt der Wechselstromfrequenz) ausgestattet ist, durch den **Transistor-W.** verdrängt worden, bei dem die Schalterfunktion durch Transistoren wahrgenommen wird. In W. mittlerer und größerer Leistung werden fast ausschließlich →Thyristoren mit kapazitiven Löschkreisen eingesetzt.

Wechselspannung, elektr. Spannung mit periodisch wechselnder Polarität; in der Elektrotechnik hat die W. meist eine Frequenz von 50 Hz und entspricht einer sinusförmigen Schwingung.

Wechselsprechanlage, eine drahtgebundene Fernmeldeanlage für wechselseitige Verständigung. Die Teilnehmer können nur abwechselnd sprechen, da Sprachübertragung jeweils nur in einer Richtung möglich ist. Bei **Gegensprechanlagen** (mit gleichzeitiger Übertragung in beide Richtungen) entfällt das manuelle Umschalten.

Wechselsteuer, Kapitalverkehrsteuer auf im Inland umlaufende Wechsel; in Dtl. existiert die W. seit 1992 nicht mehr.

Wechselstrom, von einer Wechselspannung angetriebener elektr. Strom, dessen Richtung und Betrag sich periodisch, häufig sinusförmig zw. positivem und negativem Scheitelwert (Maximalwert, Spitzenwert, Amplitude bei sinusförmigen Größen) ändert und dessen Mittelwert bei reinem W. null ist. Die Schwingungen des W. je Sekunde werden durch die Frequenz f (in Hz) angegeben. Nenn- und Messwerte des W. sind in der Praxis der W.-Technik fast immer die Effektivwerte (bei sinusförmigem W. 0,707 · Amplitude). Der Widerstand des W.-Kreises ist die Impedanz, die sich aus Resistanz und dem induktiven sowie dem kapazitiven Blindwiderstand, beide zus. Reaktanz genannt, zusammensetzt. Durch die Blindwiderstände tritt eine zeitl. Phasenverschiebung zw. Strom und Spannung um den Phasenwinkel φ auf (Leistungsfaktor). Leistungen im W.-Kreis sind die Wirkleistung als Maß für die Energieumsetzung, die Scheinleistung für die Erwärmung der Generatoren und Transformatoren und die Blindleistung, die durch Blindleistungskompensation möglichst klein gehalten wird. – W. lässt sich verlustarm mittels Transformatoren auf hohe Spannungen transformieren und über weite Entfernungen wirtsch. übertragen. Man unterscheidet **Einphasenstrom (Einphasen-W.), Zweiphasenstrom** oder allg. **Mehrphasenstrom (Mehrphasen-W.),** darunter **Drehstrom (Dreiphasenstrom, Kraftstrom)** als wichtigste Stromart der Elektroenergieversorgung, der aus drei zeitlich um eine Drittelperiode (120°) gegeneinander phasenverschobenen Einphasenströmen gebildet und über drei (Dreileitersystem) und vier Leiter (Vierleitersystem, mit Nullleiter) übertragen wird. Bei Drehstrom steht neben der Spannung zw. den Leitern (Leiterspannung, Dreieckspannung) die um den Faktor $\sqrt{3}$ kleinere Spannung (Sternspannung, Strangspannung) gegen null (Erde) zur Verfügung. In Kraftwerken wird fast ausschl. Drehstrom und nur für Fernbahnen Einphasenstrom erzeugt (Letzterer auch aus Drehstrom mit Bahnumformer gewonnen). Für Beleuchtungsanlagen, Haushaltgeräte und kleine Elektrowerkzeuge wird Einphasenstrom zw. einem Leiter des Drehstromsystems und dem Sternpunktleiter abgegriffen.

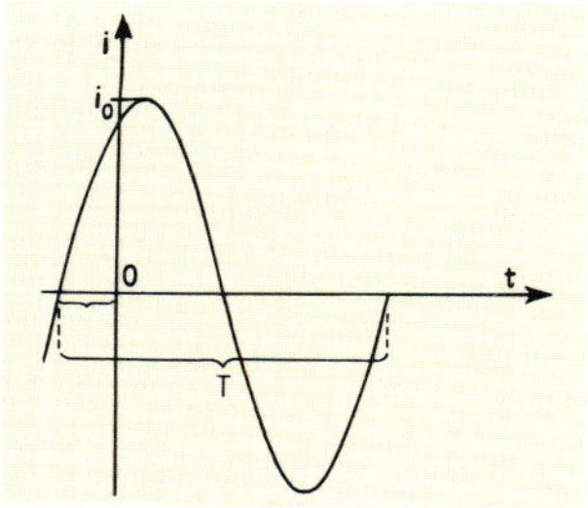

Wechselstrom: Zeitverlauf eines sinusförmigen Wechselstroms, *i* Stromstärke, *t* Zeit, i_0 Scheitelwert des Stromes, *T* Periodendauer

Wechselstromwiderstand (Impedanz), der in einem Wechselstromkreis auftretende komplexwertige elektr. Widerstand, gegeben durch das von der Kreisfrequenz $\omega = 2\pi f$ des Wechselstroms abhängige Verhältnis $Z = U/I$ aus komplexer Spannung U und komplexem Strom I; SI-Einheit Ohm (Ω). Sind im Stromkreis ein ohmscher Widerstand R, eine Selbstinduktion L und eine Kapazität C enthalten, so gilt: $Z = R + \mathrm{i}X = R + \mathrm{i}\omega L + 1/(\mathrm{i}\omega C)$, wobei i die imaginäre Einheit ist. Der allein durch R festgelegte Realteil des W. heißt **Wirkwiderstand** oder **Resistanz,** der Imaginärteil X wird **Blindwiderstand** oder **Reaktanz** genannt, und den Betrag $(R^2+X^2)^{1/2}$ nennt man **Gesamtwiderstand,** unzutreffend auch Scheinwiderstand. Die Größe ωL heißt **induktiver (Blind-)Widerstand** oder **Induktanz,** $1/\omega C$ nennt man **kapazitiven (Blind-)Widerstand, Kondensanz** oder **Kapazitanz.**

Wechseltierchen, die →Amöben.

Wechselwarme, die →Kaltblüter.

Wechselwirkung, 1) *Philosophie:* die wechselseitige Wirkung von Dingen aufeinander. Nach I. Kant ist W. als eine Kategorie der Relation ein für die Erfahrung grundlegender Begriff, der die Einheit der Sinnenwelt begründet.

2) *Physik:* die gleichzeitige, gegenseitige Einwirkung zweier physikal. Systeme, gekennzeichnet durch Austausch von Energie und evtl. andere physikal. Größen. Die W. wird in der nichtrelativist. Mechanik durch die entgegengesetzt gleichen Kräfte (actio = reactio) der Systeme aufeinander beschrieben, die augenblicklich über beliebige Entfernungen wirken. Nach der relativist. Physik wird die W. lokal in jedem Raum-Zeit-Punkt durch reale Felder vermittelt. Alle in der Natur vorkommenden Kräfte lassen sich nach dem Standardmodell der Elementarteilchenphysik auf vier **fundamentale W.** (Kopplungen) zw. den Grundbausteinen der Materie, den →Leptonen und den →Quarks (→Elementarteilchen), zurückführen, die mithilfe von Feldern beschrieben und durch den Austausch von Teilchen (Feldquanten, W.-Quanten) vermittelt werden. Ursache der Verschiedenartigkeit dieser Kräfte sind ihre unterschiedl. Reichweite (dieser Unterschied wird bei kleineren Abständen bzw. höheren Energien immer unbedeutender) sowie die der Theorie zugrunde liegende innere Symmetriegruppe, die die Zahl der ausgetauschten Teilchen und die Art der W. festlegt.

Die in (sub-)nuklearen Bereichen wirksame **starke W.** (einschl. der Kernkräfte) ist sehr kurzreichweitig ($\leq 10^{-13}$ cm) und die stärkste der vier W. Träger dieser W., der die Hadronen unterliegen und die insbesondere den Aufbau der Hadronen aus Quarks bewirkt, sind die **Gluonen.** Zweitstärkste W. ist die durch **Photonen** vermittelte **elektromagnet. W.** unendlich großer Reichweite. Ihr unterliegen das Photon sowie alle geladenen und solche ungeladenen Elementarteilchen, die ein magnet. Moment oder elektr. und/oder magnet. Multipolmomente höherer Ordnung aufweisen. Der Aufbau der Atome aus Elektronen und Atomkernen beruht auf der elektromagnet. W., die auch bestimmend für die chem. Verbindungen ist. Die zw. allen Elementarteilchen mit Ausnahme des Photons wirksame sehr kurzreichweitige (rd. 10^{-16} cm) **schwache W.** wird durch die **intermediären Bosonen** W^+, W^- und Z^0 vermittelt. Sie bewirkt z. B. den Betazerfall instabiler Atomkerne und die Kräfte, die Neutrinos auf Quarks ausüben. Schwächste Kraft ist die **Gravitations-W.** (→Gravitation) unendl. Reichweite, die zw. allen Elementarteilchen wirkt und v. a. in makroskop. (astronom.) Systemen von Bedeutung ist; ihr Feldquant ist das (hypothet.) **Graviton.** Die Stärken der W., die durch energieabhängige Kopplungskonstanten charakterisiert werden, verhalten sich in der Reihenfolge starke, elektromagnet., schwache W. und Gravitation etwa wie $1 : 1/137 : 10^{-14} : 10^{-39}$.

Nachdem es gelungen ist, innerhalb des Standardmodells die schwache und die elektromagnet. W. bei Energien über rd. 100 GeV zur **elektroschwachen W.** zusammenzufassen und diese sowie die starke W. durch strukturell der →Quantenelektrodynamik ähnl. Theorien (→Weinberg-Salam-Theorie, →Quantenchromodynamik) zu beschreiben, liegt die Zusammenfassung zu einer einheitl. Theorie nahe. Für diese →Große Vereinheitlichte Theorie wurden versch. Ansätze mit Modellen von Eichfeldtheorien gemacht (z. B. die Georgi-Glashow-Theorie), um die starke und elektroschwache W. in einer durch eine einzige (kompakte) Symmetriegruppe charakterisierten W. zu vereinigen; die ausgetauschten Teilchen treten als Feldquanten von →Eichfeldern (Eichbosonen) auf. Die Vereinigung der starken mit der elektroschwachen W. erfordert die Einführung einer neuen **superschwachen W.,** die wahrscheinlich noch 10^{28}-mal schwächer als die normale schwache W. ist und durch die Quarks (Teilchen mit Farbladung) in Leptonen (Teilchen ohne Farbladung) bzw. umgekehrt ineinander umgewandelt werden können, was auch einen Zerfall des →Protons bewirkt. Eine Vereinigung der Gravitations- mit den drei anderen W. wird für Energien oberhalb 10^{19} GeV erwartet, bei denen die Gravitationskräfte zw. Elementarteilchen stärker als die starke und die elektroschwache Kraft werden **(Supergravitation).** Derartig hohe Energien waren in der Frühphase der Entwicklung des Kosmos von Bedeutung (→Urknall).

📖 Bethge, K. *u.* Schröder, U. E.: *Elementarteilchen u. ihre W. Darmstadt* ^{2}*1991.* – Nachtmann, O.: *Phänomene u. Konzepte der Elementarteilchenphysik. Neuausg. Braunschweig 1992.*

Wechselwirkungsgesetz (Wechselwirkungsprinzip), *Physik:* das 3. newtonsche Axiom.

Wẹchsler-Test, Intelligenztest für Erwachsene, von dem amerikan. Psychologen D. Wechsler (*1896, †1981) seit den 1930er-Jahren in New York entwickelt, von C. Bondy für dt. Verhältnisse umgestaltet (→Hamburg-Wechsler-Intelligenztest).

Wẹck, Peter, österr. Schauspieler, Regisseur, Theaterleiter, *Wien 12. 8. 1930; spielte v. a. auf Wiener Bühnen, 1965–76 auch am Züricher Schauspielhaus; daneben Unterhaltungsfilme (in den 50/60er-Jahren) und Fernsehfilme (»Ich heirate eine Familie«, Serie 1983 ff.); ab 1983 Theaterdirektor des Theaters an der Wien, dazu seit 1987 u. a. Leiter der Operettenbühne des Raimund-Theaters, bis 1992 Künstler. Leiter der Vereinigten Bühnen Wien; Musicalinszenierungen (»Cats«, 1983 ff., »Phantom der Oper«, 1988 ff., »Sunset Boulevard«, 1995 ff.).

Peter Weck

Weck|amine (Weckmittel), Arzneimittel mit stark erregender Wirkung auf das Zentralnervensystem und Weckwirkung, die chemisch dem Adrenalin nahe stehen. Sie beseitigen die Müdigkeit, wirken stimulierend und steigern kurzfristig die Leistungsfähigkeit; zu den W. gehören u. a. Amphetamin und seine Derivate, z. B. Methamphetamin (Pervitin). Missbrauch von W. führt zu psych. und phys. Abhängigkeit.

Wecken [ahd. wecki »Keil«], *Heraldik:* längl. Raute (Spitzraute).

Wẹcker, Konstantin, Liedermacher und Lyriker, *München 1. 6. 1947; übt in seinen, z. T. in bair. Dialekt geschriebenen Liedern (»Willy«, »Totgeboren, aber nicht verloren«) und Chansons poet. Zeitkritik; schreibt auch Filmmusiken und spielt in Filmen mit; veröffentlichte u. a. »Lieder und Gedichte« (1981), »Im Namen des Wahnsinns« (1983), »Uferlos« (1992).

Konstantin Wecker

Wẹckherlin, Georg Rudolf, Lyriker, *Stuttgart 15. 9. 1584, †London 13. 2. 1653; schrieb Festgedichte, Gesellschaftslieder; Vertreter des literar. Frühbarock in Dtl., formal von der Dichtung der frz. Renaissance beeinflusst (»Oden und Gesänge«, 2 Bde., 1618/19).

Georg Rudolf Weckherlin
(Ausschnitt eines Kupferstichs nach einem Gemälde des flämischen Malers Daniel Mytens d. Ä., 1634)

Wẹckmann, Matthias, Organist und Komponist, *Niederdorla (Unstrut-Hainich-Kreis) 1621, †Hamburg 24. 2. 1674; komponierte in der Art seines Lehrers H. Schütz u. a. Kantaten, Lieder, Sonaten, Orgelwerke.

Wẹda, *indische Religion:* der →Veda.

Wẹdda, die Ureinwohner von Ceylon (Sri Lanka); in der Anthropologie namengebend für die **Weddiden,** eine zu den Europiden gehörende Menschenform in Rückzugsgebieten Vorder- und Hinterindiens mit kleinem, grazilem Körper, mittelbrauner Haut und welligen, schwarzen Haaren; heute stark mit Singhalesen und Tamilen vermischt; rd. 1 000 Angehörige. Die frühere Lebensweise als Wildbeuter wurde fast völlig aufgegeben.

Weddellmeer ['wedl-] (Weddellsee), von dem brit. Seefahrer James Weddell (*1787, †1834) 1823 entdecktes antarkt. Randmeer des Atlantik, zw. der Antarkt. Halbinsel und Coatsland; Tiefen zw.

5000 und 500 m. Den S-Teil bedeckt das Filchner-Ronne-Schelfeis.

Wedding, Bezirk von Berlin.

Frank Wedekind: Tuschzeichnung von Thomas Theodor Heine

Frank Wedekind

Wedekind, Frank, eigtl. Benjamin Franklin W., Schriftsteller, *Hannover 24. 7. 1864, †München 9. 3. 1918; verbrachte seine Jugend auf Schloss Lenzburg in der Schweiz; Werbetexter für die Firma Maggi; Mitarbeiter des »Simplicissimus«, Dramaturg in München; 1899–1900 Festungshaft wegen Majestätsbeleidigung; 1901–02 Lautensänger und Rezitator im Kabarett »Die Elf Scharfrichter«, ab 1902 in Wolzogens »Überbrettl«, 1905–08 Mitgl. des Dt. Theaters in Berlin. W. machte in seinen von der zeitgenöss. Zensur behinderten Theaterstücken, deren Dramaturgie v.a. auf das expressionist. Drama wirkte, die Absurditäten der lebenszerstörenden sexualfeindl. Konventionen des wilhelmin. Bürgertums sichtbar; bes. bekannt ist die 1914 aus den früheren Dramen »Der Erdgeist« (1895) und »Die Büchse der Pandora« (1904) zusammengefasste »Lulu«-Tragödie, die A. Berg in seiner gleichnamigen Oper vertonte; schrieb auch satir. Balladen und Chansons (»Die vier Jahreszeiten«, 1905).

Weitere Dramen: Frühlings Erwachen (1891), Totentanz (1906), Die Zensur (1909), Bismarck (1916).

📖 KIESER, R.: *Benjamin F. W. Biographie einer Jugend. Zürich 1990.* – SEEHAUS, G.: *F. W. mit Selbstzeugnissen u. Bilddokumenten. Reinbek 26.–28. Tsd., [6]1993.* – JONES, R. A. *u.* SHAW, L. A.: *F. W. A bibliographic handbook. München u. a. 1996.*

Wedel, umgangssprachlich für die großen Fiederblätter der Farne und Palmen.

Wedel, Stadt im Kreis Pinneberg, Schlesw.-Holst., an der Elbe, 32000 Ew.; Fachhochschule für physikal. Technik und Informatik, Ernst-Barlach-Museum; opt., chem., pharmazeut., Mineralöl-, Möbel-, elektrotechn., Metallindustrie; Schiffsbegrüßungsanlage Willkomm-Höft. – Rolandsäule (16. Jh.) auf dem Marktplatz. – 1212 erstmals erwähnt; 1875 Stadtrecht.

Wedel, Dieter, Regisseur, Autor, Produzent, *Frankfurt am Main 12. 11. 1942; nach Theaterarbeit v.a. erfolgreich als Regisseur von Fernsehfilmen: »Gedenktag«, 1970; »Alle Jahre wieder«, 1976; »Wer den Schaden hat ...«, 1981; »Das Protokoll«, 1983; »Wilder Westen inklusive«, 1988; »Der große Bellheim«, 1993; »Der Schattenmann«, 1996.

Wedemeier, Klaus, Politiker (SPD), *Hof 12. 1. 1944; 1971–85 Abg. der Bremer Bürgerschaft (1979–85 Fraktionsvors.); 1985–95 Erster Bürgermeister und Präs. des Senats von Bremen.

Wedgwood ['wedʒwʊd], Josiah, engl. Keramiker, *Burslem (Cty. Staffordshire) 12. 7. 1730, †Etruria (von W. errichtetes Dorf bei Newcastle-under-Lyme) 3. 1. 1795; gründete ebd. 1769 die noch heute bestehenden Werkstätten, in denen er in der Masse gefärbtes Steinzeug (Jasperware) mit kameenartigen weißen Reliefs, Basaltware u.a. herstellte. Die in klassizist. Stil gehaltenen Arbeiten wurden weit über England hinaus zum Vorbild für keram. Erzeugnisse, bes. auch für das europ. Porzellan dieser Zeit.

Weener, Stadt im Landkreis Leer, Ndsachs., 15000 Ew., an der Ems (Sportboothafen mit Kammerschleuse, Eisenbahnklappbrücke); Papier-, Nahrungsmittelindustrie, Kunststoffverarbeitung, Kornbrennerei. – Erhielt 1929 Stadtrechte.

Weenix, 1) Jan, niederländ. Maler, *Amsterdam 1642 (?), begraben ebd. 19. 9. 1719, Sohn und Schüler von 2); schuf zunächst italianisierende Landschaften in der Art seines Vaters. Später nahm er auch Einflüsse von W. van Aelst auf und malte dekorative Jagdstillleben mit Landschaftshintergrund.

2) Jan Baptiste, niederländ. Maler, *Amsterdam 1621, †Huis ter Mey (bei Utrecht) vor dem 19. 11. 1663, Vater von 1); malte effektvoll und in lebhaften Farben südl. Landschaften mit Figuren und

Jan Baptiste Weenix: »Die Furth« (1647; Sankt Petersburg, Eremitage)

Tieren, auch Porträts, Innenraumbilder und Jagdstillleben.

Weerth, Georg, Schriftsteller, *Detmold 17. 2. 1822, †Havanna 30. 7. 1856; war 1848–49 Feuilletonredakteur der von K. Marx geleiteten »Neuen Rhein. Zeitung« in Köln; wurde wegen seiner Satire auf das preuß. Junkertum »Leben und Thaten des berühmten Ritters Schnapphahnski« (1849) zu drei Monaten Gefängnis verurteilt; schrieb teils volksliedhaft-heitere, teils gesellschaftskrit. Lyrik.

Weesenstein, Ort in der Gemeinde Müglitztal im Landkreis Sächs. Schweiz, Sachsen, westlich von Pirna. – Schloss W. ist eine weiträumige Anlage (erstmals erwähnt 1318, im Wesentlichen 14. bis 19. Jh.) auf einem Felsen über der Müglitz; Innenräume (heute Museum) mit reicher Barock- und Rokokoausstattung (u. a. Tapetensammlung); frz. Park (1781 angelegt).

Wega [arab.] *die,* Stern 1. Größe, α im Sternbild Leier.

Wegwarte: Gemeine Wegwarte (Höhe 30–130 cm)

Wegener, 1) Alfred Lothar, Geophysiker und Meteorologe, *Berlin 1. 11. 1880, †Grönland Ende Nov. 1930, Vetter von 2); nahm 1906–08, 1912–13 sowie (als Leiter) 1929 und 1930 an Expeditionen zum Inlandeis Grönlands teil, wo er beim Rückmarsch starb. Er begründete die Kontinentalverschiebungstheorie (→Kontinentalverschiebung).

Werke: Thermodynamik der Atmosphäre (1911); Die Entstehung der Kontinente und Ozeane (1915); Die Klimate der geolog. Vorzeit (1924, mit W. Köppen).

📖 Reinke-Kunze, C.: *A. W. Polarforscher u. Entdecker der Kontinentaldrift. Basel u. a. 1994.*

2) Paul, Schauspieler, *Arnoldsdorf (heute Jarantowice, bei Wąbrzeźno, Wwschaft Toruń) 11. 12. 1874, †Berlin 13. 9. 1948, Vetter von 1); 1906–20 am Dt. Theater (unter M. Reinhardt) und am Schillertheater in Berlin; Charakterdarsteller dämon. Menschen, auch im Film (»Der Student von Prag«, 1913; »Der Golem«, 1914); später Schauspieler im nat.-soz. Film (»Der große König«, 1942; »Kolberg«, 1945).

Wegerich (Plantago), fast weltweit verbreitete Gattung der W.-Gewächse; Kräuter oder Halbsträucher mit parallelnervigen, oft in Rosetten stehenden Blättern und unscheinbaren Blüten in Köpfchen oder Ähren. Von den elf einheim. Arten sind am häufigsten der 5–30 cm hohe **Breit-W.** (Plantago major) mit einer Rosette aus lang gestielten, breit eiförmigen, stark längsnervigen Blättern und bräunl. Blüten in langen Ähren und der 5–50 cm hohe **Spitz-W.** (Plantago lanceolata) mit Rosetten aus lanzettlinealförmigen Blättern; Blüten klein, in dichter Ähre.

Wege|unfall, →Arbeitsunfall.

Wegfahrsperre (Immobilizer), gegen Diebstahl von Kfz eingesetztes Mittel, i. e. S. elektron. »selbstschärfende« (ohne besondere Einschaltung) Einrichtung, wobei Mikrochips beim Abziehen des Zündschlüssels oder beim Verriegeln der Türen den Anlasserstromkreis, die Treibstoffversorgung sowie die Zündanlage blockieren.

Weggis, Ort im Kt. Luzern, Schweiz, am N-Ufer des Vierwaldstätter Sees, 435 m ü. M., am S-Fuß der Rigi (Seilbahn), 2400 Ew.; Kurort.

Wegnahmerecht, das Recht v. a. des Mieters, eine Einrichtung, mit der er die gemietete Sache versehen hat (z. B. einen Wandschrank, ein Waschbecken, Pflanzen im Garten), wegzunehmen, d. h. sich anzueignen, auch und bes. dann, wenn sie wesentl. Bestandteil der (Haupt-)Sache geworden ist (§ 547a BGB). Der Eigentümer der Hauptsache kann die Wegnahme durch Zahlung einer angemessenen Entschädigung abwenden, soweit kein gegenteiliges Interesse des Berechtigten besteht. Dieser hat im Falle der Ausübung des W. auf seine Kosten den früheren Zustand wiederherzustellen (§ 258 BGB).

Wegorapa [vɛŋgɔ-] *die,* Fluss in Polen und Russland, →Angerapp.

Węgorzewo [vɛŋgɔˈʒɛvɔ] (dt. Angerburg), Stadt in der Wwschaft Suwałki, Polen, an der Angerapp, 11000 Ew.; Nahrungsmittel-, Metall-, Holzind.; Fremdenverkehr. – W. entwickelte sich um eine Burg des Dt. Ordens (erstmals 1335, erneut seit 1398 angelegt) und erhielt 1571 Culmer Stadtrecht.

Wegschnecke (Rote W., Arion rufus), etwa 15 cm lange, rotgelbe (auch braune oder schwarze) Nacktschnecke in mitteleurop. Wäldern, auf Wiesen und in Gärten. Bild S. 132

Wegwarte (Zichorie, Cichorium), Gattung der Korbblütler mit acht Arten in Europa und im Mittelmeergebiet. Die bekannteste Art ist die **Gemeine W. (Kaffeezichorie,** Cichorium intybus),

Josiah Wedgwood: Vase nach einem Entwurf von John Flaxman, Höhe etwa 32 cm (um 1800; London, Victoria and Albert Museum)

Alfred Wegener

Paul Wegener

Herbert Wehner

eine an Wegrändern häufig vorkommende, 30–130 cm hohe Staude mit schrotsägeförmigen Grundblättern und meist hellblauen Zungenblüten. Sie wird in zwei Kulturvarietäten angebaut: als Salatzichorie (→Chicoree) und als **Wurzelzichorie,** deren Wurzel geröstet als Kaffeeersatz verwendet wird. (→Endivie)

Wegwespen (Psammocharidae, Pompilidae), weltweit verbreitete Familie der Hautflügler mit rd. 100 Arten in Mitteleuropa; 1–1,5 cm (trop. Arten bis 6 cm) lang, schwarz mit meist roter oder gelber Zeichnung; einzeln lebende Spinnenjäger.

Wegzehrung (Viatikum), *kath. Kirche:* die dem Sterbenden gereichte letzte Kommunion.

Wegwarte

In Zeiten großer Knappheit lieferte die Zichorie ein Ersatzprodukt für Kaffee, was ihr auch den Namen ›preußischer Kaffee‹ einbrachte. Das ist zwar mittlerweile etwas aus der Mode gekommen, manchmal erlebt man aber beim ersten Schluck des schwarzen Getränks eine geschmackliche Überraschung: In einigen afrikanischen Ländern beispielsweise, die oft sogar über eine große Kaffeeproduktion verfügen, wird dem Kaffee Zichorie zugesetzt, was ihm ein ganz eigenes und angenehmes Aroma verleiht. Der Zichorienkaffee entstammt den Wurzeln, die zunächst getrocknet, geschnitzelt und dann bei 140 °C geröstet werden. Dabei entwickelt sich der zugleich etwas bittere und karamelartige Geschmack. Das Endprodukt wird als Pulver oder Flüssigextrakt vermarktet.

Wehen, in Abständen erfolgende rhythmische Kontraktionen der schwangeren Gebärmutter. Je nach Zeitpunkt unterscheidet man zw. **Schwangerschafts-W.** (bis zur 30. Woche), **Vor-** und **Senk-W.** (nach der 30. Woche), **Geburts-W.** (Eröffnungs-W., Press-W., Nachgeburts-W.) und **Nach-W.** (Wochenbettwehen).

Wehlau (heute Snamensk), Gemeinde im Gebiet Kaliningrad (Königsberg), Russland, 7500 Ew. – Im 1. Nord. Krieg konnte Kurfürst Friedrich Wilhelm von Brandenburg mit dem **Vertrag von W.** (19. 9. 1657) die poln. Lehnshoheit über Preußen (endgültig im Frieden von Oliva) lösen.

Wehler, Hans-Ulrich, Historiker, *Freudenberg 11. 9. 1931; war 1970–71 Prof. in Berlin (West), seit 1972 in Bielefeld; arbeitet aus sozialhistor. Sicht bes. zu Problemen des 19. und 20. Jh., publizierte u.a. »Deutsche Gesellschaftsgeschichte« (4 Bde., 1987–92).

Wehnelt, Arthur Rudolph Berthold, Physiker, *Rio de Janeiro 4. 4. 1871, †Berlin 15. 2. 1944; konstruierte 1899 den elektrolyt. Unterbrecher, 1902/03 den **W.-Zylinder,** eine Fokussierungs- und Steuerelektrode in Elektronenstrahlröhren, sowie 1904 die Oxidkathode **(Wehnelt-Kathode).**

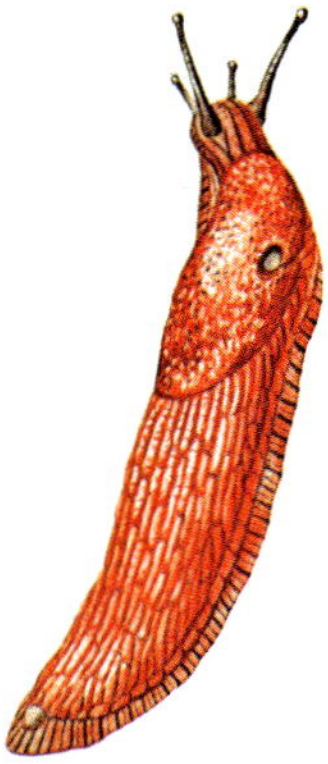

Wegschnecke
(Länge 12–15 cm)

Wehner, Herbert, Politiker, *Dresden 11. 7. 1906, †Bonn 19. 1. 1990; seit 1927 Mitgl. der KPD, in Sachsen 1930–31 MdL und stellv. Fraktionsvors.; ab 1932 enger Mitarbeiter E. Thälmanns, arbeitete 1933–35 für die verbotene KPD in Dtl., danach v.a. im westl. Ausland. Ab 1937 war er in Moskau bei der Komintern tätig (als Mittäter und Opfer in innerkommunist. Säuberungen verstrickt). 1941 wurde er nach Schweden zur Überprüfung dt. Kommunisten entsandt und 1942 dort von einem schwed. Gericht zu einem Jahr Haft verurteilt. Wegen angebl. Verrats wurde er aus der KPD ausgeschlossen. W. vollzog in der folgenden Zeit den Bruch mit dem Kommunismus (»Notizen« von 1946, 1982 veröffentlicht). 1946 kehrte er nach Dtl. zurück, trat 1946 der SPD bei und gehörte bald zum engsten Kreis um K. Schumacher. 1949–83 war er MdB, 1958–73 stellv. Bundesvors. der SPD, 1966–69 Bundesmin. für gesamtdt. Fragen und 1969–83 Vors. der SPD-Bundestagsfraktion. Als entschiedener Befürworter einer dt. Wiedervereinigung entwarf er einen Dtl.-Plan der SPD. Seit dem Ende der 1950er-Jahre einflussreicher Politiker der SPD bes. in Strategiefragen, trug er wesentlich zur Umwandlung der SPD in eine linke Volkspartei (Godesberger Programm) bei. Er war maßgeblich an der Bildung der großen Koalition (1966–69) beteiligt und förderte die Ostpolitik der sozialliberalen Koalition.

📖 SOELL, H.: *Der junge W. Zwischen revolutionärem Mythos u. prakt. Vernunft. Stuttgart 1991. – Die Akte W. Moskau 1937 bis 1941, bearb. v.* REINHARD MÜLLER. *Tb.-Ausg. Reinbek 1994.*

Wehr, Stauanlage innerhalb des Querschnittes eines Wasserlaufes, die vorwiegend der Hebung der Wasserstände, der Änderung des Wasserspiegelgefälles oder der Regelung des Abflusses dient. **Feste W.** haben keine W.-Verschlüsse, sondern der Wasserspiegel regelt sich durch Überfließen selbsttätig. **Bewegl. W.** haben Verschlüsse zur Regelung des Wasserstandes, sie geben die Durchflussöffnungen teilweise oder vollständig frei. Die Bewegung der Verschlüsse kann mechanisch oder selbsttätig durch das Wasser erfolgen. Bei breiteren Flüssen wird das W. durch Zwischenpfeiler in Felder eingeteilt, die bei entsprechender Wahl des Verschlusses 60 m und breiter sein können. Die W.-Pfeiler dienen als Trenn- und Stützpfeiler. Der Baustoff der Verschlüsse ist fast ausschließlich Stahl, bei Schlauch-W. wird Kunststoff angewendet, bei kleineren W. Schützentafeln aus Gusseisen oder Holz.

Wehr, Stadt im Landkreis Waldshut, Bad.-Württ., 13 300 Ew.; Erholungsort am Ausgang des Wehratales aus dem S-Schwarzwald; Textil-, feinmechan. und chem. Industrie. – Rathaus (ehem. Neues Schloss, 1748; im 19. Jh. erweitert); Altes Schloss (1574). – 1092 erstmals erwähnt, seit 1950 Stadt.

Wehrbeauftragter, zum Schutz der Grundrechte der Soldaten als Hilfsorgan des Bundestages bei der Ausübung der parlamentar. Kontrolle über die Bundeswehr vom Bundestag auf fünf Jahre gewählter Beauftragter (Art. 45 b GG); erstattet dem Bundestag Berichte über Einzelfälle sowie einen jährl. Gesamtbericht.

Wehrdienst, die Ableistung der Militärdienstzeit bei den Streitkräften (→Wehrpflicht).

Wehrdienstgerichte, Dienstgerichte des Bundes (Art. 96 Abs. 4 GG) für Disziplinarverfahren gegen Soldaten nach der Wehrdisziplinarordnung und für Verfahren über Beschwerden von Soldaten nach der Wehrbeschwerdeordnung. Die W. gliedern sich in **Truppendienstgerichte** und (als Rechtsmittelinstanz) die **Wehrdienstsenate** beim Bundesverwaltungsgericht.

Wehrdienstverweigerung, →Kriegsdienstverweigerung.

Wehr|ersatzwesen, in Staaten mit allg. Wehrpflicht alle Dienststellen und Maßnahmen zur Erfassung und Musterung der Wehrpflichtigen sowie zur Überwachung der Reservisten; in der Bundesrep. Dtl.: das Bundeswehrverwaltungsamt als zentrale Fachaufsicht, die Wehrbereichsverwaltungen und v.a. die Kreiswehrersatzämter.

Wehrhoheit, die Zuständigkeit des Staates zur Aufstellung, Ausbildung und Verwendung von Streitkräften.

Wehrkirche, zu Verteidigungszwecken ausgebaute Kirche, die der Gemeinde in Kriegszeiten als Zuflucht diente; in Süd-Dtl., Siebenbürgen und Skandinavien als Kirchenburgen bezeichnet.

Wehrli, Johann Jakob, schweizer. Pädagoge, *Eschikofen (Kt. Thurgau) 6. 11. 1790, †Guggenbühl (heute zu Andwil, Kt. Thurgau) 15. 3. 1855; leitete unter P. E. Fellenberg in Hofwil die Armenschule, die Unterricht mit Handarbeit verband und das Vorbild für die landwirtsch. **W.-Schulen** abgab, für die er ein Lehrerseminar einrichtete.

Wehrmacht, amtl. Bezeichnung für die Streitkräfte des Dt. Reichs seit 1935 (vorher →Reichswehr), als durch Gesetz die allg. Wehrpflicht eingeführt wurde. Oberster Befehlshaber der W. war A. Hitler, Oberbefehlshaber Reichskriegsmin. W. von Blomberg (1935–38); Oberbefehlshaber des Heeres waren W. von Fritsch (1935–38), W. von Brauchitsch (1938–41) und Hitler (1941–45), Oberbefehlshaber der Kriegsmarine E. Raeder (1935–43) und K. Dönitz (1943–45), Oberbefehlshaber der Luftwaffe war der Reichsmin. der Luftfahrt H. Göring (1935–45). Am 4. 2. 1938, nach den erzwungenen Rücktritten von Blombergs und von Fritschs (»Blomberg-Fritsch-Krise«), übernahm Hitler die Befehlsgewalt über die W. unmittelbar. Als sein militär. Stab wurde das Oberkommando der W. (OKW) unter W. Keitel neu geschaffen. Dadurch geriet die W., die sich schon vorher aufgrund übereinstimmender Interessen (Aufrüstung, starker Staat) dem nat.-soz. Regime angepasst hatte, vollends unter Kontrolle des nat.-soz. Staates und wurde zum Instrument seiner aggressiven Expansionspolitik. Im Verlauf des 2. Weltkrieges fanden einige Offiziere der W. Anschluss an die Widerstandsbewegung (→Zwanzigster Juli 1944). – Die W. umfasste 1939: Heer 2,6 Mio., Luftwaffe 0,4 Mio., Marine 50 000 Mann; 1944: Heer 6,5 Mio., Luftwaffe 1,5 Mio., Marine 0,8 Mio. Mann.

Wehrpflicht, die Verpflichtung jedes wehrfähigen Bürgers, Wehrdienst zu leisten. In Dtl. besteht die **allg. W.** für männl. Staatsbürger, die im Frieden vom vollendeten 18. bis zum 45. Lebensjahr reicht, im Verteidigungsfall sowie bei Offizieren und Unteroffizieren bis zum 60. Lebensjahr. Die

Johann Jakob Wehrli (zeitgenössischer Kupferstich)

Wehrkirche

Kern der mittelalterlichen Wehrkirchen war der wehrhafte Kirchturm; über dem Altarraum im Untergeschoss befand sich eine Mannschafts- und Waffenkammer und in der Dachzone eine Plattform mit Brustwehr oder vier Beobachtungstürmchen. In Deutschland und Siebenbürgen (so etwa in Honigberg bei Kronstadt) waren Wehrkirchen oft von einem Wehrfriedhof umgeben; sie waren teils zu einer Kirchenburg ausgebaut, zu der Türme, Ringmauern, Bastionen, Wehrgänge und Zwinger sowie Bauten zur Aufbewahrung von Lebensmitteln, Vieh und Hausrat gehören konnten.

Bedeutend sind in Frankreich z. B. die Kirchenburg des Mont-Saint-Michel, die auch eine Klosteranlage umfasst, und die in Form einer Wehrkirche erbaute Kathedrale von Albi. In Skandinavien wurden zwei- und dreigeschossige Rundkirchen als Wehrkirchen errichtet, z. B. auf Bornholm und in Jütland sowie in Südschweden, wo im 12. Jahrhundert z. B. um Kalmar eine Reihe runder Wehrkirchen mit Wehrgang entstand (Kläckeberga, Hagby).

Wehrkirche: Die Kirchenburg in Honigberg bei Kronstadt in Siebenbürgen stammt aus dem 15. Jahrhundert

W. ist in Art. 12a GG verankert und im W.-Ges. vom 21. 7. 1956 i. d. F. v. 15. 12. 1995 näher bestimmt; sie wird durch den Wehrdienst, den Dienst im Bundesgrenzschutz oder in einem Zivilschutzverband erfüllt und umfasst versch. Nebenpflichten (u. a. Meldepflicht).

Der Wehrdienst umfasst den **Grundwehrdienst** von (seit 1996) zehn Monaten und beginnt i. d. R. in dem Kalenderjahr, in dem der Wehrpflichtige das 19. Lebensjahr vollendet. Nach Vollendung des 25. Lebensjahres kann der Wehrpflichtige nicht mehr zum Grundwehrdienst herangezogen werden; diese Altersgrenze ist auf das 28. Lebensjahr hinausgeschoben bei bestimmten Zurückstellungen und schuldhaft abwesenden Dienstpflichtigen. Bei Personen des militärfachl. Dienstes sowie solchen, die ihren Dienst als Helfer im Zivil- oder Katastrophenschutz u. Ä. abgebrochen haben, gilt eine Altersgrenze von 32 Jahren. Zur Erhöhung der Zahl der Dienenden, d. h. zur Verbesserung der Wehrgerechtigkeit, wurde die Möglichkeit geschaffen, weniger taugl. Wehrpflichtige zwar nicht zur Grundausbildung, im Übrigen aber zum Grundwehrdienst einzuberufen. Im Anschluss an den Grundwehrdienst oder an die Beendigung eines Dienstverhältnisses als Soldat auf Zeit kann ein zweimonatiger **Wehrdienst in der Verfügungsbereitschaft** angeordnet werden, während dessen der Wehrpflichtige jederzeit erreichbar sein muss. **Wehrübungen** nach Ablauf des Grundwehrdienstes dauern insgesamt bei Mannschaften höchstens neun, bei Unteroffizieren 15, bei Offizieren 18 Monate; eine einzelne Übung dauert höchstens drei Monate.

Vom Wehrdienst **ausgenommen** sind Wehrpflichtige, die aufgrund ihrer geistigen oder körperl. Verfassung den Wehrdienst nicht leisten können; vom Wehrdienst **ausgeschlossen** sind wegen eines Verbrechens zu einer Freiheitsstrafe von mindestens einem Jahr oder wegen eines Staatsschutzdelikts zu einer Strafe von sechs Monaten oder mehr Verurteilte, ferner Vorbestrafte, denen die Fähigkeit zur Bekleidung öffentl. Ämter abgesprochen wurde. Vom Wehrdienst **befreit** sind v. a. (ordinierte) Geistliche und Schwerbehinderte. Vom Grundwehrdienst **freigestellt** werden Wehrpflichtige, die sich auf mindestens sieben Jahre im Zivil- oder Katastrophenschutz oder auf mindestens zwei Jahre im Entwicklungsdienst verpflichtet haben. Nicht zum Grundwehrdienst herangezogen werden anerkannte Kriegsdienstverweigerer sowie Personen, die dem Vollzugsdienst des Bundesgrenzschutzes oder dem sonstigen Vollzugsdienst der Polizei angehören. Ein zeitweiliger Aufschub der Heranziehung zum Wehrdienst ist die **Zurückstellung,** die von Amts wegen oder auf Antrag des Wehrpflichtigen erfolgen kann.

In *Österreich* sind alle männl. Staatsbürger, die das 17., aber noch nicht das 50. Lebensjahr vollendet haben, wehrpflichtig (Offiziere und Spezialkräfte bis zum 65. Lebensjahr). Der Grundwehrdienst, zu dem bis zum 35. Lebensjahr einberufen werden kann, dauert sechs Monate (Wehr-Ges. 1990). In der *Schweiz* (Militär-Ges. vom 3. 2. 1995) besteht allgemeine W. für männl. Staatsbürger ab dem 20. Lebensjahr; sie endet i. d. R. mit dem 42., bei Stabsoffizieren mit dem 52. Lebensjahr. Die Dienstleistungspflicht für untere Dienstränge umfasst höchstens 330 Tage Ausbildungsdienst.

Wehrpsychologie, Zweig der angewandten Psychologie, der sich v. a. mit der Beurteilung der Eignung zum Wehrdienst, dessen Anforderungen, den mitmenschl. Beziehungen beim Militär sowie der Entwicklung von Ausbildungsmethoden befasst.

Wehrrecht (Militärrecht), die Rechtsvorschriften über die Stellung der Streitkräfte, den Wehrdienst, die Rechte und Pflichten der Soldaten, die Wehrleistungen, das Wehrstrafrecht und die Versorgung, die im Soldatenversorgungs-Ges. geregelt ist.

Der *Einsatz der Streitkräfte* ist nach dem GG vorgesehen: a) im Verteidigungsfall (Art. 115 a GG); b) im Fall des inneren Notstands unter besonderen Voraussetzungen (→ Notstandsverfassung). Zu Einsatzmöglichkeiten außerhalb des dt. Hoheitsgebietes und zur Struktur der dt. Streitkräfte → Bundeswehr.

Rechtsstellung der Soldaten: Nach dem Soldatengesetz i. d. F. v. 19. 8. 1975 ist Soldat, wer aufgrund der Wehrpflicht oder freiwilliger Verpflichtung im Wehrdienst steht; es besteht dabei ein Verhältnis gegenseitiger Treue zw. Staat und Soldaten (Wehrdienstverhältnis). Vorgesetzter ist, wer befugt ist, einem Soldaten Befehle zu erteilen. Die Ernennung liegt für Berufssoldaten, Soldaten auf Zeit und Offiziere der Reserve beim Bundespräs., im Übrigen beim Bundesverteidigungsmin.; das Ernennungsrecht kann übertragen werden.

Rechte und Pflichten des Soldaten: Der Soldat hat grundsätzlich die gleichen staatsbürgerl. Rechte wie jeder andere (z. B. Wahlrecht), sie sind jedoch durch seine gesetzlich begründeten Pflichten beschränkt. Er muss sich durch Eid und Gelöbnis verpflichten, der Bundesrep. Dtl. treu zu dienen und das Recht und die Freiheit des dt. Volkes tapfer zu verteidigen. Wenn der Soldat seine Pflichten schuldhaft verletzt, kann er wegen eines Dienstvergehens nach Maßgabe der **Wehrdisziplinarordnung** zur Verantwortung gezogen werden. Außerdem ist er dem Bund für einen aus der schuldhaften Verletzung der Dienstpflichten entstehenden Schaden haftbar. Der Soldat hat entsprechend der gesetzl. Regelung Anspruch auf

Geld- und Sachbezüge, Heilfürsorge und Versorgung. Er hat ein Beschwerderecht nach Maßgabe der Wehrbeschwerdeordnung. Mannschaften jeder Einheit und Offiziere jedes Verbandes wählen einen Vertrauensmann. Ausgeschiedene Soldaten und deren Hinterbliebene haben Ansprüche nach dem Soldatenversorgungsgesetz.

Wehrstrafrecht: Nach dem Wehrstrafgesetz (WStG) vom 24. 5. 1974 unterliegen Soldaten dem allg. Strafrecht; hinzu kommen Bestimmungen über besondere militär. Straftaten: 1) Straftaten gegen die Pflicht zur militär. Dienstleistung (eigenmächtige Abwesenheit, Selbstverstümmelung u. a.); 2) Straftaten gegen die Pflichten der Untergebenen (Gehorsamsverweigerung u. a.); 3) Straftaten gegen die Pflichten der Vorgesetzten (entwürdigende Behandlung, Befehlsmissbrauch u. a.); 4) Straftaten gegen andere militärische Pflichten (Wachverfehlung, rechtswidriger Waffengebrauch u. a.). Begeht ein Untergebener eine Straftat auf Befehl, so wird er nur dann bestraft, wenn die Rechtswidrigkeit des Befehls ihm bekannt oder offensichtlich war. Strafen sind Strafarrest, Freiheitsstrafe und Geldstrafe; in allen Fällen sind die ordentl. Gerichte zuständig. – In *Österreich* enthält das Militärstraf-Ges. vom 30. 10. 1970 neben allg. Bestimmungen eine Aufzählung der strafrechtlich zu verfolgenden Tatbestände (Meuterei, Desertion usw.), das Wehr-Ges. von 1990 einige Sondertatbestände (unbefugtes Tragen der Uniform, Umgehung der Wehrpflicht u. a.). In der *Schweiz* ist das Wehrstrafrecht durch das Militärstraf-Ges. vom 13. 6. 1927 geregelt.

📖 *W. von A–Z, bearb. v.* M. Wilk *u.* W. Stauf. *München* ²*1991.* – Wipfelder, H.-J.: *W. in der Bundesrep. Dtl. Regensburg 1991.*

Wehrsteuer, 1) früher oft erhobene außerordentl. Vermögenssteuer zur Rüstungs- und Kriegsfinanzierung; 2) Abgabe von Wehrpflichtigen, die ihre Dienstpflicht nicht oder nicht vollständig erfüllen; in Dtl. 1937–41, in der Schweiz bis heute als **Militärpflichtersatz** erhoben.

Wehrübungen, → Wehrpflicht.

Wehrvögel (Anhimidae), Familie bis zu 90 cm langer, gut fliegender und schwimmender Vögel (Ordnung Gänsevögel), v. a. an Süßgewässern und in Sümpfen Südamerikas; haben am Flügelbug je zwei spitze, wehrhafte Sporne; brüten in Bodennestern. Zu den W. gehört u. a. die **Tschaja** (Chauna torquata), Oberseite grau mit schwarzem Hals, weißl. Kopf, gelbem Schnabel und roter Augenumgebung.

Wehrwissenschaften, die → Kriegswissenschaften.

weiblicher Reim, zweisilbiger, aus einer Hebungs- und einer Senkungssilbe bestehender Reim; Ggs.: männl. Reim. (Übersicht Reim)

Weichbild [mhd. wich »Siedlung«, bilida »Recht«], im MA. Geltungsbereich des Orts- oder Stadtrechts (im Unterschied zum Landrecht), heute städt. Siedlungsgebiet, Stadtgerichtsbezirk.

Weiche, 1) *Eisenbahntechnik:* bewegl. Schienenvorrichtung zur Verbindung von Gleisen. Nach der Richtung der Ablenkung werden unterschieden **Rechts-** und **Links-W.,** bei Abzweigung aus Gleisen in Krümmungen **Innen-** und **Außenbogen-W.,** in Verbindungen sich kreuzender Gleise einfache oder doppelte **Kreuzungs-W.,** weiterhin **Zweibogen-W.** und **Doppel-W.** für zwei Zweiggleise. Bei den übl. W. laufen die äußeren Schienen als Backenschienen durch, zw. beiden liegen die seitlich bewegl. **Zungenschienen,** die sich jeweils an die Backenschienen anlegen und durch Gestängeeinrichtungen verbunden und gestellt werden. Das Schienenstück, in dem sich zwei Schienen schneiden, heißt Herzstück. Zur Führung der Räder in der am Herzstück entstehenden Spurlücke tragen die an der gegenüberliegenden Schiene angebrachten **Radlenker** bei.

2) *Elektronik:* → Frequenzweiche.

weicher Stil, der → schöne Stil.

Weichkäfer (Soldatenkäfer, Kanthariden, Cantharidae), weltweit verbreitete Familie häufig bunter Käfer, Körper meist sehr lang gestreckt; Flügeldecken weich; im Sommer oft massenhaft auf Doldenblütlern; leben räuberisch u. a. von Blattläusen und Raupen.

Weichmacher (Plastifikatoren), flüssige oder feste organ. Stoffe mit geringem Dampfdruck, die Kunststoffen, Lacken, Klebstoffen, Kautschuk u. a. zugesetzt werden, um erhöhtes Formänderungsvermögen, erhöhte elast. Eigenschaften und/oder geringere Härte zu erreichen. W. setzen durch ihr Löse- und Quellvermögen v. a. die → Einfriertemperatur von hochpolymeren Stoffen herab. Besondere Bedeutung haben W. bei der Herstellung von Weich-PVC. Verwendet werden vorzugsweise Phthalsäureester.

Weichsel *die* (poln. Wisła), Hauptstrom Polens, 1047 km lang, entspringt in den W-Beskiden, durchfließt Krakau und das Becken von Sandomir, durchschneidet in einem tiefen Tal das Mittelpoln. Kreidehochland, fließt dann nach Warschau, durchbricht unterhalb von Thorn den Balt. Landrücken, erreicht bei Gniew ihr Mündungsdelta **(W.-Nogat-Niederung)** und mündet bei Danzig-Neufahrwasser in die Danziger Bucht, über Nogat und Elbinger W. in das Frische Haff; ihr Hauptmündungsarm ist jedoch der 1896 erbaute Durchstich bei Świbno (dt. Schiewenhorst). Die wegen unregelmäßiger Wasserführung, Sandbänken und Eisgang ungünstigen Schifffahrtsbedingungen wurden durch den Bau von etwa 30 Staustufen und zwei Talsperren (Goszałkowice, Włocławek) z. T.

Wehrvögel: Tschaja (Größe bis zu 90 cm)

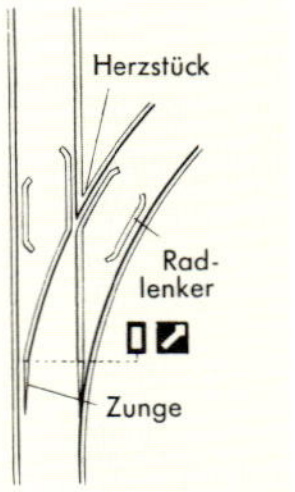

Rechtsweiche

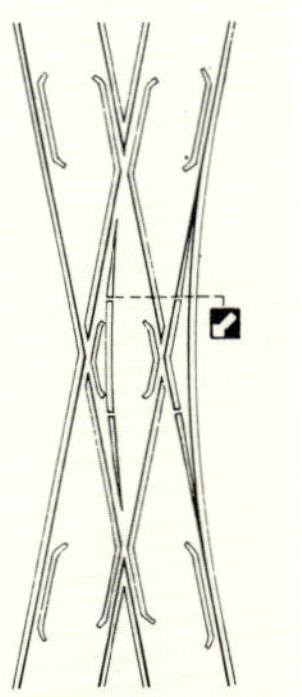

einfache Kreuzungsweiche

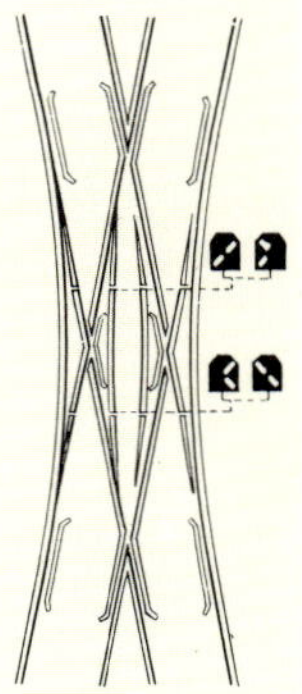

doppelte Kreuzungsweiche mit innerhalb liegenden Zungen

Weiche 1)

verbessert; insgesamt sind 941 km schiffbar. Durch Kanäle ist die W. über Netze und Warthe mit der Oder und über den Narew mit dem Westl. Bug verbunden. Hauptnebenflüsse sind von links Pilica, Brahe, Schwarzwasser, von rechts San, Wieprz, Bug, Drewenz. BILD Polen

Weide: Die Korbweide wächst in Flusstälern auf nassen Böden

Weichselzopf (Trichom), bei hochgradiger Kopfverlausung auftretende Verfilzung der Haare.

Weichspülmittel (Avivagemittel), Waschhilfsmittel, die am Schluss des Spülprozesses dem Spülwasser zugesetzt werden, um den harten Griff (»Trockenstarre«) der Wäsche zu beseitigen. W. sind Emulsionen von kation. →Tensiden. Statt des Distearyldimethylammoniumchlorids werden heute leichter abzubauende Verbindungen mit Estergruppen (»Esterquats«) verwendet. Durch Adsorption der Tenside an der Faseroberfläche erhält die Wäsche einen weichen Griff und gleichzeitig eine antistat. Ausrüstung.

Weichteile, alle nicht knöchernen Teile des Körpers wie Muskeln, Eingeweide, Sehnen und Bindegewebe.

Weichtiere (Mollusken, Mollusca), seit dem Unterkambrium nachgewiesener, heute mit rd. 130000 Arten in Meeren, Süßgewässern und auf dem Land weltweit verbreiteter Tierstamm; sehr formenreiche, 1 mm bis 8 m lange Wirbellose, deren Körper sich z.T. (Schnecken, Kahnfüßer, Kopffüßer) in einen mehr oder weniger abgesetzten Kopf, Fuß (mit Gleitsohle) und Eingeweidesack gliedert. Der Fuß kann unterschiedl. Funktionen übernehmen (z.B. Graborgan bei Muscheln und Kahnfüßern, Rückstoßorgan bei den Kopffüßern). Aus der ursprüngl. Mantelbedeckung entwickelte sich über 7–8 dachziegelartig angeordnete Schalenplättchen in der Rückenmitte (Käferschnecken) eine einheitl. Schale (Schalen-W.). Durch Ausdehnung des Mantelraums nach vorn entstand stufenweise ein Kopf mit Tentakeln oder (bei Kopffüßern) Fangarmen. Zw. Mantel und Fuß hat sich ein System von Muskeln ausgebildet. Das Nervensystem setzt sich aus Gehirn und je einem seitl. Körperlängsstrang auf der Ventralseite zusammen. Die W. haben einen offenen Blutkreislauf und meist eine →Radula zur Nahrungsaufnahme. An Sinnesorganen stehen die Osphradien (kiemenähnlich; Chemorezeptoren) im Vordergrund. – Die Fortpflanzung der W. erfolgt ausschließlich geschlechtlich.

Weichzeichner, für die künstler. Fotografie (z.B. bei Porträtaufnahmen) leicht unscharf abbildendes Objektiv oder eine entsprechende Vorsatzlinse.

Weida, Stadt im Landkreis Greiz, Thür., im Thüringer Schiefergebirge, an der Weida, 9100 Ew.; Textil- und Schuhindustrie. – Stadtkirche (im Kern 13. Jh., nach 1633 umgestaltet), Rathaus (16. Jh., im 17. Jh. erneuert), Schloss Osterburg (urspr. 12. Jh., im 16./17. Jh. umgebaut). – Entstand vor 1122, um 1150 Stadtrecht; war Sitz der Vögte von W. (→Reuß).

Weide (Salix), Gattung der W.-Gewächse mit rd. 300 Arten, v.a. in der nördl. gemäßigten und subarkt. Zone, einige Arten auch in Südamerika; meist sommergrüne Bäume oder Sträucher mit meist lanzettförmigen Blättern; Blüten zweihäusig; Frucht eine zweiklappige Kapsel; Samen mit Haarschopf. Einheimisch sind 30 Arten und zahlr. Artbastarde, u.a.: **Korb-W.** (Salix viminalis), Strauch oder bis 10 m hoher Baum mit biegsamen, gelbl. Zweigen und kätzchenartigen Blütenständen; in Flusstälern auf nassen Böden. Die Zweige

Weide

Die Salicin enthaltenden Blätter und die Rinde verschiedener Weidenarten wurden schon im alten Ägypten als Heilmittel verwendet. Der griechische Arzt Dioskurides wiederum empfahl im 1. Jahrhundert n. Chr. zerriebene Weidenblätter zur Empfängnisverhütung, da bei Griechen und Römern die Weide als unfruchtbar galt. Später erkannte man die fiebersenkende Wirkung der Weidenrinde und -blätter; noch im 19. Jahrhundert wurden sie zur Fiebersenkung verordnet. Salicylsäure, die zuerst aus dem Salicin der Weidenrinde gewonnen wurde, hat heute als Ausgangsstoff zur Herstellung antirheumatisch, schmerzstillend und fiebersenkend wirkender Arzneimittel große Bedeutung.

werden zum Korbflechten verwendet. **Sal-W.** (**Palm-W.,** Salix caprea), bis 3 m hoher Strauch oder bis 7 m hoher Baum mit glänzend rotbraunen Zweigen, Blüten vor dem Aufblühen in zottigen, silberweiß glänzenden Kätzchen (Palmkätzchen). Die an Flüssen, Waldrändern und auf Lichtungen verbreiteten Sal-W. sind die ersten Bienenfutterpflanzen des Jahres. **Purpur-W.** (Salix purpurea), bis 6 m hoher Strauch oder Baum mit oft purpurroten, kahlen Zweigen; die 3–4 cm langen weibl. Blütenkätzchen haben anfangs purpurrote Staubbeutel, die später gelb bzw. schwarz werden; in Auwäldern und auf feuchten Wiesen. **Reif-W.** (Salix daphnoides), großer Strauch oder bis 10 m hoher Baum mit gelbbraunen bis roten, oft stark blau bereiften Zweigen; Kätzchen bis 3 cm groß, silbrig; in den Alpen. **Weiß-W.** (**Silber-W.,** Salix alba), 6–25 m hoher, raschwüchsiger Baum mit 6–10 cm langen, lanzettförmigen, seidig behaarten, unterseits bläulichen Blättern. Als **Trauer-W.** bezeichnet man die durch hängende Zweige gekennzeichneten Kulturformen versch. W.-Arten.

Weide, mit Gräsern, Klee u.a. bestandene, zum Abweiden durch landwirtsch. Nutztiere bestimmte Fläche.

Karl Weierstraß: Gemälde aus den 1880er-Jahren

Weidegerechtigkeit (Weideservitut), urspr. dingl., später auch vertragl. Recht, Vieh auf fremden Grundstücken weiden zu lassen; es wurde früher von den Dorfbewohnern als markgenossenschaftliche Weidegemeinschaft wahrgenommen; ebenso Recht des Grundherrn, auf Gemeinde- oder Bauernland weiden zu lassen; heute noch in der Almwirtschaft Tirols und in der Schweiz von Bedeutung (Alpgenossenschaften).

Weidenbohrer (Cossus cossus), bis zu 9 cm spannender Schmetterling (Familie Holzbohrer) in Europa; Vorderflügel braun und weißgrau, mit schwarzen Querstrichen; Raupen bis zu 8 cm lang, fleischrot, an den Seiten gelblich, leben im Holz von Laubbäumen.

Weiden i. d. OPf., kreisfreie Stadt im RegBez. Oberpfalz, Bayern, im Tal der Waldnaab, 43 300 Ew.; kirchl. Fachakademie für Sozialpädagogik, Museen; Porzellanind., Textilversandhaus. – Altes Rathaus (1539–46). – Urspr. Reichslehen, Ende des 13. Jh. erstmals als Stadt genannt, 1421–1714 Gemeinschaftsamt Parkstein-Weiden.

Weidenröslchen (Epilobium), Gattung der Nachtkerzengewächse; meist Stauden mit rosafarbenen bis roten Blüten in endständigen Trauben und durch einen weißen Haarschopf flugfähigen Samen. Das **Schmalblättrige W.** (**Feuerkraut,** Epilobium angustifolium), 0,60–1,20 m hoch, meist unverzweigt, rot blühend, wächst in lichten Gehölzen, auf Waldschlägen, an Flussufern und auf Felsschutt in Europa, Asien und Nordamerika; das **Zottige W.** (**Rauhaariges W.,** Epilobium hirsutum), ästig, bis 1,50 m hoch, rosa blühend, auf feuchtem Tieflandboden in Europa, Nordafrika und Asien.

Weidenspinner (Pappelspinner, Leucoma salicis, Stilpnotia salicis), Trägspinnerart mit weißen oder gelblich weißen Flügeln; die Raupe lebt an Weiden und Pappeln.

Weiderich (Blutweiderich, Lythrum), Gattung der W.-Gewächse, vorwiegend in den Tropen und Subtropen verbreitet; einheimisch der **Gemeine Blut-W.** (Lythrum salicaria), ausdauernd, bis 1 m hoch, mit purpurroten Blüten; wächst an Gewässern, auf Sumpfwiesen der nördl. gemäßigten Zone und SO-Australiens.

Weidmann, *Jägersprache:* Jäger, der nicht nur Beute macht, sondern das Wild auch hegt und schützt.

Weidmannssprache, →Jägersprache.

Weierstraß, Karl, Mathematiker, *Ostenfelde (heute zu Ennigerloh, Kr. Warendorf) 31. 10. 1815, †Berlin 19. 2. 1897; lieferte grundlegende Arbeiten zur Theorie der analyt., ellipt. und abelschen Funktionen. Er übte durch die Neubegründung und den systemat. Aufbau der allg. Theorie der analyt. Funktionen bed. Einfluss auf die Entwicklung der Mathematik aus.

Weigel, 1) Hans, österr. Schriftsteller, *Wien 29. 5. 1908, †Maria Enzersdorf am Gebirg (bei Mödling) 12. 8. 1991; Kabarettist und Theaterkritiker; lebte 1938–1945 in der Schweiz; schrieb Romane, Theaterstücke, Essays; übersetzte (Molière) und bearbeitete dramat. Werke (J. Nestroy, V. Sardou); bed. Förderer junger österr. Schriftsteller,

Weide: männliche (oben links) und weibliche (oben rechts) Kätzchen sowie Laubzweig der Salweide

Hans Weigel

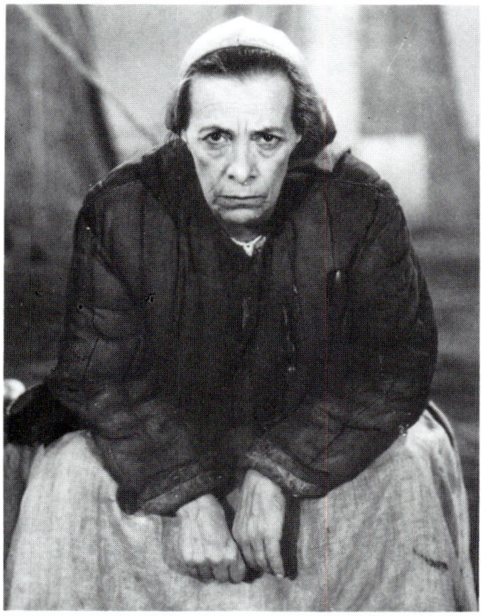

Helene Weigel als Mutter Courage in der an der Modellinszenierung des Berliner Ensembles aus dem Jahr 1949 orientierten Verfilmung des Bühnenstücks von Bertolt Brecht unter der Regie von Peter Palitzsch und Manfred Wekwerth (1960)

denen er in den von ihm hg. Anthologien erste Publikationsmöglichkeiten bot.

2) Helene, Schauspielerin und Theaterleiterin österr. Herkunft, *Wien 12. 5. 1900, †Berlin (Ost) 6. 5. 1971; seit 1928 ⚭ mit B. Brecht; seit 1949 Intendantin des →Berliner Ensembles; als Mutter Courage (1949) in Brechts Stück vereinigte sie die Darstellungsweise des epischen Theaters mit der Ausdruckskraft ihrer starken Persönlichkeit.

3) Valentin, evang. Theologe, *Naundorf (heute zu Großenhain) 1533, †Zschopau 10. 6. 1588; seit 1567 luth. Pfarrer in Zschopau; vertrat, beeinflusst von der dt. Mystik, Paracelsus und S. Franck, einen Spiritualismus, nach dem im »inneren Licht« des Menschen das Wirken des Geistes Gottes und die alleinige Quelle menschl. Erkenntnis zu sehen sei. Seine Gedanken beeinflussten v. a. das Werk von J. V. Andreä, J. Böhme und G. W. Leibniz.

Weigelie

Weigelile [nach dem Arzt C. E. von Weigel, *1748, †1831] *die* (Weigela), Gattung in O-Asien beheimateter Geißblattgewächse; Sträucher mit ellipt., gesägten Blättern und roten oder rosafarbenen, glockenförmigen Blüten; beliebte Ziersträucher.

Weihai, Stadt am Gelben Meer im NO der Prov. Shandong, China, etwa 50 000 Ew.; Nahrungsmittel- und Textilindustrie; eisfreier Hafen. – 1898 bis 1930 brit. Pachtgebiet.

Weihbischof (Auxiliarbischof), *kath. Kirche:* ein →Titularbischof, der den Diözesanbischof in der Ausübung seines Hirtenamtes unterstützt.

Weihe, *Religionsgeschichte:* rituelle Handlung, durch die eine Person, ein Tier, ein Ort, Gebäude oder eine Sache aus dem profanen Bereich herausgehoben und in besonderer Weise für den Dienst (Kultus) Gottes, der Götter bzw. des als hl. Macht Verehrten bestimmt wird, z. B. Priester-, Kirch-, Glocken-, Wasser-W.; bei Personen mit der Übertragung der entsprechenden (exklusiven) Vollmachten verbunden. – Die kath. Kirche und die Ostkirchen verstehen die W. von Personen (Ordo) als Sakrament, das ausschl. Männern durch →Ordination, abgestuft in drei, mit unterschiedl. Vollmachten verbundenen W.-Graden gespendet wird: Diakonats-, Priester- und Bischofs-W. Die W. zum Diakon setzt in den Ostkirchen die (niedere) W. zum Hypodiakon voraus; dem entsprach bis 1972 in der kath. Kirche der Subdiakon. Die evang. Kirchen kennen keine W. von Personen und Sachen und verstehen entsprechende Handlungen als feierl. Beauftragungen und Indienststellungen. Die anglikan. Kirchen halten am sakramentalen Charakter der Ordination fest.

Wei He *der* (Weiho), rechter Nebenfluss des Hwangho in China, 787 km lang; entspringt im Bergland der Prov. Gansu, durchfließt das lösserfüllte W.-H.-Becken am N-Rand des Quinling Shan, mündet bei Tongguan.

Weihegabe (Votiv), *Religionsgeschichte:* Gabe, die Gott, einer Gottheit oder einem/einer Heiligen aus Dankbarkeit oder mit der Bitte um Hilfe in bestimmten Anliegen bzw. (Not-)Situationen dargebracht wird, z. B. ein →Votivbild; bereits in den Kulturen des Altertums ein weit verbreiteter religiöser Brauch.

Weihegabe: Votivbild in der Wallfahrtskirche von Sammarei in Niederbayern (1833)

Weihen (Circus), Gattung mittelgroßer →Greifvögel mit schmalen Flügeln, weltweit verbreitet, leben in offenen Landschaften. Die Männchen sind zumindest teilweise blaugrau, die Weibchen bräunlich gefärbt. Sie brüten in bodenständigen Horsten. In Mitteleuropa sind die vier europ. Arten selten geworden. Die **Rohrweihe** (Circus aeruginosus) bewohnt Röhricht und Seggensümpfe; die Männchen der **Wiesenweihe** (Circus pygargus) haben im Ggs. zu denen der **Kornweihe** (Circus cyaneus) schwarze Längsstreifen auf der blaugrauen Flügeloberseite. Die **Steppenweihe** (Circus macrourus) bewohnt offenes Steppengelände.

Weihenstẹphan, ehem. Benediktinerabtei in →Freising.

Weiher, kleiner Flachsee mit Sumpfflora; bei den künstlich geschaffenen W. unterscheidet man z. B. Lösch- und Fischweiher.

Weihnachten [mhd. ze wīhen nahten »in den heiligen Nächten«] (Weihnacht, Christfest, Heiliger Christ), gesamtchristl. Fest der Geburt Jesu; neben Ostern und Pfingsten eines der Hauptfeste der christl. Kirchen; seit 336 (erstmals in Rom) am 25. 12. gefeiert, anknüpfend an das an diesem Tag begangene röm. Staatsfest der Geburt des unbesiegbaren Sonnengottes (Sol invictus) und dieses im christl. Sinne umdeutend. Es verschmolz später im german. Bereich mit dem Julfest (Wintersonnenwende) und verdrängte, trotz zunächst heftiger Widerstände wegen seiner »heidn.« Parallelen, außer in der armen. Kirche das ursprüngl. Geburtsfest Jesu am 6. 1. (Epiphanias). – Der Volksbrauch **(Weihnachtsbrauch)** prägte mit seiner Vielfalt von liturg. und außerliturg. Brauchtum (z. B. Krippen, Sternsingen, Weihnachtsspiele) den heutigen überregionalen Charakter von W. aus. Zentrales Sinnbild wurde der lichtergeschmückte **Weihnachtsbaum (Christbaum;** vereinzelt ohne Licht schon im beginnenden 16. Jh., seit dem letzten Drittel des 19. Jh. allg. üblich), im 20. Jh. kam der **Adventskranz** hinzu. Aus den Gabenbringern der Adventszeit (hl. Nikolaus, Knecht Ruprecht) wurde der **Weihnachtsmann** (erstmals belegt auf Bildern des 19. Jh.). Ende des 18. Jh., deutlich dann im 19. Jh., erhielt W. das familiäre Gepräge mit der Bescherung (Kinderbescherung seit dem 16. Jh. in der evang. Oberschicht üblich) am **Hl. Abend (Hl. Nacht, Christnacht:** 24. 12.), auf den sich heute auch die christl. Weihnachtsfeier (Weihnachtsvigil, Christmette) konzentriert. (→Zwölf Nächte)

Weihnachtsinsel (englisch Christmas Island), **1)** seit 1981 →Kiritimati, Teil des Staates Kiribati.

2) vulkan. Insel südlich von Java, im Ind. Ozean, 135 km², (1995) 2 500 Ew.; Hauptort ist Flying Fish Cove; Phosphatvorkommen. – 1643 entdeckt, seit 1888 britisch, seit 1958 von Australien verwaltet.

Weihnachtskaktus (Zygocactus), Kakteengattung mit mehreren Arten in O-Brasilien; epiphyt., kleine Sträucher mit aus zweikantig geflügelten Gliedern zusammengesetzten Flachsprossen; Blüten groß, mit zurückgebogenen Blütenhüllblättern; z. T. um die Weihnachtszeit blühende Topfpflanzen.

Weihnachtsrose, die Schwarze →Nieswurz.

Weihnachtsspiel, geistl. Spiel des MA. Die drei vom Evangelium vorgegebenen Haupthandlungen der Weihnachtsliturgie Engelsverkündigung, Hirtenprozession **(Hirtenspiel),** Anbetung des Kindes in der Krippe **(Krippenspiel)** wurden durch Zusätze aus der bibl. Geschichte erweitert. Als lat. Fassung erstmals in der »Benediktbeurer Handschrift« des 13. Jh. dokumentiert. Erstes volkssprachl. W. ist das »Sankt Galler Spiel von der Kindheit Jesu« (Ende des 13. Jahrhunderts).

Weihnachtsstern (Adventsstern, Poinsettie, Euphorbia pulcherrima), in Mexiko und Mittelamerika heim. Art der Gattung Wolfsmilch; in seiner Heimat bis 4 m hoher Strauch mit eiförmigen, gelappten Blättern und unscheinbaren, von leuchtend roten, rosafarbenen, gelben oder gelblich weißen Hochblättern umgebenen Scheinblüten; beliebte Zimmerpflanze. BILD S. 140

Weiho, Fluss in China, →Wei He.

Weihrauch (Olibanum), Gummiharz aus der Rinde der W.-Bäume (Bowellia-Arten); wird durch Einschnitte in die Rinde oder durch Extraktion mit organ. Lösungsmitteln gewonnen. W. erstarrt an der Luft zu Körnern, die aufgrund ihrer wohlriechenden Inhaltsstoffe (Harze, äther. Öle u. a.) bei Erhitzen einen aromat. Duft entwickeln;

Weihen (von oben): Rohrweihe (Männchen, Größe bis zu 56 cm) und Kornweihe (Männchen, Größe bis zu 51 cm)

Weihnachten

Vorläufer des Weihnachtsbaums ist das Wintergrün, mit dem zum Jahresbeginn, der lange mit dem Weihnachtsfest zusammenfiel, das Haus geschmückt wurde. Ein »Weynachtsbaum« ist erstmals aus dem Jahre 1597 bezeugt; er stand, geschmückt mit »gefärbt Papier, Äpfel, Faden und Backwerk«, in Turckheim im Elsass wie 1605 ein mit Papierrosen, Äpfeln, Knistergold und Zuckerwerk behangener Weihnachtsbaum in Straßburg. Der Kerzenschmuck ist zuerst durch eine Jugenderinnerung der Liselotte von der Pfalz um 1660 für den Hannoverschen Hof überliefert. Neben Buchsbaum und Stechpalme wurden Eibe und Wacholder festlich geschmückt, bis dann Tanne und Fichte als Weihnachtsbäume dominierten. Allgemein gebräuchlich wurde der Weihnachtsbaum in der deutschen Bürgerfamilie im 19. Jahrhundert, sehr langsam setzte er sich in ländlichen Gebieten durch. Seit Ende des 18. Jahrhunderts war der Rauschgoldengel aus Nürnberg zum beliebtesten Baumschmuck geworden; im Biedermeier kamen vergoldete und versilberte Nüsse und Kugelschnüre sowie das Lametta hinzu, nach 1820 Glasbläsereien aus Thüringen (»Christbaumkugeln«) und um 1900 Blechspielzeug und kunstgewerblicher Schmuck.

verwendet v.a. als Parfümfixateur. – W. diente in altoriental. und antiken Kulten (u.a. im röm. Kaiserkult) als Räuchermittel; seit dem 4./5. Jh. auch im christl. Gottesdienst; in den versch. Religionen mit den Vorstellungen der Abwehr böser Geister und der rituellen Reinigung sowie der besonderen Ehrung hl. Orte und Gegenstände verbunden.

Weihrauch

Schon im 5. und 4. Jahrtausend v. Chr. wurde Weihrauch im Orient zu Ehren der Götter geopfert. Die Ägypter verwendeten ihn außerdem als Heilmittel und zum Einbalsamieren. Weihrauch bildete den Reichtum der Sabäer und Minäer im Weihrauchland Südarabiens. Im Neuen Testament gehört Weihrauch zu den kostbaren Gaben der Weisen aus dem Morgenland an das Jesukind.

In den christlichen Kirchen wurde ab dem 4. Jahrhundert Weihrauch als Ehrenerweis vor Bischöfen in Prozessionen, aber auch zur Luftverbesserung in Basiliken und Kirchen verwendet. Ab dem 5. Jahrhundert wurde der Gebrauch in der Vesper üblich. In der katholischen Kirche wird Weihrauch vor allem bei der Aussetzung des Allerheiligsten benutzt.

Weihrauchland, antike Landschaft im S der Arab. Halbinsel, etwa das heutige Dhofar. Von dort führte die **Weihrauchstraße,** die älteste Welthandelsstraße, über Marib ins Nedjran, über Mekka und Medina nach Petra und von dort zum Mittelmeer.

Weihwasser, in der kath. Kirche und den Ostkirchen vom Priester geweihtes Wasser; das Besprengen mit W. durch den Priester gehört zu den sakramentsähnl. Handlungen (Sakramentalien); die Volksfrömmigkeit schreibt dem W. von Sünden reinigende, vor bösen Einflüssen (v.a. dem Teufel) schützende und Krankheiten heilende Wirkungen zu.

Weikersheim, Stadt im Main-Tauber-Kreis, Bad.-Württ., in einer Talweitung der Tauber, 7300 Ew.; Tauberländer Dorfmuseum; Orgelbau, Elektronikind., Maschinenbau. – Spätgot. Stadtkirche (1419), Schloss (1586 bis ins frühe 18. Jh. mit zweigeschossigem Rittersaal mit prachtvoller Kassettendecke, um 1600) mit Barockgarten. – Um 800 erstmals erwähnt, ab 1153/1244 Stammsitz der Grafen von Hohenlohe; 1323 als Stadt genannt.

Weihnachtsstern

Weikl, Bernd, dt. Sänger (Bariton), *Wien 29. 7. 1942; hat sich bei den Bayreuther Festspielen und weltweit mit den großen Baritonrollen aus R. Wagners Opern einen Namen gemacht.

Weil, 1) Weil am Rhein, Stadt (Große Kreisstadt) im Landkreis Lörrach, Bad.-Württ., am Rheinknie unterhalb von Basel (Rheinbrücke nach Hüningen), 27900 Ew.; Museen; Metallverarbeitung, Herstellung von Büromöbeln und Ladeneinrichtungen (die Produktions- und Verwaltungsbauten entstanden nach Entwürfen internat. bedeutender Architekten), Textilindustrie; Rheinhafen. – 786 erstmals erwähnt; seit 1935 Stadt. Weiteres BILD Hadid, Zaha M.

2) Weil der Stadt, Stadt im Landkreis Böblingen, Bad.-Württ., im Heckengäu, 18100 Ew.; Kepler-, Stadt- sowie Narrenmuseum; Textil-, Elektronikind., Maschinenbau, Holz-, Kunststoff-, Metallverarbeitung. – Spätgot. Pfarrkirche St. Peter und Paul (1492–1519), Spitalkirche (1364 geweiht), Rathaus (16.–18. Jh.), mittelalterl. Stadtbefestigung mit Toren und Türmen. – Vor 1241 Stadt, um 1275 Reichsstadt; kam 1803 an Württemberg.

Weil, 1) [vɛjl], Jiří, tschech. Schriftsteller, *Praskolesy (bei Hořovice, Mittelböhm. Gebiet) 6. 8. 1900, †Prag 13. 12. 1959; war Mitgl. avantgardist. Gruppen, u.a. »Devětsil«, lebte 1933–35 in der Sowjetunion und zeichnete in zahlr. Studien und Reportagen sowie dem Roman »Moskau – Die Grenze« (1937) ein krit. Bild sowjet. Wirklichkeit, u.a. des polit. Terrors um 1935. Als ihm als Juden die Deportation drohte, ging er in die Illegalität (1942–45); 1946–49 Redakteur, 1950–58 am Prager jüd. Museum. Sein Werk wirkte wegweisend für die moderne Prosa; bed. Übersetzer russ. Literatur.

2) [vɛj] (Weill), Simone, frz. Philosophin, *Paris 3. 2. 1909, †(Selbstmord) Ashford (Cty. Kent) 24. 8. 1943; lebte seit 1942 in den USA, dann in England. Ihre Sozialphilosophie und Fortschrittskritik zielen auf die Humanisierung der Arbeit und »Einwurzelung« des Menschen; ihre religiösen Schriften von myst. Katholizität (obwohl sie als Jüdin nicht konvertierte) wurden nach dem Krieg weithin bekannt (»Die Einwurzelung«, hg. 1949; »Das Unglück und die Gottesliebe«, hg. 1950).

📖 KROGMANN, A.: *S. W. Reinbek 1995.*

Weilburg, Stadt im Landkreis Limburg-W., Hessen, an der Lahn, 13500 Ew.; staatl. Technikerschule, Bergamt, Heimat- und Bergbaumuseum; opt., chem., Textilind., Maschinenbau, Brauerei;

Luftkurort mit bed. Ausflugsverkehr (u.a. zur **Kubacher Kristallhöhle**). – Schloss in Spornlage oberhalb der Lahn mit maler. Innenhof (um 1530 bis vor 1578 und 1702–46), Lustgarten mit Orangerie, Schlosskirche (1707–13). – 1295 Stadt, 1355–1816 Residenz von Nassau-Weilburg.

Weiler, kleine ländl. Gruppensiedlung von drei bis 20 Höfen.

Weilheim i. OB, Kreisstadt des Landkreises Weilheim-Schongau, Bayern, im Pfaffenwinkel, an der Ammer, 20000 Ew.; Stadtmuseum, -theater; Textil-, Metall verarbeitende, Holzindustrie. – Kath. Stadtpfarrkirche St. Pölten, Friedhofskirche St. Sebastian (15./16. Jh.), frühbarocke Pfarrkirche (1624–31). – 1010 erstmals erwähnt, wurde W. 1236 zur Stadt erhoben.

Weilheim-Schongau, Landkreis in Bayern, 966 km^2, (1996) 122200 Ew.; Krst. ist Weilheim i. OB.

Weil-Krankheit [nach dem dt. Internisten A. Weil, *1848, †1916] (Icterus infectiosus), durch Leptospira icterohaemorrhagiae verursachte meldepflichtige, akute Infektionskrankheit; Kennzeichen sind plötzlich auftretendes hohes Fieber, später Gelbsucht, Funktionsstörungen von Leber und Niere sowie Bewusstseinsstörungen. Die *Behandlung* erfolgt medikamentös mit Tetracyclinen.

Kurt Weill (um 1947)

Weill, Kurt, Komponist, *Dessau 2. 3. 1900, †New York 3. 4. 1950; Schüler von E. Humperdinck und F. Busoni; wandte sich ab 1925 dem Musiktheater zu und arbeitete zunächst mit G. Kaiser zusammen (Opern »Der Protagonist«, 1926; »Der Zar läßt sich photographieren«, 1928). Mit B. Brecht entwickelte er aus der Idee des »epischen Theaters« die zugehörige Musiksprache als Synthese von zeitgenöss. Tanz- und Unterhaltungsmusik, von Moritat, Chanson und Choral mit neuer Harmonik und Satztechnik. Ein charakterist. Mittel ist der das Bühnengeschehen begleitende Song. Das berühmteste Werk dieses Stils wurde »Die Dreigroschenoper« (1928, angeregt von »The beggar's opera« von J. Gay und J. C. Pepusch). Es

Weil am Rhein 1): Frank O. Gehry, Vitra Design Museum (1988/89)

folgten »Happy End« (1929), »Aufstieg und Fall der Stadt Mahagonny« (1930), »Die Bürgschaft« (1932) und »Der Silbersee« (1933). 1933 emigrierte er mit seiner Frau Lotte Lenya – kongeniale Interpretin vieler seiner Werke – nach Paris, wo, nochmals nach Brecht, das Ballett mit Gesang »Die sieben Todsünden« (1933) und seine den Songstil aufgreifende zweite Sinfonie entstanden. Ab 1935 schrieb W. in den USA vorwiegend für das Broadway-Theater, u.a. »Knickerbocker holiday« (1938), »Lady in the Dark« (1941), »Down in the valley« (1948) und »Lost in the stars« (1949); auch Orchester- und Chorwerke sowie Kammermusik.

📖 SCHEBERA, J.: *K. W. 1900–50. Eine Biographie in Texten, Bildern u. Dokumenten. Mainz u. a. 1990.*

Weimann, Robert, Anglist, *Magdeburg 18. 11. 1928; 1963–91 Prof. in Potsdam und Berlin (Ost); 1985–93 Präs. der Dt. Shakespeare-Gesellschaft in Weimar. Seine Forschungsschwerpunkte sind Literaturtheorie, engl. Literatur der Shakespearezeit und der amerikan. Roman (»New criticism und die Entwicklung bürgerl. Literaturwiss.« 1962, überarbeitet 1974; »Shakespeare und die Tradition des Volkstheaters«, 1967; »Literaturgeschichte und Mythologie«, 1971).

Simone Weil

Weimar, kreisfreie Stadt in Thür., an der Ilm, im SO des Thüringer Beckens, 62000 Ew.; Hochschule für Musik, Bauhausuniversität (Hochschule für Architektur und Bauwesen), Thüring. Landesbibliothek und Landeshauptarchiv, Museum für Ur- und Frühgeschichte, Dt. Nationaltheater (1907, so benannt seit 1919), Staatskapelle, Sitz der →Stiftung Weimarer Klassik, der →Goethe-Gesellschaft in Weimar und der →Deutschen Shakespeare-Gesellschaft; bed. Fremdenverkehr; Maschinen- und Fahrzeugbau, pharmazeut. Ind., Herstellung von Uhren, Elektroarmaturen u.a. W. ist

Weimar (von links): Das Deutsche Nationaltheater wurde 1907 als Hoftheater im neoklassizistischen Stil erbaut und 1919 umbenannt; auf dem Platz vor der Säulenhalle steht das von Ernst Rietschel 1852–57 geschaffene Goethe- und Schiller-Denkmal; das ehemalige Stadthaus am Markt mit seinem Schaugiebel (Bildmitte) wurde 1526–47 erbaut und nach Zerstörung (1945) originalgetreu wieder aufgebaut, rechts schließt sich das 1549 als Doppelhaus erbaute Lucas-Cranach-Haus an

Weimar Stadtwappen

1999 Kulturstadt Europas. – Bauten aus dem MA. und der Renaissance wurden u.a. durch Brände vernichtet. Die heutige Stadt ist geprägt von schlichten, meist klassizist. Bauten und großen Landschaftsparks im Ilmtal; am Rande des Stadtkerns ehem. Residenzschloss (klassizist. Neubau 1789–1803; beherbergt die Staatl. Kunstsammlung) mit engl. Landschaftspark (seit 1778 angelegt; darin Goethes Gartenhaus); bed. die Jakobskirche (1713) und die Stadtkirche St. Peter und Paul (»Herderkirche«, 1498–1500, 1735–45 umgestaltet) mit Altarbild von L. Cranach d. Ä. (1555); am Frauenplan befindet sich Goethes Wohnhaus (Goethe-Nationalmuseum), an der Esplanade das Schillerhaus (1802–05 von dem Dichter bewohnt), am Markt das Lucas-Cranach-Haus (1549). Weitere histor. Bauten: Haus der Frau von Stein (1776), Wittumspalais (1767; heute Wielandmuseum), Liszthaus (1869–86 Wohnhaus des Komponisten), Haus von F. J. Bertuch (Stadtmuseum), in der »Villa Silberblick« Nietzsche-Gedenkstätte (beherbergte 1897 bis 1945 das Nietzsche-Archiv); Grünes Schloss (1562–69, mehrfach verändert, heute Thüring. Landesbibliothek), Rotes Schloss (1574–76, im 19. Jh. stark verändert), Gelbes Schloss (begonnen 1702); ehem. Fürstenhaus (1770–73, jetzt Franz-Liszt-Hochschule), Gebäude der heutigen Hochschule für Architektur (1904/05 und 1911 von H. van de Velde). Die UNESCO nahm 1996 die Bauhausstätten in W. in die Liste des Weltkulturerbes auf. Auf dem Friedhof vor dem Frauentor die Fürsten- bzw. Goethe-Schiller-Gruft (1824/25, mit den Sarkophagen der beiden Dichter sowie des Großherzogs Karl August). Vor dem Dt. Nationaltheater das Goethe- und Schiller-Denkmal (1857 von E. Rietschel). – Bei W. befinden sich die Schlösser Tiefurt (1781–1806), Belvedere (1724–32) und Ettersburg (1706–12); nördlich von W. auf dem Ettersberg die Mahn- und Gedenkstätte →Buchenwald. – 975 erstmals erwähnt, 1254 als Stadt bezeugt; 1247–1372 im Besitz der Grafen von W.-Orlamünde (1348 Stadtrechtsverleihung), dann der Wettiner (ab 1485 der Ernestiner); seit 1542 Residenz (1572/1603–1741 des Herzogtums Sachsen-W., 1741–1918 des Herzogtums, ab 1815 Großherzogtum Sachsen-W.-Eisenach); unter Anna Amalia (1758–75) und Karl August (1775–1828) u.a. 1775 Berufung J. W. Goethes zum Min., kultureller Höhepunkt (Weimarer Klassik), erneut unter Karl Alexander (1853–1901; F. Liszt, Weimarer Malerschule), 1919–25 Bauhaus; 1919 Weimarer Nationalversammlung; 1920–1948/50 Landeshptst. Thüringens. Weiteres BILD deutsche Literatur

📖 *W. Lexikon zur Stadtgeschichte, hg. v.* G. GÜNTHER *u.a. Weimar 1993.*

Weimarer Klassik, eine v.a. von Goethe und Schiller geprägte Richtung der →deutschen Literatur. In der älteren Literaturwiss. auch die Epoche zw. Sturm und Drang und der Romantik.

Weimarer Land, Landkreis in Thür., 803 km², (1996) 90 400 Ew.; Krst. ist Apolda.

Weimarer Malerschule, von Großherzog Karl Alexander von Sachsen-Weimar 1860 in Weimar begründete Stiftung in Nachfolge einer seit 1774 bestehenden Zeichenschule. Die W. M. widmete sich unter Leitung von S. von Kalckreuth (1860–77) und Lehrern wie A. Böcklin und F. von Lenbach der Förderung einer realist. Landschaftsmalerei. Neben den übl. und offiziell geförderten Lehrfächern (Salon- und Historienmalerei) führte sie als neues Lehrfach die Druckgrafik ein. Bed. Schüler: M. Liebermann, P. Baum und C. Rohlfs.

Weimarer Nationalversammlung, das verfassunggebende Parlament der Weimarer Republik, gewählt am 19. 1. 1919, tagte vom 6. 2. bis 30. 9. 1919 in Weimar, dann bis zur Auflösung am 21. 5.

1920 in Berlin; wählte am 11. 2. 1919 F. Ebert zum Reichspräs., stimmte am 22. 6. 1919 dem Versailler Vertrag zu und nahm am 31. 7. 1919 die Weimarer →Reichsverfassung an. BILD deutsche Geschichte

Weimarer Republik, das Dt. Reich in seiner durch die Weimarer →Reichsverfassung von 1919 bestimmten Staats- und Reg.form (1919–33); demokratisch-parlamentar. und föderative Rep.; ging aus der →Novemberrevolution hervor, hatte die harten polit. und wirtsch. Bedingungen des Versailler Vertrags zu erfüllen und wurde zunehmend durch die wachsende Opposition von rechts und links gefährdet. – Staatsoberhaupt war der gewählte Reichspräs. (1919–25 F. Ebert, seit 1925 P. von Hindenburg). Die Reichsreg. war vom Vertrauen des Reichstags abhängig, der die Gesetzgebung ausübte und die Reg. kontrollierte. Die W. R. endete mit der Ernennung A. Hitlers zum Reichskanzler (30. 1. 1933) und der Zustimmung der Reichstagsmehrheit zum sog. Ermächtigungsgesetz vom 24. 3. 1933. (→deutsche Geschichte)

KOLB, E.: *Die W. R. München ³1993.* – WINKLER, H. A.: *Weimar 1918–33. Die Gesch. der ersten dt. Demokratie. München ²1994.* – PEUKERT, D. J.: *Die W. R. Krisenjahre der klass. Moderne. Lizenzausg. Darmstadt 1997.*

Wein [aus lat. vinum], Getränk, das durch alkohol. Gärung aus frischem Traubenmost oder eingemaischten W.-Trauben gewonnen wird, häufig, nach abgeschlossenem Gärprozess, unter Zugabe (4–10%) von vorher zurückbehaltenem, unvergorenem, steril gemachtem Most (Süßreserve). W. bildet die Grundlage für die Herstellung von Schaum-W., W.-Brand, Kräuter-W. (z.B. Wermut-W.) sowie von W.-Essig.

1 l W. enthält 730–900 g Wasser. Der Zuckergehalt der Trauben, das Ausgangsmostgewicht (Oechslegrad), bestimmt den Alkoholgehalt des Weins. Der Alkoholgehalt (Äthylalkohol) liegt zw. 67–75 g (leichte W.), 75–90 g (mittlere W.) und höchstens 90–120 g (schwere W.); schwerere W. (mit mehr als 15% Alkohol) wie Sherry, Port-W., Madeira oder Wermut-W. werden gespritet, d.h., es wird Alkohol zugesetzt. Als Nebenprodukt der alkohol. Gärung bildet sich stets der dreiwertige Alkohol (→Glycerin; etwa ein Zehntel der Alkoholmenge). Weitere Bestandteile sind Zucker, im vollständig durchgegorenen W. zw. fast 0 und 150 g/l, ferner aus der alkohol. Gärung stammenden Kohlensäure, zahlr. organ. Säuren wie W.-Säure, Apfelsäure, Milch- und Bernsteinsäure, zus. 4–12 g. Sie sind mit über 400 Aromastoffen (v.a. Ester, höhere Alkohole, Säuren, Aldehyde; insgesamt 2 g) für das Bukett und das Aroma des W. mit entscheidend. Gerb- und Farbstoffe finden sich im Weiß-W. in Mengen bis 0,25 g, im Rot-W. bis 2,5 g, Mineralstoffe, v.a. Kalium- und Phosphorverbindungen, in Mengen von 1,5 bis 4 g.

Wein
Das nördlichste Weinbaugebiet Deutschlands liegt in Sachsen-Anhalt, an den Ufern von Saale und Unstrut. Es liefert vor allem spritzige, elegante Weißweine.

Wein

Warum soll man Weißwein leicht gekühlt und Rotwein in Zimmertemperatur trinken?

Rotweine enthalten eine Reihe natürlicher Säuren, besonders Gerbstoffe (Tannine), und andere Bestandteile, die im Weißwein nicht vorkommen. Sie sind nur in der Beerenhaut vorhanden und gehen, neben den roten Farbstoffen, bei der Maischegärung in den Most über. Bei gekühltem Rotwein überdecken die Säuren die Geschmackselemente der Traube. Bei Raumtemperatur ergänzen sich Säuren und Traubengeschmack harmonisch. Da Weißweine kein Tannin und andere Säuren enthalten, stört Kälte nicht ihre Ausgewogenheit.

Weinbereitung: Unmittelbar nach der Ernte (Weinlese, Lese) werden die Trauben meist (bei hohen Qualitäten und Rot-W. stets) von Stielen und Kämmen getrennt (entrappt, österr.: gerebelt) und die Beeren anschließend in Traubenmühlen zerquetscht (gemaischt); die Maische wird bei Weißweinen unter Druck sofort abgekeltert und gereinigt (filtriert) und in Gärbehälter gepumpt.

Wein: Anbau und Ernte von Keltertrauben in EU-Ländern

	Fläche (in 1 000 ha)				Ernte (in 1 000 t)			
Land	1980	1985	1990	1994	1985	1990	1994	1995
Deutschland[1]	89	93	95	103[2]	729	1 042	1 373	1 129
Belgien	0	0	0	0	1	1	1	-
Frankreich	1 069	1 037	940	917	8 813	8 084	6 944	6 956
Griechenland	-	92	84	74	745	616	508	-
Großbritannien	0	0	1	1[2]	1	2	2	2
Italien	1 122	1 022	971	866	8 181	7 358	7 850	7 556
Luxemburg	1	1	1	1[2]	14	20	24	20
Portugal	-	264	255	255	1 319	1 498	864	-
Spanien	-	1 517	1 393	1 149	4 883	6 042	2 954	2 694
EU-Länder insgesamt[3]	-	4 026	3 740	3 367	24 686	24 663	20 520	-

[1] bis einschl. 1990 früheres Bundesgebiet. – [2] 1995. – [3] Weinbau treibende Länder; bis 1990 nur einschl. früheres Bundesgebiet; ohne Angaben für Österreich

Wein: Erzeugung und Verbrauch 1996 (in 1 000 hl)

Land	Erzeugung	Einfuhr	Ausfuhr	Inlandsverwendung	Verbrauch je Ew. in l
Deutschland	8361	11215	2240	18910	23,1
Belgien	2	2287	204	2093	20,5
Dänemark	–	1287	41	1246	23,8
Finnland	–	263	2	261	5,1
Frankreich	54354	6425	13267	45293	60,7
Griechenland	3875	50	650	3368	29,1
Großbritannien	13	7316	228	7099	12,1
Irland[1]	–	205	7	188	5,3
Italien	55794	286	14820	38807	61,9
Luxemburg	150	170	115	220	57,0
Niederlande[1]	–	2146	126	2016	13,0
Österreich[2]	1866	186	129	2591	31,0
Portugal	7255	653	1800	6115	57,4
Schweden	–	1066	1	1080	12,2
Spanien	20045	2034	5674	16468	37,4

[1] 1995. – [2] Weinwirtschaftsjahr 1994

Vor dem Abpressen ablaufender Saft (Most, Traubenmost) heißt Vorlauf; bei steigendem Druck entstehender Saft wird Pressmost genannt, der Rückstand Trester. Durch die mit den Trauben in den Saft gelangten Wildhefen beginnt dieser selbstständig zu gären (Spontangärung). Meist werden heute jedoch zur Einleitung der Gärung Reinzuchthefen (W.-Hefen) zugesetzt. Bei der Rotweinbereitung werden die entrappten blauen Beeren auf der Maische vergoren (Maischegärung), je nach Geschmacksziel 2–14 Tage. Dabei werden die nur in der Beerenhaut enthaltenen Farb- und die auch in den Kernen enthaltenen Gerbstoffe vom entstehenden Alkohol freigesetzt. Für Rosé-W. wie den dt. Weißherbst werden die Rotweintrauben nach einigen Stunden von der Maische abgekeltert und anschließend wie weißer Most vergoren. Nach Klärung des W., durch Filtrieren über Filter u. a. aus Kieselgur oder Zellstoff, wird er in ein anderes Fass abgezogen (1. Abstich), leicht geschwefelt (zur besseren Haltbarkeit) und, evtl. nach einem 2. Abstich, vor der Abfüllung auf Flaschen längere Zeit in Fässern gelagert, in denen er reifen kann (Abbau und Umwandlung einiger Inhaltsstoffe). Danach folgen Maßnahmen zur geschmackl. Verbesserung.

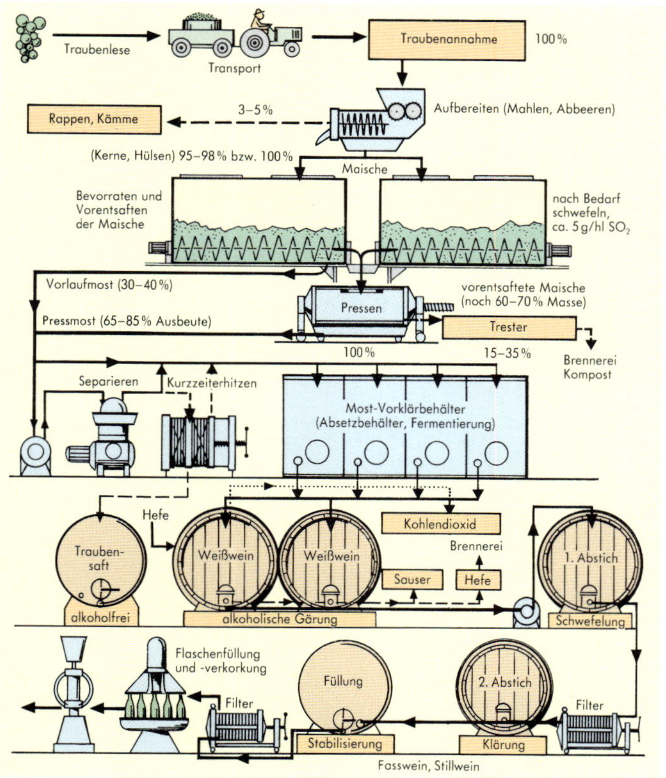

Wein: Schema der Weißweinherstellung

Krankheiten: Bestimmte Bakterien, Hefe- und Schimmelpilze können den W. verderben: das Kahmigwerden (Infektion mit Alkohol zersetzenden Kahmhefen, der W. wird trüb und muffig), das Umschlagen (der W. wird trüb, verliert Aroma und Säure und nimmt einen unangenehmen Geschmack und Geruch an), das Zähwerden (junge, säure-, gerbstoff- und alkoholarme W. werden schleimig-ölig und ziehen Fäden), ferner der Essigstich (Vergärung von Äthanol und Traubenzucker zu Essigsäure), der Milchsäurestich (unangenehm süßsaurer Geschmack) sowie das Bitterwerden des Rot-W. durch spezielle Bitterstoffe.

Recht: W.-Bereitung und -Handel sind in Dtl. im »Gesetz über W., Likör-W., Schaum-W., weinhaltige Getränke und Branntwein aus W.« geregelt, das 1994 an die EG-Weinmarktordnung angepasst wurde. Danach werden dt. W. in drei Klassen eingeteilt: 1) Tafel-W., 2) Qualitäts-W. bestimmter Anbaugebiete (anerkannt und kontrolliert), 3) Qualitäts-W. bestimmter Anbaugebiete mit Prädikat. Einfache W. sind die Tafel-W., in etwas gehobenerer Qualität die Land-W.; diese müssen von Trauben festgelegter Bereiche (z. B. »Pfälzer Land-W.«) stammen. Qualitäts-W. erhalten ihre Bez. erst nach amtl. Prüfung, entweder als **Qualitätswein bestimmter Anbaugebiete** (Abk. **QbA**) oder als **Qualitäts-W. mit Prädikat** (Kabinett, Spätlese, Auslese, Beerenauslese, Trockenbeerenauslese, Eiswein). Das Lesegut darf nicht angereichert werden. Für inländ. W.-Arten dürfen als Bez. allein verwendet werden: Weiß-W., Rot-W., Rosé-W., Rotling, Schiller-W., Perl-W., Perl-W. mit zugesetzter Kohlensäure. Erlaubt sind die Bez. »aus eigenem Lesegut« oder »Erzeugerabfüllung«. Als **trockener W.** darf nach einer EWG-VO vom 4. 6. 1976 nur ein W. bezeichnet werden, der in einem Liter höchstens 4 g unvergorenen Zucker enthält, unabhängig von seinem Säuregehalt, oder höchstens 9 g/l, sofern die Gesamtsäure den Restzucker um nicht mehr als 2 g/l unterschreitet.

Kulturgeschichte: Die Kultivierung der Weinrebe und die Bereitung von W. erfolgte wohl bereits im 5. Jt. v. Chr. in N-Mesopotamien und W-Iran; im späten 4. Jt. wurde in Ägypten und im späten 3. Jt. im ägäischen Raum W. erzeugt und gehandelt. Im 2. und 1. Jt. gelangte die W.- und Rebkultur von den Phönikern vermittelt auch in den westl. Mittelmeerraum, nach N-Afrika, Spanien, im 1. Jt. v. Chr. v. a. mit den Griechen nach Italien und Frankreich, mit den Römern in die von ihnen eroberten Gebiete, nach Burgund und Bordeaux, ins Elsass, an Rhein und Mosel (Ausgrabungen in Piesport). Ab dem 1. Jh. n. Chr. verbreitete sich der W.-Bau vom Bodenseegebiet aus über ganz SW-Dtl. Durch Missionare gelangte die in Europa angebaute Rebe im 16. Jh. nach Mexiko, Argentinien und Peru, Ende des 17. Jh. nach Kalifornien.

📖 JOHNSON, H. *u.* KRÜGER, A.: *Das große Buch vom W. Neuausg. München 1991. – Das Weinlexikon, hg. v.* H. DIPPEL. *Tb.-Ausg. Frankfurt am Main 16.–20. Tsd. 1994.* – BROADBENT, M.: *W. prüfen, kennen, genießen. A. d. Engl. Bern u. a.* ^{6}*1995. – The origins and ancient history of wine, hg. v.* P. E. MCGOVERN *u. a. Neuausg. Luxemburg u. a. 1997.*

Weinbau, der im Wesentlichen zu Erwerbszwecken (Weinherstellung, Tafeltrauben, Rosinen) betriebene Anbau der Kulturrebe (→ Weinrebe). Ein wirtsch. Anbau setzt ein bestimmtes Klima (Weinklima) und gute Nährstoffversorgung der Reben voraus. Die Hauptanbaugebiete der Erde liegen in der subtrop. und in der gemäßigten Zone. Die wärmeren W.-Gebiete (z. B. Spanien, Italien, Griechenland) liefern alkoholreichere Weine, während bukettreiche Weine aus Gebieten mit einem gemäßigten Klima kommen. Derartige **Weinlagen** finden sich u. a. in SW-Dtl. (z. B. Rheingau, Mosel, Kaiserstuhl, Ortenau, Pfalz) und O-Dtl. (Saale-Unstrut-Gebiet um Naumburg/Saale und Freyburg/Unstrut sowie Elbtal um Meißen). Hier wird der Weinstock in sog. **Weinbergen** auf sonnenreichen S- und SW-Hängen kultiviert, die oft terrassenförmig angelegt sind. In Mitteleuropa überwiegt der spalierartige Anbau an Drahtrahmen. Eine neu angelegte Rebanlage erfolgt durch Ableger (Pfropfreben) und bringt erst im vierten Jahr vollen Ertrag. Eine der wichtigsten Arbeiten der Winzer ist der Rebschnitt (Entfernen von Wasserreisern, Totholz und überflüssigen Trieben) als wesentl. Voraussetzung für eine qualitativ und quantitativ befriedigende Traubenernte (Weinlese, Traubenlese, Lese). → deutsche Weine

📖 REDL, H. *u. a.: W. heute. Hb. für Beratung, Schulung u. Praxis. Graz u. a.* ^{3}*1996.*

Weinberg ['waɪnbə:g], Steven, amerikan. Physiker, * New York 3. 5. 1933; Prof. an der Harvard University, erhielt für Beiträge zur Theorie der vereinheitlichten schwachen und elektromagnet. Wechselwirkung zw. Elementarteilchen (→ Weinberg-Salam-Theorie) mit A. Salam und S. L. Glashow 1979 den Nobelpreis für Physik.

Steven Weinberg

Weinberger, 1) ['waɪnbə:gə], Caspar Willard, amerikan. Politiker (Republikan. Partei), * San Francisco (Calif.) 18. 8. 1917; Rechtsanwalt und Publizist, förderte als Verteidigungsmin. (1981–87) unter Präs. Reagan das Forschungsprogramm → SDI.

2) Jaromír, amerikan. Komponist tschech. Herkunft, * Prag 8. 1. 1896, † St. Petersburg (Fla.) 8. 8. 1967; Schüler M. Regers; lebte ab 1939 in den USA; schrieb u. a. die Volksoper »Schwanda, der Dudelsackpfeifer« (1928), auch Orchesterwerke.

Weinberg-Salam-Theorie ['waɪnbə:g-] (Glashow-Weinberg-Salam-Theorie, Quantenflavourdynamik, Abk. QFD), von den Physikern S. L. Glashow, S. Weinberg und A. Salam entwickelte Theorie, die die elektromagnet. und schwache → Wechselwirkung in einer einheitl. Theorie zusammenfasst. Die Wechselwirkung lässt sich in beiden Fällen durch ein Vektorfeld beschreiben, die Kraftwirkungen können auf einen gleichartigen Austauschmechanismus von als Bindeteilchen wirkenden Vektorbosonen (→ intermediäre Bosonen) zurückgeführt werden. Der Unterschied liegt in der Masse der Feldquanten. Bei der elektromagnet. Kraft sind das die masselosen Photonen, bei der schwachen Kraft im Fall der Prozesse ohne Ladungsänderung das intermediäre Z^0-Boson, das eine Masse von etwa 100 Protonenmassen besitzt. Für die vielen schwachen Wechselwirkungsprozesse, bei denen auch Ladung ausgetauscht wird, sind die intermediären W^+- und W^--Bosonen verantwortlich. Unterscheidbar sind schwache und elektromagnet. Wechselwirkung nur bei Energien, die klein gegen die der Masse der intermediären Bosonen entsprechende Energie von etwa 100 GeV sind. Eine Unterstützung der Vorstellungen der W.-S.-T. lieferte die Entdeckung der → neutralen Ströme (1973) bei der schwachen Wechselwirkung. Die endgültige Bestätigung brachte der Nachweis der intermediären Bosonen W^+, W^- und Z^0 1983 bei CERN.

Weinbergschnecke (Größe des Gehäuses 3 - 5 cm)

Weinbergschnecke (Helix pomatia), Landlungenschnecke Mittel- und SO-Europas mit 3–5 cm großem Gehäuse. Die zwittrigen W. begatten sich wechselseitig. – Die als Delikatesse geschätzte W. wird in sog. **Schneckengärten** gezüchtet.

Weinbrand, Qualitätsbranntwein aus Wein; das Weindestillat (mit 52–86 Vol.-% Alkohol) muss mindestens sechs Monate (optimal fünf Jahre) in Eichenholzfässern gelagert werden, wobei es eine goldgelbe bis goldbraune Farbe annimmt. Versch. Destillate können verschnitten werden. Das abgelagerte Weindestillat wird allmählich auf Trink-

Friedrich Weinbrenner: Die 1807–16 erbaute evangelische Stadtkirche am Marktplatz in Karlsruhe mit ihrer mächtigen klassizistischen Fassade wurde nach Zerstörung im Zweiten Weltkrieg in der alten Form wieder aufgebaut

stärke verdünnt und hat dann einen Mindestalkoholgehalt von 38 Vol.-%. Dt. W. muss zu mindestens 90% aus dt. Weinen stammen.

Weinbrenner, Friedrich, Baumeister, *Karlsruhe 29. 11. 1766, †ebd. 1. 3. 1826; war in Karlsruhe tätig, das er einheitlich gestaltete (Markgräfl. Palais, 1803–13; evang. Stadtkirche, 1807–16; kath. Stadtkirche, 1808–14; Rathaus, 1821–25; Münze, 1826/27). Durch Eindrücke aus der Antike (Paestum), dem Stil A. Palladios und der frz. Revolutionsarchitektur bestimmt, gelangte er zu einem klassizist. Stil **(W.-Stil).** Als Baudirektor (ab 1800) war er wesentlich verantwortlich für das Stadtbild; die N-S-Achse vom Schloss über den Marktplatz zum Ettlinger Tor ist eines der schönsten Beispiele geschlossener nachbarocker Stadtplanung.

Weiner ['waɪnə], Lawrence, amerikan. Künstler, *New York 10. 2. 1940. Nach seriellen Bildern verringerte er den Objektcharakter seiner Kunst und wurde zu einem der konsequentesten Vertreter der Conceptart.

Weingarten: Das Deckengemälde im Mittelschiff der 1715–24 erbauten Klosterkirche wurde 1718–20 von Cosmas Damian Asam geschaffen

Weinert, Erich, Schriftsteller, *Magdeburg 4. 8. 1890, †Berlin (Ost) 20. 4. 1953; wurde 1928 Vorstandsmitglied des »Bundes proletarisch-revolutionärer Schriftsteller«, emigrierte 1933, nahm 1937–39 am Span. Bürgerkrieg teil, 1943–45 in der UdSSR Präs. des Nationalkomitees Freies Dtl.; schrieb agitator. Lyrik, Prosa.

Weingarten, Große Kreisstadt im Landkreis Ravensburg, Bad.-Württ., in Oberschwaben, 23 400 Ew.; PH, FH, Akademie der Diözese Rottenburg; bed. Klosterbibliothek, Alamannenmuseum; Maschinenbau, Textilind., Metallverarbeitung. Bed. Reiterprozession (Blutritt) am Tag nach Christi Himmelfahrt (1529 erstmals belegt). – Die Klosterkirche mit Doppelturmfassade und Vierungskuppel (1715–24, nach Plänen von K. Moosbrugger, F. Beer u. a.) ist einer der größten Barockbauten Süd-Dtl.s; die Ausstattung zählt zu den Hauptwerken des süddt. Barock: u. a. Deckengemälde von C. D. Asam, Stuckaturen von F. Schmuzer, Chorgestühl von J. A. Feuchtmayer. – Urspr. alemann. Siedlung **(Altdorf),** dann fränk. Königshof; vor 950 Gründung eines Frauenklosters (Benediktinerabtei; seit 1053 W. gen.; Grablege der Welfen; 1268–1802 reichsunmittelbar), kam mit Altdorf (seit 13./14. Jh. Reichsdorf; 1647–1805 Sitz der Landvogtei Oberschwaben) 1806 an Württemberg; seit 1865 als W. Stadt (Zusammenschluss von Altdorf und des 1806–1922 säkularisierten Klosters). – Der **Vertrag von W.** zw. Georg Truchseß von Waldburg und den Bauern (17. 4. 1525) beendete den Bauernkrieg in Oberschwaben.

Weingartner, Felix von, österr. Komponist und Dirigent, *Zara (heute Zadar) 2. 6. 1863, †Winterthur 7. 5. 1942; u. a. Direktor des Basler Konservatoriums (1927–33). Als Komponist folgte er der neuromant. Richtung; u. a. Opern, Orchester- und Kammermusik, Chorwerke.

Weingartner Liederhandschrift (fachwiss. Kurzbezeichnung Sigle B), mit meist ganzseitigen Miniaturen geschmückte Handschrift, entstanden zw. 1310 und 1320 im westl. Bodenseegebiet, wohl in Konstanz. Die Bez. geht auf den frühesten Aufbewahrungsort, das Kloster Weingarten, zurück (heute in der Landesbibliothek Stuttgart). Sie ist neben der Manessischen Handschrift und der Jenaer Liederhandschrift die wichtigste Sammlung dt. Minnesangs; enthält 31 Dichtungen mit Verfassernamen, daneben Spruch- und Lehrdichtung.

Weingeist, ältere Bez. für →Äthanol.

Weinheber, Josef, österr. Schriftsteller, *Wien 9. 3. 1892, †(Selbstmord?) Kirchstetten (Bez. Sankt Pölten) 8. 4. 1945; schrieb autobiographisch bestimmte Romane, dann Lyrik (»Adel und Untergang«, 1934; »Späte Krone«, 1936). Seine Sprach-

1 2 3 4 5 6

Weinrebe: verschiedene Rebsorten; 1 Traminer, 2 Portugieser, 3 Spätburgunder, 4 Silvaner, 5 Riesling, 6 Müller-Thurgau

kunst reicht von der Hymne und Ode über das liedhafte Gedicht bis zu volksnahen Sprüchen und Kalenderstrophen (»O Mensch, gib acht«, 1937). Seine Arbeiten standen zeitweise dem nat.-soz. Gedankengut nahe.

Weinheim, Große Kreisstadt im Rhein-Neckar-Kreis, Bad.-Württ., an der Bergstraße, 42 800 Ew.; Bundesfachschule für das Bäckerhandwerk, botan. Garten; Herstellung von Leder-, Gummi-, Kunststoff-, chemisch-pharmazeut. Erzeugnissen, Teigwaren; Verlage; Obst-, Weinbau. – Maler. Alt- und Neustadt mit Resten der Stadtbefestigung mit drei Türmen (13./14. Jh.), Ulnersche Kapelle (heute Spitalkirche, 1470; 1721 erneuert), Altes Rathaus (1557–66, urspr. Kaufhaus), Neues Rathaus (ehem. Schloss, 16.–19. Jh.) mit Park und Exotenwald; oberhalb von W. Ruine Windeck (1107) und die Wachenburg (1907–13). – W. wurde 755 erstmals erwähnt.

Weinhold, Adolf Ferdinand, dt. Physiker, * Zwenkau (bei Leipzig) 19. 5. 1841, † Chemnitz 2. 7. 1917; erfand die Vakuum-Mantelflasche, ein hochevakuiertes mehrwandiges Glasgefäß (heute noch in Thermosgefäßen).

Weinpalme (Borassus), Gattung der Palmen im trop. Afrika und Asien; bis 30 m hohe Fächerpalmen, darunter die Palmwein liefernde **Palmyrapalme** (Borassus flabellifer) in Südasien.

Weinrebe (Rebe, Vitis), Gattung der W.-Gewächse mit rd. 60 Arten in der nördl. gemäßigten Zone, v. a. in Nordamerika und O-Asien; meist sommergrüne, mit Ranken kletternde Sträucher; Blüten fünfzählig, in Rispen stehend; die Früchte sind saftige Beeren. Die wirtsch. bedeutendste, sehr formenreiche Art ist die **Echte W. (Weinstock, Rebstock,** Vitis vinifera), aus deren beiden wild vorkommenden Unterarten die zahlr. Sorten der **Kulturrebe (Edelrebe,** Vitis vinifera ssp. vinifera), z. B. durch Einkreuzung von in Nordamerika heim. W.-Arten (→ Amerikanerreben), entstanden sind. Die Sprosse der Kulturrebe sind ein aus Lotten (Langtrieben) und Geiztrieben (Kurztrieben) bestehendes Sympodium (Scheinachse). Die Blätter sind rundlich herzförmig und 3- bis 5-lappig. Die zwittrigen Blüten haben gelblich grüne Kronblätter. Die Kulturrebe wird vegetativ durch Ableger vermehrt. – Die Früchte **(Weinbeeren)** sind je nach Sorte blau, rot, grün oder gelb in Fruchtständen **(Weintrauben)** angeordnet. Die Verwendung der Beeren erfolgt frisch als Tafeltrauben, getrocknet als Rosinen sowie v. a. gepresst (gekeltert) als Traubensaft, der zu → Wein vergoren wird.

Rebsorten: Von den mehr als 8 000 Rebsorten der Europ. Edelrebe gelten heute etwa 800 als zur Weinbereitung geeignet. In Dtl. sind 52 Sorten als Keltertrauben, 27 alte (freie) Standardsorten und 24 Neuzüchtungen (Kreuzungen), 41 helle und 10 blaue Traubensorten klassifiziert. Man unterscheidet unter den Weißweinen Riesling, Silvaner, Müller-Thurgau, Traminer, Muskateller, Gutedel, Ruländer, Weißen Burgunder u. a., unter den Rotweinen v. a. Spätburgunder, Schwarzriesling, Portugieser und Trollinger.

Weinrebe

Welches ist die älteste Rebsorte, die heute noch angebaut wird?

Der Gutedel, der in der Schweiz unter anderem als Fendant firmiert, in anderen Ländern als Chasselas. Sicher weiß man, dass der Gutedel schon vor 5 000 Jahren in Oberägypten angebaut wurde, und zwar in der Oase El-Faijum. Dort wachsen noch heute bestimmte Verwandte der Sorte, wenn sie auch nur noch als Tafeltrauben Verwendung finden.

Das deutsche Kernland des Gutedel ist das badische Markgräflerland, wo er 1780 eingeführt wurde und noch heute auf ca. 1300 Hektar angebaut wird.

Weinsäure (2,3-Dihydroxybernsteinsäure), kristalline zweiwertige organ. Säure. Das Molekül der W. enthält zwei asymmetr. Kohlenstoffatome, es existieren deshalb drei stereoisomere Formen, von denen zwei, die **L(+)-W.** und die **D(–)-W.,**

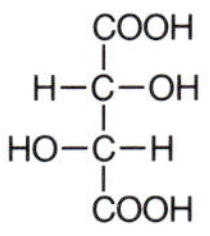

L(+)-Weinsäure

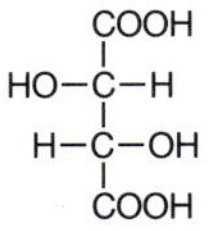

D(–)-Weinsäure

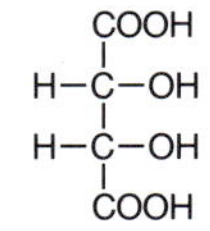

Mesoweinsäure

Weinsäure

optisch aktiv sind (→Stereochemie, →optische Aktivität). Die **Meso-W.** ist eine optisch inaktive Form. Die Salze und Ester der W. heißen **Tartrate**. – Die L(+)-W. kommt frei oder in Form ihrer Salze in vielen Früchten (z.B. Weintrauben) vor. Sie findet in der Lebensmittelverarbeitung (als Säuerungsmittel) und Textilind. (als Säure und als Reduktionsmittel) Verwendung. **Kaliumhydrogentartrat (Weinstein)** kristallisiert bei der Gärung aus Wein aus. **Kaliumnatriumtartrat (Seignettesalz, Rochellesalz)** ist Bestandteil der Fehling-Lösung. **Kaliumantimon(III)-oxidtartrat** ist als **Brechweinstein** bekannt. Die D(–)-W. kommt in der Natur sehr selten vor. Das Racemat der beiden optisch aktiven W., die **Traubensäure,** wird durch Oxidation von Maleinsäureanhydrid mit Wasserstoffperoxid hergestellt.

Weinsberg, Stadt im Landkr. Heilbronn, Bad.-Württ., 11 300 Ew.; Staatl. Lehr- und Versuchsanstalt für Wein- und Obstbau; Maschinen- und Werkzeugbau. – Reste eines Römerbads des 2. Jh. (1906 entdeckt), Stadtkirche (13./14. und 16. Jh.), Ruine der Burg **Weibertreu;** dieser Name nimmt Bezug auf eine Überlieferung: Nach dem Sieg König Konrads III. gegen Welf VI. in der **Schlacht bei W.** 1140 ergab sich die belagerte Burg. Als der König den Frauen freien Abzug gewährte und ihnen erlaubte, mitzunehmen, was sie tragen könnten, trugen sie ihre Männer auf dem Rücken aus der Burg. – 1147 erstmals erwähnt, um 1200 Stadt.

Peter Weir

Weinschwärmer, Bez. für drei Arten olivbraun, ockergelb und rosa gezeichneter Schwärmerschmetterlinge **(Großer, Mittlerer** und **Kleiner W.),** mit bis zu 7 cm Flügelspannweite, deren Raupen u.a. an der Weinrebe leben.

Weinsiegel (Deutsches W.), ein durch die Dt. Landwirtschaftsgesellschaft (DLG) geschaffenes Gütezeichen für Flaschenweine, das durch die Weinberatungs- und Überwachungsstelle der DLG vergeben wird; rot bedeutet milder, grün halbtrockener, gelb trockener Wein.

Günther Weisenborn

Weinstadt, Große Kreisstadt im Rems-Murr-Kreis, Bad.-Württ., im unteren Remstal, 24 900 Ew.; Silcher-Museum; elektron. und feinmechan. Ind.; Weinbauzentrum. 1975 durch Zusammenschluss mehrerer Weinbaugemeinden entstanden. – Im Stadtteil Beutelsbach Pfarrkirche (bis 1311 Grablege der Grafen von Württemberg).

Weinstein, Salz der →Weinsäure.

Weinstock, Heinrich, Pädagoge und Philosoph, *Elten (heute zu Emmerich) 30. 1. 1889, †Bad Homburg v.d. Höhe 8. 3. 1960; zielte pädagogisch auf einen realen Humanismus (»Realer Humanismus«, 1955).

Grethe Weiser

Weinstraßen, tourist. Bez. für Straßen, die durch sehenswerte Teile von Weinbaugebieten führen; älteste W. ist die Dt. Weinstraße in der Pfalz, die von Schweigen an der Grenze zum Elsass entlang der Haardt bis nach Bockenheim führt.

Weinviertel, tertiäres Hügelland im NO Niederösterreichs, zw. dem Manhartsberg im W und dem March im O, Teil des Karpatenvorlandes; fruchtbares lössbedecktes Agrargebiet mit dem größten Weinbaugebiet (vorwiegend Weißwein) Österreichs; Erdöl- und Erdgasgewinnung bei Wildendürnbach, Zisterdorf und Matzen.

Weir [wiːə], Peter, austral. Filmregisseur, *Sydney 21. 8. 1944; verhalf mit dem Film »Picknick am Valentinstag« (1976) dem austral. Film zum ersten weltweiten Erfolg; weitere Filme: »Der Club der toten Dichter« (1988), »Green Card« (1990), »Jenseits der Angst« (1993).

Weise, Christian, Pädagoge und Dichter, *Zittau 30. 4. 1642, †ebd. 21. 10. 1708; schrieb Lehrbücher, die einer Reform der alten Lateinschule dienen sollten, über 50 Dramen für das Schultheater und Romane (»Die drey ärgsten Ertz-Narren in der gantzen Welt«, 1672) mit aufklärer., bürgerlich-didakt. Tendenz.

Weise aus dem Morgenland, →Drei Könige.

Weisel, die Bienenkönigin (→Biene).

Weisenborn, Günther, Pseud. W. Bohr, Christian Munk, Schriftsteller, *Velbert 10. 7. 1902, †Berlin (West) 26. 3. 1969; schrieb, nachdem seine Werke 1933 von der nat.-soz. Diktatur verboten und verbrannt worden waren, unter Pseudonymen. Er emigrierte 1936 in die USA, kehrte 1937 zurück und schloss sich der Widerstandsbewegung »Rote Kapelle« an; deswegen 1942–45 im Zuchthaus (»Memorial«, 1948). W. schrieb Romane (»Das Mädchen von Fanö«, 1935; »Der Verfolger«, 1961) und Dramen (u.a. »U-Boot S 4«, 1928; »Die Neuberin«, 1934, mit Eberhard Keindorff, Pseudonym E. Foerster, Neufassung 1950; »Die Illegalen«, 1946). »Der lautlose Aufstand« (1953) behandelt den dt. Widerstand gegen den Nationalsozialismus.

Weinschwärmer: Mittlerer Weinschwärmer (Spannweite bis 7 cm)

Weiser, Grethe, Schauspielerin und Kabarettistin, *Hannover 27. 2. 1903, †(Autounfall) bei Bad Tölz 2. 10. 1970; volkstüml. Darstellerin auf der Bühne und in mehr als 100 Filmen.

Albert Weisgerber: »Absalom« (1912; Saarbrücken, Saarland-Museum)

Weisgerber, 1) Albert, Maler, *St. Ingbert 21. 4. 1878, ⚔ bei Ypern 10. 5. 1915; studierte u.a. bei F. von Stuck in München, wo er Mitarbeiter der Zeitschrift »Jugend« und 1913 Mitbegründer der »Neuen Sezession« war; entwickelte sich zu einem bed. Vertreter des Frühexpressionismus.

2) Leo, Sprachwissenschaftler, *Metz 25. 2. 1899, †Bonn 8. 8. 1985; forderte eine inhaltsbezogene grammatische Lehre (Begründer der Schule der »Sprachinhaltsforschung«) und die Untersuchung von Leistung und Wirkung der Sprache in der Sprachgemeinschaft; schrieb u.a. »Von den Kräften der dt. Sprache«, 4 Bde. (1949/50).

Weisheit, im Unterschied zur Klugheit menschl. Grundhaltung, die auf einer allg. Lebenserfahrung und einem umfassenden Verstehen und Wissen um Ursprung, Sinn und Ziel der Welt und des Lebens sowie um die letzten Dinge gegründet ist; altes W.-Symbol ist die Schlange.

Weisheit Salomos (Buch der Weisheit, Abk. Weish.), apokryphes Buch des A.T.; von der jüd. Tradition König Salomo zugeschrieben; beschreibt die Weisheit als Geschenk Gottes und Richtschnur für ein vor ihm »gerechtes« Leben; in grch. Sprache verfasst, wohl im 1. Jh. v. Chr. in Ägypten entstanden.

Weisheitszahn, →Zähne.

Weismann, 1) August, Zoologe, *Frankfurt am Main 17. 1. 1834, †Freiburg im Breisgau 5. 11. 1914, Vater von 2); lehnte den Lamarckismus ab und wies nach, dass »erworbene Eigenschaften« nicht vererbt werden.

Werke: Studien zur Deszendenztheorie, 2 Bde. (1875/76); Das Keimplasma. Eine Theorie der Vererbung (1892).

2) Julius, Komponist, *Freiburg im Breisgau 26. 12. 1879, †Singen (Hohentwiel) 22. 12. 1950, Sohn von 1); schuf Opern (»Leonce und Lena«, 1925), Orchester-, Kammer- und Klaviermusik sowie Chorwerke und Lieder in spätromant. Stil.

Weismantel, Leo, Schriftsteller und Pädagoge, *Obersinn (Kr. Main-Spessart) 10. 6. 1888, †Rodalben (bei Pirmasens) 16. 9. 1964; gründete 1928 die (1935 aufgelöste) »Schule der Volkschaft« zur Erforschung der organ. Entwicklung der seelisch-geistigen Kräfte von Kindern und Jugendlichen; mehrfach in Gestapohaft. Er verfasste neben Romanen sowie Mysterien- und Festspielen auch kulturpolit. und pädagog. Arbeiten.

Leo Weisgerber

Weiß, Bez. für diejenigen neutralen (unbunten) Körperfarben, die nach dem DIN-Farbsystem (→Farbe) mit einer Dunkelstufe $D \leqq 1$ und einer Sättigungsstufe $S \leqq 2$ die hellsten von allen Farben sind und das im Ggs. zu Schwarz stehende andere Ende der Grauskala bilden; auch jede vom Gesichtssinn vermittelte Farbempfindung, die durch weißes Licht hervorgerufen wird. – In der Farbensymbolik ist W. die Farbe des Lichts und der Reinheit; bei vielen Völkern die Farbe des kult. Kleides und Symbol der Unschuld und Keuschheit; auch Trauerfarbe (z.B. in China).

August Weismann

Weiß, 1) Emil Rudolf, Buchkünstler, *Lahr/Schwarzwald 12. 10. 1875, †Meersburg 9. 11. 1942; 1907–33 Prof. in Berlin; gab mit seinen vom Jugendstil geprägten Arbeiten der dt. Buchkunst entscheidende Impulse. W. entwarf Buchtitel, Bucheinbände und Druckschriften.

2) Ernst, österr. Schriftsteller, *Brünn 28. 8. 1884, †(Selbstmord) Paris 15. 6. 1940; Arzt, lebte ab 1923 als freier Schriftsteller in Berlin; 1933 Emigration nach Prag, befreundet mit F. Kafka; er ging 1934 nach Paris, wo er nach dem Einmarsch dt. Truppen Selbstmord beging. Expressionist. Erzähler (»Die Galeere«, 1913; »Mensch gegen Mensch«, 1919;

Weisheit

»Der Weisheit letzter Schluss«

Am Ende seines Lebens hat der erblindete Faust (Goethe, »Faust II« 5. Akt) die Vision eines paradiesischen Landes, das dem Meer abgerungen wurde, wenngleich es immer gegen die andringende Flut verteidigt werden muss. In diesem Bewusstsein resümiert er:

»Das ist der Weisheit letzter Schluß:
Nur der verdient sich Freiheit wie das Leben,
Der täglich sie erobern muß.«

Heute verwendet man das Zitat meist in ganz unphilosophischem Sinn und meint damit eine »ideale Lösung«; weil diese jedoch keineswegs immer leicht zu finden ist, gebrauchen wir die Wendung häufig verneint und mit leicht ironischem Unterton.

Peter Weiss

Christian Felix Weiße
(Ausschnitt eines zeitgenössischen Kupferstichs)

Alexis Weissenberg

Theodor Weißenborn

»Georg Letham, Arzt und Mörder«, 1931; »Der Augenzeuge«, hg. 1963) und Dramatiker (»Tanja«, 1919; »Olympia«, 1923).

3) Konrad, Schriftsteller, *Rauenbretzingen (heute zu Michelbach an der Bilz, Kr. Schwäb. Hall) 1. 5. 1880, †München 4. 1. 1940; 1905–20 Redakteur der Zeitschrift »Hochland«, schrieb Gedichte, Dramen, Essays. Sein Werk ist gekennzeichnet durch heilsgeschichtl. und geschichtsphilosoph. Themen aus kath. Sicht.

4) Konrad, Regisseur und Publizist, *Lauban (heute Lubań) 17. 2. 1942; 1969–89 im DEFA-Studio für Dokumentarfilme; 1988–90 Leitungsmitgl. der Aktion »Sühnezeichen« in der DDR; Sept. 1989 Mitbegründer und 1989/90 Mitgl. des Sprecherrates der Bürgerbewegung »Demokratie Jetzt«; März–Okt. 1990 Abg. der Volkskammer, 1990–94 MdB (Bündnis 90/Grüne).

Weiss, Peter, Pseudonym Sinclair, Schriftsteller, Maler, Filmregisseur, *Nowawes (heute zu Potsdam) 8. 11. 1916, †Stockholm 10. 5. 1982; lebte nach seiner Flucht ab 1939 in Stockholm (ab 1946 schwed. Staatsbürger); war zunächst Grafiker. W. begann mit dem experimentellen Roman »Der Schatten des Körpers des Kutschers« (1960), schrieb die autobiograph. Romane »Abschied von den Eltern« (1961) und »Fluchtpunkt« (1962); internat. Erfolg erzielte er mit »Die Verfolgung und Ermordung Jean Paul Marats, ...« (Dr., 1964; revidierte Fassung 1965). Polit. Engagement führte W. nach Auseinandersetzung mit dem Nationalsozialismus (»Die Ermittlung. Oratorium in 11 Gesängen«, 1965) zu einer zeitweiligen Hinwendung zum Marxismus. Aufsehen erregte sein künstlerisch-polit. Resümee »Die Ästhetik des Widerstands« (3 Bde., R., 1975–81); außerdem »Trotzki im Exil« (Dr., 1970), »Hölderlin« (Dr., 1971), »Der neue Prozess« (Dr., 1981), 1982 Georg-Büchner-Preis. – Als Maler, Zeichner und Collagekünstler entwickelte W. einen mag. Realismus mit visionären Zügen.

📖 Vogt, J.: *P. W. Reinbek 11.–13. Tsd. 1993.*

Weiß|afrika, die überwiegend von Weißen (Berber, Araber u. a.) bewohnten Gebiete in Nordafrika, im Unterschied zu dem südlich der Sahara beginnenden →Schwarzafrika.

Weissagung, Prophezeiung, Verkündung zukünftiger Ereignisse durch Personen mit »seherischen« Fähigkeiten, z. B. →Nostradamus; in der Religionsgeschichte werden W. v. a. von Propheten berichtet. (→Mantik)

Weißährigkeit (Flissigkeit), das Auftreten mangelhaft ausgebildeter, weißer, tauber Ährchen, bes. bei Getreide (Hafer).

Weiss-Bezirke [nach dem frz. Physiker P. Weiss, *1865, †1940], kleinste (10^{-4} bis 10^{-6} mm^3) magnetisch abgesättigte Bereiche innerhalb der Kristallite von ferromagnet. Stoffen (→Ferromagnetismus). Die magnet. Dipole sind innerhalb der W.-B. gleichgerichtet und in einem nicht magnetisierten Kristallit so verteilt, dass nach außen Magnetismus nicht in Erscheinung tritt. Die Grenze zwischen W.-B. wird von einer **Bloch-Wand** oder einer **Néel-Wand** gebildet.

Weißbier (Weizenbier), ein aus Weizen- und Gerstenmalz gebrautes obergäriges (helles) →Bier.

Weißblech, beidseitig zum Korrosionsschutz verzinntes Stahlblech, für Dosen, Behälter u. a.

Weißblei|erz (Cerussit), farbloses bis weißgraues rhomb. Mineral der chem. Zusammensetzung $PbCO_3$, sehr spröde; wichtiges Bleierz der Oxidationszone.

Weißblütigkeit, *Medizin:* die →Leukämie.

Weißbuche, Art der Gattung →Hainbuche.

Weißbücher, →Farbbücher.

Weißdorn (Hagedorn, Crataegus), Gattung der Rosengewächse in der nördl. gemäßigten Zone. In Dtl. u. a. der **Eingriffelige W.** (Crataegus monogyna), ein Strauch oder kleiner Baum mit bedornten Zweigen, drei- bis siebenlappigen Blättern und rein weißen, in Doldenrispen stehenden Blüten, sowie der **Zweigriffelige W.** (**Mehldorn, Gemeiner W.,** Crataegus oxyacantha) mit drei- bis fünflappigen Blättern und weißen oder rosafarbenen, unangenehm riechenden Blüten, die wie Blätter und Früchte **(Mehlbeeren)** medizinisch als Herz- und Kreislaufmittel verwendet werden. Als Zierbaum häufig angepflanzt der **Rotdorn,** eine Zuchtform des Eingriffeligen W. mit gefüllten roten Blüten.

Weiße, Christian Felix, Dichter, *Annaberg-Buchholz 28. 1. 1726, †Stötteritz (heute zu Leipzig) 16. 12. 1804; begann als Anakreontiker, schrieb erfolgreiche Lustspiele und Tragödien sowie Singspiele (»Der Teufel ist los«, 1752). Große Verdienste erwarb er sich als Kinderschriftsteller (»Der Kinderfreund«, 24 Bde., 1775–84).

weiße Blutkörperchen, →Blut.

weiße Fliegen, die →Mottenläuse.

Weiße Hunnen, →Hephthaliten.

Weissenberg, Alexis, frz. Pianist bulgar. Herkunft, *Sofia 26. 7. 1929; trat v. a. als Interpret klass. und romant. Klavierwerke hervor; schrieb das Musical »Nostalgie« (aufgeführt 1992).

Weißenborn, Theodor, Schriftsteller, *Düsseldorf 22. 7. 1933; schreibt psychiatrie- und gesellschaftskrit. Werke verschiedener Gattungen; Romane, u. a.: »Außer Rufweite« (1964), »Hieronymus im Gehäus« (1992), »Die Wohltaten des Regens« (1994); bevorzugt Rollenprosa (Monologe und Hörspiele), u. a. »Der Papi« (1968), »Ein Zeugnis humanist. Reife«, »Opfer einer Verschwörung« (1988), »Krankheit als Protest« (1997).

Weißenburg, 1) Weißenburg i. Bay., Krst. des Landkreises W.-Gunzenhausen, am Rand der südl. Fränk. Alb, 17900 Ew.; Große Krst.; Römermuseum; Maschinenbau, Drahtherstellung, Aluminium-, Textil-, Nahrungsmittelind., Brauereien, Posamentenherstellung. – Stadtmauer (Spitaltor, 14. und 18. Jh.; Ellinger Tor, 14.–16. Jh.), spätgot. Rathaus (1470–76), got. Andreaskirche (14./15. Jh., 1891/92 restauriert), Karmeliterkirche (14. Jh., spätere Veränderungen), Barockbauten am Markt; über W. die Festung **Wülzburg** (1588 ff., Wiederherstellung nach Brand ab 1659; ehem. Benediktinerkloster). – Im 1./3. Jh. röm. Kastell **Biricianis;** 867 als fränk. Königshof, 1241 als Stadt bezeugt; 1338–1802/06 Reichsstadt; kam 1806 an Bayern.

2) (frz. Wissembourg) Stadt im Unterelsass, Frankreich, im Dép. Bas-Rhin, an der Lauter, an der dt.-frz. Grenze, 7500 Ew.; Maschinenbau; Fremdenverkehr. – Gut erhaltenes Stadtbild des 16. und 17. Jh. mit got. Kirche (13./14. Jh.), Salzhaus (15./16. Jh.). – 631/632 gegr. Benediktinerkloster (973 Reichsabtei; 1524 weltl. Stift); 1187 als Siedlung erwähnt, ab 1306 Reichsstadt; im Frieden von Rijswijk 1697 Frankreich zugesprochen.

Weißenburg-Gunzenhausen, Landkreis im RegBez. Mittelfranken, Bayern, 971 km^2, (1996) 94500 Ew.; Krst. ist Weißenburg i. Bay.

Weißenfels, 1) Landkreis im RegBez. Halle, in Sa.-Anh., 371 km^2, (1996) 81300 Einwohner.

2) Kreisstadt von 1) in Sa.-Anh., an der Saale, 34200 Ew.; Europa-Akademie; Schuhmuseum; bis 1991 bed. Schuhind. (jetzt weitgehend eingestellt), Metallverarbeitung, Großmolkerei. – Frühgotische Hallenkirche St. Marien (15. Jh., nach Bränden im 15. Jh. spätgotisch umgebaut), Schloss Neu-Augustusburg (1660–93), Rathaus (1718–22). – Um 1185 gründeten die Wettiner bei der Burg »auf dem weißen Fels« eine städt. Siedlung; 1656–1746 Residenz des kursächs. (albertin.) Sekundogeniturfürstentums Sachsen-W. (1663–1744 mit dem reichsunmittelbaren Fürstentum Sachsen-Querfurt); kam 1746 an Kursachsen, 1815 an Preußen.

Weißenhofsiedlung, Wohnkomplex in Stuttgart, 1927 vom Dt. Werkbund und der Stadt Stuttgart für die Ausstellung »Die Wohnung« erbaut; L. Mies van der Rohe hatte Bauplanung und Leitung. Die kleinen, funktionalen Musterhäuser wurden u.a. von W. Gropius, B. und M. Taut, H. Poelzig, P. Behrens, H. Scharoun, Le Corbusier, J. J. Oud, M. Stam entworfen und waren wegweisend für die moderne Architektur.

Weißenhorn, Stadt im Landkreis Neu-Ulm, Bayern, im Rothtal, 12300 Ew.; Museen; Metall-, Holz-, Nahrungsmittelindustrie. – Spätgot. Stadttore, Schloss (1513/14). – 1160 erstmals erwähnt, erhielt W. Ende des 13. Jh. Stadtrecht.

Weißensee, 1) [-'ze:] Bezirk von → Berlin.

2) See in Kärnten, in den Gailtaler Alpen, mit 930 m ü. M. höchstgelegener Badesee Österreichs, 6,4 km^2, 11,5 km lang, bis 600 m breit, bis 97 m tief; im Sommer vielbesuchtes Fremdenverkehrsgebiet. Hauptort ist Techendorf (am N-Ufer).

Weißenstein, Berg im Schweizer Jura oberhalb von Solothurn, 1284 m ü. M. (Seilbahn ab Oberdorf); Aussichtsberg; unterfahren vom W.-Tunnel (3,7 km) der Bahnstrecke Basel–Solothurn.

Weißenthurm, Stadt im Landkreis Mayen-Koblenz, Rheinl.-Pf., am linken Ufer des Mittelrheins, 7400 Ew.; Heimatmuseum im Weißen Turm (1375–1418); Bimsabbau, Bimsbaustoffwerke, Betonind., Blechwarenwerk, Großbrauereien; Rheinbrücke zw. W. und Neuwied.

Weisser, Gerhard, Sozial- und Wirtschaftswissenschaftler, * Lissa (heute Leszno) 9. 2. 1898, † Bonn 25. 10. 1989; 1950–67 Prof. in Köln, ab 1967 in Göttingen; einer der Väter des Godesberger Programms der SPD.

Weißer Berg (tschech. Bílá Hora), Hochfläche (380 m ü. M.) westlich von Prag. – In der **Schlacht am W. B.** (8. 11. 1620) besiegten Ferdinand II. und die kath. Liga das Heer des böhm. Königs Friedrich V. von der Pfalz (Ende des Böhm. Aufstandes; → Dreißigjähriger Krieg).

Weißeritz *die,* linker Nebenfluss der Elbe, 50 km lang, entsteht aus der **Roten W.** und der **Wilden W.** (Talsperren Malter, 8,8 Mio. m^3, und Lehnmühle, 21,9 Mio. m^3), mündet in Dresden.

Weißeritzkreis, Landkreis im RegBez. Dresden, Sachsen, 732 km^2, (1996) 115800 Ew.; Krst. ist Dippoldiswalde.

Weißer Nil (Bahr el-Abiad), Abschnitt des → Nils vom Sudd bis zum Zusammenfluss mit dem Blauen Nil bei Khartum.

Weiße Rose, aus einem student. Freundeskreis hervorgegangene Widerstandsgruppe in München, die 1942/43 aus religiös-sittlich motivierter Protesthaltung mit Flugblättern und Wandparolen gegen das nat.-soz. Regime auftrat. Die führenden Mitgl. (u.a. S. und H. Scholl; K. Huber, Willi Graf, * 1918; Christoph Probst, * 1919; Alexander Schmorell, * 1916 oder 1917) wurden ab 18. 2. 1943 verhaftet und hingerichtet.

📖 *Hochverrat? Die »W. R.« u. ihr Umfeld, hg. v.* R. LILL. *Konstanz 1993.* – STEFFAHN, H.: *Die W. R. Reinbek 19.–21. Tsd. 1996.*

Weißer Ring, Verein zur Unterstützung der Opfer von Verbrechen (v.a. wenn kein Anspruch aus dem Gesetz über die Entschädigung der Opfer von Gewalttaten besteht), gegr. 1975, Sitz: Mainz.

Weißer Sonntag, der Sonntag nach Ostern (→ Quasimodogeniti), an dem in der Urkirche die in der Osternacht Getauften zum letzten Mal ihre weiße Taufkleidung trugen; seit dem 18. Jh. ein bevorzugter Tag für die Erstkommunion.

Weißdorn: Zweig des Eingriffeligen Weißdorns mit Blättern und Blüten (links) sowie mit Früchten

Weißenburg 1) Stadtwappen

Weißenfels 2) Stadtwappen

Weißes Haus: Der Amts- und Wohnsitz des amerikanischen Präsidenten wurde nach den Vorstellungen George Washingtons 1792 im klassizistischen Stil erbaut, nach Brandbeschädigung 1814 weiß verputzt und 1902/03 sowie 1948 restauriert und erweitert

Weiß Ferdl

Viktor F. Weißkopf

Weißes Haus (engl. White House), amtlicher Name (seit 1902) des Amts- und Wohnsitzes der Präs. der USA in Washington; 1792 in klassizist. Stil erbaut, 1814 weiß verputzt, 1902/03 und 1948/52 restauriert und erweitert.

Weißes Meer, Randmeer des Nordpolarmeeres, südlich und östlich der Halbinsel Kola, 90000 km²; in der Kandalakschabucht bis 350 m tief, Okt./Nov. bis Mai/Juni eisbedeckt. Wichtigster Hafen ist Archangelsk.

weiße Substanz, Gesamtheit der markhaltigen Nervenfasern des Gehirns und Rückenmarks.

Weiße Väter (lat. Patres Albi, Abk. PA, frz. Pères Blancs), 1868 von C. M. A. Lavigerie bei Algier gegr. Missionsgesellschaft von Priestern und Laien; 1908 als »Gesellschaft der Missionare von Afrika« vom Papst bestätigt; weibl. Zweig: **Weiße Schwestern,** 1869 ebenfalls von Lavigerie gegr., 1909 als »Missionsschwestern Unserer Lieben Frau von Afrika« päpstlich bestätigt.

Weiße Zwerge, Sterne mit Oberflächentemperaturen zw. 7000 und 100000 K, geringer Leuchtkraft (absolute Helligkeit 10^m–16^m) und Radien von der Größenordnung des Erdradius. Da ihre Massen, die stets kleiner als 1,4 Sonnenmassen **(Chandrasekhar-Grenzmasse)** sind, nur wenig unter dem Durchschnitt der anderen Sterne liegen, haben sie extrem hohe mittlere Dichten (einige 1000 kg/cm³); ihre zentrale Dichte dürfte 10^6-mal größer sein als die der Sonne. Die W. Z. haben ein Endstadium der →Sternentwicklung erreicht. Aufgrund der extrem hohen Temperaturen (um 10 Mio. K) und Drücke im Sterninneren besteht die Materie fast vollständig aus hochionisierten Atomkernen und freien Elektronen; infolge dieser Materieentartung können W. Z. nicht weiter kontrahieren, da der Gasdruck der freien Elektronen der nach innen gerichteten Gravitationskraft das Gleichgewicht hält. Da die abgestrahlte Energie ausschl. aus gespeicherter Wärmeenergie stammt, führt die Ausstrahlung zur allmähl. Abkühlung (über einen Zeitraum von 1 bis 10 Mrd. Jahren) und zum Verlöschen (→Schwarze Zwerge). Der bekannteste W. Z. ist der Siriusbegleiter (→Sirius).

Weißes Haus

Im Weißen Haus soll der Geist von Abraham Lincoln spuken.

*Im Tagebuch von Eleanor Roosevelt (*1884, †1962), der Frau des Präsidenten Franklin D. Roosevelt, findet sich eine Eintragung, derzufolge eines der Dienstmädchen zu ihr ins Zimmer gestürmt kam und schrie: »Er ist da oben, sitzt auf dem Bettrand und zieht sich die Schuhe aus!« Auf die Frage, wer das tue, antwortete das Mädchen: »Mr. Lincoln!«*
Neben anderen hat angeblich auch die niederländische Königin Wilhelmina den Geist Lincolns während eines Staatsbesuches gesehen.

Weiß Ferdl, eigtl. Ferdinand Weisheitinger, Komiker, *Altötting 28. 6. 1883, †München 19. 6. 1949; trat bes. auf der Münchner Volkskunstbühne »Platzl« mit humorvollen Liedern (»Ein Wagen von der Linie 8«) auf.

Weißfische, kleinere Arten der Karpfenfische, z. B. Döbel, Elritze, Hasel.

Weißfleischigkeit, durch einen genet. Defekt bedingtes blasses, wässriges Fleisch bei Schlachtschweinen (**PSE-Fleisch;** Abk. für engl. **p**ale »blass«, **s**oft »weich«, **e**xudative »wässrig«); auch Symptom der Weißmuskelkrankheit der Lämmer, Kälber und Fohlen aufgrund einer Mangelversorgung mit Selen und Vitamin E.

Weißflog, Jens, Skispringer, *Erlabrunn (Kreis Aue-Schwarzenberg) 21. 7. 1964; war Olympiasieger auf der Normalschanze 1984 (Einzel) und 1994 auf der Großschanze (Einzel und Mannschaft); 1985 und 1989 Weltmeister auf der Normalschanze. 1984, 1985 und 1991 gewann er die Vierschanzentournee.

Weißfluss, *Medizin:* →Ausfluss.

Weißgardisten (Weiße), Angehörige der russ. »weißen Armeen« während des Bürgerkrieges in Sowjetrussland (1918–21); rekrutierten sich v. a. aus zarist. Offizieren, Monarchisten, bürgerl. Kräften, Sozialrevolutionären und Kosaken zum Kampf gegen die Rote Armee (Rotgardisten). Die wichtigsten militär. Führer der W. waren A. I. Denikin, N. N. Judenitsch, A. W. Koltschak und P. N. Wrangel. Nach ihrer endgültigen Niederlage flüchteten die Reste der W. ins Ausland und bildeten z. T. Emigrantenorganisationen.

Weißgold, Gold-Palladium- oder Gold-Nickel-Legierung mit zusätzlich etwas Kupfer oder Zink.

Weißherbst, dt. Roséwein aus einer einzigen Rebsorte (Spätburgunder, Portugieser).

Weißrussland

Fläche: 207 600 km^2
Einwohner: (1995) 10,141 Mio.
Hauptstadt: Minsk
Verwaltungsgliederung: 6 Provinzen
Amtssprache: Weißrussisch
Nationalfeiertag: 27. 7.
Währung: 1 Belarus-Rubel (BYR) = 100 Kopeken
Zeitzone: OEZ

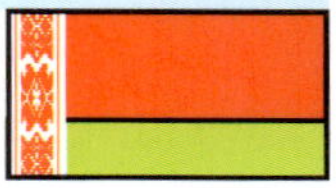

Weißhorn, Name mehrerer Gipfel in den Alpen, z.B. der Hauptgipfel der W.-Kette in den Walliser Alpen, Schweiz, 4505 m ü.M.

Weißkohl (Weißkraut), Kulturvarietät des Gemüsekohls mit Kopfbildung und grünlich weißen Blättern, als Gemüse, Salat und zur Sauerkrautherstellung verwendet.

Weißkopf, 1) Gustav, Flugpionier, *Leutershausen (Kr. Ansbach) 1. 1. 1874, †Fairfield (Conn.) 10. 10. 1927; wanderte 1895 nach den USA aus, wo er sich Gustave Whitehead nannte. Mit einem selbst gebauten motorisierten Eindecker sollen ihm am 14. 8. 1901 zwei Flüge von 800 m Weite geglückt sein.

2) Viktor Friedrich (Frederick), amerikan. Physiker österr. Herkunft, *Wien 19. 9. 1908; Prof. am Massachusetts Institute of Technology in Cambridge, 1961–65 Generaldirektor des Europ. Kernforschungszentrums CERN; bed. Beiträge zur Kern- und Elementarteilchenphysik.

Weißkunig [»der weiße (d.h. weiß gekleidete) König«], historisch-biograph. Dichtung auf Maximilian I. (gedruckt 1775) mit Holzschnitten u.a. von H. Burgkmair, H. Schäufelein.

Weißlinge (Pieridae), weltweit verbreitete Familie der Schmetterlinge; Flügel meist weiß, gelb und/oder orange gefärbt; Raupen meist grün, kurz behaart, an Kreuz- bzw. Schmetterlingsblütlern. Zu den W. gehören u.a. Kohl-W., Resedafalter, Aurorafalter und Zitronenfalter.

Weißmeer-Ostsee-Kanal (1933–61 Stalinkanal), Wasserstraße in Karelien, Russland, zw. Weißem Meer (Belomorsk) und Onegasee (Powenez); über Swir, Ladogasee und Newa Verbindung zur Ostsee; 227 km lang (davon 37 km künstl. Wasserweg); 19 Schleusen; 1930–33 gebaut.

Weissmuller ['waɪsmʌlə], John (Johnny), eigtl. János Weiszmüller, amerikan. Schwimmer und Filmschauspieler dt. Abstammung, *Freidorf (bei Temesvar) 2. 6. 1904, †Acapulco 20. 1. 1984; fünfmaliger Olympiasieger im Freistilschwimmen 1924 und 1928; 67 Weltrekorde. Als Filmschauspieler verkörperte W. den Prototyp des »Tarzan«.

Weißnickelkies, Mineral, →Chloanthit.

Weiß|öl, das Paraffinöl (→Paraffine).

Weißpfennig, alte Scheidemünze, →Albus.

Weißrussen (Belorussen), ostslaw. Volk v.a. in Weißrussland und in den angrenzenden Republiken; rd. 10 Mio. Menschen.

weißrussische Sprache (Belorussisch, Belarussisch), slaw. Sprache, bildet mit dem Russischen und Ukrainischen den ostslaw. Sprachzweig; Amtssprache in Weißrussland. Die Anzahl der weltweit verbreiteten Sprecher beträgt etwa 9,5 Mio. Es gibt vier Mundarten. – Im 16./17. Jh. war die w. S. die Kanzleisprache und Sprache der Oberschicht im litauischen Staat. Die w. S. wird in kyrill. Schrift geschrieben.

Weißrussland (weißruss. Belarus, amtlich Respublika Belarus), Binnenstaat in Osteuropa, grenzt im N und O an Russland, im SO und S an die Ukraine, im W an Polen und Litauen, im NW an Lettland.

Staat und Recht: Nach der Verf. vom 15. 3. 1994 (in Kraft seit 30. 3.) ist W. eine präsidiale Rep. mit Mehrparteiensystem. Staatsoberhaupt ist der mit weitgehenden Vollmachten ausgestattete, auf fünf Jahre direkt gewählte Präsident. Er ernennt und entlässt die Mitgl. des Kabinetts, das von einem MinPräs. geleitet wird. Die Legislative liegt beim im Mehrheitswahlsystem gewählten Zweikammerparlament (Repräsentantenkammer, 110 Abg.; Rat der Rep., 64 Mitgl.). Stärkste Parteien sind die Kommunist. Partei/PKB, die Agrarpartei und die Partei der Nat. Eintracht.

Landesnatur: W. liegt zum größten Teil im Bereich der Osteurop. Ebene. Die Oberflächenformen werden wesentlich durch die pleistozänen Inlandvereisungen geprägt. Die Polozker Niederung im äußersten N ist eine von Sanden und Bändertonen erfüllte, vermoorte und seenreiche glaziale Stauseeausfüllung. Nach S folgen weitere, von Moränenzügen unterbrochene Ebenen, die von der Höhenzone des Weißruss. Landrückens (bis 345 m hoch) begrenzt werden. Im S dehnt sich die

Staatswappen

Internationales Kfz-Kennzeichen

Bevölkerung (in Mio.)
Bruttosozialprodukt je Ew. (in US-$)

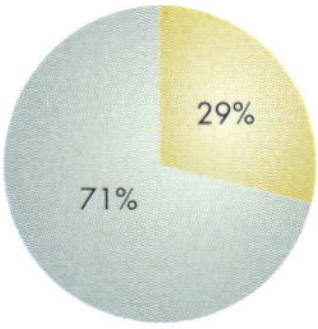

Bevölkerungsverteilung 1995

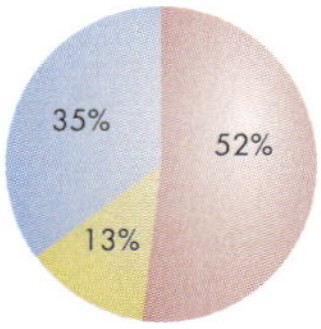

Bruttoinlandsprodukt 1995

Weißrussland: Hügellandschaft in der Nähe der Ortschaft Raubitschi im Gebiet um Minsk

flache Sumpfregion Polesien aus. Das Klima ist im W maritim, im O zunehmend kontinentaler. Rd. 30% der Fläche sind Mischwälder, über 20% Moorflächen.

Bevölkerung: Sie setzt sich (1989) zu rd. 78% aus Weißrussen, 13% Russen, 4% Polen, 3% Ukrainern, 1% Juden u.a. zusammen. W. verfügt über eine Akademie der Wiss., vier Univ. und 32 weitere Hochschulen. – Die Mehrzahl der Gläubigen gehört der russisch-orth. Kirche an.

Wirtschaft, Verkehr: Die Umstrukturierung zur Marktwirtschaft setzte in W. spät ein (Privatisierungs-Ges. im Februar 1993) und wurde mit der neuerl. Nationalisierung des Bankenwesens und der Valutabörse in Minsk z.T. wieder zurückgewonnen, sodass die Weltbank die Hilfen für W. für 1996 strich. Haupterwerbszweige sind Ind. und Landwirtschaft. Angebaut werden v.a. Futterpflanzen, Kartoffeln und Flachs. Führend ist die Viehhaltung, bes. von Rindern (Milcherzeugung) und Schweinen. An Bodenschätzen werden Kalisalze, Steinsalz, Torf und Phosphate, in geringen Mengen Erdöl und Erdgas gefördert. Traditionelle Industriezweige auf einheim. Rohstoffbasis sind Textil- (bes. Leinenherstellung) und Holzind.; wichtig sind ferner Nahrungsmittel- und Lederindustrie. Weitgehend auf Rohstoffimporten basieren Werkzeugmaschinen- und Fahrzeugbau, elektrotechnisch-elektron., feinwerktechn. (Uhren), opt. und chem. Industrie. Ausgeführt werden Erzeugnisse des Maschinen- und Fahrzeugbaus, der Textil- und Holz verarbeitenden Ind., Uhren, Holz, Fleisch und Kartoffeln. Haupthandelspartner sind Russland, die Ukraine u.a. GUS-Staaten, die balt. Staaten und Polen. – W. ist ein wichtiges Transitland im Eisenbahn- (Streckennetz 5523 km) und Straßenverkehr (92200 km Straßen). Das Binnenwasserstraßennetz umfasst 3900 km. Internat. Flughafen in Minsk.

Geschichte: Nach der Besiedlung durch Ostslawen bildeten sich auf dem Gebiet von W. in der 2. Hälfte des 1. Jt. n.Chr. die Stämme der Dregowitschen, Radimitschen und Kriwitschen heraus. Die von ihnen begründeten Fürstentümer (z.B. Polozk) gerieten ab dem 9. Jh. unter die Herrschaft des Kiewer Reiches, dessen Großfürsten das Christentum in W. einführten. Im 11. Jh. entstanden u.a. die Städte Brest, Minsk, Witebsk. Nach dem Zerfall des Kiewer Reiches bestanden auf weißruss. Gebiet die Fürstentümer Polozk-Minsk, Turow-Pinsk, Smolensk u.a. Seit dem 13./14. Jh. gehörten diese zum Großfürstentum Litauen, in dem die weißruss. Sprache längere Zeit Kanzleisprache war. Mit der Union von Lublin (1569) zw. Litauen und Polen wuchs der poln. Einfluss in W., dessen Adel überwiegend die poln. Sprache annahm und zum Katholizismus konvertierte, während die übrige (vorwiegend bäuerl.) Bev. der orth. Kirche verbunden blieb. Mit den Poln. Teilungen (1772, 1793 und 1795) kam W. zum Russ. Reich.

Im 19. Jh. bildeten sich Anfänge einer weißruss. Nationalbewegung heraus; 1898 wurde in Minsk die »Sozialdemokrat. Arbeiterpartei Russlands« gegründet. Im 1. Weltkrieg besetzten dt. Truppen 1915 zunächst westl. Teile, im Febr. 1918 weitere Gebiete W.s einschl. der Hptst. Minsk. Die nach dem Sturz des Zaren 1917 gebildete bürgerl. »Weißruss. Rada« strebte ein selbstständiges W. an; eine im März 1918 von ihr ausgerufene Volksrep. wurde jedoch von der dt. Besatzungsmacht nicht anerkannt. Bis Anfang Jan. 1919 etablierte sich die Sowjetmacht in ganz W. (Ausrufung der Weißruss. SSR am 1. 1. 1919); von Febr. bis Aug.

Weißrussland

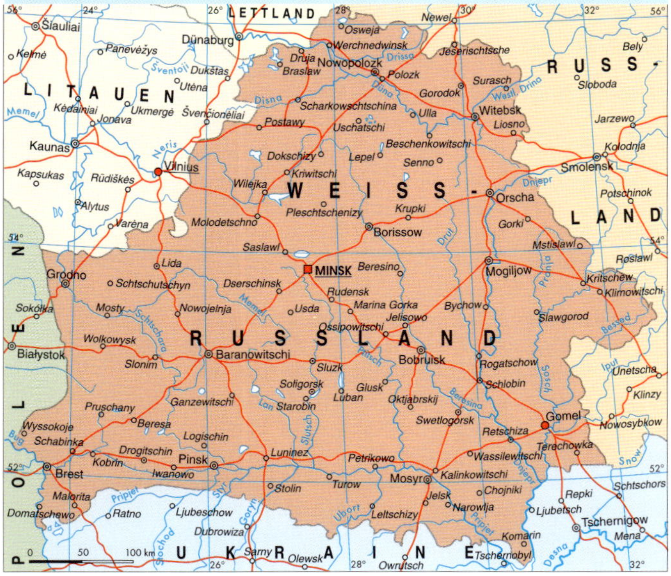

1919 bestand die Litauisch-Weißruss. SSR. Nach dem Polnisch-Sowjet. Krieg musste W. im Frieden von Riga (18. 3. 1921) seine westl. Gebiete an Polen abtreten. Im Dez. 1922 gehörte es zu den Gründungsmitgl. der UdSSR. In den 1930er-Jahren war W. stark von den stalinschen Säuberungen und Repressalien betroffen (Erschießung von rd. 100000 Weißrussen zw. 1939 und 1941). Nach der militär. Niederlage Polens zu Beginn des 2. Weltkriegs gliederte die Sowjetunion aufgrund des Hitler-Stalin-Pakts die 1921 an Polen gefallenen Gebiete wieder der Weißruss. SSR ein (Nov. 1939). 1941–44 von dt. Truppen besetzt, erlitt die Bev. durch den Krieg und den Terror der SS schwere Verluste (rd. 2,7 Mio. Tote, v. a. Juden). Im Gegenzug entwickelte sich eine starke Partisanenbewegung. Der Grenzverlauf zw. Polen und dem weißruss. Territorium entspricht seit der 1945 erfolgten Rückgabe des Gebietes Białystok an Polen der →Curzon-Linie. W. war 1945 Gründungsmitgl. der UN.

Am 27. 7. 1990 erklärte W. seine Souveränität innerhalb der UdSSR, am 26. 8. 1991 seine Unabhängigkeit. Im Sept. 1991 wurde S. Schuschkjewitsch Parlamentspräs. (Staatsoberhaupt) und der Staatsname in »Rep. W.« geändert. Im Dez. 1991 gehörte W. zu den Mitbegründern der →GUS. Das nach dem Moskauer Putschversuch 1991 verhängte Verbot der KP in W. wurde 1993 per Parlamentsbeschluss wieder aufgehoben. In dem 1990 (noch zur Zeit des Bestehens der UdSSR) berufenen Parlament konnte die altkommunist. Nomenklatura ihre Macht weitgehend erhalten und verhinderte tief greifende wirtschaftlich-gesellschaftl. Reformen. Die Reg. unter MinPräs. W. Kebitsch (seit 1990) nahm Kurs auf die Wiederherstellung einer engen wirtschaftlich-militär. Bindung an Russland; 1993 beschloss das Parlament den Beitritt zum Beistandspakt der GUS. Außenpolitisch kam es zu einer Annäherung an Polen, mit dem W. 1992 einen Nachbarschaftsvertrag abschloss (Bestätigung der bestehenden Grenzen und Einigung über die Rechte der poln. bzw. weißruss. Minderheit). W., auf dessen Territorium ein größeres Atomwaffenarsenal der früheren Sowjetunion lagerte, optierte für eine künftige Atomwaffenfreiheit und ratifizierte im Febr. 1993 den Vertrag über die Reduzierung strateg. Kernwaffen (→START). Im Jan. 1994 setzte das Parlament den als Staatsoberhaupt fungierenden, reformorientierten Parlamentspräs. Schuschkjewitsch durch ein Misstrauensvotum ab. Mit Einführung der Verf. wurde im Juli 1994 A. Lukaschenka, ein altkommunist. Verfechter der Orientierung an Russland, zum Staatspräs. gewählt. Im Nov. 1996 setzte Lukaschenka gegen heftigsten Widerstand ein Verf.referendum durch, das die Einführung eines Zweikammerparlaments sowie eine stärkere Stellung des Präs. beinhaltete. Nachdem sich in der Wahl eine Mehrheit für die neue Verf. ergeben hatte, wurde sie nach takt. Winkelzügen am 27. 11. 1996 vom Parlament gebilligt. In der Außenpolitik hielt Lukaschenka an der engen Kooperation mit Russland fest.

Alyaksandr Lukaschenka

📖 *Länderbericht Weißrußland, hg. vom Statistischen Bundesamt. Stuttgart 1994.* – HOLTBRÜGGE, D.: *Weißrußland. München 1996.*

Weißschliff, ein →Holzschliff.

Weißschwielenkrankheit, die →Leukoplakie.

Weißstickerei, älteste Technik der Nadelarbeit, heute ausgeführt als Hand- und Maschinenarbeit zur Verzierung von Damenkleidern und -blusen, Bett- und Tischwäsche: Venezianer Arbeit, Relief-, Hedebo-, Bindloch-, Ajour-, Elfenbein- sowie Kordonnetstickerei.

Weißtöner, *Textilveredlung:* →Aufhellung.

Weißwal, Art der →Gründelwale.

Weißwasser (sorb. Běla Woda), Stadt im Niederschles. Oberlausitzkreis, Sachsen, in der Oberlausitz, 31600 Ew.; bed. Standort der Glasind. mit Ausbildungsstätten; nahebei Braunkohlenabbau und -verstromung. – Jagdschloss (17. Jh., 1860 umgebaut). – W. entstand im 13. Jh. (erste Erwähnung 1452); seit 1935 Stadt, war bis 1994 Kreisstadt.

Weißwurm, eine Art der →Eintagsfliegen.

Weißwurz, →Salomonsiegel.

Weistum [ahd. wīstuom, urspr. »Weisheit«], Rechtsweisung, Aussage rechtskundiger Männer über das geltende Recht, die entsprechend der mittelalterl. Auffassung vom Wesen des Rechts nicht selbstständige Setzung, sondern Findung und Verkündung vorgegebenen Rechts (Gewohnheitsrecht) bedeutete. So beruhten die Stammesrechte auf Weisung ebenso wie viele Reichsgesetze. Zahlr. sind die meist aus dem 15. und 16. Jh. stammenden bäuerl. Weistümer.

Weisung, im Strafrecht, insbesondere im Jugendstrafrecht, ein Gebot (z. B. zur Annahme eines Ausbildungsplatzes) oder Verbot (z. B. Lokalverbot) eines Strafgerichts, das die Lebensführung des Straftäters sichern und ihn von der Begehung neuer Straftaten abhalten soll (§ 56c StGB, § 10 JGG). – Im Verwaltungsrecht ist die vorgesetzte Behörde berechtigt, der nachgeordneten allgemeine W. (sog. Verw.vorschrift) oder Anweisungen für den Einzelfall zu erteilen. Innerdienstl. W. sind i. d. R. keine Verwaltungsakte. Der Umfang des W.-Rechts hängt i. Allg. vom Aufsichtsrecht ab (→Staatsaufsicht). Über W. im Arbeitsrecht →Direktionsrecht.

weiterführende Schulen, Schulen, die eine über die zur Erfüllung der gesetzl. Schulpflicht hinausgehende Ausbildung anbieten (z. B. Real-, Berufsfach-, Fachoberschule und Gymnasium).

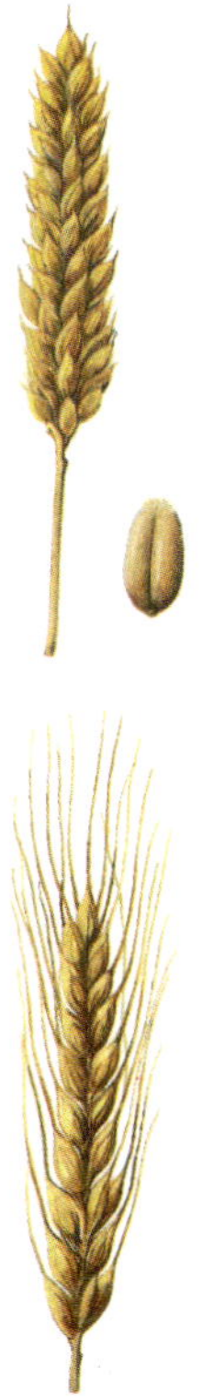

Weizen: unbegrannte Ähre mit Weizenkorn (oben) und begrannte Ähre des Saatweizens

Weiterversicherung, in der Sozialversicherung die freiwillige Versicherung im Anschluss an eine Pflichtversicherung.

Weitling, Wilhelm, Frühsozialist, *Magdeburg 5. 10. 1808, †New York 25. 1. 1871; Schneidergeselle, schloss sich 1836 in Paris dem »Bund der Geächteten« (später »Bund der Gerechten«) an; Anhänger von L. A. Blanqui. Beeinflusst von Saint-Simon, entwickelte W. eine Theorie des Kommunismus.

Weitsichtigkeit, Brechungsfehler des Auges, bei der sich parallele Strahlen erst hinter der Netzhaut vereinigen (Nahsehen erschwert); meist zu kurze Augenachse, auch Alterserscheinung infolge Akkommodationsschwierigkeit; Korrektur erfolgt durch Konvexgläser.

Weitsprung, leichtathlet. Disziplin, bei der eine möglichst große Weite nach Anlauf und Absprung von einem Absprungbalken aus zu erzielen ist. Der Sprung ist ungültig, wenn der Balken übertreten oder überlaufen wurde. Olymp. (seit 1896), Weltmeisterschafts- (seit 1983) und Europameisterschaftsdisziplin (seit 1934).

Weitwinkel|objektiv, →fotografisches Objektiv mit einem Bildwinkel über 50°.

Weiz, Bezirkshauptort in der Steiermark, Österreich, am Steir. Randgebirge, 8500 Ew.; Museum und Galerie im Weberhaus; Elektro-, Holz- u. a. Industrie. – Taborkirche (12.–15. und 17. Jh.), Schloss (1555–65), auf dem Weizberg barocke Wallfahrtskirche.

Weizen (Triticum), Gattung der Süßgräser, aus Kleinasien, Zentralasien und Äthiopien stammend; Ährengräser mit zweizeilig stehenden, begrannten oder unbegrannten Ährchen. Zahlr. Arten sind wichtige Getreidepflanzen, die in die Gruppen **Nackt-W.** (die Früchte lösen sich bei der Reife von den Spelzen ab, z. B. Saat-W.) und **Spelz-W.** (die Körner sind fest von den Spelzen umschlossen, z. B. Emmer) unterteilt werden. – Der Anbau von W. erstreckt sich von den Subtropen bis in ein Gebiet etwa 60° n. Br. und 27–40° s. Br.; Hauptanbaugebiete sind Europa, Nordamerika und Asien. – Wichtige W.-Arten sind: **Dinkel** (**Spelz, Schwabenkorn,** Triticum spelta) mit meist unbegrannter Ähre, v. a. in Europa; **Einkorn** (Triticum monococcum) mit kurzen, dichten, flach gedrückten Ähren; selten angebaut; **Emmer** (**Flach-W., Zweikorn,** Triticum dicoccum) mit abgeflachter, lang begrannter Ähre, auf der Balkanhalbinsel; **Gommer** (Triticum polonicum) mit großen, blaugrünen Ähren und schmalen Körnern, v. a. in Marokko, Äthiopien und Kleinasien; **Hart-W.** (**Glas-W.,** Triticum durum) mit längl., zugespitzten, harten und glasigen Körnern, in allen heißen Steppengebieten; **Rauch-W.** (Triticum turgidum) mit dichten, dicken, langen Ähren, Körner dick und rundlich, selten angebaut; **Saat-W.** (**Gemeiner W., Weicher W.,** Triticum aestivum) mit zäher Ährenspindel und bei Reife aus den Spelzen fallenden, vollrunden bis länglich ovalen Körnern; wirtsch. bedeutendste Art, wird in zahlr. Sorten als Sommer- oder Winter-W. angebaut. Hohe Ansprüche stellt der Saat-W. an das Klima und den Nährstoffgehalt des Bodens. Die Körner enthalten etwa 70 % Stärke und etwa 10–12 % Eiweiß; Verwendung u. a. als Brotgetreide, für Grieß und Teigwaren, zur Bier- und Branntweinherstellung. – Weltweit wurden 1995 541 Mio. t W. geerntet; davon entfielen auf China 102,2 Mio. t, Indien 63,0 Mio. t, USA 59,5 Mio. t, Frankreich 30,9 Mio. t, Kanada 25,4 Mio. t, Deutschland 17,8 Mio. t.

Geschichte: Die ältesten W.-Arten sind Emmer, Einkorn und Dinkel, die seit der Jungsteinzeit in Kultur waren. Der Saat-W. entstand in Europa zu Beginn der Eisenzeit durch Züchtung und hat hier seit dem MA. die alten W.-Arten verdrängt.

Weizen: Anbau und Erzeugung der Hauptproduzentenländer

Land	Fläche (in 1 000 ha)			Ernte (in Mio. t)		
	1990	1994	1995	1990	1994	1995
China	30 201	30 501	28 861	96,0	101,2	102,2
Indien	23 457	24 437	25 381	49,7	59,1	63,0
USA	28 066	24 998	24 685	74,5	63,1	59,5
Frankreich	5 143	4 580	4 742	33,4	30,5	30,9
Russland*)	48 214	22 146	23 909	108,0	32,1	30,1
Kanada	14 050	10 919	11 253	31,8	23,4	25,4
Türkei	9 435	9 600	9 800	20,0	17,5	18,0
Deutschland	1 430	2 435	2 579	15,2	16,5	17,8
Pakistan	7 845	8 058	8 170	14,3	15,1	17,0
Australien	9 851	7 500	9 851	15,7	8,8	16,6
Welt	231 548	215 921	220 605	595,1	528,0	541,1

*) Werte für 1990 für ehem. Sowjetunion

Weizenbaum, Joseph, amerikan. Mathematiker und Informatiker dt. Herkunft, *Berlin 8. 1. 1923; arbeitete als Prof. für Informatik am Massachusetts Institute of Technology (seit 1963) über künstl. Intelligenz, deren Nützlichkeit er inzwischen kritisiert.

Weizenbier, das →Weißbier.

Weizman, Ezer, israel. Politiker, *Tel Aviv 15. 6. 1924; Neffe von C. Weizmann; 1967–69 Generalstabschef (Oberbefehlshaber) der israel. Luftwaffe, 1969–80 Mitgl. der Cherut, 1977–80 Verteidigungsmin., hatte wesentl. Anteil an den israelisch-ägypt. Friedensverhandlungen (1977–79). 1984 trat er zur Israel. Arbeitspartei über. 1984–90 war er Min.; seit 1992 Abg. der Knesset. Er setzte sich frühzeitig für Verhandlungen mit der PLO ein. Am 13. 5. 1993 zum Staatspräs. gewählt (Wiederwahl im März 1998).

Weizmann, Chaijim, israel. Politiker, *Motyli (bei Pinsk, Weißrussland) 27. 11. 1874, †Rehovot 9. 11. 1952; Onkel von E. Weizman; Biochemiker, seit 1903 Prof. in Manchester; 1917 maßgeblich am Zustandekommen der Balfour-Deklaration (→Balfour) beteiligt; gründete 1918 die Hebräische Univ. Jerusalem; 1920–31 und 1935–46 Präs. der Zionist. Weltorganisation, ab 1929 Leiter der Jewish Agency; trat nach dem 2. Weltkrieg für die Bildung eines arab. und eines jüd. Staates in Palästina ein; 1948 Mitbegründer und bis 1952 erster Präs. des Staates Israel.

Weizmann-Institut (The Weizmann Institute of Science), nach C. Weizmann benannte, 1949 in Rehovot gegründete private Hochschule für theoret. und angewandte Naturwissenschaften.

Weizsäcker, **1)** Carl Friedrich Freiherr von, Physiker und Philosoph, *Kiel 28. 6. 1912, Sohn von 2), Bruder von 4), Vater von 3); seit 1947 Prof. in Göttingen, 1956–69 Prof. in Hamburg; 1970–80 Direktor des Max-Planck-Instituts zur Erforschung der Lebensbedingungen der wiss.-techn. Welt in Starnberg. W. arbeitete zunächst über Kernphysik, danach über Astrophysik (1938 Theorie der Energieerzeugung in Sternen, Bethe-W.-Zyklus) und Kosmogonie (1944 Theorie zur Entstehung des Planetensystems, 1958 zur Entwicklung von Sternsystemen). Im philosoph. Bereich beschäftigte er sich mit Erkenntnisfragen der Naturwiss., wissenschaftstheoret., naturphilosoph. und kosmolog. Themen sowie Quantenlogik. W. organisierte die »Erklärung der Göttinger Achtzehn« (1957, Protest von Wissenschaftlern gegen die atomare Bewaffnung der Bundeswehr) und engagierte sich in der Friedensforschung.

Werke: Zum Weltbild der Physik (1943); Die Verantwortung der Wissenschaft im Atomzeitalter (1957); Die Einheit der Natur (1971); Wege in der Gefahr (1976); Deutlichkeit (1978); Wahrnehmung der Neuzeit (1983); Aufbau der Physik (1985); Der Mensch in seiner Geschichte (1991). Zeit und Wissen (1992).

📖 DRIESCHNER, M.: *C. F. von W. zur Einführung. Hamburg 1992.*

2) Ernst Freiherr (seit 1916) von, Diplomat, *Stuttgart 25. 5. 1882, †Lindau (Bodensee) 5. 8. 1951; Bruder von 5), Vater von 1) und 4); 1938–43 Staatssekr. des Auswärtigen Amts, 1943–45 Botschafter beim Vatikan; suchte (u. a. durch Warnung Großbritanniens) den Ausbruch des 2. Weltkrieges zu verhindern bzw. Friedensverhandlungen zu fördern, konnte sich aber dem Vorwurf ambivalenter Haltung zum nat.-soz. Regime nicht entziehen; in einem der Nachfolgeprozesse (»Wilhelmstraßen-Prozess«) der Nürnberger Prozesse 1949 zu sieben Jahren Haft verurteilt, 1950 entlassen.

3) Ernst Ulrich Freiherr von, Biologe, *Zürich 25. 6. 1939, Sohn von 1); Prof. der Biologie, wurde 1981 Direktor des UN-Zentrums für Wiss. und Technik in New York; 1984–91 Direktor des Inst. für Europ. Umweltpolitik in Bonn, danach Präs. des 1991 gegr. Wuppertal-Inst. für Klima, Umwelt und Energie; arbeitet bes. über politisch-wiss. Probleme des Umweltschutzes; schrieb u. a. »Erdpolitik – Ökolog. Realpolitik an der Schwelle zum Jh. der Umwelt« (1989), »Faktor Vier: dopppelter Wohlstand – halbierter Naturverbrauch« (zus. mit A. B. und L. H. Lovins; 1995).

4) Richard Freiherr von, Politiker (CDU), *Stuttgart 15. 4. 1920; Sohn von 2), Bruder von 1); Wirtschaftsjurist und Rechtsanwalt; 1964–70 und 1979–81 Präs. des Dt. Evang. Kirchentages, 1969–84 Mitgl. des Rates der EKD, 1969–81 MdB, 1972–79 stellv. Vors. der CDU-Bundestagsfraktion, war 1979–81 Vizepräs. des Bundestags, 1981–84 Regierender Bürgermeister von Berlin (West) und 1984–94 Bundespräs. der Bundesrep. Deutschland. W. vermochte – in einem v. a. eth. Verständnis von polit. Kultur – seinem Amt Konsens stiftend neue Geltung zu verschaffen und das internat. Ansehen der Bundesrep. Dtl. zu erhöhen.

📖 *R. von W., hg. v.* W. FILMER *u.* H. SCHWAN. *Neuausg. Düsseldorf u. a. 1994.*

5) Viktor Freiherr (seit 1916) von, Neurologe, *Stuttgart 21. 4. 1886, †Heidelberg 8. 1. 1957, Bruder von 2); bemühte sich um eine ganzheitliche, anthropologisch ausgerichtete Medizin. Als Vertreter der Psychosomatik lehrte er, das Symptom der Krankheit als Ausdruck des Wesens und der Lebensgeschichte des Menschen zu verstehen.

Werke: Der Gestaltkreis (1940); Der kranke Mensch (1951); Natur und Geist (1954); Pathosophie (1956).

Wekwerth, Manfred, Regisseur, *Köthen (Anh.) 3. 12. 1929; 1977–91 Intendant des Berliner Ensembles; 1974–77 Direktor des Inst. für Schauspielregie in Berlin (Ost); 1982–90 Präs. der Akademie der Künste der DDR; seit 1969 auch Gast- und Filminszenierungen.

Welch [weltʃ], James, amerikan. Schriftsteller, *Browning (Mont.) 18. 11. 1940; Schwarzfußindianer, behandelt in seinen Gedichten und Romanen die Problematik indian. Identität in der weißen Gegenwartskultur.

Welcker, Karl Theodor, Staatsrechtslehrer, *Ober-Ofleiden (heute zu Homburg/Ohm) 23. 3. 1790, †Neuenheim (heute Heidelberg) 10. 3. 1869; mit K. von Rotteck ein Führer der süddt. Liberalen.

Weldon [weldn], Fay, engl. Schriftstellerin, *Alvechurch (Cty. Hereford and Worcester) 22. 9. 1933; populäre Vertreterin des feminist. Romans, dem sie sozialkrit. Konturen verleiht (u. a. »Female Friends«, 1975; »Das Kind des Präsidenten«, 1982; »Teufels Weib«, 1992); auch Kurzgeschichten, Essays, Hör- und Fernsehspiele sowie Theaterstücke.

Welfen, fränk. Adelsgeschlecht, seit dem 8. Jh. im karoling. Kernraum um Maas und Mosel, seit

Ezer Weizman

Chaijim Weizmann

Carl Friedrich von Weizsäcker

Richard von Weizsäcker

Welfen, Stammtafel (Auswahl)

Welf
† um 820

Konrad d. Ä.
Graf im Argengau und
im Linzgau, † 863

Judith, † 843
∞ 819 Kaiser Ludwig I.,
der Fromme, † 840 *(Karolinger)*

Emma (Hemma), † 876
∞ 827 Ludwig (II.), der Deutsche
(Ostfränk. König), † 876 *(Karolinger)*

Konrad d. J., † vor 876

Welf (II.)
Graf von Argengau
† vor 876

Rudolf I.
König von Hochburgund 888, † 912
[Rudolfinger, erloschen 1032]

Welf II., † 1030
∞ Imiza (Irmtrud), Tochter Graf
Friedrichs von Lützelburg, † nach 1057

Welf III.
Herzog von Kärnten 1047
† 1055

Kunigunde (Kuniza), † vor 1055
∞ um 1035 Azzo II.
Markgraf von Este, † 1097

Linie Welf-Este

Welf I. (IV.)
Herzog von Bayern 1070–77, 1096, † 1101
∞ (1) Ethelinde, Tochter des
bayr. Herzogs Otto von Northeim
∞ (2) 1071 Judith, Tochter Graf
Balduins IV. von Flandern, † 1094

Linie Fulc-Este

Fulco I.
Markgraf von Este
† um 1128/35

Welf II. (V.)
Herzog von Bayern 1101, * um 1073, † 1120
∞ 1089 (∞ 1095) Mathilde
Markgräfin von Tuszien, † 1115

Heinrich IX., der Schwarze
Herzog von Bayern 1120, * um 1074, † 1126
∞ Wulfhild, Tochter des Herzogs
Magnus von Sachsen, † 1126 *(Billunger)*

Heinrich X., der Stolze
Herzog von Bayern 1126–38,
Herzog von Sachsen 1137-39
Markgraf von Tuszien, * um 1108 (?), † 1139
∞ 1127 Gertrud von Supplinburg
Tochter Kaiser Lothars III., † 1143

Welf VI.
Markgraf von Tuszien
und Herzog von Spoleto 1152, * 1115, † 1191
∞ Uta, Tochter des rhein.
Pfalzgrafen Gottfried von Calw

Judith
† 1130/31
∞ 1120/23 Friedrich II.
Herzog von Schwaben, † 1147 *(Staufer)*

Heinrich der Löwe
Herzog von Sachsen 1142–80
Herzog von Bayern 1156–80
* um 1129, † 1195
∞ (1) um 1150 (∞ 1162) Clementina
Tochter Herzog Konrads I. von Zähringen
∞ (2) 1168 Mathilde, Tochter König
Heinrichs II. von England, † 1189 *(Plantagenet)*

Welf VII., † 1167

Gertrud
* 1155, † 1196
∞ (1) 1166 Friedrich IV., Herzog
von Schwaben, † 1167 *(Staufer)*
∞ (2) Knut VI., König von
Dänemark, † 1202

Richeza
* 1172, † 1204
∞ 1202 Waldemar II.
König von Dänemark, † 1241

Heinrich
Pfalzgraf bei Rhein 1195–1214
* um 1173, † 1227
∞ (1) 1193/94 Agnes, Tochter des
Pfalzgrafen Konrad bei Rhein
† 1204 *(Staufer)*

Otto IV.
Graf Poitou und Herzog
von Aquitanien 1196
Röm. König/Kaiser 1198/1209
* um 1175/82, † 1218
∞ 1212 Beatrix, Tochter des Röm. Königs
Philipp von Schwaben, † 1212 *(Staufer)*

Wilhelm
* 1184, † 1213
∞ 1202 Helene, Tochter König
Waldemars I. von Dänemark, † 1233

Heinrich
Pfalzgraf bei Rhein
† 1214

Agnes
† 1267/69
∞ 1225 Otto II. Herzog
von Bayern, † 1253 *(Wittelsbacher)*

Otto I., das Kind
Herzog von Braunschweig-Lüneburg 1235, * 1204, † 1252
∞ 1228 Mathilde, Tochter Markgraf Albrechts II.
von Brandenburg, † 1261 *(Askanier)*

ALTES HAUS BRAUNSCHWEIG
[1267–1428]

ALTES HAUS LÜNEBURG
[1267–1369]

Albrecht I.
Herzog 1252, * 1236, † 1279
erhält 1267 Braunschweig

Johann I.
Herzog 1252, † 1277
[erloschen 1369]
erhält 1267 Lüneburg

Linie Braunschweig-Göttingen
um 1286–1463

Heinrich I.
Herzog 1279, * 1267, † 1322
[Linie Braunschweig-Grubenhagen
um 1286–1596]

Albrecht II.
Herzog 1279, * um 1268, † 1318
erhält um 1286 Göttingen,
1292 Wolfenbüttel

Wilhelm
Herzog 1279, † 1292
erhält um 1286 Wolfenbüttel

Linie Braunschweig-Wolfenbüttel
1345–1400

Magnus I.
Herzog 1318, * um 1304, † 1369

Ernst
Herzog 1318, † 1367
erhält 1345 Göttingen
[erloschen 1463]

Magnus II.
Herzog 1369
* um 1328, † 1373

Welfen, Stammtafel (Auswahl; Fortsetzung)

MITTLERES HAUS LÜNEBURG
[1428–1635]

Friedrich
Herzog 1373, † 1400
erhält 1381 Wolfenbüttel

Bernhard
Herzog 1373, † 1434
erhält 1388–1409 und 1428 Lüneburg (Celle)
1409–28 Braunschweig (ohne Grubenhagen)

Heinrich
Herzog 1373, † 1416
erhält 1388 (bis 1409 mit Bernhard)
Lüneburg (Celle)

MITTLERES HAUS BRAUNSCHWEIG
[1428–1634]

Friedrich I.
Herzog 1434–57, 1471
† 1478

Wilhelm I.
Herzog 1416, * 1392, † 1482
erhält 1416–28 Lüneburg (Celle)
1428 Braunschweig (1432–73 nur
Calenberg), 1442/63 Göttingen

Heinrich
Herzog 1416, * 1411, † 1473
erhält 1432 Wolfenbüttel

Otto
Herzog 1457
* 1439, † 1471

Wilhelm II.
Herzog 1482, † 1503
erhält 1482 Wolfenbüttel

Friedrich II.
Herzog 1482, † 1495
erhält 1482 Calenberg

Heinrich der Mittlere
Herzog 1471–1521
* 1468, † 1521

Heinrich d. Ä.
Herzog 1495
* 1463, † 1514

[Linie Braunschweig-Wolfenbüttel 1495–1634;
erwirbt 1584 Calenberg-Göttingen,
1596–1617 Grubenhagen]

Erich I.
Herzog 1495, * 1470, † 1540
[Linie Calenberg-Göttingen
1495–1584]

Otto I.
Herzog 1521–27, * 1495, † 1549
[Linie Harburg 1527–1642]

Ernst (I.) der Bekenner
Herzog 1521
* 1497, † 1546

Franz
Herzog 1521/36–39, * 1508, † 1549
erhält 1539 Gifhorn

Franz Otto
Herzog 1546/55
* 1530, † 1559

Heinrich, Herzog 1546/59–69, * 1533, † 1598
erhält 1569 Dannenberg
∞ 1569 Ursula, Tochter des Herzogs Franz I.
von Sachsen-Lauenburg, † 1620 *(Askanier)*

Wilhelm
Herzog 1546/59
* 1535, † 1592

NEUES HAUS BRAUNSCHWEIG
[1635–1884]

NEUES HAUS LÜNEBURG
[1635–1705]

HAUS HANNOVER
[seit 1636/92]

Julius Ernst
* 1571, † 1636
erhält 1598 Dannenberg

August d. J.
Herzog 1635, * 1579, † 1666
erhält 1635 Wolfenbüttel
1636 Dannenberg

Ernst II.
Herzog 1592
* 1564, † 1611

Christian
Herzog 1611, * 1566, † 1633
erhält 1617 Grubenhagen

August d. Ä.
Herzog 1633, * 1568, † 1636
erhält 1635 Calenberg

Friedrich
Herzog 1636
* 1574, † 1648

Georg
* 1582, † 1641
∞ 1615 Anna Eleonore
Tochter Landgraf Ludwigs V.
von Hessen-Darmstadt, † 1659
erhält 1636 Calenberg

Christian Ludwig
Herzog 1648, * 1622, † 1665
erhält 1641–48 Calenberg
1648 Celle, 1651 Harburg

Georg Wilhelm
Herzog 1665, Herzog von
Sachsen-Lauenburg 1689, * 1624, † 1705
∞ 1676 Eleonore Desmier
d'Olbreuse, † 1722
erhält 1648–65 Calenberg

Johann Friedrich
* 1625, † 1679
erhält 1665 Calenberg
und Grubenhagen

Ernst August I.
Kurfürst von Hannover 1692, * 1629, † 1698
∞ 1658 Sophie, Tochter
Kurfürst Friechrichs V. von
der Pfalz *(Wittelsbacher)* und
der Elisabeth Stuart, † 1714
erhält 1679 Calenberg

Rudolf August
Herzog 1666
* 1627, † 1704

Anton Ulrich
Herzog 1685/1704
* 1633, † 1714

Ferdinand Albrecht I.
* 1636, † 1687
erhält 1667 Bevern

August Wilhelm
Herzog 1714
* 1662, † 1731

Ludwig Rudolf
Herzog 1731, * 1671, † 1735
erhält 1690 Blankenburg

Ferdinand Albrecht II.
Herzog 1735
* 1680, † 1735

Sophie Dorothea
»Prinzessin von Ahlden« 1695
* 1666, † 1726

∞ 1682 (∞ 1694)

Georg Ludwig
Kurfürst von Hannover 1698/1708
König von
Großbritannien
1714 (als Georg I.)
* 1660, † 1727
erhält 1705 Celle

Karl I.
Herzog 1735
* 1713, † 1780

Anton Ulrich
* 1714, † 1774

Ferdinand
* 1721, † 1795

Georg August
Kurfürst von Hannover und König
von Großbritannien 1727 (als Georg II.)
* 1683, † 1760

Karl (II.) Wilhelm Ferdinand
Herzog 1780
* 1735, † 1806

Friedrich August
* 1740, † 1805
∞ 1768 Friederike, Tochter
des Herzogs Karl Christian Erdmann
von Württemberg-Oels, † 1789
erhält 1792 Oels

Friedrich Ludwig (Frederick Louis)
Prince of Wales
* 1707, † 1751

Friedrich Wilhelm
Herzog von Braunschweig 1806/13
* 1771, † 1815
erhält 1805 Oels

Georg III.
König von Großbritannien 1760
Kurfürst 1760–1806, 1813–14 bzw.
König von Hannover 1814
* 1738, † 1820

Karl III.
Herzog 1815–30
* 1804, † 1873

Wilhelm
Herzog 1830
* 1806, † 1884
erhält 1824 Oels

Georg IV.
Regent 1811, König von
Großbritannien und Hannover 1820,
* 1762, † 1830

Wilhelm IV.
Herzog von Clarence
König von Großbritannien und
Hannover 1830, * 1765, † 1837

Eduard August (Edward Augustus)
Herzog von Kent
* 1767, † 1820

Ernst August II.
Herzog von Cumberland, König von
Hannover 1837, * 1771, † 1851

Victoria,
Königin von Großbritannien 1837
Kaiserin von Indien 1876, * 1819, † 1901
∞ 1840 Albert, Prinz von
Sachsen-Coburg-Gotha, † 1861

Georg V.
König von Hannover 1851–66
* 1819, † 1878

Das Zeichen ∞ bedeutet geschieden

Welfenschatz: Kuppelreliquiar, Arbeit aus Köln (um 1175–80; Berlin, Kunstgewerbemuseum)

der Mitte des 8. Jh. in Schwaben (→Weingarten) begütert. Mit Graf Welf I. (†um 820) beginnt die gesicherte Stammreihe des bald in Linien geteilten Geschlechts. Eine Linie erlangte 888 die Herrschaft in Burgund, starb aber 1032 aus. Die schwäb. Linie der **älteren W.,** die bed. Besitz im schwäb. und bayer. Alpen- und Voralpengebiet sowie mit Welf III. (†1055) 1047 das Herzogtum Kärnten erworben hatte, erlosch 1055 im Mannesstamm; sein Neffe aus dem italien. (langobard.) Haus →Este, Welf IV. (†1101), seit 1070 Herzog von Bayern, begründete die Linie der **jüngeren W.** (Welf-Este). Mit dem Erbe Kaiser Lothars III. von Supplinburg erhielt dessen Schwiegersohn, Heinrich X., der Stolze, 1137 auch das Herzogtum Sachsen und begründete die Machtstellung der W., die jedoch den Königsthron nicht erlangen konnten. Unter dem Staufer Friedrich I. Barbarossa kam es zunächst zum Ausgleich mit seinem Vetter, dem W. Heinrich d. Löwen, dem er 1156 Bayern zu Lehen gab, doch nach Interessenkollisionen entmachtete ihn Friedrich 1180 und zerschlug den welf. Machtkomplex. Der staufisch-welf. Ggs. brach noch einmal im Thronstreit von 1198 aus, der mit der Niederlage des W. Otto IV. 1214 endete. Aus diesem Streit entstanden in Italien die beiden großen Parteiungen der →Guelfen und Ghibellinen. Aus dem welf. Hausbesitz zw. Elbe und Weser entstand 1235 das Herzogtum Braunschweig-Lüneburg; die lüneburg. Teillinie Calenberg gelangte nach dem Aufstieg zum Kurfürstentum Hannover (1692) auf den brit. Thron (1714).

Wẹlfenfonds [-fɔ̃], aus dem 1868 beschlagnahmten Vermögen des entthronten Königs Georg V. von Hannover von der preuß. Regierung gebildeter Fonds (16 Mio. Taler); von Bismarck u.a. zur Finanzierung des →Reptilienfonds herangezogen; 1892 ließ Kaiser Wilhelm II. den W. (mit Zinsen) den Erben Georgs V. auszahlen.

Wẹlfenpartei (Welfen), nichtamtl. Bez. für die →Deutschhannoversche Partei.

Wẹlfenschatz, Reliquienschatz des welf. Fürstenhauses Braunschweig-Lüneburg, bestehend v.a. aus Goldschmiedewerken des 11.–15. Jh., der fast ausschließlich auf Stiftungen der Welfen und ihrer Rechtsvorgänger zurückgeht. Der W. kam 1218 in den Braunschweiger Dom. 1671 fiel er an die hannoversche Linie des Welfenhauses. 1935 erwarb der preuß. Staat den durch Verkäufe stark geminderten Bestand, darunter das Welfenkreuz (11. Jh.), den Tragaltar des Eilbertus (um 1150) und das Kuppelreliquiar (um 1175–80), für das damalige Berliner Schlossmuseum. Heute befindet sich der wichtigste Teil der ursprüngl. Sammlung des W. im Kunstgewerbemuseum Berlin.

Welịki Nọwgorod (früher Nowgorod), Hauptstadt des Gebiets N., Russland, Hafen am Wolchow, nördlich des Ilmensees, 229 000 Ew.; polytechn. Hochschule, Museen; Maschinenbau, elektron., chem., Möbelind.; Fremdenverkehr. – Ältestes Bauwerk der Stadt ist die fünfschiffige Sophienkathedrale (1045–52) im Kreml mit roman. Bronzetür (Reliefplatten zw. 1152 und 1154 in Magdeburg entstanden). Zahlr. weitere Kirchen v.a. des 12. und 14. Jh., u.a. Hofkirche im Jaroslawhof (1113–36), Kirche Fjodor Stratilat (14. Jh.), Erlöserkirche an der Iljastraße (1374; mit Fresken von Theophanes dem Griechen, 1378). Außerhalb der Stadt Antoniuskloster, Jurjewkloster, Erlöserkirche an der Nerediza (1198), Kirche Mariä Himmelfahrt auf dem Wolotower Feld (1352), Erlöserkirche von Kowalewo (1345).

Nowgorod ist eine der ältesten russ. Städte; als Stützpunkt der Waräger (in skandinav. Quellen **Holmgard** genannt) 862 Residenz Ruriks, nach der Eroberung Kiews durch Oleg (882) Nebensitz der Kiewer Großfürsten. Mit dem Verfall der Kiewer Zentralgewalt im 12. Jh. wuchs die Selbstständigkeit N.s (seit 1136 Stadtrepublik); seine Macht beruhte auf der Vermittlerrolle im Handel zw. den Ostseestädten und Russland (seit dem 12./13. Jh. Niederlassung dt. Kaufleute, später der Hanse: »Peterhof«). N. beherrschte ein weit nach N und O reichendes Hinterland. Nach der Unterwerfung Nowgorods 1478 durch das Moskauer Großfürstentum wurde 1488/89 die Oberschicht zwangsumgesiedelt und 1494 das Hansekontor geschlossen. 1570 Zerstörung durch Iwan IV.; 1578 dem Moskauer Staat einverleibt; 1611–17 von Schweden besetzt; ab 1727 Gouvernementshauptstadt.

📖 ONASCH, K.: *Groß-N. Aufstieg u. Niedergang einer russ. Stadtrepublik. Wien u. a. 1969.*

Weliko Tarnowo (bis 1965 Tarnowo), Stadt in Bulgarien, am N-Hang des Balkans, 68 100 Ew.; Univ.; Maschinen-, Radio- und Fernsehgerätebau, Textil-, Holz- u. a. Industrie; Fremdenverkehr. – Reste mittelalterl. Sakral- und Profanbauten des 12. und 13. Jh., bes. Zarenpalast und Patriarchenpalast auf dem Zarewez, einer festungsartigen Anlage (100 000 m²), zahlr., z. T. rekonstruierte Kirchen und Klöster. – 1185 Zentrum des Aufstands gegen das Byzantin. Reich, seitdem Hptst. des 2. Bulgar. Reichs (bis Mitte des 14. Jh.); im 13./14. Jh. zur Festung ausgebaut; 1393 von den Osmanen erobert.

Welk, Ehm, eigtl. Emil, Schriftsteller, Pseud. Thomas Trimm, *Biesenbrow (Kr. Uckermark) 29. 8. 1884, †Bad Doberan 19. 12. 1966; schrieb den heiteren Dorfroman »Die Heiden von Kummerow« (1937) u. a. Romane und Erzählungen, die durch warmherzige Menschenschilderung und Humanismus gekennzeichnet sind.

Welkekrankheiten, durch fortschreitendes Welken gekennzeichnete Pflanzenkrankheiten; Verursacher: parasitäre Pilze und Bakterien.

Wellandkanal ['welənd-] (Welland Canal), Großschifffahrtsweg in der Prov. Ontario, Kanada, zur Umgehung der Niagarafälle, zw. Ontario- und Eriesee, Teil des Sankt-Lorenz-Seeweges; 44,4 km lang, 9 m Mindesttiefe; überwindet 100 m Höhenunterschied; mehrfach ausgebaut.

Welle, 1) *Maschinenbau:* meist runde, drehbar gelagerte Stange zur Weiterleitung von Drehmomenten.

2) *Physik:* Vorgang, bei dem sich eine physikal. Größe örtlich und zeitlich ändert und bei dem Energie transportiert wird. W. können als Ausbreitung einmaliger oder sich periodisch wiederholender Störungen (Schwingungen) der Teilchen eines Mediums (z. B. mechan. W., wie Erdbeben-W., Wasser-W., Schall-W.) oder der Feldgrößen physikal. Felder innerhalb eines Mediums oder des Vakuums (→elektromagnetische Wellen) verstanden werden. Die einfachste W. ist die **harmon. W. (Sinus-W.),** bei der die Auslenkung der schwingenden Größe aus der Ruhelage räumlich und zeitlich periodisch erfolgt. Beliebige W.-Formen lassen sich stets durch Überlagerung harmon. W. aufbauen, ebenso lassen sie sich mithilfe der Fourier-Analyse wieder in harmon. W. zerlegen (→harmonische Analyse).

Von einem punktförmigen Erregungszentrum breiten sich im homogenen Raum **Kugel-W.** aus; die **W.-Flächen,** d. h. die geometr. Orte aller Punkte der W., die sich zu einem bestimmten Zeitpunkt im selben Schwingungszustand befinden, sind konzentr. Kugeln. Die **W.-Normalen,** d. h. die Senkrechten auf den W.-Flächen, sind Radien dieser Kugeln. Bei Störungen längs einer Geraden entstehen **Zylinder-W.** Überall gleichphasige Erregung in einer Ebene erzeugt **ebene W.;** diese haben ebene W.-Flächen, ihre W.-Normalen verlaufen parallel zueinander. Stellen maximaler positiver bzw. negativer Auslenkung einer W. (Amplitude) werden als **W.-Berge** bzw. **W.-Täler** bezeichnet. Der Abstand zweier benachbarter Orte gleichen Schwingungszustandes (→Phase) ist die **W.-Länge** λ; ihr Kehrwert $\bar{\nu} = 1/\lambda$ heißt **W.-Zahl.** Bei sinusförmiger Erregung ist das Produkt aus **W.-Länge** und Frequenz der Schwingung gleich der Phasengeschwindigkeit c, $c = \lambda \cdot \nu$, das ist die Fortpflanzungsgeschwindigkeit, mit der eine ebene W.-Fläche konstanter Erregung fortschreitet. Davon zu unterscheiden ist die Gruppengeschwindigkeit, mit der sich der Schwerpunkt einer endlich ausgedehnten W.-Gruppe weiterbewegt.

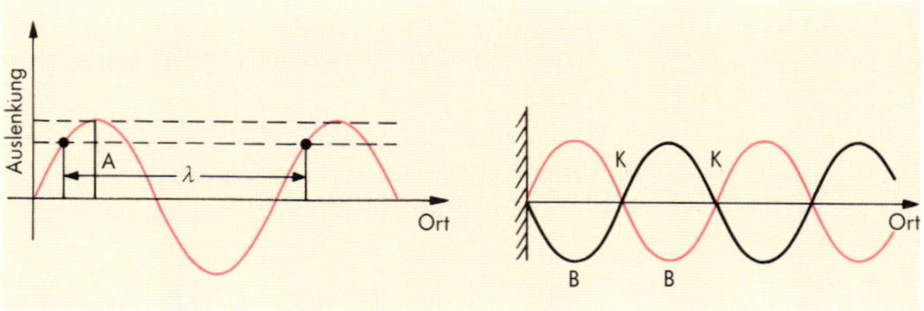

Welle 2): harmonische Welle (λ Wellenlänge, A Amplitude) und (rechts daneben) stehende Welle (B Schwingungsbauch, K Schwingungsknoten)

Je nachdem, ob die Schwingungen in Ausbreitungsrichtung erfolgen oder senkrecht dazu, werden **Longitudinal-W. (Längs-W.)** oder **Transversal-W. (Quer-W.)** unterschieden. Elektromagnet. W. sind Transversal-W., Schall-W. sind Longitudinal-W., die Ausbreitung elast. W. in festen Körpern kann longitudinal oder transversal erfolgen. Für die Überlagerung von W. gilt das →Superpositionsprinzip. Laufen zwei W. gleicher Amplitude und Frequenz aufeinander zu, kommt es bei ihrer Überlagerung zur Ausbildung einer **stehenden W.;** dabei wechseln Stellen maximaler Amplitude (Schwingungsbäuche) mit solchen, die in Ruhe sind (Schwingungsknoten). Im Ggs. zu fortschreitenden W. behalten die Schwingungsbäuche und -knoten ihre räuml. Lage bei. Stehende elast. W. bilden sich z. B. auf Saiten und Membranen. – W. unterliegen den physikal. Erscheinungen der →Beugung, →Brechung, →Reflexion, →Dispersion und →Interferenz; Transversal-W. sind im Unterschied zu Longitudinal-W. polarisierbar. (→Druckwelle, →Materiewellen, →Meereswellen, →Solitonen)

Albert Wellek

Wellek, 1) Albert, österr. Psychologe tschech. Herkunft, *Wien 16. 10. 1904, †Mainz 27. 8. 1972, Bruder von 2); Prof. in Breslau und Mainz; entwickelte die Ganzheitspsychologie zu einer konkreten Charakterkunde weiter; schrieb u. a. »Ganz-

René Wellek

heitspsychologie und Strukturtheorie« (1955), »Musikpsychologie und Musikästhetik« (1963).

2) René, amerikan. Literaturhistoriker tschech. Herkunft, *Wien 22. 8. 1903, †Hamden (Conn.) 10. 11. 1995, Bruder von 1); war 1941–72 Prof. für slaw. und vergleichende Literaturwiss. an der Yale University (»Theorie der Literatur«, 1949, mit A. Warren; »Geschichte der Literaturkritik: 1750–1950«, 8 Bde., 1959–92; »The attack on literature and other essays«, 1982).

Wellenbereich, → Wellenlängenbereich.

Wellenbrecher, 1) *Schiffbau:* eine spitzwinklige oder bogenförmige Stahlwand auf dem Vorschiffdeck zum Schutz gegen überkommende See.

2) *Wasserbau:* moleähnl. Schutzbauwerke gegen Sturm und Seegang.

Wellenfurchen, die → Rippelmarken.

Wellenkanal, Wasserbauversuchsanlage zur Erzeugung von Wellen; dient der experimentellen Ermittlung der Belastbarkeit und günstigsten Bauform von Seedeichen u.a. Küstenbauwerken und von Plattformen der Offshoretechnik.

Wellenkraftwerk (Meereswellenkraftwerk), Kraftwerk mit Nutzung der hydrodynam. Energie von Meereswellen zur Elektroenergieerzeugung durch Nutzung der Relativbewegung schwimmender Strukturen, die der Oberflächenkontur der Welle folgen, der Zirkulation der Wellenkraft auf verankerte Schwimmkörper (flexible Hohlkörperelemente, die Druckluft erzeugen) oder des Eindringens von Wellen in teilweise offene, ebenfalls Druckluft erzeugende feste Hohlräume.

Thomas H. Weller

Wellenlänge, *Physik:* → Welle.

Wellenlängenbereich (Wellenbereich), durch ein bestimmtes Wellenlängen- oder Frequenzintervall gekennzeichneter Teilbereich aus dem Gesamtspektrum der → elektromagnetischen Wellen, z.B. aus dem Bereich der → Rundfunkwellen (Lang-, Mittel-, Kurz-, Ultrakurzwellen).

Wellenleistung, die an der Welle einer Maschine gemessene nutzbare Leistung in kW; sie ist wegen der Reibungs- u.a. Verluste geringer als die theoret. Leistung.

Wellenleiter, Anordnung zur verlustarmen Führung elektromagnet. Wellen. W. bestehen aus dielektr. Materialien und/oder metall. Leitern und weisen in axialer Richtung einen gleich bleibenden Querschnitt auf. Zu den W., deren Aufbau von der Frequenz der zu führenden Wellen abhängt, zählen u.a. → Hohlleiter, Koaxialleitungen und opt. W. (→ Lichtleiter).

Dieter Wellershoff

Wellenmechanik, die von E. Schrödinger 1926 begründete Theorie der Bewegung und Wechselwirkung mikrophysikal. Systeme, die auf L. de Broglies Gedanken der → Materiewellen aufbaut. Danach erhält man die erlaubten Energiestufen eines Atoms durch Berechnung der Eigenschwingungen des Materiewellenfeldes, wobei die mögl. Energiewerte mathematisch als Eigenwerte der Schrödinger-Gleichung erscheinen. Die W. führt zu den gleichen Ergebnissen wie die von W. Heisenberg aufgestellte Matrizenmechanik, die auf der Quantelung beobachtbarer Größen wie Impuls, Energie u.a. aufbaut. Beide sind mathematisch äquivalente Formulierungen der → Quantenmechanik. – E. Schrödinger fasste urspr. seine W. als klass. Wellentheorie der Materie auf, M. Born fand dann jedoch mit der statist. Interpretation der W. die richtige physikal. Deutung der neuen Theorie, die sich grundlegend von den Vorstellungen der klass. Physik unterscheidet. P. A. M. Dirac erweiterte die W. zur relativist. W., die sich auf relativist. Problemstellungen, z.B. auf Teilchen mit einem Spin, anwenden lässt (→ diracsche Wellengleichung).

Wellenreiten, eine aus Polynesien stammende Sportart, bei der sich der Wellenreiter, auf einem flachen Brett (Surfboard) balancierend, vor der Brandungswelle dem Strand entgegentreiben lässt. Die an der Unterseite leicht gewölbten Bretter bestehen aus Balsaholz oder Kunststoff (4–10 kg; 1,80–2,80 m lang); Weltmeisterschaften seit 1964. – Aus dem W. entwickelte sich das → Surfen.

Wellensittich (Melopsittacus undulatus), bis 20 cm langer Papageienvogel (Gruppe Sittiche), v.a. in offenen, buschreichen, von Bäumen durchsetzten Landschaften Australiens; in Schwärmen auftretende Tiere, die in Baumhöhlen brüten. Beliebter Stubenvogel, aus dessen gelbköpfiger, ansonsten grüner, oberseits dunkel gewellter

Orson Welles als Harry Lime in dem von Carol Reed gedrehten Film »Der dritte Mann« (1949)

Wildform seit 1840 viele Farbschläge gezüchtet wurden. Das Männchen unterscheidet sich vom Weibchen durch eine blaue Wachshaut am Oberschnabel.

Weller, 1) ['welə], Thomas Huckle, amerikan. Bakteriologe, *Ann Arbor (Mich.) 15. 6. 1915; erhielt für die Entdeckung, dass Poliomyelitisviren in Gewebekulturen gezüchtet (und damit zur Herstellung von Impfstoff gegen Kinderlähmung verwendet) werden können, 1954 (mit J. F. Enders und F. C. Robbins) den Nobelpreis für Physiologie oder Medizin.

2) Walter, österr. Dirigent und Violinist, *Wien 30. 11. 1939; 1969 als Kapellmeister an die Wiener Volksoper und die Wiener Staatsoper berufen, 1977–80 Chefdirigent des Royal Liverpool Philharmonic Orchestra, danach bis 1985 des Royal Philharmonic Orchestra in London, seit 1992 des Royal Scottish Orchestra in Glasgow; übernahm außerdem 1994 in Personalunion die Leitung der drei Basler Orchester (Allgemeine Musikgesellschaft, Theater, Sinfonieorchester).

Wellershoff, Dieter, Schriftsteller und Literaturkritiker, *Neuss 3. 11. 1925; Verlagslektor; Initiator der »Kölner Schule« und Vertreter eines »neuen Realismus«; Romane (»Ein schöner Tag«, 1966; »Die Schattengrenze«, 1969; »Die Schönheit der Schimpansen«, 1977; »Der Sieger nimmt alles«, 1983; »Das geordnete Chaos«, 1992), Hör- und Fernsehspiele, Essays (»Wahrnehmung und Fantasie«, 1987); auch Herausgeber.

Welles [welz], Orson, amerikan. Filmschauspieler, -regisseur, -autor und -produzent, *Kenosha (Wis.) 6. 5. 1915, † Los Angeles (Calif.) 10. 10. 1985; zunächst beim Theater; nach seinem realist., die Hörer in Panik versetzenden Hörspiel »Krieg der Welten« (1938; nach H. G. Wells) bis 1947 v. a. in Hollywood; Regisseur und Darsteller in »Citizen Kane« (1941), »Macbeth« (1948), »Othello« (1952), »Im Zeichen des Bösen« (1958), »Der Prozess« (1962), als Darsteller u. a. in »Der dritte Mann« (1949), »Malpertuis« (1972).

📖 WEISE, E.: *O. W. Reinbek 1996.*

Wellesley ['welzlɪ], Richard Colley, 2. Earl of Mornington, Marquess W. (seit 1799), brit. Politiker, *Dangan Castle (bei Dublin) 20. 6. 1760, † Kingston House (heute zu London) 26. 9. 1842; Bruder von A. Wellesley, Herzog von →Wellington; unterwarf als Generalgouv. von Indien (1797–1805) das südl. Indien; 1809–12 Staatssekr. des Auswärtigen, 1821–28 und 1833/34 Lordstatthalter von Irland.

Welle-Teilchen-Dualismus, →Dualismus.

Wellfleisch, Bauchfleisch des frisch geschlachteten Schweines, in gewürztem Wasser gekocht.

Wellhornschnecke (Buccinum undatum), eine zu den Vorderkiemern gehörende, räuber. Meeresschnecke mit bis zu 11 cm hohem, gerieftem Gehäuse; Verbreitungsgebiet: Atlantik, Nördl. Eismeer, Nordsee, westl. Ostsee.

Orson Welles

Orson Welles brauchte Geld für eine Theaterproduktion in Boston. Er rief Columbia-Chef Harry Cohn an und bat ihn um 50 000 $. Cohn zögerte, und so bot ihm Welles spontan an, einen Film für ihn zu machen, einen spannenden Thriller, sehr billig zu produzieren. Als Cohn ihn nach dem Titel der Romanvorlage fragte, war Welles einen Moment lang irritiert, drehte sich um und forderte mit einer Geste eine lesende Garderobenfrau auf, ihm ihr Buch zu zeigen. Dann teilte er Cohn mit, es handele sich um Sherwood Kings Roman »If I die before I wake«. Welles erhielt das Geld und verfilmte 1947 das Buch unter dem Titel »Die Lady von Shanghai« mit Rita Hayworth in der Hauptrolle.

Welligkeit, *Elektrizität:* ein Maß für die Größe der einer Gleichspannung überlagerten Wechselspannung nach Gleichrichtung.

Wellington ['welɪŋtən], Hauptstadt von Neuseeland, am Südende der Nordinsel, an einer Bucht (Port Nicholson) der Cookstraße, 331 100 Ew.; kath. Erzbischofssitz; Univ., Polytechnikum, Maori Education Foundation, zahlr. Forschungsinstitute, Museen und Galerien (u. a. neues Nationalmuseum »Te Papa«), Oper, Planetarium, botan. und zoolog. Garten; Wirtschafts- und Finanzzentrum; bildet mit den Nachbarstädten Lower Hutt und Upper Hutt einen bed. Ind.standort mit Werften, Maschinen-, Fahrzeugbau, chem., Textil- u. a. Ind.; Handelshafen, Eisenbahnfähre nach Picton (Südinsel), internat. Flughafen. – Ehem. Kirche Old St. Paul's (1866). – Die nach dem Herzog von Wellington benannte Stadt geht auf eine 1840 entstandene brit. Siedlung zurück; wurde 1865 Hauptstadt.

Wellington Stadtwappen

Wellington: Die Hauptstadt von Neuseeland liegt an der Bucht Port Nicholson am Südende der Nordinsel

Arthur Wellesley, Herzog von Wellington
(Ausschnitt eines zeitgenössischen Punktierstichs)

Wellington ['welɪŋtən], Arthur Wellesley, Herzog von (seit 1814), brit. Feldmarschall (seit 1815) und Politiker, *Dublin 1. 5. 1769, †Walmer Castle (Cty. Kent) 14. 9. 1852; Bruder von R. C. Wellesley; zunächst Offizier in Ostindien; kämpfte als Oberbefehlshaber des brit. Expeditionskorps in Portugal und Spanien (1808–14) erfolgreich gegen die frz. Truppen (→Napoleonische Kriege). 1815 vertrat W. sein Land beim Wiener Kongress; besiegte zus. mit Blücher 1815 Napoleon I. bei →Waterloo. Als Premiermin. (1828–30) setzte er die Katholikenemanzipation durch; 1834–35 Außenminister.

Wellpappe, eine gewellte, mehrlagige Papierbahn, meist beidseitig mit Deckpapier oder Pappe beklebt; recyclingfähiges, widerstandsfähiges Verpackungsmaterial.

Wells [welz], Stadt in der Cty. Somerset, SW-England, am Fuß der Mendip Hills, 8100 Ew.; Elektronik-, Papier-, Textil- u.a. Ind.; Fremdenverkehr. – Bed. gotische Kathedrale (12.–14. Jh.), Ruinen des mittelalterl. Bischofspalastes, Pfarrkirche St. Cuthbert (im Kern 13. Jh., spätgotisch umgestaltet); der 1348 gegr. Vicar's Close, ein aus 42 Häusern bestehender Komplex, wird heute noch von Geistlichen und Studenten bewohnt.

Wels
Stadtwappen

Wells [welz], H. G. (Herbert George), engl. Schriftsteller, *Bromley (Kent) 21. 9. 1866, †ebd. 13. 8. 1946; zeitlebens um Verwirklichung seiner idealistischen polit. Pläne bemüht; stand in Verbindung u.a. mit Lenin, Roosevelt und Stalin; 1933–36 Präs. des Internat. PEN-Clubs. Mit »Die Zeitmaschine« (1895), »Der Krieg der Welten« (1898; Hörspielfassung von O. Welles), »Die ersten Menschen im Mond« (1901) und weiteren Wissenschaftsfantasien beeinflusste W. die Entwicklung der →Sciencefiction. Unter dem Eindruck des 2. Weltkrieges verlor W. seinen Glauben an die Realisierbarkeit eines utop. Weltstaates (»Der Geist am Ende seiner Möglichkeiten«, Studie, 1945).

Wells: Das knapp 60 m lange Mittelschiff der auf das 12. Jh. zurückgehenden Kathedrale gibt den Übergang zwischen Early English und hochgotischem Stil wieder

H. G. Wells
(um 1930)

Welpe (Welf), das Junge von Wolf, Fuchs oder Hund, solange es noch gesäugt wird.

Wẹls, Stadt mit eigenem Statut und Bezirkshauptort in Oberösterreich, an der Traun, 52600 Ew.; Bundesanstalt für Fortpflanzung und Besamung von Haustieren, Fachschulen, Stadtmuseum und Kulturzentrum Burg Wels; Zentrum der intensiv landwirtschaftlich genutzten **Welser Heide;** Maschinenbau, Nahrungsmittel-, Textil-, Holz- u.a. Industrie. – Romanisch-got. Pfarrkirche (13./14. Jh.), ehem. kaiserl. Burg, Stadtplatz mit im Kern meist got. Bürgerhäusern. – Urspr. Römerstadt **Ovilava;** 776 erstmals erwähnt; nach 1215 Stadt.

Wẹls, Otto, Politiker, *Berlin 15. 9. 1873, †Paris 16. 9. 1939; war 1912–18 und 1920–33 MdR, seit 1919 mit Hermann Müller, seit 1931 alleiniger Vors. der SPD; lehnte am 23. 3. 1933 für die SPD-Fraktion das Ermächtigungsgesetz ab; leitete nach der Emigration die Exil-SPD in Prag bzw. Paris.

welsch [urspr. german. Bez. für den kelt. Stamm der Volken], **1)** *allg.:* zum frz.sprachigen Teil der Schweiz gehörend.

2) *veraltet:* romanisch, bes. französisch, italienisch, auch abwertend gebraucht für fremdländisch, bes. südländisch. (→Rotwelsch)

Wẹlsch, Maximilian von (seit 1714), Baumeister, Ingenieur, getauft Kronach 23. 2. 1671, †Mainz 15. 10. 1745; dort seit 1704 in kurfürstl. Diensten, leitete die Bauvorhaben des Hauses Schönborn (Pommersfelden, Würzburg, Bruchsal u.a.), baute Schloss Favorite bei Mainz (um 1704 ff., zerstört), die Orangerie in Fulda (1722–24) und die Abteikirche in Amorbach (seit 1742). Der rheinisch-fränk. Barock seiner Bauten verbindet österr.-italien. mit frz. Formen.

welsche Haube, *Baukunst:* ein mehrstufiges Turmdach, das über einer unteren breiteren Haube mit Laterne eine zweite kleinere Haube folgen lässt (v.a. in der Renaissance- und Barockzeit).

Welschkorn, der →Mais.

Welse (Siluroidea), Ordnung der Knochenfische in fließenden oder stehenden Gewässern, einige Arten leben auch im Meer; manche mit sehr langen Bartfäden; viele treiben Brutpflege. W. ernähren sich räuberisch von wirbellosen Bodentieren und auch von Wirbeltieren; einige leben parasitisch. Der europ. **Wels** (Silurus glanis) wird etwa 2,5 m lang und ist ein Speise- und beliebter Sportfisch. Der bis 40 cm lange amerikan. **Zwergwels** (Ictalurus nebulosus) wurde 1885 in Europa eingebürgert.

Wẹlser, seit etwa 1240 in Augsburg nachweisbares Patriziergeschlecht. Anton W. d.Ä. (*1451, †1518) gründete 1498 die große Augsburger Handelsgesellschaft, die v.a. Levantehandel trieb (1505/06 Beteiligung dt. Kaufleute an einer portugies. Indienflotte); sein Schwiegersohn war K. →Peutinger. Bartholomäus W. (*1484, †1561) und Anton W. d.J. (*1486, †1557) begründeten 1525 den Handel mit Spanisch-Amerika (1528 Ausrüstung einer Expedition nach Südamerika, die einen Teil der Küste Venezuelas in Besitz nahm; Zuckerplantagen auf Hispaniola). Zur Zeit Karls V. war die Augsburger Gesellschaft die bedeutendste Warenhandels- und Reedereigesellschaft mit Stützpunkten in Antwerpen, Lyon, Madrid, Lissabon, Sevilla und Santo Domingo sowie einer eigenen Flotte. Karl V. verlieh den W. 1528 das Recht zur Kolonisation Südamerikas, mit dessen Abdankung 1556 verloren sie ihr span. Handelsgebiet. Als Gläubiger Frankreichs, Spaniens und der Niederlande erlitt das Augsburger Haus beträchtl. Verluste und machte 1614 Konkurs (1797 erlosch die Hauptlinie). – Bed. war weiterhin Markus W. (*1558, †1614); seit 1592 Ratsherr, seit 1600 kaiserl. Rat und Stadtpfleger in Augsburg; Geschichtsschreiber und Altertumsforscher; verfasste u.a. eine Geschichte Augsburgs und Bayerns und gab die Peutingersche Tafel heraus.

Wẹlsungen (Wälsungen), ein Heldengeschlecht der german. Sage, →Wölsungen.

Welt, 1) *allg.:* svw. Erde, z.B. in Wortverbindungen wie W.-Geschichte, W.-Reise; auch in sich geschlossener (Lebens-)Bereich; auch im Sinn von Kosmos, Universum, →Weltall.

2) *Philosophie:* der Inbegriff alles Seienden bzw. aller Erscheinungen, die Gesamtheit des Erlebens (Erlebnis-W.) oder der Handlungsmaximen (moral. W.). Die philosophisch-kosmolog. Theorien deuten die W. als beseeltes Wesen (Platon, G. Bruno, Leibniz, Conway), als Gott (Spinoza, Pantheismus), Bild oder Emanation Gottes (Plotin, Neuplatonismus) oder als Schöpfung (christl. Philosophie, Newton, Leibniz). Seit Platon ist die Unterscheidung zw. einer W. der Ideen und einer W. der Erscheinungen sowie die Vermittlung zw. ihnen ein Grundzug philosoph. Fragestellungen.

3) *Relativitätstheorie:* das vierdimensionale Raum-Zeit-Kontinuum, die Raum-Zeit-W., deren Koordinaten **(W.-Koordinaten)** durch drei Raumkoordinaten und eine Zeitkoordinate bestimmt sind (→Minkowski-Raum, →Raum).

Welt, Die, 1946 in Hamburg gegr. konservative Tageszeitung. Die Zentralredaktion befindet sich in Berlin (1975–93 Bonn).

Weltall (Weltraum, Kosmos, Universum), die Welt als Ganzes, d.h. die Gesamtheit des mit Materie erfüllten Raumes einschließlich der durch sie bedingten raumzeitl. Ordnung in Form einer vierdimensionalen Raum-Zeit-Welt (→Raum). Mit der Erforschung der Entstehung und Entwicklung des W. sowie seiner Struktur und Expansion befasst sich die →Kosmologie; sie stützt sich dabei auf Beobachtungsergebnisse der →Astronomie und →Astrophysik. Der gegenwärtig der astronom. Forschung zugängl. Teil des W. hat einen Radius von ca. 10 Mrd. Lichtjahren und enthält schätzungsweise 100 Mrd. →Sternsysteme, zu denen das →Milchstraßensystem mit unserem Sonnen- und Planetensystem gehört. Das **Weltalter,** d.h. die seit der als →Urknall bezeichneten explosionsartigen Entstehungsphase verstrichene Zeit, liegt zw. 10 und 20 Mrd. Jahren. Über die Form des W. lassen sich keine eindeutigen Aussagen machen.

Weltanschauung, Sammelbez. für religiöse, ideolog., polit. u.a. Auffassungen vom Leben und von der Welt als einem Sinnganzen und ihren Rückbezug auf das eigene Lebensverständnis; sie bildet oft die Grundlage eines →Weltbildes.

Bartholomäus Welser
(Ausschnitt eines zeitgenössischen Gemäldes)

Weltausstellung

Die Pariser Weltausstellung 1900 war eine Schau der Superlative (erst 67 Jahre später, in Montreal, konnte die gigantische Besucherzahl von 50 Millionen überboten werden). Es gab 100 000 Aussteller, und auf einer Fläche von einer Million Quadratmetern gab es außer dem Eiffelturm (gelb angestrichen, weil das Geld für die Vergoldung fehlte) alles zu sehen, was Technik und Wissenschaft jener Tage zu bieten hatten. Eine Hauptattraktion war das Kraftwerk, das die gesamte Ausstellung mit Licht- und Kraftstrom versorgte. 92 Dampfkessel speisten die Dampfmaschinen, die die Generatoren antrieben. Die Gesamtleistung der Anlage betrug 40 000 PS (29 200 kW).

Weltärztebund (engl. World Medical Association, Abk. WMA), internat. Vereinigung von nationalen ärztl. Standesorganisationen (z.B. Ärztekammern), Ärzten u.a. (fördernden) Mitgl.; gegr. 1947, Sitz: Ferney-Voltaire (Dép. Ain, Frankreich).

Weltausstellung, internat. Ausstellung, die seit 1851 (London) in unterschiedl. Abständen mit wechselndem Standort stattfindet und in nat. Selbstdarstellungen die Errungenschaften in Technik und Kultur wirkungsvoll präsentiert. – EXPO 2000 (EXPO: Kw. für Exposition) ist Bez. für die erste W. in Dtl., die vom 1.6 bis 31. 10. 2000 unter dem Motto »Mensch–Natur–Technik« in Hannover stattfinden wird.

Die Weltbühne
Der Schaubühne XXIX. Jahr
Wochenschrift für Politik · Kunst · Wirtschaft
Begründet von Siegfried Jacobsohn
Unter Mitarbeit von Kurt Tucholsky
geleitet von Carl v. Ossietzky

Inhalt:
Hellmut v. Gerlach — Hitlers Außenpolitik
Bruno Frei — Friedrich Adler gegen Kautsky
Paul Frölich — Eine Geschichte des Bolschewismus?
Carl v. Ossietzky — Herr Walter Bloem
Feuerkopf oder Wasserkopf?
Walter Mehring — Die Sage vom Großen Krebs
Rudolf Arnheim — Sittenlehre für Ungläubige III
Johannes Bückler — Spanien heute
Gabriele Tergit — Brolat
Alfred Polgar — „Die Sardinenfischer"
Bernhard Citron — Der Todeskampf des Dollar-Kapitalismus
Verlustliste
Bemerkungen — Antworten

Erscheint jeden Dienstag
XXIX. Jahrgang — 28. Februar 1933 — Nummer 9
Versandort Potsdam

Verlag der Weltbühne
Charlottenburg · Kantstrasse 152

Die Weltbühne: Titelblatt der Ausgabe vom 28. Februar 1933

Weltbank (amtl. Internat. Bank für Wiederaufbau und Entwicklung, engl. Internat. Bank for Reconstruction and Development, Abk. IBRD), Sonderorganisation der UNO (seit 15. 11. 1947); gegr. am 27. 12. 1945 auf der Grundlage des Abkommens von Bretton Woods (Geschäftsaufnahme: 25. 6. 1946); Sitz: Washington (D. C.). Die W., die →Internationale Entwicklungsorganisation, die →Internationale Finanz-Corporation, die →Multilaterale Investitions-Garantie-Agentur und das Internat. Zentrum zur Beilegung von Investitionsstreitigkeiten bilden die **W.-Gruppe.**

Organe: Jedes der (1998) 181 Mitgl.-Länder entsendet einen Gouv. (i. d. R. den Wirtschafts-Min. oder Notenbank-Präs.) in das oberste Gremium der W., den Gouv.-Rat (Board of Governors). Die laufenden Geschäfte führt das Exekutivdirektorium (Board of Executive Directors), dem 22 Mitgl. angehören (fünf Direktoren werden von den fünf Mitgl.-Staaten mit den höchsten Kapitalanteilen ernannt). Der Präs. der W. (satzungsgemäß ein US-amerikan. Staatsbürger) wird vom Exekutivdirektorium für fünf Jahre gewählt. Die Mitgl. der jeweiligen Organe sind in Personalunion für alle vier Organisationen der W.-Gruppe tätig. Das Stimmrecht der Mitgl.-Länder entspricht ihrem Anteil am Weltbankkapital.

Tätigkeit: Neben projektgebundenen Krediten vergibt die W. Programm- und seit der Schuldenkrise auch Strukturanpassungskredite. Bis in die 1970er-Jahre förderte die W. vorrangig die wirtschaftl. Infrastruktur, seitdem zunehmend Maßnahmen der ländl. Entwicklung und der Grundbedürfnisstrategie (»armutsorientierte Strategie«) unter Einbeziehung umweltpolit. Aspekte. Die Darlehen (meist 15–20 Jahre) werden zu den an internat. Finanzmärkten übl. Zinsen vergeben. Die W. finanziert sich v. a. durch Ausgabe von Schuldverschreibungen, ihre Gewinne sowie Einzahlungen der Mitgl.-Länder auf ihr gezeichnetes Kapital. Die W. verwaltet auch die Mittel der 1990 zus. mit dem Umwelt- und Entwicklungsprogramm der Vereinten Nationen geschaffenen Globalen Umweltfazilität, mit dem Umweltprojekte in Entwicklungsländern und in den ehem. Staatshandelsländern unterstützt werden. Ein neuer Schwerpunkt ist die Unterstützung des Transformationsprozesses in den früher kommunist. Ländern.

Weltbestleistung, *Sport:* die bisher beste sportl. Leistung in solchen Disziplinen (z. B. Marathonlauf), in denen wegen unterschiedl. äußerer Bedingungen keine Rekorde geführt werden.

Weltbevölkerung, →Bevölkerungsentwicklung.

Weltbild, Zusammenfassung der Ergebnisse objektivierbaren Wissens zu einer Gesamtansicht der Welt (speziell auch des Weltalls), und zwar meist als naturwissenschaftlich-physikal., biolog., soziolog. oder philosoph. W. Auch die formulierte Weltanschauung wird als W. bezeichnet.

Weltbühne, Die, kulturpolit. Wochenzeitschrift, gegr. 1905 als Theaterzeitschrift »Schaubühne« von S. Jacobsohn in Berlin, seit 1918 mit dem Titel »Die W.«, 1927–33 geleitet von C. von Ossietzky; neu gegr. 1946 von Maud von Ossietzky in Berlin, 1993 eingestellt.

Weltbund für religiöse Freiheit (engl. International Association for Religious Freedom, Abk. IARF; 1930–69 Weltbund für freies Christentum und religiöse Freiheit), eine 1900 in Boston (Mass.) gegr. interreligiöse Organisation, die ihre Wurzeln im Spiritualismus der Täuferbewegung und in der humanistisch bestimmten Aufklärung hat; kämpft weltweit für religiöse Gewissensfreiheit, sucht durch eine Aktivierung der religiösen Kräfte in allen Völkern Nöte zu lindern. 1949 wurde der Dt. Bund für freies Christentum Mitglied.

Weltbürgertum (Kosmopolitismus), die Anschauung, dass alle Menschen gleichwertige und gleichberechtigte Mitbürger einer die Menschheit umfassenden Gemeinschaft sind. Der in der grch. Philosophie (Stoa, Kyniker) entwickelte Gedanke wurde vom Humanismus und später von der Aufklärung unter dem Aspekt, dass alle Menschen an einer allgemeinen Vernunft teilhaben, übernommen, trat aber dann hinter den aufkommenden Nationalismus zurück; in neuerer Zeit bes. in der Gedankenwelt des Liberalismus und der Freimaurerei vertreten.

Weltchronik, Gattung der mittelalterlichen Geschichtsschreibung bzw. -dichtung, die das gesamte Weltgeschehen von der Schöpfung bis zum Jüngsten Gericht nach den sechs Weltaltern des Augustinus darstellt; mit ihren Sagen, Legenden, Geschichten im MA. weit verbreitet (nach dem Vorbild von u.a. Eusebios von Caesarea, Hieronymus und Isidor von Sevilla). Die älteste dt. W. ist die »Sächsische W.« (vermutlich von Eike von Repgow, um 1225); bedeutend sind die W. von Rudolf von Ems (1250/54), von J. Jansen Enikel (um 1280) und die von H. Schedel, die 1493 lat. und in dt. Übersetzung in Nürnberg erschien. Weitere BILDER Rudolf von Ems, Templerorden

Weltenburg, Ort in der Gem. Kelheim, Niederbayern; Benediktinerkloster am Donaudurchbruch, um 760 gegr.; seine Kirche, ein Hauptwerk des europ. Spätbarock, wurde 1717–36 von den Brüdern →Asam erbaut. BILD S. 168

Welterbe, Bez. für bes. erhaltenswerte Natur- und Kulturdenkmäler der Menschheit, →Weltkulturerbe.

Weltergewicht [engl.-dt.], heute abgelöste Gewichtsklasse im Boxen und Ringen.

Welternährung, Begriff, unter dem die Versorgung der in vielen Regionen wachsenden Weltbev. mit Nahrungsmitteln diskutiert wird, meist aus der Sicht der entwicklungspolit. Zusammenarbeit. Im Vordergrund steht die Frage, wie der ständig wachsenden Weltbev. ausreichend Nahrungsmittel zur Verfügung gestellt werden können. Im Vergleich zu 1960 standen 1990 global betrachtet jedem Menschen 18% mehr Nahrungsmittel zur Verfügung. Die Zuwachsrate der Nahrungsmittelerzeugung ist in der letzten Zeit zwar zurückgegangen, liegt aber immer noch über dem Bev.wachstum. In den entwickelten Ländern liegt der Verbrauch weiter über dem Bedarf. Bei den dortigen hohen Einkommen spielen die Ausgaben für Nahrungsmittel eine relativ immer geringere Rolle. Nach Angaben der FAO waren Mitte der 90er-Jahre weltweit 840 Mio. Menschen unterernährt (je nach Alter, Geschlecht, Gewicht und Land weniger als 1700–1960 Kilokalorien pro Tag). Während sich die Ernährungslage in Asien verbessert hat und weiter verbessert, verschlechtert sich die Situation in den afrikan. Ländern südlich der Sahara. In den ehemals kommunist. Ländern leiden kleine, aber wachsende Bev.teile an Unterernährung, v.a. dort, wo es bewaffnete Konflikte gab: Armenien, Georgien, ehemaliges Jugoslawien, Tadschikistan. Ein besonderes Problem ist die Unterernährung von Kindern. Während i. Allg. eine Verbesserung eingetreten ist (1975–92 sank die Zahl der untergewichtigen Kinder in den Entwicklungsländern von 47% auf 36%), stagnierte die Entwicklung in Afrika bei 37% und stellt v.a. in Bangladesch (66%) und Indien (63%) ein gravierendes Problem dar. Unterernährung ist auch in den Industrieländern ein Problem. In den USA lei-

Weltchronik von Hartmann Schedel; die aufgeschlagene Seite der 1493 von Anton Koberger gedruckten Prachtausgabe mit fast 2000 (handkolorierten) Holzschnitten zeigt die Stadtansicht von Straßburg (Nürnberg, Germanisches Nationalmuseum)

det jedes achte Kind Hunger. Hauptursache der Unterernährung ist in allen Ländern die Armut. In den Industrieländern steht das Problem der Überernährung im Vordergrund (laut WHO sind 40 % der älteren Europäer übergewichtig).

Zur Verbesserung der W. werden Landreformen, genossenschaftl. Kooperationsmodelle, Ausweitung des Agrarkreditwesens, berufl. Schulung, Ausbau von Transportwegen und Absatzkanälen und schließlich eine expansionshemmende Bev.-politik (Geburtenkontrolle) in den Entwicklungsländern, Ausdehnung der Entwicklungshilfe, Hilfen beim Abbau der Auslandsverschuldung und vermehrte Anstrengung zur Nutzungsfähigkeit der maritimen und synthet. Nahrungsressourcen in den entwickelten Ländern vorgeschlagen.

📖 DATTA, A.: *Welthandel u. Welthunger. Neuausg. München 1993.* – OLTERSDORF, U. *u.* WEINGÄRTNER, L.: *Hb. der W. Bonn 1996.* – SCHUG, W. *u. a.: W. Herausforderung an Pflanzenbau u. Tierhaltung. Darmstadt 1996.*

Welternährungskonferenz, Konferenz der UN in Rom vom 6. bis 16. 11. 1974; befasste sich mit der Koordination von Maßnahmen zur Bekämpfung von Hunger und Unterernährung.

Weltenburg: Innenansicht der 1717–36 von den Brüdern Asam erbauten Klosterkirche

Welternährungsprogramm (engl. World Food Programme, Abk. WFP), in mehr als 90 Ländern tätige Unterorganisation der UN, die Nahrungsmittelhilfe in Katastrophenfällen gewährt und Entwicklungsprojekte zur eigenständigen Ernährungssicherung unterstützt; gegr. 1961, Sitz: Rom. Die Finanzierung erfolgt durch freiwillige Beiträge von Mitgl. der UN und der FAO.

Welternährungsrat (engl. World Food Council, Abk. WFC), auf der Welternährungskonferenz 1974 gegr. Gremium zur period. Analyse der Welternährungslage und Koordinierung der Arbeit der versch. UN-Organisationen; Sitz: Rom; Mitgl. sind jeweils 36 UN-Mitgl.staaten im turnusmäßigen Wechsel.

Weltesche, *nord. Mythologie:* → Yggdrasil.

Weltethos (globales Ethos), von dem kath. Theologen H. Küng (in »Projekt W.«, 1990) geprägter Begriff zur Bez. eines von ihm geforderten »Ethos für die Gesamtmenschheit«; bezeichnet im Rahmen einer ökumen. Theologie der (Welt-)Religionen deren gemeinsamen, sie einenden ethischen Gehalt (»Grundethos«); beschreibt, daraus abgeleitet, vor dem Hintergrund der globalen Selbstgefährdung der Menschheit als programmat. Begriff den für alle Menschen als notwendig angesehenen Grundkonsens verbindl. Werte, Normen und Haltungen (Frieden, Gerechtigkeit, Nächstenliebe, Pluralität, Solidarität, Verantwortung für Mitwelt, Umwelt und Nachwelt u. a.).

📖 *Ja zum W. Perspektiven für die Suche nach Orientierung, hg. v.* H. KÜNG. *München u. a. 1995.*

Weltfrauenkonferenz, von den Vereinten Nationen organisierte Konferenz der Vertreterinnen staatlich verfasster Frauenorganisationen, Tagungsorte waren bisher Mexiko (1975), Kopenhagen (1980), Nairobi (1985) und Peking (1995). Gleichzeitig tagen nicht repräsentierte Frauenorganisationen. Im Mittelpunkt standen 1995 die Themen Gewalt gegen Frauen (wie schon auf der Wiener UN-Menschenrechtskonferenz 1993), Geburtenkontrolle und Empfängnisverhütung (als Fortsetzung der Debatten der Weltbevölkerungskonferenz 1994 in Kairo) und im Rahmen einer »Aktionsplattform« das Recht auf sexuelle Selbstbestimmung der Frau, auch Fragen einer Beteiligung der Frau an gesellschaftl. und polit Macht.

Weltgeistlicher (Weltpriester, Säkularkleriker), dem Dienst in einer Diözese oder diözesanähnlichen kirchl. Gebietskörperschaft verpflichteter kath. Geistlicher, der keinem Orden und keiner Kongregation angehört; Ggs.: Ordensgeistlicher.

Weltgericht, → Gericht Gottes.

Weltgeschichte (Universalgeschichte), die Erforschung und Darstellung der Menschheitsgeschichte als Ganzes. Die universalhistor. Betrachtung geht auf Voltaires »Allgemeine W., ...« (7 Bde., 1756) zurück; sie stellte die Geschichte der Menschheit als linearen Aufstieg von primitiver Barbarei zur Herrschaft der Vernunft und Tugend dar. Im 20. Jh. erhielt das Interesse an der W. neuen Auftrieb, wobei einerseits die Analyse der Vorgeschichte des gegenwärtigen Weltzusammenhangs, andererseits die vergleichende Beschreibung ähnlich strukturierter Phänomene in weltgeschichtl. Perspektive ins Zentrum gerückt ist. Die moderne W. geht davon aus, dass Ursprung und Ziel der Geschichte wiss. nicht erforschbar seien, und fasst W. nicht mehr als einheitl. Prozess auf (→Geschichtsphilosophie).

Weltgesundheitsorganisation (engl. World Health Organization, Abk. WHO), Sonderorganisation der UN zur Bekämpfung von Seuchen und Epidemien sowie zur Verbesserung der hygien. Verhältnisse und der Gesundheitsversorgung; gegr. 1948, Sitz: Genf; (1997) 190 Mitgliedstaaten.

Weltgewerkschaftsbund, Abk. **WGB,** →Gewerkschaften.

Welthandel, →Weltwirtschaft.

Welthandelsorganisation (englisch World Trade Organization, Abk. WTO), Sonderorganisation der UNO für den Welthandel, gegr. am 15. 4. 1994 in Marrakesch (Marokko) durch Unterzeichnung des am 15. 12. 1993 vereinbarten GATT-Abkommens der Uruguay-Runde; Sitz: Genf. Die WTO trat am 1. 1. 1995 in Kraft und löste zum 1. 1. 1996 das GATT endgültig ab.

Ziele: Gewährleistung eines freien Welthandels unter Einhaltung der Prinzipien Reziprozität (Prinzip der Gegenseitigkeit), Liberalisierung (Abbau von Zöllen und nichttarifären Handelshemmnissen) und Nichtdiskriminierung bei Übernahme und Fortführung des GATT, v.a. der Ergebnisse der Uruguay-Runde (→GATT). Darüber hinaus wendet die WTO die →Meistbegünstigung strikter an, institutionalisiert ein verbindl. Streitschlichtungsverfahren und ersetzt das lose System der Verhandlungen (GATT-Runden) durch ein System regelmäßiger Verhandlungen. Grundsätzlich gilt das Konsensprinzip. Voraussetzung für die WTO-Mitgliedschaft ist die Annahme sämtl. Ergebnisse der Uruguay-Runde.

Organe: Oberstes Organ ist die Ministerkonferenz und der Allgemeine Rat. Diesem sind das Streitschlichtungsorgan und das Organ für den handelspolit. Überprüfungsmechanismus zugeordnet. Weiterhin besteht ein Sekretariat, das ein von der Ministerkonferenz ernannter Gen.-Sekr. leitet. Unter Leitung des Allgemeinen Rats überprüfen der Rat für Warenhandel, der Rat für Dienstleistungen und der Rat für handelsbezogene Aspekte von Schutzrechten für geistiges Eigentum die Einhaltung der GATT-Regeln und der Ergebnisse der Uruguay-Runde. Als Ausschüsse der Ministerkonferenz bzw. des Allgemeinen Rats arbeiten der Ausschuss für Handel und Entwicklung, der Haushaltsausschuss und der Ausschuss für Finanzen und Verwaltung. Der WTO gehören (1998) 132 stimmberechtigte Vollmitglieder an.

Welthilfssprachen (Universalsprachen, Plansprachen), künstlich geschaffene, zum internat. Gebrauch bestimmte Sprachen. Die Erarbeitung des Wortschatzes erfolgt entweder durch Auswahl der Wörter aus den bekannten natürl., d.h. historisch gewachsenen Sprachen (naturalist. Prinzip) oder durch Neubildung von wenigen Wortstämmen und einer großen Zahl frei verfügbarer Wortbildungssilben (schemat. Prinzip). – Prakt. Bedeutung unter den über 1000 Vorschlägen erlangte zuerst das **Volapük** des bad. Pfarrers J. M. Schleyer (1879). Die größte Verbreitung hat bisher das **Esperanto** des poln. Arztes L. Zamenhof (1887) gefunden. Ein naturalistisch reformiertes Esperanto ist das **Ido** der Franzosen L. Couturat und L. Léau. Der italien. Mathematiker G. Peano schlug 1903 ein vereinfachtes Latein unter der Bez. **Interlingua** vor; zu nennen sind auch das **Occidental** des Deutschbalten E. von Wahl (1922), das **Novial** des Dänen O. Jespersen (1928), das **Mondial** (1943) des Schweden H. Heimer und die (zweite) **Interlingua** (1951) von A. Gode.

Welti, 1) Albert, schweizer. Maler und Radierer, *Zürich 18. 2. 1862, †Bern 7. 6. 1912, Vater von 2); schuf von A. Böcklin beeinflusste, in altmeisterl. Manier ausgeführte Bilder sowie Glasfenster (»Die Textilindustrie«, 1901; Bern, Bundeshaus).

2) Albert Jakob, schweizer. Schriftsteller und Maler, *Höngg (heute zu Zürich) 11. 10. 1894, †Amriswil (Kt. Thurgau) 5. 12. 1965, Sohn von 1); schrieb erfolgreiche Mundartstücke und mit »Wenn Puritaner jung sind« (1941) den Zeitroman der schweizer. Zwischenkriegsgeneration.

Weltkirchenrat, der →Ökumenische Rat der Kirchen.

Weltklimakonferenz, von den UN organisierte internat. Konferenz zum Schutz des Klimas. Nach den Umweltkonferenzen von Stockholm (1972) und Rio de Janeiro (1992; →Rio-Gipfel) sowie einer Nachfolgekonferenz in New York (1997) fand im Dez. 1997 in Tokio die dritte »Vertragsstaatenkonferenz der Klimarahmenkonvention« statt. Dabei ging es v.a. um die Stabilisierung oder Reduzierung der Emission von Treibhausgasen (Kohlendioxid, Methan, Lachgas, ferner Schwefelhexalfluorid, SF_6; Fluorkohlenwasserstoffe, HCFC; Perfluorkohlenwasserstoffe, PFC) in den Ind.ländern, die zwar $^3/_4$ der globalen Energie verbrauchen, aber nur $^1/_4$ der Weltbev. stellen.

Von den 159 Teilnehmerstaaten werden ganz unterschiedl. Positionen vertreten. Die EU-Länder streben eine Reduzierung der Emissionen um 15% gegenüber dem Stand von 1990 bis zum Jahr 2010 an, die USA die Beibehaltung des gegenwärtigen globalen Standes; ähnl. Zurückhaltung zeigt Japan,

Weltgesundheitsorganisation

während Australien sogar höhere Emissionen für sich beansprucht. Das Zögern gründet v.a. in der Befürchtung, durch starke Reduktion wirtsch. Probleme zu verursachen; dies beträfe z.B. auch die OPEC-Länder. Im Abschlussprotokoll verpflichteten sich die Ind.länder, die Emissionen in der Zeit von 2008 bis 2012 um durchschnittlich 5,2% zu senken; Russland, die Ukraine und Neuseeland dürfen ihre Ausstoßmenge von 1990 beibehalten, Norwegen sie um 1%, Australien um 8% und Island um 10% erhöhen. Die Entwicklungsländer werden nicht einbezogen.

Zwar ist die anthropogene Ursache der in den letzten 100 Jahren beobachteten globalen Erwärmung der Erdatmosphäre noch nicht eindeutig erwiesen, doch wären die Folgen einer einmal in Gang gesetzten Klimaänderung so beträchtlich, dass vorsorgl. Handeln erforderlich ist. Dabei muss u.a. die Trägheit der klimat. wie gesellschaftlich-wirtsch. Systeme in Rechnung gestellt werden.

Weltkrieg, ein globaler, viele Staaten und Völker der Erde einbeziehender militär. Konflikt, bei dem die Kampfhandlungen sich auf fast alle Kontinente und Weltmeere erstrecken. Eine erdumspannende militär. Auseinandersetzung war bereits der Siebenjährige Krieg (1756–63); die Kriegshandlungen der europ. Mächte in Übersee beschränkten sich damals allerdings auf wenige Schlachten und Gefechte.

Erst die beiden großen Kriege des 20. Jh. waren W. im eigentl. Sinne, wobei der 1. W. (1914–18) hinsichtlich seiner Opfer, des Ausmaßes der Zerstörung wie auch in Bezug auf die militärisch-territorialen Dimensionen durch den 2. W. (1939–45) noch erheblich übertroffen wurde. Im Unterschied zu früher geführten »Kabinettskriegen« war für die W. charakteristisch: Konfrontation von Millionenheeren, Einsatz einer gewaltigen Militärmaschinerie mit entsprechenden Nachschubproblemen, erstmalige Verwendung von Luft- und Panzerwaffen (am Ende des 2. W. der Nuklearwaffe), die völlige Ausrichtung der nat. Wirtschaften auf die Bedürfnisse des Krieges (»Heimatfront«, Vorrang der Waffen- und Munitionsproduktion). Die Zivilbevölkerung wurde in einem bis dahin unbekannten Maße in die Kriegshandlungen einbezogen, die sich oft gezielt gegen sie richteten (z.B. Bombenterror gegen Städte, Vernichtungsaktionen gegen ganze Bev.gruppen im 2. W.); die Zerstörung materieller und kultureller Güter führte zur Verwüstung großer Territorien (im 2. W. z.B. durch die von dt. Truppen angewandte Taktik der »verbrannten Erde«). Beide W. riefen grundlegende Veränderungen im Staatensystem der Welt hervor (z.B. Zerfall von Vielvölkerstaaten, Bildung neuer Länder) und zogen z.T. gesellschaftl. Umwälzungen nach sich (u.a. Oktoberrevolution in Russland 1917); sie veränderten die Machtkonstellation zw. den Ländern erheblich. Unter dem Eindruck der Kriegskatastrophe waren nach beiden W. internat. Bemühungen darauf gerichtet, den Frieden weltweit zu sichern (u.a. durch die Gründung zwischenstaatlicher Organisationen: 1919/20 Völkerbund, 1945 UN).

Der Erste Weltkrieg

Ursachen und Vorgeschichte: Die Ursachen des 1. W. erwuchsen längerfristig aus den machtpolit. Gegensätzen und Interessenkonflikten im europ. Staatensystem, wie sie sich an der Wende vom 19. zum 20. Jh. herausgebildet hatten. Zunehmende Rivalität bestand zw. der See- und Kolonialmacht Großbritannien und Dtl., das durch seine rasche wirtsch. Expansion nach der Reichsgründung 1871, durch sein Streben nach Weltgeltung (»Platz an der Sonne«) und v.a. durch seine ab 1898 verstärkte Flottenrüstung die britische Hegemonie bedrohte. Flankiert wurde dieser Konflikt von den traditionellen frz.-dt. Spannungen (Revanchedenken Frankreichs wegen der Kriegsniederlage 1870/71), zugespitzt durch die dt. Annexion Elsass-Lothringens. Ein Krisenherd existierte auf dem Balkan, wo Österreich-Ungarn und Russland um Einflusssphären konkurrierten; das Russ. Reich bediente sich einer panslawist. Prestigepolitik und nutzte die sich zuspitzenden nat. Probleme innerhalb des habsburg. Vielvölkerstaates. Der Gegensatz zw. Russland und Dtl. beruhte auf der dt. Unterstützung für Österreich-Ungarn auf dem Balkan und der dt. Absicht, das osman. Reich zu modernisieren, dem der Drang des Zarenreiches nach den Meerengen (Bosporus und Dardanellen) entgegenstand. Hegemoniestreben (→Imperialismus) und übersteigerter Nationalismus der europ. Großmächte wurden zu entscheidenden Gründen für den Ausbruch des 1. W. Die →Marokkokrisen 1905 und 1911, die österr. Annexion von Bosnien und Herzegowina 1908 sowie die →Balkankriege 1912/13 führten Europa bereits an den Rand eines allg. Krieges. Im Vorfeld des 1. W. formierten sich zwei einander gegenüberstehende Koalitionen: Auf der einen Seite die **Mittelmächte** mit Dtl., Österreich-Ungarn (1879 Zweibund, durch Italien 1882 zum Dreibund erweitert), denen sich das Osman. Reich (seit 1914) und Bulgarien (seit 1915) anschloss, auf der anderen Seite die **Ententemächte** zunächst mit dem frz.-russ. Zweiverband (1893/94), später mit Großbritannien, Frankreich (Entente cordiale 1904) und Russland (Tripelentente 1907), während des Krieges um Japan (seit 1914), Italien (Vierverband 1915), die USA (seit 1917) u.a. erweitert (auch als **Alliierte und assoziierte Mächte** bezeichnet).

Unmittelbarer Kriegsanlass war die Ermordung des österr.-ungar. Thronfolgers Erzherzog Franz

Ferdinand durch den serb. Nationalisten Gavrilo Prinčip am 28. 6. 1914 in Sarajevo. Es folgte ein Monat hektischer diplomat. Aktivitäten (»Julikrise«). Nachdem Serbien ein scharfes österr. Ultimatum

Weltkrieg: Nach der Ermordung des österreichisch-ungarischen Thronfolgers Franz Ferdinand durch den serbischen Nationalisten Gavrilo Prinčip (im Bild bei seiner Festnahme) in Sarajevo am 28. Juni 1914 erklärte Österreich-Ungarn am 28. Juli 1914 Serbien den Krieg, der sich im Laufe einer Woche zum Ersten Weltkrieg entwickelte

(23. 7.) abgelehnt hatte, erklärte ihm Österreich-Ungarn mit Rückendeckung Dtl.s (»Blankovollmacht«) am 28. 7. 1914 den Krieg. Russland reagierte mit einer Generalmobilmachung (30. 7.), die es trotz eines dt. Ultimatums nicht einstellte, woraufhin Dtl. am 1. 8. 1914 Russland den Krieg erklärte. Die europ. Bündnisverflechtungen setzten nunmehr einen militär. Mechanismus in Gang. Am 2. 8. besetzten dt. Truppen Luxemburg. Am 3. 8. folgte die dt. Kriegserklärung an Frankreich. Der dt. Einmarsch in das neutrale Belgien veranlasste Großbritannien am 4. 8. zum Kriegseintritt. Italien blieb zunächst neutral; Japan trat am 23. 8. in den Krieg gegen Dtl. ein.

Der Grad der dt. Verantwortung für den Ausbruch des 1. W. ist in der Geschichtswissenschaft bis heute umstritten (→Kriegsschuldfrage).

Der Bewegungskrieg im Westen 1914: Gemäß dem Schlieffenplan (→Schlieffen) erfolgte der dt. Aufmarsch mit dem Schwerpunkt gegen Frankreich (sieben Armeen im W). Um den Festungsgürtel Frankreichs zu umgehen und dessen Heer in einer großen Umfassungsoperation zu besiegen, war die Durchquerung des neutralen Belgiens mit einem starken rechten Flügel vorgesehen. Nach der Besetzung Lüttichs (7. 8.) begann am 18. 8. der Vormarsch aller dt. Armeen (20. 8. Einnahme von Brüssel). Die Grenzschlachten Ende Aug. brachten zwar keine strateg. Entscheidung, doch konnten die dt. Truppen Anfang Sept. den Raum östlich von Paris erreichen. Die erfolgreiche Gegenoffensive der Entente in der Marneschlacht (6.–9. 9.) zw. Paris und Verdun zwang die dt. Armeen zum Rückzug hinter die Aisne. Diese Schlacht war der erste Wendepunkt im Verlauf des Krieges; mit ihr scheiterte die dt. Strategie der schnellen Niederringung Frankreichs zur Vermeidung eines langen Zweifrontenkrieges; es kam zu einer Führungskrise in der Obersten Heeresleitung Dtl.s, am 14. 9. wurde der Chef des Generalstabes H. von Moltke durch E. von Falkenhayn abgelöst. Gegenseitige Überflügelungsversuche im Herbst dehnten die Front bis zur Nordsee aus (»Wettlauf zum Meer«). In den Schlachten in Flandern (Okt./Nov.) mit dem Schwerpunkt bei Ypern schlugen alle dt. Versuche fehl, zur frz. Kanalküste vorzudringen. Danach erstarrte die Westfront im Stellungskrieg.

Der Bewegungskrieg im Osten 1914: Der in Ostpreußen einfallenden russ. Njemen-Armee trat die dt. 8. Armee am 20. 8. bei Gumbinnen entgegen. Auf die Nachricht vom Anmarsch der Narew-Armee brach der dt. General M. von Prittwitz die Schlacht ab und befahl den Rückzug hinter die Weichsel. Er wurde durch General P. von Hindenburg (Generalstabschef General E. Ludendorff) ersetzt, der sich zum Angriff auf die Narew-Armee entschloss. Nach deren Vernichtung bei Tannenberg (26.–31. 8.) wandte sich Hindenburg gegen die Njemen-Armee und besiegte sie an den Masur. Seen (6.–14. 9.).

Das österr.-ungar. Heer stieß auf Lublin und Lemberg vor, musste jedoch im Sept. vor der russ. Übermacht in die Karpaten und hinter die Wisłoka zurückweichen. Zu seiner Unterstützung wurde die aus Teilen der 8. gebildete dt. 9. Armee unter Hindenburg nördlich von Krakau eingesetzt. Sie drang im Okt. bis Iwangorod und südlich von Warschau vor; von Umfassung bedroht, zog sie sich nach Oberschlesien zurück. Infolgedessen mussten auch die inzwischen an den San und bis Iwangorod vorgegangenen österr.-ungar. Armeen wieder in die Karpaten und nach Krakau zurückgenommen werden. Am 1. 11. wurde Hindenburg Oberbefehlshaber Ost. Er überließ den Schutz Oberschlesiens den Österreichern sowie schwachen dt. Kräften und stellte die 9. Armee unter General A. von Mackensen bei Thorn zum Angriff bereit, die schließlich Mitte Nov. starke russ. Kräfte um Lodz einkesselten. Durch einen russ. Vorstoß von NO wurde der dt. linke Umfassungsflügel eingeschlossen. Ihm gelang der Durchbruch auf Brzeziny (24. 11.). Im Dez. wurden die Russen hinter die Bzura und obere Pilica und bei Krakau zurückgedrängt. Danach ging auch die Ostfront zum Stellungskrieg über.

Der Feldzug gegen Serbien begann am 12. 8. mit einem erfolglosen österr.-ungar. Vorstoß über die

Erster Weltkrieg – Ostfront 1914–18

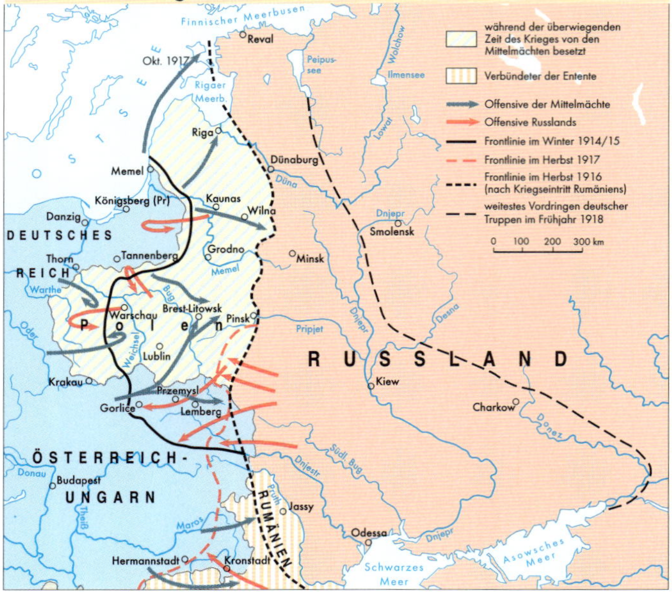

Drina. Ein neuer Angriff im Sept. führte nach schweren Kämpfen am 2. 12. zur Einnahme Belgrads; er endete infolge eines serb. Gegenstoßes mit dem Rückzug hinter Drina und Save.

Die Kämpfe im Westen und Osten 1915: In der Winterschlacht in der Champagne (16. 2.–19. 3.), der Frühjahrsschlacht im Artois (9. 5.–18. 6.) und der Herbstschlacht im Artois und in der Champagne (22. 9.–14. 10.) versuchten die Franzosen und Briten unter steigendem Kräfte- und Materialeinsatz vergeblich, die dt. Abwehrfront im W zu durchbrechen. Ein dt. Angriff zur Abschnürung des Ypernbogens (22. 4.–24. 5.) kam über Anfangserfolge nicht hinaus. Im O schlug Hindenburg im Febr. den russ. Nordflügel vernichtend in der Winterschlacht in Masuren. Die im Jan. an der österr.-ungar. Karpatenfront eingesetzte dt. Südarmee warf die nach Ungarn vorgedrungenen Russen wieder zurück. Nach der Kapitulation der österr. Festung Przemyśl (22. 3.) rückten russ. Truppen erneut in die Karpaten vor. Zur Entlastung des Verbündeten griff die dt. 11. Armee unter von Mackensen am 2. 5. bei Gorlice-Tarnów an und durchbrach die russ. Front in Galizien. Mitte Mai wurde der San überschritten, am 3. 6. Przemyśl, am 22. Lemberg eingenommen. Dann stießen die Verbündeten zw. Bug und Weichsel nach N vor. Mitte Juli traten die dt. Armeen in Polen und Litauen zum Angriff an. In schneller Folge fielen im Aug. und Sept. Iwangorod, Warschau, Kowno, Brest-Litowsk, Grodno und Wilna. Ende Sept. wurde die Offensive in einer von der Bukowina über Pinsk nach Dünaburg und längs der Düna zur Rigaer Bucht verlaufenden Linie eingestellt.

Die Ereignisse auf den Nebenfronten 1915: Italien schloss sich nach ergebnislosen Verhandlungen mit Wien über territoriale Kompensationen (Trentino) der Entente an und erklärte am 23. 5. Österreich-Ungarn den Krieg (dem Dt. Reich erst am 28. 8. 1916). Generalstabschef General L. Cadorna setzte den Großteil des Heeres am Isonzo zum Durchbruch auf Laibach ein; in den ersten vier Isonzoschlachten (Juni–Nov.) konnten die schwachen österr.-ungar. Kräfte nur auf ihre Hauptstellung zurückgedrängt werden.

Das Osman. Reich hatte im Aug. 1914 mit Dtl. ein Bündnis geschlossen und trat im Nov. in den Krieg ein. Die von Kriegsmin. Enver Pascha geführten Hauptkräfte versammelten sich um Konstantinopel. Ein Angriff auf die russ. Truppen im Kaukasus endete im Jan. 1915 mit einem schweren Rückschlag. Ebenso scheiterte ein Vorstoß gegen den Sueskanal. Nach einem erfolglosen brit.-frz. Flottenangriff auf die Dardanellen (18. 3.) landeten die Alliierten am 25. 4. auf der Halbinsel Gallipoli, konnten aber die türk. Abwehrfront nicht durchbrechen und mussten Ende 1915 abziehen. Vom Pers. Golf auf Bagdad vorstoßende brit. Truppen wurden von den Türken am 22. 11. bei Ktesiphon geschlagen und in Kut-el Amara eingeschlossen, wo sie am 29. 4. 1916 kapitulierten.

Um Landverbindung mit der Türkei zu erhalten, entschlossen sich die dt. und die österr.-ungar. Heeresleitung im Spätsommer 1915 zum Angriff auf Serbien. Bulgarien verpflichtete sich in einer Militärkonvention (6. 9.) zur Teilnahme. Unter von Mackensen erzwangen die dt. 11. und die österr.-ungar. 3. Armee im Okt. den Übergang über Donau und Save. In schweren Kämpfen wurden die Serben im Okt. und Nov. vernichtend geschlagen. Zu ihrer Unterstützung landeten am 5. 10. brit.-frz. Truppen bei Saloniki. Sie drangen im Nov. nach Makedonien vor und wurden im Dez. von den Bulgaren über die grch. Grenze zurückgeworfen. Mit der Eroberung Montenegros und Albaniens durch österr.-ungar. Kräfte im Jan./Febr. 1916 schloss der Balkanfeldzug der Mittelmächte ab.

Die Kämpfe an der West- und Ostfront und gegen Italien 1916: Anfang 1916 entschloss sich Falkenhayn zum Angriff auf Verdun, der am 21. 2. mit einem tiefen Einbruch begann. Die Schlacht um Verdun (Febr. bis Dez.), mit der die frz. Armee »ausgeblutet« werden sollte, entwickelte sich zu einem zähen Ringen um jeden Fußbreit Boden, in dem beide Seiten schwere Verluste erlitten (rd. 700 000 Mann). Ein am 15. 5. einsetzender österr.-ungar. Angriff in Tirol zur Entlastung der Isonzofront musste wieder eingestellt werden, als am 4. 6. die russ. Brussilow-Offensive gegen den S der Ostfront begann. Sie konnte erst im Aug. zum Stehen gebracht werden. Ein brit.-frz. Großangriff an der Somme (seit 24. 6.) wurde in fünfmonatigem Kampf abgewehrt. Der Misserfolg vor Verdun, die Sommekrise und die rumän. Kriegserklärung an Österreich-Ungarn (27. 8.) führten zum Rücktritt Falkenhayns als Generalstabschef; Nachfolger wurde Hindenburg mit Ludendorff als Erstem Generalquartiermeister (Oberste Heeresleitung). Sie stellten den Angriff auf Verdun ein und entschlossen sich zur Offensive gegen Rumänien. Ein bulgar. Vorstoß in die Dobrudscha (Anfang Sept.) endete im Okt. mit der Besetzung Constanțas und Cernavodas. Die dt. 9. Armee unter Falkenhayn besiegte die nach Siebenbürgen vorgestoßenen Rumänen bei Hermannstadt (26.–28. 9.) und Kronstadt (7./8. 10.). Im Nov. erkämpfte sie den Übergang über die Südkarpaten (Transsilvan. Alpen) und drängte den Gegner gemeinsam mit der am 23. 11. bei Swischtow über die Donau gegangenen Donau-Armee nach O zurück. Nach schwerer Niederlage am Argeș (1.–3. 12.) räumten die Rumänen die Walachei. Die Verbündeten besetzten am 6. 12. Bukarest. An der makedon. Front wehrten dt.-bulgar. Kräfte im Herbst einen großen Angriff der Saloniki-Armee ab. Am Isonzo versuchten die Italiener in fünf weiteren Schlachten (Juni–Nov.) erfolglos, die österr.-ungar. Stellungen zu durchbrechen. Eine russ. Offensive in Armenien warf die Türken weit zurück.

Trotz des Sieges über Rumänien und der Abwehr aller Angriffe war die Lage der Mittelmächte Ende 1916 ernst. Die 1914 im Kanal sowie zw. der schott. und norweg. Küste errichtete brit. Fernblockade des dt. Seehandels begann zu wirken. Die Donaumonarchie wurde durch die innere Opposition der Slawen und den Tod Kaiser Franz Josephs I. (21. 11.) erschüttert; Versuche seines Nachfolgers, Karls I., einen Sonderfrieden zu erreichen (→Sixtus), bewirkten eine Entfremdung zu Deutschland. Im Dt. Reich sprengte der Streit um die Kriegsziele die nat. Einheitsfront der polit. Parteien; die Errichtung eines Königreichs Polen (5. 11.) brachte nicht die erhoffte poln. Unterstützung. Das Friedensangebot der Mittelmächte (12. 12.) wurde von der Entente abgelehnt; auch eine Friedensnote des amerikan. Präsidenten W. Wilson (18. 12.) blieb wirkungslos. Zur Fortführung des Kriegs forderten Hindenburg und Ludendorff die Heranziehung aller zivilen Kräfte zur Steigerung der Rüstungsindustrie und Ernährungswirtschaft (Vaterländ. Hilfsdienst, Hindenburg-Programm).

Die West- und Ostfront 1917 und der Zusammenbruch Russlands: In Erwartung einer neuen Großoffensive der Alliierten im Sommegebiet wurde die Front Mitte März in die stark ausgebaute Siegfriedstellung zurückgenommen. Daraufhin griffen die Alliierten im April und Mai unter extremem Kräfte- und Materialeinsatz an der Aisne und in der Champagne sowie bei Arras an, wurden aber in bewegl. Verteidigung abgewiesen. Ebensowenig vermochten die Briten in der Schlacht in Flandern (Juni–Dez.) größere Erfolge zu erzielen. Ihr Geländegewinn unter Einsatz neuartiger Panzerwagen in der am 20. 11. begonnenen »Tankschlacht bei Cambrai« ging bei dem dt. Gegenangriff (Ende Nov./Anfang Dez.) wieder verloren.

In Russland brach am 12. 3. (27. 2.) die »Februarrevolution« aus, Zar Nikolaus II. dankte am 15. 3. ab. Die neue provisor. Regierung aus Demokraten und Sozialrevolutionären entschloss sich auf Drängen der Entente zu einer Offensive (Kerenski-Offensive), die am 1. 7. begann und die österr.-ungar. Front in Galizien teilweise zurückdrückte. Der Gegenangriff der Verbündeten bei Tarnopol (19. 7.) verdrängte die Russen aus Ostgalizien und der Bukowina; die Eroberung Rigas (3. 9.) und der balt. Inseln (Ösel, Dagö, Moon, 12.–21. 10.) vollendete die militär. Niederlage. Mit der »Oktoberrevolution« kamen am 7. 11. (25. 10.) die Bolschewiki an die Macht. Sie schlossen am 15. 12. einen Waffenstillstand und traten am 22. 12. in Friedensverhandlungen ein, die aber erst nach dem dt. Einmarsch in Livland und Estland und der Besetzung der Ukraine am 3. 3. 1918 zum »Diktatfrieden« von Brest-Litowsk führten (→Brest 2). Den Kriegszustand mit Rumänien beendete am 7. 5. der Friede von Bukarest. Finnland schloss am 7. 3. einen Sonderfrieden mit dem Dt. Reich und vertrieb danach mithilfe dt. Truppen unter General R. Graf von der Goltz die Bolschewiki (April 1918).

Erster Weltkrieg – Westfront 1914–18

Weltkrieg (Erster Weltkrieg)

1

2

3

4

1 Am 31. Juli 1914 wird in Deutschland der »Zustand drohender Kriegsgefahr« ausgerufen; ein Offizier der preußischen Armee verliest das Dokument auf der Allee »Unter den Linden« in Berlin | **2** Nachdem die Fronten im Stellungskrieg erstarrt sind, offenbart sich die ganze Härte des modernen Landkrieges; im Bild gefallene französische Infanteristen, die beim Anmarsch zu den Schützengräben von deutscher Artillerie getroffen worden sind | **3** Erstmals in einem Krieg spielen bewaffnete Luftfahrzeuge eine wichtige Rolle, auch wenn der Luftkrieg fast ausschließlich auf den Bereich der Fronten beschränkt bleibt; das Gemälde zeigt deutsche Fokker-Jagdflugzeuge bei der Verfolgung britischer Aufklärungsmaschinen (London, Imperial War Museum) | **4** Letztmals in der Kriegsgeschichte kommt es zum Einsatz großer geschlossener Kriegsschiffverbände in der Skagerrakschlacht am 31. Mai und 1. Juni 1916; das zeitgenössische Gemälde ist ein Werk des Marinemalers Claus Bergen

Die Kämpfe gegen Italien, in Makedonien und in der Türkei 1917: Die Lage an der Isonzofront war nach weiteren italien. Angriffen im Frühjahr und Aug./Sept. 1917 aufs Äußerste gespannt. Zur Entlastung griffen dt. und österr.-ungar. Kräfte unter General O. von Below am 24. 10. am oberen Isonzo an. Sie durchbrachen die italien. Stellung bei Flitsch-Tolmein, besiegten die Italiener bei Udine (28. 10.–3. 11.) und warfen sie hinter den Piave zurück. Die dt.-bulgar. Front in Makedonien trotzte allen Angriffen der Alliierten, denen sich Griechenland nach Abdankung König Konstantins am 27. 6. anschloss. Im Irak drängten die Briten die Türken im März bis über Bagdad zurück. Eine brit. Offensive auf Palästina führte am 10. 12. zur Einnahme Jerusalems.

Die Lage 1917 und die dt. Offensive 1918: Durch den Zusammenbruch Russlands und den Sieg in Oberitalien waren die Mittelmächte einerseits entlastet worden. Andererseits hatte der nach schweren polit. Auseinandersetzungen von Dtl. am 1. 2. 1917 begonnene uneingeschränkte U-Boot-Krieg nicht die erhoffte entscheidende Wirkung gehabt; er führte vielmehr zum Kriegseintritt der USA (6. 4.). Die Verschlechterung der Ernährungs- und Rohstofflage, Zerfallserscheinungen in der Donaumonarchie, die durch die Friedensresolution des Reichstags (19. 7.) gewachsene innenpolit. Spannung in Dtl. und das zu erwartende Eingreifen amerikan. Truppen forderten eine baldige Beendigung des Kriegs. Die Oberste Heeresleitung entschloss sich, eine militär. Entscheidung durch

| 5

| 6

| **5** Panzerwagen (»Tanks«) wurden im Jahr 1916 erstmals von den Briten an der Westfront eingesetzt; im Bild britische »Tanks« während eines Angriffs auf deutsche Stellungen im September 1918 bei Bellicourt | **6** Der Erste Weltkrieg führte auch in Deutschland zur Auflösung der Monarchie; in Berlin versuchten Arbeiter- und Soldatenräte, die Macht zu übernehmen; im Bild die Übernahme der Kaserne des 2. Gardeulanen-Regiments in der Berliner Invalidenstraße

eine große Offensive im W zu suchen. Der am 21. 3. 1918 zw. Arras und La Fère in 70 km Breite eingeleitete Angriff wurde nach großen Anfangserfolgen am 4. 4. östlich von Amiens gestoppt; ein am 9. 4. beginnender Angriff beiderseits Armentières kam nach Erstürmung des Kemmelberges (25. 4.) ebenfalls zum Stehen. Um die gegner. Reserven aus Flandern abzuziehen, erfolgte am 27. 5. ein neuer großer Angriff zw. Soissons und Reims; er führte in wenigen Tagen bis zur Marne bei Château-Thierry, blieb jedoch mit dem rechten Flügel am 13. 6. vor Compiègne und Villers-Cotterêts stecken. Weitere dt. Offensiven zw. Montdidier und Noyon (9.–14. 6.) sowie an der Marne und im Raum Reims (15.–17. 7.) scheiterten ebenso.

Die Gegenoffensive der Entente und der Zusammenbruch der Mittelmächte: Auf alliierter Seite hatte General F. Foch im April 1918 den Oberbefehl über alle Landstreitkräfte übernommen. Er begann seine Gegenoffensive am 18. 7. mit einem Flankenstoß aus dem Wald von Villers-Cotterêts, der zur Zurücknahme der dt. Front hinter die Vesle führte. Weitere am 8. 8. östlich Amiens einsetzende, von Panzern und Flugzeugen unterstützte Angriffe drängten die Deutschen in die Siegfriedstellung zurück. Ende Sept. traten die Alliierten in Flandern, im Artois und in der Champagne zur Generaloffensive an. Unter zähem Widerstand wichen die Deutschen im Okt. und Anfang Nov. allmählich in die Antwerpen-Maas-Stellung zurück.

Inzwischen hatte Bulgarien nach dem Zusammenbruch der makedon. Front (Mitte Sept.) am 29. 9., die Türkei nach schweren Niederlagen in Palästina am 30. 10. Waffenstillstand mit der Entente geschlossen. Am 28. 10. durchbrachen die Alliierten die österr.-ungar. Front am Piave. Daraufhin bat auch die Wiener Regierung um Waffenstillstand, der am 3. 11. in Kraft trat. Die neue Reichsregierung (Reichskanzler seit 3. 10. Prinz Max von Baden) hatte auf Drängen Ludendorffs (29. 9.) widerstrebend am 5. 10. den amerikan. Präs. Wilson um Waffenstillstand und Einleitung von Friedensverhandlungen aufgrund seines Friedensprogramms vom 8. 1. 1918 ersucht (→Vierzehn Punkte). Am 26. 10. wurde Ludendorff durch General W. Groener ersetzt. Im Dt. Reich konnte die Einführung des parlamentar. Regierungssystems den Zusammenbruch nicht mehr aufzuhalten. Aus Meutereien bei der Hochseeflotte entwickelte sich eine Revolution, die am 9. 11. zur Ausrufung der Republik durch P. Scheidemann mit nachfolgendem Thronverzicht des Kaisers und des Kronprinzen führte. Am 11. 11. wurde im Wald von Compiègne mit den Alliierten ein Waffenstillstand geschlossen, der u. a. die Räumung der besetzten Gebiete und Elsass-Lothringens binnen 14, die des linken Rheinufers mit den Brückenköpfen Mainz, Koblenz und Köln binnen 30 Tagen vorsah; weiterhin legte er die Freilassung aller Kriegsgefangenen ohne Gegenleistung, die Auslieferung der U-Boote, die Internierung des Hauptteils der Flotte in Scapa Flow und die Fortdauer der Blockade fest.

Der See- und Kolonialkrieg 1914–18: Das Ziel der dt. Seekriegführung in der Nordsee war zunächst die Schwächung des Gegners durch eine U-Boot- und Minenoffensive; die dt. Flotte sollte bei günstiger Gelegenheit zur Schlacht eingesetzt werden. Dieses Ziel wurde nicht erreicht, da sich die brit. Flotte nicht aus ihrer Fernblockadeposition locken ließ. Am 28. 8. 1914 kam es bei Helgoland zu einem Gefecht zw. leichten Streitkräften. Am 24. 1. 1915 fand die Schlacht an der Doggerbank statt. Schließlich kam es aber dennoch vor dem Skagerrak am 31. 5./1. 6. 1916 zur Schlacht zw. der dt. Hochseeflotte und der brit. »Home Fleet«; Letztere hatte hierbei zwar größere Verluste, eine Entscheidung fiel aber nicht. In der Ostsee behaupteten schwache dt. Streitkräfte gegenüber der weit überlegenen russ. Flotte die Seeherrschaft und sicherten die Erzeinfuhr aus Schweden. Die dt. Mittelmeerdivision brach nach Beschießung alger. Häfen im Aug. 1914 nach Konstantinopel durch und bekämpfte dann als Kern der türk. Flotte die russ. Seestreitkräfte im Schwarzen Meer. Das dt. Kreuzergeschwader in Ostasien unter Admiral Graf M. von Spee besiegte am 1. 11. 1914 bei Coronel einen brit. Kreuzerverband; es erlag am 8. 12. 1914 bei den Falklandinseln überlegenen brit. Streitkräften. Dt. kleine Kreuzer und Hilfskreuzer setzten den Handelskrieg erfolgreich fort. Nach Versenkung von drei brit. Kreuzern durch ein dt. U-Boot vor der niederländ. Küste (22. 9. 1914) eröffnete Dtl. im Febr. 1915 den U-Boot-Krieg gegen die Handelsschifffahrt der Alliierten; er wurde nach dem →Lusitania-Zwischenfall (7. 5. 1915) auf amerikan. Druck hin stark eingeschränkt und erst nach der Ablehnung des Friedensangebots der Mittelmächte am 1. 2. 1917 in verschärfter Form (uneingeschränkter U-Boot-Krieg) wieder aufgenommen. Er wirkte aber infolge der brit. Abwehrmaßnahmen nicht kriegsentscheidend.

Bei Kriegsbeginn griff die Entente sofort die dt. Kolonien in Übersee an (→Schutzgebiete). Togo wurde im Aug. 1914 von Briten und Franzosen besetzt. Die Schutztruppe in Dt.-Südwestafrika unterlag im Sommer 1915 zehnfacher südafrikan. Übermacht. Die Schutztruppe in Kamerun behauptete sich bis Anfang 1916 gegen weit überlegene alliierte Kräfte und trat dann auf span. Gebiet über. Dt.-Ostafrika verteidigte General P. von Lettow-Vorbeck bis Febr. 1916 erfolgreich gegen alle Einfälle der Alliierten; am 14. 11. 1918 gab er auf Befehl der Reichsregierung endgültig auf. Tsingtau fiel am 7. 11. 1914 in die Hände der Japaner. Die dt. Südseeinseln wurden 1914 von Japanern und Australiern besetzt.

Der Luftkrieg 1914–18: Bei Kriegsbeginn standen auf allen Seiten erst wenige unbewaffnete Militärflugzeuge in Dienst, die fast ausschließlich zur Nahaufklärung eingesetzt wurden. Im weiteren Verlauf vervielfachte sich die Zahl der Maschinen, ab 1915 waren sie im Allgemeinen bewaffnet. Für die unterschiedlichen Aufgaben entwickelte man Jagd-, Bomben-, Aufklärungs- und Erdkampfflugzeuge; Deutschland setzte überdies seine Zeppelinluftschiffe ein. Eine wichtige Rolle spielten an der Front die Fesselballone zur Beobachtung des Artilleriefeuers. Im Wesentlichen beschränkte sich der Krieg in der Luft auf das unmittelbare Frontgebiet, zu Bombenangriffen auf das Hinterland des Gegners kam es nur in wenigen Fällen.

Bilanz des Krieges: Im ersten weltweiten Krieg waren insgesamt rd. 70 Mio. Mann für die Streitkräfte mobilisiert. Der Krieg forderte etwa 10 Mio. Tote (davon ca. 2 Mio. in Dtl.), 20 Mio. Verwundete und Invaliden (ca. 4,25 Mio. in Dtl.); die Gesamtausgaben für den Krieg (ohne Berücksichtigung der indirekten Verluste durch Produktionsausfälle und Inflation in bzw. nach dem Krieg) werden auf rd. 956 Mrd. Goldmark veranschlagt (davon über 150 Mrd. Mark in Dtl.).

Der 1. W. war militärisch durch den Masseneinsatz techn. Kampfmittel gekennzeichnet. Mit der rasanten Weiterentwicklung der Kriegstechnik entstanden neue Waffenarten und Truppengattungen (Flieger-, Panzer- und Gastruppen); die Feuerkraft der Infanterie und Artillerie nahm beträchtlich zu. Für die Panzer- und Fliegerabwehr wurden spezielle Geschütze entwickelt. Die Kavallerie verlor völlig ihre Bedeutung.

Der W. führte in vier Kaiserreichen zur Auflösung der Monarchie (Dt., Russ. und Osman. Reich, Österreich-Ungarn); die Donaumonarchie sowie das Osman. Reich zerfielen in eine Reihe von Nachfolgestaaten (Österreich, Ungarn, Türkei) bzw. neue Nationalstaaten (u.a. Tschechoslowakei, Königreich der Serben, Kroaten und Slowenen [seit 1929 Jugoslawien], Estland, Lettland, Litauen, die Staaten im Vorderen Orient). Polen wurde selbstständig. Die Grenzen zahlr. Länder änderten sich z.T. erheblich. Nach Revolutionen in Russland und Dtl. mussten der Zar bzw. der Kaiser abdanken. Die russ. Oktoberrevolution von 1917 führte zur Machtergreifung der Bolschewiki und nach Beendigung des sich anschließenden Bürger- und Interventionskrieges zur Bildung der Sowjetunion (1922); die dt. Novemberrevolution von 1918 brachte die Weimarer Rep. hervor. Auch die Westmächte erlebten im Krieg polit. Krisen und waren nach seiner Beendigung von erhebl. Folgewirkungen betroffen: Inflation, Wirtschaftskrisen, Zunahme und Verschärfung innerer Konflikte. Wesentl. Ergebnisse in Großbritannien waren der Zerfall der Liberal Party und die Unabhängigkeit Irlands (ohne den Nordteil), welche die beginnende Auflösung des brit. Weltreichs kennzeichnete, die sich nach dem 2. W. in vollem Umfang fortsetzte. In Italien führten die in der Folge des 1. W. verschärften sozialen Spannungen in Verbindung mit der allg. Unzufriedenheit über die Ergebnisse des Sieges zur Polarisierung der polit. Kräfte, die den Aufstieg des Faschismus (»Marsch auf Rom« 1922) begünstigte. Die USA waren im Kriegsverlauf zum größten Gläubigerland der Erde aufgestiegen.

Friedensschlüsse: Nach den Sonderfriedensschlüssen der Mittelmächte mit Sowjetrussland (Brest-Litowsk 3. 3. 1918) und Rumänien (Bukarest 7. 5. 1918) fand der 1. W. völkerrechtlich seinen Abschluss in den Pariser Vorortverträgen: dem →Versailler Vertrag mit Dtl. (28. 6. 1919) und den Friedensverträgen von Saint-Germain-en-Laye mit Österreich (10. 9. 1919), Trianon mit Ungarn (4. 6. 1920), Neuilly-sur-Seine mit Bulgarien (27. 11. 1919) und Sèvres mit der Türkei (10. 8. 1920). – 1919/20 entstand der Völkerbund, dessen Satzung Bestandteil des Versailler Vertragssystems war.

Der Zweite Weltkrieg

Ursachen und Vorgeschichte: Die Friedensregelungen nach dem 1. Weltkrieg, die sich vorrangig an den nat. Interessen der Siegermächte (v. a. Großbritannien, Frankreich, USA) ausrichteten, ermöglichten keine Stabilität im internat. Staatensystem und ließen sehr bald alte zwischenstaatl. Spannungen wieder aufbrechen sowie neue entstehen. Zudem erschütterte die 1929 ausbrechende Weltwirtschaftskrise die entstandene Nachkriegsordnung nachhaltig. Dtl. waren durch den →Versailler Vertrag bes. harte Bedingungen auferlegt worden, die es zur Zeit der Weimarer Rep. (1918–33) v. a. auf diplomat. Weg und durch friedl. Revision zu mildern bzw. abzubauen suchte (u. a. Rapallovertrag 1922, Locarnopakt 1925, Mitgliedschaft im Völkerbund ab 1926). Nach der nat.-soz. Machtergreifung unter A. Hitler (1933) wich Dtl. jedoch von dieser außenpolit. Linie ab, leitete eine forcierte Aufrüstung ein und scheute bei seinem Versuch, schrittweise eine Gleichstellung mit den Westmächten zu erreichen, auch nicht vor zunehmend provokativen Maßnahmen sowie der Verletzung geschlossener Verträge zurück: 1933 Beendigung der Teilnahme an der Abrüstungskonferenz und Austritt aus dem Völkerbund, 1935 Einführung der allg. Wehrpflicht, 1936 Einmarsch in das entmilitarisierte Rheinland und Einmischung in den Span. Bürgerkrieg (1936–39, Entsendung der »Legion Condor«). Das mit Großbritannien geschlossene →Flottenabkommen von 1935 erweiterte den dt. Rüstungsspielraum und spaltete die Front von →Stresa. Die brit. Politik des →Appeasement, die vorsichtige Haltung Frankreichs sowie der →Isolationismus der USA ermunterten Dtl. bei der Verfolgung seiner expansiven Ziele: 1938 gliederte sich Dtl. Österreich (»Anschluss«) und nach dem Münchener Abkommen das Sudetenland ein. Im März 1939 annektierte Dtl. die übrigen tschech. Gebiete (»Protektorat Böhmen und Mähren«). Das nat.-soz. »Großdeutsche Reich« wollte herrschende Kontinentalmacht in Europa werden; sein (von einer extremen Rassenideologie untermauertes) Streben nach Gewinnung von neuem »Lebensraum im Osten« und seine strikt antikommunist. (»antibolschewist.«) Ausrichtung programmierten einen künftigen Konflikt mit der Sowjetunion vor. Parallel zu Dtl., aber zunächst ohne Koordination mit diesem, betrieben auch Japan und Italien eine aggressive Außenpolitik, da sie ihrer Ansicht nach in der Nachkriegsordnung »zu kurz gekommen« waren. Japan, das eine »Große Neuordnung Ostasiens« unter seiner Hegemonie anvisierte, besetzte 1931 die Mandschurei (1932 Schaffung des Marionettenstaates »Mandschukuo«) und führte seit 1937 offen Krieg gegen China. Das faschist. Italien, das unter B. Mussolini die Herrschaft im Mittelmeerraum anstrebte, eroberte 1935/36 Abessinien (Äthiopien), intervenierte ab 1936 im Span. Bürgerkrieg und annektierte im April 1939 Albanien. Mit Bildung der →Achse Berlin–Rom (1936), erweitert 1940 zur »Achse Berlin–Rom–Tokio« sowie durch weitere Verträge (→Antikominternpakt, →Stahlpakt), gingen Dtl., Italien und Japan (die sog. »Habenichtse«) ein enges Bündnis ein und formierten sich als **Achsenmächte,** zu denen später weitere Staaten gehörten. Während des Krieges standen ihnen die Länder der **Anti-Hitler-Koalition** gegenüber.

Im Anschluss an die Zerschlagung der Tschechoslowakei spitzte sich 1939 das dt.-poln. Verhältnis zu. Daraufhin gaben Großbritannien und Frankreich am 31. 3. 1939 eine Garantieerklärung für die Unabhängigkeit Polens ab, das die von Dtl. wiederholt erhobenen Forderungen nach Rückkehr Danzigs ins Reich sowie nach einer exterritorialen Straßen- und Bahnverbindung zw. Ostpreußen und dem übrigen Reichsgebiet im März endgültig abgelehnt hatte und sich auch nicht zum Beitritt in den Antikominternpakt bewegen ließ. Hitler reagierte mit der Vorbereitung eines Feldzuges gegen Polen; im April 1939 kündigte er den dt.-poln. Nichtangriffsvertrag von 1934. Anschließende Verhandlungen Großbritanniens und Frankreichs mit der Sowjetunion über eine Militärkonvention zum Schutz der kleineren europ. Staaten blieben erfolglos aufgrund des Misstrauens zw. den Verhandlungspartnern und v. a. auch wegen der Befürchtung Polens, dadurch in die Abhängigkeit von der Sowjetunion zu geraten. Stalin, der sein Land vorerst aus krieger. Verwicklungen heraushalten wollte, aber auch eine territoriale Expansion zur Sicherung des europ. Vorfeldes der Sowjetunion anstrebte, nahm nunmehr ein dt. Verhandlungsangebot an, das zum Abschluss des →Deutsch-Sowjetischen Nichtangriffspakts vom 23. 8. 1939 führte. In einem geheimen Zusatzprotokoll wurde Polen entlang Weichsel, Narew und San in zwei Interessengebiete aufgeteilt; die balt. Staaten (außer Litauen mit Wilna) wies man darin der sowjet. Einflusssphäre zu. Am 25. 8. 1939 schloss Großbritannien ein Beistandsabkommen mit Polen.

Militärisch und rüstungswirtschaftlich war Dtl. nicht in der Lage, einen lang andauernden Krieg zu bestehen; der Rüstungsvorsprung vor den Westmächten aus der 2. Hälfte der 1930er-Jahre konnte nur vorübergehend wirksam sein. Die Expansion nach O sollte den Rohstoff- und Arbeitskräftemangel entscheidend verringern, Dtl. für die Auseinandersetzung im W stärken und die aufgrund der Erfahrungen von 1918 als polit. Gefahr angesehene Belastung der Zivilbevölkerung durch den Krieg herabsetzen. Dies bewog die nat.-soz. Führung unter Hitler, den Krieg bereits im Sommer 1939 auszulösen und dabei auf überfallartige, kurze und regional begrenzte Kriegszüge gegen jeweils nur einen Gegner zu setzen (sog. Blitzkriege).

Der »Blitzkrieg« gegen Polen 1939: Propagandistisch vorbereitet durch den Überfall auf den Sender Gleiwitz und ohne Kriegserklärung begann die dt. Wehrmacht am Morgen des 1. 9. 1939 den Angriff auf Polen (»Fall Weiß«) und entfesselte damit den 2. W. Den Auftakt gab die Beschießung der Westerplatte bei Danzig durch das dt. Schulschiff »Schleswig-Holstein«. Schon am ersten Tag errangen die dt. Fliegerstreitkräfte die Luftherrschaft in Polen. Als Dtl. auf das Ultimatum Großbritanniens und Frankreichs (Aufforderung zum sofortigen Truppenrückzug) nicht reagierte, erklärten ihm beide Staaten am 3. 9. 1939 den Krieg, die Commonwealthstaaten Australien, Neuseeland, Indien, Südafrika und Kanada schlossen sich an. Großbritannien entsandte ein Expeditionskorps auf den Kontinent, doch infolge der Überschätzung der militär. Kräfte Dtl.s verharrten die Franzosen und Briten passiv hinter der Maginotlinie. Das militärisch unvorbereitete Italien erklärte sich für »nicht Krieg führend«. Kurz nach dem Beginn des Einmarsches der Wehrmacht wurden zahlr. Angehörige der dt. Minderheit in Polen verhaftet; rd. 4000–5000 Menschen fielen Ausschreitungen zum Opfer (u.a. in Bromberg; sog. »Bromberger Blutsonntag«).

Die dt. Streitkräfte besetzten Polen rasch. Zwei dt. Heeresgruppen stießen von Schlesien und der Slowakei sowie von Ostpreußen und Hinterpommern aus auf Warschau vor und vernichteten in der Schlacht an der Bzura (9.–19. 9. 1939) die stärkste poln. Kräftegruppierung. Am 17. 9. rückten sowjet. Truppen in O-Polen ein (Gebiet mit vorwiegend ukrain. und weißruss. Bevölkerung) und drangen bis zur Weichsel vor. Warschau kapitulierte vor den dt. Truppen am 27./28. 9., Modlin am 29. 9. Der letzte militär. Widerstand Polens erlosch am 6. 10. 1939. Rd. 694000 Polen gerieten in dt. und über 200000 in sowjet. Kriegsgefangenschaft. Etwa 100000 Soldaten gelang die Flucht über die Grenzen nach Ungarn, Rumänien, Litauen oder Lettland; viele von ihnen setzten ihren Kampf in den Reihen der Alliierten später fort. Eine poln. Exilregierung unter General W. Sikorski bildete sich in Paris (seit Juni 1940 in London). Die meisten der von der Roten Armee gefangen genommenen poln. Offiziere wurden später vom NKWD ermordet (→ Katyn). Am 28. 9. 1939 unterzeichneten die Außenmin. Ribbentrop und Molotow in Moskau einen Grenz- und Freundschaftsvertrag mit einem geheimen Zusatzabkommen. In Abänderung der Vereinbarung vom 23. 8. 1939 wurde der Sowjetunion nun auch Litauen als Interessensphäre zugesprochen, während der dt. Anteil am poln. Gebiet bis zum Bug erweitert wurde. Danzig, die ehem. dt. Gebiete und Teile N- sowie W-Polens wurden an das Dt. Reich angeschlossen, aus den übrigen Gebieten wurde das → Generalgouvernement (Generalgouverneur H. Frank) gebildet. Die poln. Bevölkerung wurde einer harten Besatzungspolitik unterworfen. Bereits im Winter 1939/40 setzte eine planmäßige Ausrottungsaktion gegen die poln. Intelligenz ein; viele Polen verschleppte man zur Zwangsarbeit nach Dtl. Die Juden wurden in Großgettos (u.a. Warschauer Getto) zusammengefasst und später größtenteils in Vernichtungslagern ermordet. Aus dem von der UdSSR annektierten O-Polen wurde die poln. Führungsschicht deportiert (mehr als 1,5 Mio. Menschen).

Kriegsgeschehen in Nordeuropa 1939/40: Die Weigerung Finnlands, der sowjet. Forderung nach Abtretung einiger Grenzgebiete und Stützpunkte nachzukommen, löste am 30. 11. 1939 den finnisch-sowjet. »Winterkrieg« aus, in dem sich die finn. Streitkräfte erbittert gegen die weit überlegenen Truppen der Roten Armee zur Wehr setzten. Im Friedensvertrag von Moskau (12. 3. 1940) musste Finnland der Sowjetunion versch. Territorien überlassen (→ Finnland, Geschichte); es nahm deshalb später auf dt. Seite den Krieg gegen die Sowjetunion wieder auf (»Fortsetzungskrieg«, 1941–44).

Ende Jan. 1940 entschloss sich Hitler, durch eine überraschende Landung Norwegen zu besetzen und zur Sicherung der Verbindungen dorthin auch Dänemark einzunehmen; durch Weisung vom 1. 3. 1940 wurde die Militäroperation (Unternehmen »Weserübung«) vorbereitet. Der Oberste Kriegsrat der Alliierten beschloss am 28. 3. die Verminung der norweg. Hoheitsgewässer zur Unterbindung der dt. Erztransporte sowie die Besetzung der westnorweg. Häfen. Am 9. 4. 1940 marschierten dt. Truppen in Dänemark ein, ohne auf Gegenwehr zu stoßen; die dän. Regierung blieb im Amt. Die Landung in Norwegen hingegen rief heftigen Widerstand hervor. Narvik, der Hauptausfuhrhafen des für Dtl. notwendigen schwed. Eisenerzes, wurde am 9. 4. von Gebirgsjägern unter General E. Dietl besetzt. Von Oslo aus stießen die dt. Truppen in der 2. Aprilhälfte auf Bergen und Trondheim vor und drängten die in Namsos und Åndalsnes am 15. bzw. 18. 4. gelandeten brit. Truppen zurück. Ein in Harstad am 14. 4. gelandeter alliierter Verband griff im Mai an und nahm am 28. 5. Narvik ein. Anfang Juni räumten jedoch die Alliierten Norwegen aufgrund der zwischenzeitlich eingetretenen Lage im Westen. Am 10. 6. kapitulierten die letzten norweg. Truppen; König Håkon VII. ging mit seiner Regierung nach London ins Exil. In Norwegen wurde J. Terboven als dt. Reichskommissar eingesetzt.

Der Feldzug im Westen 1940: Nachdem es trotz brit. und frz. Kriegserklärung an Dtl. zw. Sept. 1939 und Mai 1940 nicht zu nennenswerten Kampfhandlungen im W gekommen war (daher Bez. »Drôle de guerre«, »komischer Krieg«), begannen die dt. Truppen hier am 10. 5. 1940 ihre Offensive unter Verletzung der Neutralität der Niederlande, Belgiens und Luxemburgs. Strateg. Ziel der dt. Militäroperation war, mit schnellen Panzerverbänden durch die Ardennen nördlich der Maginotlinie rasch zur Kanalküste durchzubrechen, dadurch die brit. und frz. Truppen zu trennen und sie dann zu umfassen (»Sichelschnitt«, der auf einen Plan Generals E. von Manstein zurückging). Die Niederlande kapitulierten am 15. 5. (nach schwerem Luftbombardement Rotterdams), Belgien am 28. 5. (nach kampfloser Besetzung Brüssels am 17. 5.). Die niederländ. Königin Wilhelmina bildete in London eine Exilregierung, der belg. König Leopold III. begab sich in dt. Kriegsgefangenschaft. Entscheidend für den Feldzug war der Durchbruch der Panzerkräfte der Heeresgruppe A (unter Generaloberst von Rundstedt) über die Maas bei Sedan (13. 5.) und ihr Vorstoß in den Rücken der frz. Nordarmee und des brit. Expeditionskorps. Am 20. 5. erreichten dt. Truppen die Sommemündung bei Abbeville. Am 24. 5. ließ Hitler die in Richtung Dünkirchen vorrückenden dt. Panzer aus nicht bekannten Gründen anhalten. Dadurch konnten die sich auf Dünkirchen zurückziehenden brit. und frz. Truppen (rd. 340 000 Soldaten) unter Verlust fast ihrer gesamten Ausrüstung über den Kanal entkommen (Evakuierung im Rahmen der Operation »Dynamo« vom 27. 5. bis 4. 6.). Mit der Einnahme Dünkirchens (4. 6.) endete die Schlacht in Flandern und damit die erste Phase (»Fall Gelb«) der dt. Offensive im W. Das frz. Heer hatte 30 Divisionen und fast seine gesamten Luftstreitkräfte verloren. In der 2. Phase des Westfeldzuges (»Fall Rot«) konnte die vom neuen frz. Oberbefehlshaber General M. Weygand (Nachfolger Generals M. G. Gamelin) an Somme und Aisne errichtete Abwehrfront bei der am 5. 6. beginnenden neuen dt. Offensive nicht gehalten werden. Paris wurde am 14. 6. kampflos von dt. Truppen besetzt. Die dt. Heeresgruppe C (unter Generaloberst von Leeb) durchbrach am selben Tag südlich von Saarbrücken die Maginotlinie und überquerte am 16. 6. den Rhein bei Colmar. Am 17. 6. erreichten dt. Panzertruppen – im Rücken der Maginotlinie von N vorrückend – die Schweizer Grenze und hatten damit die frz. Ostarmeen eingeschlossen. Italien erklärte am 10. 6. 1940 Großbritannien und Frankreich den Krieg, konnte aber an der Alpenfront keine Erfolge erzielen. Deshalb stießen dt. Panzer- und Gebirgstruppen von Lyon in die Alpen vor, um den Italienern die von der frz. Alpenarmee verteidigten Pässe zu öffnen.

Am 16./17. 6. wurde die nach Bordeaux ausgewichene frz. Regierung P. Reynaud durch ein Kabinett unter Marschall P. Pétain ersetzt, das sich gegen die Fortführung des Kampfes aussprach. Die brit. Regierung unter W. Churchill (seit 10. 5. 1940) drängte auf Weiterführung des Krieges sowie eine Union zw. Großbritannien und Frankreich. Der von Pétain erbetene Waffenstillstand mit Dtl. wurde am 22. 6. 1940 im Wald von Compiègne geschlossen; seine wichtigsten Bedingungen waren: dt. Besetzung frz. Gebiete nördlich und westlich der Linie Genf–Dôle–Tours–Mont-de-Marsan bis zur span. Grenze, Abrüstung der frz. Kriegsflotte, Reduzierung der frz. Streitkräfte auf ein kleines Heer. Nachdem am 24. 6. auch ein italien.-frz. Waffenstillstandsvertrag unterzeichnet worden war, trat am 25. 6. Waffenruhe ein. Insgesamt gerieten 1,9 Mio. Soldaten in dt. Kriegsgefangenschaft, rd. 100 000 Franzosen und rd. 27 000 Deutsche waren gefallen. In den Niederlanden wurde ein »Reichskommissar« (A. Seyß-Inquart) eingesetzt, das besetzte Frankreich (nordfrz. Industriegebiete, Paris sowie die gesamte Kanal- und Atlantikküste) und Belgien kamen unter dt. Militärverwaltung (General O. von Stülpnagel bzw. General A. von Falkenhausen), Luxemburg sowie Elsass-Lothringen wurden einer dt. Zivilverwaltung unterstellt und de facto annektiert. Die autoritäre Reg. unter Marschall Pétain, der neben dem unbesetzten Teil Frankreichs die frz. Kolonien unterstanden, etablierte sich am 1. 7. 1940 in Vichy (État Français). Ihr Bestreben, die frz. Eigeninteressen gegenüber Dtl. zu wahren, hatte um den Preis der Kollaboration begrenzten Erfolg. Am 18. 6. 1940 verkündete General C. de Gaulle in London die Fortsetzung des Widerstandes durch das →Freie Frankreich. Am 3. 7. wurde ein in Mers el-Kebir (bei Oran) liegendes frz. Schlachtschiffgeschwader von der brit. Mittelmeerflotte zerstört; die Regierung Pétain brach daraufhin die diplomat. Beziehungen zu Großbritannien ab. Ein Angriff freifrz.

Verbände und brit. Einheiten auf Dakar wurde abgewehrt (23.–25. 9. 1940). Nach dem schnellen Sieg über Frankreich befand sich Hitlers Prestige in Dtl. auf dem Höhepunkt. Das Dt. Reich beherrschte den Kontinent vom Nordkap bis zur span. Grenze. Die trotz der Skepsis führender Militärs errungenen Siege entzogen den oppositionellen Kräften in der Heeresführung den Boden, Hitler griff von da an immer massiver in die operative Führung der Wehrmacht, v. a. des Heeres, ein.

Der See- und Luftkrieg gegen Großbritannien 1939–41: Die mit Kriegsbeginn einsetzende brit. Blockade beantwortete Dtl. mit einem Handelskrieg gegen die feindl. und die im Dienst der Alliierten fahrende neutrale Schifffahrt. In dieser »Schlacht im Atlantik« wurden v. a. durch U-Boote bis Ende Juli 1940 2 Mio. BRT versenkt, außerdem der brit. Flugzeugträger »Courageous« (17. 9. 1939) und das Schlachtschiff »Royal Oak« (14. 10. 1939 in Scapa Flow durch G. Prien). In den ersten Kriegsmonaten waren auch die Panzerschiffe »Deutschland« und »Admiral Graf Spee« im Atlantik zum Handelskrieg eingesetzt. Letzteres versenkte sich am 17. 12. 1939 nach einem verlorenen Gefecht vor dem La Plata selbst. Nach dem Sieg über Frankreich hoffte Hitler mit Großbritannien zu einem

Zweiter Weltkrieg – Europa und Nordafrika 1939 bis Herbst 1942

»Ausgleich« zu gelangen (»Friedensappell« am 19. 7. 1940), blieb dabei jedoch erfolglos. Bereits am 16. 7. hatte er die Vorbereitung einer Landung in England (Unternehmen »Seelöwe«) befohlen. Die Invasionsvorbereitung fiel der dt. Luftwaffe zu, v.a. den Luftflotten der Generalfeldmarschälle A. Kesselring und H. Sperrle. Der seit dem 13. 8. 1940 verstärkte dt. Luftkrieg richtete sich zunächst mit Großoffensiven gegen die brit. Luftwaffe, ihre südengl. Flugplätze und Produktionsanlagen; im Sept. 1940 begann die Bombardierung großer Städte (London, im Nov. Coventry). Die »Luftschlacht um England« (1940/41) erreichte ihren Höhepunkt am 15. 9. 1940, als bei einem Großangriff auf London 56 dt. und 26 brit. Flugzeuge abgeschossen wurden (»Battle of Britain«-Tag). Es gelang der dt. Luftwaffe nicht, die für eine erfolgreiche Landungsoperation notwendige Luftherrschaft zu gewinnen; schon am 12. 10. hatte Hitler den Befehl zur Einstellung der Vorbereitungen für eine Invasion in Großbritannien gegeben. Seit Mai 1940 flog die brit. Luftwaffe Angriffe auf dt. Städte. Im ebenfalls verschärften Handelskrieg wurden (Aug. 1940 bis Juni 1941) 5,1 Mio. BRT versenkt. Die Zahl der dt. U-Boote war jedoch zu gering, um von den neu gewonnenen Basen in W-Frankreich aus die Zufahrtswege über den Atlantik ernsthaft zu gefährden. Zur Verstärkung des Geleitschutzes erhielt Großbritannien von den USA (Sept. 1940) 50 Zerstörer gegen die Verpachtung von Stützpunkten auf den brit. Besitzungen in Westindien. Das im Mai 1941 mit dem schweren Kreuzer »Prinz Eugen« zum Handelskrieg ausgelaufene Schlachtschiff »Bismarck« wurde nach Ausschaltung des brit. Schlachtkreuzers »Hood« (24. 5. 1941) am 27. 5. von überlegenen brit. Kräften im Atlantik versenkt.

Nach der Wiederwahl Roosevelts zum Präs. (Nov. 1940) vollzogen die USA den Übergang von der Neutralität zur »Nichtkriegführung« mit wachsender materieller Hilfeleistung zugunsten Großbritanniens. Die USA betrachteten sich zu diesem Zeitpunkt als »Arsenal der Demokratien«. Am 11. 3. 1941 wurde der Präs. durch das Leih- und Pachtgesetz (→Lend-lease-System) ermächtigt, die Staaten mit Kriegsmaterial und Versorgungsgütern zu unterstützen, die er für die Verteidigung der USA als lebenswichtig ansah. Der Großteil dieser Hilfe kam Großbritannien zugute.

Die Kämpfe im Mittelmeer und in Afrika 1940/41: Da Spanien die Beteiligung an einem Angriff auf Gibraltar ablehnte (ergebnislose Zusammenkunft Hitlers mit Franco am 30. 10. 1940 im frz. Hendaye), gab Dtl. einen entsprechenden Plan im Dez. 1940 auf. Auch zu engerer Zusammenarbeit mit Frankreich kam es trotz mancher Ansätze nicht (Zusammenkunft Hitlers mit Pétain am 24. 10. in Montoire). Hingegen war es im Sept. 1940 gelungen, Japan für ein Bündnis mit der Achse zu gewinnen (Dreimächtepakt vom 27. 9.).

Inzwischen hatten italien. Truppen im Aug. 1940 Britisch-Somaliland erobert. In N-Afrika stieß die italien. 10. Armee unter Marschall R. Graziani am 12. 9. über die libysch-ägypt. Grenze bis Sidi Barrani vor. Ein brit. Gegenangriff, der unter General A. P. Wavell am 9. 12. 1940 begann, führte zu ihrer völligen Vernichtung und zur Eroberung der Cyrenaica bis Mitte Febr. Auf italien. Hilfeersuchen wurde Anfang Jan. 1941 ein dt. Fliegerkorps auf Sizilien stationiert, das gegen Malta und die brit. Mittelmeerflotte eingesetzt wurde. Im Febr. 1941 folgte die Entsendung einer dt. Division (Kern des Afrikakorps unter General E. Rommel) nach Tripolis; diese begann Ende März 1941 einen Angriff gegen die brit. Stellungen und vertrieb zusammen mit italien. Truppen die Briten wieder aus der Cyrenaica. Das festungsartig ausgebaute Tobruk (seit 8. 4. eingeschlossen) konnte jedoch nicht genommen werden. Italien.-Ostafrika wurde seit Anfang 1941 von brit. Kräften angegriffen, die nach der Eroberung Britisch-Somalilands und Eritreas in Abessinien einmarschierten und im Mai den Herzog von Aosta zur Kapitulation zwangen.

Der Feldzug auf der Balkanhalbinsel 1940/41: Nachdem die Sowjetunion im Juni 1940 die balt. Staaten besetzt hatte (Aug. 1940 Eingliederung als Sowjetrep.), zwang sie Rumänien am 28. 6. 1940 zur Abtretung Bessarabiens und der nördl. Bukowina. Daraufhin forderten auch Ungarn und Bulgarien ihre 1919 an Rumänien verlorenen Gebiete zurück. Die rumän. Regierung verzichtete am 1. 7. 1940 auf die ihr am 13. 4. 1939 zugesagte britisch-frz. Garantie und trat aufgrund des Schiedsspruchs vom 30. 8. 1940 (→Wiener Schiedssprüche) den N und SO Siebenbürgens an Ungarn ab, am 7. 9. 1940 die südl. Dobrudscha an Bulgarien. Für das verbleibende rumän. Staatsgebiet übernahmen Dtl. und Italien die Garantie. König Karl II. dankte am 6. 9. zugunsten seines Sohnes Michael ab, die Regierung übernahm als Staatsführer General J. Antonescu, der sich eng an die Achsenmächte anlehnte. Auf seine Bitte wurde seit 12. 10. 1940 eine dt. Heeres- und Luftwaffenmission mit Lehrtruppen in Rumänien eingesetzt, das am 23. 11. auch dem Dreimächtepakt beitrat (Beitritt Ungarns am 20. 11. 1940, der Slowakei am 24. 11.). Am 28. 10. 1940 marschierten italien. Truppen von Albanien aus in Griechenland ein. Sie wurden durch grch. Gegenangriffe im Nov./Dez. 1940 unter schweren Verlusten nach Albanien zurückgedrängt. Auch eine neue, am 9. 3. 1941 unternommene italien. Offensive blieb erfolglos. Das Vorgehen Italiens hatte den Einsatz brit. Luftstreitkräfte auf dem grch. Festland und die Errichtung von brit. See- und

Weltkrieg (Zweiter Weltkrieg)

1

2

3

4

| **1** Ohne Kriegserklärung begann die deutsche Wehrmacht am Morgen des 1. September 1939 den Angriff auf Polen und entfesselte damit den Zweiten Weltkrieg; an der Ostseeküste beschießt das Kadettenschulschiff Schleswig-Holstein Militäreinrichtungen auf der in der Nähe von Danzig gelegenen polnischen Enklave Westerplatte | **2** Am 10. Mai 1940 begannen die deutschen Truppen unter Verletzung der Neutralität der Niederlande, Belgiens und Luxemburgs die Offensive an der Westfront; im Bild eine Panzerdivision auf dem Vormarsch ins neutrale Belgien | **3** Die Wende des Krieges wurde durch die Vernichtung der deutschen 6. Armee in der Kesselschlacht von Stalingrad eingeleitet; am 2. Februar 1943 kapitulierten die letzten der dort seit November 1942 eingeschlossenen Truppen | **4** Der Luftkrieg war geprägt durch massive Fliegerangriffe auf Städte im Hinterland des jeweiligen Gegners; dabei kam es zu verheerenden Zerstörungen, im Bild die Innenstadt von Stuttgart bei Kriegsende

Luftstützpunkten auf Kreta zur Folge. Hitler sah darin eine Gefährdung des für Dtl. lebenswichtigen rumän. Erdölgebiets; um ihr zu begegnen, ließ er nach Bulgariens Beitritt zum Dreimächtepakt (1. 3. 1941) die 12. Armee unter Generalfeldmarschall W. List im März 1941 in das Land einrücken. Am 25. 3. 1941 trat auch Jugoslawien dem Dreimächtepakt bei, aber bereits am 27. 3. richtete sich ein Militärputsch in Belgrad unter General D. Simović dagegen. Daraufhin entschloss sich Hitler zum gleichzeitigen Angriff auf Griechenland und Jugoslawien.

Dieser begann am 6. 4. 1941 mit einem Luftbombardement Belgrads und dem Einmarsch der 12. Armee in Makedonien und W-Thrakien. Am 9. 4. 1941 wurde Saloniki genommen. Am selben Tag fiel Niš in die Hand der nordwestlich von Sofia vorgestoßenen Panzergruppe Kleist, die im Moravatal auf Belgrad vordrang. Die aus der Steiermark und W-Ungarn angreifende 2. Armee von Generaloberst M. von Weichs marschierte am 10. 4. 1941 in Agram ein, während die Italiener Laibach und die Ungarn am 11. 4. die Batschka besetzten. Nach der Eroberung Belgrads (12./13. 4.) kapitulierten die Reste des jugoslaw. Heeres am 17. 4. 1941. Das Anfang März 1941 in Griechenland gelandete brit. Expeditionskorps wurde bis Ende April 1941 durch dt. Truppen verdrängt (zumeist Evakuierung nach Kreta). Nach einem Vorstoß dt. Verbände in den Rücken der noch in S-Albanien stehenden grch. Epirus-Armee kapitulierte diese am 21. 4. 1941. Am 27. 4. rückten dt. Panzer in Athen ein, bis Ende April wurde auch die ganze Peloponnes eingenommen, Anfang Mai die größeren Ägäischen Inseln. Mit der Eroberung Kretas (Unternehmen »Merkur«) durch dt. Fallschirm- und

5

6

5 Auf dem Nordatlantik versuchten die Deutschen mit Unterseebooten des Typs VII C (»graue Wölfe«) die für die Kriegführung der Alliierten in Europa notwendigen Versorgungskonvois aus Nordamerika zu dezimieren; im Bild das VII-C-Unterseeboot 391 auf Probefahrt im April 1943 in der Kieler Förde | **6** Ab Mitte 1942 eroberten die Amerikaner die von Japan besetzten Gebiete in Ozeanien; im Bild die Landung amerikanischer Truppen auf der Insel Guadalcanal am 7. August 1942

Gebirgsjäger (20. 5.–1. 6. 1941) endete der Balkanfeldzug.

Griechenland wurde in ein großes italien. und ein kleines dt. (u.a. auf Athen, Saloniki, einige Inseln und den größten Teil Kretas beschränktes) Besatzungsgebiet geteilt, Serbien kam unter dt. Militärverwaltung. Das übrige Jugoslawien wurde aufgelöst und bis auf die neu gegründeten Staaten Kroatien (→ Ustascha) und Montenegro von Dtl., Italien, Ungarn und Bulgarien annektiert. Gegen diese territorial-polit. Neuordnung wie auch gegen die Unterdrückung der Serben (v.a. durch das kroat. Ustascharegime unter A. Pavelić) richtete sich eine serbisch-nationalist. Widerstandsbewegung unter Oberst D. Mihailović (→ Četnici) und die kommunist. Partisanenbewegung unter J. B. Tito. Die sich in Jugoslawien und auch in Griechenland bald ausbreitenden Widerstandsbewegungen banden zwar dt.-italien. Kräfte, bekämpften sich aber in Jugoslawien schließlich auch untereinander mit großer Härte. Im April/Mai 1941 kam es zu einem Aufstand im Irak gegen die brit. Mandatsmacht, der jedoch – angesichts ausbleibender wirksamer dt. Unterstützung – am 30./31. 5. zusammenbrach. Anschließend zwangen brit. und freifrz. Truppen die militär. Einheiten des Vichy-Regimes in Syrien zur Übergabe (Juni/Juli 1941).

Der Feldzug im Osten bis zur Niederlage von Stalingrad: Am 18. 12. 1940 erteilte Hitler die grundlegende Weisung zum Angriff auf die Sowjetunion (»Unternehmen Barbarossa«); dieser war zunächst für Mitte Mai 1941 geplant, musste aber infolge des Balkanfeldzuges um sechs Wochen verschoben werden. Am 22. 6. 1941 fiel die dt. Wehrmacht unter Bruch des Nichtangriffspaktes in die Sowjetunion ein. Das dt. Ostheer umfasste 3,05 Mio. Soldaten (153 Divisionen, d.h. rd. 75% des Feldheeres; darunter 19 Panzerdivisionen; des Weiteren über 60% der Luftwaffe). Rumänien, Ungarn, Italien und die Slowakei, schließlich noch die »Blaue Division« aus Spanien schlossen sich dem Angriff an; Finnland kämpfte für die Wiedergewinnung der nach dem »Winterkrieg« abgetretenen Gebiete. Die dt. Absicht, die Masse der sowjet. Truppen an der europ. Front (etwa 4,7 Mio. Soldaten) innerhalb weniger Wochen zu zerschlagen, wurde dadurch begünstigt, dass Stalin trotz gegenteiliger Anzeichen und Warnungen (u.a. durch R. → Sorge) bis zuletzt nicht mit einem dt. Angriff zu diesem Zeitpunkt gerechnet und die Umstrukturierung seiner Armee nicht beendet hatte; zudem war das Gros der Offiziere der Roten Armee während der blutigen Säuberungen (Große → Tschistka) 1937/38 ermordet oder inhaftiert worden.

Dem vorrückenden dt. Ostheer folgten vier → Einsatzgruppen des Sicherheitsdienstes und der Sicherheitspolizei mit dem Auftrag, die Juden in den besetzten Gebieten systematisch auszurotten sowie die Funktionäre des sowjet. Staates zu »liquidieren« (→ Kommissarbefehl). Ein »Generalplan Ost« sah die millionenfache Aus- und Umsiedlung der slaw. Bevölkerung sowie eine stufenweise »Germanisierung« Osteuropas vor. Das zu erobernde Gebiet sollte in mehrere »Reichskommissariate« gegliedert werden; doch wurden infolge des bald stockenden dt. Vormarsches nur zwei, nämlich »Ostland« (Balt. Länder und Weißrussland) und »Ukraine«, gebildet und dem »Reichsministerium für die besetzten Ostgebiete« (A. Rosenberg) unterstellt.

Die vorrückenden dt. Kräfte waren in drei Heeresgruppen gegliedert. Südlich der Pripjetsümpfe stieß die Heeresgruppe Süd (von Rundstedt) mit der Panzergruppe Kleist und der 6. und 17. Armee aus der Gegend südöstlich von Lublin und aus Galizien auf Kiew–Winniza vor (seit Juli unterstützt von der rumänisch-dt. Armeegruppe Antonescu); sie vernichtete bis zum 7./8. 8. 1941 starke, im Raum von Uman eingekesselte sowjet. Kräfte und besetzte bis Ende Aug. den ganzen Dnjeprbogen. Die nördlich des Pripjet auf Smolensk vorgehende Heeresgruppe Mitte (von Bock) schloss durch eine Zangenoperation der Panzergruppen Guderian und Hoth sowie der 4. und 9. Armee mehr als 40 sowjet. Divisionen im Raum Białystok–Nowogródek ein und zerschlug sie bis zum 9. 7. 1941, Smolensk wurde Mitte Juli besetzt. Im Aug. wurde der Vormarsch im Zentrum gestoppt, da Hitler zunächst die Ukraine und Leningrad erobern wollte. Bei der Heeresgruppe Nord (von Leeb) stieß die Panzergruppe Hoepner über Dünaburg auf die Luga vor. Die 16. Armee deckte ihre rechte Flanke durch Vorgehen über Dünaburg–Opotschka bis zum Ilmensee. Die 18. Armee besetzte am 1. 7. Libau sowie Riga und drang mit dem rechten Flügel über Pleskau auf Narwa, mit dem linken durch Lettland und Estland bis zum Finn. Meerbusen vor, den sie Anfang Aug. bei Reval erreichte. Anfang Sept. 1941 wurde Leningrad von allen Landverbindungen abgeschnitten. Hitler wollte die Stadt durch eine Blockade zu Übergabe zwingen. In den fast 900 Tagen der Belagerung der Stadt (bis 27. 1. 1944) starben Hunderttausende an Hunger.

Die Finnen unter Marschall C.-G. von Mannerheim eroberten Wyborg (29. 8. 1941) und die Karel. Landenge zurück und drangen in O-Karelien bis zum Swir und Onegasee und von Mittelfinnland aus mit dt. Truppen gegen die Murmanbahn vor.

Im Südabschnitt gerieten in der Kesselschlacht bei Kiew (Sept. 1941) rd. 665 000 sowjet. Soldaten unter Marschall S. M. Budjonny in Gefangenschaft. Kiew wurde am 19. 9. von dt. Truppen besetzt, bald darauf Charkow. Die 11. Armee eroberte nach Überwindung der Landenge von Perekop (17.–27. 10.) die Krim und schloss Sewastopol ein. Am 16. 10. nahmen rumän. Truppen Odessa ein. Inzwischen hatte die Heeresgruppe Mitte die den Raum von Moskau deckenden Armeen von Marschall S. K. Timoschenko in großen Kesselschlachten um Brjansk und Wjasma (2.–12. 10.) geschlagen und war bis Kalinin (14. 10.) und Klin (90 km nordwestlich von Moskau, 23. 11.) vorgedrungen. Seit Ende Okt. 1941 war die Angriffskraft des dt. Ostheers fast erschöpft; seine Verluste betrugen bis 1. 12. 24% der Sollstärke (162 314 Tote, 33 334 Vermisste und 571 767 Verwundete); sie hatten ebenso wie die erhebl. Ausrüstungseinbußen nur teilweise ersetzt werden können. Nicht verwirklicht wurde das Ziel des dt. Generalstabs, die Sowjetunion in wenigen Wochen zu besiegen, um danach das Gros der Panzerverbände aus dem Osten abzuziehen und diese gegen die brit. Position im östl. Mittelmeerraum und Vorderasien einzusetzen. Die Rote Armee hatte zwar Niederlagen und schwere Einbußen erlitten, verfügte aber weiter über große Reserven und war wesentlich leistungsfähiger und besser ausgerüstet als angenommen (Kampfpanzer T 34, →Stalinorgel). Zudem führte die dt. Gewaltpolitik in den eroberten Gebieten dazu, dass der Widerstand auch unter den nichtruss. Nationalitäten zunahm und Ansätze, diese als Verbündete gegen das kommunist. System zu gewinnen, zunichte gemacht wurden. Stalin setzte bei der Organisation der Verteidigung des Landes auf Patriotismus (Propagierung des »Großen Vaterländ. Krieges«). Das sowjetisch-japan. Nichtangriffsabkommen (13. 4. 1941) erlaubte der Sowjetregierung, Verstärkungen aus Sibirien heranzuführen. Es gelang ihr außerdem, mehr als 1500 Industriebetriebe und etwa 10 Mio. Menschen hinter dem Ural zu evakuieren. Dagegen litten die stark strapazierten dt. Truppen zunehmend unter Versorgungsschwierigkeiten. Der Angriff auf Moskau (Unternehmen »Taifun«) verzögerte sich dadurch bis zum 2. 10. Die Spitzen der auf den Winterkrieg völlig unvorbereiteten dt. Truppen erreichten die Außenbezirke der Hauptstadt, bevor die Rote Armee durch eine am 5./6. 12. beginnende Gegenoffensive Moskau entlastete. Am 16. 12. gab Hitler den Befehl, jede Stellung zu halten; am 19. 12. übernahm er selbst den Oberbefehl über das Heer. Das Scheitern vor Moskau bedeutete die entscheidende Wende für Hitlers gesamten Kriegsplan. Bis Febr. 1942 erzielten die sowjet. Truppen im Mittelabschnitt Geländegewinne, aber keinen entscheidenden Durchbruch. Bei der Heeresgruppe Nord musste die am 8. 11. bis Tichwin gelangte 16. Armee Mitte Dez. hinter den Wolchow zurückweichen. Im S konnten die Sowjets zunächst Rostow, Ende Dez. schließlich die Halbinsel Kertsch zurückerobern.

Zur Wiederaufnahme der Offensive an der ganzen Front reichten 1942 die Kräfte des Ostheeres nicht mehr aus. Stattdessen wurde ein Vorstoß der Heeresgruppe Süd an und über den Don auf Stalingrad und in das nordkaukas. Erdölgebiet geplant. Voraus gingen die Wiedereroberung der Halbinsel Kertsch (8.–18. 5.) durch die 11. dt. Armee, die Beseitigung eines im Jan. erfolgten sowjet. Einbruchs westlich von Isjum (17.–26. 5.) und die Einnahme der Festung Sewastopol (3. 6.–2. 7.). Die Offensive der Heeresgruppe Süd begann am 28. 6. 1942 mit dem Angriff des Nordflügels, der am 5. 7. den Don erreichte. Die von dort nach S vorstoßende 4. Panzerarmee erkämpfte zusammen mit der 1. Panzerarmee den Übergang über den unteren Donez und nahm am 23. 7. Rostow am Don ein. Am 24. 7. erreichte die nach SO vorgegangene 6. Armee (Generaloberst F. Paulus) den

Don westlich von Stalingrad. Sie bildete nun mit der 4. Panzerarmee und der am mittleren Don sichernden italien. 8., ungar. 2. und dt. 2. Armee die Heeresgruppe B. Die Heeresgruppe A überschritt Ende Juli den unteren Don und drang mit dem rechten Flügel über den Kuban und die Ölfelder von Maikop bis Noworossisk und bis auf den NW-Ausläufer des Kaukasus vor, mit der 1. Panzerarmee in den Hochkaukasus (Elbrus 22. 8.) und bis zum Terek, wo sie im NW von Grosny Anfang Sept. zum Stehen kam.

Die von der 4. Panzerarmee südlich unterstützte 6. Armee stieß über den Don nach Stalingrad vor. Um seine zäh verteidigten Wohnviertel und Fabrikanlagen entspannen sich erbitterte Kämpfe, in denen die Deutschen nur schrittweise Boden gewannen; Ende Okt. waren etwa $^4/_5$ der Stadt in ihrer Hand. Angesichts ausbleibender strateg. Erfolge an der Ostfront kam es zu einer Vertrauenskrise in der dt. Führung. Hitler hatte am 9. 9. 1942 Generalfeldmarschall List seines Kommandos enthoben und ersetzte am 24. den Chef des Generalstabs des Heeres Halder durch General K. Zeitzler. Die Verluste des Ostheeres waren bis 10. 9. auf 1,64 Mio. Mann (51 % seiner Sollstärke) gestiegen und kaum zur Hälfte ergänzt worden.

Im Okt. waren beiderseits der 6. Armee zwei rumän. Armeen eingesetzt worden. Sie wurden am 19./20. 11. bei einem sowjet. Großangriff zerschlagen, dessen Stoßkeile sich am 22. im Donbogen westlich von Stalingrad bei Kalatsch vereinigten und die 6. Armee und Teile der 4. Panzerarmee einschlossen. Ein am 12. 12. von Süden her angesetzter Entsatzversuch schlug kurz vor Weihnachten fehl, da am 16. 12. die links flankierende Front der italien. 8. Armee durchbrochen wurde; einen zu diesem Zeitpunkt noch aussichtsvollen Ausbruch der 6. Armee untersagte Hitler. Aus der Luft nur notdürftig versorgt, von Hunger und Kälte zermürbt, wehrte sich die Armee noch bis Ende Jan. 1943 gegen die sowjet. Angriffe. Am 31. 1. und 2. 2. 1943 mussten ihre Reste (noch rd. 90 000 Mann) kapitulieren. Die nat.-soz. Propaganda suchte die Niederlage von Stalingrad als Fanal für die Ausschöpfung aller Kraftreserven der dt. Bevölkerung zu nutzen (Proklamation des »totalen Krieges« durch J. Goebbels am 18. 2. 1943). Inzwischen waren sowjet. Truppen nach Vernichtung auch der 2. ungar. Armee im Jan. bis zum unteren Donez und südlich des Don auf Rostow vorgedrungen. Über Isjum (am 5. 2. genommen) stießen sie nach S auf Stalino vor; durch einen dt. Gegenangriff Ende Febr. wurden sie jedoch über den Donez zurückgedrängt. Die Heeresgruppe A im Kaukasusgebiet setzte sich Anfang Jan. vom Gegner ab und bildete einen Brückenkopf (sog. »Gotenkopf«) auf der Halbinsel Taman westlich von Krasnodar.

Der Kriegseintritt der USA und die Landung der Alliierten in Nordafrika: Nach der militär. Niederlage Frankreichs 1940 gaben die USA faktisch ihre Neutralität zugunsten einer Großbritannien begünstigenden »Nichtkriegführung« auf. Durch das Leih- und Pachtgesetz waren die USA zum Arsenal für Großbritannien geworden. Ab Herbst 1941 wurden seine Bestimmungen auch auf die Sowjetunion ausgedehnt, die im ersten Jahr u. a. mehr als 4 000 Panzer und 3 000 Flugzeuge erhielt. Am 9. 4. 1941 besetzten die USA Grönland, am 7. 7. Island. Am 14. 8. 1941 vereinbarten Churchill und Roosevelt die →Atlantikcharta, am 11. 9. erteilte Roosevelt nach der irrtüml. Versenkung amerikan. Frachter durch dt. U-Boote den Befehl, künftig Kriegsschiffe der Achsenmächte anzugreifen, wenn sie in für Amerika lebenswichtige Gewässer eindringen. Inzwischen waren die seit April 1941 laufenden amerikanisch-japan. Geheimverhandlungen zur Erzielung eines »Modus Vivendi« in Südostasien auf einem toten Punkt angelangt. Die japan. Führung entschloss sich zur Ablehnung der amerikan. Forderung nach einem Rückzug aus China und Indochina und zum Angriff auf die USA und Großbritannien. Am 7. 12. 1941 überfiel Japan die amerikan. Pazifikflotte in →Pearl Harbor. Dtl. und Italien erklärten daraufhin den USA am 11. 12. den Krieg. – Am 12. 7. 1941 schlossen Großbritannien und die Sowjetunion ein Beistandsabkommen; Ende Aug. 1941 rückten brit. und sowjet. Truppen in Iran ein und stellten eine Verbindung her, über die – neben den nordruss. Häfen Murmansk und Archangelsk – Hilfsleistungen in die UdSSR gesandt wurden.

Die gegen die amerikan. Schifffahrt im W-Atlantik eingesetzten dt. U-Boote erzielten anfangs große Erfolge: Insgesamt wurden (1942) 8,2 Mio. BRT alliierten Schiffsraums versenkt (seit Kriegsbeginn 17,8 Mio. BRT), doch standen dem fast 7,2 Mio. BRT Neubauten gegenüber. Die dt. schweren Seestreitkräfte operierten von N-Norwegen aus gegen den alliierten Geleitzugverkehr zw. Island und Murmansk. Im Luftkrieg hingegen gewann die brit. Luftwaffe durch die Bindung der Masse der dt. Luftstreitkräfte im O mehr und mehr die Oberhand. An ihrer im März 1942 einsetzenden Offensive gegen dt. Rüstungsbetriebe und Großstädte beteiligten sich vom Sommer an in steigendem Maße amerikan. Luftstreitkräfte. Mit dem Übergang zu Flächenbombardements nahmen ihre Flüge den Charakter von Terrorangriffen an (Lübeck Ende März 1942, Köln Ende Mai 1942), ohne allerdings die angestrebte psycholog. Wirkung auf die dt. Bevölkerung zu erzielen. Die sowjet. Forderung auf Errichtung einer zweiten Front veranlasste die Briten am 18. 8. 1942 zu einem Landungsversuch bei Dieppe, der abgewehrt wurde.

In N-Afrika führte die am 18. 11. 1941 begonnene Offensive der brit. 8. Armee bis zum Jahresende zur erneuten Eroberung der Cyrenaica, am 21. 1. 1942 stieß Rommel jedoch wiederum vor und erreichte in wenigen Tagen den Raum westlich Tobruk. Am 26. 5. setzte er den Angriff fort und brach in schweren Kämpfen den brit. Widerstand westlich und südlich von Tobruk (Einnahme am 21. 6.). Dem nach Ägypten zurückweichenden Gegner folgend, erreichte die dt.-italien. Panzerarmee am 30. 6. El-Alamein, wo sie vor brit. Stellungen zum Stehen kam. Am 23. 10. begann der Gegenangriff der brit. 8. Armee unter General B. Montgomery, die durch ihre Panzer- und Luftüberlegenheit den unter Nachschubmangel leidenden Rommel am 2. 11. zum Rückzug zwang (Eroberung Tobruks durch die Briten am 13. 11., Räumung von Bengasi durch Rommel am 20. 11.).

Am 7./8. 11. 1942 landeten amerikan. und brit. Truppen unter General D. D. Eisenhower in Marokko und Algerien (Operation »Torch«). Nur bei Casablanca trafen sie auf stärkeren frz. Widerstand, der eingestellt wurde, als der frz. Oberbefehlshaber, Admiral J.-F. Darlan, am 11. 11. zu den Alliierten überging. Der künftigen Haltung Frankreichs misstrauend, ließ Hitler am 11. 11. 1942 den

Zweiter Weltkrieg – Europa und Nordafrika Herbst 1942 bis Herbst 1944

bisher unbesetzten Teil des Landes besetzen. Gleichzeitig rückten italien. Truppen auf die frz. Riviera vor und landeten auf Korsika. Ein dt. Handstreich auf die im Hafen von Toulon liegenden frz. Kriegsschiffe am 27. 11. hatte nur teilweise Erfolg, die Mehrzahl versenkte sich selbst. Am selben Tag wurde das frz. Heer entwaffnet. Unterdessen hatten dt. und italien. Kräfte in Tunesien einen Brückenkopf errichtet, an dem die Mitte Nov. über die alger. Grenze vorstoßenden Alliierten zum Stehen kamen. Am 11. 12. 1942 nahm die brit. 8. Armee ihre unterbrochene Offensive wieder auf. Nach Räumung Tripolis' (23. 12. 1943) zog sich Rommel bis Ende Jan. 1943 abschnittsweise auf die befestigte Mareth-Stellung südlich von Gabès zurück. In der 2. Märzhälfte erlagen die dt.-italien. Kräfte dort dem Angriff der brit. 8. Armee. Diese stieß mit amerikan. Truppen im April über Kairouan vor. Die alliierten Hauptkräfte griffen von W die in einem engen Brückenkopf nun unter Generaloberst H. J. von Arnim vereinigten dt. und italien. Divisionen an. Am 7. 5. konnten die Briten Tunis, die Amerikaner Biserta einnehmen, am 13. 5. 1943 kapitulierten die Reste der dt. und italien. Truppen auf der Kap-Bon-Halbinsel, rd. 250 000 Soldaten gerieten in Gefangenschaft.

Die Landung der Alliierten auf Sizilien und die Kämpfe in Italien bis Herbst 1944: Auf der Konferenz von Casablanca (14.–26. 1. 1943) verkündeten Roosevelt und Churchill als ihr Kriegsziel die bedingungslose Kapitulation von Dtl., Italien und Japan; sie beschlossen, der Eroberung von Tunis eine Landung alliierter Truppen auf Sizilien nachfolgen zu lassen. Zur Abwehr standen auf Sizilien die italien. 6. Armee und vier dt. Divisionen bereit. Die alliierten Landungskräfte unter General H. Alexander wurden von Gibraltar und N-Afrika herangeführt: die brit. 8. Armee (B. Montgomery) gegen die SO-Spitze, die amerikan. 7. Armee (General G. Patton) gegen die S-Küste südöstlich von Agrigent. Sie stießen bei der Landung am 10. 7. nur auf geringen Widerstand. Die Briten konnten schon am 12. 7. Syrakus und Augusta besetzen; die Amerikaner stießen nach der Abwehr dt. Gegenangriffe quer durchs Gebirge auf Palermo (22. 7.) und längs der N-Küste auf Messina vor.

Unter dem Eindruck der Niederlagen und der alliierten Luftoffensive gegen das Festland (Bombenangriff auf Rom am 19. 7.) erlahmte der italien. Widerstandswille. Mit dem Sturz Mussolinis am 25. 7. brach die faschist. Herrschaft zusammen. Der neue MinPräs., Marschall P. Badoglio, nahm sofort mit den Alliierten Geheimverhandlungen auf; diese führten am 3. 9. zum Abschluss eines die Kapitulation Italiens festlegenden Waffenstillstandsvertrags, der erst am 8. 9. bekannt gegeben wurde. An diesem Tage floh der König mit dem Kronprinzen und der Regierung nach Bari. Nachdem die brit. 8. Armee am 3. 9. an der italien. S-Spitze und am 9. 9. bei Tasent gelandet war, erfolgte am gleichen Tag eine amerikan. Großlandung bei Salerno. Hitler ließ am 10. 9. Rom besetzen und die italien. Truppen entwaffnen. Die italien. Flotte entkam und wurde am 15. 9. vor Malta an Admiral A. Cunningham übergeben. Mussolini, am 12. 9. von einem dt. Fallschirmjägerkommando aus seiner Haft auf dem Gran Sasso befreit, bildete eine neue Regierung und proklamierte sich zum Chef einer von Dtl. abhängigen »Repubblica Sociale Italiana« (»Rep. von Salò«) in N-Italien. Die königl. Regierung erklärte am 13. 10. Dtl. den Krieg.

Am 1. 10. räumten die dt. Truppen Neapel und gingen hinter den Volturno zurück. Unterdessen hatten die Alliierten Sardinien kampflos besetzt. Korsika wurde freifrz. Verbänden überlassen. In der zweiten Oktoberhälfte 1943 erkämpften die Amerikaner den Übergang über den Volturno, vermochten aber bis Jahresende nicht in das nach Rom führende Tal von Cassino einzudringen. An der Adriaküste stieß Montgomery im Dez. über den Sangro vor. Am 22. 1. 1944 versuchten die Alliierten durch die überraschende Landeoperation im Rücken der Deutschen bei Anzio und Nettuno, sich den Zugang nach Rom zu öffnen. Der dt. Oberbefehlshaber Generalfeldmarschall Kesselring stellte ihnen die neue 14. Armee entgegen, die den auf fast 150 000 Mann verstärkten Gegner in einem engen Brückenkopf zusammendrängte. Bei Cassino scheiterten im Frühjahr 1944 auch nach der Zerstörung des Ortes und des Klosters alle alliierten Angriffe. Erst am 18. 5. 1944 konnten die durch frz. und poln. Divisionen verstärkten Alliierten Cassino einnehmen. Unter Aufgabe von Rom (4. 6.) zogen sich die dt. Truppen über den Arno nach Rimini zurück. Die Alliierten kamen vor starken dt. Stellungen südöstlich von La Spezia, im Etrusk. Apennin und nördlich von Rimini zum Stehen.

Der deutsche Rückzug im Osten bis Sommer 1944: An der Ostfront setzte Hitler im Sommer 1943 seine gesamten operativen Reserven gegen den in die dt. Front vorgetriebenen sowjet. Frontbogen um Kursk ein (»Unternehmen Zitadelle«). Der gegen dessen Flanken am 5. 7. 1943 begonnene Angriff musste nach anfängl. Erfolgen eingestellt werden, da die Rote Armee mit starken Kräften am 11. 7. in den großen dt. Frontbogen um Orel eingebrochen war. Dieser wurde nach schweren Kämpfen Ende Juli aufgegeben. Am 5. 8. begann Marschall R. J. Malinowski eine große Offensive gegen die Heeresgruppe Süd. Charkow musste am 22. 8. aufgegeben werden. Daraufhin setzte der Oberbefehlshaber der Heeresgruppe Süd, Generalfeldmarschall E. v. Manstein, bei Hitler die Räumung des gesamten Raums östlich des Dnjepr durch. Die Heeresgruppe Mitte musste den sowjet. Truppen im Sept. 1943 Brjansk und Smolensk überlassen. Aus einem Ende Sept. bei Krementschug gewonnenen Brückenkopf ging die Rote Armee am 17. 10. auf Kirowograd und Kriwoi Rog vor, wo sie auf starken Widerstand stieß. Nach Durchbruch bei Melitopol (23. 10.) stieß sie bis zur Enge von Perekop vor; dadurch wurden die dt. Truppen auf der Krim abgeschnitten; am 6. 11. mussten sie Kiew räumen. Am 3. 1. 1944 erreichten die sowjet. Truppen die ehem. poln. Grenze und eroberten am 5. 2. Rowno und Luzk. Nach dem Verlust von Nikopol (8. 2.) und Kriwoi Rog (22. 2.), die aus wirtsch. Gründen (Mangan- und Eisenerzgruben) so lange wie möglich gehalten wurden, zogen sich die dt. Truppen auf den unteren Bug zurück. Anfang März konnte die Rote Armee die noch bei Uman stehenden dt. Kräfte über den Bug zurückdrängen. Am 20. 3. nahmen die sowjet. Truppen Winniza ein, am 28. 3. standen sie am Pruth bei Jassy. In Galizien drangen sie über Kolomea noch bis zum Karpatenkamm vor und eroberten das seit Anfang März eingeschlossene Tarnopol (15. 4.). Die dt. und rumän. Divisionen der 17. Armee auf der Krim wichen vor den im April über Kertsch und Perekop vorstoßenden sowjet. Truppen auf Sewastopol zurück (am 9. 5. von diesen eingenommen), am 12. 5. kapitulierten die Reste der dt.-rumän. Kräfte auf der Halbinsel Cherson. Die Heeresgruppe Mitte hatte am 25. 11. 1943 Gomel verloren, im Dez. aber sowjet. Versuche, ihren Nordflügel bei Witebsk einzudrücken, vereitelt. Die Heeresgruppe Nord musste in der zweiten Januarhälfte 1944 infolge Vordringens starker sowjet. Kräfte über den Wolchow und gleichzeitigen Angriffs der Besatzung von Leningrad ihre dortigen Stellungen aufgeben. Nachdem auch die Stellungen an der Luga durchbrochen waren, ging die Heeresgruppe Nord hinter die Narwa und den Peipussee und auf Pleskau zurück.

Eine schwere Belastung für die dt. Kriegführung war – als Folge der auf der »Herrenrassen«-Ideologie beruhenden dt. Politik – die zunehmende Tätigkeit von Partisanen in den waldreichen Gegenden Weißrusslands, der Gebiete Smolensk, Orel und Brjansk, vor Leningrad und in der Ukraine, die bes. die dt. Verbindungslinien bedrohte. – Unter den Verbündeten Dtl.s hatte sich die Lage zugespitzt. Rumänien war völlig erschöpft. Bulgarien, seit 12. 12. 1941 im Krieg mit Großbritannien und den USA, lehnte Hitlers Forderung nach Beteiligung am Kampf gegen die UdSSR ab. Ungarn wurde wegen vermuteter Fühlungnahme mit den Alliierten am 19. 3. 1944 von dt. Truppen besetzt.

Der See- und Luftkrieg 1943–45 und die Invasion im Westen: Nach der Ablösung des Oberbefehlshabers der Kriegsmarine, Großadmiral Raeder, durch K. Dönitz (Jan. 1943) erreichte der Handelskrieg im März 1943 mit der Versenkung von 693 000 BRT den Höhepunkt. Von da an verringerte sich jedoch sein Effekt durch nun wirksam werdende alliierte Gegenmaßnahmen (neue Ortungssysteme, Entschlüsselung des dt. Funkverkehrs) rasch. Die alliierten Neubauten (u. a. durch die von den USA in Schnellbauweise konstruierten Liberty-Schiffe) übertrafen seit März 1943 die Versenkungsziffern; die dt. U-Boot-Verluste stiegen so stark an (im Mai 1943: 38 Boote), dass Dönitz am 24. 5. 1943 die Bekämpfung der alliierten Geleitzüge im Atlantik abbrach. Von ungefähr 40 000 U-Boot-Besatzungsmitgliedern fielen während des Kriegs rd. 28 000. Das Schlachtschiff »Scharnhorst« unterlag beim Angriff auf einen Murmansk-Geleitzug am Weihnachtstag 1943 brit. Streitkräften; das Schlachtschiff »Tirpitz«, im Altafjord torpediert, kenterte 1944 in einem Fjord bei Tromsø nach schwerem brit. Luftangriff. Im Luftkrieg waren die Deutschen seit Anfang 1943 ganz in die Verteidigung gedrängt. Unter der 1944 voll zur Entfaltung kommenden alliierten Luftoffensive verminderte sich die dt. Gesamtproduktion zwar nicht erheblich, doch wurden viele dt. Städte weitgehend zerstört. Die seit 1944 verwendeten dt. Vergeltungswaffen (→ V-Waffen; am 12./13. 6. erster Beschuss von London mit »V1«-Raketen) verursachten zwar in S-England Verluste und Schäden, erzielten aber keine entscheidende Wirkung mehr.

Seit Ende 1943 wurden Vorbereitungen zur Invasion in Frankreich getroffen, die auf der Konferenz von Teheran (28. 11.–1. 12. 1943) beschlossen worden war. Auf dt. Seite war die Kanal- und Atlantikküste durch den Atlantikwall befestigt worden. In Erwartung einer alliierten Landung waren die dt. Truppen im W auf 59 Divisionen erhöht worden (viele unter Normalstärke); Oberbefehlshaber West war seit März 1942 Generalfeldmarschall von Rundstedt. Unter ihm führte Generalfeldmarschall Rommel die an der Kanalküste eingesetzte Heeresgruppe B. Der Invasion in der Normandie (Operation »Overlord«) gingen von April an schwere Luftangriffe voraus, bes. gegen das dt. Verkehrsnetz und die Bodenorganisation der Luftwaffe. Nach Bombardierung der Küstenbefestigungen zw. der Seinemündung und der Halbinsel Cotentin landeten schließlich am Morgen des 6. 6. 1944 (»D-Day«) britisch-kanad. Divisionen nördlich von Caen und amerikan. Truppen nördlich von Saint-Lô. Nach der Landung weiterer Kräfte (bis 12. 6.: 326 000 Mann) und der Vereinigung der beiden Brückenköpfe stießen die Amerikaner auf Cherbourg vor, das am 26. 6. genommen wurde. Dann drängten sie die dt. Truppen beiderseits von Saint-Lô zurück (18. 7.). Die Briten konnten am 9. 7. Caen erstürmen; beim Versuch, nach O zur Seine durchzubrechen, begegneten sie jedoch neuem starkem Widerstand. Inzwischen war Rundstedt am 3. 7. durch Generalfeldmarschall G. von Kluge ersetzt worden, der nach Rommels schwerer Verwundung (17. 7.) auch dessen Heeresgruppe übernahm. Nach dem fehlgeschlagenen Attentat auf Hitler (→Zwanzigster Juli 1944) wurde H. Himmler Oberbefehlshaber des Ersatzheeres, H. Guderian Chef des Generalstabes des Heeres.

Am 1. 8. brach die neu gebildete amerikan. Armeegruppe O. Bradley über Avranches in die Bretagne durch und erreichte am 10. 8. die untere Loire. Während Teile der amerikan. Kräfte Brest, Lorient und Saint-Nazaire einschlossen (Brest 18. 9. genommen), gingen die Hauptkräfte nach O und über Le Mans (9. 8.) nach N in den Rücken der langsam vor Montgomery zurückweichenden Deutschen vor. Nach Schließen der Zange im Rücken der 7. Armee wurde diese Mitte Aug. in der Kesselschlacht von Falaise vernichtet. Die amerikan. 3. Armee erreichte am 20. 8. die Seine beiderseits Paris, dessen Besatzung sich nach mehrtägigem Kampf gegen die Résistance am 25. 8. den eindringenden frz. Truppen ergab.

Inzwischen waren am 15. 8. die amerikan. 7. und die frz. 1. Armee (später Armeegruppe Devers) südwestlich von Cannes gelandet. Die Amerikaner stießen über Grenoble (23. 8.) zur schweizer. Grenze vor, die Franzosen folgten nach Einnahme von Toulon und Marseille (28. 8.) der im Rhonetal zurückgehenden dt. 19. Armee und drangen mit den Amerikanern über Lyon (3. 9.) auf Belfort und Épinal vor. An den W-Hängen der Vogesen kam die Armeegruppe Devers zum Stehen, an der Mosel beiderseits Metz auch die amerikan. 3. Armee. Die Besetzung N-Frankreichs und Belgiens erfolgte in kurzer Zeit. Am 11. 9. wurden die dt. Grenze von Trier bis Aachen und die niederländ. S-Grenze erreicht. Ein alliiertes Luftlandeunternehmen zur Gewinnung der Brücken bei Nimwegen und Arnheim (17.–25. 9.) hatte nur teilweise Erfolg: Es führte zur Vorverlegung der brit. Front an Maas und Waal. Bradley nahm am 21. Okt. Aachen ein und drang bis zur Rur vor. Die amerikan. 3. Armee erreichte nach der Eroberung von Metz (22. 11.) Anfang Dez. die Saar, Devers nahm am 23. 11. Straßburg.

Die sowjet. Sommeroffensive 1944: Kurze Zeit nach der Landung der Alliierten in Frankreich eröffneten sowjet. Truppen am 22. 6. zw. Pripjet und Düna einen Großangriff auf die Heeresgruppe Mitte, die, da Hitler auf einem starren Haltebefehl bestand, innerhalb weniger Tage völlig zertrümmert wurde. Am 3. 7. nahm die Rote Armee Minsk, am 13. 7. Wilna, am 18. 7. Białystok, am 27. 7. Dünaburg, am 1. 8. Kaunas ein. Durch Vorstoß auf die Rigaer Bucht versuchte sie, der noch in Estland kämpfenden Heeresgruppe Nord den Rückzug zu verlegen, wurde aber südlich von Riga aufgehalten. Inzwischen hatten die sowjet. Truppen unter Marschall I. S. Konew am 16. 7. auch die Stellungen der Heeresgruppe Nordukraine (seit 30. 3. 1944 unter Generalfeldmarschall Model) in Mittelpolen und Galizien durchbrochen, Lemberg und Brest-Litowsk Ende Juli genommen und die Weichsel sowie den San erreicht; damit war die ganze Ukraine wieder in sowjet. Besitz. Das Herannahen der Roten Armee veranlasste die poln. Widerstandskräfte in Warschau unter General T. Bor-Komorowski am 1. 8. zur Auslösung des →Warschauer Aufstandes. Die sowjet. Truppen kamen den Aufständischen nicht zu Hilfe, deren Reste nach blutigen Straßenkämpfen von den dt. Besatzungstruppen zur Kapitulation gezwungen wurden.

Im S der Ostfront stellten die Rumänen nach dem Fall von Jassy und Kischinjow (23./24. 8.) den Kampf ein. Antonescu wurde am 23. 8. gestürzt, Bukarest und Ploiești Ende Aug. von der Roten Armee besetzt. Die bulgar. Regierung beantwortete die sowjet. Kriegserklärung (5. 9.) mit der Bitte um Waffenstillstand und Kriegserklärung an Dtl. (Einmarsch der Sowjets unter Marschall F. I. Tolbuchin in Sofia am 19. 9.; Waffenstillstand 28. 10.). Über die Südkarpaten drangen die sowjet. Truppen mit rumän. Kräften in Siebenbürgen ein, Anfang Okt. stießen sie in die ungar. Tiefebene und in das Banat vor. Der Versuch des ungar. Reichsverwesers Horthy, einen Frontwechsel einzuleiten, misslang. Horthy wurde in Dtl. interniert; eine am 5. 12. in Debrecen gebildete Gegenregierung schloss mit der Sowjetunion einen Waffenstillstand und erklärte Dtl. ebenfalls den Krieg. Die dt. Balkanstreitkräfte räumten im Sept./Okt. Griechenland und gingen unter Kämpfen mit Titos Partisanen hinter die Save zurück. Nach der Eroberung Belgrads (20. 10.) durchbrachen die sowjet. Truppen von S die dt. Theiß-Front und erreichten am 10. 12. den Plattensee; Ende Dez. drangen sie östlich der Donau bis an die slowak. S-Grenze vor. Ein slowak. Aufstand (Neusohl, Aug. 1944) wurde im Okt. von dt. Truppen niedergeschlagen. Unterdessen hatten die Finnen am 4. 9. 1944 den Kampf eingestellt, die diplomat. Beziehungen zu Dtl. abgebrochen und mit der Sowjetunion am 19. 9. einen Waffenstillstand geschlossen. Die dt. Lappland-Armee zog sich unter Nachhutkämpfen auch gegen finn. Truppen nach N-Norwegen zurück. Die Heeresgruppe Nord konnte aus Estland zunächst noch durch den Riga-Korridor entweichen, wurde dann aber ab Okt. in Kurland eingeschlossen.

Zweiter Weltkrieg – Der Endkampf um das Reich Ende 1944 bis Mai 1945

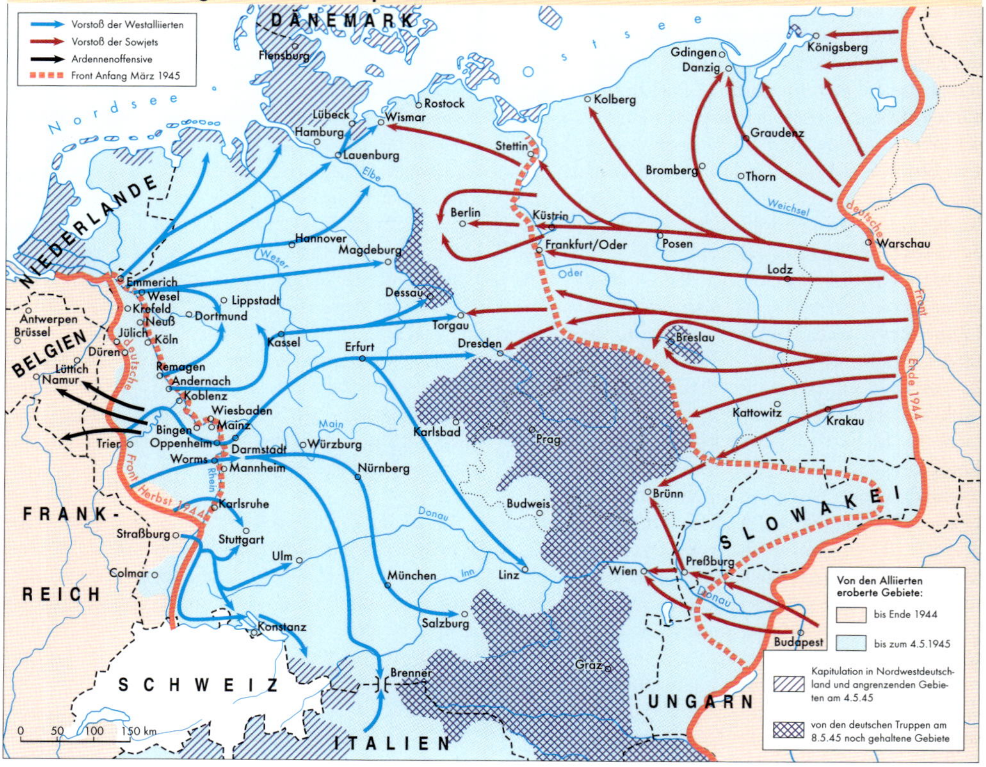

Der militär. Zusammenbruch Deutschlands: Zum äußersten Widerstand entschlossen, hatte Hitler am 25. 9. 1944 den →Volkssturm als das letzte Aufgebot zur Verteidigung des Reichsgebietes ausheben lassen. Durch die Ardennenoffensive im W glaubte Hitler, nochmals eine Wende im Kriegsgeschehen herbeiführen zu können. Unter dem Oberbefehl Rundstedts setzte er eine neu formierte Heeresgruppe mit fast allen noch verfügbaren Panzerdivisionen zum Vorstoß durch die Ardennen auf Antwerpen ein, um den alliierten Nordflügel von seinen Verbindungen abzuschneiden. Der am 16. 12. begonnene Angriff kam in den Weihnachtstagen noch östlich der Maas zum Stehen; seine Flanken wurden durch starke Gegenstöße bedrängt. Ende Jan. 1945 hatten die Alliierten ihre frühere Front wieder erreicht, die letzten dt. Reserven waren verbraucht. Am 8. 2. 1945 trat Montgomery, am 23. 2. Bradley zu neuer Offensive an. Anfang März hatten die Briten das linke Niederrheinufer erobert. Die Amerikaner nahmen nach Durchbruch bei Jülich und Düren und Vorstoß bis Neuss–Krefeld am 7. 3. Köln und konnten über die unzerstörte Brücke von Remagen starke Kräfte auf das rechte Rheinufer bringen. Die amerikan. 3. Armee erreichte Mitte März den Raum westlich Koblenz, stieß am 22. 3. von dort bis Mainz vor und bildete bei Oppenheim einen Brückenkopf. Kurz danach rückte die amerikan. 7. Armee von der Saar durch die Pfalz auf Worms vor. Der Ende März 1945 von den Alliierten über den Rhein vorgenommene Angriff führte zum raschen Zusammenbruch der dt. Westfront. Montgomery überwand den Rhein bei Wesel; sein linker Flügel drängte die dt. Truppen in den Niederlanden in die »Festung Holland« zurück, wo sie sich bis Kriegsende hielten. Die amerikan. 9. Armee und der linke Flügel der amerikan. 1. Armee, die am 7. 3. den Rhein bei Remagen überschritten, schlossen im Ruhrgebiet die Heeresgruppe B (Model) ein und zwangen sie am 18. 4. zur Kapitulation. Die durch Westfalen vorstoßende brit. 2. Armee erreichte am 19. 4. die Unterelbe und nahm am 2. 5. Lübeck ein. Die amerikan. 9. Armee gelangte Mitte April an die Elbe bei Magdeburg (eingenommen am 18. 4.). Die über Kassel marschierende amerikan. 1. Armee gewann das linke Elbufer, nahm Leipzig am 18. 4. ein und traf am 25. 4. bei Torgau auf sowjet. Truppen. Die amerikan. 3. Armee besetzte Darmstadt und Frankfurt und drang im April über den Thüringer Wald bis zum Erzgebirge und mit dem Südflügel Anfang Mai bis zu der mit den Sowjets vereinbarten Demarkationslinie Karlsbad–Budweis–Linz vor. Der linke Flügel der amerikan. 7. Armee erreichte über Würzburg und Nürnberg am 30. 4. München und besetzte das Salzkammergut, der rechte Flügel stieß nach Einnahme Mannheims über den Neckar und die obere Donau in die Alpen bis zum Brenner vor. Die frz. 1. Armee schließlich überquerte nach dem Übergang über den Rhein nördlich von Karlsruhe (1. 4.) und bei Straßburg (15. 4.) den Schwarzwald, besetzte Stuttgart und Konstanz und marschierte in Vorarlberg ein. In Oberitalien war es während des Winters nur zu örtl. Kampfhandlungen gekommen. Am 9. 4. traten die brit. 8., am 14. 4. auch die amerikan. 5. Armee zum Angriff auf Bologna an, mit dessen Fall die ganze Apenninverteidigung zusammenbrach. Am 2. 5. stellte Generaloberst H.-G. von Vietinghoff (seit 10. 3. anstelle Kesselrings, der die Westfront übernahm, Oberbefehlshaber) den Kampf ein. Die Amerikaner stießen zum Brenner, die Briten nach Kärnten und Steiermark vor. Mussolini war auf der Flucht bei Como am 28. 4. 1945 von italien. Partisanen ergriffen und erschossen worden.

Die sowjet. Truppen nahmen am 12. 1. ihre Offensive gegen Ostpreußen und in Polen wieder auf. Aus dem Weichselbrückenkopf Baranów und über den San vorstoßend, eroberten sie am 17. 1. Warschau, am 19. 1. Lodz und Krakau und drangen in Oberschlesien ein. Ende Jan. standen sie vor Breslau, das sie am 13. 2. einschlossen; am 1. 2. fiel Thorn, am 24. 2. Posen in ihre Hand. An der Oder kamen sie noch einmal zum Stehen, doch konnten sie am 22. 3. einen größeren Brückenkopf um Küstrin gewinnen. Am 13./14. 2. wurde Dresden durch brit., kanad. und amerikan. Bomberverbände zerstört. Die dt. Kräfte in Ostpreußen wurden durch sowjet. Vorstoß zur Ostseeküste bei Elbing vom Reich abgeschnitten, Königsberg Ende Jan. 1945 eingeschlossen. Nur über See konnte die in großen Trecks flüchtende dt. Bevölkerung noch nach W gerettet werden (vom 23. 1. bis 9. 5. 1945 über 2 Mio.). Von sowjet. U-Booten torpediert, sank u. a. die »Wilhelm Gustloff« mit etwa 12 000 Menschen an Bord. Am 9. 4. musste Königsberg kapitulieren. Inzwischen war Marschall K. K. Rokossowski von Bromberg bis zur Ostsee bei Kolberg (18. 3.) und zum Stettiner Haff sowie nordwärts an die Danziger Bucht vorgedrungen und hatte Gdingen am 28. 3., Danzig am 30. 3. genommen. In Ungarn traten die Sowjets nach der Eroberung Budapests beiderseits der Donau auf Wien an, das nach schweren Straßenkämpfen am 13. 4. fiel. An der Enns und in der Steiermark trafen sie Anfang Mai mit amerikanisch-brit. Kräften zusammen. Von Preßburg marschierten sie auf Prag zu, wo sich die Tschechen gegen die dt. Besatzung erhoben hatten.

Am 16. 4. begann an der Oderfront der sowjet. Generalangriff auf Mittel-Dtl. und Berlin, dessen O-Rand Marschall G. K. Schukow nach harten Kämpfen am 20. erreichte. Am 25. 4. war Berlin eingeschlossen, am 2. 5. ergaben sich die Verteidiger nach blutigen Straßenkämpfen. An der Elbe und westlich Schwerins stellten die Sowjets verabredungsgemäß ihren Vormarsch ein. Hitler beging im Bunker der Reichskanzlei am 30. 4. Selbstmord. Der von ihm zum Nachfolger bestimmte, mit dem Oberkommando der Wehrmacht nach Flensburg ausgewichene Großadmiral K. Dönitz entsandte am 6. 5. den Chef des Wehrmachtführungsstabes, Generaloberst A. Jodl, nach Reims in Eisenhowers Hauptquartier zur Unterzeichnung der bedingungslosen Kapitulation (7. 5., 2.41 Uhr), die am (8./9. 5.) im sowjet. Hauptquartier Berlin-Karlshorst von Generalfeldmarschall W. Keitel und den Oberbefehlshabern der Marine und Luftwaffe bestätigt wurde.

Die alliierten Kriegskonferenzen 1941–45 und die Friedensverträge: Durch den dt. Angriff auf die Sowjetunion am 22. 6. 1941 entstand die Anti-Hitler-Koalition der drei Großmächte Großbritannien, USA, Sowjetunion, deren stark divergierende Zielsetzungen für die Nachkriegszeit die Konferenzen zw. ihnen 1941–45 bestimmten. 1941 fassten Roosevelt und Churchill ihre außenpolit. Ziele in der acht Punkte umfassenden »Atlantikcharta« zusammen, die u. a. einen Verzicht auf Annexionen und die freie Bestimmung der Herrschaftsformen durch die Völker vorsah. Bei einem Besuch des brit. Außenmin. Eden in Moskau 1941 forderte jedoch Stalin nicht nur die Anerkennung der sowjet. Gewinne aus der Zeit des Hitler-Stalin-Pakts, sondern auch Stützpunkte in Finnland und Rumänien sowie eine Verkleinerung und Aufteilung Deutschlands. Auf einer Konferenz in Washington vom 22. 12. 1941 bis 14. 1. 1942 einigten sich Roosevelt und Churchill darauf, dass der Sieg über Dtl. Vorrang habe (»Germany first«).

Am 26. 5. 1942 schloss die Sowjetunion ein Bündnis mit Großbritannien. Dennoch verstärkten sich 1942 die Spannungen zw. den Mächten der Anti-Hitler-Koalition. 1942/43 sondierte Stalin – allerdings vergeblich – die Friedensbereitschaft Hitlers. Dem von Roosevelt und Churchill auf der Konferenz von Casablanca am 26. 1. 1943 verkündeten Ziel einer »bedingungslosen Kapitulation« Dtl.s und seiner Verbündeten schloss sich Stalin nur unter Vorbehalt an. Erst das Treffen der »Großen Drei« (Roosevelt, Churchill, Stalin) in → Teheran vom 28. 11. bis 1. 12. 1943 führte zu einer vorläufigen Einigung über die Kriegführung und über die Grundzüge der Nachkriegspolitik. Auf der vorausgehenden Konferenz von Kairo (Roosevelt, Churchill, Chiang Kai-shek) vom 22. bis 26. 11. 1943 einigte man sich auf die Rückgabe aller von Japan besetzten Gebiete einschl. von Formosa an China. Korea sollte ein unabhängiger Staat werden. Auf der Konferenz in Quebec zw. Roosevelt und Churchill vom 11. bis 16. 9. 1944 wurde der →Morgenthau-Plan angenommen. Im 1. und 2. Zonenprotokoll (1944) einigte sich die von den Verbündeten gebildete »Europ. Beratende Kommission« über die Modalitäten der Besetzung Deutschlands. Vom 4. bis 11. 2. 1945 trafen sich Roosevelt, Churchill und Stalin auf der →Jalta-Konferenz, auf der wichtige Vorentscheidungen, v. a. in Bezug auf die Behandlung Dtl.s nach dem Krieg und die poln. Frage, getroffen wurden.

Vom 25. 4. bis 26. 6. 1945 tagte in San Francisco die Gründungsversammlung der Vereinten Nationen (→UN), die mit der Verabschiedung der Charta abschloss.

Nach Unterzeichnung der bedingungslosen Kapitulation Dtl.s am 7. und 8./9. 5. 1945 und nach In-Kraft-Treten der alliierten Kontrolle über Dtl. am 5. 6. 1945 (→Kontrollrat) einigten sich H. S. Truman (amerikan. Präsident seit Roosevelts Tod am 12. 4. 1945), C. R. Attlee (löste Churchill nach dem Wahlsieg der Labour Party im Juli 1945 noch während der Konferenz ab) und Stalin auf der Potsdamer Konferenz (17. 7.–2. 8. 1945) auf die weitere Behandlung des in Besatzungszonen geteilten Dtl.s, die Festlegung der →Oder-Neiße-Linie sowie die Aussiedlung der Deutschen aus Polen, der Tschechoslowakei und Ungarn. Dtl. sollte in der Zeit der Besatzung als wirtsch. und polit. Einheit betrachtet werden. Friedensverträge schlossen die Alliierten am 10. 2. 1947 mit Italien, Ungarn, Rumänien, Bulgarien und Finnland in Paris ab. 1955 kam der österr. Staatsvertrag zustande. Die Westmächte beendeten 1951, die Sowjetunion 1955 den Kriegszustand mit Deutschland.

Der Krieg im Pazifik und in Ostasien: Die militär. Niederlage Frankreichs 1940 war für Japan der Anlass, N-Indochina zu besetzen (Sept. 1940). Großbritannien musste für drei Monate die Schließung der Birmastraße zugestehen (Juli–Okt. 1940). Dennoch gelang es den Japanern nicht, zu einem Arrangement mit Chiang Kai-shek zu kommen und den seit Juli 1937 andauernden Krieg in China zu beenden. Nachdem sich Japan durch den Neutralitätsvertrag mit der Sowjetunion (13. 4. 1941) Rückenfreiheit gesichert hatte, besetzte es aufgrund eines Abkommens mit Frankreich S-Indochina Ende Juli 1941 und stieß von hier aus am 7. 12. nach Thailand im Einverständnis mit dem thailänd. Diktator Pibul Songgram vor; damit schuf sich Japan eine Basis gegen die brit. Besitzungen in Malaya und Birma.

Nachdem die seit April 1941 geführten Verhandlungen mit den USA keine Einigung erbrachten, entschloss sich die japan. Regierung Tojo am 2. 12. endgültig zum Krieg gegen die USA und Großbritannien mit dem Ziel, Südostasien zu erobern. Am 7. 12. 1941 eröffnete Japan die Kampfhandlungen mit einem überraschenden Luftüberfall (von Flugzeugträgern aus) auf die Pazifikflotte in Pearl Harbor, durch den die USA vorerst in die Verteidigung gedrängt wurden. Es folgten die Landung der Japaner in Malaya (Kota Bharu, 8. 12.) und die Überschreitung des Isthmus von Kra von Thailand aus, die Versenkung zweier brit. Schlachtschiffe vor der malayischen O-Küste (10. 12.), die Landung auf den Philippinen (Luzon) am 10. 12. sowie auf Borneo (17. 12.) und Celebes, die Besetzung der amerikan. Stützpunkte Guam (10. 12.), Wake (23. 12.) und die Einnahme Hongkongs am 25. 12. Die Mitwirkung Thailands bei seinen Festlandsoperationen sicherte sich Japan durch das Bündnis vom 14. 12. 1941; am 25. 1. 1942 erklärte Thailand Großbritannien und den USA den Krieg. Am 15. 2. 1942 mussten die Briten Singapur an den japan. General H. Yamashita übergeben, am 10. 4. die Amerikaner in Bataan (auf Luzon) die Waffen strecken. Die Eroberung Birmas bedrohte Indien und beraubte China seiner einzigen Nachschublinie (Birmastraße). Nach Sumatra und Bali ging auch Java verloren (25. 2.–9. 3.). Nachdem die Japaner sich Ende Jan. auf dem Bismarckarchipel (23. 1. Rabaul), dem SO-Zipfel Neuguineas und auf Bougainville und im Frühjahr auf den südl. Salomoninseln festgesetzt hatten, kam ihr Vordringen nach S zum Stillstand (Schlacht in der Korallensee, 4.–8. 5. 1942). Im N bemächtigten sich die Japaner am 7. 6. der Aleuteninseln Kiska und Attu; ein starker japan. Vorstoß im mittleren Pazifik endete in der Schlacht bei den Midwayinseln (4.–7. 6.) mit dem Verlust von vier großen Flugzeugträgern, der die japan. Flotte entscheidend schwächte. Damit war die Wende im Pazifikkrieg eingetreten.

Mitte 1942 herrschte Japan über ein Gebiet mit 450 Mio. Menschen. In den besetzten Ländern förderte es die gegen die europ. Kolonialmächte gerichteten Volksbewegungen und die Bildung unabhängiger Regierung (Birma 1943, Indonesien und Vietnam 1945).

Die Rückgewinnung der von Japan eroberten Gebiete vollzog sich gegen den fanat. Widerstand der japan. Inselbesatzungen sehr langsam. Am 7. 8. 1942 landeten die amerikanisch-austral. Streitkräfte unter General MacArthur auf Guadalcanal, das für Monate zum Brennpunkt des pazif. Kriegsschauplatzes wurde und erst am 8. 2. 1943 genommen werden konnte. Ende Jan. 1943 wurden die übrigen Salomoninseln zurückgewonnen und die Japaner vom SO-Zipfel Neuguineas vertrieben. Der starke japan. Stützpunkt Rabaul wurde durch Luftangriffe und Landung auf Neubritannien ausgeschaltet (Dez. 1943–März 1944). Die amerikan. Streitkräfte im mittleren Pazifik unter Admiral Nimitz, der als Oberbefehlshaber der Pazifikflotte den kombinierten Einsatz von See- und Luftstreitkräften und die Taktik des »Inselsprungs« entwickelte, eroberten nach Wiederbesetzung der Aleuten (Mai–Aug. 1943) im Sommer 1944 die Marianeninseln Saipan und Guam und vereinigten sich dann mit MacArthur zum Angriff auf die Philippinen; dieser begann am 20. 10. 1944 mit der Landung auf Leyte und endete mit der Vernichtung der Japaner auf Luzon (Juni 1945). Die Eroberung Birmas in der ersten Jahreshälfte durch Lord Mountbatten öffnete den Weg nach Singapur und Thailand und ermöglichte auch wieder die Unterstützung Chinas. Die von den Marianen aus im Nov. 1944 begonnene Luftoffensive gegen das japan. Mutterland steigerte sich, nachdem die Amerikaner durch die Landung auf der Insel Iwoshima und der Ryūkyūinsel Okinawa (26. 3., genommen am 21. 6.) ihre Luftbasen weiter vorgeschoben hatten, und noch mehr, als die alliierten Flotten mit ihren Flugzeugträgern im Juli eingriffen. Gemäß den Abmachungen der Jalta-Konferenz erklärte die Sowjetunion nach der kurzfristigen Kündigung des Neutralitätsvertrags am 8. 8. 1945 Japan den Krieg, marschierte in der Mandschurei und Korea ein und besetzte S-Sachalin und die Kurilen. Die in ihrer militär. Notwendigkeit und eth. Rechtfertigung umstrittenen Abwürfe zweier Atombomben auf →Hiroshima (6. 8.) und →Nagasaki (9. 8.) durch die USA beschleunigten die Kapitulation Japans. Am 10. 8. richtete die kaiserl. Regierung ein Kapitulationsgesuch an die Alliierten, am 16. 8. wurden die Kampfhandlungen gegen die Westmächte eingestellt; die japan. Festlandsarmee (Kwangtung-Armee) kapitulierte am 21. 8. 1945. Am 2. 9. wurde auf dem amerikan. Schlachtschiff »Missouri« in der Tokiobucht die Kapitulation unterzeichnet. – Ein Friedensvertrag mit Japan wurde am 8. 9. 1951 von den USA und 48 Alliierten in San Francisco abgeschlossen; mit der Sowjetunion wurde der Kriegszustand am 19. 10. 1956 für beendet erklärt.

Bilanz des Zweiten Weltkriegs. Opfer und Folgen: Als der bislang verheerendste militär. Konflikt in der Weltgeschichte forderte der 2. W. nach Schätzungen etwa 55 Mio. Tote, je zur Hälfte Soldaten und Zivilisten. Die Sowjetunion verlor etwa 20 Mio. Menschen, China etwa 10 Mio., Polen 5,8 Mio., Dtl. 4,8 Mio. (weitere 2,5 Mio. durch Flucht, Vertreibung und Verschleppung als unmittelbare Folgen des Krieges), Japan ca. 2 Mio., Jugoslawien 1,7 Mio., Frankreich etwa 800 000, Großbritannien 400 000.

In den →Nürnberger Prozessen wurden 12 von 24 angeklagten »Hauptkriegsverbrechern« zum

Zweiter Weltkrieg – Pazifik und Ostasien 1942–45

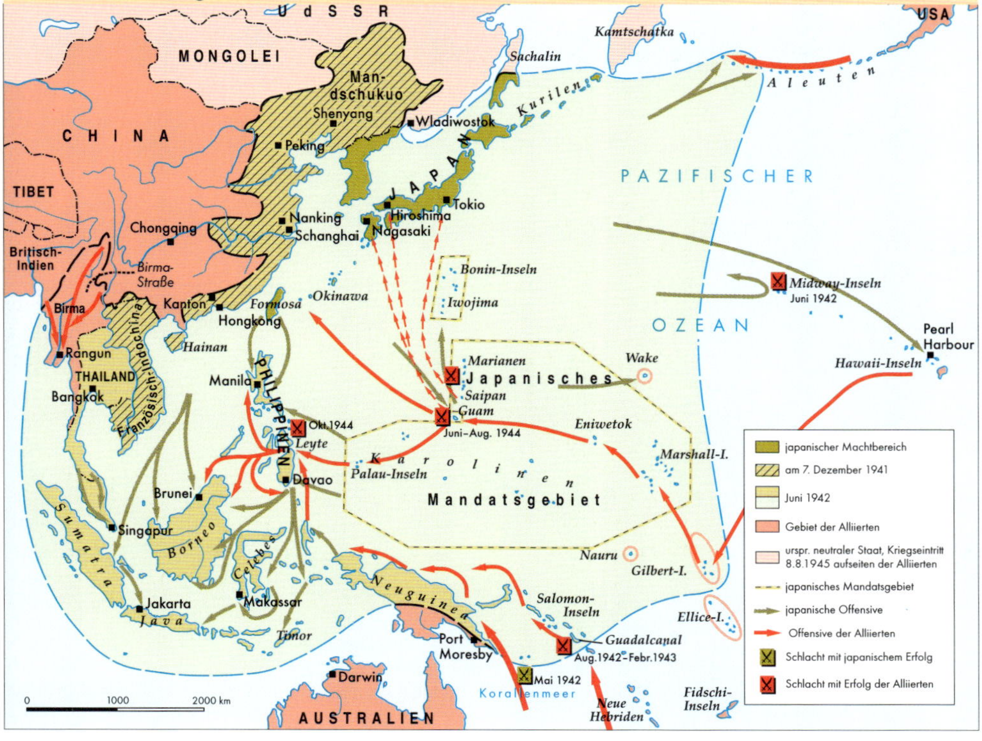

Tode verurteilt. 1946 trat in Tokio ein internat. Militärtribunal zur Ahndung japan. Kriegsverbrechen zusammen (1948 Urteilsverkündung; u.a. Todesurteil gegen H. Tojo).

Politisch veränderte der 2. W. die internat. Lage grundlegend. Dtl. und Japan, aber auch Großbritannien und Frankreich büßten ihre Großmachtrolle ein; die Staaten O- und Mitteleuropas gerieten unter sowjet. Hegemonie. Die USA und die Sowjetunion wurden die allein führenden Weltmächte, die um sich ein Paktsystem schufen. Die Nachkriegszeit wurde jahrzehntelang vom →Kalten Krieg geprägt. Dtl. blieb im Ergebnis des 2. W. und des nachfolgenden Ost-West-Konflikts bis 1990 geteilt; die beiden Teile waren bis zum Zerfall des kommunist. Staatensystems und der dt. Wiedervereinigung in zwei gegensätzl. Machtblöcke eingebunden. Großbritannien, Frankreich, aber z.B. auch die Niederlande wurden vom Prozess der Entkolonialisierung betroffen, den der 2. W. stark beschleunigte. In China verschob sich während des Kampfes gegen Japan das militärische Gewicht zugunsten der Kommunistischen Partei unter der Führung Mao Zedongs, die innerhalb von vier Jahren das ganze Land eroberte. In W-Europa löste die polit. Teilung des Kontinents verstärkte Bemühungen um wirtsch., militär. und polit. Zusammenarbeit aus.

📖 *Erster Weltkrieg:* Fischer, F.: *Griff nach der Weltmacht. Die Kriegszielpolitik des kaiserl. Deutschland 1914/18. Sonderausg. Düsseldorf 1967, Nachdr. ebd. 1994.* – Kielmannsegg, P.: *Deutschland u. der Erste W. Stuttgart* ^{2}*1980.* – Cartier, J.-P.: *Der Erste W. Aus dem Frz. München u.a.* ^{2}*1986.* – Geiss, I.: *Der lange Weg in die Katastrophe. Die Vorgeschichte des Ersten W. 1815–1914. München u.a.* ^{2}*1991.* – *Der Erste W. Wirkung, Wahrnehmung, Analyse, hg. v.* W. Michalka. *München u.a. 1994.* – Rauchensteiner, M.: *Der Tod des Doppeladlers. Österreich-Ungarn u. der Erste W. Graz u.a.* ^{2}*1994.*

Zweiter Weltkrieg: Hillgruber, A. u. Hümmelchen, G.: *Chronik des Zweiten W. Kalendarium militär. u. polit. Ereignisse 1939–45. Tb.-Ausg. Königstein im Taunus. 1978.* – Cartier, R.: *Der Zweite W., 3 Bde. A.d. Frz. Tb.-Ausg. München u.a.* ^{6}*1982.* – Dahms, H. G.: *Die Geschichte des Zweiten W. Tb.-Ausg. Frankfurt am Main u.a. 1989.* – *Der Zweite W. Analysen, Grundzüge, Forschungsbilanz, hg. v.* W. Michalka. *München u.a.* ^{2}*1990.* – Gruchmann, L.: *Totaler Krieg. Vom Blitzkrieg zur bedingungslosen Kapitulation. München 1991.* – Hillgruber, A.: *Der zweite W. 1939–45. Kriegsziele u. Strategie der großen Mächte. Stuttgart u.a.* ^{6}*1996.*

Weltkulturerbe

Weltkulturerbe, von der UNESCO als schutzwürdig erklärte Kunstwerke und Baudenkmäler, bei deren Schutz und/oder Restaurierung fachl. und materielle Hilfe geleistet wird. Das Programm wurde mit einem Aufruf der UNESCO vom 8. 3. 1960 zur Rettung nub. Denkmäler im Zusammenhang mit dem Bau des neuen Assuanstaudammes eingeleitet. Unter dem Begriff **Welterbe** werden neben Kulturgütern auch schutzwürdige Landschaftsregionen zusammengefasst und in der Welterbeliste (World Heritage List) registriert. Rechtsgrundlage ist die Konvention des Kultur- und Naturerbes der Welt (1972 von der UNESCO angenommen, seit 1975 in Kraft). Die Liste umfasste am 1. 1. 1998 418 Kultur-, 114 Natur- und 20 beiden Kategorien angehörende Denkmäler.

weltlich, der (diesseitigen) Welt angehörend, irdisch, profan; nicht zum religiösen (sakralen) bzw. kirchl. (geistl.) Bereich gehörend.

weltliche Institute (Säkularinstitute), *kath. Kirche:* Gemeinschaften von Geistlichen, Laien oder Geistlichen und Laien, die nach den evang. Räten leben, sich bestimmten kirchl. Aufgabenfeldern bes. verpflichtet wissen, ihr Wirken als christl. Auftrag (Apostolat) »in der Welt« verstehen, jedoch im Unterschied zu den Orden keine öffentl. Gelübde ablegen, i.d.R. keine besondere Tracht tragen und nicht grundsätzlich zu einem gemeinschaftl. Leben verpflichtet sind.

weltliches Recht, das staatl. und zwischenstaatl. Recht im Unterschied zum geistl. Recht.

Weltliteratur, 1) Kanon der nach den jeweiligen ästhet. Normen als überzeitlich und allgemein gültig angesehenen literar. Werke der versch. Nationalliteraturen; 2) 1827 von J. W. von Goethe geprägter Begriff, mit dem er eine Funktionsform der Literatur bezeichnete: Nationalliteratur werde zu W., insofern sie über die für ihn selbstverständl. Forderung gegenseitigen Kennenlernens und Bezugnehmens hinaus die großen Aufgaben einer gemeinsamen Welt, d.h. das naturwiss., gesellschaftl. und histor. Wissen der Zeit, umfassend und erhellend darzustellen vermöge.

Weltmacht, Staat, der aufgrund seiner polit., militär. und wirtsch. Kraft global einen bestimmenden Einfluss ausübt; nach dem 2. Weltkrieg die Sowjetunion und die USA. Nach dem Zusammenbruch der Sowjetunion, den polit. Umwälzungen in Europa und angesichts versch. Konfliktherde sowie der wirtsch. erstarkten Konkurrenten der USA (Westeuropa, Japan) ergeben sich heute neue weltpolit. Orientierungen. (→Großmacht)

Weltmeer, →Meer.

Weltmeisterschaft, regelmäßige Weltbestenermittlung in einer Sportart bzw. in einer oder mehreren Sportdisziplinen in einem dafür ausgeschriebenen Wettkampf oder in mehreren, gemeinsam gewerteten Veranstaltungen.

Weltorganisation für Meteorologie, →World Meteorological Organization.

Weltperioden (Weltzeitalter, Weltjahre), Zeitabschnitte, in die nach mytholog. oder religiöser Vorstellung (z. B. bei Augustinus, Joachim von Floris; Weltchronik) der Ablauf der menschl. Geschichte eingeteilt ist.

Weltpokal (Worldcup), in versch. Sportarten oder -disziplinen Wettbewerb zur Ermittlung der weltbesten Mannschaft oder des weltbesten Sportlers in einer bes. ausgeschriebenen Konkurrenz.

Weltpolitik, 1) die Gesamtheit der internat. Beziehungen, die ihren Ausdruck u. a. in der Politik internat. Organisationen (v. a. der UN mit ihren Sonder- und Unterorganisationen) findet; 2) die Außenpolitik einzelner Staaten (v. a. der Welt-, früher der Großmächte), die einen Großteil der anderen Staaten auf der Welt direkt oder indirekt berührt. Das Zentrum der W. verlagerte sich nach 1918 und verstärkt nach 1945 von Europa weg zu den beiden Weltmächten USA und UdSSR. Nach dem Zusammenbruch der Sowjetunion stehen den Vereinigten Staaten v. a. das wirtsch. erstarkte Japan und Westeuropa, das sich in einem Einigungsprozess befindet, gegenüber. Während immer wieder die Weltherrschaft als weltpolit. Ziel angestrebt wurde (z. B. Napoleon I., Hitler), entwickelten sich andererseits Bestrebungen, die Idee einer globalen Völkerrechtsgemeinschaft und des Friedens zu fördern (Gründung des Völkerbundes 1919, der Vereinten Nationen 1945; →Friedensforschung). Nach dem 2. Weltkrieg wurden diese Tendenzen durch den →Ost-West-Konflikt infrage gestellt, der eine Politik des militär. Gleichgewichts und der Abrüstung herausforderte; daneben schwelte der →Nahostkonflikt. Nach den Reformen in Osteuropa treten polit. und wirtsch. Krisen, Nationalitäten- und Glaubenskonflikte ins Blickfeld der W. Andere Schwerpunkte der gegenwärtigen W. sind verbunden mit wirtsch. und soziokulturellen Problemen des →Nord-Süd-Konflikts und weiteren Fragen der →Weltwirtschaft sowie den globalen Umweltschäden.

📖 WEIZSÄCKER, C. F. VON: *Fragen zur W. München 1975. – Japan, Europa, USA. Weltpolit. Konstellationen der 90er Jahre, hg. v.* W. VON BREDOW *u. a. Opladen 1994.* – SCHÖLLGEN, G.: *Geschichte der W. von Hitler bis Gorbatschow, 1941–91. Darmstadt 1996.*

Weltpostverein (engl. Universal Postal Union, frz. Union Postale Universelle, Abk. UPU), Sonderorganisation der UN (seit 1948), geht auf den Allg. Postverein zurück, eine auf Anregung H. von Stephans durch den Berner Vertrag von 1874 gegr. Organisation. Nach Abschluss des **Weltpostvertrages** 1878 Umbenennung in W. (Sitz: Bern); die (1997) 189 Mitgl.länder gelten als einheitl. Postgebiet. Ziele des W. sind Vervollkommnung des Postdienstes sowie Förderung der internat. Zusammenarbeit. Höchstes Organ ist der i. d. R. fünfjährlich tagende **Weltpostkongress.**

Weltrat der Kirchen, →Ökumenischer Rat der Kirchen.

Welträtsel, *Philosophie:* die vom Menschen nicht lösbaren letzten Weltfragen; der Begriff stammt von E. DuBois-Reymond und betrifft die sieben als unbeantwortbar verstandenen Fragen nach dem Wesen von Energie und Materie, dem Ursprung der Bewegung, der Entstehung des Lebens, der Zweckmäßigkeit in der Natur, der Erklärung der einfachen Sinnesempfindung, der Herkunft des vernünftigen Denkens und der Sprache sowie nach der Wirklichkeit der Willensfreiheit. E. Haeckel (»Die W.«, 1899) versuchte diese Fragen im Sinne eines auf den darwinist. Entwicklungsgedanken gegründeten Materialismus zu lösen; der log. Empirismus suchte sie als Scheinprobleme, entstanden aus einem falschen Gebrauch der Sprache, zu entlarven.

Weltraum, i. e. S. der außerhalb der Erdatmosphäre befindl., erdnahe Raum sowie der interplanetar. Raum, der mithilfe der Raumfahrt erreichbar ist oder erscheint; i. w. S. das →Weltall.

Weltraumfahrt, →Raumfahrt.

Weltraummüll, die im erdnahen Raum verbleibenden Raumflugkörper und Bruchstücke von Satelliten, Raketenoberstufen u. a. Trümmerteilen mit Durchmessern von mindestens 10 cm; sie werden optisch und mit Radar überwacht, da sie aufgrund ihrer hohen Geschwindigkeit ein Kollisionsrisiko für die Raumfahrt darstellen.

Weltraumrecht, die völkerrechtl. Regeln über die Raumfahrt sowie die Erforschung und Nutzung des Weltraums, des Mondes und der anderen Himmelskörper. Die Grenze zw. dem Weltraum und dem der nat. Souveränität unterliegenden Luftraum (→Luftrecht) liegt nach herrschender Auffassung bei etwa 80–100 km Höhe. Der von den UN ausgearbeitete Vertrag vom 27. 1. 1967 über die Grundsätze zur Regelung der Tätigkeiten von Staaten bei der Erforschung und Nutzung des Weltraums **(Weltraumvertrag)** legt als Prinzipien des W. die Freiheit der Raumfahrt und die Erforschung und Nutzung des Weltraums und der Himmelskörper fest, ferner ein Verbot nat. Aneignung und militär. Nutzung. Der **Mondvertrag** vom 18. 12. 1979 hat diese Grundsätze bekräftigt und weiterentwickelt. Weitere Vereinbarungen betreffen die Haftung der Staaten für Schäden durch Raumfahrzeuge, die gegenseitige Hilfe, v. a. zur Rettung von Astronauten, und die Verwendung von Fernmeldesatelliten.

Weltraumwaffen, Waffen und Waffensysteme, die im Weltraum stationiert sind oder gegen dort befindl. gegnerische Ziele eingesetzt werden können. (→SDI)

Judentum
Siebenarmiger Leuchter

Christentum
Lamm Gottes

Islam
Glaubensbekenntnis

Hinduismus
Aum- oder Omzeichen

Buddhismus
Rad des Gesetzes

Weltreligionen: Symbole der verschiedenen Weltreligionen

Weltrechtspflegeprinzip, →Universalprinzip.

Weltreich, ein Reich mit weltweitem Herrschaftsanspruch und einer viele Völker umfassenden staatl. Organisation unterschiedl. Dichte: in der Antike v.a. das Reich Alexanders d.Gr. und das Röm. Reich, in der frühen Neuzeit das Reich Karls V., später das Osman. Reich und die Kolonialreiche europ. Staaten.

Weltrekord, eine sportl. Höchstleistung, die unter Einhaltung aller Wettkampfbestimmungen in einer Sportart aufgestellt wurde, deren Resultate sich mit Längen-, Zeit- u.a. Messgeräten exakt feststellen lassen und die durch annähernd gleiche äußere Bedingungen überall erreichbar sein muss. Ein W. ist vom zuständigen internat. Sportverband anzuerkennen und zu registrieren.

Weltreligionen, Religionen, die universelle Geltung beanspruchen, überregionale (weltweite) Mission betreiben und/oder einen größeren Teil der Weltbev. erfassen; i.e.S. der Buddhismus, das Christentum und der Islam, i.w.S. auch der Hinduismus (nach seinem Anteil an der Weltbev.) und das Judentum (nach seiner weltweiten Verbreitung).

Weltschmerz, von Jean Paul geprägter Ausdruck für ein pessimist. Lebensgefühl, das aus einem Bewusstsein der Unangemessenheit der äußeren Wirklichkeit zu Ansprüchen und Bedürfnissen des inneren Lebens erwächst. Symptome des W. traten bereits bei Petrarca hervor. Sie kehrten gesteigert wieder im Zeitalter der Empfindsamkeit, bes. in »Die Leiden des jungen Werthers« von Goethe. Der Subjektivismus der Romantik führte zum W. der »Zerrissenen« (Jean Paul: Roquairol im »Titan«; C. Brentano: »Godwi«). In der 1. Hälfte des 19. Jh. vielfach Thema literar. Werke (H. Heine, C. D. Grabbe, G. Büchner, N. Lenau, W. Raabe, T. Storm, in Italien G. Leopardi, in Frankreich J. R. de Chateaubriand und A. Musset, in England Lord Byron, in Russland M. J. Lermontow).

Weltseele, die sich selbst bewegende, alles durchdringende und ordnende weibl. Lebenskraft, die noch über der Vernunft steht, so zuerst bei Platon (→Timaios), dann v.a. bei Plotin und dem Neuplatonismus, Agrippa von Nettesheim und dem →Vitalismus des 17. Jh., der sich mithilfe des Konzepts der W. gegen die Abtötung der Natur durch die kartesian. Philosophie wendete (→Conway).

Weltsprachen, Sprachen, die über ihren nat. Geltungsbereich hinaus Angehörigen vieler Sprachgemeinschaften zur Verständigung in Handel, Verwaltung, Diplomatie, Wiss. oder Religion dienen, daher internat. Verkehrssprachen sind. Alte W. sind das Babylonische (2. Hälfte des 2. Jt. v.Chr. in Vorderasien), das Aramäische (bis 4. Jh. v.Chr.), das Griechische (3. Jh. v.Chr. bis 7. Jh. n.Chr. in Vorderasien und den Mittelmeerländern), das Lateinische (vom 2. Jh. v.Chr.; im Abendland bis ins 17. Jh.), das Arabische (seit dem 7. Jh. in N-Afrika, W- und S-Asien). In Vorder- und Hinterindien, Indonesien und Zentralasien diente im 1. Jt. n.Chr. das Sanskrit als W., im 2. Jt. wurde es durch das Urdu (Hindustani) abgelöst. In O-Asien gilt seit alters Chinesisch als W. Durch die Entdeckungsfahrten des 16. Jh. wurden Portugiesisch und Spanisch W., während in Europa im 17. Jh. das Französische das Erbe des Lateinischen antrat. Seit dem 19. Jh. ist Russisch W. in O-Europa, N- und Mittelasien. Im 20. Jh. wurde das Englische zu einer in der ganzen Welt gültigen Verkehrssprache. (→Welthilfssprachen)

Welttheater, →Theatrum Mundi.

Weltumsegelung, →Entdeckungsgeschichte.

Welturheberrechtsabkommen, Abk. **WUA,** am 6. 9. 1952 in Genf abgeschlossenes, am 24. 7. 1971 in Paris revidiertes internat. Urheberrechtsabkommen, dem auch Nichtmitgl. der →Berner Übereinkunft beigetreten sind (z.B. USA). Das WUA dient insbesondere dem Zweck, die veröffentlichten Werke von Urhebern aus Vertragsstaaten wie die Werke inländ. Urheber zu schützen.

Weltverband der Arbeitnehmer, Abk. **WVA,** internat. Dachverband der christl. Gewerkschaften; 1968 aus dem Internat. Bund Christl. Gewerkschaften (gegr. 1920) hervorgegangen.

Weltwährungsfonds [-fɔ̃], →Internationaler Währungsfonds.

Weltwirtschaft, die Gesamtheit der wirtsch. Beziehungen und Verflechtungen der Staaten untereinander, die durch Außenhandel sowie die Bewegungen von Arbeitskräften und Kapital zw. Volkswirtschaften entstanden sind. Die Entwicklung der W. ist dabei in zunehmendem Maße mit der Entwicklung des Welthandels verknüpft, wobei unter **Welthandel** die Gesamtheit der zwischenstaatl. Handelsbeziehungen verstanden wird.

Der Welthandel konnte seit dem Zweiten Weltkrieg sehr hohe Wachstumsraten verzeichnen und hat sich seither mehr als versechzigfacht. Allein die Weltexporte stiegen z.B. von 769 Mrd. US-$ (1974) auf 4244 Mrd. US-$ (1994). Seit 1970 schwankten die Wachstumsraten sehr stark, was v.a. mit der konjunkturellen Entwicklung der W. und besonderen Ereignissen (z.B. starke Erhöhungen des Erdölpreises 1973/74 und 1979/80) zusammenhängt. Ein Großteil des Welthandels entfällt auf den Außenhandel der westl. Industrieländer und konzentriert sich auf die »Triade« Westeuropa, Asien und insbesondere Ostasien sowie Nordamerika, wobei der Handel zw. diesen Gruppen bzw. Regionen wiederum den Löwenanteil auf sich vereinigt. Der Handel zw. den Entwicklungsländern (Süd-Süd-Handel) ist demgegenüber gering, hat aber zw. den wachstumsstarken Ländern in Asien in den letzten Jahren deutlich zugenommen. Die wachsende Bedeutung des Welthandels ist in der letzten Zeit schlagwortartig auch als Globalisierung bezeichnet worden, womit Entwicklungen wie der Abbau von Einfuhrbeschränkungen und beschlossene Zollsenkungen (Uruguay-Runde des GATT), die zunehmende Niedriglohnkonkurrenz aus Osteuropa und Entwicklungsländern und die wachsende technolog. Wettbewerbsfähigkeit Südostasiens herausgestrichen werden sollen. Daneben wird die W. aber weiterhin belastet von Erscheinungen bzw. Folgeproblemen wie der Schuldenkrise, dem Transformationsprozess der mittel- und osteurop. Staaten, Massen- und Langzeitarbeitslosigkeit in den westl. Ind.staaten sowie der gravierenden Armut.

Anders als der bisherige →Handel hat sich der moderne Welthandel erst im Laufe des 19. Jh. entwickelt. Angestoßen wurde der Welthandel durch die Industrialisierung und die damit verbundene Überschussproduktion bei gleichzeitig erheblich gestiegenem Rohstoffbedarf sowie durch die Einführung moderner Verkehrsmittel (Eisenbahn, Dampfschiff), die einen kostengünstigen, regelmäßigen, weiträumigen und sicheren Massenguttransport erlaubten. Begünstigt wurde die Entwicklung auch durch das starke Wachstum von Wirtschaft und Bevölkerung in Europa. Das Bevölkerungswachstum führte zu einer umfangreichen Auswanderung in die überseeischen Kolonialgebiete und die USA und bewirkte gleichzeitig eine erhebl. Expansion der W. Daneben spielen aber auch Elemente der Geld- und Wirtschaftsordnung eine große Rolle, indem sich der Freihandel ausbreitete, der Goldstandard eingeführt wurde, das Ausmaß der internat. Kapitalbewegungen sowie die Zahl der zwischenstaatl. Handelsverträge zunahmen. Im 19. Jh. wurde der Welthandel von Großbritannien, i. Allg. der Bank of England, dem brit. Pfund und London mit seinem internat. Bank- und Versicherungswesen dominiert.

Nach dem 2. Weltkrieg wurden zur Überwindung von Protektionismus und Autarkiestreben internat. Organisationen wie IWF und Weltbank sowie das GATT (Vorläufer der Welthandelsorganisation) geschaffen. Problematisch blieb allerdings die Eingliederung der Entwicklungsländer (EL) in die W. Vor dem Hintergrund der extremen strukturellen Unterschiede zw. Ländern und Ländergruppen erhoben die EL seit Anfang der 1970er-Jahre auf internat. Ebene (UN, UNCTAD u. a.) die Forderung nach einer Neuordnung der W. Wesentl. Elemente dieser **Neuen W.-Ordnung** sind: 1) wirtsch. Souveränität und Anerkennung der EL als gleichberechtigte Partner (Selbstbestimmung, Verfügungsgewalt über die Rohstoffe, Verstaatlichung ausländ. Besitzes); 2) Selbstversorgung mit Nahrungsmitteln (Diversifizierung der Agrarproduktion, Finanzhilfen für ländl. Entwicklung); 3) Vereinbarung von Rohstoffabkommen zur Exporterlösstabilisierung (u. a. durch Schaffung von Bufferstocks), Förderung der Weiterverarbeitung der eigenen Rohstoffe, Billigung von Rohstoffkartellen; 4) Erhöhung des Anteils der EL an der Weltind.produktion bes. durch Direktinvestitionen, Kooperationen, Öffnung der

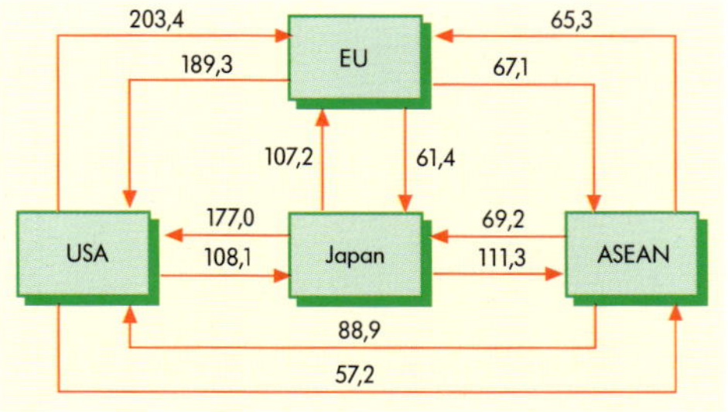

Weltwirtschaft: schematische Darstellung der Handelsströme zwischen EU, USA, Japan und ASEAN 1995 (in Mrd. DM)

Märkte für industrielle Halb- und Fertigwaren aus EL; 5) Erleichterungen im Außenhandel durch Abbau von Zöllen und nichttarifären Handelshemmnissen, Schaffung von Präferenzsystemen für EL, Kontrolle der Tätigkeit multinat. Unternehmen, Verbesserung der Kooperation der EL untereinander; 6) Verbesserung des Technologietransfers durch Entwicklung angepasster Technologien, Ausbau von Forschung und Entwicklung in EL, Patent- und Lizenzerwerb durch EL zu Vorzugsbedingungen; 7) höhere Beteiligung der EL in den Bereichen Transport, Versicherungswesen und Tourismus; 8) Neuordnung des Weltwährungssystems durch stärkere Mitbestimmung der EL beim Internat. Währungsfonds, besserer Zugang zu den Kapitalmärkten, Maßnahmen zur Bewältigung der Schuldenkrise; 9) Verbesserung der Entwicklungshilfe durch Erhöhung der Finanzmittel internat. Entwicklungsorganisationen, höherer Beitrag der Ind.staaten und effizienterer Einsatz der Finanzmittel.

📖 *Geschichte der W. im 20. Jh.*, hg. v. W. Fischer, 5 Bde. München [1-3]1973–84. – Sell, A.: *Einführung in die internat. Wirtschaftsbeziehungen. Berlin u. a. 1991.*

Weltwirtschaftsgipfel, seit 1975 jährlich stattfindende Konferenz der Staats- bzw. Reg.chefs der sieben führenden westl. Ind.staaten Dtl., Frankreich, Großbritannien, Italien, Japan, Kanada, USA (Siebenergruppe, G 7) und Russlands (seit 1997) sowie des Präs. der EG-Kommission (seit 1978). Die W. beschäftigen sich u. a. mit Problemen der Weltwirtschaft und des Welthandels, der Koordinierung der Wirtschafts- und Währungspolitik, der Energie- und Rohstoffsicherung, der Bekämpfung von Arbeitslosigkeit und Auslandsverschuldung; auch Drogen- und Umweltprobleme sowie die Unterstützung der marktwirtsch. Reformen in den osteurop. Staaten werden beraten.

Welwitschia (Länge der Blätter bis zu 3 m)

Weltwirtschaftskrise, allg. eine Wirtschaftskrise, die weltweit die wichtigsten Wirtschaftsmächte erfasst; i.e.S. die Wirtschaftskrise, die sich nach dem New Yorker Börsenkrach am 25. 10. 1929 (Schwarzer Freitag) global ausweitete, auf ihrem Höhepunkt zur Arbeitslosigkeit von rd. 30 Mio. Menschen führte und z.T. erst im Gefolge der Aufrüstung in der 2. Hälfte der 1930er-Jahre überwunden wurde. Die W. führte zu einer weitgehenden Auflösung der Weltwirtschaft, zu verstärkten Autarkiebestrebungen und bereitete mit ihren sozialen Auswirkungen den Boden für das Erstarken radikaler Massenbewegungen (in Dtl. Nationalsozialismus).

🕮 ROTHERMUND, D.: *Die Welt in der Wirtschaftskrise, 1929–39. Münster u. a. 1993.*

Weltwunder, → sieben Weltwunder.

Welty ['weltı], Eudora, amerikan. Schriftstellerin, *Jackson (Miss.) 13. 4. 1909; Vertreterin der regionalist. Literatur der Südstaaten; verbindet in Kurzgeschichten und Romanen Elemente des Märchenhaft-Fantastischen mit Alltäglich-Natürlichem (»Der purpurrote Hut u.a. Erzählungen«, zwei Erz.-Sammlungen 1941 und 1943; »Die Goldenen Äpfel«, Erz. 1949; »Die Tochter des Optimisten«, R., 1972); auch Essays und Kindergeschichten.

Weltzeit, Abk. **WZ** (engl. Universal Time, Abk. UT), mittlere Sonnenzeit für den Nullmeridian (Greenwich), gezählt von Mitternacht an; im internat. Verkehr auch **Greenwich Mean Time** (Abk. **GMT**) genannt. Bis Anfang 1972 bildete die W. die Grundlage der Zonenzeiten (→ Zeit); seither werden die Zonenzeiten aus der **koordinierten W.** (→ UTC) hergeleitet.

Weltzeit|uhr, Uhr, die das sofortige Ablesen der augenblickl. Normalzeit der wichtigsten Orte der Erde ermöglicht. Unterscheidung in: a) **politopische Uhr** mit Zifferblatt (ohne Uhrwerk und Zeiger), auf dem das Verhältnis der Zonenzeiten (Normalzeiten) wichtiger Orte (bei Zuordnung der Städtenamen an geographisch richtiger Stelle) sofort ablesbar ist; b) **politop. Uhr** mit festem Stundenzahlenring und drehbarer Zifferblattscheibe, sie ermöglicht Ablesen der augenblickl. Normalzeit der angegebenen Orte; c) **Universal-W.** wie b), aber mit zusätzl. Normalzeitangabe des Aufstellungsortes; d) **Isopart-W.** (Kosmoshorometer, Weltstundenmesser), eine nach der Isopartzeiteinteilung (die 24 Tagesstunden beziehen sich unter Berücksichtigung der Datumsgrenze auf 25 Normalzeitzonen) arbeitende W. mit von Hand verstellbarem, auf das Isopartzeichen des Standortes einzustellenden Isopartbuchstabenring, drehbarem Stundenzifferkreisring und fest stehender Kreisscheibe mit Minuten- und Sekundenteilung.

Welwitschia *die* (W. mirabilis), Nacktsamer der küstennahen Nebelwüsten SW-Afrikas; Holzpflanze mit langer Pfahlwurzel und zwei bandartigen, dem Boden aufliegenden, 2–3 m langen, ständig wachsenden Blättern. Am Stammende sitzen ringförmig angeordnete zapfenartige Blütenstände.

Welzel, Hans, Strafrechtler, *Artern/Unstrut 25. 3. 1904, †Bonn 5. 5. 1977; Prof. in Göttingen (ab 1940) und Bonn (ab 1952). W. wurde insbesondere durch die Entwicklung der finalen Handlungslehre bekannt, die als strafrechtlich relevante Handlung eine auf eine Umweltveränderung gerichtete Zwecktätigkeit versteht. – *Werke:* Naturalismus und Wertphilosophie im Strafrecht (1935); Das dt. Strafrecht in seinen Grundzügen (1947); Naturrecht und materiale Gerechtigkeit (1951).

Welzheim, Stadt im Rems-Murr-Kreis, Bad.-Württ., auf einer Sandsteinhochfläche des Welzheimer Waldes in den Schwäbisch-Fränk. Keuperbergen, 11 000 Ew.; Luftkurort; Schmuck-, Elektroindustrie. – Restauriertes röm. Kastell. – 1180 erstmals erwähnt, erhielt vor 1266 Stadtrecht.

Wembley ['wemblı], ehem. selbstständige Stadt, seit 1965 mit dem Bezirk Willesden zum London Borough Brent zusammengeschlossen; Fußballstadion (100 000 Zuschauer; 1923 eröffnet).

Wen Cheng-ming [-dʒ-], chines. Maler, → Wen Zhengming.

Wenchow [-dʒɔu], Stadt in China, → Wenzhou.

Wendegetriebe, ein Rädergetriebe zur Umkehrung des Drehsinnes der Abtriebswelle bei gleich bleibendem Drehsinn der Antriebswelle.

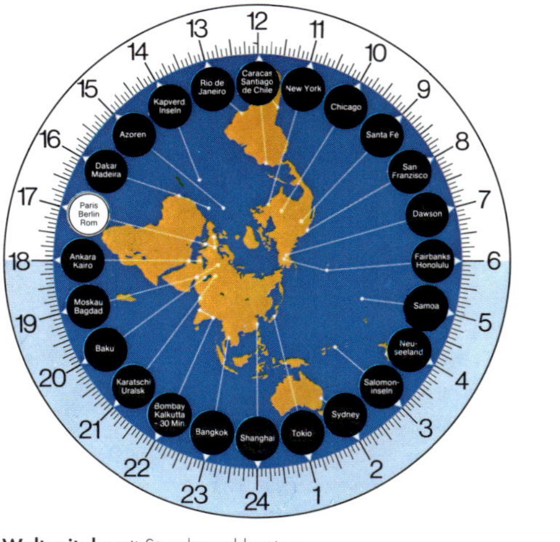

Weltzeituhr mit Stundenzahlenring

Wendehals (Jynx torquilla), etwa 16 cm großer rindenfarbiger Specht, der seine Eier in Baumhöhlen legt; er kann den Kopf um 180° drehen. Mit der sehr langen, klebrigen Zunge nimmt er Ameisen auf; er überwintert in Afrika und Asien.

Wendehorizont, → Wendezeiger.

Trak Wendisch: »Frauenträger II« (1991; Privatbesitz)

Wendekreis, Bez. für die beiden um 23°27' nördlich und südlich vom Äquator entfernten Breitenkreise der Himmelssphäre, an denen die Sonne ihre scheinbare jährl. Bewegungsrichtung umkehrt. Der nördl. **W. des Krebses** wird um den 21./22. 6., der südl. **W. des Steinbocks** um den 21./22. 12. erreicht. Auch die Breitenkreise 23°27' nördl. (südl.) geograph. Breite auf der Erdkugel, über denen die Sonne zu diesen Zeitpunkten im Zenit steht, heißen Wendekreise.

Wendel, Schraubenlinie; in Glühlampen der schraubenförmig gewickelte Glühdraht.

Wẹndelin, Mönch (?) des 6. Jh.; nach der Legende ein iroschott. Königssohn; lebte als Einsiedler und Hirt in den Vogesen; beliebter Volksheiliger v. a. im alemannisch-fränk. Raum; Schutzpatron gegen Viehseuchen, Tag: 20. 10.

Wendelstein, *Baukunst:* gewendelte Treppe in einem Treppenturm.

Wẹndelstein, Berg im Mangfallgebirge der Bayer. Alpen, zw. Inn und Schliersee, 1 838 m ü. M., mit Sonnenobservatorium, Fernseh- und UKW-Sender; Zahnradbahn von Brannenburg, Kabinenseilbahn von Bayrischzell.

Wendelstein, Bez. für eine Reihe von Fusionsreaktoren des Max-Planck-Instituts für Plasmaphysik.

Wendeltreppe, → Treppe.

Wẹnden, Sammelbez. für alle in Mittel- und Ost-Dtl. und in den Ostalpenländern ansässigen → Slawen, i. e. S. frühere Bez. für die → Sorben.

Wẹnden, Gemeinde im Kr. Olpe, NRW, 16 500 Ew.; Fahrradherstellung, Elektroind., Fertighausbau.

Wendepunkt, *Mathematik:* Punkt einer ebenen Kurve, in dem die Krümmung ihr Vorzeichen ändert, d. h. ein Linksbogen in einen Rechtsbogen oder umgekehrt übergeht. Beim Graphen einer differenzierbaren Funktion liegt ein Wendepunkt an der Stelle x vor, wenn bei x die 2. Ableitung null und die 3. Ableitung ungleich null ist.

Wẹnders, Wim (Wilhelm), Filmregisseur und -produzent, * Düsseldorf 14. 8. 1945; in den 1970er-Jahren Vertreter des »Neuen dt. Films«, seit den 1980er-Jahren von internat. Rang; Filme bes. über (psych.) Reisen als Prozess der Selbstfindung, u. a. »Die Angst des Tormanns beim Elfmeter« (1971; nach dem Roman von P. Handke), »Alice in den Städten« (1973), »Der amerikan. Freund« (1976; nach einem Roman von P. Highsmith), »Hammett« (1982), »Der Stand der Dinge« (1982), »Paris, Texas« (1984), »Der Himmel über Berlin« (1986/87), »Bis ans Ende der Welt« (1991), »In weiter Ferne, so nah!« (1993), »The End of Violence« (1997); veröffentlichte »The act of seeing« (Essays, Reden, 1992). Weiteres BILD Film

Wendezeiger, Flugzeugbordgerät, ein Kreiselgerät, das Drehungen des Flugzeuges um die Hochachse sowie die zugehörige Winkelgeschwindigkeit anzeigt und zugleich durch eine eingebaute Stahlkugellibelle angibt, ob die Kurvenschräglage richtig ist. Die Kombination von W. und → künstlichem Horizont heißt **Wendehorizont.**

Wẹndisch, Trak(ia), Maler und Bildhauer, * Berlin 7. 8. 1958; Vertreter einer neoexpressionist. Malerei mit eigenwilliger Metaphorik, wandte sich Ende der 80er-Jahre der expressiven, farbig gefassten Holzskulptur zu.

wẹndische Sprache, → sorbische Sprache.

Wẹndische Städte, die mit Lübeck verbündeten Städte Lüneburg, Hamburg, Wismar, Rostock, Stralsund und Greifswald, die das **Wend. Drittel** (später **Viertel**) der Hanse bildeten.

Wẹndland (Hannoversches W.), Landschaft im östl. Ndsachs. und nördl. Sa.-Anh.; zentrale Orte sind Lüchow (Wendland), Dannenberg (Elbe) und Salzwedel.

Weneziạnow, Alexei Gawrilowitsch, russ. Maler, * Moskau 18. 2. 1780, † Poddubje (Gouv. Twer) 16. 12. 1847; Meister der Porträt- und Genremalerei; schuf intime Porträts, später Szenen aus dem Volksleben in idealisierter Auffassung; Wegbereiter des russ. Realismus der 2. Hälfte des 19. Jahrhunderts.

Wẹngen, Wintersportzentrum (1 400 Ew.) im Berner Oberland, Kt. Bern, Schweiz, 1 277 m ü. M., oberhalb von Lauterbrunnen (zu dem es gehört); von dort führt die Wengernalpbahn über W., Wengernalp und die Kleine Scheidegg nach Grindelwald; Seilbahn zum Männlichen.

Wendehals (Größe etwa 16 cm)

Wim Wenders

Wenzel, Römischer König (Ausschnitt eines zeitgenössischen Votivbilds)

Johann Christian Wenzinger (Selbstporträt an seinem Haus »Zum schönen Eck« in Freiburg im Breisgau, vergoldete Bronze, 1760)

Wenigborster (Oligochaeta), Unterklasse der Gürtelwürmer, z.B. die →Regenwürmer.

Wẹniger, Erich Friedrich Adolf, Pädagoge, *Steinhorst 11. 9. 1894, †Göttingen 2. 5. 1961; förderte die (Volksschul-)Lehrerbildung; bed. Vertreter der geisteswiss. Pädagogik, ging vom philosoph. Ansatz W. Diltheys aus. – *Werke:* Didaktik als Bildungslehre (2 Tle., 1951–60); Polit. Bildung und staatsbürgerl. Erziehung (1954).

Wẹnker, Georg, Germanist, *Düsseldorf 25. 2. 1852, †Marburg 17. 7. 1911; Begründer des →Deutschen Sprachatlas.

Wẹnner-Grẹn, Axel Lenhart, schwed. Unternehmer, *Uddevalla 5. 6. 1881, †Stockholm 24. 11. 1961; baute den Elektrolux-Konzern auf; 1956 stiftete er das internat. W.-G.-Center für wiss. Forschung in Stockholm.

Wẹnningstedt (Sỵlt), Gemeinde und Nordseeheilbad im Kr. Nordfriesland, Schlesw.-Holst., über dem Roten Kliff, 1500 Ew.; in der Ortsmitte befindet sich der →Denghoog.

Wentschou, chines. Stadt, →Wenzhou.

Wẹnzel, der →Bube im dt. Kartenspiel.

Wẹnzel (Wenzeslaus, tschech. Václav), Herrscher:

Hl. Röm. Reich: **1) W.,** Röm. König (1376/78 bis 1400), als König von Böhmen **W. IV.** (1363–1419), *Nürnberg 26. 2. 1361, †Schloss Wenzelstein (bei Prag) 16. 8. 1419; Luxemburger, 1376 zum Röm. König gewählt, trat 1378 die Nachfolge seines Vaters, Kaiser Karls IV., an. Er war trotz des Reichslandfriedens von Eger (1389) vergeblich um eine Mittlerstellung zw. Fürsten und Städten bemüht; wegen seiner Erfolglosigkeit bei der Bekämpfung des Abendländ. Schismas, der Konflikte mit Adel und Klerus (→Johannes von Nepomuk) und der innerdt. Auseinandersetzungen (Schwäb. Städtekrieg) am 20. 8. 1400 durch die vier rhein. Kurfürsten abgesetzt. In Böhmen begünstigte er später die Hussiten, galt als Volkskönig.

Wen Zhengming: Das Atelier des Künstlers, Ausschnitt aus einem Rollbild (1549; Schanghai, Museum für Kunst und Geschichte)

Böhmen: **2) W. I., der Heilige,** Herzog (921–929), *um 903, †Stará Boleslav (heute zu Brandýs nad Labem-Stará Boleslav) 28. 9. 929 (nach anderen Angaben 935); Přemyslide, Enkel der hl. Ludmilla, förderte die Christianisierung und die frühfeudale Staatsentstehung in Böhmen; 929 von König Heinrich I. unterworfen (Beginn des Anschlusses an das Hl. Röm. Reich; endgültig nach 1004); auf Veranlassung seines jüngeren Bruders Boleslaw I. ermordet; Schutzpatron Böhmens; Heiliger, Tag: 28. 9. (→Wenzelskrone) BILD Parler

3) W. I., König (1228/30–53), *1205, †bei Beroun (Mittelböhm. Gebiet) 23. 9. 1253, Großvater von 4); Přemyslide, Schwiegersohn des Röm. Königs Philipp von Schwaben, förderte die dt. Siedlung in Böhmen.

4) W. II., König (1278–1305), *17. 9. 1271, †Prag 21. 6. 1305, Enkel von 3); Přemyslide, folgte seinem Vater Ottokar II.; Schwiegersohn des Röm. Königs Rudolf I. von Habsburg, von dem er 1290 die Kurwürde erhielt; seit 1300 auch König von Polen, seit 1302 König von Ungarn; dichtete dt. Minnelieder.

Wẹnzelskrone, für die Krönung Wenzels I. (6. 2. 1228) hergestellte böhm. Königskrone, die (der spätere Kaiser) Karl (IV.) 1340/44 und um 1376 in die heute erhaltene Form verändern ließ. Mit päpstl. Bulle vom 6. 5. 1346 wurde bestimmt, dass sie auf dem Haupt des hl. Wenzel, einem Kopfreliquiar im Sankt-Veits-Dom in Prag, ruhen solle; seit 1860 Symbol des böhm. Staatsrechts (»Länder der Wenzelskrone«).

Wen Zhengming [-dʒ-] (Wen Cheng-ming), chines. Maler, Dichter und Kalligraph, *Suzhou (Prov. Jiangsu) 1470, †ebd. 1559; einer der bedeutendsten Meister der Ming-Zeit, die die Tradition der Literatenmalerei fortsetzten; malte v.a. Landschaften, Wacholderbäume und Blumen.

Wenzhou [-dʒɔu] (Wenchow, Wentschou, Yongija), Hafenstadt in der Prov. Zhejiang, im SO Chinas, oberhalb der Mündung des Wukiang in das Ostchines. Meer, 401 900 Ew.; Leder-, Papierind.; Fischerei. Der Großraum von W. ist Sonderwirtschaftszone.

Wẹnzinger, Johann Christian, Bildhauer, Maler, Baumeister, *Ehrenstetten (heute zu Ehrenkirchen, Kr. Breisgau-Hochschwarzwald) 10. 12. 1710, †Freiburg i. Br. 1. 7. 1797; nach Studienjahren in Rom und Paris und einem Aufenthalt in Wien seit 1745 in Freiburg tätig (Wohnhaus »Zum schönen Eck«, 1755–65, mit vergoldeter Bronze am Balkon). Sein Hauptwerk ist die Ausstattung der Stiftskirche in St. Gallen (1757–60).

Weöres ['vørɛʃ], Sándor, ungarischer Lyriker, *Szombathely 22. 6. 1913, †Budapest 22. 1. 1989; bed. Formkünstler der modernen ungar. Dichtung. Charakteristisch für seine Lyrik sind surrealist. Bilder, Hinwendung zur Natur und zum Mythischen; schrieb auch Kindergedichte.

Wẹpsen, westfinn. Volk. Die rd. 13300 W. leben als Ackerbauern, Jäger und Fischer v.a. in Karelien.

Wenzelskrone: Die Krönungskrone des böhmischen Königs Wenzel I. aus dem Jahr 1228 wurde im 19. Jh. zum Symbol eines böhmischen Staates (Prag, Sankt-Veits-Dom)

wẹpsische Sprache, zur ostseefinn. Gruppe der finnougr. Sprachen gehörende Sprache; sie ist noch als Umgangssprache lebendig; Schriftsprache ist Russisch.

Werbeagentur, Dienstleistungsunternehmen der Werbewirtschaft zur Analyse und Beratung, Planung und Durchführung von Werbemaßnahmen sowie Kontrolle des Werbeerfolgs. W. übernehmen auch die Vermittlung zw. werbenden Unternehmen und Werbeträgern.

Werbebrief, Form der Direktwerbung, bei der das Werbematerial über die Post versandt wird. Die anlassbezogene und an gezielt ausgewählte Adressaten erfolgende Verschickung von W. wird als **Mailing** bezeichnet.

Werbekosten, Aufwendungen, die einem Unternehmen im Zusammenhang mit Werbemaßnahmen entstehen. Steuerlich sind W. als Betriebsausgaben zu behandeln.

Werbellinsee, lang gestreckter Rinnensee (10,6 km lang) nordwestlich von Eberswalde, Brandenburg, in der Schorfheide, 7,9 km^2, bis 54 m tief; durch den Werbellinkanal mit dem Finowkanal verbunden.

Werbung (früher Reklame), Versuch der zwangfreien Meinungsbeeinflussung durch besondere Kommunikationsmittel; bezieht sich diese Beeinflussung auf polit., kulturelle oder religiöse Ziele, spricht man von →Propaganda; bezieht sie sich auf wirtsch. Ziele, spricht man von **Wirtschafts-W.,** die unterteilt wird in W. um öffentl. Vertrauen (→Public Relations) und Absatz-W. Die **Absatz-W.** gilt als wichtiges absatzpolit. Instrument und dient v.a. der Einführung neuer Produkte und Dienstleistungen sowie der Sicherung bzw. Erhöhung des Marktanteils gegenüber Konkurrenten. **Werbemittel** sind z.B. Anzeigen, Plakate, Drucksachen, Kataloge, Werbefilme, Verkaufsgespräche, Vorführungen, Ausstellungen, Werbegeschenke. Zu den wichtigsten **Werbeträgern** zählen Zeitungen, Zeitschriften, Litfaßsäulen, Hörfunk und Fernsehen, W. per Post, Anzeigenblätter, Außen-W., Filmtheater. Wird der potenzielle Verbraucher durch Briefe, Prospekte usw. unmittelbar kontaktiert, spricht man von **Direkt-W.** Nach der Aufgabenstellung wird zw. Einführungs-, Erinnerungs-, Stabilisierungs- und Expansions-W. unterschieden, nach dem Tenor der W.-Argumente zw. informativer und suggestiver W. Dem Anspruch, als Verbraucherinformation und Mittel der Markttransparenz zu dienen, wird W. nur bei Produkten gerecht, die von den Verbrauchern als homogen betrachtet werden, bei denen eine Veränderung des Marktanteils nur über

Werbung: Werbeeinnahmen verschiedener Werbeträger in Deutschland*)

Werbeträger	1990	1991	1992	1993	1994	1995	1996	1997
Tageszeitungen	8062	9297	10025	9973	10366	10722	10679	10870
Fernsehen	2858	3705	4328	4827	5630	6342	6897	7438
Werbung per Post	2994	3515	4111	4353	4552	5251	5717	5926
Publikumszeitschriften	3061	3246	3377	3215	3307	3505	3417	3509
Anzeigenblätter	1965	2176	2411	2597	2819	2917	3011	3279
Fachzeitschriften	1925	2206	2328	2031	2051	2211	2110	2162
Adressbücher	1372	1643	1904	2099	2195	2263	2299	2302
Hörfunk	909	948	981	1005	1100	1128	1153	1176
Außenwerbung	682	773	843	836	957	1002	1038	1002
Wochen-/Sonntagszeitungen	354	403	465	451	416	449	439	472
Zeitungssupplements	217	209	263	270	257	252	226	212
Filmtheater	215	226	241	261	277	296	300	305
insgesamt	24614	28347	31277	31918	33927	36338	37286	38653

*) in Mio. DM; Zahlen für 1990 und 1991 beinhalten z. T. auch Daten für die neuen Bundesländer

die Preisgestaltung erfolgen kann und für die deshalb auch häufig Gemeinschafts-W. zugunsten der Gesamtbranche und zulasten konkurrierender Branchen (z. B. Milch gegen Bier) durchgeführt wird. Bei starker Produktdifferenzierung (mit Qualitätsunterschieden) innerhalb derselben Branche ist die Erhöhung des Marktanteils des eigenen Produktes zulasten konkurrierender Produkte einziges Werbeziel, sodass auch dann weiter geworben wird, wenn die Verbraucher bereits über Qualität und Preis des Produkts informiert sind. Den **Werbeetat** (Gesamtheit der in einem festgelegten Zeitraum bereitgestellten finanziellen Mittel zur Deckung der W.-Kosten) von Unternehmen verwalten oft →Werbeagenturen, die auch die **Werbeanalyse** (Untersuchung der Verbrauchergewohnheiten, Marktlücken und mögl. Werbemittel auf ihre Brauchbarkeit) durchführen. – Grenzen bei der Anwendung der W. ergeben sich v. a. aus dem Gesetz gegen den unlauteren Wettbewerb, des Weiteren aus dem Warenzeichen-Ges., dem Gebrauchsmuster-Ges., der Zugabeverordnung, dem Baurecht, dem Naturschutz-Ges. u. a. – Dachorganisation der Werbewirtschaft in Dtl. ist der **Zentralausschuss der Werbewirtschaft e. V. (ZAW),** Bonn.

Die **Werbepsychologie** untersucht als Teilgebiet der angewandten Psychologie u. a. die Motive von Kaufentschlüssen und dient damit u. a. der Effizienzsteigerung der W. Die **Werbesoziologie** analysiert die Herausbildung von Interessen-, Wahl- und Käufergruppen, Bedeutung von Meinungsführern und v. a. Klärung des Ausmaßes mögl. Außenlenkung und »Manipulation« der Bedürfnisse.

📖 Koeber-Riehl, W.: *Strategie u. Technik der W. Verhaltenswissenschaftl. Ansätze. Stuttgart u. a. ⁴1993.*

Werbungskosten, *Steuerrecht:* Aufwendungen zur Erwerbung, Sicherung und Erhaltung der Einnahmen (§ 9 EStG). Sie umfassen die Aufwendungen, die bei der Ermittlung der Überschusseinkünfte (Einkünfte aus nichtselbstständiger Arbeit, aus Kapitalvermögen, aus Vermietung und Verpachtung sowie sonstige Einkünfte) unmittelbar vom Einkommen abgezogen werden können. W. sind bei der Einkunftsart abzuziehen, bei der sie erwachsen sind. Als W. werden u. a. anerkannt: 1) Schuldzinsen und auf besonderen Verpflichtungsgründen basierende Renten und dauernden Lasten; 2) Steuern vom Grundbesitz, sonstige öffentl. Abgaben und Versicherungsbeiträge; 3) Beiträge zu Berufsständen und -verbänden; 4) Aufwendungen für Fahrten zw. Wohnung und Arbeitsstätte; 5) Mehraufwendungen für doppelte Haushaltführung; 6) Aufwendungen für Arbeitsmittel. W. sind bei entsprechendem Nachweis in tatsächl. Höhe oder in Höhe bestimmter Pauschbeträge abzugsfähig, sofern keine höheren W. nachgewiesen werden.

Werchneudinsk, bis 1934 Name von →Ulan-Ude.

Werchojansk, Stadt in der Rep. Jakutien innerhalb der Russ. Föderation, am rechten Ufer der Jana in NO-Sibirien, 2200 Ew. – W. ist einer der →Kältepole der Erde (Januarmittel –48,9, absolutes Minimum –68, Junimittel 15,3 °C). – 1638 von Kosaken als Winterlager gegründet.

Werckmeister, Andreas, Musiktheoretiker und Organist, * Benneckenstein (Harz) 30. 11. 1645, † Halberstadt 26. 10. 1706. Durch seine Berechnungen einer annähernd gleich schwebenden Temperatur wurde der Quintenzirkel erschlossen (Schriften u. a. »Musical. Temperatur«, 1691).

Marianne von Werefkin: Selbstbildnis (um 1908; München, Städtische Galerie im Lenbachhaus)

Werdau, Krst. des Landkreises Zwickauer Land, Sachsen, an der Pleiße, 23 500 Ew.; Textilind., Textilmaschinenbau. – Seit 1304 Stadt.

Werden, philosoph. Grundbegriff: Entstehung, Entwicklung, d. h. Verwirklichung von Anlagen und Möglichkeiten, allg. die Tatsache, dass alles Seiende sich verändert; bed. bei Heraklit, Hegel.

Werdenfelser Land, Teil der Bayer. Alpen, das Loisachtal von Griesen bis Farchant mit dem Becken von Garmisch-Partenkirchen, das Isartal von Scharnitz bis zum Markgraben (4 km östlich von Wallgau) mit dem Mittenwald-Becken; ben.

nach der Burg **Werdenfels** bei Garmisch. Die ehem., im 13. Jh. gebildete Grafschaft Werdenfels des Hochstifts Freising kam 1802/03 an Bayern.

Werder (Wärder, Wert[h], Wört[h]), Flussinsel (z.B. Oberwerth im Rhein); auch das Land zw. Fluss und stehendem Gewässer (z.B. Ochsenwerder bei Hamburg) sowie das aus trockengelegtem Sumpf urbar gemachte Land.

Werder (Havel), Stadt im Landkreis Potsdam-Mittelmark, Brandenburg, auf einer Havelinsel bei Potsdam, 12 100 Ew.; Obstbaumuseum, Zentrum des havelländ. Obstbaugebiets. – Um 1200 im Anschluss an eine Burg angelegt, 1317 erstmals erwähnt, 1459 Stadt genannt.

Werdohl, Stadt im Märk. Kr., NRW, im Sauerland; 22 200 Ew.; v.a. Draht-, Metall- und Edelstahl verarbeitende Industrie. – 1101 erwähnt, seit 1936 Stadt.

Werefkin, Marianne (Wladimirowna) von, schweizer. Malerin russ. Herkunft, *Tula 11. 9. 1860, †Ascona 6. 2. 1938; studierte in Sankt Petersburg, ehe sie 1896 nach München ging; Gründungsmitglied des →Blauen Reiters; schuf Bilder eines von W. Kandinsky beeinflussten Expressionismus. Nach Übersiedlung in die Schweiz (1914) näherte sie sich der abstrakten Malerei.

Werenfels, Samuel, schweizer. Baumeister, *Basel (?) 1720, †ebd. (?) 5. 9. 1800; baute in Basel zahlr. Bürger- und Patrizierhäuser im Übergang vom Rokoko zum Klassizismus.

Werenskiold [-ʃɔld], Erik, norweg. Maler und Grafiker, *Eidskog (Prov. Hedmark) 11. 2. 1855, †Oslo 23. 11. 1938; Hauptmeister der nationalen norweg. Schule, fand seinen Stil in naturalistisch-klarer Darstellung, ging später zur Freilichtmalerei über; schuf genrehafte Landschaftsbilder und bed. Porträts.

Wereschtschagin, Wassili Wassiljewitsch, russ. Maler, *Tscherepowez (Gouv. Nowgorod) 26. 10. 1842, ⚔ bei Port Arthur 13. 4. 1904; nahm als Offizier und Kriegsberichterstatter an Kämpfen in Mittelasien teil; kritisch-realist. ausdrucksstarke Darstellungen von Krieg, Unterdrückung und religiösem Fanatismus; auch Genre- und Landschaftsmalerei.

Werfel, Franz, österr. Schriftsteller, *Prag 10. 9. 1890, †Beverly Hills (Calif.) 26. 8. 1945; ⚭ mit Alma →Mahler-Werfel, emigrierte 1938 von Wien nach Frankreich, dann in die USA. W. war der Wortführer jener Gruppe expressionist. Lyriker und Dramatiker, die dem Bewusstsein der Bruderschaft aller Menschen pathet. Ausdruck verliehen. Nach Erscheinen seiner ersten (expressionist.) Gedichte (»Der Weltfreund«, 1912) 1912–14 Verlagslektor in Leipzig, wo er mit W. Hasenclever und K. Pinthus 1913 die Sammlung »Der jüngste Tag« begründete; neben weiterer ekstatisch-visionärer Lyrik (»Wir sind«, 1913; »Einander«, 1915; »Der Gerichtstag«, 1919) symbolisch-expressive Ideenromane (»Spielhof. Eine Phantasie«, 1920). Später leistete er v.a. als Dramatiker (»Die Troerinnen«, nach Euripides, 1915; »Spiegelmensch«, 1920; »Jacobowsky und der Oberst«, 1944) und Erzähler Bedeutsames; hatte großen Erfolg v.a. mit seinen einem psycholog. Realismus verbundenen Werken (»Der Tod des Kleinbürgers«, Erz., 1927; »Der Abituriententag«, Erz., 1928; »Barbara oder die Frömmigkeit«, R., 1929; »Die vierzig Tage des Musa Dagh«, R., 2 Bde., 1933; »Der veruntreute Himmel«, R., 1939; »Eine blassblaue Frauenhandschrift«, R., 1941; »Stern der Ungeborenen«, R., hg. 1946). Der Lourdes-Roman »Das Lied von Bernadette« (1941) lässt W.s Hinwendung zum Katholizismus erkennen.

🕮 ABELS, N.: *F. W. mit Selbstzeugnissen u. Bilddokumenten. Reinbek 9.–11. Tsd. ²1993.*

Wassili Wereschtschagin: »Apotheose des Kriegs« (1871; Moskau, Tretjakow-Galerie)

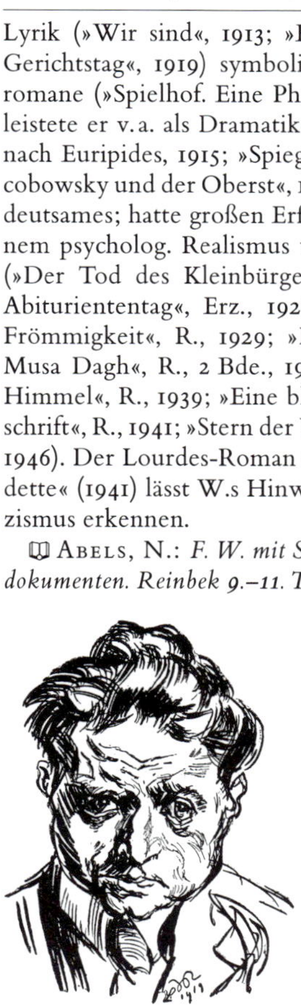

Franz Werfel: Federzeichnung von Ludwig Meidner (1919)

Werfen, Marktgemeinde im Bundesland Salzburg, Österreich, an der Salzach, am Fuß des Hochkönigs, 3 200 Ew.; Eisengießerei in Tenneck; Fremdenverkehr. Oberhalb liegt Schloss **Hohenwerfen** (1077, im 16. Jh. erneuert); 6 km entfernt im Tennengebirge die →Eisriesenwelt.

Wẹrff, Adriaen van der, niederländ. Maler, *Kralingen (heute zu Rotterdam) 21. 1. 1659, †Rotterdam 12. 11. 1722; seit 1696 kurpfälz. Hofmaler, schuf kleinformatige religiöse, mytholog. und allegor. Bilder sowie Porträts von eleganter Zeichnung, sorgfältiger Modellierung und porzellanartigem Schmelz der Farbe.

Werft [niederländ.], Betrieb für Bau, Reparatur und auch Abwracken von Schiffen, meist spezialisiert auf See- oder Binnenschiffe bzw. Boote. Neben Verw.- und Konstruktionsgebäuden gehören zu einer W. Schiffbauhallen, Hellingen oder Bau- und Schwimmdocks. – Durch die starke Konkurrenz europ. und fernöstl. W. und den rückläufigen Absatz nach Osteuropa zählt der Schiffbau zu den Krisenbereichen der dt. Industrie (Werftenkrise).

Werftkäfer (Lymexylonidae), fast weltweit verbreitete Familie schlanker, mittelgroßer Käfer; die Larven fressen horizontale Gänge in Laubholzstämme; zuweilen in Werften eingeschleppt ist der **Schiffs-W.** (**Bohrkäfer,** Lymexylon navale), 7–13 mm groß; rotgelb mit schwärzl. Flügeldecken.

Werg (Hede), kurzer Wirrfaserabfall beim Hecheln von Bastfasern, wird zu Werggarn versponnen; Verwendung für Dichtungsmaterial.

Wergeland ['vɛrgəlan], Henrik Arnold, norweg. Schriftsteller, *Kristiansand 17. 6. 1808, †Christiania (heute Oslo) 12. 7. 1845; Anreger für die neuere norweg. Literatur. Sein Hauptwerk ist das philosoph. Drama »Skabelsen, Mennesket og Messias« (1830).

Wergeld [ahd. wer »Mann«] (Blutgeld), im german. Recht (bis zum 13. Jh.) Sühnegeld für einen Totschlag, das an die Sippe des Erschlagenen entrichtet werden musste.

Werk, 1) *Recht:* a) die durch das Urheberrechtsgesetz (→Urheberrecht) geschützte persönl. geistige Schöpfung; b) im Zivilrecht der Gegenstand eines W.-Vertrags.

2) *Wirtschaft:* räumlich zusammenhängende Produktionsstätte innerhalb eines Unternehmens.

Werkbund (Deutscher W., Abk. DWB), Vereinigung von Architekten, Entwerfern, Handwerkern und Industriellen, gegr. 1907 in München mit dem Ziel, die Qualität handwerkl. und industrieller Produkte zu fördern. Zu den Begründern gehörten u. a. P. Behrens, T. Fischer, J. Hoffmann, H. Muthesius, J. M. Olbrich, R. Riemerschmid und H. van de Velde. Durch Ausstellungen, u. a. 1914 in Paris, 1927 in Stuttgart (Weißenhofsiedlung), 1930 in Paris, Veröffentlichungen und erzieher. Arbeit beeinflusste der DWB die Formentwicklung von Geräten, Möbeln und der Architektur. 1910 wurde ein österr., 1913 ein schweizer. Werkbund gegründet. 1934 wurde der DWB aufgelöst, 1947 neu gebildet.

Werftkäfer: Schiffswerftkäfer; Männchen (oben) und Weibchen (Größe 7–13 mm)

Werkgerechtigkeit, auf Luther zurückgehende Bez. der reformator. Theologie für die von ihr abgelehnte Auffassung, der Mensch könne durch seine (Buß-)Leistungen und eth. »guten« Taten (»Werke«) die Gnade Gottes erlangen. (→Rechtfertigung)

Adriaen van der Werff: »Schäferszene« (1689; Dresden, Staatliche Kunstsammlungen)

Werkkreis Literatụr der Arbeitswelt (Werkkreis 70), Vereinigung v. a. von schreibenden Arbeitern und Angestellten, nach 1978 überwiegend Intellektuelle; gegr. 1970 (wirkte bis 1987) in Köln nach Abspaltung von der »Gruppe 61«; wollte in örtl. Werkstätten mit Schriftstellern, Journalisten und Wissenschaftlern zusammenarbeiten, die Situation abhängig Arbeitender v. a. mit sprachl. Mitteln darstellen und dazu beitragen, die gesellschaftl. Verhältnisse im Interesse der Arbeitenden zu verändern. Es bestanden 35 Werkstätten mit rd. 370 Mitgliedern. Der W. L. d. A. publizierte in »Werkstatt-Heften« und in einer »Werkstatt-Reihe« (1973–87) in Anthologieform. Vertreter war u. a. G. Wallraff.

Werklieferungsvertrag, ein Vertrag, durch den sich der Unternehmer verpflichtet, ein Werk aus einem von ihm zu beschaffenden Stoff herzustellen (§ 651 BGB), z. B. Anfertigung eines Möbelstücks durch den Tischler, der das Holz hierfür kauft. Ist eine vertretbare Sache herzustellen (z. B. eine Maschine einer bestimmten Katalogart), gelten die Vorschriften über den →Kauf, bei der Herstellung nicht vertretbarer Sachen (Sonderanfertigungen) im Wesentlichen die Vorschriften über den →Werkvertrag. – Nach *österr.* Recht ist der W.

über eine nicht vertretbare Sache dem Handelskauf gleichgestellt (§381 Abs. 2 HGB). In der *Schweiz* gelten ähnl. Regeln der Rechtsprechung wie in Deutschland.

Werkmietwohnung, in werkseigenen (oder vom Arbeitgeber gemieteten) Gebäuden dem Arbeitnehmer aufgrund eines bestehenden Arbeitsverhältnisses vermieteter Wohnraum. Nach Beendigung des Arbeitsverhältnisses steht dem Vermieter eine verkürzte Kündigungsfrist zur Auflösung des Mietverhältnisses zu (§§565b, c, d BGB). Von der W. zu unterscheiden ist die **Werkdienstwohnung (Dienstwohnung),** die im Rahmen eines Dienstverhältnisses überlassen wird und für die neben dem Arbeitsvertrag kein gesonderter Mietvertrag abgeschlossen wird (z.B. Hausmeisterwohnung); das Nutzungsrecht an der Wohnung endet mit der Beendigung des Arbeitsverhältnisses. Hat jedoch der Nutzer die Wohnung überwiegend selbst ausgestattet oder führt er mit seiner Familie in der Wohnung einen eigenen Hausstand, gelten die Vorschriften über die W. (§565e BGB).

Werksarzt, der →Betriebsarzt.

Werkschulen, von großen Industrie- und Handelsunternehmen, z.B. der Dt. Bahn, für die Aus- und Weiterbildung errichtete und unterhaltene private Berufsschulen (Werkberufsschule) und Fachschulen.

Werkspionage [-naʒə], →Wirtschaftsspionage.

Werkstatt für Behinderte, Einrichtung zur Eingliederung Behinderter in das Arbeitsleben; soll den Behinderten, die wegen der Art und Schwere ihrer Behinderung nicht oder noch nicht (wieder) auf dem allg. Arbeitsmarkt tätig sein können, einen Arbeitsplatz oder Gelegenheit zur Ausübung einer geeigneten Tätigkeit bieten (§54 Schwerbehinderten-Ges. i.d.F.v. 26. 8. 1986).

Werkstatt-Theater (Werkstattbühne), Studiobühne, die neue Spielformen erprobt, meist einem größeren Schauspielhaus angeschlossen.

Werkstattzeichnung, *Fertigungstechnik:* techn. Zeichnung, die eine in Bezug auf Maße, Oberflächengüte und Toleranzangaben vollständige Darstellung des zu fertigenden Einzelteils, einer Konstruktion, einer Maschine, eines Montagebauwerks o.Ä. liefert, nach der die Ausführung oder Montage vorgenommen werden kann. Für die Art der Darstellung und der Zeichnungsausführung gelten DIN-Normen.

Werksteine, bearbeitete Natur- oder Kunststeine, z.B. für Mauerwerksverkleidungen oder Treppenstufen.

Werkstoffe, Sammelbez. für alle Materialien mit technisch nutzbaren Eigenschaften; die stoffl. Basis der gesamten Technik. W. haben einen festen Aggregatzustand, es können jedoch auch Flüssigkeiten und Gase mit technisch verwertbaren Eigenschaften (z.B. Schmierstoffe, Kühlmittel) zu den W. gezählt werden. Der Zustand eines W. wird durch seinen Aufbau und seine Eigenschaften charakterisiert, die wiederum von bestimmten Zustandsbedingungen (z.B. Druck, Temperatur, Strahlung) abhängen und mit diesen veränderlich sind. Der Aufbau eines W. ergibt sich aus der chem. Zusammensetzung, aus der atomaren Struktur (Feinstruktur), aus der Mikrostruktur (Gefügestruktur) und aus der äußeren Geometrie. Entsprechend der techn. Anwendung werden W. nach ihren mechan. (z.B. Zugfestigkeit, Elastizität, Härte), chemisch-physikal. (z.B. Schmelzpunkt, Dichte, Korrosionsbeständigkeit), Feld- (magnet., elektr., elektromagnet.) oder verarbeitungstechn. Eigenschaften ausgewählt. Die W. lassen sich in die drei Hauptgruppen Metalle, nichtmetallisch-anorganische Werkstoffe und organ. Stoffe unterteilen. Zur Herstellung von →Verbundwerkstoffen werden verschiedene W. miteinander kombiniert.

📖 HORNBOGEN, E. *u.a.: W. Aufbau u. Eigenschaften von Keramik, Metallen, Polymer- u. Verbundwerkstoffen. Berlin u.a.* [5]*1991.*

Werkstoffprüfung (Materialprüfung), die Untersuchung der Werkstoffe und Fertigteile in Bezug auf ihren Aufbau, ihre physikal. und chem. Eigenschaften sowie ihr Verhalten unter den verschiedensten Beanspruchungen; sie ermöglicht zweckmäßige Auswahl der Werkstoffe, ergibt Unterlagen über zulässige Beanspruchung, günstigste Formen und Abmessungen der Teile. Bei **zerstörenden Prüfverfahren** werden durch mechan., technolog., physikal. und chem. Verfahren Zusammensetzung, Festigkeit, Gefügebau u.a. ermittelt (→Härteprüfung, →Dauerschwingversuch). Die **zerstörungsfreie W.** (mit Röntgen- und Gammastrahlen, Spektralanalyse, Spannungsoptik, Ultraschall, Induktionsmethoden u.a.) lässt fehlerhafte Stellen im Stück erkennen; angewendet bes. zur Reihenuntersuchung an fertigen Prüfobjekten.

📖 DOMKE, W.: *Werkstoffkunde u. W. Düsseldorf* [10]*1989.*

Werkstück, aus Roh- oder Werkstoffen gewonnenes Zwischenprodukt (Rohteil, Halbzeug), das durch weitere Bearbeitung Bauelement oder Fertigerzeugnis wird.

Werkstudent, Studierender, der neben seinem Studium ständig oder teilweise einer Beschäftigung nachgeht, um seinen Lebensunterhalt zu bestreiten.

Werktag, Wochentag, Tag außer Sonn- und Feiertagen.

Werk|unterricht, Unterrichtsfach an allgemein bildenden Schulen mit der Aufgabe, die Fähigkeiten zu material- und werkgerechter Gestaltung zu entwickeln, heute stärker auf die technolog. Umwelt ausgerichtet (→Technikunterricht).

Werkverkehr, Beförderung von Gütern für eigene Zwecke eines Unternehmens mit eigenen Verkehrsmitteln; geregelt durch das Güterkraftverkehrs-Ges. i.d.F. v. 10.3.1983 (§ 48).

Werkvertrag, entgeltl. gegenseitiger Vertrag, durch den sich (im Unterschied zum →Dienstvertrag) der Unternehmer (Hersteller) zur Herstellung eines bestimmten Werks, d.h. zur Herbeiführung eines bestimmten Erfolgs durch Arbeit beliebiger Art, und der Besteller zur Entrichtung der vereinbarten Vergütung verpflichtet (§§ 631–650 BGB). Der Unternehmer ist verpflichtet, das Werk so herzustellen, dass es die zugesicherten Eigenschaften hat und nicht mit Fehlern behaftet ist, die den Wert oder die Tauglichkeit zu dem gewöhnl. oder dem nach dem Vertrag vorausgesetzten Gebrauch aufheben oder mindern. Ist das Werk nicht von dieser Beschaffenheit, kann der Besteller zunächst nur die Beseitigung des Mangels innerhalb angemessener Frist verlangen (Nachbesserung). Kommt der Unternehmer mit der Mängelbeseitigung in Verzug, kann der Besteller den Mangel selbst beseitigen und Ersatz der erforderl. Aufwendungen verlangen. Hat der Besteller bei der Fristsetzung erklärt, dass er nach Fristablauf die Beseitigung des Mangels ablehne, kann er nach erfolglosem Fristablauf →Wandlung oder →Minderung verlangen und, wenn der Mangel auf einem Verschulden des Unternehmers beruht, auch Schadenersatz wegen Nichterfüllung fordern. Diese Rechte verliert der Besteller, der ein Werk in Kenntnis der Mängel abnimmt, wenn er sich nicht bei der Abnahme seine Rechte vorbehält. Die Vergütung ist bei der Abnahme des Werks vom Besteller zu entrichten. Der Unternehmer hat für seine Forderungen aus dem W. ein gesetzl. Pfandrecht an den von ihm hergestellten oder ausgebesserten Sachen des Bestellers. Die Gewährleistungsansprüche des Bestellers verjähren in sechs Monaten, bei Arbeiten an einem Grundstück in einem Jahr, bei Bauwerken in fünf Jahren. Besondere Vorschriften gelten u.a. für den →Frachtvertrag und den Verlagsvertrag.

Nach *österr.* Recht liegt ein W. vor, wenn sich jemand zur Herstellung eines bestimmten Erfolges gegen Entgelt verpflichtet (§§ 1151, 1165 ff. ABGB). In der *Schweiz* ist der W. ähnlich geregelt wie in Dtl. (Art. 363 ff. OR). Das Werk ist stets ein körperl. Arbeitserfolg; andernfalls gilt Auftragsrecht.

Werkwohnung, im Zusammenhang mit einem Arbeitsverhältnis überlassene Wohnung; man unterscheidet →Werkmietwohnung und Werkdienstwohnung.

Werkzeug, Gerät zur Bearbeitung von Werkstücken oder Werkstoffen. **Hand-W.** (Hammer, Säge) werden von Hand geführt, **Maschinen-W.** in eine →Werkzeugmaschine eingespannt.

Wermut 2)
(Höhe bis zu 1 m)

Abraham Gottlob Werner
(Ausschnitt eines zeitgenössischen Gemäldes)

Werkzeugmacher, Ausbildungsberuf (3 ½ Jahre) des Handwerks und der Industrie. Der W. fertigt und repariert u.a. Werkzeuge zum Einbau in Bearbeitungsmaschinen und -automaten sowie Vorrichtungen und Messwerkzeuge.

Werkzeugmaschinen, Arbeitsmaschinen zur spanenden oder spanlosen Formung von Gegenständen, wie Dreh-, Fräs-, Hobel-, Bohr-, Schleifmaschinen, Pressen, Scheren, Stanzen, Walzen, Maschinenhämmer. Man unterscheidet **Einfach-** oder **Produktionsmaschinen** für einen oder wenige Arbeitsgänge, **Universal-W.** für versch. Arbeitsgänge und Bearbeitungsarten. Bei **W. mit Programmsteuerung** läuft eine Folge von Bearbeitungsvorgängen auch an versch. Werkstücken selbsttätig ab. Dies gilt bes. für die mit →numerischer Maschinensteuerung ausgestattete →automatische Werkzeugmaschine.

Werl, Stadt im Kr. Soest, NRW, im S der Westfäl. Bucht, am Hellweg, 31 200 Ew.; Stadtmuseum, Völkerkundemuseum der Franziskaner; Metall, Kunststoff, Holz verarbeitende u.a. Industrie; Wallfahrtsort. – Propsteikirche St. Walburga (14. Jh.) mit Ziboriumaltar (frühes 15. Jh.) und roman. Turm, ehem. Kapuzinerkirche (1786–89), Franziskanerkirche (1904–06). – 1024 erstmals erwähnt; 1272 Soester Stadtrecht. Vom 10. Jh. bis 1919 Salzgewinnung, 1888–1927 Solbad.

Werlhof-Krankheit [nach dem Arzt P. G. Werlhof, *1699, †1767], →Blutfleckenkrankheit.

Wermelskirchen, Stadt im Rheinisch-Bergischen Kr., NRW, im Bergischen Land, 37 200 Ew.; Metallverarbeitung, Herstellung von Verbandstoffen. – Bürgerhäuser (17./18. Jh.) des berg. Typs (Verkleidung mit Holzschindeln oder Schiefer).

Wermut, 1) (Wermutwein, frz. Vermouth) weinhaltiges Getränk, das mindestens 70 % Wein und zw. 15,5 und 20 Vol.-% Alkohol enthalten muss. Würzmittel sind Kräuterauszüge und Bitterstoffe aus den Blüten des Wermut.

2) *Botanik:* (Artemisia absinthium) Beifußart an trockenen Standorten der gemäßigten Breiten in Europa und Asien; bis zu 1 m hoher, aromatisch duftender, filzig behaarter Halbstrauch mit gefiederten Blättern und gelben Blütenköpfchen in Rispen; enthält äther. Öle, z.B. das giftige Thujon, das u.a. zur (heute in Dtl. verbotenen) Herstellung von Absinth verwendet wurde.

Werne, Stadt im Kreis Unna, NRW, an der Lippe, 30 600 Ew.; Brennerei, Hefefabrik, elektrotechn. Ind., bis 1975 Steinkohlenbergbau; Großkraftwerk auf Kohlebasis. – Pfarrkirche (um 1450), Kapuzinerkloster mit barocker Kirche, Rathaus (1512–14). – 834 erstmals erwähnt, 1265 Stadt.

Werner, 1) Abraham Gottlob, Mineraloge, *Wehrau (heute Osiecznica, bei Bunzlau) 25. 9. 1749, †Dresden 30. 6. 1817; begründete die systemat. Mineralbeschreibung, die Trennung von Mineralogie und Geologie und den → Neptunismus.

2) Alfred, schweizer. Chemiker elsäss. Herkunft, *Mülhausen (Elsass) 12. 12. 1866, †Zürich 15. 11. 1919; schuf mit seinen Arbeiten über die Bindung von Atomen in Molekülen die Grundlagen der Koordinationslehre. Er begründete damit gleichzeitig die Stereochemie der anorgan. Verbindungen; erhielt 1913 den Nobelpreis für Chemie.

3) Anton von, Maler, *Frankfurt (Oder) 9. 5. 1843, †Berlin 4. 1. 1915; bevorzugter Maler des Kaiserreichs, aus dessen jüngster Geschichte er Schlachten, Staatsereignisse (»Kaiserproklamation in Versailles«) sowie Hoffestlichkeiten effektvoll realistisch darstellte. Seine ablehnende Haltung gegenüber der modernen zeitgenöss. Kunst führte zur Gründung der Berliner Sezession. Weiteres BILD deutsche Geschichte

4) Oskar, österr. Schauspieler, *Wien 13. 11. 1922, †Marburg 23. 10. 1984; debütierte 1941 am Wiener Burgtheater, spielte 1953 den Hamlet an den Städt. Bühnen in Frankfurt am Main; bed. Darsteller des internat. Films (»Jules und Jim«, 1961, »Das Narrenschiff«, 1965, »Der Spion, der aus der Kälte kam«, 1965, »Fahrenheit 451«, 1966).

5) [vɛrˈnɛːr], Pierre, luxemburg. Politiker, *Saint-André (Dép. Nord) 29. 12. 1913; Jurist; Mitgl. der Christl. Volkspartei, 1959–74 und 1979–84 Reg.-chef, zeitweise auch Außen-, Schatz- bzw. Finanzminister; legte 1970 einen Plan zur stufenweisen Verwirklichung der Wirtschafts- und Währungsunion im EG-Bereich vor **(Werner-Plan).**

6) Theodor, Maler, *Jettenburg (heute zu Kusterdingen, Kr. Tübingen) 14. 2. 1886, †München 15. 1. 1969; lebte 1909–14 und 1930–35 (Einfluss von J. Miró) in Paris, dann in Potsdam und Berlin, ab 1959 in München; Wegbereiter der abstrakten Malerei in Dtl.; seine Bilder zeigen klare, oft grafisch linearisierte Bewegungsrhythmen. Seine Frau Woty W. (*1903, †1971) schuf Wandbehänge mit abstrakten Kompositionen.

Wernher der Gartenaere, mhd. (vermutlich österr.) Erzähler aus der 2. Hälfte des 13. Jh.; schrieb die auch kulturgeschichtlich bedeutsame satirisch-realist. Verserzählung »Helmbrecht«, die Geschichte des seinen Stand verlassenden Bauernsohns, der im Raubrittertum ein jammervolles Ende findet. Das Werk ist in zwei Handschriften aus dem 16. Jh. erhalten.

Wernicke, Herbert, Regisseur und Bühnenbildner, *Auggen (Kr. Breisgau-Hochschwarzwald) 24. 3. 1946; 1978 Regiedebüt v. a. mit Werken aus der Barockzeit; es folgten R. Wagners »Ring des Nibelungen« (1991, Brüssel), »Die Dreigroschenoper« (1995, Zürich), »Der Rosenkavalier« (1995, Salzburger Festspiele), »Winterreise«, eine szen. Interpretation (1997, Basel).

Wernigerode, 1) Landkreis im RegBez. Magdeburg, in Sa.-Anh., 796 km², (1996) 97 900 Einwohner.

2) Kreisstadt von 1) in Sa.-Anh., am N-Fuß des Harzes, 35 500 Ew.; FH, Harzmuseum, Staatsarchiv; Elektromotoren-, Metallguss-, Schreibgerätewerk; Fremdenverkehrszentrum; Schmalspurbahnen nach Nordhausen (Harzquerbahn) und auf den Brocken (Brockenbahn). – Pfarrkirche St. Sylvester (13. Jh., um 1500 Umbau, im 19. Jh. restauriert), Frauenkirche (13. Jh., Neubau 18. Jh.), Johanniskirche (13. Jh., Umbau 15. Jh.), Kapelle St. Georg (14. Jh.; restauriert); Fachwerkbauten, z. B. das zum Rathaus (1539–44) umgebaute gräfliche Spielhaus (15. Jh.). Das Schloss, 120 m über der Stadt, wurde 1862–81 umgebaut (Museum). – W. entstand im 9. Jh.; zwei Siedlungskerne (12. Jh.); 1229 Goslarer Stadtrecht; ab 1112 Sitz der Grafen von Haymar (Grafschaft W.), kam 1429 an die Grafen zu Stolberg (1638/48–1714 Stolberg-W.), 1714 mediatisiert zu Preußen (außer 1807–14/22).

Werra *die,* Hauptquellfluss der Weser, 292 km lang, entspringt am SW-Hang des Thüringer Waldes, durchfließt das Buntsandsteintafelland zw. diesem und der Rhön, umfließt den Thüringer Wald und seine Ausläufer im NW, bricht zw. Ringgau und Hainich durch und vereinigt sich bei Hann. Münden mit der Fulda zur Weser.

Werrabergland, Teil des Hessischen Berglandes zw. Werra- und Fuldatal mit Meißner und Kaufunger Wald.

Werra-Meißner-Kreis, Landkreis im RegBez. Kassel, Hessen, 1 025 km², (1996) 117 100 Ew.; Krst. ist Eschwege.

Werschetz, Stadt in Serbien, → Vršac.

Alfred Werner

Oskar Werner

Theodor Werner: »Modifikation« (1957; Privatbesitz)

Wertheim liegt im Mündungswinkel von Tauber und Main; die Altstadt wird von einer der größten Burgruinen Deutschlands überragt

Wertheim Stadtwappen

Wẹrst [russ.] *die,* alte russ. Längeneinheit: 1 W. = 1,067 km.

Wert, 1) *Philosophie:* in einem weiten Sinn Grund, Norm bzw. Ergebnis einer (positiven) Wertung, d.h. die Bevorzugung einer Handlung vor einer anderen oder eines Gegenstandes, eines Sachverhaltes vor einem anderen. W. im Sinne der Gründe und Normen für Wertungen sind Thema und Gegenstand der Philosophie im Rahmen werttheoret. Konzeptionen (→ Wertphilosophie und → Wertethik) und jeder ethisch-polit. Theorie.

2) *Prozessrecht:* der → Streitwert.

3) *Volkswirtschaftslehre:* Bedeutung, die Gütern im Hinblick auf ihre Fähigkeit, Mittel der Bedürfnisbefriedigung zu sein, beigemessen wird. Der W. von Gütern wird bestimmt durch den aufgrund der Bedarfsdeckung gewährten Nutzen sowie den Grad der Knappheit im Verhältnis zum Bedarf. Es wird zw. → Gebrauchswert und → Tauschwert unterschieden. (→ Werttheorie)

Wẹrtach *die,* linker Nebenfluss des Lech im bayer. Schwaben, 141 km lang, entspringt in den Allgäuer Alpen, mündet in Augsburg; im Oberlauf der Stausee Grüntensee, 2,5 km^2, 16 Mio. m^3; Kraftwerke.

Wertberichtigungen (Wertberichtigungsposten), *betriebl. Rechnungswesen:* Posten auf der Passivseite einer Bilanz zur Wertkorrektur für zu hoch angesetzte Aktiva.

Wertebereich, *Mathematik:* → Abbildung.

Wertermittlung von Grundstücken, → Grundstückswert.

Wert|ethik, eine aus der phänomenolog. Wertlehre stammende Auffassung der Ethik, die, gegen die bloß formale Ethik Kants gerichtet, menschl. Handeln in Bezug auf zeitlose, ideale Werte begründen will (N. Hartmann, M. Scheler).

Wertfreiheit, wissenschaftstheoret. Position, nach der **normative Sätze** bzw. **Werturteile** (die vorschreiben, was sein soll) nicht zum wiss. Gegenstands- bzw. Objektbereich (in dem es um **deskriptive Sätze,** die beschreiben, was ist, geht) gehören; von M. Weber entwickelt, im **Werturteilsstreit** bis heute umstritten.

Wẹrth (auch Werdt), Johann, Reichsritter (seit 1632), Reichsfreiherr (seit 1634), Reichsgraf (seit 1647) von, gen. Jan van Weert, kaiserl. und bayer. Reitergeneral im Dreißigjährigen Krieg, * Büttgen (heute zu Kaarst) um 1600, † Benátky nad Jizerou (Mittelböhm. Gebiet) 16. 1. 1652; Bauernsohn, seit 1630 in bayer. Diensten im Heer der Liga, am Sieg von Nördlingen (1634) wesentlich beteiligt, scheiterte 1636 mit einem Vorstoß bis Paris. Bei Rheinfelden (1638) wurde er besiegt und blieb vier Jahre in frz. Gefangenschaft. 1643/44 erfocht er Siege bei Tuttlingen und Freiburg im Breisgau.

Wẹrtheim, Stadt (Große Kreisstadt) im Main-Tauber-Kr., Bad.-Württ., an der Einmündung der Tauber in den Main, 24 400 Ew.; Forschungsinst. für techn. Glas, Glaseichamt, Glasmuseum; Glasind., Maschinenbau, elektrotechn., elektron. u.a. Ind.; Mainhafen. – Burgruine W. (Anfang 12. Jh.; 1634 zerstört); Kilianskapelle (1472 begonnen; Museum); got. Stadtpfarrkirche (1383–1419; mit Grabmälern der Grafen von W., 15.–18. Jh.); maler. Ortsbild mit Stadtbefestigung und zahlr. Fachwerkbauten. – Entstand bei der Burg der Grafen von W., 1300 Stadt gen. (1306 Stadtrecht); die Grafschaft W. (seit um 1200) kam 1598/1600 an das Haus → Löwenstein-Wertheim, 1806 bzw. 1810/14 zw. Baden und Bayern geteilt.

Wẹrtheimer, Max, österr.-amerikan. Psychologe, * Prag 15. 4. 1880, † New York 12. 10. 1943; Mitbegründer der Berliner Schule der Gestaltpsychologie; experimentelle Studien über das Bewegungssehen.

Wertigkeit, 1) *Chemie:* (Valenz) urspr. die Anzahl der Wasserstoffatome, die durch das Atom eines beliebigen Elements gebunden oder ersetzt werden können **(stöchiometr. W.).** In der modernen Chemie ist die W. jedoch durch ganz unterschiedliche valenztheoret. Begriffe ersetzt worden. So versteht man unter **Ionen-W. (Ladungszahl)** die Zahl der positiven oder negativen Elementarladungen eines Ions, z.B. Mg^{2+} (zweiwertig), Cl^- (einwertig). Die **Bindungs-W. (Bindigkeit, Kovalenz)** gibt die Anzahl der kovalenten Bindungen (→ chemische Bindung) an, die von einem Atom ausgehen. In Strukturformeln wird diese durch die Anzahl der Valenzstriche angegeben. Die **koordinative W. (Koordinationszahl)** gibt die Zahl der nächsten Nachbarn eines Atoms (oder Ions) unabhängig von der Art der Bindung an. Die **elektrochem. W. (Oxidationsstufe,**

-zahl) eines Atoms in einem Atomverband gibt die Ladung an, die das Atom haben würde, wenn die Elektronen aller Bindungen dem jeweils elektronegativeren Bindungspartner (→Elektronegativität) zugeordnet werden. Die **Verbindungs-W.** gibt an, wie oft eine bestimmte Funktion in einem Molekül der Verbindung auftritt. Eine Säure, die zwei Protonen abspalten kann, ist danach zweiwertig (z. B. H_2SO_4). Die **formale Ladung** wird ermittelt, indem man die Gesamtzahl der nach der Valenzstrichformel jedem Atom zukommenden Elektronen (Bindungselektronen werden jedem verbundenen Atom zur Hälfte zugeordnet) mit der Zahl der Elektronen vergleicht, die das Element im freien Zustand hat (z. B. hat im Kohlenmonoxid, $^{\ominus}|C{\equiv}O|^{\oplus}$, Kohlenstoff eine negative, Sauerstoff eine positive Formalladung).

2) *Sprachwissenschaft:* svw. Valenz.

Wertminderung, durch versch. Ursachen (z. B. Abnutzung durch Gebrauch, zeitbedingter Verschleiß, wirtsch. bzw. techn. Überholung, Ablauf von Rechten, Substanzverringerung) bedingte Entwertung von Vermögensgegenständen. In der Buchführung findet die W. ihren Ausdruck in der →Abschreibung.

Wẹrtmüller, Lina, eigtl. Arcangela Felice Assunta W. von Elgg, italien. Regisseurin, *Rom 14. 8. 1928; vielseitige Theater- und Filmregisseurin; schreibt alle Drehbücher zu ihren von satir. und grotesken Elementen lebenden (zeitkrit.) Filmen selbst; wurde internat. bekannt mit dem Film »Liebe und Anarchie« (1973); schreibt auch Romane (u. a. »Alvises Kopf«, 1981; »Iris und der Scheich«, 1990).

Weitere Filme: Mimi in seiner Ehre gekränkt (1972), Blutfehde (1978), In einer Regennacht (1977), Camorra (1985), Diese vitale Wut (1989).

Wẹrtow, Dsiga, eigtl. Denis Arkadjewitsch Kaufman, russ. Dokumentarfilmregisseur, *Białystok 2. 1. 1896, †Moskau 12. 2. 1954; drehte seit 1918 dokumentar. Filme, u. a. »Kinoprawda. Ein Filmjournal« (1922–25; Serie von 23 Dokumentations- und Informationsfilmen), »Der Mann mit der Kamera« (1929), »Enthusiasmus«/»Die Donbass-Sinfonie« (1931), »Wiegenlied« (1937).

Wertpapier, im Rechtssinn eine Urkunde, die ein privates Vermögensrecht derart verbrieft, dass seine Ausübung vom Besitz der Urkunde abhängig ist. Die papiermäßige Verkörperung garantiert einem Erwerber der Urkunde den Bestand des Rechts und sichert ihm seine ausschließl. Berechtigung. Der Schuldner ist ihm nach Maßgabe des Urkundeninhalts verpflichtet **(Skripturhaftung);** der Erwerber braucht ihm unbekannte Einwendungen nicht gegen sich gelten zu lassen. Dem Schuldner verschafft die Pflicht zur Vorlage des W. umgekehrt Gewissheit über die Person des jeweiligen Gläubigers. So wird das W. umlauffähig und unterschiedlich dienstbar. Im Wirtschaftsleben wird es im Kredit-, Kapital- und Zahlungsverkehr wie auch beim Güterumschlag benutzt. Man unterscheidet →Rektapapiere (Namenspapiere), →Orderpapiere, →Inhaberpapiere. Bahnbrechend war der →Wechsel, später folgten das →Konnossement und seit Ende des 18. Jh. die Massenpapiere des Kapitalmarktes, die →Effekten. – In *Dtl.* und in *Österreich* ist das Recht der W. nicht einheitlich, sondern jeweils für die einzelnen Papiere gesondert geregelt. Die *Schweiz* besitzt eine einheitl. Regelung im Obligationenrecht.

Lina Wertmüller

Wertpapierbereinigung, die Neuordnung des Wertpapierwesens in der Bundesrep. Dtl. durch das W.-Gesetz vom 19. 8. 1949. Ende des 2. Weltkriegs ging ein großer Teil des dt. Wertpapierbestandes im Sammeldepot der Reichsbank in Berlin verloren. Diese Papiere wurden, soweit ihre Aussteller ihren Sitz in der Bundesrep. Dtl. hatten, für kraftlos erklärt; neue Stücke mit durch die Währungsumstellung geänderten Nennwerten wurden ausgegeben. Reichstitel waren ausgenommen.

Wertpapiergeschäft, →Effekten.

Johann Reichsgraf von Werth: zeitgenössischer Kupferstich von Wenzel Hollar

Wertpapiersammelbanken (Kassenvereine), auf die techn. Abwicklung des Effektengiroverkehrs und die Wertpapiersammelverwahrung spezialisierte Kreditinstitute. Die W. gehen auf den 1823 gegr. Berliner Kassenverein zurück. Die sieben W. in Dtl. wurden 1989 in die Deutscher Kassenverein AG verschmolzen.

Wertpapiersteuer, eine →Kapitalverkehrsteuer, die bis 1964 auf den Ersterwerb von Schuldverschreibungen erhoben wurde.

Wertphilosophie, philosoph. Richtung, die vom wertfreien Wirklichen ein Reich der Werte unterscheidet. In ihrem Rahmen bezeichnet die **Wertlehre (Axiologie, Werttheorie)** die Lehre von der Erkenntnis, Begründung, Geltung und (Rang-)Ordnung der Werte. Im Anschluss an R. H. Lotze entwickelten sich hauptsächlich die neukantianische (W. Windelband, H. Rickert; Problem der Geltung) und die phänomenolog. W. (M. Scheler; Begründung einer materialen →Wertethik).

Wertschöpfung, einzelwirtschaftlich die Summe der in einem Unternehmen während einer Periode durch Tätigkeit geschaffenen wirtsch. Werte. Die Höhe der W. ergibt sich als Wert der Nettoproduktion aus dem →Bruttoproduktionswert abzüglich sämtlicher Vorleistungen, Abschreibungen und indirekter Steuern, zuzüglich der staatl. Subventionen. Der zusammengefasste Wert aller W.-Beiträge der inländ. Wirtschaftsbereiche ergibt die **W. der Volkswirtschaft,** die dem Nettoinlandsprodukt zu Faktorkosten entspricht (→Sozialprodukt).

Wertsicherungsklausel, Vertragsklausel zur Absicherung gegen Währungsverfall; nur mit Genehmigung der Dt. Bundesbank zulässig (§ 3 Währungsgesetz).

Wertstellung (Valutierung), Festsetzung des Tages, an dem die zinsmäßige Gutschrift oder Belastung für den Kunden auf dem Girokonto erfolgt; i. d. R. nicht mit dem Buchungstag identisch. Vom Tag der W. an setzt die Berechnung von Zinsen ein.

Wesel 2)
Stadtwappen

Werttheorie, 1) *Philosophie:* im Rahmen der modernen →Wertphilosophie entwickelte Lehre insbesondere von der Rangordnung der Werte.

2) *Volkswirtschaft:* zentrale Theorie der Nationalökonomie, die die Bestimmungsgründe des Tauschwertes von Gütern untersucht. Die **Kosten-W.** (objektivist. W.) betrachtet die für die Herstellung eines Gutes aufgewendeten Kosten als Maßstab des Tauschwertes und lässt den Gebrauchswert außer Acht. Die →Arbeitswerttheorie (v. a. D. Ricardo) sieht in den Arbeitskosten den wertbildenden Faktor. Nach der Produktionskostentheorie (A. Smith) wird der Wert der Waren durch die Kosten der Produktionsfaktoren Kapital, Arbeit und Boden bestimmt. Die **Nutz-W.** (subjektivist. W.) leitet den Wert der Güter aus ihrem Gebrauchswert, d. h. aus der Beziehung der Güter zu den Bedürfnissen, ab. Ausprägung fand diese Konzeption in der →Grenznutzenschule (u. a. H. Gossen, C. Menger). Die **modernen W.** suchen den Gegensatz zw. objektivist. und subjektivist. W. zu überwinden. So betrachtet die Gleichgewichtstheorie den Zusammenhang zw. Angebot und Nachfrage als Maßstab zur Bestimmung des Tauschwertes.

Wertzeichenpapier, durch Wasserzeichen, beste Rohstoffe und Besonderheiten der Herstellung gegen Fälschungen geschütztes Papier z. B. für Banknoten, Aktien und Schecks.

Wertzoll, →Zoll.

Wertzuwachssteuer, Steuer auf den Wertzuwachs (in Geld ausgedrückte Wertschätzung, die nicht auf substanzieller Vermehrung basiert) des Gesamt- oder eines Teilvermögens. Das gegenwärtige dt. Steuersystem kennt keine direkte W.; indirekt werden die nicht realisierten Wertzuwächse u. a. über die Vermögensteuer erfasst, realisierte Wertzuwächse (Veräußerungsgewinne) z. T. im Rahmen der Einkommensteuer.

Werwolf [ahd. wer »Mann«], **1)** *Geschichte:* nat.-soz. Untergrundbewegung, nach einer Weisung H. Himmlers (Okt. 1944) Jan./Febr. 1945 u. a. aus Angehörigen der SS, des SD, der Gestapo sowie Jugendlichen rekrutiert; verübte (z. T. bis Frühjahr 1946) in den bereits von alliierten Truppen besetzten dt. Gebieten vereinzelte, militärisch bedeutungslose Sabotage- und Terrorakte; die Anschuldigung der W.-Tätigkeit führte (häufig ungeprüft) zur Festnahme durch die Besatzungsmacht (→Internierungslager).

2) *Volksglauben:* ein Mensch, der zeitweilig (v. a. nachts) Wolfsgestalt annimmt und Untaten verübt.

Wesel, 1) Kreis im RegBez. Düsseldorf, NRW, 1042 km², (1993) 467 900 Einwohner.

2) Kreisstadt von 1) in NRW, an der Mündung der Lippe in den Rhein. 61 800 Ew.; Studienzentrum der Fernuniv. Hagen, Schill-Museum; Glashütten, keram., Elektroind., Turbinenfabrik; Häfen an der Lippemündung und am Wesel-Datteln-Kanal. – Willibrordikirche (15./16. Jh., im 19. Jh. neugotisch vollendet), Reste der 1680–1730 angelegten brandenburg. Festungswerke (Berliner Tor, 1718–22). – 1241 Stadtrecht, wurde 1407 Mitgl. der Hanse, kam mit Kleve 1614/66 an Brandenburg-Preußen.

Wesel-Datteln-Kanal, westlicher Teil des →Lippe-Seitenkanals.

Wesen *das,* **1)** *allg.:* Lebewesen, Geschöpf; auch Eigenart, Charakter eines Menschen.

2) *Philosophie:* (lat. Essentia) das Bleibende gegenüber dem Veränderlichen einer Sache, eines Dinges. Diskutiert wird v. a. das Problem der Realität des nicht erkennbaren, sondern nur durch begriffl. Abstraktion erschließbaren W. im Verhältnis zur sinnlich wahrnehmbaren Existenz eines Dinges (→Substanz). Von der Metaphysikkritik (v. a. seit J. L. Locke und D. Hume) als subjektivpsycholog. Phänomen erklärt, gewann der Begriff des W. nochmals objektive Bedeutung in der Phänomenologie und in der Existenzphilosophie.

Wesendonck, Mathilde, geb. Luckemeyer, Schriftstellerin, *Elberfeld (heute zu Wuppertal) 23. 12. 1828, †Villa Traunblick am Traunsee 31. 8. 1902; war in Zürich mit R. Wagner befreundet, der die von ihr verfassten »Fünf Gedichte« vertonte (**W.-Lieder,** 1857–58).

Wesensschau, eine Methode der →Phänomenologie.

Weser *die,* Fluss in Mittel- und Nord-Dtl., entsteht bei Hann. Münden aus Werra und Fulda, bis Bremerhaven 440 km lang (mit Werra 732 km), durchfließt als **Ober-W.** bis zur Westfäl. Pforte das Weserbergland, als **Mittel-W.** das Norddt. Flachland und mündet als **Unter-W.** bei Bremerhaven in die Nordsee. Nebenflüsse von links sind Diemel, Werre, Aue und Hunte, von rechts Aller und Wümme. Die W. ist auf ganzer Länge schiffbar; ab Bremen ist sie für Seeschiffe befahrbar; ab Minden ist sie kanalisiert. Der kreuzende Mittellandkanal verbindet die W. mit Rhein und Elbe.

Weserbergland, zusammenfassende Bez. für das Berg- und Hügelland (bis 500 m ü. M.) beiderseits der Weser zw. Hann. Münden und Minden; grenzt im S an das Hess. Bergland, im N sind Weser-/Wiehengebirge äußerste, wallartige Vorposten gegen das Flachland. Das W. schließt i. w. S. im O das Leine- und Innerstebergland, im W die Berg- und Tallandschaften bis zum Teutoburger Wald und zur Egge ein. Die waldreichen Höhenzüge sind aus Buntsandstein und Muschelkalk aufgebaut; im Osnabrücker Hügelland reicht die Schichtenfolge vom Karbon bis zur Kreide. Die vielfach lösserfüllten Mulden bieten gute Ackerböden; die Niederungen nehmen oft Wiesen ein. Größere Siedlungen entstanden an Weserfurten: Hann. Münden, Höxter (Kloster Corvey), Holzminden, Hameln, Minden. Rohstoffe sind Holz, Tone und Sande für versch. Industrien. Mineralquellen ließen Bade- und Kurorte entstehen (u. a. Bad Pyrmont, Eilsen, Salzuflen, Oeynhausen).

Weser-Ems, RegBez. in Ndsachs., 14 965 km², (1996) 2,374 Mio. Ew., umfasst die kreisfreien Städte Delmenhorst, Emden, Oldenburg (Oldenburg), Osnabrück, Wilhelmshaven und die Landkreise Ammerland, Aurich, Cloppenburg, Emsland, Friesland, Grafschaft Bentheim, Leer, Oldenburg, Osnabrück, Vechta, Wesermarsch, Wittmund; Verw.sitz ist Oldenburg (Oldenburg).

Wesermarsch, Landkreis im RegBez. Weser-Ems, Ndsachs., 822 km², (1996) 94 400 Ew.; Krst. ist Brake (Unterweser).

Wesermünde, 1924 gebildete Stadt, der 1939 Bremerhaven angegliedert wurde; seit 1947 trägt die Stadt den Namen →Bremerhaven.

Weserrenaissance [-rənɛsãs], die aufgrund einer besonderen wirtschaftlichen Blüte entstandene Baukunst im Wesergebiet (etwa 1530–1630). Charakteristisch sind meist mehrflügelige Schlossbauten, oft mit Wendeltreppenturm (Stadthagen, Schwöbber, Hämelschenburg, Varenholz, Bevern u. a.), die wie auch viele Rat- und Bürgerhäuser (Lemgo, Hameln, Minden) reich geschmückte Fassaden besitzen. In der Frühzeit überwiegen spätgot. Formen, gemischt mit Elementen der italien. Renaissance, später geht eine starke Anregung vom niederländ. Manierismus aus.

Wesir [türk., von arab. wazīr, eigtl. »Stütze«] *der,* seit den Abbasiden (um 750) der oberste Würdenträger, später Minister in islam. Staaten, im 14. Jh. von den Osmanen übernommen; oberster W. war seit dem 15. Jh. der →Großwesir.

Wesker ['weskə], Arnold, engl. Dramatiker, *London 24. 5. 1932; gründete und leitete 1961–70 das Kulturinstitut für Arbeiter »Centre 42«; Zeitkritiker und engagierter sozialist. Gesellschaftskritiker; »Wesker-Trilogie«: »Hühnersuppe mit Graupen« (1959), »Tag für Tag« (1959), »Nächstes Jahr in Jerusalem« (1960); ferner »Die Freunde« (1970), »Shylock« (1977), »Toys« (1985), »The Mistress« (1989).

Wesley ['wezlɪ], John, engl. anglikan. Theologe, *Epworth (Cty. Lincolnshire) 17. 6. 1703, †London 2. 3. 1791; begründete mit seinem Bruder Charles W. (*1707, †1788) den →Methodismus; seit 1728 anglikan. Pfarrer; 1735–37 Missionar in Nordamerika (Georgia); erlebte unter dem Eindruck von Luthers Vorrede zum Römerbrief 1738 seine »Bekehrung«; wirkte seither als Erweckungsprediger (rd. 40 000 Predigten) und bildete zahlr. Laien als Helfer zur geistl. Betreuung seiner schnell wachsenden Anhängerschaft aus.

Wesnin, russ. Architekten, Brüder: Alexander Alexandrowitsch, *Jurjewez (Gebiet Iwanowo) 28. 5. 1883, †Moskau 7. 11. 1959; Leonid Alexandrowitsch, *Nischni Nowgorod 10. 12. 1880, †Moskau 8. 10. 1933; Wiktor Alexandrowitsch, *Jurjewez 9. 4. 1882, †Moskau 17. 9. 1950. Die Brüder W. entwarfen in den 20er- bis Anfang der 30er-Jahre gemeinsam Bauten von konstruktivist. Prägung, u. a. Dnjepr-Wasserkraftwerk (1927–32), Kulturpalast in Moskau (1930–37).

Wespen, i. w. S. einige Familien der →Hautflügler; i. e. S. **Echte W., Vespinae,** Unterfamilie der Falten-W. mit zahlr., v. a. in den Tropen verbreiteten, Staaten bildenden, stechenden Arten; einheimisch u. a. die →Hornisse und die (auch im übrigen Europa, in N-Afrika, im gemäßigten Asien und in Indien häufige) bis zu 2 cm lange **Dt. W.** (Vespula germanica) mit typ. schwarzgelber Zeichnung. Ihre Staaten bestehen aus durchschnittlich 1500 Tieren: ein weibl. Geschlechtstier (Königin),

Mathilde Wesendonck (Ausschnitt eines zeitgenössischen Gemäldes)

Arbeiterinnen und Männchen. Nur die im Laufe des Sommers entstandenen, im Herbst begatteten Weibchen überwintern und gründen im Frühjahr

Wespen: Deutsche Wespe

neue Völker. Die grauen, papierähnl. Nester werden von den Arbeiterinnen aus zerkautem Pflanzenmaterial hergestellt, das mit Speichel und oft mit Holzstückchen oder Erde vermischt ist. – Über W.-Stiche → Insektenstiche.

Wespenbussard (Pernis apivorus), bussardgroße Greifvogelart; Zugvogel, der im N der Alten Welt brütet und in S-Asien und Afrika überwintert; er gräbt Bauten von Wespen und Hummeln auf und frisst deren Brut und Waben.

Wessel, 1) Helene, Politikerin, *Dortmund 6. 7. 1898, †Bonn 13. 10. 1969; 1928–33 MdL Preußen (Zentrum); 1945 führend an der Wiedergründung des Zentrums beteiligt, 1948–49 Mitgl. des Parlamentar. Rates, 1949–53 und 1957–69 MdB, 1949–52 Vors. der Dt. Zentrumspartei; als Gegnerin der Wiederaufrüstung der Bundesrep. Dtl. 1952 mit G. Heinemann Begründerin der Gesamtdt. Volkspartei; trat 1957 der SPD bei.

Helene Wessel

2) Horst, SA-Führer, *Bielefeld 9. 10. 1907, †Berlin 23. 2. 1930; Student, seit 1926 Mitgl. der NSDAP, seit 1929 SA-Sturmführer; wurde bei einer Auseinandersetzung mit polit. Gegnern angeschossen und erlag seiner Verletzung; nach seinem Tod zum nat.-soz. Märtyrer stilisiert. Das auf einen Text W.s zurückgehende Lied »Die Fahne hoch ...« **(Horst-Wessel-Lied)** wurde von den Nationalsozialisten zur 2. Nationalhymne erhoben.

Paula Wessely

Wesselburen, Stadt im Kreis Dithmarschen, Schlesw.-Holst., in der Marsch zw. Meldorfer Bucht und Eidermündung, 3300 Ew.; Herstellung von Gurken- und Sauerkrautkonserven. – Barocke Emporenkirche (1737/38); Geburtsort F. Hebbels (Museum). – 1187 erstmals erwähnt; erhielt 1894 Stadtrecht.

Wesseling, Stadt im Erftkreis, NRW, am Rhein, 33800 Ew.; Erdölraffineriezentrum, petrochem. Ind., Pipelines von Wilhelmshaven und Rotterdam; Stahl-, Rohrleitungsbau, Schleifmittelwerke, Rheinhafen (Umschlag von Braunkohle, Erdöl). – 820 erstmals erwähnt.

Wesselmann ['weslmən], Tom, amerikan. Künstler, *Cincinnati (Oh.) 23. 2. 1931; lebt in New York; Vertreter der Pop-Art. Seine Bilder und Environments sind von der Werbung beeinflusst und werden durch plakative Farben bestimmt. Die Thematik kreist um den weibl. Akt (Serie »Great American Nude«, seit 1960). Auf seinen Bildern montiert er oft Gegenstände des tägl. Lebens (Handtücher, Wasserhähne u. a.). Seit 1983 entstehen Metallreliefs (weibl. Akte, Stillleben).

Wessely, Paula, österr. Schauspielerin, *Wien 20. 1. 1907, ⚭ mit Attila Hörbiger; kam über das Dt. Volkstheater und das Theater in der Josefstadt in Wien an das Burgtheater; zahlreiche Filmrollen.

Wessenberg, Ignaz Heinrich Freiherr von, kath. Theologe und Kirchenpolitiker, *Dresden 4. 11. 1774, †Konstanz 9. 8. 1860; seit 1795 mit Karl Theodor von Dalberg (→ Karl 23) befreundet, seit 1802 sein Generalvikar, 1814/15 sein Vertreter auf dem Wiener Kongress; reformierte die Priesterausbildung, förderte das Volksschulwesen und führte die dt. Sprache in die Liturgie ein (mit Ausnahme der Messe); trat auf dem Wiener Kongress erfolglos für die Errichtung einer weitgehend selbstständigen gesamtdt. Nationalkirche unter einem Primas ein.

Wessex ['wesɪks], angelsächs. Königreich (»Königreich der Westsachsen«) in SW-England, erlangte im 9. Jh. unter König → Egbert die Vorherrschaft über die übrigen angelsächs. Reiche.

Tom Wesselmann: »Bathtub Collage No. 3« (1963; Köln, Museum Ludwig)

Wessobrunner Gebet (Wessobrunner Schöpfungsgedicht), ahd. Sprachdenkmal in bair. Sprache mit Spuren angelsächs. Schreibung; überliefert in einer dem Anfang des 9. Jh. angehörenden Handschrift des Klosters Wessobrunn in Oberbayern (jetzt Staatsbibliothek München); besteht aus einem stabreimenden, heidn. Tradition verpflichteten Schöpfungsgedicht (unvollständig) und einem Prosagebet um den rechten Glauben.

Wessobrunner Schule, Stuckateure und Baumeister aus Wessobrunn, die von 1600 bis etwa 1800 bes. in Altbayern und Schwaben tätig waren. 1675–1720 arbeiteten sie häufig in den Kirchen der →Vorarlberger Bauschule. Zur W. S. gehören v. a. die Familien Feuchtmayer und Schmuzer, J. G. Üblhör, die Brüder Zimmermann sowie J. G. Dirr. Weiteres BILD Feuchtmayer

West, 1) Benjamin, amerikan. Maler, *Springfield (Pa.) 10. 10. 1738, †London 11. 3. 1820; 1792–1815 Präs. der Königl. Akademie ebd.; schuf, meist in großem Format, religiöse Gemälde und Porträts. Er gilt als Begründer des realist. Historienbildes (»Der Tod des Generals Wolfe«, 1. Fassung 1770, Ottawa, National Gallery of Canada; »W. Penns Verhandlungen mit den Indianern«, 1772, Philadelphia, Pennsylvanian Museum of Art).

2) Mae, amerikan. Schauspielerin, *Brooklyn (New York) 17. 8. 1892, †Los Angeles (Calif.) 22. 11. 1980; gilt als erster Sexstar des amerikan. Films (»Sie tat ihm Unrecht«, 1933; »Ich bin kein Engel«, 1936; »Myra Breckinridge«, 1970).

3) Morris L. (Langlo), australischer Schriftsteller, *Saint Kilda (Victoria) 26. 4. 1916; Verfasser von Unterhaltungsromanen: »In den Schuhen des Fischers« (1963), »Der Turm von Babel« (1968), »Proteus« (1979), »In einer Welt von Glas« (1983), »Die Fuchsfrau« (1991); auch Hörspiele und Dramen.

4) Rebecca, eigtl. Dame (seit 1959) Cecily Isabel Andrews, geb. Fairfield, engl. Schriftstellerin, *in der Cty. Kerry (Irland) 25. 12. 1892, †London 15. 3. 1983; schrieb Essays, Biographien (»Henry James«, 1916; »D. H. Lawrence«, 1930), das Reisebuch »Black lamb and grey falcon«, (2 Bde., 1941) sowie von der Psychoanalyse beeinflusste Romane (»Die Zwielichtigen«, 1966) und Reportagen (u. a. über die Nürnberger Prozesse).

Westafrika, das Gebiet zw. der Sahara im N, den Kamerunbergen im O und dem Atlant. Ozean im S und W; umfasst ein Fünftel der Fläche des Erdteils mit rd. 30 % seiner Bevölkerung.

Westafrikanische Wirtschaftsgemeinschaft, →Wirtschaftsgemeinschaft westafrikanischer Staaten.

Westalpen, die →Alpen westlich der Linie, die von Bodensee, Rheintal, Splügenpass, Comer See, Luganer See und dem Lago Maggiore gebildet wird.

Westarp, Kuno Graf von, Politiker, *Ludom (bei Piła) 12. 8. 1864, †Berlin 30. 7. 1945; Jurist, 1908–18 und 1920–32 MdR; zunächst Deutschkonservative Partei (ab 1913 Fraktionsvorsitzender); 1918 Mitbegründer der DNVP (1925–29 Fraktionsvorsitzender, 1926–28 Parteivorsitzender); suchte vergeblich die Deutschnationalen zur Mitarbeit in der Weimarer Rep. zu führen.

Westaustralien, →Western Australia.

West Bank ['west bæŋk], →Westjordanland.

West Bengal ['west beŋ'gɔ:l, engl.], Gliedstaat →Indiens; umfasst den W-Teil der Landschaft →Bengalen; Hptst.: Kalkutta; Reis- und Juteanbau; Stahlindustrie.

West Bromwich ['west 'brɔmɪdʒ], Stadt in der Metrop. County West Midlands, England, nordwestlich von Birmingham, 155 000 Ew.; Museum; Metall-, chem. Industrie.

Westdeutsche Allgemeine Zeitung, Abk. **WAZ,** unabhängige Tageszeitung, gegr. 1948 in Essen. Die WAZ bildet mit den Zeitungen »Neue Ruhr-/Neue Rhein-Zeitung« (gegr. 1946), »Westfalenpost« (1946) und »Westfäl. Rundschau« (1946) seit 1976 die »Zeitungsgruppe WAZ«; Beteiligungen in Österreich (»Kurier« und »Neue Kronen Zeitung«) und Osteuropa.

Westdeutsche Landesbank Girozentrale [-'ʒi:ro-], Abk. **WestLB,** größte dt. Bank öffentl. Rechts; 1969 durch Fusion der Rhein. Girozentrale und Provinzialbank (gegr. 1854), Düsseldorf, mit der Landesbank für Westfalen Girozentrale (1832), Münster, entstanden; Sitz: Düsseldorf und Münster. Beteiligungen bestehen neben dem Bankenbereich (u. a. Dt. Außenhandelsbank) v. a. in der Tourismusbranche.

Westdeutscher Rundfunk, Abk. **WDR,** seit 1955 eine der dt. Rundfunkanstalten des öffentl. Rechts (→Norddeutscher Rundfunk); Sitz: Köln; Mitgl. der ARD. (→Rundfunk)

Westdeutschland, im polit. Sprachgebrauch nach 1945 die aus den drei westl. Besatzungszonen

Ignaz Heinrich von Wessenberg (Ausschnitt eines zeitgenössischen Stahlstichs)

Mae West

WDR

Westdeutscher Rundfunk

Wessobrunner Schule: Die Stuckaturen im Flur des ehemaligen Benediktinerklosters Wessobrunn stammen von Johann Schmuzer (1680–85)

(→Westzonen) hervorgegangene Bundesrep. Dtl. (im Unterschied zur Bez. Mittel- bzw. Ost-Dtl. (Ostzone) für die SBZ bzw. DDR).

West Dunbartonshire [-dʌnˈbɑːtnʃɪə], Local Authority in Schottland, nördlich von Glasgow, 162 km², (1993) 97 800 Ew.; Verw.sitz ist Dunbarton.

Weste [frz.], Kleidungsstück, seit Ende des 17. Jh. anstelle des Wamses getragen, seit dem 18. Jh. ohne Ärmel und kürzer, um 1770 verlor sie den Rockschoß ganz (Gilet); gelangte Anfang des 20. Jh. auch in die Damenmode.

Westen, eine →Himmelsrichtung.

Westerburg, Stadt im Westerwaldkreis, Rheinl.-Pf., am SW-Hang des Westerwaldes, 366 m ü. M.; 5 800 Ew.; Luftkurort; Metall verarbeitende Industrie. – Spätgot. Pfarrkirche (1516 ff.), Wallfahrtskirche Unserer Lieben Frau (Neubau 1898/99), Pfarrkirche Christkönig (1961); Schloss der Grafen von Leiningen-W. (13.–18. Jh.). – 1209 erstmals erwähnt, seit 1292 Stadt.

Westerland, Stadt im Kreis Nordfriesland, Schlesw.-Holst., auf der Insel Sylt; 9 300 Ew.; Nordseeheilbad mit Institut für Bioklimatologie und Meeresheilkunde, Spielkasino; Endpunkt der Bahnstrecke über den →Hindenburgdamm.

Westerman [ˈwestəmæn], Horace Clifford, amerikan. Künstler, *Los Angeles (Calif.) 11. 12. 1922; anfangs Arbeiten zur Kriegsthematik, später Montagen miniaturhafter Häuser aus Sperrholz mit Fundstücken aus anderen Materialien (Glas, Metall u. Ä.) sowie Objektkästen, die dem Dadaismus und Surrealismus nahe stehen.

Horace C. Westerman: »Bowling Trophy« (1967; Privatbesitz)

Westermann, Georg, Verlagsbuchhändler, *Leipzig 23. 2. 1810, †Wiesbaden 7. 9. 1879; gründete 1838 in Braunschweig die Verlagsbuchhandlung Georg W.; 1856–1987 wurde die Kulturzeitschrift »Westermanns illustrierte dt. Monatshefte« herausgegeben.

Western [engl.] *der,* Roman oder Film über die amerikan. Grenzgebiete, den Wilden Westen, der zur Zeit der Besiedlung etwa 1850–1900 spielt, deshalb auch **Wildwestroman** bzw. **Wildwestfilm.** In der *Literatur* die spezifisch amerikan. Sonderform der Abenteuerliteratur und des histor. Romans. Der W. schildert den Mythos einer heroischen amerikan. Vergangenheit in der Auseinandersetzung zw. Pionieren, Indianern, Siedlern, Goldsuchern und Cowboys. Im Mittelpunkt steht der individualist. Einzelgänger mit einem ausgeprägten Gerechtigkeitssinn. Die Darstellung im W. kollidiert zumeist mit der geschichtl. Wirklichkeit und propagiert ein dem W. eigenes Verständnis von Recht und Ordnung, Faustrecht sowie rass. Vorurteile. Klass. Vorläufer sind die Werke von J. F. Cooper und Mark Twain. Um 1900 erlebte der W. seine erste Blütezeit (O. Wister, E. Z. C. Judson, Z. Grey), in den 50er-Jahren machte sich J. Schaefer einen Namen. – Nachahmung fand der W. in Europa, in Dtl. z. B. bei C. Sealsfield, B. Möllnhausen und K. May. W. erfuhren frühzeitig eine weite Verbreitung, z. B. als Heftromane, in denen klischeehaft gute und böse Figuren in Konflikt geraten und die mit wenigen stereotypen Requisiten (Prärie, Pferde, Saloon, Sheriff usw.) auskommen.

Im *Film* ist der W. eines der ältesten Genres, das bes. auf einer spannungsgeladenen Handlung, klischeehaften Elementen (Verfolgungsjagd, Pistolenduelle) und dem W.-Helden aufbaut. Der erste W. entstand 1903 (E. S. Porter). Der W. zwischen 1920 und 1950 ist vom Typ der legendären Gestalt (Jesse James, Billy the Kid) geprägt. Zum ersten W.-Klassiker wurde J. Fords »Höllenfahrt nach Santa Fé« (1939; auch u. d. T. »Ringo«). Regisseure wie F. Zinnemann, H. Haig orientierten sich später auf eine größere Realitätsnähe, psycholog. Motivation des W.-Helden, Tod und Gewalt sind nicht mehr nur Begleiterscheinungen einer romant. Actiongeschichte. In den 60er-Jahren entstand in Europa der **Italo-W.** (u. a. S. Leone), der den geschichtl. amerikan. Hintergrund zugunsten von Action, zyn. Gesellschaftskritik und Komik vernachlässigt. Ende der 70er-Jahre setzte eine W.-Renaissance ein, bei der man sich wieder um Authentizität und Entheroisierung bemühte, z. B. in »Ich, Tom Horn« (1980), »Der mit dem Wolf tanzt« (1990), »Erbarmungslos« (1992).

📖 FOLSOM, J. K.: *The American western novel. New Haven, Conn., 1966.* – BEISSEL, R.: *Von Atala bis Winnetou. Bamberg 1978.* – STEINBRINK, B.: *Abenteuerliteratur des 19. Jh. in Dtl. Tübingen 1983.* – HEMBUS, J.: *Das W.-Lexikon. 1567 Filme von 1894 bis heute, bearb. v.* B. HEMBUS. *Neuausg. München 1995.*

Western Art [-ˈɑːt], Bez. für die Kunst, die den amerikan. Westen zum Gegenstand hat; im weitesten Sinne auch die Kunst und das Kunstgewerbe der nordamerikan. Indianer. I. e. S. die Malerei und Skulptur europäischstämmiger oder amerikan. Künstler, die in ihrer z. T. traditionalist., regionalist., eklektizist. Kunstauffassung die amerikan. Pioniergeschichte darstellten und nachvollzogen; Hauptvertreter: Albert Bierstadt (*1830, †1902), der auch als Ethnograph bed. G. Catlin, Thomas Eakins (*1844, †1916), Thomas Moran (*1837, †1926), Frederic Remington (*1861, †1909), A. Wyeth, Morgan Russel (*1886, †1953) und G. Wood.

Western Australia ['westən ɔ:s'treɪljə] (Westaustralien), Staat des Austral. Bundes, 2525500 km², (1995) 1,715 Mio. Ew.; Hptst. ist Perth. Landschaftsprägend sind die einförmigen Rumpfländer des Austral. Schildes. Inselberge und -gebirge oder zerschnittene Tafel- und Stufenländer überragen die ausgedehnte flachwellige Ebene. W. A. gliedert sich von N nach S in das Kimberleyplateau, die Große Sandwüste, westlich davon in die Hamersley Range (1226 m ü. M.), den westl. Teil der Großen Victoriawüste und die Nullarborebene; im W ist eine schmale Küstenebene vorgelagert. Zw. dem tropisch-heißen Monsunklima im N und dem warmgemäßigten Winterregenklima im SW erstreckt sich im Binnenland und im SO ein großer Raum mit sommerheißem und winterkühlem Trockenklima. 71% der Bev. leben im Großraum Perth. – Weite Gebiete sind nur als Weideland nutzbar (Merinoschafe); Rinder- und Schweinehaltung in Ackerbaugebieten; Anbau von Getreide, Kartoffeln, Obst, Wein und Baumwolle. Größte Bedeutung hat der Bergbau: über 90% der austral. Erzförderung, bes. Eisenerz (→Pilbara), Gold, Uran, Bauxit, Nickel-, Zinnerz u.a. Mineralien; ferner Steinkohle, Salz, Erdöl, Erdgas und Diamanten. Die Ind. ist bes. im Raum Perth konzentriert: Kfz- und Maschinenbau, metallurg., chem., petrochem., Textil-, und Nahrungsmittelindustrie. – W. A., 1616 von dem Niederländer D. Hartog entdeckt, wurde ab 1826 von Briten besiedelt; seit 1829 separate brit. Kolonie, erhielt 1890 Autonomiestatus, schloss sich 1901 dem Austral. Bund an. Weiteres BILD Australien

Western Isles ['westən aɪlz], Local Authority in Schottland, umfasst die →Hebriden.

Westerplatte, Landzunge an der Danziger Bucht, östlich der alten Weichselmündung, nördlich von Danzig. Mit der Beschießung der festungsartig ausgebauten W. durch das dt. Linienschiff »Schleswig-Holstein« am 1. 9. 1939 begann der 2. Weltkrieg; auf dem ehem. Kampfplatz Denkmal der Küstenverteidiger (1966 erbaut).

Westerstede, Krst. des Landkreises Ammerland, Ndsachs., 20900 Ew.; Dt. Lehranstalt für Agrartechnik; Baumschulen und Gartenbaubetriebe (Rhododendrenzucht). – 1123 erstmals genannt, seit 1977 Stadt.

Westerwald, Teil des rechtsrhein. Schiefergebirges zw. Lahn und Sieg. Nach Höhenlage und geolog. Aufbau werden unterschieden: der vom Mittelrhein aufsteigende **Vordere (Untere) W.** um Montabaur, wo das devon. Grundgebirge (Grauwacken, Quarzite, Schiefertone) zutage tritt, überlagert von tertiären Tonen (Tonind. im Kannenbäckerland), der **Obere W.** (350–550 m ü. M.) und der **Hohe W.** aus tertiären Basalten vulkan. Ursprungs (Hartsteinwerke) mit ehem. genutzten Braunkohlenlagern beim Fuchskauten (657 m ü. M.). Bei rauem, niederschlagsreichem Klima und schweren Böden überwiegt die Feldgraswirtschaft. Basalt- und Bimsabbau, Tonförderung; der Eisenbergbau ist erloschen.

Western Australia: Der Stirling-Ranges-Nationalpark, einer der zahlreichen Nationalparks in Australien, liegt im Süden von Western Australia

Westerwaldkreis, Landkreis im RegBez. Koblenz, Rheinl.-Pf., 989 km², (1996) 196200 Ew.; Krst. ist Montabaur.

Westerwanna, Ortsteil von Wanna, Landkr. Cuxhaven, Ndsachs.; Fundort des größten altsächs. Friedhofs (über 3000 Urnengräber), der nach Abwanderung der Sachsen nach England (nach der Mitte des 5. Jh.) nicht mehr belegt wurde.

Westeuropa, der westl. Teil Europas mit den Brit. Inseln (geographisch auch als NW-Europa definiert), den Beneluxländern (geographisch auch zu Mitteleuropa gerechnet) und Frankreich.

Vorgeschichte: Die ältesten Zeugnisse menschl. Kultur aus der Altsteinzeit in W. sind Geröll- und Abschlaggeräte aus hoch gelegenen Terrassenschottern der Garonne. Erst das Mittel- und Spätacheuléen ist in ganz W. verbreitet. Aus vielen Fundorten der Altsteinzeit stammen auch menschl. Überreste (etwa ab 400000 v. Chr.). Das Mittelpaläolithikum (mittlere Altsteinzeit; nach neuerer Auffassung etwa ab 200000 v. Chr.) wird durch versch. Ausprägungen des Moustérien gekennzeichnet; aus dieser Zeit sind die bisher ältesten Bestattungen bekannt. Im Jungpaläolithikum (jüngere Altsteinzeit; etwa ab 40 000 v. Chr.) erreichte die jäger. Lebensweise ihren Höhepunkt, der sich in verbesserter Gerätetechnik, in Wohnbau und in künstler. Äußerungen (Felszeichnungen, Gravierungen, Kleinplastik) zeigt.

Die Jungsteinzeit (etwa ab dem 4. Jt. v. Chr.) wurde von Einflüssen geprägt, die teils aus dem mitteleurop. Raum nach W, teils aus dem mediterranen Gebiet nach N und NW eindrangen. Spuren der bandkeram. Kultur und der Rössener Kultur sind bis zum Pariser Becken und in stark abgewandelter Form an der Küste des Atlant. Ozeans festzustellen, während die Chasseykultur in S-, W- und Mittelfrankreich verbreitet war. In Verbindung mit der ihr nahe stehenden Cortaillodkultur wurde das Gebiet zw. Westalpen und Pyrenäen für ein Jt. zur einheitl. Kulturzone, während die Region zw. Maas und Rhein stärker an Mitteleuropa gebunden war. Um 3000 v. Chr. setzten die regional ausgeprägten Megalithkulturen mit Großsteinanlagen ein. Die Michelsberger Kultur wird in Belgien fassbar; in den Niederlanden wirkte sich der Einfluss der Trichterbecherkultur aus. Von der Pyrenäenhalbinsel breitete sich die Glockenbecherkultur, von W- und SW-Dtl. die schnurkeram. Kultur aus. Spätneolith. Erscheinungen wirkten noch bis ins 16. Jh. v. Chr. nach. Die mittlere Bronzezeit bildete eine Stabilisierungsphase, die um 1200 v. Chr. von der Urnenfelderkultur unterbrochen wurde. Die ältere Eisenzeit wird im Binnenland durch die Hallstattkultur repräsentiert, in den südl. Küstenregionen herrschten grch. und iber. Einflüsse vor. Mit der Gründung der grch. Kolonien (v. a. Massalia, heute Marseille) um 600 v. Chr. begann für W. die Frühgeschichte.

Zur *Geschichte* W.s vgl. die Geschichte der einzelnen Länder; →Europa, Geschichte.

Westeuropäische Union, Abk. **WEU,** durch die Pariser Verträge vom 23. 10. 1954 (seit 6. 5. 1955 in Kraft) gegr., aus dem Brüsseler Vertrag vom 17. 3. 1948 hervorgegangener kollektiver Beistandspakt im Rahmen der NATO, dem Großbritannien, Frankreich, die Beneluxländer, die Bundesrep. Dtl., Italien, seit 1989 Spanien und Portugal, seit 1992 Griechenland angehören. Organe: **Rat der WEU** (Außen- und/oder Verteidigungsmin. der Mitgl.staaten) mit dem Ständigen Rat (auf Botschafterebene) als Hilfsorgan; **Versammlung** (vertreten in der Parlamentar. Versammlung des Europarats); **Generalsekretariat** (in Brüssel); **Agenturen für Sicherheitsfragen** (in Paris und Brüssel). Für militär. Aufgaben der WEU ist die NATO zuständig. Als militär. Einheit wurde im Nov. 1993 ein **Eurokorps** aufgestellt, dessen Kern eine dt.-frz. Brigade ist.

📖 FLEUSS, M.: *Die operationelle Rolle der W. U. in den neunziger Jahren. Frankfurt am Main u. a. 1996.*

Westeuropäische Zeit, Abk. **WEZ,** die Zonenzeit (→Zeit) des Meridians von Greenwich.

Westfalen, NO-Teil von NRW, umfasst die Westfäl. Bucht, das nordwestl. Weserbergland und das Sauerland; Hauptort ist Münster. – Nach der Zerschlagung des Herzogtums Sachsen (1180) kam dessen westl. Teil als **Herzogtum W.** an das Erzstift Köln. Das sich aus dem Herzogtum im Spät-MA. bildende Kurfürstentum Köln umfasste jedoch nur den Kern von W. (Sauerland), daneben bestanden zahlr. geistl. und weltl. Herrschaften; von den Städten erlangte nur Dortmund die Reichsfreiheit. Ab dem 17. Jh. fielen bed. Gebiete W.s an Brandenburg-Preußen (1614/66 Mark, Ravensberg und Kleve, 1648 Minden, 1702/07 Lingen und Tecklenburg, 1803 O-Teil des Oberstifts Münster sowie Paderborn). Das kurköln. W. kam 1803 an Hessen-Darmstadt, das westl. Münsterland an ehem. linksrhein. Geschlechter, Dortmund und Corvey an Nassau. Napoleon I. bildete 1807 u. a. aus Braunschweig, dem größten Teil Kurhessens, hannoverschen und sächs. Gebieten sowie aus preuß. Territorium westlich der Elbe das **Königreich W.** (Hptst. Kassel) unter seinem Bruder Jérôme, das 1810 um das restl. Hannover (außer Lauenburg) vergrößert wurde, im selben Jahr aber den NW an Frankreich verlor und im Nov. 1813 zerbrach. 1815 kam das heutige W. an Preußen (**Provinz W.** mit den RegBez. Münster, Minden und Arnsberg; Hptst. Münster), Osnabrück an Hannover; Lippe blieb selbstständig. 1946 ging W. in dem neu gebildeten Land Nordrhein-W. auf.

📖 KOHL, W.: *Kleine westfäl. Geschichte. Düsseldorf 1994.*

Westfalen, westgerman. bzw. dt. Stamm, der sich von seinem Kernland zw. Ems und Hunte bis Ende des 7. Jh. nach S und W ausdehnte und neben Angrivariern (Engern) und Ostfalen (Ostsachsen) einen Volksteil der Sachsen ausmachte. Trotz ihrer Unterwerfung in den Sachsenkriegen Karls d. Gr. (772–804) bewahrten die W. so große Eigenständigkeit, dass der Name W. seit dem 12. Jh. das gesamte Gebiet zw. Rhein und Weser bezeichnet.

Westfälische Bucht (Münstersche Bucht, Münsterländer Bucht), Einbuchtung der Norddt. Tiefebene zw. Teutoburger Wald und Rhein. Schiefergebirge. Kreideaufwölbungen treten in den Beckumer Bergen, den Baumbergen und den Halterner Bergen zutage. Die W. B. lässt sich in das zentrale Münsterland, die Paderborner Hochfläche im O und den Hellweg im S untergliedern.

Westfälische Pforte (lat. Porta Westfalica), Durchbruchstal der Weser südlich von Minden zw. Wiehen- und Wesergebirge; wichtige Verkehrsleitlinie.

Westfälischer Frieden, die Friedensverträge zur Beendigung des Dreißigjährigen Kriegs zw. dem Kaiser und den dt. Reichsständen einerseits und Frankreich **(Friede von Münster)** sowie Schweden **(Friede von Osnabrück)** andererseits, abgeschlossen am 24. 10. 1648. – Wichtigste Bestimmungen in *konfessioneller Hinsicht* waren die Wiederherstellung des →Augsburger Religionsfriedens und des kirchl. Besitz- und Bekenntnisstandes nach dem sog. Normaljahr 1624 sowie die Anerkennung der Kalvinisten (Reformierten) als Konfession. – Für die *Reichsverfassung* wurden bis 1806 bedeutsame Veränderungen beschlossen: Die dt. Reichsstände erhielten die volle Landeshoheit in geistl. und weltl. Hinsicht sowie das Recht auf eigene Bündnispolitik mit auswärtigen Partnern, sofern sie nicht gegen Kaiser und Reich gerichtet war; der Kaiser wurde bei den Reichsgeschäften und der Gesetzgebung im Reich an die Zustimmung der Reichsstände gebunden, zu denen neben Kurfürsten und Fürsten nun endgültig die Reichsstädte (dritte Kurie) traten; damit verlagerte sich der polit. Schwerpunkt in die Territorien (→deutsche Geschichte). Bayern behielt die gewonnene Kurwürde, für die Pfalz wurde eine 8. Kur errichtet. – Die wesentl. *territorialen Regelungen* waren die Herstellung der (de jure) vollen Souveränität für die Schweiz und die Niederlande, die Besitzbestätigung für Frankreich an den Bistümern Metz, Toul und Verdun; außerdem erhielt es von den Habsburgern die Landgrafschaft Ober- und Unterelsass, den Sundgau und die Landvogtei über zehn elsäss. Reichsstädte (nicht Straßburg), die Festungen Breisach und Pinerolo sowie das Besatzungsrecht in Philippsburg. Schweden gewann Vorpommern und Wismar sowie das Erzstift Bremen und das Stift Verden als Reichslehen mit Sitz und Stimme auf dem Reichstag. Brandenburg erhielt Hinterpommern mit dem Stift Cammin, die Stifte Halberstadt und Minden sowie die Anwartschaft auf das Erzstift Magdeburg. Die Bistümer Schwerin und Ratzeburg fielen an Mecklenburg. Kursachsen erhielt die Ober- und Niederlausitz als erbl. böhm. Lehen (seit 1635 in Pfandbesitz), Bayern die Oberpfalz zugesprochen. BILD deutsche Geschichte

📖 LAHRKAMP, H.: *Dreißigjähriger Krieg, W. F. Eine Darstellung der Jahre 1618–48 mit 326 Bildern u. Dokumenten. Münster 1997.*

Westflandern, Provinz in Belgien, 3144 km², (1995) 1,12 Mio. Ew.; Hptst. ist Brügge.

Westfluss, Fluss in China, der →Xi Jiang.

Westfränkisches Reich, →Fränkisches Reich.

Westindien

George Westinghouse

Westfriesische Inseln, die niederländ. Gruppe der →Friesischen Inseln, bestehend aus Texel, Vlieland, Terschelling, Ameland, Schiermonnikoog, Simonszand, Boschplaat, Rottumerplaat und Rottumeroog; Viehwirtschaft, Fremdenverkehr.

Westgermanen, ältere, zusammenfassende Bez. für die um die Zeitenwende westlich der Oder siedelnden Stämme der Germanen, u.a. Bataver, Brukterer, Chatten, Friesen, Markomannen, Semnonen, Sugambrer, Tenkterer, Ubier, Usipeter; archäologisch untergliedert in Rhein-Weser-Germanen und Elb-Germanen.

Westgoten (Wisigoten), einer der beiden großen Stämme der →Goten, 291 n.Chr. erstmals als Terwingen bezeugt. Sie wurden nach ihrem Vordringen auf die Balkanhalbinsel (in der Folge des Hunneneinfalls) 382 als röm. Reichsangehörige in Mösien angesiedelt, zogen 395 unter →Alarich I. mehrfach nach Italien (Plünderung Roms 410) und erhielten 418/419 in S-Gallien neue Landzuweisungen. Dort gründeten die W. das nach der Hptst. Toulouse ben. **Tolosan. Reich.** Nach 450 eroberten sie große Teile der Iber. Halbinsel. Dort blieb ihr Reich als **Reich von Toledo** bis zum Arabereinfall 711 bestehen. 587 traten die bisher arian. W. zum Katholizismus über. Reste der W. behaupteten sich im nördl. Spanien. (→germanische Volksrechte, →Spanien, Geschichte)

📖 CLAUDE, D.: *Geschichte der W. Stuttgart 1970.* – PALOL, P. DE *u.* RIPOLL, G.: *Die Goten. A. d. Span. Stuttgart u. a. 1990.*

Westjordanland

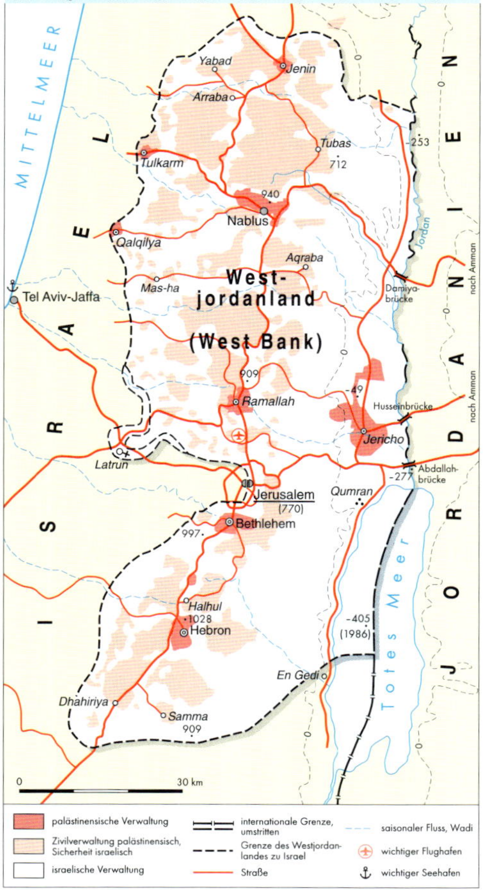

Westindien (Westindische Inseln, Karibische Inseln), Inselbogen in der Karibik, erstreckt sich von Nordamerika (Halbinsel Florida) und Zentralamerika (Halbinsel Yucatán) bis vor die Küste Südamerikas (von Trinidad bis zum Golf von Venezuela); umfasst die Großen und Kleinen →Antillen, die Bahamainseln, Turks- und Caicosinseln sowie Trinidad und Tobago. – *Geschichte:* 1492 gelangte Kolumbus auf seiner vermeintl. Indienfahrt zu den Antillen, die daher den Namen W. erhielten. Die Inseln wurden im 16./17. Jh. von den Spaniern, danach von Niederländern, Franzosen und Engländern erobert und waren im 18. Jh. für die Kolonialmächte v.a. durch den Zuckerrohranbau von Bedeutung (→Haiti, Geschichte; →Kuba, Geschichte). KARTE S. 217

Westinghouse ['westɪŋhaʊs], George, amerikan. Ingenieur und Industrieller, *Central Bridge (N.Y.) 6. 10. 1846, †New York 12. 3. 1914; erfand u.a. 1867 die Eisenbahnluftdruckbremse, die er zur selbsttätigen Druckbremse (1872) verbesserte, konstruierte mit Druckluft angetriebene und elektrisch gesteuerte Stellwerke; trat für Normung ein; gründete die W. Electric Corporation.

Westinghouse Electric Corp. ['westɪŋhaʊs ɪ'lektrɪk kɔ:pə'reɪʃn], amerikan. Unternehmen der elektrotechn. Industrie, gegr. 1886, Sitz: Pittsburgh (Pa.). W. E. C. erwarb 1995 die CBS (Fernsehsender, Radio- und Kabelfernsehstationen) und trennte sich von seinem Kraftwerkbau; mit der Konzentration auf das Mediengeschäft zum 1. 12. 1997 Umbenennung in **CBS Corp.**

Westirian, →Irian Jaya.

Westjordanland (Cisjordanien, engl. West Bank), westlich des unteren Jordan und nördlich des Toten Meeres gelegenes Gebiet in Vorderasien; etwa 5650 km² mit 1,65 Mio. Ew. (palästinens. Zählung; dazu kommen noch die jüd. Siedler); im UN-Teilungsplan 1947 den Palästinensern zugesprochen (Ost-Palästina: Judäa und Samaria; →Palästina, Geschichte), 1950 Jordanien angegliedert (West-Jordanien), ab 1967 von Israel besetzt (bis 1992 und 1996–99 israel. Besiedlung); 1974 Verzicht Jordaniens zugunsten der Palästinenser, 1988 fakt. Übergabe an die PLO; Aug./Sept. 1993 israelisch-palästinens. »Gaza-Jericho-Abkommen« zum Übergang zur palästinens. Selbstverw. bis 1999. Konkretisiert durch den »Interimsvertrag«

vom 28. 9. 1995 und das Wye-Abkommen, unterzeichnet am 23. 10. 1998 in Washington (D.C.), begann die Abkopplung des W.s von Israel. Trotz Teilrückzugs der israel. Truppen (in mehreren Phasen, ab 1995) erfolgten bis zum vereinbarten Zeitpunkt (4. 5. 1999) keine Endstatusverhandlungen (eine der Kernfragen bei der Lösung des Nahostkonflikts.

Wẹst-Kap, Provinz im SW der Rep. Südafrika, 129 370 km², (1996) 4,12 Mio. Ew.; Hptst. ist Kapstadt; 1994 aus den südwestl. Teilen der früheren Kapprovinz gebildet.

Westler (russ. Sapadniki), um 1840 entstandene liberale Strömung der russ. Intelligenz, deren Vertreter (W. G. Belinski, A. I. Herzen, P. I. Tschaadajew u. a.) für die Abschaffung der Leibeigenschaft und (im Ggs. zu den →Slawophilen) für einen engen politischen und kulturellen Anschluss Russlands an Westeuropa eintraten.

Wẹstliche Dwinạ, Fluss in Osteuropa, →Düna.

West Lothian ['west 'ləʊðjən], Verw.gebiet (Local Authority) in Mittelschottland, 425 km², (1993) 146 700 Ew.; Verw.sitz ist Livingston.

Westmächte, zusammenfassende Bez. für Großbritannien und Frankreich, oft gebraucht seit der Begründung der Entente cordiale (1904) zw. diesen Staaten (→Entente), in die später v. a. die USA einbezogen wurde. – Vor dem Hintergrund des Ost-West-Konfliktes nach 1945 wurden die USA und die sie unterstützenden Staaten in Europa und Nordamerika als W. bezeichnet. Nach dem Ende des Ost-West-Konfliktes verlor diese Bez. an Konturen.

Wẹstmakedoni|en, Region in Griechenland, 9 451 km², (1991) 292 700 Ew.; Hptst. ist Kosani.

Wẹstmänner|inseln (isländ. Vestmannaeyjar), 15 kleine felsige Inseln vulkan. Ursprungs vor der S-Küste Islands, einschließlich der 1963–67 entstandenen Insel →Surtsey 16 km², 4 900 Ew. (bewohnt ist nur →Heimaey); bed. Fischfang und Fischverarbeitung.

Westmeath [west'mi:ð] (irisch An Iarmhí), County in Mittelirland, 1 763 km², (1991) 61 900 Ew.; Verw.sitz ist Mullingar.

West Midlands [west 'mɪdləndz], Metropolitan County im westl. Mittelengland, 899 km², (1995) 2,637 Mio. Ew.; Verw.sitz ist Birmingham.

Westminster, City of ['sɪtɪ əv 'westmɪnstə], Stadtbezirk (London Borough) im Zentrum Londons; kath. Erzbistum seit 1850. Der Erzbischof von Westminster ist Vors. der Bischofskonferenz von England und Wales.

Westminster Abbey ['westmɪnstə 'æbɪ] (Westminsterabtei), die Krönungs- und Grabeskirche der engl. Könige in London (UNESCO-Weltkulturerbe). Die Kirche des im 7. Jh. gegründeten Klosters wurde nach Zerstörung durch die Dänen im 10./11. Jh. wieder aufgebaut und ab 1245 durch einen got. Neubau ersetzt: eine kreuzförmige Basilika mit Chorumgang und Kapellenkranz; Chor und Querhaus waren 1258 vollendet; der Bau des Langhauses zog sich bis Anfang des 16. Jh. hin.

Westminster Abbey

Noch heute ist er ein Stein des Anstoßes, der so genannte »Stone of Scone«. Auf diesem Stein wurden jahrhundertelang die schottischen Könige gekrönt. 1297 entwendete ihn der englische König Edward I. aus der Abtei von Scone in der Nähe von Perth.
Der Legende nach hat schon der biblische Jakob den Stein geschleppt, und die ägyptische Pharaonentochter Scota soll ihn auf die Insel gebracht haben.

Die Engländer bauten ihn, kaum hatten sie ihn erbeutet, in ihren damals gerade neu geschreinerten Krönungsstuhl ein. Dort liegt er noch heute unter dem Sitz. Der einzige Trost für die immer noch (zu Recht) beleidigten Schotten ist, dass es wegen der Schwere des wuchtigen »Stone of Scone« äußerst mühsam ist, das Krönungsmöbel zum Zwecke seiner Bestimmung in die Mitte der Kathedrale zu transportieren.

1503–19 wurde östlich des Chors die Kapelle Heinrichs VII. in den überreichen Formen des Tudorstils erbaut; 1725–45 kam die gotisierende Doppelturmfassade hinzu; im Inneren Prunkgrabmäler des 13.–15. Jahrhunderts. BILD London

Westminster Hall ['westmɪnstə 'hɔ:l], die alte Königshalle in London, mit prächtigem offenem Dachstuhl (Ende des 14. Jh.), der Rest des seit dem 11. Jh. erbauten, 1834 abgebrannten **Palace of Westminster.** An die östliche Langseite wurde 1840–52 das neugot. Parlamentsgebäude **(New Palace of Westminster)** angebaut. W. H. wurde zum UNESCO-Weltkulturerbe erklärt.

Weston ['westən], Edward, amerikan. Fotograf, *Highland Park (Ill.) 24. 3. 1886, †Carmel (Calif.) 1. 1. 1958. Seine Fotografien wurden durch die strenge Form des Bildaufbaus und die präzise Wiedergabe wegweisend.

Weston-Element ['westən-; nach dem amerikan. Elektroingenieur britischer Herkunft Edward Weston, *1850, †1936], ein →galvanisches Element.

Weston-super-Mare ['westən 'sju:pə 'meə], Stadt in der Cty. Avon, S-England, am Bristolkanal, 58 000 Ew.; seit dem 19. Jh. beliebtes Seebad.

Wẹst-Pakistan, →Pakistan (Geschichte).

Wẹstphal, Gert, Schauspieler und Regisseur, *Dresden 5. 10. 1920; 1952–59 Chefregisseur und Hauptabteilungsleiter des Südwestfunks Baden-Baden, 1959–1980 u. a. am Schauspielhaus Zürich; auch bed. Rezitator.

Gert Westphal

West Point ['west 'pɔɪnt], amerikan. Kadettenanstalt und Militärakademie im Staat New York, am Hudson River, gegr. 1802.

Wẹstpreußen, ehem. preuß. Provinz beiderseits der unteren Weichsel, Hptst.: Danzig. – 1466

musste der Dt. Orden das 1230 erworbene Culmer Land und Pomerellen (1309 erobert) mit den Städten Danzig, Thorn, Elbing, Marienburg sowie das Bistum Ermland an Polen abtreten, mit dem diese Gebiete bis 1569 (Lubliner Union) nur in Personalunion (selbstständiger Ständestaat) verbunden waren. Nach ihrer Annexion durch das Königreich Preußen in der 1. und 2. Poln. Teilung 1772/93 wurden sie W. genannt; 1815 wurde aus diesen Gebieten (außer dem Ostpreußen eingegliederten Ermland, aber einschl. der Kreise Marienwerder und Rosenberg) die **Provinz W.** (mit den RegBez. Danzig und Marienwerder) gebildet, die 1824/29 mit Ostpreußen zur Prov. Preußen verschmolz, 1878 jedoch wieder selbstständig wurde. Durch den Versailler Vertrag (1919) kam der größte Teil von W. – Pomerellen (ohne die Freie Stadt Danzig) und das Culmer Land – an Polen (Poln. Korridor). Die restl. Teile wurden nach der Abstimmung vom 11. 7. 1920 Ostpreußen (RegBez. W.), Pommern und der 1922 gebildeten Grenzmark Posen-W. angegliedert. 1939 wurde der **Reichsgau Danzig-W.** gebildet. 1945 kam ganz W. zu Polen (→deutsche Ostgebiete).

📖 NEUMEYER, H.: *W. Geschichte u. Schicksal. München 1993.* – HACKMANN, J.: *Ostpreußen u. W. in dt. u. poln. Sicht. Wiesbaden 1996.*

Westsamoa: Dorf an der Südküste der Insel Upolu

Westpunkt (Abendpunkt), der westl. Schnittpunkt zw. Himmelsäquator und Horizont. Gegenpunkt ist der →Ostpunkt.

Westrich *das,* zum Saar-Nahe-Bergland gehörende Muschelkalkhochfläche in Rheinl.-Pf. und im Saarland, 350–455 m ü. M.; mit Ausnahme der Sickinger Höhe weitgehend unbewaldet; wirtsch. Zentrum ist Zweibrücken.

Weströmisches Reich, der 395 n. Chr. bei der Teilung des Römischen Reiches (→römische Geschichte) geschaffene westl. Reichsteil.

Westsahara (bis 1976 Spanisch-Sahara), Gebiet an der NW-Küste Afrikas und in der westl. Sahara, grenzt im N an Marokko, im äußersten NO an Algerien, im O und S an Mauretanien; 252 120 km^2, (1995) 283 000 Ew.; Hauptort ist El-Aaiún. W. ist zurzeit von Marokko besetzt und wird von diesem als Teil Marokkos verwaltet. W. ist ein extrem trockenes Randgebiet der Sahara. Die Bewohner, die muslim. →Saharaoui, sprechen Hasanía, einen arab. Dialekt. Bis in jüngste Zeit lebten die meisten als Nomaden (Ziegen, Kamele, Schafe); durch den Bau des Verteidigungswalles, der das Land im N und O durchzieht, ist die Nomadenwirtschaft allerdings empfindlich eingeschränkt. Es gibt nur wenige Oasen (Datteln, Gerste, Weizen); zunehmende Bedeutung gewinnt die Fischerei. Wichtigster Wirtschaftsfaktor ist der Phosphatabbau (bei Bou Craa).

Geschichte: Das Gebiet gehörte im 11./12. Jh. zum Reich der Almoraviden. Im 17. Jh. gründeten Portugiesen und Spanier an den Küsten Handelsniederlassungen. Spanien proklamierte 1885 das Protektorat über Río de Oro. 1946 wurde das Gebiet mit Ifni zu **Spanisch-Westafrika** zusammengefasst, 1958 aus Río de Oro und Saguia el-Hamra die Überseeprovinz **Spanisch-Sahara** (seit 1969 ohne Ifni) geschaffen. Die Ansprüche Marokkos und Mauretaniens auf das Gebiet (bes. nach der Entdeckung bed. Phosphatlager) führten 1975 zu einem internat. Konflikt. Während die beiden Staaten im Vertrag von Madrid (1975) dieses Territorium nach dem Abzug der Spanier 1976 ohne die vorgesehene Volksabstimmung unter sich aufteilten und als W. gemeinsam verwalteten, rief die von Algerien unterstützte saharanische Befreiungsfront →POLISARIO die Demokrat. Arab. Republik Sahara aus (1982 Mitgl. der OAU) und verstärkte den Guerillakrieg. 1979 gliederte sich Marokko, nachdem Mauretanien der POLISARIO gegenüber auf seinen Teil der W. verzichtete, auch dieses Gebiet ein. Bewaffnete Auseinandersetzungen zw. marokkan. Truppen und POLISARIO wurden unter UN-Vermittlung in einem Waffenstillstand 1991 beendet. Ein Referendum unter UN-Aufsicht wurde auf marokkan. Druck mehrfach verschoben. Im Sept. 1997 einigten sich Marokko und die POLISARIO auf ein Referendum über die Unabhängigkeit. Der von den UN dafür bestimmte Termin (7. 12. 1998) wurde wegen umstrittener Wählerregistrierung verschoben.

Westsamoa (amtlich samoan. Malo Tuto'atasi o Samoa i Sisifo, engl. Independent State of Western Samoa), Staat im südwestl. Pazifik, nordöstlich von Neuseeland, umfasst den westl. Teil der Samoainseln mit den Inseln Savaii (1708 km^2) und Upolu (1118 km^2) sowie Manono, Apolima und fünf unbewohnten Eilanden.

Westsamoa

Fläche: 2 831 km²
Einwohner: (1995) 171 000
Hauptstadt: Apia
Amtssprachen: Samoanisch und Englisch
Nationalfeiertag: 1. 1.
Währung: 1 Tala (WS$) = 100 Sene (s)
Zeitzone: MEZ +12 Std.

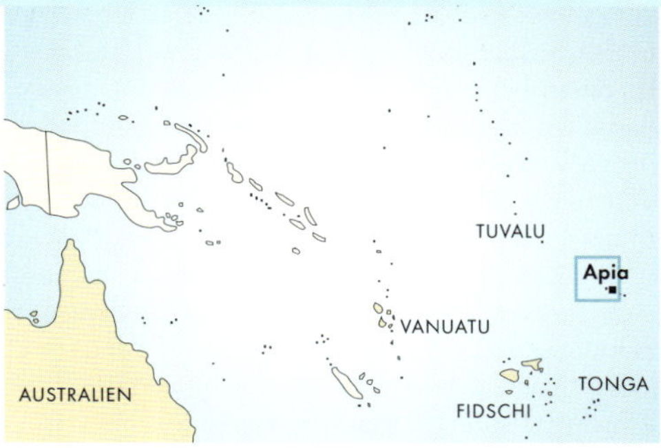

Staat und Recht: Nach der Verf. von 1962 ist W. eine parlamentar. Häuptlingsaristokratie. Das Staatsoberhaupt wird vom Parlament auf fünf Jahre gewählt (der derzeitige Inhaber des Amtes auf Lebenszeit). Die Legislative liegt bei der Gesetzgebenden Versammlung (47 Abg.), die Exekutive bei der Reg. unter Vorsitz des Premiermin. Einflussreichste Parteien sind die Partei zum Schutz der Menschenrechte (HRPP) und die Partei für die nat. Entwicklung Samoas (SNDP).

Landesnatur: Die z. T. von Korallenriffen umsäumten Hauptinseln sind vulkan. Ursprungs und erreichen Höhen bis 1844 m ü. M. (auf Savaii). W. hat warmfeuchtes Tropenklima. Wirbelstürme suchen die Inseln häufig heim. Das gebirgige Innere ist von dichtem Wald bewachsen (Myrtengewächse, Muskatnussbäume, Bambus und Farne, Banyanbäume); an den Küsten Kokospalmen.

Bevölkerung: Überwiegend Polynesier christl. Konfessionen. 72 % der Bev. leben auf Upolu. Es besteht allg. Schulpflicht. 1966 wurde eine Landwirtschaftsuniv., 1984 eine Univ. gegründet.

Wirtschaft, Verkehr: Haupterwerbszweige sind Landwirtschaft, Forstwirtschaft und Fischerei. Zur Eigenversorgung werden Mais, Hülsenfrüchte, Süßkartoffeln, Brotfrüchte und Taro angebaut; exportiert werden Bananen, Kakao und Kokoserzeugnisse (Öl und Kopra rd. 50 % Exportanteil); Haupthandelspartner sind Neuseeland, Australien, Japan und die USA. Eine wichtige Rolle spielt der Fremdenverkehr. – Die Hauptinseln sind durch Küstenstraßen erschlossen; Gesamtstraßennetz 2 085 km; zwischen den Inseln reger Schiffs- und Flugverkehr. Wichtigster Hafen und internat. Flughafen ist Apia auf Upolu.

Geschichte: → Samoainseln.

📖 HENNINGS, W.: *West-Samoa in der pazif. Inselwelt. Sozialräuml. Entwicklung zu einem ökonom., sozialen u. ökolog. Gleichgewicht? Gotha 1996.*

Westsiebenbürgisches Gebirge (rumän. Munții Apuseni), Gebirgskomplex in NW-Rumänien, das Zentrum bildet das → Bihorgebirge (1848 m ü. M.); südlich davon erstreckt sich nach W. das Zarander Gebirge (860 m ü. M.), nach O das → Siebenbürger Erzgebirge.

Westslawen, → Slawen.

West Sussex ['west 'sʌsɪks], County in S-England, 1989 km², (1995) 731 500 Ew.; Verw.sitz ist Chichester.

West Virginia ['west və'dʒɪnɪə], Abk. **W. Va.,** Staat im O der USA, 62 760 km², (1991) 1,8 Mio. Ew.; Hptst. ist Charleston. Das Areal des im W bis an den Ohio reichenden Staates gehört zum Gebirgssystem der Appalachen (Alleghenyplateau und -gebirge, Großes Appalachental, Blue Ridge); 76 % der Fläche sind bewaldet. Wirtschaftsgrundlage ist der Bergbau (v. a. Steinkohle, ferner Erdgas, Erdöl). – Das nach 1670 von Europäern erkundete und seit Mitte des 18. Jh. besiedelte westl. Virginia trennte sich im Sezessionskrieg 1861 von Virginia und wurde am 20. 6. 1863 als 35. Bundesstaat in die Union aufgenommen.

Westwall (Siegfriedlinie), 1938/39 erbautes Befestigungssystem (Bunkeranlagen, Panzersperren) an der Westgrenze des Dt. Reiches von Aachen bis Basel, etwa 630 km lang; 1942 zugunsten des Atlantikwalls desarmiert, 1945 geschleift. KARTE Maginotlinie; BILD Festung

Westwerk, *Baukunst:* bei frühmittelalterlichen Kirchen ein stattl. Westbau mit einem Altarraum, der über einer zur Kirche führenden Durchgangshalle liegt, von Emporen umgeben ist und sich auf das anschließende Mittelschiff öffnet. Über dem Hauptraum erhebt sich ein Turmaufbau, begleitet von zwei Treppentürmen. Das besterhaltene W. in Dtl. ist das der Klosterkirche in → Corvey (geweiht 885). BILD S. 222

West Yorkshire ['west 'jɔːkʃɪə], Metrop. County in N-England, 2 034 km², (1995) 2,106 Mio. Ew.; Verw.sitz ist Wakefield.

Westzonen, in Dtl. nach 1945 (im Unterschied zur SBZ) Bez. für die amerikan., brit. und frz. Besatzungszone. (→ Vereinigtes Wirtschaftsgebiet)

Wetar, Insel der Molukken, Indonesien, 3 888 km², bis 1 412 m ü. M., dicht bewaldet, mit rd. 6 000 Ew.; Hauptort ist Ilwaki.

Staatswappen

WS

Internationales Kfz-Kennzeichen

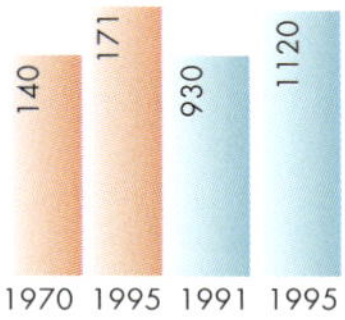

Bevölkerung (in Tausend)
Bruttosozialprodukt je Ew. (in US-$)

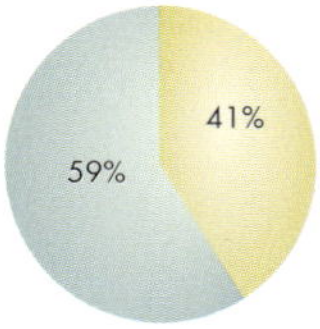

Bevölkerungsverteilung 1993

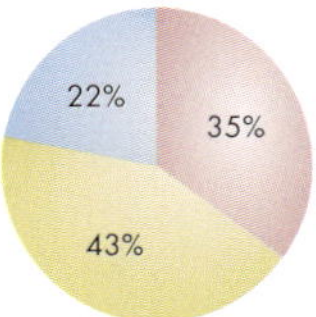

Bruttoinlandsprodukt 1993

Wettbewerb (Konkurrenz), *Wirtschaft:* Rivalität zw. Wirtschaftssubjekten auf dem jeweiligen Markt, insbesondere zw. Unternehmen auf dem Käufermarkt um Marktanteile. Freier W. ist wesentl. Voraussetzung und grundlegendes Steuerungsprinzip der Marktwirtschaft. Die W.-Intensität hängt von der Anzahl der Anbieter auf dem Markt und dem Heterogenitätsgrad der Güter ab. Die Grenzen zwischen erwünschtem W. und →unlauterem Wettbewerb, v.a. ruinösem Verdrängungs-W., sind in der Praxis fließend. W. kann durch Ausschalten von Konkurrenten zu Konzentration und Marktbeherrschung führen.

Westwerk: Querschnittzeichnung des Westwerks der Klosterkirche in Corvey

Wettbewerbsbeschränkungen, Maßnahmen zu Einschränkung oder Aufhebung der Konkurrenz: a) seitens des Staates, z.B. durch Außenhandelsbeschränkung; b) seitens der Konkurrenten durch abgestimmtes Verhalten oder Kartellbildung (→Kartell, →Kartellrecht), durch Boykott, Lieferverweigerung, Preisdiskriminierung sowie durch Unternehmenszusammenschlüsse.

Wettbewerbsrecht, Gesamtheit der Rechtsnormen, die den freien Wettbewerb regeln und schützen sollen. Das W. richtet sich insbesondere gegen alle den Wettbewerb einschränkenden Absprachen und Verträge zw. Unternehmen. Die Vorschriften des W. sind v.a. enthalten im Ges. gegen den unlauteren Wettbewerb, im Kartellrecht, im Warenzeichen-Ges., im HGB, BGB und in Vorschriften der EG.

Wettbewerbsverbot, im Arbeits- und Handelsrecht die Verpflichtung des Arbeitnehmers, dem Arbeitgeber keine Konkurrenz zu machen. Für die Dauer des Arbeitsverhältnisses ergibt sich das W. schon aus der →Treuepflicht; für kaufmänn. Angestellte ist es in §60 HGB ausdrücklich bestimmt (die Vorschrift ist nach der Rechtsprechung auf andere Arbeitnehmer entsprechend anzuwenden). Für die Zeit nach Beendigung des Arbeitsverhältnisses besteht ein W. nur aufgrund besonderer Vereinbarung **(Konkurrenzklausel)** und ist i.d.R. nur wirksam gegen angemessene Vergütung (**bezahlte Karenz,** §74 HGB). Das W. ist stets unwirksam, wenn es gegen die guten Sitten verstößt. – In *Österreich* und der *Schweiz* gelten ähnl. Bestimmungen.

Wette, Vertrag, bei dem eine oder (meist) beide Parteien sich zur Bekräftigung widersprechender Behauptungen verpflichten, dass der, dessen Behauptung sich als unrichtig erweist, eine bestimmte Leistung bewirken soll. Die W. ist rechtlich ebenso geregelt wie das →Spiel. **Renn-W.** bei Pferderennen dürfen nach dem Rennwett- und Lotteriegesetz vom 8. 4. 1922 nur an einem Totalisator oder bei einem Buchmacher gegen Wettschein abgeschlossen werden. – In *Österreich* und der *Schweiz* bestehen ähnl. Einrichtungen.

Wetter, 1) *Bergbau:* Bez. für die in der Grube vorhandenen Gasgemische. **Frische W.** haben etwa die Zusammensetzung der atmosphär. Luft. **Matte W.** sind mit Kohlendioxid, Stickstoff, Wasserstoff und Methan angereichert und erschweren die Atmung. **Giftige (böse W.)** enthalten Methan, Kohlenmonoxid, Schwefelwasserstoff und Stickoxide (→Schlagwetter).

2) *Meteorologie:* der physikal. Zustand der unteren Atmosphäre (Troposphäre) zu einem bestimmten Zeitpunkt an einem bestimmten Ort. Die räuml. Zusammenfassung des W. ergibt die **W.-Lage,** der W.-Ablauf mehrerer Tage die **Witterung;** der mittlere Ablauf des W. (im Zeitraum von Jahrzehnten) entspricht dem →Klima eines Ortes. Das W. wird gekennzeichnet durch die **W.-Elemente** Luftdruck, Wind, Temperatur, Luftfeuchtigkeit, Sicht, Bedeckung, Wolken, Niederschlag und weitere W.-Erscheinungen; diese werden in W.-Stationen zu international einheitl. Terminen beobachtet und als W.-Telegramm an die →Wetterdienste übermittelt, denen sie als Ausgangsmaterial für die →Wettervorhersage dienen. Zur schnelleren Übertragung werden die Meldungen durch Zahlen verschlüsselt. Diese werden entweder aus den Mess- und Schätzwerten errechnet oder, wie bei W.-Erscheinungen, einem Katalog entnommen, der für den W.-Verlauf der letzten drei oder sechs Stunden zehn Möglichkeiten vorsieht sowie 100 Möglichkeiten für das »gegenwärtige W.«, das über Wolkenentwicklung, sichtvermindernde W.-Erscheinungen, Art und Intensität von Niederschlägen bis hin zu komplexen Erscheinungen wie »starkes Gewitter mit Hagel oder Graupel« Auskunft gibt. Die **Großwetterlage** ist die Luftdruckverteilung über einem Großraum (z.B. Europa).

📖 Walker, A.: *Zeichen am Himmel. Wolkenbilder u. Wetterphänomene richtig verstehen. Basel u. a. 1997.*

Wetter, 1) *die,* rechter Nebenfluss der Nidda, Hessen, 66 km lang, entspringt auf dem Vogelsberg, durchfließt die →Wetterau.

2) Wetter (Hessen), Stadt im Landkreis Marburg-Biedenkopf, Hessen, im Tal der Wetschaft, 9500 Ew.; elektron. und Textilind.; Luftkurort. – Ehem. Stiftskirche (1250–80), Fachwerkhäuser (16.–18. Jh.), Reste der Stadtmauer.

3) Wetter (Ruhr), Industriestadt im Ennepe-Ruhr-Kr., NRW, am Fuß des Ardey, 29400 Ew.; Maschinenbau, Stahlwerke. Bei W. ist die Ruhr zum 5 km langen Harkortsee gestaut; Kraftwerk. – Burg der Grafen von der Mark, ab 1780 Sitz des Märk. Bergamts; Burgruine Vollmarstein (13.–15. Jh.) mit Bergfried und Resten des Palas.

Wetter, Friedrich, kath. Theologe, *Landau in der Pfalz 20. 2. 1928; 1968–82 Bischof von Speyer; seit 1982 Erzbischof von München und Freising; seit 1985 Kardinal.

Wetter|au, Landschaft zw. Vogelsberg und Taunus, vorwiegend von Tertiärsedimenten erfüllt und von Basalt überlagert; entwässert u.a. von Wetter, Nidda und Nidder; in tekton. Becken und Senken lagert Braunkohle; traditionsreiche Ackerbaulandschaft (Lössböden, mildes Klima) mit Anbau von Weizen und Zuckerrüben, im S auch Feldgemüse, am Taunusrand Obstbau; zentrale Orte: Friedberg (Hessen), Butzbach und Bad Nauheim.

Wetter|aukreis, Landkreis im RegBez. Darmstadt, Hessen, 1101 km², (1996) 286200 Ew.; Krst. ist Friedberg (Hessen).

Wetterdienst, meist staatl. Einrichtung, deren Wetterstationen nach den Richtlinien der World Meteorological Organization das Wetter beobachten und deren aerolog. Stationen den Zustand der Atmospähre bis in Höhen um 30 km um 00:00 Uhr und 12:00 Uhr Weltzeit durch Radiosonden, um 06:00 Uhr und 18:00 Uhr Weltzeit durch Höhenwindmessungen ermitteln. Die gewonnenen Ergebnisse werden den übrigen W. der Erde nach einem festen Sendeplan über Funk und Fernschreiber übermittelt und im eigenen W. mit den empfangenen Wetterinformationen zur Anfertigung einer Wettervorhersage benutzt, die Luft- und Schifffahrt, aber auch die Öffentlichkeit über kommendes Wetter unterrichtet oder vor atmosphär. Gefahren warnt. Weltweit betreiben die W. dafür über 8000 Wetterstationen und 500 aerolog. Stationen. Daneben stellen sie teils in Zusammenarbeit mit anderen Dienststellen meteorolog., klimatolog. und hydrolog. Informationen für Planung und Gutachten (Klimatologie), Landwirtschaft (Agrarmeteorologie) u.a. bereit.

Wetterfühligkeit (Meteorotropismus), Beeinträchtigung des Wohlbefindens und des Gesundheitszustandes des Menschen durch die Veränderung atmosphär. Einflüsse wie Luftdruck, Temperatur oder Feuchtigkeit. W. tritt bei etwa 30% der mitteleurop. Bev. auf. Kennzeichen sind Stimmungslabilität, Unwohlsein, Konzentrationsstörungen, Kopfschmerzen, Müdigkeit, Schlafstörungen. Bes. betroffen sind Menschen mit Kreislaufstörungen. Von der W. zu unterscheiden ist die **Wetterempfindlichkeit,** die sich durch Verschlimmerung bestehender Krankheiten, örtl. Beschwerden und Schmerzen äußert.

Wetterführung, die Frischluftversorgung im →Bergbau.

Wetterhorn, mehrgipfliger Gebirgsstock in den Berner Alpen, Schweiz, östlich von Grindelwald, im Mittelhorn 3692 m ü.M. (Neuvermessung 1996); stark vergletschert.

Wetterkarte, Landkartenvordruck, in den Wetterbeobachtungen aus einem größeren Gebiet zu einem bestimmten Termin eingetragen sind. Eingezeichnet werden dabei auf der **Boden-W.** die Gebiete mit Niederschlag und Nebel, ferner in gemäßigten und polaren Breiten die Linien gleichen Luftdrucks (Isobaren) und die Fronten, in den Tropen die Stromlinien des Windfeldes; auf der **Höhen-W.** die Isohypsen (Verbindungslinien von Punkten nominell gleicher absoluter Höhe über einer Bezugsfläche) der jeweiligen Druckfläche (absolute Topographie) oder die Linien gleicher Schichtdicke zw. zwei Druckflächen, die den

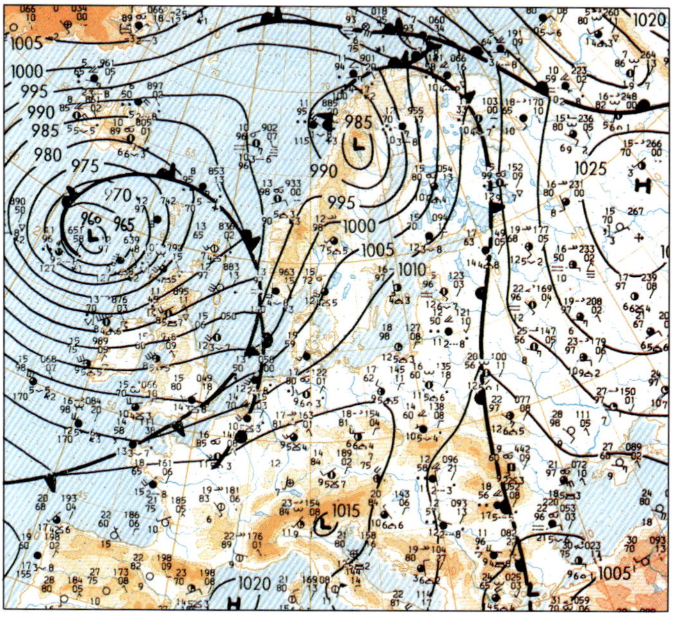

Wetterkarte: Bodenwetterkarte vom 18. September 1983, 12 Uhr Weltzeit

Isothermen der Schicht entsprechen (relative Topographie).

Wetterkunde, → Meteorologie.

Wetterlampe

Wetterlampe (Sicherheitslampe), um 1815 von Humphry Davy erfundene, früher im Bergbau als Schlagwetteranzeiger benutzte explosionsgeschützte Benzindampflampe. Aus Größe, Form und Farbe der Aureole der Flamme konnte man auf den Methangehalt der Grubenwetter schließen. Bei unzureichender Sauerstoffversorgung erlosch die Wetterlampe.

Wetterleuchten, nachts sichtbare Entladungen entfernter Gewitterblitze.

Wetterminima, bei Flugzeugen für Start und Landungen nach Instrumentenflugregeln international festgelegte Wettermindestbedingungen hinsichtlich Start- und Landebahnsicht und Wolkenuntergrenze, je nach techn. Ausrüstung des Flughafens und des Flugzeugs in versch. Kategorien eingeteilt. – Die **Allwetterlandung** wird mit → Landeführungssystemen auch bei fehlender Sicht ermöglicht.

Wetterregeln, die → Bauernregeln.

Wettersatelliten (meteorologische Satelliten), für meteorolog. Beobachtungen und Datenerfassung mit Fernsehkameras und Strahlungsmessgeräten instrumentierte Satelliten, die entweder die Erde in polarer Umlaufbahn umkreisen, d. h. jeden Ort täglich zur gleichen Ortszeit passieren (sonnensynchrone W.), oder in rd. 36 000 km Höhe senkrecht über dem Äquator stehen, also synchron mit der Erde rotieren (geostationäre W.). Der erste W. war 1960 der amerikan. W. Tiros 1 (insgesamt 10 W. dieses Typs). Erster europ. W. war 1977 Meteosat 1.

📖 Burroughs, W. J.: *Die Weltwettermaschine. A. d. Engl. Basel u. a. 1993.*

Wetterscheide, Landschaftsteil, der als Grenze für unterschiedl. Witterungsabläufe wirkt, z. B. ein Hochgebirge, das Wolkenstau an seiner Luvseite verursacht.

Wettersprengstoffe, Sicherheitssprengstoffe für den Untertageeinsatz im Kohlenbergbau. W. garantieren z. B. durch Entwicklung von Natriumchlorid-Salznebeln einen schnellen Flammenabbruch, sodass sich Schlagwetter (Methan- oder Kohlenstaub-Luft-Gemische) nicht entzünden können.

Wetterstation, → Wetterdienst.

Wettersteingebirge, Teil der Tirolisch-Bayerischen Kalkalpen zw. den Oberläufen von Loisach (im W) und Isar (im O), in Bayern und Tirol; in der touristisch gut erschlossenen Zugspitze 2962 m ü. M.

Wettervorhersage, Aussage über das zukünftige Wetter. Sie wird ermöglicht durch Auswertung von grafisch oder numerisch gewonnenen Vorhersagewetterkarten. Zu ihrer Ermittlung trägt man beim graf. Verfahren die meteorolog. Beobachtungen in Wetterkarten ein. Die bei ihrer Analyse gefundenen Hoch- und Tiefdruckgebiete mit ihren Fronten werden zum Entwurf der Vorhersagekarten nach empir. Regeln in Richtung der Höhenströmung unter Berücksichtigung der Intensitätsänderung der Druckgebilde verlagert. Für das numer. Verfahren wird eine Großrechenanlage benötigt, in der ein meteorolog. Modell gespeichert ist. Nach Eingabe der Anfangsdaten werden dann die Vorhersagekarten ausgegeben, deren Interpretation die Aussage über das künftige Wetter (bis zu 48 Stunden, Kurzfristprognose) liefert. Nach gleichem Prinzip, allerdings unter Berücksichtigung zusätzl. meteorolog. Elemente, werden Mittelfristprognosen bis zu sieben Tagen aufgestellt. Die bis zu drei Monaten reichende Langfristprognose wird dagegen auf statist. Basis gewonnen.

📖 Balzer, K.: *Wetterfrösche u. Computer. Möglichkeiten u. Grenzen der W. Neuausg. Frankfurt am Main 1989. – Wolkenbilder – W., bearb. v.* W. Sönning *u.* C. G. Keidel. *München u. a.* ^{2}*1993.*

Wettin, Stadt im Saalkreis, Sa.-Anh., an einem alten Saaleübergang, 2 200 Ew. – Spätgot. Kirche St. Nikolaus, Rathaus (1660/62); im Ortsteil Mücheln Templerkapelle (um 1280, umgebaut 1566). – W. entstand bei der 961 erstmals bezeugten Stammburg der Wettiner (im 19. Jh. völlig umgebaut) und erhielt vor 1288 Stadtrecht.

Wettiner, altes dt. Herrschergeschlecht, das sich seit Beginn des 12. Jh. nach der Burg Wettin benannte; erhielt 1089 bzw. 1123/25 die Mark Meißen, gewann auch die Markgrafschaft Niederlausitz, die Grafschaft Groitzsch (1135) und das Land um Bautzen und Dresden sowie, im thüringisch-hess. Erbfolgekrieg (1247–64), Thüringen und erhielt 1423 nach dem Aussterben der Askanier das Herzogtum Sachsen-Wittenberg mit der Kurwürde. In der sog. Leipziger Teilung (1485) erhielt zunächst die **ernestin. Linie** die Kurwürde; sie förderte die Reformation, verlor die Kurwürde und wichtige Territorien im Schmalkald. Krieg und spaltete sich in der Folgezeit in elf Linien, von denen sieben bis 1824 ausstarben (→ Sächsische Herzogtümer). Die **albertin. Linie,** die in der Wittenberger Kapitulation (19. 5. 1547) die Kurwürde erhielt, stellte nach Übertritt zum Katholizismus 1697–1706 sowie 1709–63 die Könige von Polen und kam 1806 durch Napoleon I. zur sächs. Königswürde. Im Nov. 1918 verzichteten die W. in allen dt. wettin. Staaten auf den Thron. – Über Sachsen-Coburg kamen im 19. Jh. die ernestin. W. auf die Throne von Großbritannien, Belgien, Portugal und Bulgarien.

📖 Sachsen, A. Herzog zu: *Die Albertinischen W. Geschichte des sächs. Königshauses, 1763–1932.*

Gräfelfing ²*1991.* – SACHSEN, A. HERZOG ZU: *Die W. in Lebensbildern. Graz u. a. 1995.*

Wettingen, Gemeinde im Kt. Aargau, Schweiz, 17700 Ew.; Textil-, Elektro-, Holzindustrie, Metallverarbeitung. – Ehem. Zisterzienserabtei (1227 gegründet).

Wettkampfgymnastik, →rhythmische Sportgymnastik.

Wettstein, Johann Rudolf, Bürgermeister von Basel, *Basel 27. 10. 1594, †ebd. 12. 8. 1666; erreichte im Westfäl. Frieden 1648 die völkerrechtl. (de jure) Anerkennung der Unabhängigkeit der Eidgenossenschaft vom Reich.

Wetzel, Friedrich Gottlob, Schriftsteller, *Bautzen 14. 9. 1779, †Bamberg 29. 7. 1819; Verfasser von Dramen, Lyrik, Prosa; die Autorschaft der »Nachtwachen. Von Bonaventura« (1804) wurde lange Zeit ihm zugeschrieben (→Bonaventura).

Wetzikon (ZH), Gemeinde im Kt. Zürich, Schweiz, südlich des Pfäffiker Sees, 16000 Ew.; Textilindustrie, Maschinen- und Apparatebau.

Wetzlar, Krst. des Lahn-Dill-Kreises, Hessen, an der Mündung der Dill in die Lahn, zw. Taunus und Westerwald, 53700 Ew.; Hessenkolleg, Städt. Museum mit Lottehaus (Geburtshaus der Charlotte →Buff; Goethe-Gedenkstätte), Palais Papius (Sammlung europ. Wohnkultur), Wetzlarer Festspiele; optisch-feinmechan., elektrotechn. Ind., Eisen- und Stahlverarbeitung. – Gut erhaltenes Altstadtbild, der sog. Dom St. Maria ist das Ergebnis einer langen Bautätigkeit (älteste Anlage wohl spätkarolingisch, Um- und Neubau im 11. und 12. Jh. sowie seit 1235/40); frühgot. Michaelskapelle (im 19. Jh. stark restauriert); ehem. Franziskanerklosterkirche (13. Jh., im 19. Jh. stark verändert); Hospitalkirche (1755 begonnen, 1762–64 ausgeführt); Altes Rathaus (1790); ehem. Deutschordenshof (13.–18. Jh.); Wohnbauten bes. des 18. Jh. – Der 1141/42 erstmals erwähnte Ort entstand bei einer 897 geweihten Kirche (an der Stelle des späteren Doms); er fiel Mitte des 10. Jh. an das (Hl. Röm.) Reich (später Stützpunkt stauf. Machtpolitik). W. war zw. 1165 und 1180 Stadt mit Frankfurter Recht, 1180–1802 Reichsstadt, 1693–1806 Sitz des Reichskammergerichts, an dem Goethe 1772 wirkte, und kam 1815 an Preußen (Rheinprovinz, ab 1932 Provinz Hessen-Nassau). W. war von Jan. 1977 bis 1. 8. 1979 mit Gießen und 14 Gem. zur Stadt **Lahn** zusammengeschlossen.

Wetzlar Stadtwappen

Rogier van der Weyden: »Anbetung des Kindes«, Mittelteil des Bladelin-Altars (zw. 1452 und 1460; Berlin, Gemäldegalerie)

WEU, Abk. für →**W**est**e**uropäische **U**nion.

Stefan Wewerka: Prospekt für einen Telefonzellen-Turm, kolorierte Federzeichnung über Bleistiftzeichnung (1971)

Wewerka, Stefan, Architekt und Objektkünstler, *Magdeburg 27. 10. 1928; studierte bei B. Taut; schuf seit 1961 vorrangig neodadaist. Objektkunst und iron. Deformationen von Möbelstücken.

Wexford ['weksfəd] (irisch Loch Garman), Cty. an der SO-Küste der Rep. Irland, 2351 km², (1991) 102000 Ew.; Hptst. ist Wexford (10300 Einwohner).

Weyden ['vɛjdə], Rogier van der, niederländ. Maler, *Tournai 1399 oder 1400, †Brüssel 16. oder 18. 6. 1464; trat 1427 bei R. Campin in die Lehre, wurde 1432 Meister, dann Stadtmaler in Brüssel; 1450 in Italien. Das Frühwerk zeigt deutl. Einflüsse Campins und J. van Eycks. Die eleganten, plastisch erfassten Figuren seiner Bilder sind aufeinander bezogen in Ausdruck, Bewegung und Farbe. Zu den Hauptwerken gehören die »Kreuzabnahme« (Madrid, Prado), der Marienaltar (Granada, Capilla Real und New York, Metropolitan Museum), der Johannes-Altar (Berlin, Gemäldegalerie), das »Jüngste Gericht« (Beaune, Hôtel-Dieu), der Bladelin-Altar (Berlin, Gemäldegalerie) und der Columba-Altar (München, Alte Pinakothek) sowie hervorragende Porträts. Seine Kunst wirkte in hohem Maße stilbildend und wurde Vorbild bes. für die oberdt. und nordfrz. Malerei. Weiteres BILD niederländische Kunst

📖 DELENDA, O.: *R. van der W. Das Gesamtwerk. A. d. Frz. Neuausg. Darmstadt 1997.*

Charles Wheatstone

Weygand [vɛ'gã], Maxime, frz. General, *Brüssel 21. 1. 1867, †Paris 28. 1. 1965; im 1. Weltkrieg Generalstabschef von General Foch, im sowjetisch-poln. Krieg (1920/21) Berater J. Piłsudskis, 1931–35 Generalinspekteur des frz. Heeres, im Mai 1940 Oberbefehlshaber der frz. Armee, Juni bis Sept. 1940 Verteidigungsmin. der Vichy-Regierung; 1942–45 in Dtl. interniert, 1948 vom Vorwurf der Kollaboration freigesprochen.

Weyl, Claus Hugo Hermann, Mathematiker, *Elmshorn 9. 11. 1885, †Zürich 8. 12. 1955; Prof. in Zürich, Göttingen und nach seiner Emigration aus Dtl. in Princeton (N. J.); arbeitete u. a. über die Theorie der Differenzial- und Integralgleichungen, Relativitätstheorie und die Anwendung der Gruppentheorie in der Quantenmechanik. W. schrieb u. a. »Raum, Zeit, Materie« (1918), »Philosophie der Mathematik und Naturwissenschaft« (1927), »Die Stufen des Unendlichen« (1931).

Wolfgang Weyrauch

Weymouth and Melcombe Regis ['weɪməθ ənd 'melkəm 'ri:dʒɪs], Stadt in der Cty. Dorset, an der S-Küste Englands, 46 300 Ew.; Seebad; Hafen; Fährverkehr zu den Kanalinseln.

Weyrauch, Wolfgang, Schriftsteller, *Königsberg (Pr) 15. 10. 1904, †Darmstadt 7. 11. 1980; schrieb avantgardist. Prosa mit moralisch-polit. Engagement (u. a. »Mein Schiff, das heißt Taifun«, 1959; »Etwas geschieht«, 1966), Lyrik (»Gesang, um nicht zu sterben«, 1956) und zahlr. Hörspiele.

WEZ, Abk. für → **W**est**e**uropäische **Z**eit.

WFC, Abk. für engl. **W**orld **F**ood **C**ouncil, → Welternährungsrat.

WFP, Abk. für engl. **W**orld **F**ood **P**rogramme, → Welternährungsprogramm.

Edith Wharton

Whangarei [fæŋgə'reɪ], Hafenstadt auf der Nordinsel Neuseelands, 44 200 Ew.; Landwirtschaftszentrum; Werften, Erdölraffinerie; Seehafen, Flugplatz.

Wharton ['wɔ:tn], Edith, geb. Jones, amerikan. Schriftstellerin, *New York 24. 1. 1862, †Saint-Brice-sous-Forêt (bei Paris) 11. 8. 1937; Erziehung in Europa, lebte ab 1907 v. a. in Frankreich; schrieb in pointierter Sprache realistisch-iron. Gesellschaftsromane: »Das Haus der Freude« (1905), »Zeit der Unschuld« (1920; verfilmt 1993), »Die oberen Zehntausend« (1927); auch Kurzgeschichten.

Edith Wharton

Woher stammt der Ausdruck »die oberen zehntausend«?

Aus einem Leitartikel der New Yorker Zeitung »Evening Mirror« vom 11. November 1844.

Zu jener Zeit galten 10 000 New Yorker als gesellschaftsfähig. In die Literatur eingegangen sind diese Kreise der alten New Yorker Familien besonders durch die Romane von Edith Wharton, so z. B. »Zeit der Unschuld« (1920).

Wheatstone ['wi:tstən], Sir (seit 1868), Charles, brit. Physiker und Erfinder, *Gloucester 6. 2. 1802, †Paris 19. 10. 1875; erfand 1837 (zus. mit F. Cooke) einen Nadeltelegrafen, 1838 das Stereoskop, gab 1843 die nach ihm benannte Brückenschaltung an und fand 1867 unabhängig von W. von Siemens das dynamoelektr. Prinzip.

wheatstonesche Brücke ['wi:tstən-; nach C. Wheatstone], eine Brückenschaltung zur Präzisionsmessung elektr. Widerstände, bestehend aus den bekannten Widerständen R_1 und R_2, dem Vergleichswiderstand R_v, dem zu bestimmenden Widerstand R_x und dem im Diagonalzweig (der Brücke) liegenden, als Nullinstrument verwendeten Galvanometer G; bei Stromlosigkeit des Diagonalzweiges gilt $R_x = (R_2/R_1)\ R_v$.

John A. Wheeler

Wheeler ['wi:lə], John Archibald, amerikan. Physiker, *Jacksonville (Fla.) 9. 7. 1911; Prof. in Princeton (N. J.) und Austin (Tex.); arbeitete über Kernphysik und Kosmologie; war ab 1949 an der Entwicklung der Wasserstoffbombe und an Experimenten zur Kernfusion beteiligt.

Whigs [wɪgz], **1)** in England bzw. Großbritannien die seit Ende des 17. Jh. den → Tories gegenüberstehende Parlamentsfraktion. Die W. vertraten die Interessen der aristokrat. Grundbesitzer und des Großbürgertums und stellten nach der von ihnen unterstützten Thronbesteigung des Hauses Hannover (1714) fast fünf Jahrzehnte den Premierminister. Seit 1794 wegen ihrer Haltung zur Frz. Revolution (E. → Burke) gespalten und in die Opposition gedrängt, wurden sie erst 1830 wieder Regierungspartei. Aus den W. entwickelte sich die → Liberal Party.

2) 1834–56 polit. Partei in den USA, als Bewegung (Koalition versch. Gruppierungen) gegen die Politik des Demokraten A. Jackson entstanden; ging nach Erfolgen bei den Präsidentschaftswahlen (W. H. Harrison, J. Tyler, Z. Taylor und M. Fillmore) im Zusammenhang mit dem Sezessionskrieg in der Republikan. Partei auf.

Whipple [wɪpl], George Hoyt, amerikan. Pathologe, *Ashland (N. H.) 28. 8. 1878, †Rochester (N. Y.) 1. 2. 1976; arbeitete u. a. an der Leberbehandlung bei perniziöser Anämie; 1934 erhielt er mit G. R. Minot und W. P. Murphy den Nobelpreis für Physiologie oder Medizin.

Whirlpool ['wə:lpu:l, engl.] *der,* für etwa 4–6 Personen bestimmtes Badebecken, in dem Wasser bodennah abgesaugt, dann auf 40 °C erwärmt und unter hohem Druck mit Luftzusatz als Sprudelwasser etwa 30 cm unterhalb der Wasseroberfläche mit Massageeffekt zurückgepumpt wird.

Whisker ['wɪskə, engl.] *der* (Haarkristall), haar-, faser- oder nadelförmiger Einkristall (Länge bis zu einigen cm, Dicke einige µm), der v. a. durch Abscheidung aus der Gasphase oder aus einem sog. Dreiphasensystem gezüchtet wird. Aufgrund ihrer ungestörten Kristallstruktur haben W. u. a. eine hohe Zugfestigkeit; sie werden als Verstärkung in Verbundwerkstoffen eingesetzt.

Whisky ['wɪskɪ; engl. aus gälisch »Lebenswasser«, in Schottland und Kanada übl. Schreibung] *der* (in Irland und den USA Whiskey), Spirituose, die aus Getreidemaische (Malz) nach speziellen Verfahren hergestellt wird (Alkoholgehalt mindestens 40 Vol.-%). **Malt-W.** wird aus über Torffeuer gedarrtem Gerstenmalz hergestellt. Für **Grain-W.** wird Mais oder Roggen verwendet. **Scotch W.** ist ein Verschnitt von Malt und Grain W. **Irish Whiskey** wird ausschließlich aus gemalzter und ungemalzter irischer Gerste, **amerikan. Whiskey** aus überwiegend Mais und Roggen **(Bourbon),** überwiegend Roggen (Rye) oder nur Mais (Corn) gebrannt, **kanad. W.** aus Weizen.

Whist [wɪst, engl.] *das,* Kartenspiel für vier Personen, wobei die jeweils Gegenübersitzenden Partner sind; gespielt wird mit der W.-Karte zu 52 Blatt. Das Spiel ist auch zw. drei Teilnehmern und einem Strohmann möglich.

Whistler ['wɪslə], James Abbott McNeill, amerikan. Maler und Grafiker schott. Herkunft, *Lowell (Mass.) 10. 7. 1834, †London 17. 7. 1903; lebte ab 1855 in Paris, ab 1859 auch in London. In seinen Gemälden verbinden sich impressionist. Auflösung der Form mit dekorativen, von japan. Holzschnitten angeregten Kompositionswirkungen. Seine impressionist. Radierungen und Lithographien zeigen meist Motive aus London und Venedig, wo er sich 1878/79 aufhielt. Mit der Dekoration des »Peacock Room« in einem Londoner Haus (1876–77; heute Washington, D. C., Freer Gallery of Art) wirkte W. als Wegbereiter des dekorativen Jugendstils.

White [waɪt], Patrick, austral. Schriftsteller, *London 28. 5. 1912, †Sydney 30. 9. 1990; entwickelte in seiner bildreichen psycholog. Prosa ein krit. Bild der Gesellschaft (»Zur Ruhe kam der Baum des Menschen nie«, R., 1955; »Voss«, R., 1957; »Nacht auf dem kahlen Berg«, Dr., 1962; »Im Auge des Sturms«, R., 1973; »Der Lendenschurz«, R., 1976; »Die Verbrannten«, Erz., dt. Auswahl, 1992); erhielt 1973 den Nobelpreis für Literatur.

Whitehaven ['waɪtheɪvn], Hafenstadt in der Cty. Cumbria, NW-England, 27 000 Ew.; am Eingang zum Solway Firth; chem. und Leichtindustrie; in der Nähe das Kernkraftwerk Calder Hall.

Whitehead ['waɪthed], Alfred North, brit. Philosoph und Mathematiker, *Ramsgate (Cty. Kent) 15. 2. 1861, †Cambridge (Mass.) 30. 12. 1947; seit 1914 Prof. in London, seit 1924 an der Harvard University; verfasste, zusammen mit B. Russell, die »Principia Mathematica« (3 Bde., 1910–13), ein Grundlagenwerk zur mathemat. Logik. In seinem philosoph. Hauptwerk »Prozeß und Realität« (1929) entwickelte W. eine an G. W. Leibniz' Monadenlehre orientierte Kosmologie, fasste seine Monaden jedoch als Elementarprozesse auf, die in Relation zueinander stehen und immer neue Gestalten des Universums hervortreiben.

Weitere Werke: Einführung in die Mathematik (1911); Wiss. und moderne Welt (1925); Abenteuer der Ideen (1933).

Whitehorse ['waɪthɔ:s, engl.], Hptst. des Yukon Territory, Kanada, 23 500 Ew.; kath. Bischofssitz; Eiszeitmuseum; Fremdenverkehr; Flugplatz; in der Umgebung Erzbergbau.

White-out ['waɪtaʊt, engl.] *der* oder *das,* extreme Tagesbeleuchtung bei bedecktem Himmel über verschneiten Gebieten, die durch diffuse Reflexion des Lichtes zw. Erdoberfläche und Wolkenunterseite v. a. in polaren Gebieten auftritt; Geländeunebenheiten und Umrisse des Horizonts sind nicht zu erkennen, das Orientierungsvermögen kann verloren gehen.

White River ['waɪt 'rɪvə], rechter Nebenfluss des Mississippi, USA, 1 100 km lang; entspringt in den Boston Mountains, in den Ozark Mountains gestaut, mündet oberhalb der Arkansasmündung.

George H. Whipple

Alfred North Whitehead

Patrick White

James Abbott McNeill Whistler: »Sinfonie in Weiß Nr. 3« (1867; Birmingham, Barber Institute of Fine Arts)

Walt Whitman

Whitman ['wɪtmən], Walt(er), amerikan. Dichter, *West Hills (bei Huntington, N.Y.) 31. 5. 1819, †Camden (N.J.) 26. 3. 1892; war u.a. Buchdrucker, Zimmermann, Lehrer, Journalist und Sanitäter im Bürgerkrieg; seit 1873 gelähmt; bedeutendster amerikan. Versdichter der 2. Hälfte des 19. Jh. Seine Lyrik ist einerseits volksverbunden, Macht und Bedeutung der Verbrüderung aller Menschen verherrlichend, andererseits Shakespeare, Ossian, Homer, der Bibelsprache, der oriental. Literatur und Philosophie sowie pantheist. Gedankengut verpflichtet und wird stark von den individualist. Ideen der Transzendentalisten geprägt; sie drückt seine Auffassung von der prophet. Sendung des Dichters aus (Gedichtsammlung »Leaves of grass«, »Grashalme«, 1855, zwölf Gedichte, in der endgültigen Fassung 1891/92 fast 400 Gedichte). In den Essays »Demokrat. Ausblicke« (1871) gestaltete er das bereits entwickelte Bewusstsein der geistigen Autonomie der USA.

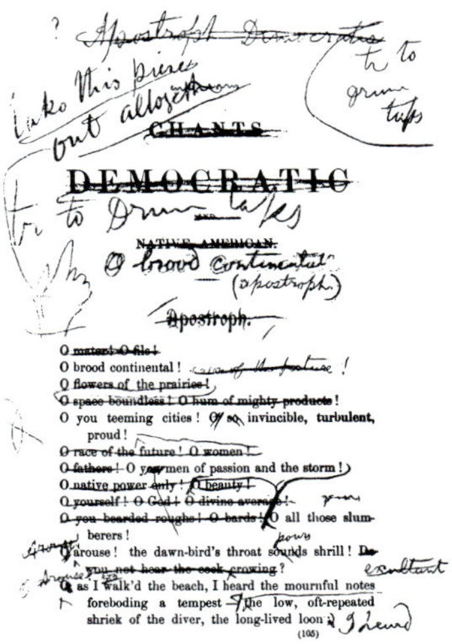

Walt Whitman: Seite aus der Gedichtsammlung »Grashalme«

📖 Myerson, J.: *Walt W. A descriptive bibliography. Pittsburgh u. a. 1993.*

Whitworth ['wɪtwə:θ], Sir (seit 1869) Joseph, brit. Maschineningenieur, *Stockport 21. 12. 1803, †Monte Carlo 22. 1. 1887; schuf 1841 ein einheitl. Gewindesystem auf Zollbasis **(W.-Gewinde).** 1864 führte er den Stahldruckguss ein.

Who's who?

Warum stehen im »Who's who« auch einige erfundene Biographien?

Diese Maßnahme soll verhindern, dass Unternehmen aus dem Lexikon namhafter Personen Adressenlisten für Werbe- oder Postwurfsendungen erstellen. Die erfundenen Biographien sind mit Namen und Adressen von »Who is Who«-Mitarbeitern versehen. Wenn diese dann unerwünschte Post erhalten, treten sogleich Anwälte auf den Plan.

WHO, Abk. für engl. **W**orld **H**ealth **O**rganization, →Weltgesundheitsorganisation.

Who's who [hu:z hu:], engl. biograph. Lexikon über zeitgenöss. Persönlichkeiten (erscheint jährlich seit 1848), zunächst für das brit. Empire, seit 1899 auch für die USA, seit dem 2. Weltkrieg auch für die meisten europ. Länder (Dtl. seit 1956; Österreich seit 1953; Schweiz seit 1950).

Who, The [ðə 'hu:], 1964 als »The Highnumbers« gegründete britische Rockgruppe: Pete Townshend (*1945; Gitarre, Gesang), Roger Daltrey (*1944; Gesang), John Entwistle (*1945; Bassgitarre, Gesang), Keith Moon (*1946, †1978), ab 1978 Kenny Jones (*1948; Schlagzeug); erlangte große Popularität mit exzentr. Bühnenshows und der Rockoper »Tommy« (1969; als Film 1974).

Whyalla [waɪ'æलə], Hafenstadt in Southern Australia, an der W-Küste des Spencergolfs, 27300 Ew.; technolog. Institut; Eisen- und Stahlind., Schiff- und Maschinenbau, chem. Ind.; Flugplatz.

Whymper ['wɪmpə], Edward, brit. Bergsteiger, *London 27. 4. 1840, †Chamonix 16. 9. 1911; bestieg als Erster das Matterhorn (1865) und den Chimborazo (1880).

Wiborg, Stadt in Russland, →Wyborg.

Wichern, Johann Hinrich, evang. Theologe, *Hamburg 21. 4. 1808, †ebd. 7. 4. 1881; gründete 1833 in Hamburg-Horn das →Rauhe Haus; entwickelte den Gedanken der →Inneren Mission; gilt als maßgebl. Wegbereiter der (modernen) evang. Sozialarbeit im industriellen Zeitalter.

Wichita ['wɪtʃɪtɔ:], Stadt in Kansas, USA, am Arkansas, 310200 Ew.; zwei Univ., Museen; bed. Luftfahrtind., Erdölraffinerie, Textil-, Lederindustrie; Viehhöfe.

Wichmann, Erzbischof von Magdeburg (seit 1152), *um 1110, †Könnern (Kr. Bernburg) 25. 8. 1192; aus dem Geschlecht der Edlen Herren von Querfurt; 1149–52 Bischof von Naumburg-Zeitz; polit. Helfer Friedrichs I. Barbarossa; veranlasste die Kodifizierung des Magdeburger Stadtrechts, förderte die Ostsiedlung und Ostmission.

Wichte (spezifisches Gewicht), Formelzeichen γ, der Quotient aus dem Betrag G der Gewichtskraft und dem Volumen V eines Körpers, $\gamma = G/V$; jetzt ersetzt durch den Begriff →Dichte.

Wicke (Vicia), Gattung der Schmetterlingsblütler, v.a. in der nördl. gemäßigten Zone, einige Arten auch im südl. Südamerika, in den Anden und den Gebirgen O-Afrikas; einjährige oder ausdauernde, meist kletternde Kräuter mit paarig gefiederten Blättern (obere Fiederblättchen und Endfieder meist in Ranken umgewandelt) und einzeln oder in Trauben stehenden Blüten. Bekannte, teilweise als Futter- und Gründüngungspflanzen genutzte Arten sind: **Saat-W.** (Vicia sativa), 30–90 cm hoch, mit behaartem, vierkantigem

Der Goldtfaden.
Ein schöne liebliche vnd kurtzweilige Histori von eines armē hirten son/Lewfrid genant/ welcher auß seinem fleißigen studieren/vnderdienstbarkeyt/vnd Ritterlichen thaten eines Grauen Tochter vberkam/ allen Jungen knaben sich der tugendt zůbefleissen/fast dienstlich zů lesen/Newlich an tag geben durch Jörg Wickram von Colmar.
Getruckt zů Straßburg bey Jacob Frölich.

Jörg Wickram: Titelseite der Erstausgabe des Romans »Der Goldtfaden« (1557; München, Bayerische Staatsbibliothek)

Stängel und behaarten Blättern, Blüte rotviolett, einzeln oder zu zweien in den Blattachseln sitzend; **Vogel-W.** (Vicia cracca), mit bis über 1 m langen Stängeln und blauvioletten Blüten in dichten Trauben; häufig auf Wiesen; **Zottel-W.** (**Sand-W.,** Vicia villosa), 0,3–1,2 m hoch, zottig behaart, mit meist violetten Blüten; wird als Futterpflanze kultiviert. BILD S. 230

Wickel, 1) *Botanik:* ein →Blütenstand.

2) *Medizin:* →Packung.

Wickelbär (Potos flavus), in Mittel- und Südamerika beheimateter Kleinbär, Körperlänge rd. 40 cm, mit etwa ebenso langem Greifschwanz; olivfarben bis gelbbraun; Kopf rundlich; nachtaktiver, v.a. Pflanzen fressender Baumbewohner.

Wickert, Erwin, Schriftsteller, *Bralitz (bei Bad Freienwalde) 7. 1. 1915; war im diplomat. Dienst; schrieb histor. Romane (»Der Auftrag des Himmels«, 1979; »Der verlassene Tempel«, 1985) u.a. Prosa (»Mut und Übermut. Geschichten aus meinem Leben«, 1991) sowie Hörspiele.

Wickert-Institute, privates Unternehmen zur Markt- und Meinungsforschung im In- und Ausland, Sitze: Tübingen und Altenstadt; 1951 gegründet und seither geleitet von Günter Wickert (*1928). 1966 wurde das Institut für wirtschaftliche Zukunftsforschung angegliedert.

Wicki, Bernhard, österr. Schauspieler und Filmregisseur, *Sankt Pölten 28. 10. 1919; Theater- und Filmschauspieler (»Die Nacht«, 1961; »Der Mann im Schilf«, 1978); Filmregisseur ab 1958, u.a. »Die Brücke« (1959), »Das Wunder des Malachias« (1961), »Der längste Tag« (Koregie in den USA; 1961), »Das falsche Gewicht« (1971), »Die Eroberung der Zitadelle« (1977), »Die Grünstein-Variante« (1984), »Das Spinnennetz« (1989); auch Fernsehfilme.

Johann Hinrich Wichern

Wickler (Tortricidae), weltweit verbreitete Familie etwa 1–3 cm spannender, meist dämmerungs- oder nachtaktiver Schmetterlinge mit oft bunten, in Ruhe flach über den Rücken gelegten Vorderflügeln; Raupen meist in eingerollten (Name!) oder zusammengesponnenen Blättern, auch im Innern von Pflanzen und Früchten; können an Nutzpflanzen schädlich werden, z.B. der Apfel-W., Trauben-W., Eichenwickler.

Wicklow ['wɪkləʊ] (irisch Cill Mhantáin), Cty. im O der Rep. Irland, überwiegend von den Wicklow Mountains eingenommen, 2025 km^2, (1991) 97300 Ew.; Hptst. ist Wicklow (5300 Ew., Seebad).

Wicklung, *Elektrotechnik:* Bez. für stromdurchflossene Elemente in elektr. Maschinen und Geräten, die über Zusammenschaltung von Einzelleitern **(Stab-W.)** oder Spulen **(Spulen-W.)** entstehen und von Hand oder automatisch, z.B. mit Einziehtechnik in die Nuten (Inserttechnik), gewickelt werden. Man unterscheidet u.a. nach Einspeisung z.B. Gleichstrom-W., Drehstrom-W.; nach Schaltung Nebenschluss-W., Reihenschluss-W.; nach Unterbringung Ständer-W., Läufer-W., Hauptpol-W.; nach Energierichtung Primär-W., Sekundär-W.; nach Funktion Steuer-W., Arbeits-W., Kompensations-W., Anlaufwicklung.

Bernhard Wicki

Wickram, Jörg, Dichter, *Colmar um 1505, †Burkheim (heute zu Vogtsburg im Kaiserstuhl) vor 1562; vermutlich Handwerker und Gerichtsschreiber in Colmar, seit 1555 Stadtschreiber in Burkheim; begann mit moralsatir. Fastnachtsspielen in der Tradition P. Gengenbachs, verfasste dann bibl. Dramen und die Schwanksammlung

Bernhard Wicki: Szene aus dem Antikriegsfilm »Die Brücke« aus dem Jahr 1959

Knut Wicksell

»Das Rollwagenbüchlein« (1555). Mit »Der jungen Knaben Spiegel« (1554), »Von guten und bösen Nachbarn« (1556) und »Der Goldtfaden« (1557) wurde er der Schöpfer des neuhochdt. Prosaromans.

Wicksell [vik'sɛl], Knut, schwed. Volkswirtschaftler, *Stockholm 20. 12. 1851, †Stocksund (bei Stockholm) 3. 5. 1926; von der →Grenznutzenschule beeinflusster Geld-, Kapital- und Zinstheoretiker.

Werke: Über Wert, Kapital und Rente ... (1893); Geldzins und Güterpreise (1898); Vorlesungen über Nationalökonomie, auf Grundlage des Marginalprinzipes (2 Bde., 1913–22).

Wiclif ['wɪklɪf], John, englischer Theologe, →Wycliffe.

Widal-Reaktion (Gruber-Widal-Reaktion) [nach dem Hygieniker M. von Gruber und dem frz. Internisten Fernand Widal, *1862, †1929], serolog. Reaktion zum indirekten Nachweis von Salmonellosen (v. a. Typhus), Brucellosen u. a. Infektionen; beruht auf der Feststellung spezif. Antikörper im Patientenblutserum durch Zusammenballung mit entsprechenden Erregern, die als Suspension zugesetzt werden.

Widder, 1) *Astronomie:* (lat. Aries) Sternbild des nördl. Himmels und erstes Tierkreiszeichen (→Tierkreis).

2) *Technik:* der →Mauerbrecher.

3) *Zoologie:* männl. Schaf, Schafbock.

Widderchen: Gemeines Blutströpfchen (Körperlänge 14–18 mm)

Widderchen (Blutströpfchen, Zygaenidae), weltweit verbreitete Familie etwa 2–4 cm spannender tagaktiver Schmetterlinge, darunter rd. 30 Arten einheimisch; Vorderflügel lang und schmal, einfarbig metallisch grün oder auf dunklem Grund lebhaft rot gefleckt, wie z. B. beim 14–18 mm großen **Gemeinen Blutströpfchen** (Zygaena filipendulae), das auf sonnigen Hängen vorkommt.

Widderpunkt, *Astronomie:* der →Frühlingspunkt.

Widerhall, *Physik:* →Echo.

Widerklage, *Recht:* die in einem gegen ihn anhängigen Prozess erhobene Klage des Beklagten als Widerkläger gegen den Kläger (Widerbeklagten). Hauptklage und W. sind zwei eigenständige Prozesse, die aus Zweckmäßigkeitsgründen zu gemeinsamer Verhandlung und Entscheidung verbunden sind. Stehen die beiderseitigen Ansprüche nicht in rechtl. Zusammenhang, so kann das Gericht die W. abtrennen (§ 145 Abs. 2 ZPO). Die W. untersteht allen Vorschriften über die Klage. In der Berufungsinstanz ist die W. nur bei Einwilligung des Gegners oder gerichtl. Zulassung als sachdienlich zulässig. – Das *österr.* Recht kennt die W. nur im Zivilprozess, das *schweizer.* in einigen Kantonen auch im Strafprozess (im Privatklageverfahren bei wechselseitigen Verletzungen).

Wicke: Saatwicke (Höhe 30–90 cm)

Widerlager, *Bautechnik:* Auflagefläche für Bogen und Gewölbe, v. a. bei Brücken.

Wideroe [-rø], Rolf, schweiz. Physiker norweg. Herkunft, *Kristiania (heute Oslo) 11. 7. 1902, †Nussbaumen (bei Baden) 11. 10. 1996; gab 1922 eine der Feldbedingungen für den Bau des Betatrons an, entwickelte um 1925 das Prinzip des Linearbeschleunigers, baute 1930 dessen ersten Prototyp.

Widerrist, bei Pferd und Rind Rückenlinie, die über den Dornfortsätzen der ersten Brustwirbel oberhalb der Vorderbeine zum Hals aufsteigt.

Widerruf (Revokation), das Rückgängigmachen einer Willensäußerung. Nach bürgerl. Recht kann nur in bestimmten Ausnahmefällen widerrufen werden, bes. bei Schenkung, Vollmacht, Testament oder Haustürgeschäften. Verträge können bei entsprechendem W.-Vorbehalt für nicht gültig erklärt werden. – Im Strafrecht macht u. a. der rechtzeitige W. einer falschen Aussage beim fahrlässigen →Falscheid straffrei; beim →Meineid bewirkt er nur Strafmilderung. – Im Verwaltungsrecht wird bei Verwaltungsakten nach heutiger Terminologie zw. dem W. (Aufhebung eines rechtmäßigen Verwaltungsakts) und der Rücknahme (Aufhebung eines rechtswidrigen Verwaltungsakts) unterschieden.

Widerspruch, 1) *Philosophie:* a) das Verhältnis zw. zwei einander ausschließenden (kontradiktor.) Bestimmungen ein und desselben Gegenstandes. Der **Satz vom W. (Principium Contradictionis),** der als grundlegender Satz der traditionellen Logik gilt, lautet: Zwei einander widersprechende Urteile können nicht zugleich wahr sein. In sozialphilosoph. Zusammenhang wird ein W. häufig auch als **Antagonismus** bezeichnet (→Gegensatz, →Dialektik); b) in der marxist. Philosophie im Anschluss an G. W. F. Hegel als **dialekt. W.** Bez. für ein Verhältnis von Gegensätzen, die einander bedingen, sich aber zugleich ausschließen (»Einheit und Kampf der Gegensätze«); c) in der Logik des Zen gilt der Satz vom W. zwar auf der Ebene der empir. Erfahrung, nicht aber auf der Stufe der Erleuchtung, der »immer klaren Bewusstheit«. Hier wird erkannt, dass »alle Dinge ichlos sind«, d. h., kein Ding ein fest umrissenes Wesen besitzt, sodass die Grundlage für einen W. entfällt.

2) *Recht:* a) im Zivilprozess Rechtsbehelf zur Anfechtung von Mahnbescheiden, Arrestbeschlüssen, einstweiligen Verfügungen u. a., der zur Überprüfung der Entscheidung in der gleichen Instanz führt. Bei Zwangsvollstreckung kann →Drittwiderspruchsklage eingelegt werden; b) in der freiwilligen Gerichtsbarkeit Eintragung in das Grundbuch, die zulässig ist, wenn dessen Inhalt mit der wirkl. Rechtslage nicht im Einklang steht. Sie sichert den Anspruch des Berechtigten auf Berichtigung des Grundbuchs und zerstört dessen öffentl. Glauben, d. h. verhindert, dass Dritte sich auf die Richtigkeit seines Inhalts berufen können (§§ 894,

899 BGB); c) im Verwaltungsrecht Rechtsbehelf gegen einen Verwaltungsakt oder die Ablehnung der Vornahme eines solchen; nach §§ 68 ff. Verwaltungsgerichtsordnung Voraussetzung für eine Anfechtungs- oder Verpflichtungsklage. Der W. ist binnen eines Monats nach Bekanntgabe des Verwaltungsakts einzulegen.

Widerspruchsklage, *Recht:* die →Drittwiderspruchsklage.

Widerstand, 1) *Elektrizitätslehre:* (elektrischer W.) Quotient aus der an einem Leiter liegenden elektr. Spannung U und der elektr. Stromstärke I; Zeichen R, SI-Einheit: Ohm (Ω). Der elektr. W. eines Drahtes $R = \rho l/A$ wächst mit der Länge l und ist umgekehrt proportional zum Querschnitt A; der **spezif. Widerstand** ρ (SI-Einheit: $\Omega \cdot m$) ist bei konst. Temperatur eine Materialkonstante. In Gleichstromkreisen ist nur der **ohmsche W. (Wirk-W.)** wirksam; in Wechselstromkreisen treten außer dem Wirk-W. noch **Blind-W.** auf, die keine Leistung verbrauchen, an denen aber Spannung abfällt. Der Kehrwert des W. ist der elektr. Leitwert; bei Wechselströmen unterscheidet man zw. Wirk-, Blind- und Scheinleitwert. – In einem Stromkreis unterscheidet man zw. dem äußeren (Belastungs-)W. und dem inneren W. der Spannungsquelle; wegen des an der Spannungsquelle auftretenden Spannungsabfalles ist bei Stromentnahme die Klemmenspannung stets niedriger als die Urspannung.

2) *Elektrotechnik:* Bauelement, das dem elektr. Strom einen W., i. e. S. Wirk-W. bzw. ohmschen W. bei Gleichstrom, entgegensetzt. Kennwerte sind W.-Wert (in Ohm) und zulässige Belastbarkeit (in Watt). Mit W. können z. B. Spannungen herabgesetzt sowie Ströme eingestellt oder begrenzt werden. Unterschieden werden nach ihrem Aufbau Draht- und Schicht-W.; nach der Veränderbarkeit Fest-W. und Stell-W. (z. B. Schiebe-W., Kurbel-W., Stöpsel-W.); nach Einsatz z. B. Potentiometer, Einstellregler; nach Schaltung im Stromkreis Vor- und Parallel-W. Der Vor-W. (Vorschalt-W.) dient zur Spannungsminderung (z. B. Messbereichserweiterung von Voltmetern) oder zur Strombegrenzung bei Verbrauchern mit fallender Stromspannungs-Kennlinie (Lichtbogen, Gasentladungen u. a.). Im Wechselstromkreis wird für diese Zwecke der ohmsche W. durch einen induktiven oder kapazitiven W. ersetzt, um Wärmeverluste zu vermeiden. Der Parallel-W. wird dem Verbraucher parallel geschaltet, um einen Teil des Stromes zu übernehmen (z. B. Messbereichserweiterung von Amperemetern).

3) *Mechanik:* der Bewegung eines Körpers bzw. physikal. Systems entgegengerichtete Kraft, z. B. der Reibungs-W. (→Reibung) und der Luft-W. (→Strömungswiderstand).

Widerstand gegen die Staatsgewalt, zusammenfassende Bez. für die Strafbestimmungen im StGB, die Widerstand gegen bestimmte Maßnahmen der öffentl. Gewalt unter Strafe stellen. Dazu gehören öffentl. Aufforderung zu Straftaten (§ 111 StGB), →Gefangenenbefreiung, →Meuterei von Gefangenen und **Widerstand gegen Vollstreckungsbeamte** (§ 113 StGB). Die letztgenannte Vorschrift bedroht Personen, die einem Vollstreckungsbeamten (z. B. Polizist, Gerichtsvollzieher) in der rechtmäßigen Amtsausübung durch Gewalt oder Drohung Widerstand leisten oder gegen ihn einen tätl. Angriff verüben, mit Freiheitsstrafe bis zu zwei, in schweren Fällen bis zu fünf Jahren (§ 113 StGB). – Ähnl. Strafbestimmungen enthalten das *österr.* und das *schweizer.* StGB.

Widerstandsbewegung, organisierte Gegnerschaft gegen eine als tyrannisch, unrechtmäßig oder verfassungswidrig empfundene oder von einer ausländ. Macht eingesetzte Herrschaft, insbesondere die auf Erringung der freiheitl. Selbstbestimmung eines Volkes gerichtete Umsturzbewegung in totalitären Staaten. Die Teilnahme an einer W. sehen die Widerstandskämpfer unter Berufung auf das →Widerstandsrecht als ethisch gerechtfertigt an, die in der Reg. stehenden Machthaber dagegen verfolgen sie als Hoch- und Landesverrat. **Aktiver Widerstand** zielt auf den gewaltsamen Sturz des Regimes, **passiver Widerstand** setzt zivilen Ungehorsam, Demonstrationen, polit. Streiks ein.

I. e. S. wird als W. die aktive Opposition gegen die Gewaltherrschaft und die Kriegspolitik der faschist. Diktaturen in Europa zw. 1922 und 1945 bezeichnet, insbesondere gegen den italien. Faschismus und den dt. Nationalsozialismus und die mit ihnen kollaborierenden Kräfte (→Antifaschismus). Nach Beginn des 2. Weltkrieges entwickelten sich in allen von Dtl. besetzten Gebieten W. gegen die nat.-soz. Herrschaft (bes. →Résistance, →Resistenza, →Četnici) aus sehr unterschiedl. polit., ideolog. und eth. Motiven sowie organisatorisch auf unterschiedl. Niveau, getragen von nahezu allen Bevölkerungsgruppen. – Nach der Machtübernahme Hitlers (30. 1. 1933) bildete sich in Dtl. eine organisatorisch und politisch äußerst uneinheitl. W. heraus. Die Kommunisten versuchten sich als Untergrundbewegung zu organisieren, scheiterten jedoch; vielfach wurde der Kampf vom Exil aus (v. a. Sowjetunion, Frankreich, Mexiko) fortgesetzt. Ansätze zu gemeinsamem Widerstand zeigten sich früh in Kontakten zw. Sozialdemokraten und Gewerkschaftern aller Richtungen, bes. zw. W. Leuschner und J. Kaiser (christl. Gewerkschaften). – Aus christlich-humanitären Antrieben richtete sich der Protest vieler engagierter Christen

Rolf Wideroe

(→Bekennende Kirche) gegen die totalitären Herrschaftsmethoden und Anschauungen (bes. gegen Judenfeindlichkeit und Euthanasieprogramm) des Nationalsozialismus (M. Niemöller u. a.). Häufig traten polit. Motivationen hinzu (D. Bonhoeffer, A. Delp). Die politisch vielfältig gegliederte bürgerlich-liberale und nat.-konservative Opposition (U. von Hassel u. a.) fühlte sich den Werten der dt. und preuß. Tradition verpflichtet und suchte daher der nat.-soz. Gewaltpolitik entgegenzuwirken. Ebenso wie General L. Beck wurde C. F. Goerdeler zu einer entscheidenden Integrationsfigur der dt. W. Neben Offizieren (u. a. E. von Witzleben) fanden auch ehem. Sympathisanten und Beamte des Regimes zur W.; manche Schriftsteller und Künstler wählten den Weg der »inneren →Emigration«, viele gingen ins Exil (→Exilliteratur). U. a. im Ruhrgebiet wurde ein v. a. von Jugendlichen getragener Widerstand bedeutsam (sog. Edelweißpiraten). – Die durch Hitlers aggressive Außenpolitik entfachte Kriegsgefahr in Europa verstärkte die Bedeutung der Wehrmacht als Faktor des Widerstands. Doch das für Hitler erfolgreiche Münchener Abkommen ließ alle Staatsstreichpläne scheitern. Auch die militär. Erfolge der dt. Wehrmacht nach Kriegsausbruch lähmten zunächst jeden ernsthaften Widerstand. Ein von dem Tischler J. G. Elser am 8. 11. 1939 ausgeführtes Sprengstoffattentat auf Hitler schlug fehl. Bis 1942 war die →Rote Kapelle aktiv. Der militär. Niedergang seit Ende 1942 (Schlacht um Stalingrad 1942/43), Nachrichten über nat.-soz. Verbrechen in den besetzten Gebieten, bes. an Juden, gaben der Opposition neuen Auftrieb. Im →Kreisauer Kreis H. J. von Moltkes vereinten sich Widerstandskämpfer versch. Richtungen; Münchener Studenten schlossen sich in der →Weißen Rose zusammen. Angehörige des Auswärtigen Amtes und Persönlichkeiten mit Auslandsbeziehungen bemühten sich bes. bei den westl. Alliierten um günstige Friedensbedingungen für Dtl. im Falle eines anti-nat.-soz. Umsturzes, fanden jedoch wenig Resonanz. Das Zusammenwirken des konservativen und liberalen Kreises um Goerdeler, zu dem auch die Sozialdemokraten J. Leber und J. Reichwein gestoßen waren, mit der militär. Opposition (F. Olbricht, H. von Tresckow, G. von Kluge, C. Schenk Graf von Stauffenberg) verdichtete sich seit 1943 zu einem Putsch- und Attentatsplan gegen Hitler (→Zwanzigster Juli). – In versch. Weise waren Überlebende der W. führend am polit. Neubeginn nach 1945 beteiligt.

📖 VENOHR, W.: *Patrioten gegen Hitler. Der Weg zum 20. Juli 1944. Bergisch-Gladbach 1993.* – ROTHFELS, H.: *Die dt. Opposition gegen Hitler. Zürich 1994.* – *Widerstand in Dtl. 1933–45. Ein histor. Lesebuch, hg. v.* P. STEINBACH *u.* J. TUCHEL. *München 1994.* – ROON, G. VAN: *Widerstand im Dritten Reich. Ein Überblick. A. d. Niederländ. München 71998.*

Widerstandsrecht, i. e. S. ein Abwehrrecht des Bürgers gegenüber einer rechtswidrig ausgeübten Staatsgewalt mit dem Ziel der Wiederherstellung des (alten) Rechts. I. e. S. richtet sich das W. auch gegen Einzelne oder Gruppen, wenn diese die Verf. gefährden; es dient dann der Unterstützung der Staatsgewalt, etwa wenn diese zu schwach ist, die verfassungsmäßige Ordnung aufrechtzuerhalten (»Verfassungshilfe«).

In der langen Geschichte des W. haben sich bestimmte Kriterien für einen legitimen Widerstand gegen ein Unrechtssystem herauskristallisiert, nämlich: 1) Es muss sich um einen Akt sozialer Notwehr gegenüber einer verbrecher. Obrigkeit, der das Unrecht »auf der Stirn geschrieben« steht, handeln. Das ist insbesondere dann anzunehmen, wenn die Staatsmacht fundamentale Grund- und Menschenrechte ungeschützt lässt oder selbst verletzt. Demnach gilt auch, dass ein Gesetz, das in grober Weise gegen die Gerechtigkeit verstößt, (ungültiges) »gesetzl. Unrecht« ist, ein Gesetz, das Gerechtigkeit gar nicht bezweckt, ist »Nichtrecht« (G. Radbruch). Demgemäß hält auch das Bundesverfassungsgericht (im KPD-Urteil vom 17. 8. 1956) ein W. gegen ein evidentes Unrechtsregime für gegeben, wenn normale Rechtsbehelfe nicht wirksam sind. 2) Widerstand kommt nur subsidiär in Betracht, d. h., wenn alle legalen und friedl. Mittel erschöpft sind. 3) Der Grundsatz der Verhältnismäßigkeit muss gewahrt sein. Die angewandten Mittel müssen in einer angemessenen Relation zu dem angestrebten Zweck stehen. 4) Es muss begründete Aussicht auf ein Gelingen des Widerstands bestehen, wobei zu berücksichtigen ist, dass auch faktisch gescheiterter Widerstand einen sehr hohen moral. Wert und insofern »Erfolg« haben kann. 5) Der Widerstand Leistende muss die nötige Einsicht besitzen, um die Lage richtig beurteilen zu können. 6) Widerstand darf nur um des Rechts willen geleistet werden, nicht zur Befriedigung persönl. Interessen. 7) Eine Pflicht zum Widerstand kann es von Rechts wegen nicht geben; dadurch würde der Einzelne überfordert.

Bestrebungen, das W. zu institutionalisieren, gab es verschiedentlich, z. B. im frühneuzeitl. Naturrecht und in der frz. Erklärung der Menschen- und Bürgerrechte von 1789. In Dtl. hat die Erfahrung mit der nat.-soz. Diktatur dazu geführt, dass das W. in einigen Länder-Verf. verankert worden ist: Hessen (1946), Bremen (1947), Berlin (1950), nach der Wiedervereinigung auch in Sachsen-Anhalt (1992) und Sachsen (1992). In das GG ist das W. am 24. 6. 1968 im Rahmen der →Notstandsverfassung aufgenommen worden, und zwar aus Furcht vor einem Missbrauch der Notstandsbefugnisse durch die Staatsgewalt; in Art. 20 Abs. 4 GG heißt es: »Gegen jeden, der es unternimmt, diese (d.h. die freiheitlich-demokrat.) Ordnung zu beseitigen, haben alle Deutschen das Recht zum Widerstand, wenn andere Abhilfe nicht möglich ist« (gegen »jeden«; erfasst ist also auch die Verfassungshilfe). In der Staatsrechtlehre wird jedoch hervorgehoben, dass Art. 20 Abs. 4 GG keine instrumentelle Norm sei, die etwas regele, sondern nur ein symbol. Gesetz, das den Rechtswillen des Staates zum Ausdruck bringe; auch eine Aufhebung dieser Bestimmung würde wegen ihrer überpositiven Herleitung nichts am Recht auf Widerstand ändern. – In der *österr.* und der *schweizer.* Verf. ist das W. nicht ausdrücklich niedergelegt, wird jedoch auf rechtsphilosoph. Grundlage allg. anerkannt.

📖 *Vom Recht des Widerstehens. Neue Perspektiven zu einem alten Dilemma, hg. v.* A. Köpcke-Duttler *u.* G. Metz. *Frankfurt am Main 1988.* – Spindelböck, J.: *Aktives W. Die Problematik der sittl. Legitimität von Gewalt in der Auseinandersetzung mit ungerechter staatl. Macht. St. Ottilien 1994.*

widmannstättensche Figuren [nach dem österr. Chemiker Alois Joseph Franz Xaver von Widmannstätten, *1754, †1849], auf angeschliffenen, mit Salpetersäure geätzten Flächen von Eisenmeteoriten sichtbare Verwachsungen der Eisen-Nickel-Minerale Kamazit und Taenit: Es sind parallele Lamellenscharen, die sich unter versch. Winkeln schneiden. Die Struktur der w. F. entsteht auch im Stahl bei Erhitzen bis in die Nähe des Schmelzpunktes.

Widmark ['wɪdmɑːk], Richard, amerikan. Filmschauspieler, *Sunrise (Minn.) 26. 12. 1914; seit 1947 beim Film, u.a. in »Das Urteil von Nürnberg« (1961), »Cheyenne« (1964), »Mord im Orient-Expreß« (1974), »Ein Aufstand alter Männer« (1987).

Widmer, Urs, schweizer. Schriftsteller, *Basel 21. 5. 1938; schreibt Erzählungen und Romane (»Die gelben Männer«, 1976; »Das enge Land«, 1981; »Der Kongress der Paläolepidopterologen«, 1989; »Der blaue Siphon«, Erz., 1992; »Im Kongo«, 1996), die durch eine Vorliebe für überraschende Wendungen sowie für Fantastisch-Surreales und Unheimlich-Hintergründiges geprägt sind; auch Essays und (mit dem trivialen Genre spielende) Theaterstücke (»Frölicher – ein Fest«, 1990; »Top Dogs«, 1997) sowie Hörspiele.

Widmung, *Recht:* ein Hoheitsakt, der die Eigenschaft einer Sache (z.B. Straße) als öffentliche Sache begründet und damit deren Zweckbestimmung festlegt. Die W. (z.B. zum Gemeingebrauch) wird i.d.R. durch Gesetz, VO, Satzung oder Einzelakt (Verw.akt) vorgenommen. Die Aufhebung der Eigenschaft einer Sache als öffentl. Sache geschieht durch **Entwidmung** (Einziehung).

Widukind, 1) (Wittekind) westfäl. Adliger, Führer der Sachsen gegen Karl d. Gr.; floh 777 zu den Dänen, entfachte ab 778 Kämpfe gegen die fränk. Herrschaft, musste 785 der Übermacht weichen und ließ sich zu Weihnachten in der Pfalz Attigny an der Aisne (Dép. Ardennes, Frankreich) taufen.

2) **W. von Corvey,** Geschichtsschreiber, *um 925, †Corvey nach 973; sächs. Mönch, schrieb in lat. Sprache eine Sachsengeschichte in drei Büchern, die eine bed. Quelle für die Zeit Heinrichs I. und Ottos I., d. Gr., ist.

Ernst Wiechert

Wiechert, Ernst, Schriftsteller, *Forsthaus Kleinort (bei Sensburg, heute Mrągowo) 18. 5. 1887, †Uerikon (Gem. Stäfa) 24. 8. 1950; Studienrat in Königsberg und Berlin, 1938 zwei Monate im KZ Buchenwald, schrieb darüber den Bericht »Der Totenwald« (1939); lebte ab 1948 in der Schweiz. Im Mittelpunkt seiner Romane und Novellen stehen schwermütige Grüblernaturen (»Der Wald«, 1922; »Der Totenwolf«, 1924; »Die Majorin«, 1934; »Hirtennovelle«, 1935; »Das einfache Leben«, 1939; »Die Jerominkinder«, 2 Bde., 1945–47; »Missa sine nomine«, 1950).

Urs Widmer

Wiechert-Gutenberg-Diskontinuität [nach den Geophysikern E. Wiechert, *1861, †1928, und B. Gutenberg, *1889, †1960], Unstetigkeitsfläche in 2900 km Erdtiefe, an der die Erdbeben-P-Wellen eine sprunghafte Geschwindigkeitsverringerung von 13,6 auf 8,1 km/s erfahren, was der Änderung der Dichte von 5,5 auf 10 g/cm^2 entspricht. Die W.-G.-D. grenzt den Erdmantel gegen den Kern ab.

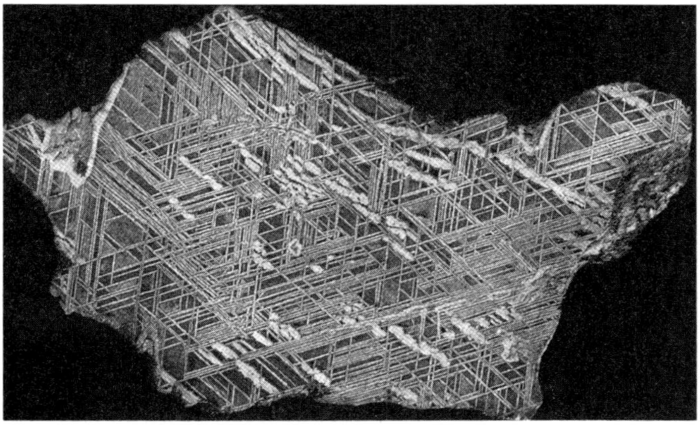

widmannstättensche Figuren auf einem angeschliffenen und geätzten Eisenmeteoriten (Länge 12 cm)

Wieck, 1) Clara, Pianistin, →Schumann, Clara.

2) Friedrich, Musikpädagoge, *Pretzsch (Elbe) (Kr. Wittenberg) 18. 8. 1785, †Loschwitz (heute zu Dresden) 6. 10. 1873; ab 1840 Klavierlehrer in Dresden. Zu seinen Schülern zählten neben seiner Tochter Clara Schumann u.a. H. von Bülow und R. Schumann.

Wied *die,* rechter Nebenfluss des Rheins, 140 km lang, entspringt im Westerwald, mündet unterhalb von Neuwied.

Wied, Grafengeschlecht am Mittelrhein und an der Lahn, vor 1129 bezeugt, ab 1595 geteilt in die Linien **W.-Runkel** (bis 1824) und **W.-Neuwied,** 1785 und 1791 in den Reichsfürstenstand erhoben; bis 1806 reichsunmittelbar. Bed. Vertreter:

1) Elisabeth Prinzessin zu W., Königin von Rumänien, →Elisabeth).

2) Hermann Graf von W., Kurfürst von Köln, →Hermann.

3) Maximilian Prinz zu W., Naturforscher und Ethnograph, *Neuwied 23. 9. 1782, †ebd. 3. 2. 1867; unternahm Forschungsreisen nach Brasilien (1815 bis 1817) und Nordamerika (1832–34, begleitet von dem Maler J. C. Bodmer); beschrieb v. a. die Indianerstämme der Botokuden und Mandan.

Wiedehopf (Größe etwa 28 cm)

Wiedehopf (Upupa epops), zur Familie der Hopfe gehörender, etwa 28 cm großer, langschnäbeliger, rötlich grauer Vogel mit aufrichtbarem Federschopf und breiten weißen Flügel- und Schwanzbinden; er lebt auf offenem Gelände und in lichten Wäldern Eurasiens und Afrikas und ernährt sich bes. von Insekten, Schnecken, Würmern. Die europ. W. überwintern in Afrika. Der W. ist vom Aussterben bedroht.

Wiedemann-Franz-Gesetz, von Gustav Heinrich Wiedemann (*1826, †1899) und Rudolph Franz (*1827, †1902) 1853 gefundener Zusammenhang zw. Wärmeleitfähigkeit und elektr. Leitfähigkeit, deren Verhältnis für alle reinen Metalle bei konstanter Temperatur nahezu gleich ist.

Wiedenbrück, seit 1970 Stadtteil von →Rheda-Wiedenbrück.

Wiederǀaufarbeitung (Wiederaufbereitung), *Kerntechnik:* die Zerlegung abgebrannter Brennelemente in ihre Bestandteile, um daraus spaltbares Material, bes. Uran (U) 235 und Plutonium (Pu) 239, zurückzugewinnen und die bei der Kernspaltung entstandenen, hochradioaktiven Spaltprodukte abzutrennen. Dazu sind spezielle, unter strengen Auflagen arbeitende W.-Anlagen erforderlich, die i. d. R. vollautomatisch betrieben werden. In sog. heißen Zellen werden die Brennelemente mithilfe von Manipulatoren mechanisch in die einzelnen Brennstäbe zerkleinert, ihr Inhalt in Salpetersäure aufgelöst und Uran und Plutonium durch chem. Extraktionsprozesse aus der Lösung isoliert. Die Konzentrate der Spaltprodukte müssen mehrere Jahre unter kontrollierten Bedingungen gelagert werden, bevor sie einer →Endlagerung zugeführt werden können. – Neben der erhöhten Gefahr der Strahlenbelastung in der Umgebung von W.-Anlagen und dem weltweit nicht gelösten Problem der Endlagerung werden ökonom. Faktoren der W. kritisch bewertet. Der 1986 begonnene Bau einer W.-Anlage in Wackersdorf (Kr. Schwandorf) wurde 1989 eingestellt. Anlagen für die W. von Brennelementen gibt es in Cap de la Hague (Frankreich) und in Sellafield (Großbritannien).

📖 *Rechtsprobleme der W., hg. v.* A. ROSSNAGEL. *Baden-Baden 1987.*

Wiederǀaufnahme des Verfahrens, außerordentl. Rechtsbehelf, der mit dem Ziel der rückwirkenden Beseitigung eines rechtskräftigen Urteils und der erneuten Verhandlung und Entscheidung der Streitsache eingelegt werden kann; ist in den meisten Prozessordnungen vorgesehen. Die W. d. V. kann im Zivilprozess durch →Nichtigkeitsklage und →Restitutionsklage geltend gemacht werden und ausschließlich auf die dort genannten Gründe gestützt werden (z. B. unvorschriftsmäßige Besetzung des Gerichts, falsche Zeugenaussagen; §§ 578–591 ZPO). Ähnlich ist nach §§ 359 ff. StPO im Strafprozess die W. d. V. zugunsten oder zuungunsten des Verurteilten zulässig. – Entsprechende Regelungen gelten auch für Österreich (§§ 352–363 StPO; Wiederaufnahmeklage in §§ 529–547 ZPO). Im *schweizer.* Recht heißt die W. d. V. meist Revision.

Wiederbelebung (Reanimation), Maßnahmen zur Wiederherstellung der nach Unfällen, Vergiftungen oder im krankheitsbedingten Schock ausgefallenen Vitalfunktionen (Atmung, Kreislauf). Dazu gehören v. a. das Freimachen der Atemwege (durch Überstrecken des Kopfes und Anheben des Kinns), →Herzmassage, →künstliche Atmung (bes. die ohne Hilfsmittel durchführbare Atemspende), Kreislaufauffüllung mit niedermolekularem Dextran oder durch Bluttransfusion. Aussicht auf Erfolg hat W. nur, wenn sie innerhalb der **W.-Zeit** (Zeitintervall zw. Herz-Kreislauf-Stillstand und Eintritt irreversibler Organschädigung infolge Sauerstoffmangels) erfolgt; empfindlichstes Organ ist das Gehirn mit einer W.-Zeit von etwa 4–6 Minuten, gefolgt vom Herzen mit 15–30 Minuten.

Wiederbeschaffungswert, *Betriebswirtschaftslehre:* der Wert eines Wirtschaftsgutes am Tag der Wiederbeschaffung. Er ist aus dem Wiederbeschaffungspreis am Beschaffungsmarkt unter Berücksichtigung der Beschaffungsnebenkosten abzuleiten (Wiederbeschaffungs- oder Reproduktionskosten).

Wiedereinsetzung in den vorigen Stand, Beseitigung eines Rechtsnachteils, der wegen Versäumung einer Prozesshandlung eingetreten ist, auf Antrag durch gerichtl. Entscheidung. Voraussetzung der W. i. d. v. S. im Zivilprozess ist, dass die Partei durch Naturereignisse oder andere unabwendbare Zufälle an der Einhaltung einer Notfrist oder Berufungs- oder Revisionsbegründungsfrist verhindert worden ist. Die W. i. d. v. S. muss binnen zweier Wochen nach Behebung des Hindernisses, längstens innerhalb eines Jahres, beantragt werden (§§ 233–238 ZPO). In ähnl. Weise findet W. i. d. v. S. binnen einer Woche im Strafprozess statt (§§ 44–47 StPO) und in anderen Verfahrensarten. – In *Österreich* ist die W. i. d. v. S. in §§ 146–154 ZPO und § 364 StPO geregelt. In der *Schweiz* bestehen in Einzelheiten Abweichungen in Bund und Kantonen.

Wiedergänger, nach dem Volksglauben Tote, die als unerlöste Seelen keine Ruhe finden und umgehen, meist zur Mitternacht auf Kirchhöfen, an Wegkreuzungen, am Ort des Todes oder verübten Frevels, der noch ungesühnt blieb. (→ Vampir)

Wiedergeburt, *Religionsgeschichte:* die Vorstellung von Geburt und erneutem (Erden-)Leben Verstorbener; in Naturreligionen v. a. das Wiedererscheinen eines Vorfahren (Ahnen) in einem neugeborenen Kind; in den ind. Religionen mit der Lehre der → Seelenwanderung verknüpft. Die christl. Theologie deutet W. als durch die Gnade Gottes ermöglichte, vom Hl. Geist geleitete neue Existenz des Menschen im Glauben (Joh. 3, 3–8) bzw. seine geistl. »Neuschöpfung« in Jesus Christus (2. Kor. 5, 17).

Wiedergutmachung, *Recht:* Bez. für die Bemühungen der Bundesrep. Dtl., durch finanzielle Leistungen an die Opfer nat.-soz. Gewaltherrschaft (oder deren Hinterbliebene) die materiellen Folgen geschehenen Unrechts zu lindern; erfolgt in der Erkenntnis, dass die begangenen Verbrechen angesichts des individuellen Schicksals des Betroffenen aber nicht »wieder gutzumachen« sind. Diese Bemühungen unterscheiden sich durch ihre Freiwilligkeit von den völkerrechtl. → Reparationen.

Die W. umfasst die Rückerstattung entzogenen Eigentums und den Ersatz sonstiger Schäden (z. B. Amtsenthebung, Berufsverbot, Inhaftierung, Gesundheitsschädigung, Tötung). In der Bundesrep. Dtl. wurde die W. zunächst durch Landesgesetze über die W. nat.-soz. Unrechts geregelt. Der Bund, der die Gesetzgebungszuständigkeit für die W. besitzt (Art. 74 GG), hat von ihr durch zwischenstaatl. Verträge (z. B. den Israel-Vertrag vom 10. 9. 1952) und W.-Gesetze (z. B. das Ges. zur Regelung der W. nat.-soz. Unrechts für Angehörige des öffentl. Dienstes i. d. F. v. 15. 12. 1965; das Bundesentschädigungs-Ges. i. d. F. v. 29. 6. 1956) Gebrauch gemacht. In der DDR gab es keine vergleichbaren Formen der individuellen W. Vom Nationalsozialismus Verfolgte erhielten u. a. Sonderleistungen im Arbeitsleben, im Gesundheitswesen, bei Wohnraumversorgung u. a. Sozialleistungen sowie Ehrenpensionen. Zur W. des SED-Unrechts → Rehabilitation, → Vermögensgesetz.

Wiederherstellung, → Rehabilitation.

Wiederholungszeichen, in der Notenschrift ein Doppelstrich mit zwei Punkten links (:||) am Ende des Teils, der wiederholt werden soll. Greift die Wiederholung nicht auf den Anfang des Musikstücks, sondern auf eine beliebige Stelle zurück, so wird dort ein Doppelstrich mit zwei Punkten rechts (||:) gesetzt.

Wiederkäuer (Ruminantia), Unterordnung der Paarhufer, mit den Familien Hirschferkel, Hirsche, Giraffen, Gabelhorntiere und Hornträger. – Die W. besitzen als Pflanzenfresser einen bes. kompliziert gebauten Magen **(W.-Magen),** der in fünf Abschnitte gegliedert ist. Die Nahrung gelangt zunächst wenig zerkaut über den **Schleudermagen** in den **Pansen** (Zottenmagen, Rumen), wird dort durchgeknetet und durch Bakterien teilweise abgebaut. Anschließend wird sie zur Zerkleinerung und Durchmischung zw. Pansen und **Netzmagen** (Haube, Reticulum) hin- und hergeschleudert. Der Netzmagen befördert die Nahrung portionsweise durch rückläufige peristalt. Bewegungen der Speiseröhre wieder in die Mundhöhle. Hier wird sie mehrfach gekaut **(Wiederkäuen)** und erneut geschluckt. Der Nahrungsbrei gelangt nun in den **Blättermagen** (Buchmagen, Psalter, Omasus), wo er zerrieben und eingedickt wird, und schließlich in den **Labmagen** (Abomasus), wo die eigentl. Verdauung erfolgt.

Wiederkauf (Rückkauf), dem Verkäufer durch Gesetz oder Vertrag vorbehaltenes Recht, die verkaufte Sache innerhalb einer bestimmten Frist (im Zweifel bei Grundstücken 30 Jahre, bei anderen Gegenständen drei Jahre) zurückzukaufen (§§ 497 ff. BGB).

Wiederkunft Christi, → Parusie.

Wiedertäufer, → Täufer.

Wiedervereinigung, die Wiederherstellung der staatl. Einheit eines (in der Folge eines Krieges) gespaltenen Landes. Der Ost-West-Konflikt und

Wiege: Kufenwiege (um 1800; Vilsbiburg, Heimatmuseum)

innere Gegensätze führten nach dem 2. Weltkrieg in Europa zur Teilung Dtl.s und zum Aufbau der Bundesrep. Dtl. und der DDR (→ deutsche Nation), in Asien zur Spaltung des zuvor von Japan beherrschten Korea (1945) und des aus frz. Kolonialherrschaft sich befreienden Vietnam (1954). Während Nord- und Südvietnam im Gefolge des Vietnamkrieges unter kommunist. Vorzeichen 1976 wieder vereinigt wurden, konnte sich 1990 die Wiederherstellung der staatl. Einheit Dtl.s, ausgelöst durch den polit. Umbruch im damaligen Ostblock, auf friedl. Wege vollziehen (→ deutsche Geschichte). BILD deutsche Geschichte

Theodor Wiegand

Wiegand, Theodor, Archäologe, * Bendorf 30. 10. 1864, † Berlin 19. 12. 1936; leitete Ausgrabungen (Priene, Milet, Didyma, Samos, Pergamon); ab 1932 Präs. des Dt. Archäolog. Inst. in Berlin; richtete in Berlin das Pergamonmuseum ein.

Wiege, Schaukelbett aus Holz oder Flechtwerk für Kleinkinder. Die **Hänge-W.** ist ein an vier Seilen aufzuhängender Kasten, bei der **Ständer-W.** ist der Kasten in ein Gestell beweglich eingehängt. Die **Kufen-W.,** i. d. R. ein Querschwinger mit parallel zu Kopf- und Fußbrett laufenden Kufen, hatte wohl einen runden Korb als Vorläufer.

Wiegendrucke (Inkunabeln), die frühesten (etwa 1450–1500) mit metallenen Einzellettern gedruckten Bücher und Einblattdrucke. Die W. spiegeln das geistige Leben des Spät-MA. wider. Ihre Anzahl wird auf 40 000 versch. Werke geschätzt (davon etwa 30 000 Bücher), die in rd. 500 000 Exemplaren erhalten sind. Die Auflagen betrugen meist einige hundert Exemplare und wurden frühzeitig mit Holz- oder Metallschnitten illustriert. Die grundlegende Bibliographie der W. ist der »Gesamtkatalog der W.« (8 Bde., 1925–40; Neubearbeitung 1968 ff.).

Wiehengebirge, Höhenzug im Weserbergland, westlich der Porta Westfalica, mit Steilabfall zum Ravensberger Hügelland und sanftem Einfallen zum Norddt. Tiefland, stark bewaldet, bis 320 m ü. M.

Wiehl, Stadt im Oberberg. Kreis, NRW, am gleichnamigen Nebenfluss der Agger, 25 600 Ew.; Achsenfabrik, Maschinenbau, Brauerei; Luftkurort; Tropfsteinhöhle; Wildgehege. Östlich von W. die **W.-Talsperre** (32 Mio. m^3 Stauinhalt). – Im Stadtteil Marienhagen frühgot. Saalkirche (Reste von Wandmalereien, um 1310).

Wiek, kleine flache Bucht an der Ostseeküste.

Wieland (altnord. Völundr), Hauptgestalt in einer der ältesten germanisch-dt. Heldensagen, in der »Edda« überliefert. W. ist ein Alb, den der König Nidhod gefangen nimmt, lähmt und zu kunstreicher Schmiedearbeit zwingt. Aus Rache macht er sich durch einen Rauschtrank Nidhods Tochter gefügig und tötet dessen Söhne. Darauf erhebt er sich mittels selbst geschmiedeter Flügel in die Luft und entflieht.

Wieland, 1) Christoph Martin, Dichter, * Oberholzheim (heute zu Achstetten, Kr. Biberach) 5. 9. 1733, † Weimar 20. 1. 1813; bedeutendster Prosadichter und Verserzähler der dt. Aufklärung,

Christoph Martin Wieland: Gemälde des deutschen Malers Georg Oswald May (1779; Biberach an der Riß, Wieland-Museum)

Übersetzer, Hg. und Essayist; neben F. G. Klopstock und G. E. Lessing Wegbereiter der Klassik. W. stammte aus pietist. Pfarrhaus; er studierte 1750–52 in Tübingen, wo seine frühen Werke, erfüllt von religiösem Enthusiasmus, entstanden. 1752 ging er nach Zürich. Das Trauerspiel »Lady Johanna Gray« (1758; nach dem Engländer N. Rowe) ist das früheste dt. Drama in Blankversen. Nach Hauslehrertätigkeit in Bern wurde W. 1760 Ratsherr und Kanzleileiter in Biberach an der Riß. Die literar. Arbeiten waren nun von den Idealen des frz. Rokoko bestimmt (»Der Sieg der Natur über die Schwärmerey oder, Die Abentheuer des Don Sylvio von Rosalva«, R., 1764; »Com. Erzählungen«, 1765; Verserzählung »Musarion, oder Die Philosophie der Grazien«, 1768). Das Hauptwerk dieser Jahre, die »Geschichte des Agathon« (2 Bde., 1766/67; Neuausg. 1773), ist der erste große dt. Bildungsroman. 1769 wurde W. Prof. der Philosophie und kurmainz. Reg.-Rat an der Univ. in Erfurt. Hier schrieb er u.a. den politisch-satir. Roman »Der goldene Spiegel oder die Geschichte der Könige von Scheschian« (4 Tle., 1772). Dieser »Fürstenspiegel« veranlasste die Herzogin Anna Amalia, W. 1772 als Erzieher ihrer beiden Söhne nach Weimar zu rufen. 1775 pensioniert, lebte er als freier Schriftsteller in Weimar, 1797–1803 auf seinem Gut Oßmannstedt. In enger Verbindung zu Goethe und J. G. Herder trug W., v.a. durch seine Zeitschrift »Der Teutsche Merkur« (1773–1810; Autoren: u.a. Kant, Herder, Goethe, Schiller, A. W. und F. Schlegel, Novalis), zur kulturellen Blüte Weimars bei. Die Spätwerke (u.a. »Die Abderiten«, 1794, eine antike Schildbürgergeschichte; die sehr erfolgreiche Verserzählung »Oberon«, 1780; der Roman »Geheime Geschichte des Philosophen Peregrinus Protheus«, 2 Bde., 1791) sind von einem heiter-iron. Ton gekennzeichnet und getragen von der aufklärer. Hoffnung auf natürl. Vernunft des Menschen. W. war auch als Übersetzer von Werken Horaz', Lukians und Shakespeares (erste dt. Prosaübersetzung von 22 Stücken, 8 Bde., 1762–66) bekannt.

📖 Brender, I.: *C. M. W. mit Selbstzeugnissen u. Bilddokumenten. Reinbek 1990. – C. M. W. Epoche – Werk – Wirkung, Beiträge v.* S.-A. Jörgensen *u. a. München 1994.*

2) Heinrich Otto, Biochemiker, *Pforzheim 4. 6. 1877, †München 5. 8. 1957; untersuchte zahlreiche Naturstoffe, u.a. biologisch wichtige Sterine sowie Alkaloide, Glykoside und Pterine. Für seine Forschungen über den Aufbau der Gallensäuren erhielt er 1927 den Nobelpreis für Chemie.

Heinrich Otto Wieland

Wieliczka [vjɛˈlitʃka], Stadt in der Wwschaft Kraków (Krakau), Polen, im Karpatenvorland, 17600 Ew.; Kurort; Salzbergbau; in einem etwa 700 Jahre alten Salzbergwerk in Salz gehauene Kapellen, Figuren u.a. (UNESCO-Weltkulturerbe; Museum).

Wieliczka: Salzfiguren in einer Kapelle des Salzbergwerks

Wieman, Mathias, Schauspieler, *Osnabrück 23. 6. 1902, †Zürich 3. 12. 1969; wirkte v.a. in Berlin und Zürich; auch Darsteller in zahlr. Filmen (»Der Schimmelreiter«, 1935; »Paracelsus«, 1943); bekannt als Rezitator klass. Dichtung.

Mathias Wieman

Wien, Bundes-Hptst. und zugleich kleinstes Bundesland Österreichs, an der Donau, 171 m ü. M. (am Dom), 415 km², (1997) 1,616 Mio. Ew., gegliedert in 23 Gemeindebez. sowie das exterritoriale Gebiet der UN-City am linken Donauufer. W. liegt am Fuß des Wienerwaldes, reicht südöstlich in das Wiener Becken hinein und greift auf dem linken Donauufer in das westl. Marchfeld über; es ist das polit., wirtsch., kulturelle und administrative Zentrum des Landes mit Sitz der Bundesreg. und des Parlaments, der Wiener und niederösterr. Landesreg.; Sitz der UN-Sonderorganisation für industrielle Entwicklung, der Internat. Atomenergie-Behörde, der OPEC u.a. internat. Organisationen, eines kath. Erzbischofs, eines evang. Bischofs und eines grch.-orth. Metropoliten. Österr. Akademie der Wiss., Univ. (gestiftet 1365), TU, Univ. für Bodenkultur, Wirtschaftsuniv., Veterinärmedizin. Univ., Bundesanstalt für Leibeserziehung, Diplomat. Akademie, Hochschule für Musik und darstellende Kunst, für angewandte Kunst, Akademie der Bildenden Künste, Konservatorium, zahlr. Forschungsinst., Planetarium, botan. und zoolog. Gärten (im Park Schönbrunn einer der ältesten europ. Tiergärten); Österr. Nationalbibliothek, Österr. Staatsarchiv, Zentralarchiv des Dt. Ordens; über 60 Museen und Gemäldegalerien, u.a. Graph. Sammlung Albertina, Kunsthistor. Museum mit Schatzkammer, Naturhistor. Museum und Theatermuseum; Konzerthaus, zahlr. Theater, u.a. Staatsoper, Burgtheater, Volksoper, Theater an der Wien, Theater in der Josefstadt, Volkstheater.

Wien

Warum war die Weltausstellung von 1873 ein Flop?

Zum einen fand sie zwei Jahre nach dem Deutsch-Französischen Krieg statt. Zum anderen verwandelte ein Hochwasser das Ausstellungsgelände des Wiener Praters unmittelbar nach der Eröffnung in einen See. Die Überschwemmung in der Stadt hatte noch weitere fatale Folgen, denn einige Tage später brach die Cholera aus. Das wirkte sich natürlich auf die potenziellen Besucher nicht gerade motivierend aus. Von den Ausstellern waren außerdem viele erst gar nicht gekommen, da der Wiener Börsenkrach dem Wirtschafts- und Finanzleben Europas kurz vor Beginn der Weltausstellung einen schweren Dämpfer verpasst hatte.

W. ist Sitz der Zentralen von Großbanken, Sparkassen, Großhandelsgesellschaften und Wirtschaftsverbänden sowie der Börse; wichtigster Ind.standort des Landes mit Elektronik- und Elektroind., Maschinen-, Fahrzeug- und Stahlbau, Nahrungsmittel- und Genussmittel- sowie chem. Ind.; österr. Zentrum der Mode- und Kunstgewerbeind.; Kongress- und Messestadt; bed. Fremdenverkehr. – Straßen- und Eisenbahnknotenpunkt; U-Bahn; mehrere Donaubrücken und Häfen. Der internat. Flughafen in Schwechat bewältigt 75% des österr. Passagieraufkommens.

Stadtbild: Die Stadtanlage zeigt eine ringförmige Gliederung. Den Kern bildet die Innere Stadt: der am S-Ufer des Donaukanals gelegene, von der Ringstraße umgebene 1. Bezirk; hier befinden sich die wichtigsten Amtsgebäude und Kulturstätten. Zw. dem Ring und dem parallel verlaufenden Gürtel liegen die Inneren Bezirke (3.–9.), dicht bebaute Wohn- und Geschäftsviertel mit dem Botschaftsviertel im 3. und 4. Bezirk und den Schlössern und Parks →Belvedere (mit Barockmuseum und Österr. Galerie des 19. und 20. Jh.) und Schwarzenberg (1697–1715, von Fischer von Er-

Wien

1

2

3

4

1 Blick über die Donau auf das 1973–79 erbaute Vienna International Center (UNO-City) im Osten der Stadt | **2** Die Bauten der Hofburg im Westen von Wien stammen aus verschiedenen Zeiten (spätes 13. Jh., v. a. 18. Jh., auch 19. Jh.), das am Heldenplatz gelegene halbrunde Gebäude der Neuen Hofburg wurde in den Jahren 1881–1913 errichtet, früher kaiserliches Schloss und heute Sitz des Bundespräsidenten | **3** Die farbenprächtige Wohnanlage wurde 1983–85 nach Entwürfen von Friedensreich Hundertwasser in der Tradition des Jugendstils erbaut | **4** Der zum großen Teil im gotischen Stil erbaute Stephansdom mit dem 136 m hohen Kirchturm ist Mittelpunkt der Inneren Stadt lach), im 7. in der Mariahilfer Straße die großen Warenhäuser und im 9. das Mediziner- und Spitalsviertel. Auf der Insel zw. Donaukanal und Donau liegen der 2. und der 20. Bezirk mit vielfältiger Ind., den Grünflächen des Augartens und des →Praters, Messegelände und Sportplätzen, mit Bahn- und Hafenanlagen. Jenseits des Gürtels folgen die Äußeren Bezirke (10.–23.) mit den wichtigsten Industrievierteln und Großsiedlungen im Süden. Die westl. Bezirke reichen in den Wienerwald, sie umfassen Weinbaugebiete (alte Winzerdörfer, im 19. Bezirk: Grinzing, Nussdorf, Sievering). Villenviertel haben der 18., 19. und v.a. der 13. Bezirk, der auch Schloss und Park →Schönbrunn und das mauerumfriedete, 26 km² große Naturschutzgebiet des Lainzer Tiergartens einbezieht. In den Bezirken jenseits der Donau setzt sich das städtebaul. Bild der S-Zone mit wachsenden Ind.vierteln und Wohnsiedlungen fort. – Ausgehend von der durch Großbauten stark aufgewerteten Donauzone (Donauinsel, UNO-City, Gelände der Gartenbauausstellung 1964 mit Donauturm), erstreckt sich im O eines der Hauptwachstumsgebiete der Stadt mit großen Wohnanlagen (Großfeldsiedlung), Ind.zonen, Erholungsgebieten und städt. Versorgungsunternehmen.

Wien, Verwaltung (1991)

Gemeindebezirke		Fläche in km²	Ew. in 1000	Ew. je km²
I.	Innere Stadt	3,01	18000	5980
II.	Leopoldstadt	19,27	93500	4852
III.	Landstraße	7,41	84500	11404
IV.	Wieden	1,80	31400	17444
V.	Margareten	2,03	51500	25369
VI.	Mariahilf	1,49	30300	20336
VII.	Neubau	1,61	30400	18882
VIII.	Josefstadt	1,08	23900	22130
IX.	Alsergrund	2,99	40400	13512
X.	Favoriten	31,77	147600	4646
XI.	Simmering	23,24	66900	2879
XII.	Meidling	8,20	79600	9707
XIII.	Hietzing	37,70	54900	1456
XIV.	Penzing	34,00	80800	2376
XV.	Rudolfsheim-Fünfhaus	3,69	69300	18780
XVI.	Ottakring	8,64	88900	10289
XVII.	Hernals	11,34	50900	4489
XVIII.	Währing	6,30	49800	7905
XIX.	Döbling	24,90	67400	2707
XX.	Brigittenau	5,67	71900	12681
XXI.	Floridsdorf	44,48	119400	2684
XXII.	Donaustadt	102,32	106600	1042
XXIII.	Liesing	32,02	81900	2558
Wien		414,95	1539800	3711

Mittelpunkt der Inneren Stadt ist der Stephansdom. Vom spätroman. Bau (Mitte 13. Jh.) sind die Teile des Westwerks (mit dem »Riesentor«, einem reich skulptierten Stufenportal) erhalten, der got. dreischiffige Hallenchor wurde 1304, das Langhaus als dreischiffige Staffelhalle 1359 begonnen (spätgot. Netzgewölbe 1450); der 136 m hohe Turm gilt als einer der schönsten got. Kirchentürme. Im Inneren befinden sich zahlreiche plast. Werke, darunter die Pfeilerstatuen im Chor (um 1320), der Orgelfuß (1513) und die Kanzel (1515) von A. Pilgram mit dessen Selbstporträt, und das Grabmal Kaiser Friedrichs III. von N. Gerhaert von Leyden (1467 ff.); »Wiener Neustädter-Altar« (1447) mit Gemälden und Schnitzereien. Im W liegt am »Burgring« die große Baugruppe der Hofburg mit got. Kapelle (1447–49), Renaissance- und Barockbauteilen (Schatzkammer, Spanische Reitschule, Nationalbibliothek) und der Neuen Hofburg (1881–1913), anschließend der Ballhausplatz mit dem Bundeskanzleramt, unweit das →Burgtheater (1874–88). Am »Opernring« liegt die Staatsoper (1861–69, 1955 wiederhergestellt), in der Nähe die →Albertina. Im Gebäude der Alten Univ. (1753–55) befindet sich die Akademie der Wissenschaften. Bed. Kirchenbauten in der Altstadt sind ferner: St. Michael, Augustinerkirche, Minoritenkirche, Maria am Gestade (alle 14./15. Jh.), Kapuzinerkirche mit Kapuzinergruft (Grabstätte aller Kaiser von Matthias I. bis Franz Joseph I.) und Schottenkirche (beide 17. Jh.), St. Peter (18. Jh.); im S die Karlskirche (seit 1716, von J. B. Fischer von Erlach). Weitere Barockbauten in der Inneren Stadt: Finanzministerium, Schönborn-Palais, Böhm. Hofkanzlei, Kinsky-Palais. – An der Außenseite des Ringes, einer seit 1858 anstelle der alten Festungswerke angelegten 57 m breiten Prachtstraße mit Parkanlagen, stehen bes. Monumentalbauten des 19. Jh., u.a. die Neue Univ. (1873–83), das Rathaus (1872–83), das Parlament (1873–83), Naturhistor. und Kunsthistor. Museum (1872–81), die Akademie der Bildenden Künste (mit Gemäldegalerie). Wegweisend für das Bauen im 20. Jh. wurden einerseits der Jugendstil (Sezessionsgebäude von J. M. Olbrich, 1897/98; Bauten von J. Hoffmann und O. Wagner), andererseits die sachl. Bauweise von A. Loos (Haus am Michaelerplatz, 1910); für den Wohnungsbau nach dem 1. Weltkrieg am repräsentativsten der expressionistisch-kubist. Karl-Marx-Hof von K. Ehn (1927–30), Domes-Hof von P. Behrens (1928), Werkbund-Siedlung (1931/32). Moderne Bauten der jüngsten Zeit sind u.a. die Kirche »Zur heiligen Dreifaltigkeit« von F. Wotruba (vollendet 1976), der Komplex des Vienna International Center (UNO-City, 1973–79), die Neue Moschee (1979), die Wohnanlage von F. Hundertwasser (1983–85), das »Haas-Haus« von H. Hollein (1987–90).

Geschichte: W. geht auf die kelt. Siedlung **Vindobona** und auf das gleichnamige röm. Militärlager (etwa seit 100 n. Chr.) mit Zivilstadt zurück; 881 wird es als **Wenia** wieder genannt. Die Siedlung entwickelte sich bis ins 11. Jh. zum wichtigen

Handelsplatz. Um 1135 an die Babenberger gefallen; 1137 als Stadt erwähnt. Ab spätestens 1156 in Nachfolge von Klosterneuburg zur Residenz des Herzogtums Österreich ausgebaut, zu Beginn des 13. Jh. ummauert. 1221 erhielt W. Stadt- und Stapelrecht und war von 1237 (neues Stadtrecht) bis zum Aussterben der Babenberger (1246) reichsunmittelbar. Von König Ottokar II. Přemysl von Böhmen (1251–76) kam W. 1276 an Rudolf I. von Habsburg (1296 neues Stadtrecht). Herzog Rudolf IV., der Stifter, gründete 1365 die Univ. 1469 wurde W. Bischofssitz (1722 Erzbischofssitz). 1485–90 residierte König Matthias I. Corvinus von Ungarn in W. – Im 15. Jh. schwächte der Niedergang des Osthandels die wirtsch. Stellung der Stadt, doch wurde die Krise durch die neue Rolle als Residenzstadt des Hl. Röm. Reiches (ab 1438/39; 1611–1806 ständig, außer 1742–45) überwunden. 1529 wurde W. von den Türken belagert und daraufhin 1532–1672 mit einem neuen Befestigungsgürtel versehen (1858 abgebrochen), der 1683 der erneuten Türkenbelagerung standhielt (Schlacht am Kahlenberg). Nach 1683 setzte ein glanzvoller Aufstieg als barocke Kaiserresidenz und europ. Kulturzentrum (u. a. → Wiener Klassik) ein, verbunden mit großem Bev.zuwachs (nach 1750 Entwicklung zur Großstadt); 1804 wurde W. Hptst. des Kaisertums Österreich, 1805 und 1809 war es von den Franzosen besetzt, 1814/15 Schauplatz des → Wiener Kongresses. Die österr. Märzrevolution wurde mit der Besetzung von W. durch Truppen des Fürsten Windischgrätz unterdrückt (Okt. 1848). – Die Industrialisierung (etwa ab 1850) brachte u. a. mit mehreren Wirtschaftskrisen (Börsenkrach 1873), aber auch der Weltausstellung von 1873 starke soziale Spannungen. Die Liberalen verloren 1895 die Mehrheit im Gemeinderat an die Christlichsoziale Partei K. Luegers (1895/97–1910 Vizebürgermeister bzw. Bürgermeister von W.), die sich für Kommunalisierung und Ausbau der städt. Infrastruktur sowie für soziale Einrichtungen einsetzte. Mit dem Zerfall der Monarchie nach dem 1. Weltkrieg (1918) änderte sich die Stellung W.s: In W. lebte fast ein Drittel der Bev. der Rep. Österreich. Seit 1922 eigenes Bundesland; Febr. 1934 Kämpfe zw. sozialdemokrat. Arbeitern und der Reg. Dollfuß; 1938–45 Reichsgau des »Großdt. Reiches«, 1944/45 starke Zerstörungen durch Luftangriffe und Bodenkämpfe; 1945–55 von amerikan., brit., frz. und sowjet. Truppen besetzt und in vier Besatzungszonen geteilt. Weitere BILDER Barock, Burgtheater, Ferstel, Fischer von Erlach, Loos, Neurenaissance, Olbrich, Österreich, österreichische Kunst, Schönbrunn, Otto Wagner

Wilhelm Wien

Norbert Wiener

Norbert Wiener

Im Jahre 1948 veröffentlichte Wiener ein eher schmales Buch, mit dem er gleichwohl eine neue Wissenschaft begründete: die Kybernetik. Vom Ingenieursstandpunkt aus gesehen beschäftigt sie sich mit Fragen der Steuerungs- und Regelungstechnik, und tatsächlich hat sie eine starke Wurzel in technischen Problemen der Übertragung und Verarbeitung von Information, wie sie beispielsweise beim Aufbau der Fernsprechnetze zu lösen waren.

Doch Wiener ging sehr viel weiter: Er hatte erkannt, dass man Vorstellungen aus diesem Bereich auch auf lebende Organismen und ganze soziale Gemeinschaften übertragen kann. Die Kybernetik liefert also abstrakte mathematische Formalismen, mit denen das Verhalten komplexer Systeme beschreibbar ist, seien dies Computer oder der menschliche Stoffwechsel. Dabei spielt Rückkopplung eine wichtige Rolle, mit der sich solche Prozesse selbst steuern, so etwa bei der Regulierung des Blutzuckerspiegels in unserem Körper.

📖 *Geschichte der Stadt W., hg. v.* F. CZEIKE, *5 Bde. Wien u. a. 1985–91.* – CSENDES, P.: *Geschichte W.s. Wien* ^{2}*1990.* – CZEIKE, F.: *Histor. Lexikon W., 5 Bde. Wien 1992–97.*

Wien, 1) Max, Physiker, * Königsberg (Pr) 25. 12. 1866, † Jena 24. 2. 1938, Vetter von 2); arbeitete über Elektrizitätsleitung in Elektrolyten und über hochfrequente elektr. Schwingungen. Nach ihm ist die **W.-Brücke,** eine Wechselstrombrücke, benannt.

2) Wilhelm Karl Werner, Physiker, * Gaffken (Samland, Ostpreußen) 13. 1. 1864, † München 30. 8. 1928, Vetter von 1); Prof. in Aachen, Gießen, Würzburg und München; befasste sich mit Fragen der Korpuskularstrahlen, wies u. a. die negative Ladung der Kathodenstrahlen und die positive Ladung der Kanalstrahlen nach. Für seine Arbeiten zur Temperaturstrahlung des schwarzen Körpers erhielt W. 1911 den Nobelpreis für Physik. Er fand 1893 das **wiensche Verschiebungsgesetz,** nach dem sich das Intensitätsmaximum der von einem schwarzen Körper emittierten Strahlung zu kürzeren Wellenlängen verschiebt, sowie 1897 das **wiensche Strahlungsgesetz,** einen Spezialfall des planckschen Strahlungsgesetzes für den Grenzfall geringer Temperaturen.

Wiener, 1) Norbert, amerikan. Mathematiker, * Columbia (Mo.) 26. 11. 1894, † Stockholm 18. 3. 1964; ab 1932 Prof. in Cambridge (Mass.), zahlr. Studienaufenthalte in Europa, China, Indien, Mexiko. W. leistete bed. Beiträge zu mathemat. Grundlagenfragen, insbesondere zur Logik, harmon. Analyse, Maßtheorie sowie zur Theorie stochast. Prozesse und der brownschen Bewegung. Er begründete maßgeblich die moderne Informationstheorie und Kybernetik.

Werke: Kybernetik. Regelung und Nachrichtenübertragung im Lebewesen und in der Maschine (1948); Mensch und Menschmaschine (1950).

2) Oswald, österr. Schriftsteller, * Wien 5. 10. 1935; 1959–67 als EDV-Spezialist tätig, gehörte zur »Wiener Gruppe«. Von anarchist., fragmentar.

Charakter ist sein Hauptwerk, der Roman »die verbesserung von mitteleuropa, roman« 1962–67 in »manuskripte«, als Buchausgabe 1969), der aus Prosafragmenten, Polemiken, Parodien, wiss. und gesellschaftskrit. Exkursen und szen. Material besteht; befasst sich mit Fragen der Mathematik und künstl. Intelligenz; erhielt 1989 den Großen Österr. Staatspreis.

Wiener Aktionismus, österr. Ausprägung der Aktionskunst, die unter Bezugnahme auf tiefenpsycholog. Erkenntnisse S. Freuds und C. G. Jungs religiöse und sexuelle Tabus infrage stellte; Vertreter war neben O. Muehl und Hermann Nitsch (*1938) v.a. Rudolf Schwarzkogler (*1940, †1969), der die Zerstörungszwänge der Gesellschaft im eigenen Selbstmord demonstrierte.

Wiener Becken, Landschaft im SO von Wien, zw. dem Alpenostrand, der Donau und dem Leithagebirge; ackerbaulich intensiv genutzt, im fruchtbaren Randhügelland Weingärten. Hauptind.- und -siedlungsgebiet Österreichs; Erdöl- und Erdgasvorkommen.

Wiener Friede, Bez. für mehrere in Wien geschlossene Friedensverträge:

1) 1735 als Vorfriede geschlossener, am 18. 11. 1738 bestätigter Vertrag zwischen Österreich und Frankreich; beendete den Poln. Thronfolgekrieg (1733–1735/38): Stanislaus I. Leszczyński, der Schwiegervater Ludwigs XV., erhielt für seinen Verzicht auf den poln. Thron das Herzogtum Barrois und die Anwartschaft auf Lothringen, das nach seinem Tod (1766) an Frankreich fallen sollte und auf das Herzog Franz Stephan, der spätere Kaiser Franz I., gegen die 1737 eingetretene Nachfolge im Großherzogtum Toskana verzichtete. Österreich, das mit Russland Friedrich August II. von Sachsen unterstützte, trat Neapel und Sizilien ab, erhielt dafür die Herzogtümer Parma und Piacenza; Frankreich erkannte die →Pragmatische Sanktion von 1713 an.

2) Vertrag zw. Dänemark, Preußen und Österreich (30. 10. 1864), beendete den Dt.-Dän. Krieg: Dänemark musste die Herzogtümer Schleswig, Holstein und Lauenburg an Preußen und Österreich (Kondominium bis 1865) abtreten.

3) Vertrag zw. Italien und Österreich (3. 10. 1866), in dem Italien Venetien erhielt. (→Deutscher Krieg 1866)

Wiener Genesis, Miniaturhandschrift auf Purpurpergament mit Silberschrift (wahrscheinlich im 6. Jh. entstanden) in der österr. Nationalbibliothek in Wien; Fragment (26 Blätter) der ältesten grch. Bibelübersetzung.

Wiener Gruppe, ab 1950 Name einer Wiener Schriftstellergruppe, zu ihr gehörten: F. Achleitner, H. C. Artmann (bis 1958), Konrad Bayer (*1932, †1964), G. Rühm und O. Wiener, die u.a. an Dadaismus und Surrealismus anknüpften; gemeinsam war ihnen die Opposition gegen die Erstarrung des literar. Lebens. 1964 löste sich die Gruppe auf.

Wiener Gruppe (von links): Oswald Wiener, Gerhard Rühm und H. C. Artmann

Wiener Kaufrechtsübereinkommen (Einheitliches UN-Kaufrecht), die das Vertragsrecht über den internat. Warenkauf regelnde Konvention; löste das Haager Kaufrechtsübereinkommen vom 1. 7. 1964 ab. (→CISG)

Wiener Klassik, Stilperiode in der europ. Musik zw. etwa 1770 und 1827, die das v.a. auf Wien konzentrierte Schaffen J. Haydns, W. A. Mozarts und L. van Beethovens umfasst. Der Begriff W. K. betont die Vollendung, das Mustergültige und die überragende musikhistor. Bedeutung eines Stils, dessen Merkmale Übereinstimmung von Inhalt und Form, Ausgewogenheit, Einheitlichkeit, Einfachheit, Universalität sind. Das Hauptgewicht liegt auf dem Gebiet der Instrumentalmusik; Klavier- und Violinsonate, Sinfonie, Konzert und Streichquartett finden ihre endgültige Ausprägung. Von gleichem Rang sind die Vokalkompositionen (Haydns Oratorien, Mozarts Opern, Beethovens »Fidelio«, »Missa solemnis«). Die Wiener Klassiker haben nachhaltig auf die folgenden Musikergenerationen gewirkt.

📖 ROSEN, C.: *Der klass. Stil. Haydn, Mozart, Beethoven. A. d. Engl. Neuausg. Kassel u. a. 1995.*

Wiener Kongress, Versammlung der europ. Fürsten und Staatsmänner vom 18. 9. 1814 bis 9. 6. 1815, die nach dem Sturz Napoleons I. über die Umgestaltung Europas entschied. Den Vorsitz führte K. W. Fürst →Metternich, neben ihm war Kaiser Alexander I. von Russland von großem Einfluss; Preußen wurde von Friedrich Wilhelm III., Frankreich von C. M. de Talleyrand, Großbritannien durch Viscount Castlereagh und 1815 auch Wellington vertreten. Im Zentrum der Verhandlungen standen die Wiederherstellung der vorrevolutionären Ordnung (Vorbereitung der Hl. Allianz) und die territoriale Neuordnung unter dem Aspekt des Gleichgewichts der europ. Mächte. Russland erhielt den größten Teil des Herzogtums Warschau (»Kongresspolen«), Preußen die Prov. Posen, die nördl. Hälfte Sachsens (Provinz Sachsen), Neuvorpommern, Westfalen und die Rheinprov.; Österreich bekam seine Besitzungen zurück, außerdem die Lombardei und Venetien, verlor jedoch die südwestdt. Gebiete und die vormals Österr. Niederlande (das heutige Belgien), die mit Holland als Königreich der Vereinigten Niederlande zusammengeschlossen wurden.

Die Schweiz gewann mit dem Wallis, Neuenburg und Genf drei Kt. und erhielt die Garantie ihrer immer währenden Neutralität. An die Stelle des 1806 aufgelösten Hl. Röm. Reiches trat der Dt. Bund, dessen Bundesakte Bestandteil der **Wiener Kongressakte** vom 9. 6. 1815 wurde (später ergänzt durch die →Wiener Schlussakte).

🕮 GÜNZEL, K.: *Der W. K. Geschichte u. Geschichten eines Welttheaters. München u.a. 1995.* – HUNDT, M.: *Die mindermächtigen dt. Staaten auf dem W. K. Mainz 1996.*

Wiener Kreis, Gruppe von Wissenschaftlern des Neopositivismus (logischer Empirismus) um M. Schlick (R. Carnap, H. Feigl, K. Gödel, O. Neurath, V. Kraft, urspr. auch K. R. Popper u.a.), zunächst an der Univ. Wien, die die philosoph. Grundlagen der Einzelwiss. im Anschluss an E. Mach, P. Duhem und H. Poincaré mit den von G. Frege, B. Russell und L. Wittgenstein neu geschaffenen Hilfsmitteln der modernen formalen Logik und Sprachanalyse möglichst frei von hergebrachter Metaphysik und mithilfe einer wiss. Einheitssprache behandeln wollten.

Wiener Kongress

Der Kongress tanzt

*Diese spottenden Worte, bezogen auf die geringe Effektivität des Wiener Kongresses (1814/15), werden dem österreichischen Feldmarschall und Diplomaten Charles Josef von Ligne (*1735, †1814) zugeschrieben. Sie sind in der Form »Le congrès ne marche pas, il danse« (deutsch: »Der Kongress macht keine Fortschritte, er tanzt«) überliefert. In gleicher Weise spottet auch ein Gedicht von Friedrich Rückert, das sich unter seinen »Kriegerischen Spott- und Ehrenliedern« findet. Es trägt den Titel »Herr Kongreß« (1814) und beginnt mit den Versen:*

»Was hat Herr Kongreß in
Wien getan?
Er hat sich hingepflanzt
Und hat nach einem schönen Plan,
Anstatt zu gehn, getanzt«.

Im Jahr 1931 entstand der wegen seiner Kameraführung, seiner Stars und seiner Melodien berühmt gewordene Film »Der Kongreß tanzt«. Die Hauptrollen spielten Lilian Harvey, Willy Fritsch und Carl Heinz Schroth.

Wiener Neustadt, Stadt mit eigenem Statut und Bez.-Hptst. in Niederösterreich, im Wiener Becken; 35 100 Ew.; Stadtmuseum; Nahrungsmittel-, Textil-, Metall-, chem., Papier-, Lederind. – Mittelpunkt der Stadt ist der von Lauben umgebene Hauptplatz mit Rathaus (1488, Neubau 1587–90, Fassade 1834 verändert), Stadtpfarrkirche (13./14. Jh.), Neukloster (ehem. Zisterzienserstift, barocker Neubau 17./18. Jh., Kirche 14. Jh. mit barocker Ausstattung), ehem. Burg der Babenberger (13.–18. Jh.; 1752–1918 und wieder seit 1958 Sitz der Theresian. Militärakademie) mit spätgot. St.-Georgs-Kapelle (1449–60) und dem Grab Maximilians I. – 1194 gegr.; 1277 stadtähnl. Rechte, 1469–1784 Bischofssitz; im 15. Jh. zeitweise Residenz der Habsburger.

Wiener Philharmoniker, 1842 gegr. Orchester von internat. Rang. Bed. Dirigenten waren O. Nicolai, Hans Richter, G. Mahler, R. Strauss, F. von Weingartner, W. Furtwängler u.a.; seit 1933 wirken (ständige) Gastdirigenten.

Wiener Porzellan, Erzeugnisse der 1718 gegr., seit 1744 kaiserl. Manufaktur in Wien; nach der Meißner Manufaktur die älteste in Europa. Hervorragende Arbeiten entstanden bes. in klassizist. Zeit (Leitung: K. von Sorgenthal, Modellmeister: A. Grassi). 1864 wurde die Manufaktur geschlossen, 1923 im Schloss Augarten wiedererrichtet.

Wiener Sängerknaben, als Teil der Wiener Hofmusikkapelle gegr. Knabenchor (seit 1498 urkundlich erwähnt), der bis 1918 bestand. 1924 erneut gegr., wurde der Chor durch Konzertreisen weltbekannt. Das Konvikt für Sängerknaben dient der mus. Erziehung begabter Jungen.

Wiener Schiedssprüche, durch Dtl. und Italien getroffene Entscheidungen über ehemals ungar. Gebiete, die im Frieden von Trianon 1920 an die ČSR bzw. Rumänien gefallen waren; danach erhielt Ungarn die südl. Randgebiete der Slowakei und der Karpato-Ukraine (**1. W. S.,** 2. 11. 1938; →Transkarpatien) sowie N-Siebenbürgen und das Szeklerland (**2. W. S.,** 30. 8. 1940), Bulgarien die südl. Dobrudscha (Vertrag von Craiova, 7. 9. 1940) zugesprochen. Die W. S. wurden im Pariser Frieden vom 10. 2. 1947 wieder rückgängig gemacht (die Süddobrudscha verblieb bei Bulgarien).

Wiener Schlussakte, die auf den Wiener Ministerialkonferenzen (1819/20) erarbeitete, die Dt. Bundesakte von 1815 ergänzende, durch die Bundesversammlung am 8. 7. 1820 angenommene Zusammenfassung des Bundesrechts (Grundgesetz des Dt. Bundes; 1815–66).

Wiener Schule, 1) *Musik:* a) Gruppe von Komponisten, die im 2. Drittel des 18. Jh. (zus. mit der →Mannheimer Schule) als Wegbereiter der →Wiener Klassik wirkten; bed. Vertreter waren M. G. Monn und G. C. Wagenseil. b) **2. W. S.** (auch **Wiener atonale Schule**), Bez. für A. Schönberg und dessen Wiener Schülerkreis bes. zw. 1903 und 1911. Die musikalisch-kompositor. Bedeutung der 2. W. S. besteht darin, dass sie die Harmonik der Musik des ausgehenden 19. Jh. bis an ihre Grenzen führte und aus dieser Situation heraus die Grundlagen zur Ausbildung der Neuen Musik fand, die Atonalität und die Zwölftontechnik entwickelte.

Wiener Schule des fantastischen Realismus: Ernst Fuchs, »Die Hochzeit des Einhorns« (1952–60; Privatbesitz)

2) *Psychologie:* Bez. für versch. Richtungen der Tiefenpsychologie: die psychoanalyt. Schule von S. Freud (1. W. S.), die Individualpsychologie von A. Adler (2. W. S.) sowie die Existenzanalytiker (→Existenzanalyse) um V. E. Frankl (3. W. S.); auch die experimentelle Psychologie um Charlotte Bühler und die von H. Rohracher begründete Schule der experimentellen Psychologie.

3) *Recht:* vom Neukantianismus beeinflusste rechtstheoret. Richtung mit H. Kelsen als bedeutendstem Vertreter.

4) *Völkerkunde:* basierend auf der von F. Graebner begründeten kulturhistor. Schule erstmals von Pater W. Schmidt und seinen Schülern vertretene Richtung der Kulturkreislehre.

5) *Wirtschaft:* →Grenznutzenschule.

Wiener Schule des fantastischen Realismus, Mitte der 1950er-Jahre geprägte Bez. für eine Gruppe in Wien tätiger Maler (A. Brauer, E. Fuchs, R. Hausner, W. Hutter, A. Lehmden; alle Schüler von A. P. Gütersloh). Sie vertraten bereits früh eine sich von den Haupttendenzen zeitgenöss. Kunst abgrenzende Feinmalerei in einem psychologisierend dekorativen Stil, der auch surrealist. Elemente aufnahm. Das Interesse galt einer phantasmagor. Bildwirkung, nicht so sehr einer Konstitution einer Überrealität (wie im Surrealismus). In der Nachfolge entwickelte sich in Wien eine zweite Generation der fantast. Realisten (u. a. Kurt Regschek, *1923, und Helmut Leherb, *1933). Außerhalb Österreichs haben sich versch. Künstler dem fantast. Realismus zugewandt. Weitere BILDER Fuchs, Hausner

Wiener Sezession, Künstlervereinigung, die sich 1897 von der »Genossenschaft der bildenden Künstler Wiens – Künstlerhaus« abspaltete; Präsident: G. Klimt; unterhielt Verbindung zum Ausland, entwickelte jedoch einen eigenen Stil v. a. unter J. Hoffmann. 1905 traten Klimt u. a. Mitglieder aus, womit die Glanzzeit der W. S. zu Ende ging. BILD Olbrich

Wienerwald, nordöstlichster Teil der Ostalpen, Niederösterreich, zw. der Traisen, dem Wiener Becken (Thermenlinie mit zahlr. Heilbädern) und dem Donauknie bei Greifenstein, im Schöpfl 893 m ü. M.; stark bewaldet; beliebtes Naherholungsgebiet für die Wiener Bevölkerung.

Wiener Werkstätte, 1903 von J. Hoffmann und K. Moser sowie dem Bankier F. Warndorfer gegr. »Produktivgemeinschaft von Kunsthandwerkern«, die komplette Innendekorationen von Möbeln bis zu kunsthandwerkl. Gegenständen, wie Lederarbeiten, Schmuck, Bucheinbände, Stoffe, nach Entwürfen der Künstler der Wiener Sezession und der Wiener Kunstgewerbeschule herstellte und vertrieb. Die internat. anerkannte W. W. wurde 1932 aufgelöst.

Wienhausen, Gemeinde im Landkreis Celle, Ndsachs., an der Aller, 3 800 Einwohner. – Bed. Zisterzienserinnenkloster (um 1229 gegr., seit 1562 evang. Damenstift). Die got. Backsteinanlage (Kirche mit Nonnenchor und Abtei um 1310/30) bildet mit bed. Wandmalereien und gut erhaltener Ausstattung eine in Dtl. einzigartige Einheit.

Wieniawski [vjɛ'njafski], Henryk, poln. Geiger und Komponist, *Lublin 10. 7. 1835, †Moskau 31. 3. 1880; trug durch seine Bogentechnik mit dem frei geführten Oberarm wesentlich zur Entwicklung des modernen Violinspiels bei; schrieb u. a. zwei Violinkonzerte.

Wiepersdorf, Gemeinde im Landkreis Teltow-Fläming, Brandenburg, 235 Ew. – Schloss W. (1731–38 als Gutshaus erbaut; ehem. Wohn- und Arbeitsstätte B. und A. von Arnims) wurde 1946 von der »Dt. Dichterstiftung« für Künstler und Schriftsteller eingerichtet, 1992 als Künstlerhaus der Öffentlichkeit übergeben; Parkanlage mit Orangerie (um 1800).

Wies, Wallfahrtskirche in der Gemeinde Steingaden, Oberbayern; erbaut 1745–54 von D. Zimmermann, ein Hauptwerk des europ. Rokoko;

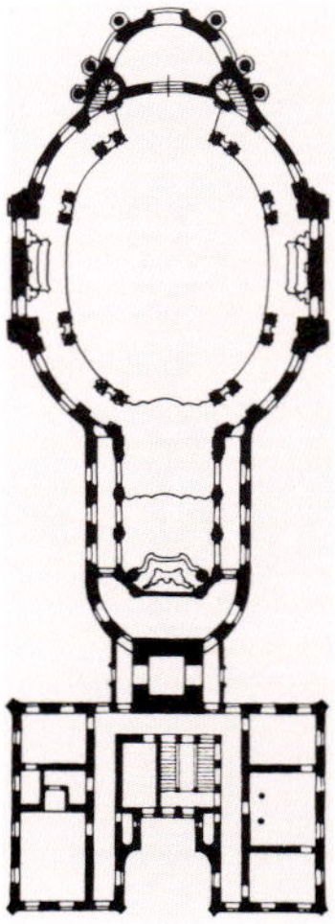

Wies: Grundriss von Kirche und Priesterhaus (unten)

Deckenfresken und Stuckaturen von J. B. Zimmermann; von der UNESCO zum Weltkulturerbe erklärt.

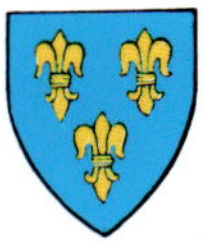

Wiesbaden Stadtwappen

Wiesbaden, Hptst. des Landes Hessen, kreisfreie Stadt, 267 700 Ew., Kur- und Kongressstadt zw. dem SO-Hang des westl. Taunus und dem Rhein, 115 m ü. M.; Sitz des Statist. Bundesamtes, des Bundeskriminalamtes, des Bundesinst. für Bev.forschung, der Dt. Pfandbriefanstalt, von Spitzenorganisationen der Filmwirtschaft, der Dt. Klinik für Diagnostik, der hess. Ministerien u. a. Behörden; FH W., Verwaltungs-FH, FH Fresenius (Chemie), Hessenkolleg, Konservatorium; Staatstheater, Museum, Landesbibliothek, Hauptstaatsarchiv, Sitz der Gesellschaft für deutsche Sprache, Kurhaus mit Spielbank. Die Ind. konzentriert sich v. a. auf dem Rheinufergelände der südl. Vororte: chem., pharmazeut., elektron. und elektrotechn. Ind., Zementwerke, Maschinenbau, Nahrungs- und Genussmittel-, Druckerei-, Textil- und Kunststoff verarbeitende Ind., Verlage; Rheinhafen. Die 27 heißen Mineralquellen (»Kochbrunnen«, 67 °C), die schon Plinius erwähnt, werden in Trink- und Badekuren bes. gegen Rheuma und Gicht sowie Erkrankungen der Atmungsorgane angewendet. In W. finden viele Kongresse, Fachmessen u. a. Veranstaltungen statt (Internat. Maifestspiele, Internat. Reitturnier).

Wiesenknopf: Großer Wiesenknopf (Höhe 30–90 cm)

Stadtbild: Das Stadtbild wird v. a. von Bauten des 19. und frühen 20. Jh. geprägt. Am Markt das Alte Rathaus (1609/10), die neugot. Marktkirche mit 92 m hohem W-Turm (1853–62), das Neue Rathaus (1884–90) und das Schloss (1837–41, seit 1946 Landtag). In der 1. Hälfte des 19. Jh. entstanden auch die doppeltürmige Bonifatiuskirche (1843–49) sowie die russisch-orthodoxe Kirche auf dem Neroberg (1846–55), ferner das heutige Justizministerium (1838–42), das Erbprinzenpalais (1813–17), die Kolonnaden der Kuranlagen (1826–39); Kurhaus (1904–07), Theater (1892–94), Ringkirche (1892–94), Hauptbahnhof (1904–06), Landeshaus (1905–07), Museum (1912–15 von T. Fischer). Wohnbauten in den historisierenden Formen der Gründerzeit finden sich in einmaliger Geschlossenheit v. a. südwestlich der Innenstadt. Im Stadtteil Biebrich Barockschloss (1700–44).

Wiesenraute: Akeleiblättrige Wiesenraute (Höhe bis zu 1,2 m)

Geschichte: Das urspr. römische Steinkastell (zw. 83 und 90) wurde 121/122 aufgegeben. Die Zivilsiedlung **Aquae Mattiacorum** entwickelte sich zum Kurort (Thermen seit Mitte des 1. Jh. n. Chr. genutzt), 364–375 Versuch einer Stadtbefestigung (sog. Heidenmauer), etwa 400 endgültig alemannisch, um 500 fränkisch. Der 829 als **Wisibada** belegte befestigte Ort gewann bereits im frühen MA. stadtähnl. Charakter; kam zw. 1242 und 1281 als Reichslehen an die walram. Linie der Grafen von Nassau (1744–1866 Hptst. des Fürstentums Nassau-Usingen), kam 1866 an Preußen (ab 1867/68 Hptst. des RegBez. W. der Prov. Hessen-Nassau). Seit 1945 Hptst. des Landes Hessen.

Wies: Blick vom Hochaltar auf den Eingang mit Orgelempore

📖 CZYSZ, W.: *W. in der Römerzeit. Stuttgart 1994. – W. Geschichte im Bild von der Römerzeit bis zur Gegenwart, Beiträge v.* H. SCHOPPA *u. a. Essen* ^{4}*1997.*

Wieschaus ['wi:ʃɔ:s], Eric F., amerikan. Biologe, * 7. 6. 1947; seit 1987 Prof. an der Princeton University (N. J.); bestätigte zus. mit C. Nüsslein-Volhard die Gradientenhypothese, nach der die differenzielle Steuerung gestaltbildender Gene durch ein Konzentrationsgefälle bestimmter Stoffe in den Zellen des Embryos ein durchgängiges Prinzip der frühen Embryonalentwicklung von Wirbellosen bis hin zum Menschen ist; erhielt (mit C. Nüsslein-Volhard und E. B. Lewis) 1995 den Nobelpreis für Physiologie oder Medizin.

Wiese, gehölzfreie oder -arme, v. a. aus Süßgräsern und Stauden gebildete Pflanzengesellschaft. Die landwirtsch. **Nutz-W.** werden im Ggs. zur → Weide regelmäßig gemäht und dienen der Heugewinnung. Man unterscheidet **Fett-W.** (mit zweimaliger Mahd pro Jahr und hohem Heuertrag; auf nährstoffreichen Böden mit hohem Grundwasserstand) und **Mager-W.** (mit einmaliger Mahd pro Jahr und geringem Heuertrag; an trockenen, nährstoffarmen Standorten).

Wiese *die,* rechter Nebenfluss des Oberrheins, 82 km lang, entspringt am Feldberg im Schwarzwald und mündet in Basel.

Wiese, eigtl. W. und Kaiserswaldau, **1)** Benno von, Literaturhistoriker, * Frankfurt am Main 25. 9. 1903, † München 31. 1. 1987, Sohn von 2); vertrat die werkimmanente Interpretation des dichter. Kunstwerkes (»Die dt. Tragödie von Lessing bis Hebbel«, 2 Bde., 1948), später die Verknüpfung von geistes- und sozialgeschichtl. Methodik; auch Herausgeber (»Die dt. Lyrik«, 2 Bde., 1956; »Das dt. Drama«, 1958; »Der dt. Roman vom Barock bis zur Gegenwart«, 2 Bde., 1963).

2) Leopold von, Soziologe, *Glatz (heute Kłodzko) 2. 12. 1876, †Köln 11. 1. 1969, Vater von 1); Prof. in Hannover und Köln; Mitbegründer der analyt. Soziologie als einer eigenständigen Einzelwissenschaft vom beobachtbaren zwischenmenschl. Verhalten.

Werke: Zur Grundlegung der Gesellschaftslehre (1906); Allg. Soziologie als Lehre von den Beziehungsbedingungen der Menschen, 2 Bde. (1924–29, ab 1933 u. d. T. System der allg. Soziologie); Soziologie (1926); Ethik in der Schauweise der Wiss. vom Menschen und von der Gesellschaft (1947).

Wiesel, ein Raubtier, →Marder.

Wiesel, 1) Elie, amerikan. Schriftsteller ungar. Herkunft, *Sighet (heute Sighetu Marmației, Rumänien) 30. 9. 1928; wuchs in orthodox-jüd. Umgebung auf, war 1944/45 im KZ; danach Journalist in Paris, seit 1956 in den USA (1963 amerikan. Staatsbürger). Die Schrecken der KZ-Zeit und die jüd. Tradition bilden das Hauptthema seines Schaffens; schrieb u. a. die Romantrilogie »Die Nacht« (1958), »Morgengrauen« (1960) und »Tag« (1961), die Romane »Der Bettler von Jerusalem« (1968), »Das Testament eines ermordeten jüdischen Dichters« (1980), »Der fünfte Sohn« (1983), »Der Vergessene« (1989) sowie Dramen und Essays, u. a. »Was die Tore des Himmels öffnet« (1978). 1986 Friedensnobelpreis.

2) Torsten Nils, schwed. Neurobiologe, *Uppsala 3. 6. 1924; erhielt für seine Entdeckungen zur Informationsverarbeitung opt. Reize durch das Gehirn 1981 (mit D. H. Hubel und R. W. Sperry) den Nobelpreis für Physiologie oder Medizin.

Wiesenerz, →Raseneisenerz.

Wiesenknopf (Sanguisorba), Gattung der Rosengewächse mit etwa 30 Arten in der nördl. gemäßigten Zone; meist Stauden mit gefiederten Blättern und lang gestielten Blütenköpfen; einheimisch sind: **Großer W.** (Sanguisorba officinalis), bis zu 90 cm hoch, mit dunkelrotbraunen Blüten, und **Kleiner W.** (Sanguisorba minor), bis zu 60 cm hoch, mit rötl. Blüten.

Wiesenralle (Wachtelkönig, Crex crex), etwa 27 cm großer, brauner, oberseits schwarz gefleckter Vogel mit schnarrendem Ruf; nistet am Boden; überwintert in Afrika; nach der Roten Liste im Bestand stark gefährdet.

Wiesenraute (Thalictrum), Gattung auf der N-Halbkugel beheimateter Hahnenfußgewächse; Kräuter mit mehrfach fiederspaltigen Blättern und zu Trauben oder Rispen geordneten Blüten. Die **Akeleiblättrige W.** (Thalictrum aquilegifolium), bis zu 1,2 m hoch, mit verdickten, violetten Staubfäden, wächst in feuchten Gehölzen, an Bächen oder auf Waldwiesen Europas.

Wiesenthal, Simon, österr. Publizist, *Buczacz (heute Butschatsch, Gebiet Ternopol, Ukraine) 31. 12. 1908; Architekt, als Jude 1941 in Lemberg verhaftet und bis 1945 im KZ; trug wesentlich zur Aufspürung A. Eichmanns in Argentinien (1960) und über 1000 anderer nat.-soz. Haupttäter bei (»Nazi-Jäger«); eröffnete 1961 das jüd. Dokumentationszentrum in Wien, das er seitdem leitet.

Wieser, Friedrich Freiherr von, österr. Volkswirtschaftler, *Wien 10. 7. 1851, †Sankt Gilgen 22. 7. 1926; einer der Hauptvertreter der Wiener Schule, auf ihn geht der Begriff →Grenznutzen zurück. – *Werke:* Der natürl. Werth (1889); Theorie der gesellschaftlichen Wirtschaft (1924); Das Gesetz der Macht (1926).

Wiesloch, Stadt (Große Kreisstadt) im Rhein-Neckar-Kreis, Bad.-Württ., im Kraichgau, 24600 Ew.; psychiatr. Landeskrankenhaus; Druckmaschinenfabrik, Papierind.; Wein- und Obstbau. – Reste der Stadtbefestigung und ehem. Burg (heute Museum), Freihof (14. Jh.), Rathaus (1713) mit Prangersäule. – 802 erstmals erwähnt, nach 1225 Stadt.

Wiesmoor, Gemeinde im Landkreis Aurich, Ndsachs., im ostfries. Hochmoorgebiet, 11900 Ew.; Erzeugung von Gemüse, Blumenzwiebeln und Zierpflanzen in Treibhäusern, Rohrleitungs- und Anlagenbau; das ehem. Torfkraftwerk wurde auf Erdgas umgestellt.

Wiessee, Bad, →Bad Wiessee.

Wight, Isle of [aɪl əv waɪt], Insel (und Cty.) vor der S-Küste Englands, 381 km², (1995) 125100 Ew., von einer Kreidehügelkette durchzogen, im S bis 240 m hoch, die N-Küste ist reich gegliedert, die S-Küste hat Kliffketten, vor der W-Spitze die Klippen »The Needles«; mildes Klima, Fremdenverkehr (zahlr. Seebäder); Häfen: Cowes und Newport, das auch Verw.sitz ist.

Wigman, Mary, eigtl. Marie Wiegmann, Tänzerin, Choreographin und Tanzpädagogin, *Hannover 13. 11. 1886, †Berlin (West) 19. 9. 1973; studierte bei É. Jaques-Dalcroze und R. von Laban; Hauptvertreterin des Ausdruckstanzes, gründete 1920 in Dresden die W.-Schule, aus der u. a. G. Palucca und H. Kreutzberg hervorgingen. 1949–73 leitete sie ihre Schule in Berlin (West). BILD S. 246

Wigner ['wɪgnə], Eugene Paul, amerikan. Physiker ungar. Herkunft, *Budapest 17. 11. 1902, †Princeton (N. J.) 1. 1. 1995; bed. Arbeiten zur Atom- und Kernphysik; ab 1942 beteiligt an der Entwicklung der Atombombe und des ersten Kernreaktors. W. erhielt für seine Forschungen

Simon Wiesenthal

Elie Wiesel

Torsten Nils Wiesel

Eugene P. Wigner

über die Symmetrieprinzipien der Kern- und Elementarteilchenphysik 1963 den Nobelpreis für Physik (mit H. D. Jensen und M. Goeppert-Mayer). (→ Quantenmechanik)

Mary Wigman

Wigner-Seitz-Zelle ['wɪgnə-; nach E. P. Wigner und dem amerikan. Physiker Frederick Seitz, *1911], speziell gewählte Elementarzelle eines Kristalls, die die vollständige nächste Umgebung eines einzelnen Gitterpunktes erfasst. Die W.-S.-Z. ist ein Polyeder, dessen Begrenzungsflächen von den Mittelebenen gebildet werden, die senkrecht auf den Verbindungsstrecken zw. dem herausgegriffenen Gitterpunkt und dem benachbarten, ihm translationsäquivalenten Punkten (→ Kristallgitter) stehen.

Wigwam [indian.] *der,* urspr. Bez. für die kuppelförmige Hütte einiger Algonkinstämme, dann von den Europäern auf alle Behausungen der nordamerikan. Indianer übertragen.

Wikingerzüge

Wik (Wiek) [von lat. vicus »Dorf«], im 7.–9. Jh. (v. a. in NW-Europa) umzäunte Siedlung, Wohn- und Handelsplatz oder Kaufmannsniederlassung (Vorform der eigentl. Städte).

Wikinger [nord.], Bez. für die Bewohner N-Europas im 9.–11 Jh. (Wikingerzeit), die in Europa als Kaufleute, räuber. Gefolgschaften und Landnehmer auftraten. Im W und in Sizilien waren sie auch als → Normannen bekannt, im O als Rus oder → Waräger. Auf dem Kontinent und den Brit. Inseln traten die W. als Krieger, Händler und Siedler allerdings nicht zahlreich genug auf, um sich in diesen bereits dicht besiedelten Regionen dauerhaft durchzusetzen. Dagegen prägten sie die bis dahin unbesiedelten Färöer, Island und zeitweilig auch Grönland. In ihrer Heimat waren die W. überwiegend Bauern, die v. a. Viehzucht, aber auch Ackerbau betrieben. Im Zuge ihrer ausgreifenden Handelstätigkeit – dank ihrer Überlegenheit als Seefahrer (→ Wikingerschiff) beherrschten sie seit dem 9. Jh. die Handelswege weiter Teile Europas – entstanden Handelsstädte wie Birka und → Haithabu. Während die Christianisierung Norwegens und Islands von England aus geschah, stand sie in Dänemark und Schweden unter dem Einfluss der fränk. Mission (→ Ansgar). Die Züge der Norweger führten v. a. zu den Brit. Inseln (Ende 8. Jh.), nach Island (um 870), nach Grönland (Entdeckung 982 durch Erich den Roten) und Nordamerika (Entdeckung um 1000 durch Leif Eriksson). Die Dänen wandten sich seit dem 9. Jh. dem Kontinent zu, besetzten Friesland, richteten ihre Fahrten nach 866 gegen England und setzten sich 911 in der Normandie fest. 1013 eroberten sie England, das mit Dänemark und Norwegen unter Knut d. Gr. (1018–35) ein Großreich bildete. Im Ostseeraum und in Russland waren seit dem 9. Jh. bes. Schweden (Waräger oder Rus) aktiv. Sie waren wohl an der Entstehung des Kiewer Reichs (»Kiewer Rus«), der Keimzelle Russlands, beteiligt. Den byzantin. Kaisern dienten Waräger als Stützen der kaiserl. Garde.

Neben der Schreckensbilanz zeitgenöss. Quellen, die meist die Sicht der im N missionierenden Kirche spiegeln, können zur Beurteilung der W. zahlreiche archäolog. Befunde herangezogen werden. Diese lassen die W. nicht mehr v. a. als krieger. Abenteurer erkennen, sondern als bäuerl. Siedler sowie bes. auch als Kaufleute, die ein umfangreiches Fernhandelsnetz auf den europ. Wasserwegen errichteten, das sie auch politisch zu sichern trachteten.

🕮 Capelle, T.: *Die W. Kultur- und Kunstgeschichte in Grundzügen. Darmstadt ²1988. – W., Waräger, Normannen. Die Skandinavier und Europa 800–1200, bearb. v.* E. Roesdahl, *Ausst.-Kat. Museum für Vor- und Frühgeschichte, Berlin. Mainz 1992.*

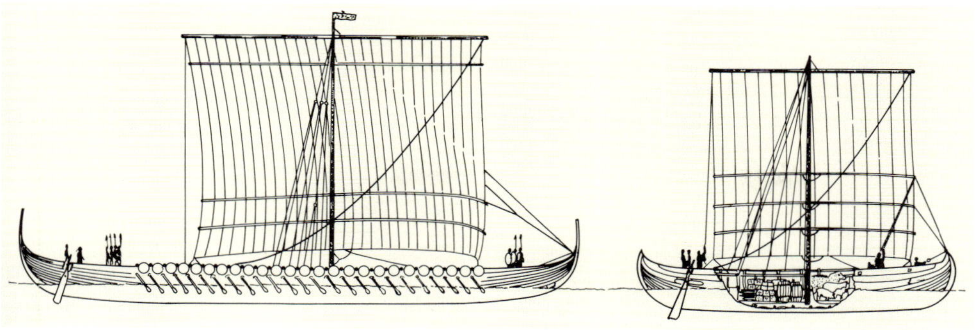

Wikingerschiff: Rekonstruktionszeichnungen eines Kriegsschiffes (links) und eines Frachtschiffes, die beide bei Skuldelev in Dänemark geborgen wurden

Wikingerschiff, offenes Kielbot der Wikinger aus Eichenholz mit Spanten und Klinkerbeplankung, einem Mast und Rahsegel; wurde mit 40–80 Riemen gerudert; Vor- und Achtersteven stark hochgezogen; Schilde dienten zur Erhöhung des Dollbords.

Wil, Bezirksstadt im Kanton St. Gallen, Schweiz, 16400 Ew.; Textilind., Maschinenbau. – Gut erhaltene Altstadt in maler. Spornlage oberhalb der Thur, Kirche St. Nikolaus (15. Jh.), Kapuzinerkloster (1654–56).

Oscar Wilde (um 1885)

Wilamowitz-Moellendorff, Ulrich von, klass. Philologe, *Markowitz (heute Markowice, bei Racibórz) 22. 12. 1848, †Berlin 25. 9. 1931; gab der Textkritik neue method. Gesichtspunkte, führte philolog. und geschichtl. Betrachtung zu neuer Einheit; zahlr. Editionen, auch Übersetzungen (»Platon«, 2 Bde., 1919; »Griech. Verskunst«, 1921).

Wilanów [-uf], Barockschloss im S von Warschau, Polen, 1677–96 erbaut, im 18. Jh. erweitert; heute Teil des Nationalmuseums.

Wilberforce ['wɪlbəfɔːs], William, brit. Philanthrop und Politiker, *Kingston upon Hull 24. 8. 1759, †London 29. 7. 1833; setzte 1807 als Mitgl. des Unterhauses (seit 1780) ein Gesetz durch, das Sklavenhandel auf brit. Schiffen verbot, und trat für die Gleichstellung der Dissenters und Katholiken ein.

Wild, jägersprachl. Bez. für alle dem Jagdrecht unterliegenden wild lebenden Säugetiere (Haar-W.) und Vögel (Feder-W.), auch unterschieden in Raub- und Nutz-W.; traditionell in Hoch- und Niederwild. (→Jagd)

Wildbad im Schwarzwald, →Bad Wildbad.

Wildbeuter, die →Jäger und Sammler.

Wildbret, das Fleisch des Nutzwildes.

Wilde [waɪld], Oscar Fingal O'Flahertie Wills, engl. Schriftsteller irischer Herkunft, *Dublin 16. 10. 1854, †Paris 30. 11. 1900; hervorragendster literar. Vertreter des Ästhetizismus in England, zuletzt unter dem Decknamen Melmoth in Frankreich. Sein einziger Roman »Das Bildnis des Dorian Gray« (1891; mehrfach verfilmt) ist neben seinen Märchen und Erzählungen sein bekanntestes Werk. 1895 zu einer zweijährigen Zuchthausstrafe wegen Homophilie verurteilt; in Haft schrieb er die »Ballade vom Zuchthause zu Reading« (1898) und den autobiographischen Essay »De profundis« (hg. 1905 gekürzt, 1949 vollständig). Seine Tragödie »Salomé« (1893 in frz. Sprache; mehrfach verfilmt) wurde von R. Strauss als Oper (1905) vertont. Von polit. Bedeutung ist sein Essay »Die Seele des Menschen unter dem Sozialismus« (1891); schrieb auch Komödien, u. a. »Lady Windermeres Fächer« (1893; mehrfach verfilmt), »Eine Frau ohne Bedeutung« (1894; mehrfach verfilmt), »Ein idealer Gatte« (1899) und »Ernst sein!« (1899), seit 1908 u. d. T. »Bunbury«.

📖 FUNKE, P.: *O. W. Reinbek 60.–62. Tsd. 1995.* – GENTZ, R.: *Das erzähler. Werk O. W.s. Frankfurt am Main u. a. 1995.* – ELLMANN, R.: *O. W. Biographie. A. d. Amerikan. Tb.-Ausg. München u. a. 1997.*

Ulrich von Wilamowitz-Moellendorff (Lithographie von Max Liebermann, 1916)

Wilde Jagd (Wildes Heer), im dt. Volksglauben ein Geister- bzw. Totenheer, das nachts, bes. in den Zwölf Nächten, mit Jagdrufen und Hundegebell durch die Luft braust, geführt vom **Wilden Jäger,** der teils myth. (Odin, Helljäger, Hackelberg), teils historisch bezeugte Namen führt (Dietrich von Bern).

Wilde Männer und Wilde Frauen (Wildleute), tierhaft behaarte Waldmenschen der dt.

und slaw. Sage, im Volksglauben und -brauch; häufig u.a. auf Bildteppichen, in der Buchmalerei, auf Wappen (als Schildhalter) und Münzen sowie auf Wirtshausschildern dargestellt.

Ernst von Wildenbruch

Wildenbruch, Ernst von, Schriftsteller und Diplomat, *Beirut 3. 2. 1845, †Berlin 15. 1. 1909; Enkel des Prinzen Louis Ferdinand von Preußen; schrieb histor. und patriot. Lieder, Balladen und Dramen (»Die Quitzow's«, 1888; »Die Rabensteinerin«, 1907) sowie die Erzählung »Der Meister von Tanagra« (1880).

Wilder ['waɪldə], **1)** Billy, eigtl. Samuel W., amerikan. Filmautor und -regisseur österr. Herkunft, *Krakau 22. 6. 1906; wuchs in Wien auf, begann dort als Journalist, lebte später in Berlin, war Mitautor des Stummfilms »Menschen am Sonntag« (1929) und schrieb Drehbücher für die Ufa (»Der Mann, der seinen Mörder sucht«, »Emil und die Detektive«, 1931; »Ein blonder Traum«, 1932). Er emigrierte 1933 über Frankreich in die USA, arbeitete als Drehbuchautor in Hollywood und drehte ab 1942 zahlreiche Komödien und gesellschaftskrit. Filme.

Weitere Filme: Frau ohne Gewissen (1944); Boulevard der Dämmerung (1950); Stalag 17 (1953); Das verflixte siebte Jahr (1955); Ariane – Liebe am Nachmittag (1957); Zeugin der Anklage (1957); Manche mögen's heiß (1959); Eins, zwei, drei (1961); Das Mädchen Irma La Douce (1963); Buddy, Buddy (1981).

Thornton Wilder

2) Thornton Niven, amerikan. Schriftsteller, *Madison (Wis.) 17. 4. 1897, †Hamden (Conn.) 7. 12. 1975; schrieb Romane, in denen er metaphys. und philosoph. Fragen verarbeitete (»Die Brücke von San Luis Rey«, 1927; in histor. Spiegelung:

Billy Wilder mit Marilyn Monroe 1954 bei den Dreharbeiten zu »Das verflixte siebte Jahr« (1955)

»Die Iden des März«, 1948) und die bis in die Spätwerke (»Der achte Schöpfungstag«, 1967; »Theophilus North oder ein Heiliger wider Willen«, 1973) von christlich-humanist. Geist getragen sind. Als Dramatiker durchbrach W. die Bühnenillusion durch seine experimentierende Technik (»Unsere kleine Stadt«, 1938; »Wir sind noch einmal davongekommen«, 1942). Friedenspreis des Dt. Buchhandels 1957.

Wilde Männer und Wilde Frauen

Wilde Männer und Wilde Frauen sind Waldmenschen der Sage und des Volksglaubens. Oft gelten sie als heilkundige Naturdämonen. In der altfranzösischen und mittelhochdeutschen Epik repräsentieren Wilde Leute eine ungezähmte Daseinsform als extremen Gegensatz zum idealisierten Menschentum der Ritterzeit. In dieser Rolle traten sie auch in Spielen bei höfischen Festen auf.

Bildlich dargestellt werden sie seit dem 14. Jahrhundert, am ganzen Körper behaart oder im Zottelgewand, u.a. in der Grafik, auf Bildteppichen, in der Buchmalerei, am Chorgestühl, als Bronzeleuchter, auf Glasbildern, auf Minnekästchen und auf Wirtshausschildern. In der Heraldik sind sie meist mit Eichenlaub umgürtet und bekränzt, oft mit Keule oder abgerissenem Baum (z.B. als Wappenhalter und auf Münzen) dargestellt.

Wilde Leute traten auch schon früh als Figuren bei den Fastnachtsvergnügungen an Fürstenhöfen und in den Städten (u.a. Nürnberg) auf. Bis heute erhalten haben sie sich u.a. in den Akteuren (im »Tannenbart«) des sommerlichen Wilde-Männle-Tanzes in Oberstdorf sowie (als Einzelfigur) als eines der drei fastnächtlichen »Ehrenzeichen« von Klein-Basel.

Wilderei, unrechtmäßiges Jagen oder Fischen in fremdem Revier; Jagd- und Fisch-W. werden mit Freiheitsstrafe bis zu fünf Jahren oder mit Geldstrafe geahndet. (§§ 292, 293 StGB).

Wilder Kaiser, der südl. Teil des →Kaisergebirges.

Wilder Wein, →Jungfernrebe.

Wilder Westen, in Nordamerika während des 19. Jh. die im Lauf der Expansion nach W vorrückende Übergangsregion von organisiertem Siedlungsgebiet der weißen Einwanderer zu dem noch von Indianern behaupteten Land (→Vereinigte Staaten von Amerika, Geschichte). Der W. W. ist in Romanen und Filmen (→Western) vielfach glorifiziert worden.

wildes Fleisch, überschüssiges Granulationsgewebe an heilenden Hautwunden.

Wildeshausen, Krst. des Landkreises Oldenburg, Ndsachs., an der Hunte, im Naturpark Wildeshauser Geest, 16300 Ew.; Brennereimuseum; Maschinenbau; Fremdenverkehr. – Ehem. Stiftskirche St. Alexander (1224 begonnen), got. Rathaus (15. Jh.). – 851 erstmals erwähnt; seit 1270 Stadt.

Wildes Heer, die → Wilde Jagd.

Wildfrüchte, essbare Früchte wild wachsender Pflanzen, z. B. Heidelbeeren, Walderdbeeren.

Wildgans, Anton, österr. Schriftsteller, * Wien 17. 4. 1881, † Mödling 3. 5. 1932; Jurist; leitete 1921–23 und 1930/31 das Wiener Burgtheater; schrieb vom Symbolismus beeinflusste Gedichte (»Die Sonette an Ead«, 1913) sowie zunächst naturalist., dann lyrisch-expressive Dramen wie »Armut« (1914), »Liebe« (1916), »Dies irae« (1918) und das humorist. Epos »Kirbisch ...« (1927).

Wildgemüse, wild wachsende Pflanzen, die als Gemüse und Salat zubereitet werden, z. B. Brunnenkresse, Brennnessel, Sauerampfer, Löwenzahn.

Wildgruber, Ulrich, Schauspieler, * Bielefeld 18. 11. 1937; bed. Theaterdarsteller, v. a. Zusammenarbeit mit P. Zadek in Bochum, Berlin und Hamburg (seit 1975 am Dt. Schaupielhaus), Salzburger Festspiele; auch Film- und Fernsehrollen.

Wildhorn, höchster Gipfel der vergletscherten W.-Gruppe der Berner Alpen, Schweiz, 3248 m ü. M.

Wilding, Ludwig, Maler, Objektkünstler, * Grünstadt 15. 7. 1927; studierte bei W. Baumeister an der Akademie Stuttgart, profilierte sich als konsequenter Vertreter der Op-Art in Deutschland.

Wildkatze (Felis silvestris), in weiten Teilen Eurasiens und Nordafrika heim. Kleinkatze mit grauem bis rötlich braunem, dunkel gemustertem Fell. Die **Mitteleurop. W.** (Felis silvestris silvestris) ist Waldbewohner, in Dtl. geschützt.

Wildleder, chromgegerbtes Leder von Wildfellen (Ren, Hirsch, Reh, Gämse u. a.), aber auch anderer tier. Herkunft, mit geschliffener Oberfläche; Ober- und Bekleidungsleder.

Wildpark, Anlage zur Schaustellung von Wildtieren unter Nutzung natürl. Park- oder Waldbereiche; gestattet die Beobachtung der Tiere in natürl. Umgebung, dient auch der Nachzucht gefährdeter Tierarten (z. B. Wisente, Bisons).

Wildpferd, i. w. S. Bezeichnung für halb wilde oder wild lebende Hauspferde (z. B. Camarguepferd); i. e. S. das → Prschewalskipferd.

Wildpflanzen, sich natürlich verbreitende, nicht angebaute Pflanzen; Ggs. Kulturpflanzen.

Wildschaden, der durch bestimmtes jagdbares Wild angerichtete Schaden an Grundstücken und deren Erzeugnissen. Die Verpflichtung des Jagdberechtigten zum Schadensersatz ist im Bundesjagd-Ges. geregelt. – In *Österreich* regeln die Jagdgesetze der Länder, in der *Schweiz* die kantonalen Rechte den Ersatz für Wildschaden.

Ulrich Wildgruber

Wildschweine (Sus), Gattung der Schweine in Europa, Asien und Nordafrika. Einheimisch ist das **Euras. W.** (Sus scrofa) mit 100–180 cm Körperlänge, 55–110 cm Schulterhöhe und (bei Keilern) bis rd. 200 kg Körpergewicht; Eckzähne (bes. beim Keiler) verlängert, die des Oberkiefers nach oben gekrümmt (Gewaff); Fell mit langen, borstigen Haaren, braunschwarz bis hellgrau; frisst Pflanzen, Samen, Schnecken, Würmer und Insekten. Weibchen und Jungtiere (Frischlinge) bilden Gruppen, die Männchen sind außerhalb der Paarungszeit Einzelgänger; Stammform unseres Hausschweins.

Wildspitze, höchster Gipfel der Ötztaler Alpen, Tirol, Österreich, 3768 m ü. M.; stark vergletschert.

Wildstrubel, stark vergletscherte Gebirgsgruppe im Berner Oberland, Schweiz, bei Adelboden, 3244 m ü. M.

Wilder Westen

Wie gefährlich waren die Siedlertrecks im amerikanischen Westen wirklich?

Laut Unterlagen des US-Kriegsministeriums sind von den Hunderttausenden, die sich auf den Weg zu neuen Siedlungsgebieten im Westen aufmachten, 168 Menschen bei Indianerüberfällen umgekommen. Allerdings bot jeder einzelne weiße Tote einen willkommenen Vorwand, Vergeltungsmaßnahmen gegen die Urbevölkerung durchzuführen.

Wild- und Rinderseuche (hämorrhagische Septikämie), eine vorwiegend in den Tropen und Subtropen auftretende, durch Pasteurellen verursachte akute Infektionskrankheit bei Rindern, Büffeln sowie wild lebenden Wiederkäuern. Kennzeichen sind Fieber, Blutungsneigung, entzündl. Schwellungen und hohe Sterblichkeit.

Wilder Westen

Wo war der Wilde Westen am längsten wild?

In Oklahoma. In dem 1830 den fünf »zivilisierten« Indianerstämmen zugewiesenen Gebiet lebten in den 60er-Jahren des 19. Jahrhunderts auch an die 80 000 Siedler, die weder durch Polizei noch durch Gerichte geschützt waren. Die übelsten Burschen des Kontinents terrorisierten sie und konnten gefahrlos Trecks, Postkutschen und Rückkehrer von den kalifornischen Goldfeldern berauben. Erst 1875 sandte der Kongress Richter Isaac Parker nach Fort Smith. Sein Zuständigkeitsbereich war mit mehr als 180 000 Quadratkilometern so groß wie Bayern, Österreich und die Schweiz zusammen. In 21 Jahren standen fast 14 000 Angeklagte vor seinem Richtertisch, von denen fast 10 000 verurteilt wurden. Erst 1896 wurde das Gebiet in 72 Gerichtsbezirke unterteilt: das endgültige Ende des Wilden Westens.

Wildungen, Bad, → Bad Wildungen.

Wildwasserrennen, → Kanusport.

Wilfrid (Wilfrith), angelsächs. Bischof, *in Northumbria 634, †im Kloster Oundle (Mercia) 24. 4. (12. 10.?) 709/710; wurde im iroschott. Kloster Lindisfarne (Nordengland) erzogen; 653 Romreise; seit 664 Bischof von York. W. verband die bis dahin keltisch geprägte angelsächs. Kirche fest mit Rom und gestaltete sie, gegen harte Widerstände, im Sinne der röm. Liturgie und der Benediktinerregel um; Heiliger, Tag: 24. 4.

Wilhelm I., Deutscher Kaiser

Wilhelm, Herrscher:

Hl. Röm. Reich: **1) W. von Holland,** König (1247–56), *Leiden 1227, ⚔ bei Alkmaar 28. 1. 1256; Graf von Holland, nach dem Tod Heinrich Raspes am 3. 10. 1247 zum Gegenkönig gegen Friedrich II. gewählt (am 8. 11. 1248 gekrönt), erlangte aber erst nach Friedrichs und dessen Nachfolgers (Konrad IV.) Tod (1254) allg. Anerkennung; fiel im Kampf gegen die Friesen.

Dt. Reich: **2) W. I.,** Dt. Kaiser (1871–88) und König von Preußen (1861–88), *Berlin 22. 3. 1797, †ebd. 9. 3. 1888; zweiter Sohn Friedrich Wilhelms III. und der Königin Luise, Großvater von 3); seit 1829 ⚭ mit → Augusta, ab 1840 »Prinz von Preußen« (Thronfolger); sprach sich 1848 für die Niederwerfung der Märzrevolution aus (»Kartätschenprinz«) und schlug 1849 die Aufstände in der Pfalz und Baden nieder. Als Regent (1858) für seinen geistig erkrankten Bruder Friedrich Wilhelm IV. schlug er eine gemäßigte liberale Politik ein (»Neue Ära«), geriet aber ab 1859, v. a. nach seiner Thronbesteigung (2. 1. 1861) mit der liberalen Landtagsmehrheit in Konflikt über die Heeresreform (preuß. Verfassungskonflikt). Nach der Berufung O. von Bismarcks zum preuß. MinPräs. (1862) trat W. zumeist hinter die eigenständige Politik seines Kanzlers zurück. Nach dem siegreichen Krieg gegen Österreich (Entscheidungsschlacht bei Königgrätz, 3. 7. 1866) übernahm W. das Präsidium des 1867 gegr. Norddt. Bundes; am 18. 1. 1871 wurde er in Versailles zum Dt. Kaiser ausgerufen, willigte aber erst nach der Zustimmung aller Bundesfürsten ein. W., der allseits große Achtung genoss, vermochte zur Festigung der Reichseinheit beizutragen.

📖 HERRE, F.: *Kaiser W. I. Köln 1993.*

3) W. II., Dt. Kaiser und König von Preußen (1888–1918), *Berlin 27. 1. 1859, †Haus Doorn (Prov. Utrecht) 4. 6. 1941, ältester Sohn Kaiser Friedrichs III. und der Kaiserin → Viktoria, Enkel von 2); ⚭ ab 1881 mit der Prinzessin → Auguste Viktoria und nach deren Tod seit 1922 mit der verwitweten Prinzessin Hermine von Schönaich-Carolath, geborene Prinzessin Reuß (*1887, †1947); stand früh in Opposition zur liberalen Aufgeschlossenheit seiner Eltern. Von seinem auf das Gottesgnadentum gestützten Führungsanspruch fest überzeugt, gerieten W.s Machtansprüche (»persönl. Regiment«), v. a. in Sozial- und Außenpolitik, nach seiner Thronbesteigung rasch in Konflikt mit Bismarck (Entlassung 1890). In seiner vorschnellen Unbedachtheit (z. B. Daily-Telegraph-Affäre 1908) und seiner durch eine körperl. Behinderung mitgeprägten inneren Unausgeglichenheit, die er durch forsches Auftreten (»Säbelrasseln«) und äußeren Pomp (»Wilhelminismus«) überspielte, spiegelte W. Grundzüge der von inneren Spannungen geprägten dt. Gesellschaft des nach außen glanzvollen **Wilhelmin. Zeitalters;** seinem selbst auferlegten Führungszwang wurde er nicht gerecht. Nach Ausbruch des durch seine Politik mitverursachten 1. Weltkrieges (u. a. Flottenwettrüsten mit Großbritannien) trat W. gegenüber der Obersten Heeresleitung und dem Reichstag völlig in den Hintergrund. Trotz seines Exils in den Niederlanden (Flucht am 9./10. 11. 1918; formeller Thronverzicht am 28. 11. 1918) hoffte W. zeitlebens (ab 1926 in Annäherung an den Nationalsozialismus) auf eine Restauration der Monarchie.

📖 HERRE, F.: *Kaiser W. II. Monarch zwischen den Zeiten. Köln 1993.* – RALL, H.: *W. II. Eine Biographie. Graz u. a. 1995.*

Wilhelm II. auf einer vom Vaterländischen Frauenverein 1915 herausgegebenen Wohlfahrtskarte nach einem Gemälde des Hofmalers Arthur Fischer

Aquitanien: **4) W. IX.,** Herzog von Aquitanien und Graf von Poitiers, *22. 10. 1071, †10. 2. 1127; altprovenzal. Troubadour (elf Lieder überliefert), führte 1101 ein Kreuzfahrerheer.

England/Großbritannien: **5) W. I., der Eroberer,** König (1066–87), *Falaise (Dép. Calvados) um 1027, †Rouen 9. 9. 1087; illegitimer Sohn Roberts I., wurde 1035 Herzog der Normandie. Landete 1066 mit einem Heer in England, besiegte den angelsächs. König Harold II. in der Schlacht bei Hastings (14. 10.) und eroberte bis 1077 ganz England. Als König stattete er seine normann. Gefolgsleute mit angelsächs. Landbesitz aus, schuf mit deren Unterstützung eine starke königl. Zentralgewalt, führte das kontinentale Lehnswesen ein und legte mit dem →Domesday Book eine Art Grundbuch und Abgabenverzeichnis an.

📖 DOUGLAS, D. C.: *W. der E. Herzog der Normandie. A. d. Engl. München ^{2}1995.*

6) W. III. von Oranien, König von England, Schottland und Irland (1689–1702), *Den Haag 14. 11. 1650, †London 19. 3. 1702; wehrte im →Holländischen Krieg (1672–78/79) als Statthalter bzw. Erbstatthalter mehrerer niederländ. Prov. und als Generalkapitän der niederländ. Truppen den Angriff König Ludwigs XIV. von Frankreich ab. Seit 1667 ⚭ mit Maria (II.) Stuart (Tochter des späteren engl. Königs Jakob II.). Die Opposition gegen Jakob II. rief ihn 1688 nach England und übertrug ihm zus. mit seiner Gemahlin nach der Flucht des Königs am 23. 2. 1689 die Krone, um eine prot. Thronfolge zu sichern (»Glorreiche Revolution«). Beide mussten zuvor der Bill of Rights zustimmen, wodurch die Entwicklung zur konstitutionellen Monarchie eingeleitet wurde. Der Seesieg von La Hogue (1692) sicherte seine Herrschaft endgültig gegenüber dem von Frankreich unterstützten Jakob II. und den Jakobiten.

📖 BAXTER, S. B.: *William III. and the defense of European liberty, 1650–1702. Westport, Conn., ^{2}1976.*

7) W. IV., König von Großbritannien und Irland sowie von Hannover (1830–37), *London 21. 8. 1765, †Windsor 20. 6. 1837; folgte seinem Bruder Georg IV.; ermöglichte die Parlamentsreform von 1832 (Reform Bill). Mit seinem Tod endete die Personalunion zw. Großbritannien und Hannover.

Niederlande: **8) W. I., der Schweiger,** Graf von Nassau, Prinz von Oranien (seit 1544), Statthalter von Holland, Seeland und Utrecht, *Dillenburg 24. 4. 1533, †Delft 10. 7. 1584; erbte 1544 umfangreichen Besitz in den Niederlanden und das Fürstentum Oranien. 1559 ernannte ihn König Philipp II. zum Statthalter. Er führte seit 1561 zus. mit Graf Egmont und Graf Hoorn die Adelsopposition gegen die span. Herrschaft (insbesondere gegen die Politik von Kardinal A. P. de Granvelle und Margarete von Parma) und kämpfte seit 1568 erfolglos gegen das Heer Herzog Albas. 1572 von den Wassergeusen (→Geusen) der nördl. Landesteile zum Statthalter ernannt, vereinigte W. 1576 in der Genter Pazifikation alle niederländ. Prov.; infolge der konfessionellen Ggs. gelang es ihm jedoch nicht, alle Prov. zusammenzuhalten (1579 Spaltung in die Unionen von Arras und Utrecht). 1580 wurde W. von Philipp II. geächtet; ein Katholik ermordete ihn. W. legte die Grundlage zur niederländ. Unabhängigkeit und gilt als einer der Retter des Protestantismus vor der Gegenreformation.

📖 VETTER, K.: *W. von Oranien. Eine Biographie. Berlin 1987.* – ROMBERG, H.: *Der Prinz von Oranien u. der Freiheitskampf der Niederlande. Lahr 1991.*

Wilhelm III. von Oranien,
König von England, Schottland und Irland (Ausschnitt eines zeitgenössischen Gemäldes)

9) W. I., König (1815–40), *Den Haag 24. 8. 1772, †Berlin 12. 12. 1843; befehligte 1793–95 die niederländ. Truppen im Koalitionskrieg gegen Frankreich; 1806 erbte er die Stammlande Nassau-Dietz und die mit diesen zu dem kurzlebigen Fürstentum Oranien zusammengeschlossenen Territorien. Kämpfte 1806 und 1809 gegen Napoleon I. 1815 in Den Haag zum König der vom Wiener Kongress gebildeten Vereinigten Niederlande und zum Großherzog von Luxemburg ausgerufen, trat er seine Stammlande an Preußen und Nassau ab. W. residierte abwechselnd in Brüssel und Den Haag, bis sich Belgien durch die Revolution von 1830 abspaltete, wozu er durch seine starre Haltung in konstitutionellen und kirchl. Fragen beitrug; 1840 dankte er zugunsten seines Sohnes Wilhelm II. (*1792, †1849) ab.

Wilhelm I., der Schweiger,
Prinz von Oranien: Ausschnitt eines Kupferstichs des niederländischen Künstlers Pieter Tanjé nach einem zeitgenössischen Gemälde des Niederländers Michiel Jansz. van Mierevelt

10) W. III., König (1849–90) und Großherzog von Luxemburg (seit 1849), *Brüssel 19. 2. 1817, †Schloss Het Loo (bei Apeldoorn) 23. 11. 1890; unter seiner Reg. wurden Luxemburg und das Herzogtum Limburg 1866 (Auflösung des Dt. Bundes) selbstständig. Mit seinem Tod endete die Personalunion der Niederlande mit Luxemburg.

Wilhelm-II.-Küste, Küstengebiet der Ostantarktis, vom Inlandeis bedeckt, das vom eisfreien 369 m hohem Gaußberg (Vulkankegel) überragt wird.

Wilhelmina, Königin der Niederlande (1890–1948), *Den Haag 31. 8. 1880, †Schloss Het Loo (bei Apeldoorn) 28. 11. 1962; einzige Tochter König Wilhelms III., stand 1890–98 unter Vor-

Wilhelmina, Königin der Niederlande (um 1948)

mundschaft ihrer Mutter, Königin Emma (*1858, †1934); seit 1901 ⚭ mit Herzog Heinrich von Mecklenburg-Schwerin (*1876, †1934); sie emigrierte 1940 nach London, wo sie zum Symbol des niederländ. Widerstandes wurde; verzichtete 1948 zugunsten ihrer Tochter Juliana auf den Thron.

Wilhelmine, Markgräfin von Bayreuth, *Berlin 3. 7. 1709, †Bayreuth 14. 10. 1758; Lieblingsschwester Friedrichs II., d. Gr., von Preußen; seit 1731 ⚭ mit dem späteren Markgrafen Friedrich von Bayreuth (*1711, †1763); zeichnete in ihren »Denkwürdigkeiten …« (1810) ein krit. Bild des Berliner Hofes.

Wilhelmshaven Stadtwappen

Wilhelmshaven [-ˈhaːfən], kreisfreie Stadt im RegBez. Weser-Ems, Ndsachs., am Jadebusen und an der Außenjade, 89 600 Ew.; FH, Wasser- und Schifffahrtsamt, zahlr. Forschungsinstitute, u. a. Senckenberg-Forschungsanstalt für Meeresgeologie und Meeresbiologie, Niedersächs. Landesinst. für Marschen- und Wurtenforschung, Inst. für Vogelforschung (Vogelwarte Helgoland), Dt. Windenergie-Institut; Küsten- und Schifffahrtsmuseum, Wattenmeerhaus, Stadtarchiv, Stadttheater. W. ist der bedeutendste Erdölumschlaghafen und einzige Tiefwasserhafen der dt. Küste; Werft, Schiffsausrüstungen, Kranbau, Erdölraffinerie, Kraftwerk, Großchemiewerk, Metall-, Textil- und Holzverarbeitung, Büromaschinen-, feinmechan. Industrie; größter Standort der Bundesmarine; Badestrände; Seebäderverkehr nach Helgoland. – Evang. Kirche St. Jacobi (13. Jh.), Reste der Burg Kniphausen (16. Jh.). – Auf dem »Königlich Preußischen Jadegebiet«, das Oldenburg 1853 an Preußen abtrat und das 1869 den Namen W. erhielt, wurde der erste Kriegshafen gebaut; 1937 wurden die Städte W. und **Rüstringen** mit der Zugehörigkeit zu Oldenburg zusammengeschlossen.

Wilhelmshaven: Teil des Großen Hafens mit Kaiser-Wilhelm-Brücke (rechts) und Museumsschiffen (links davon); im Hintergrund das Marinearsenal

Wilhelmshöhe, Schloss in → Kassel.

Wilhelmslied (frz. Chanson de Guillaume), altfrz. Heldenepos, entstanden um 1130–40, um Wilhelm von Aquitanien (*Mitte des 8. Jh., †nach 806; den Guillaume d'Orange der Dichtung), den treuen Vasallen seines Königs. In seiner Gestalt fließen legendäre und histor. Züge zusammen. Er ist auch Hauptgestalt weiterer Epen (Wilhelmszyklus).

Wilhelmson, Carl, schwed. Maler, *Fiskebäcksil (bei Göteborg) 12. 11. 1866, †Göteborg 24. 9. 1928; Schüler von C. Larsson, lernte 1890–96 in Paris den Neoimpressionismus kennen; stellte bes. Landschaft und Menschen seiner Heimat dar, war aber auch Porträtist und Monumentalmaler.

Wilhelmsthal, ehem. kurfürstl. Schloss nordwestlich von Kassel, 1747–61 nach Plänen von F. Cuvilliés d. Ä. erbaut, ein Hauptwerk des Rokoko; Raumdekorationen von J. A. Nahl u. a.; Gartenanlage im Landschaftsstil.

Wilhelmstraße, Berliner Straße zw. Unter den Linden und Stresemannstraße; Synonym für die Leitung der dt. Außenpolitik bis 1945, weil sich hier 1871–1945 das Auswärtige Amt und die Reichskanzlei (neben anderen Ministerien) befanden.

Wilkes [wɪlks], Charles, amerikan. Admiral, *New York 3. 4. 1798, †Washington 8. 2. 1877; entdeckte 1840 in der Antarktis das nach ihm benannte **Wilkesland** südlich des Ind. Ozeans.

Wilkie [ˈwɪlkɪ], Sir (seit 1836) David, schott. Maler, *Cults (bei Aberdeen) 18. 11. 1785, †auf See vor Gibraltar 1. 6. 1841; malte Porträts, Historienbilder und heitere Genreszenen.

Wilkins [ˈwɪlkɪnz], **1)** Sir (seit 1928) George Hubert, austral. Polarforscher, *Mount Bryan East (South Australia) 31. 10. 1888, †Framingham (Mass.) 1. 12. 1958; startete 1928 zum ersten Flug in die W-Antarktis; versuchte 1931 vergeblich, mit dem U-Boot »Nautilus« den Nordpol zu erreichen.

2) Maurice Hugh Frederick, brit. Biophysiker, *Pangora (Neuseeland) 15. 12. 1916; Arbeiten über die Trennung von Uranisotopen sowie zur Röntgenstrukturanalyse bes. von genetischem Material. Für seine Beiträge zur Aufklärung der Struktur der DNS erhielt er 1962 (mit F. H. C. Crick und J. D. Watson) den Nobelpreis für Physiologie oder Medizin.

Wilkinson ['wılkınsn], Sir (seit 1976) Geoffrey, brit. Chemiker, *Springside (bei Metrop. Cty. West Yorkshire) 14. 7. 1921; postulierte 1951 unabhängig von E. O. Fischer für das Ferrocen eine »Sandwichstruktur« (→Sandwichverbindungen) und erhielt hierfür 1973 zus. mit Fischer den Nobelpreis für Chemie.

Willaert ['wila:rt], Adrian, frankofläm. Komponist, *vermutlich Brügge zw. 1480 und 1490, †Venedig 7. 12. 1562; ebd. seit 1527 Kapellmeister der Markuskirche, Begründer der →venezianischen Schule, schuf die Technik des doppelchörigen Satzes; schrieb u. a. vier- bis sechsstimmige Messen, vier- bis siebenstimmige Motetten und doppelchörige Psalmen; Chansons und Madrigale.

Wille, 1) *allg.:* das handlungsleitende Streben.

2) *Philosophie:* in der klassischen grch. Philosophie für das gemäß der Vernunft bestimmte Streben. Demgegenüber wird im christl. Denken (v. a. Augustinus, Duns Scotus) der W. als eigenständig, der Vernunft selbstständig gegenüberstehend und dabei außer- oder sogar überrational angesehen. Die Versuche zur Überwindung des Dualismus von W. und Vernunft kennzeichnen die neuzeitl. Entwürfe zu einer Theorie der Handlungs- und Normbegründung, in denen Prinzipien vernünftiger W.-Bildung aufgestellt werden (Utilitarismus; bei I. Kant). →Willensfreiheit, →Voluntarismus.

3) *Psychologie:* in der traditionellen Psychologie das Vermögen des Menschen, sich bewusst für (oder gegen) eine bestimmte geistige Einstellung oder eine bestimmte Weise des Verhaltens zu entscheiden. Die entsprechende psych. Energie (W.-Kraft) unterscheidet sich durch ihre Bewusstheit und Zielgerichtetheit (Absichtlichkeit) vom Drang oder Trieb. Die neuere Psychologie zieht anstelle des philosophisch diskutierten Begriffs W. die Bezeichnung Wollen vor.

📖 ERPENBECK, J.: *Wollen u. Werden. Ein psychologischer-philosoph. Essay über Willensfreiheit, Freiheitswillen u. Selbstorganisation. Konstanz 1993.* – SEEBASS, G.: *Wollen. Frankfurt am Main 1993.*

Willemer, Marianne von, geb. Pirngruber, gen. Jung, *Linz (?) 20. 11. 1784, †Frankfurt am Main 6. 12. 1860; kam 1798 mit einer Balletttruppe nach Frankfurt am Main, 1814 Bekanntschaft mit Goethe; Vorbild für die Suleika im »West-östl. Divan« (1819), zu dem sie einige Gedichte beitrug.

Willemstad, Hptst. der Niederländ. Antillen, auf Curaçao, 70 000 Ew.; Univ.; Erdölraffinerie, petrochem. Ind.; Fremdenverkehr, internat. Flughafen, Naturhafen. Das koloniale Stadtbild mit Innenstadt und Hafen wurde zum UNESCO-Welterbe erklärt.

Willendorf in der Wachau, Teil der Marktgemeinde Aggsbach, Bez. Krems, Niederösterreich; Fundort ausgedehnter eiszeitl. Freilandstationen mit mehreren Kulturschichten des Aurignacien und Gravettien. Zu den bedeutendsten Funden gehört die »Venus von Willendorf«, eine 10,3 cm hohe Kalksandsteinfigur. BILD Altsteinzeit

📖 ANGELI, W.: *Die Venus von W. Wien 1989.*

Willenserklärung, *Privatrecht:* private Willensäußerung, die rechtl. Folgen haben soll; geregelt in §§ 116–144 BGB. Die W. ist wichtiger Bestandteil der Rechtsgeschäfte. Die Erklärung des Willens muss nach außen erkennbar gemacht werden. I. d. R. sind W. formlos gültig, sie können also auch durch ein beliebiges, entsprechend deutbares (konkludentes) Verhalten (z. B. stillschweigende Bezahlung eines Eintrittspreises) abgegeben werden. Voraussetzung für die Wirksamkeit einer W. ist die mindestens beschränkte Geschäftsfähigkeit des Erklärenden zum Zeitpunkt der W. **Empfangsbedürftige W.** (z. B. Kündigungen), d. h. W., die zu ihrer Wirksamkeit im Ggs. zu den nicht empfangsbedürftigen W. (z. B. Testament) einer anderen Person zur Kenntnis gebracht worden sein müssen, werden erst mit ihrem Zugang wirksam. **Willensmängel** liegen vor bei Nichtübereinstimmung von Wille und Erklärung wie bei Irrtum, arglistiger Täuschung, Scheingeschäft; Rechtsfolgen sind meist →Nichtigkeit oder →Anfechtung.

Maurice Wilkins

Geoffrey Wilkinson

Marianne von Willemer (zeitgenössische Darstellung)

Willendorf in der Wachau

Als die Ausgrabungen prähistorischer Fundplätze eine immer größere Anzahl von Frauenstatuetten aus Ton, Kalkstein oder Elfenbein zutage brachten, standen die Wissenschaftler vor einem Rätsel, denn diese »Venusstatuetten« aus der jüngeren Altsteinzeit hatten alle ein gemeinsames Merkmal: die Überbetonung von Gesäß und Brüsten. Manche Forscher sahen eine Parallele zur Fettsteißigkeit der Khoisanfrauen des südlichen Afrika und vermuteten verwandtschaftliche Beziehungen. Wahrscheinlich sind die »Venusstatuetten« jedoch nicht als naturgetreue Abbilder unserer weiblichen prähistorischen Vorfahren zu begreifen. Man vermutet vielmehr, dass sie kultischen Zwecken dienten und Indiz für einen von Frankreich bis nach Sibirien reichenden Fruchtbarkeitskult sind.
Die »Venus von Willendorf« wurde zum Prototyp der Venusstatuetten aus der jüngeren Altsteinzeit.
Sie ist zwischen 30 000 und 20 000 v. Chr. entstanden und befindet sich heute im Wiener Naturhistorischen Museum.

📖 Brehmer, N.: *Wille u. Erklärung. Zu Geltungsgrund, Tatbestand u. Zurechnung der W.* Baden-Baden 1992.

Betty Williams

Willensfreiheit, die Möglichkeit des Menschen, Inhalt und Ziel seines zuvor nicht festgelegten Wollens unabhängig von Fremdbestimmung und innerem Zwang selbst zu bestimmen (nach dem →Indeterminismus). Der Determinismus bezeichnet die W. als Illusion, weil Handlungsursachen nur selten oder teilweise erkannt werden. Von grundsätzl. Bedeutung ist die Frage der W. für die Theorie und Praxis des sittlich zurechenbaren Handelns, bes. im Strafrecht. Über die W. in *Theologie und Religionswiss.* →Prädestination.

Williams ['wɪljəmz], **1)** Betty, nordirische Friedenskämpferin, *Belfast 22. 5. 1943; erhielt 1977 gemeinsam mit M. Corrigan, mit der sie eine Antibürgerkriegsbewegung ins Leben gerufen hatte, den Friedensnobelpreis für 1976.

Jody Williams

2) Hank, eigtl. Hiram W., amerikan. Countrysänger, *Georgiana (Ala.) 17. 9. 1923, † (während einer Autofahrt) 1. 1. 1953; stilbildender Countrymusiker, der auch großen Einfluss auf den Folkrock hatte. Von seinen über 120 Kompositionen wurden zahlreiche Stücke zu Klassikern ihres Genres.

3) Jody, amerikan. Pazifistin, *9. 10. 1950; arbeitete für Hilfsorganisationen, die im Zentralamerikakonflikt tätig waren, ab 1991 für die Vietnam Veterans of America Foundation. Als Initiatorin und Sprecherin der 1992 gegründeten International Campaign to Ban Landmines (ICBL; dt. Internat. Kampagne zur Ächtung von Landminen) erhielt sie 1997 zus. mit dieser Organisation den Friedensnobelpreis.

Robin Williams

4) Robin, amerikan. Schauspieler, *Chicago (Ill.) 21. 7. 1952; Meister der improvisierten Komik (»Garp oder wie er die Welt sah«, 1982; »Good Morning, Vietnam«, 1987; »Der Club der toten Dichter«, 1989; »Zeit des Erwachens«, 1989; »König der Fischer«, 1991; »Jumanji«, 1995).

5) Tennessee, eigtl. Thomas Lanier W., amerikan. Dramatiker, *Columbus (Miss.) 26. 3. 1911, †New York 25. 2. 1983; Hauptvertreter des amerikan. psychologischen Dramas; verfasste Dramen (z. T. verfilmt), oft mit psychopath. Figuren, in denen sexuelle Probleme, Einsamkeit der Menschen und der Ggs. von Illusion und Wirklichkeit behandelt werden, u. a. »Die Glasmenagerie« (1945), »Endstation Sehnsucht« (1947), »Die tätowierte Rose« (1951), »Die Katze auf dem heißen Blechdach« (1955), »Süßer Vogel Jugend« (1959), »Die Nacht des Leguan« (1962). Auch Erzähler und Lyriker.

Charles Thomson Rees Wilson

Williamsburg ['wɪljəmzbə:g], Stadt in SO-Virginia, USA, 9900 Ew.; Inst. für frühe amerikan. Geschichte und Kultur. – W. wurde seit 1926 im Stil des 18. Jh. restauriert und steht unter Denkmalschutz; bed. u. a. das Kapitol (1701–05), der Gouverneurspalast (1706–20) und das College of William and Mary (1695–99). – Entstand 1633 unter dem Namen **Middle Plantation;** 1699 zu Ehren Wilhelms III. von Oranien umbenannt, bis 1780 Hauptstadt von Virginia; 1722 City.

Willibald, angelsächs. Benediktiner, *Südengland um 700, †Eichstätt 7. 7. 787 (?); Aufenthalte in Rom, Palästina (723–727) und Byzanz (727–729); 730–739 Mönch in Montecassino; 739 auf Veranlassung des hl. Bonifatius als Missionshelfer nach Dtl. gerufen; 741 zum ersten Bischof von Eichstätt geweiht; missionierte im Gebiet zw. Donau und Regnitz; Heiliger, Tag: 7. 7.

Willibrord, angelsächs. Missionar, *Northumbria 658, †Echternach 7. 11. 739; Schüler des hl. Wilfried; wirkte ab 678 in Irland, seit 690, unterstützt durch den fränk. Staat, in Westfriesland (719–721 mit dem hl. Bonifatius); wurde 695 in Rom zum Erzbischof der Friesen geweiht; schuf die Grundlage des Bistums Utrecht und gründete 698 das Kloster Echternach als Missionsstützpunkt; Heiliger (»Apostel der Friesen«), Tag: 7. 11.

Willich, Stadt im Kr. Viersen, NRW, im linken Niederrheingebiet, 46500 Ew.; Großbrauerei, Apparatebau, Textil-, graf., keram. Ind.; zahlr., meist japan. Hightechbetriebe.

Willigis (Willegis), Erzbischof von Mainz (seit 975), †23. 2. 1011; seit 971 Kanzler Kaiser Ottos II., seit 975 Erzkanzler des Reichs; führte 983–995 für den jungen Otto III. mit dessen Mutter Theophano und Großmutter Adelheid die Regentschaft und sicherte ihm die Krone. W. veranlasste den Bau des Mainzer Doms; Heiliger, Tag: 23. 2.

Tennessee Williams (1973)

Willisau, Bezirkshauptort im Kt. Luzern, Schweiz, am N-Rand des Napf, 2900 Ew.; Möbel-, Textilindustrie. – Mittelalterl. Wehrbauten; Wallfahrtskapelle Heiligblut (17. Jahrhundert).

Willkomm, hohes Trinkgefäß in Becher-, Stangen-, Humpen- oder Pokalform aus Silber, Zinn, Glas; diente, bes. im 16.–18. Jh., zum Kredenzen des Willkommentrunkes.

Willkürverbot, das sich aus Art. 3 Abs. 1 GG und dem Rechtsstaatsprinzip ergebende, für alle staatl. Gewalten geltende Verbot der Willkür, v. a. Gleiches ungleich und Ungleiches gleich zu behandeln (bes. zu beachten bei Entscheidungen nach →Ermessen).

Woodrow Wilson (1910)

Wịllmann, Michael, Maler, getauft Königsberg (Pr) 27. 9. 1630, †Leubus (heute Lubiąż) 26. 8. 1706; in Holland geschult; arbeitete in Prag, Breslau, Berlin (als Hofmaler des Großen Kurfürsten) und nach Übertritt zur kath. Kirche seit 1660/61 im Kloster Leubus. W. malte religiöse Tafelbilder, Landschaften, auch Fresken (Decke im Refektorium zu Leubus, um 1690; Ausmalung der Josephskirche in Grüssau, 1692–95).

Wịllstätter, Richard, Chemiker, *Karlsruhe 13. 8. 1872, †Muralto (bei Locarno) 3. 8. 1942; arbeitete über zahlreiche Alkaloide und Pflanzenfarbstoffe, wies die strukturelle Ähnlichkeit zw. dem Chlorophyll und dem Blutfarbstoff nach und entdeckte die Holzverzuckerung. Für seine Forschungen über Pflanzenfarbstoffe, bes. über Chlorophyll, erhielt er 1915 den Nobelpreis für Chemie.

Wịlmersdorf, Bezirk von Berlin.

Wilmington ['wɪlmɪŋtən], Hafenstadt in Delaware, USA, am Delaware River, 70 000 Ew.; Verwaltungs- und Forschungszentrum von Chemiekonzernen; Erdölraffinerien, petrochem., Auto-, Stahl- u. a. Industrie.

Wịlna, Hptst. von Litauen, →Vilnius.

Wịlseder Berg, höchste Erhebung der Lüneburger Heide, nördlich von Soltau, 169 m ü. M.; seit 1921 Naturschutzgebiet.

Wịlsnack, Bad, →Bad Wilsnack.

Wilson [wɪlsn], **1)** Sir (seit 1980) Angus, engl. Schriftsteller, *Bexhill (Cty. East Sussex) 11. 8. 1913, †London 31. 5. 1991; einer der führenden engl. Romanautoren der Nachkriegszeit (u. a. »Späte Entdeckungen«, 1956; »Meg Eliot«, 1958; »Die alten Männer im Zoo«, 1961; »Wie durch Magie«, 1973; »Brüchiges Eis«, 1980); schrieb auch Kurzgeschichten und Kritiken.

2) Charles Thomson Rees, brit. Physiker, *Glencorse (bei Edinburgh) 14. 2. 1869, †Carlops (bei Edinburgh) 15. 11. 1959; entwickelte die nach ihm benannte →Nebelkammer und erhielt dafür 1927 mit A. H. Compton den Nobelpreis für Physik.

3) Edmund, amerikan. Schriftsteller und Kritiker, *Red Bank (N. J.) 8. 5. 1895, †Talcottville (N. Y.) 12. 6. 1972; 1938–46 ⚭ mit Mary McCarthy; schrieb »Die Schriftrollen vom Toten Meer« (1956), literaturkrit. Essays, Dramen, Erzählungen (»Erinnerungen an Hekates Land«, 1946).

Harold Wilson

4) Sir (seit 1976) Harold, Baron W. of Rievaulx (seit 1983), brit. Politiker, *Huddersfield 11. 3. 1916, †London 24. 5. 1995; Wirtschaftswissenschaftler, 1945–83 Mitgl. des Unterhauses, 1947–51 Handelsmin., 1963–76 Führer der Labour Party, versuchte als Premiermin. (1964–70 und 1974–76) durch Preis- und Lohnstopp sowie Wiederverstaatlichung der Eisen- und Stahlind. die Wirtschaft zu sanieren und die Währung zu stabilisieren; seit 1983 Mitgl. des Oberhauses.

Kenneth G. Wilson

5) Kenneth G., amerikan. Physiker, *Waltham (Mass.) 8. 6. 1936; Prof. in Ithaca (N.Y.); Arbeiten zur statist. Physik; erhielt für seine Theorie der krit. Phänomene bei Phasenumwandlungen 1982 den Nobelpreis für Physik.

6) Robert (Bob), amerikan. Theaterkünstler und Dramatiker, *Waco (Tex.) 4. 10. 1941; gilt mit seinem Konzept des »total theatre« bzw. »theatre of vision« als einer der originellsten Erneuerer des Theaters der Gegenwart. Seine nonverbalen, visuell verknüpften Aktionsbilder und Toncollagen (u. a. in Zusammenarbeit mit dem Komponisten P. Glass) stellen an den Zuschauer hohe Anforderungen (»The life and times of Joseph Stalin«, 1973; »Einstein on the beach«, 1976; »the CIVIL warS«, Monumentalspektakel, 1983/84; »Hamletmaschine«, 1986, Musik W. Rihm; »Parzival«, 1987; »The black rider«, 1990, Musik T. Waits; »Alice«, 1992, Musik T. Waits).

Robert (Bob) Wilson

7) Robert Woodrow, amerikan. Astrophysiker, *Houston (Tex.) 10. 1. 1936; untersuchte die interstellare Materie mithilfe der Mikrowellenspektroskopie und entdeckte dabei zus. mit A. Penzias die kosm. Hintergrundstrahlung; dafür erhielten sie (zus. mit P. L. Kapiza) 1978 den Nobelpreis für Physik.

Robert W. Wilson

8) Thomas Woodrow, 28. Präs. der USA (1913–21), *Staunton (Va.) 28. 12. 1856, †Washington (D. C.) 3. 2. 1924; Demokrat, seit 1890 Prof. für Rechtswiss. und Volkswirtschaft an der Princeton University; 1910–12 Gouv. von New Jersey. Als Präs. betrieb er eine liberale Wirtschafts- und Sozialpolitik (Herabsetzung überhöhter Schutzzölle, Einführung einer progressiven Einkommensteuer, Errichtung des →Federal Reserve System, Antitrust-Ges.). Außenpolitisch verfocht er eine Politik der offenen Tür, ohne auf Interventionen in Lateinamerika zu verzichten (z. B. Mexiko 1914 und

Maria Wimmer

1916/17, Haiti 1915). Bei Ausbruch des 1. Weltkrieges proklamierte W. die Neutralität der USA; erst nach Verkündung des uneingeschränkten U-Boot-Krieges durch Dtl. nahm er Abstand vom Neutralitätskurs (Kriegserklärung an Dtl. am 16. 4. 1917). Auf der Pariser Friedenskonferenz (1919) konnte W. sein demokrat. Friedensprogramm (→Vierzehn Punkte), das für ihn in der Errichtung eines Völkerbundes gipfelte, nur z.T. erreichen; 1920 scheiterte die Ratifizierung des →Versailler Vertrages sowie der Beitritt der USA zum Völkerbund an der isolationistisch gesinnten Mehrheit im Senat. W. erhielt 1919 den Friedensnobelpreis.

📖 Brecht, W.: *Selbstbestimmung u. imperiale Herrschaft. Zur Haltung W. W.s gegenüber der außereurop. Welt. Münster 1992.* – Albert, R.: *Außenpolit. Planung zw. Vision u. realem Möglichkeitsraum. W. W.s Theorieverständnis u. Friedensplanung am Vorabend des 1. Weltkriegs. Münster u. a. 1993.*

Wimperg

Wịlster, Stadt im Landkreis Steinburg, Schlesw.-Holst., in der fruchtbaren Wilstermarsch nördlich der Unterelbe, 4500 Ew.; Molkerei. – Stadtkirche (1775–80), Rathaus (1585, Museum, Bibliothek), Bürgermeisterhaus (1785, bed. Ausstattung, die die großbürgerliche Wohnkultur des 18. Jh. widerspiegelt).

Wiltshire ['wɪltʃɪə], Cty. in SW-England, 3479 km², (1995) 590600 Ew.; Verw.sitz ist Trowbridge.

Wịmbachtal, Hochtal (mit der **Wimbachklamm**) in den Berchtesgadener Alpen zw. Watzmann und Hochkalter.

Wimbledon ['wɪmbldən], ehem. Stadt in der Cty. Surrey, England; seit 1965 Bezirk des London Borough Merton (Villenvorort). – Seit 1877 finden jährlich internat. engl. Tennismeisterschaften statt; das Turnier von W. gilt als inoffizielle Weltmeisterschaft.

Wimmer (Wimmerwuchs), ungerichteter, oft wellenförmiger Verlauf der Fasern oder Jahresringe im Holz.

Wịmmer, 1) Hans, Bildhauer, *Pfarrkirchen 19. 3. 1907, †München 31. 8. 1992; schuf v.a. Porträtbüsten sowie streng stilisierte Tier- und Menschenfiguren.

2) Maria, Schauspielerin, *Dresden 27. 1. 1911, †Bühlerhöhe 4. 1. 1996; Darstellerin klass. (Medea, Iphigenie, Penthesilea) und moderner Rollen u.a. von A. Strindberg, T. Williams, S. Beckett.

Johann Joachim Winckelmann (Ausschnitt eines Gemäldes von Anton Raphael Mengs, 1761)

Wịmmis, Bezirkshauptort im Kanton Bern, Schweiz, am Eingang des Simmentales, 1900 Ew., Eidgenöss. Pulverfabrik. – Martinskirche (10. Jh.), Schloss (im 17. Jh. umgebaut).

Wimpel, eine in Spitzen auslaufende kleine oder schmale Flagge; dienen häufig als zusätzl. Kennzeichen: als **Kommandozeichen** unterhalb des Admiralsranges (wenn dreieckig, auch »Stander«, wenn trapezförmig oder rechteckig mit dreieckigem Einschnitt, auch »Doppelstander« gen.), als **Kraftwagenflagge,** als **Signalflagge** und als **Heimat-W.** der nach Auslandsfahrt heimkehrenden Schiffe (bei der früheren dt. Kriegsmarine).

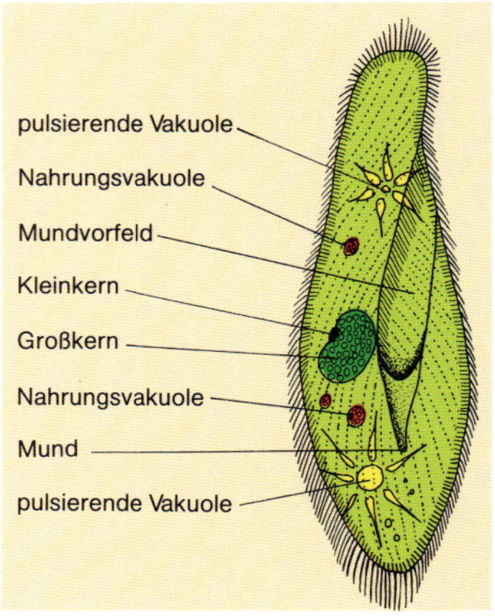

Wimpertierchen: Aufbau eines Pantoffeltierchens (Länge bis zu 0,3 mm)

Wimperg [ahd. wintberga »Windschutz«], got. Ziergiebel über Portalen und Fenstern, meist mit Blendmaßwerk gefüllt, auch durchbrochen gearbeitet und oft von zwei Fialen flankiert; eine Kreuzblume krönt die Spitze des Giebels, seine Kanten sind mit Kriechblumen besetzt.

Wimpern, 1) *Anatomie:* die Randhaare an den Augenlidern von Säugetieren.

2) *Biologie:* die →Zilien.

Wimpertierchen (Wimperinfusorien, Ziliaten, Ciliata), Klasse der Protozoen, gekennzeichnet durch ein Wimperkleid und zwei Zellkerne (Kerndualismus): einen Großkern (Makronucleus) und einen Kleinkern (Mikronucleus). Die Zellmembran (Pellicula) trägt die der Fortbewegung und dem Nahrungserwerb dienenden Wimpern (Zilien). Die Nahrung kann durch einen Zellmund (Cytostom) aufgenommen werden, der bei den »Strudlern« von einem Mundfeld (Peristom) umgeben ist; bei den »Schlingern« ist der Zellmund sehr erweiterungsfähig. Die Sauginfusorien nehmen ihre Nahrung durch Saugtentakeln auf. Die Nahrung wird in Nahrungsvakuolen eingeschlossen, unverdaute Reste werden durch den Zellafter (Cytopyge) ausgeschieden. Pulsierende Vakuolen entleeren ihren Inhalt rhythmisch nach außen. – W. kommen in feuchter Erde, im Süßwasser und im Meer vor. Sie pflanzen sich ungeschlechtlich und auch geschlechtlich mit Kernaustausch fort. Zu den W. gehören z.B. Glockentierchen, Pantoffeltierchen, Trompetentierchen, Sauginfusorien.

Wịmpfeling (Wimpheling), Jakob, Humanist, Geschichtsschreiber und Theologe, *Schlettstadt (Elsass) 27. 7. 1450, †ebd. 17. 11. 1528; war u.a. Domprediger in Speyer, 1481–1501 Prof. für Rhetorik in Heidelberg, 1501–15 in Straßburg; veröffentlichte v.a. pädagog. und histor. Schriften (u.a. das erste Schulbuch zur dt. Geschichte) und einen Bericht (an Kaiser Maximilian I.) über soziale und gesellschaftl. Missstände (»Gravamina«, gedruckt 1520).

Wimpfen, Bad, → Bad Wimpfen.

Winchester ['wɪntʃɪstə], Stadt in der Cty. Hampshire, S-England, am Itchen, 31000 Ew.; anglikan. Bischofssitz; Nahrungsmittelind.; Fremdenverkehr. – Bed. normannisch-got. Kathedrale (11.–15. Jh.) mit wertvoller Ausstattung, Kathedralsbibliothek, vierflüglige Hofanlage des Hospital of Saint Cross (1136–1445). – Urspr. kelt. Siedlung, von den Römern **Venta Belgarum** genannt, wurde 675 Bischofssitz und entwickelte sich vom 9. bis Anfang des 13. Jh. als Hptst. von Wessex neben London zur wichtigsten Stadt Englands.

Winchester-Gewehre ['wɪntʃɪstə-], ab 1866 in den USA hergestellte Repetiergewehre, benannt nach O. F. Winchester (*1810, †1880), der 1857 eine Firma für Handfeuerwaffen gründete.

Winckelmann, Johann Joachim, Archäologe und Kunstgelehrter, *Stendal 9. 12. 1717, † (ermordet) Triest 8. 6. 1768; konvertierte 1754 zum Katholizismus, veröffentlichte 1755 seine »Gedanken über die Nachahmung der Grch. Wercke in der Mahlerey und Bildhauer-Kunst« und ging im gleichen Jahr nach Rom, wo er anfangs Bibliothekar, seit 1763 Präs. der Altertümer und Scriptor der Vatikan. Bibliothek war. Er erwarb umfassende Kenntnisse der antiken Kunstwerke in Rom, Florenz und Neapel, die er in seiner »Gesch. der Kunst des Alterthums« (2 Tle., 1764) u.a. Schriften in den geschichtl. Zusammenhang einordnete. Dadurch wurde er Begründer der neueren Archäologie und der vergleichenden Kunstgeschichte. Seine Auffassung vom Wesen der grch. Kunst als »edle Einfalt und stille Größe« wurde bestimmend für die dt. Klassik.

Winckler, Josef, Schriftsteller, *Bentlage (heute zu Rheine) 7. 7. 1881, †Neufrankenhorst (heute zu Bergisch Gladbach) 29. 1. 1966; Mitgründer des literar. »Bundes der Werkleute auf Haus Nyland«; verfasste u.a. den Schelmenroman »Der tolle Bomberg« (1923) und die Sammlung westfäl. Schwänke »Pumpernickel« (1926).

Wind, 1) *Metallurgie:* die metallurg. Öfen unter erhöhtem Druck zugeführte Luft.

2) *Meteorologie:* im Wesentlichen in horizontaler Richtung bewegte Luft; ein wichtiges Wetter- und Klimaelement. W. entsteht durch Druck- und Dichteunterschiede in der Atmosphäre. Durch → Windmessung erhält man die Richtung, aus der der W. kommt, nach einer 360°-Winkeleinteilung in Grad und die Geschwindigkeit in m/s. Bei Schätzung dagegen wird die Richtung nach einer 36- oder 8-teiligen Skala, die Stärke in Grad Beaufort der 12-teiligen Windstärkeskale angegeben; sie kann auch in m/s erfolgen. In größeren Höhen

Wind
Die windigste Gegend der Erde ist die Commonwealth Bay an der antarktischen Küste. Dort erreicht der Wind mehrmals im Jahr Geschwindigkeiten von 320 km/h.

Die höchste jemals über der Erdoberfläche gemessene Windgeschwindigkeit betrug 371 km/h; sie wurde am 24. April 1934 auf dem Mount Washington, New Hampshire/USA, registriert.

Winde

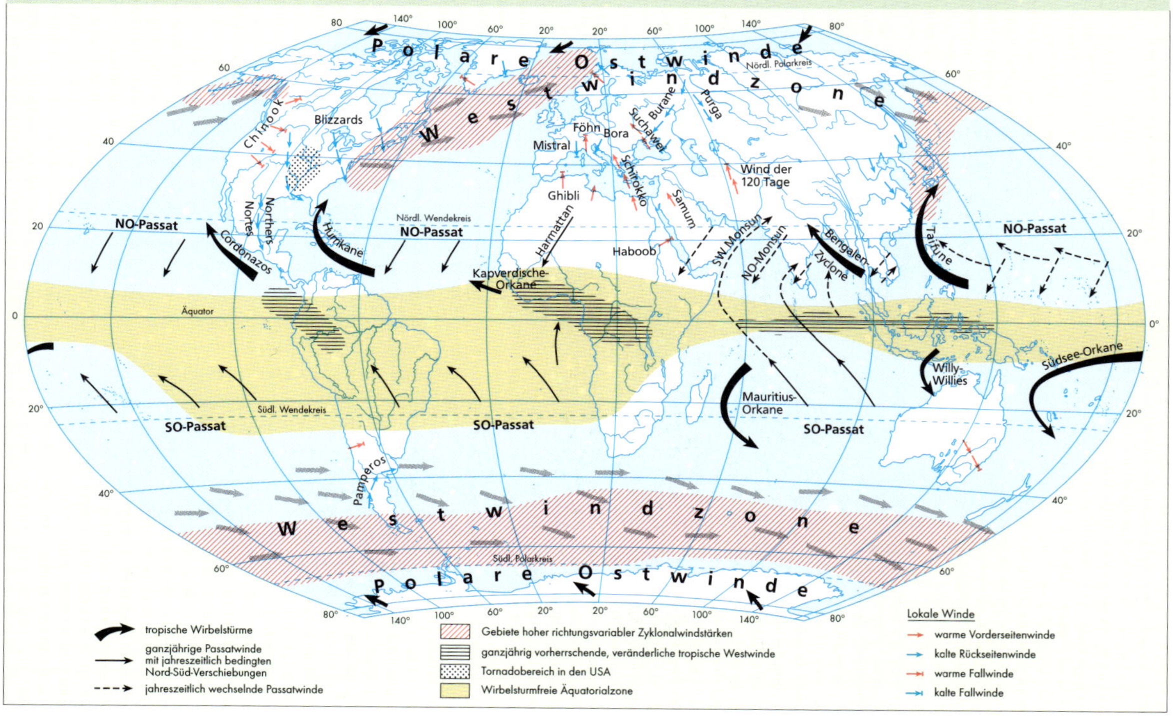

Adolf Windaus

Winde 1): Ackerwinde (Höhe 20–80 cm)

weht der W. nahezu isobarenparallel **(Gradient-W.),** während die Abweichung in der planetar. Grenzschicht über See etwa 10 Winkelgrade, über Land im Mittel 35 Winkelgrade beträgt, und, durch Turbulenz bedingt, um mehrere Zehnergrade um diesen Wert schwankt. Durch die Coriolis-Kraft wird die Luftströmung auf der N-Halbkugel nach links von der Richtung des Luftdruckgefälles abgelenkt. – Über die Nutzung des W. zur Energieerzeugung → Windkraftwerk.

📖 Schamp, H.: *Die W. der Erde u. ihre Namen. Wiesbaden 1964.* – Greeley, R. *u.* Iversen, J. D.: *W. as a geological process on earth, Mars, Venus and Titan. Cambridge 1985.* – Fielding, X.: *Das Buch der W. Aus dem Engl. Nördlingen 1988.*

Windau, Stadt in Lettland, → Ventspils.

Windaus, Adolf Otto Reinhold, Chemiker, * Berlin 25. 12. 1876, † Göttingen 9. 6. 1959; untersuchte den Aufbau der Sterine und klärte v. a. die Struktur der Vitamine D_2 und D_3 sowie ihrer Provitamine auf. Für diese Arbeiten erhielt er 1928 den Nobelpreis für Chemie.

Windblütigkeit (Anemophilie), die Verbreitung des Pollens durch den Wind, z. B. bei Nadelhölzern und Gräsern.

Windbruch (Windwurf), durch Sturm entstehender Bruch oder Wurf von Bäumen oder ganzen Baumbeständen. Störungen des Waldgefüges, Gefahr des Massenauftretens von Schädlingen, Holzverluste durch Splitterung und Pilzbefall sind die Folge. Bes. gefährdet sind gleichaltrige Bestände flach wurzelnder Baumarten (z. B. Fichte).

Winde, 1) *Botanik:* (Convolvulus) Gattung der Windengewächse (Convolvulaceae); windende Kräuter und Sträucher, meist in den Mittelmeerländern und W-Asien, mit strahlig trichterförmigen Blüten und Kapselfrucht. Die staudige **Acker-W. (Drehwurz,** Convolvulus arvensis) mit weißen bis rosafarbenen Trichterblüten ist ein widerstandsfähiges Wurzelunkraut.

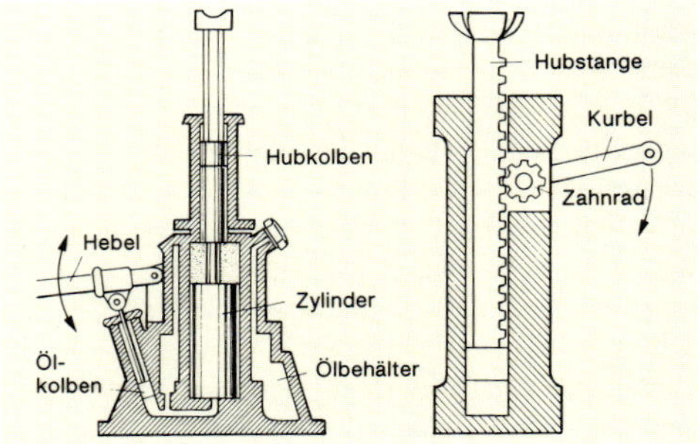

Winde 2): Funktionsschema einer hydraulischen Winde (links) und einer Zahnstangenwinde

2) *Technik:* Vorrichtung zum Heben, Senken und Heranziehen von Lasten. Die Last kann bewegt werden durch eine Schraubenspindel **(Schrauben-W.),** eine Zahnstange mit Ritzel **(Zahnstangen-W.),** einen Druckölzylinder mit Kolben **(hydraul. W.)** oder ein Seil, das auf eine Trommel aufgewickelt wird **(Seil-W., Haspel).**

Windei, bei Vögeln weichschaliges oder ohne Schale abgelegtes Ei.

Windelband, Wilhelm, Philosoph, * Potsdam 11. 5. 1848, † Heidelberg 22. 10. 1915; Prof. in Zürich, Freiburg, Straßburg, Heidelberg; gilt mit H. Rickert als Begründer der südwestdt. (badischen) Schule des → Neukantianismus; als Standardwerk gilt seine »Gesch. der Philosophie« (1892).

Windenergie, zu den regenerativen Energiequellen gehörende kinet. Energie, die in **W.-Anlagen** (→ Windkraftwerk) zur Stromerzeugung und zum Antrieb von Maschinen genutzt werden kann. Aufgrund der natürl. Windverhältnisse sind nur bestimmte Territorien (v. a. Küstengebiete und höhere Gebirgslagen) zum Bau von W.-Anlagen geeignet.

Windenschwärmer (Windig, Herse convolvuli), bis zu 12 cm spannender, dämmerungsaktiver Schwärmer in den Subtropen und Tropen Afrikas, Australiens und Eurasiens (in Mitteleuropa als Wanderfalter); mit graubraunen Flügeln sowie rötl. und schwarzen Hinterleibsquerbinden. Die Raupe lebt an Windengewächsen.

Windepflanzen (Schlingpflanzen), Pflanzen, die für ihre kletternde Wuchsweise nicht auf Haftorgane (Ranken, Haftwurzeln) angewiesen sind, sondern mit ihrem Sprossgipfel infolge ungleichen Wachstums (→ Nutation) in der Luft so lange kreisen, bis sie z. B. einen Stängel berühren und dann

Wind

Die 12-teilige Beaufort-Skala gibt die mittlere Geschwindigkeit an, die der Wind während 10 Minuten in einer Höhe von zehn Metern über dem Boden hatte; sie kann also einzelne Böen nicht erfassen. Jährlich werden weltweit etwa 70 Wirbelstürme gemeldet, von denen etwa 40 die Windstärke 12 erreichen. Erste Schäden treten bei einer Windgeschwindigkeit von ca. 60 Kilometer pro Stunde ein.

Die sechsstufige Fujita-Tornadoskala geht in den Werten der Windgeschwindigkeit weit über die Hurrikanskala hinaus. Nur 2 % aller Tornados erreichen die höchste Stufe, sind aber für 68 % aller Todesopfer (bei 20 000 untersuchten Ereignissen) verantwortlich. Während der durchschnittliche Tornado eine 3 km lange und 140 m breite Schadensspur verursacht, verwüsten extrem starke Tornados eine Fläche von bis zu 400 km Länge und 2 km Breite.

Beim Durchzug eines Tornados kommt es zu extremen Luftdruckunterschieden, sodass luftdicht abgeschlossene Gebäude wegen des Überdrucks gegenüber der Trombe von bis zu einer Tonne pro qm explodieren können. Tornados können 200–300 Tonnen schwere Objekte zehn Meter weit transportieren und das Wasser aus einem Flussbett heben.

in engen Windungen an der Stütze emporwachsen (z.B. Winde, Gartenbohne, Hopfen).

Wind|erhitzer (Cowper-Apparat), von E. A. Cowper erfundene Anlage für die Erhitzung (Vorwärmung) der Verbrennungsluft für Hochöfen. In einem feuerfest ausgekleideten zylindr. Stahlblechturm wird Gichtgas mit Luft verbrannt und dadurch ein Gittermauerwerk erwärmt. Anschließend wird kalt eingeblasene Verbrennungsluft (Wind) durch das aufgeheizte Gitterwerk geleitet. Aufgrund der period. Arbeitsweise des W. sind mehrere (meist drei bis vier) W. notwendig.

Windermere ['wɪndəmɪə], größter See Englands, im Lake District, Cty. Cumbria, 17,5 km lang, 15 km² groß, über 70 m tief; Fremdenverkehrsgebiet.

Windfahne, → Windmessung.

Windfall-Profits ['wɪndfɔːl 'prɔfɪts, engl.], Gewinne, die durch außergewöhnl. Veränderungen der Weltmarktlage (z.B. Rohstoffverknappung) entstehen.

Windfang, *Bautechnik:* kleiner abgeschlossener Vorraum, der verhindert, dass beim Öffnen der Außentür kalte Luft ins Haus eindringt.

Wịndgassen, Wolfgang, Opernsänger (Heldentenor), *Annemasse (Dép. Haute-Savoie) 26. 6. 1914, †Stuttgart 8. 9. 1974; gefeierter Wagner-Interpret, sang 1951–70 bei den Bayreuther Festspielen alle großen Partien.

Dorothee von Windheim: »Z« aus »MAGAZZINO«, abgenommener Mauerputz auf Gaze (1974; Wiesbaden, Museum)

Windhalm (Ackerschmiele, Apera), Gattung der Süßgräser in Eurasien; in Dtl. kommt als Getreideunkraut der einjährige **Gemeine W.** (Apera spicaventi) mit 0,3–1 m hohen Stängeln und in lockerer, breiter Rispe stehenden Ährchen vor.

Windharfe, die → Äolsharfe.

Wịndheim, Dorothee von, Plastikerin, *Volmerdingsen (heute zu Bad Oeynhausen) 11. 7. 1945; urspr. Restauratorin, befasst sich mit einer spezif. Form der → Spurensicherung; löste Putzfragmente von alten Wänden und Mauern und zog sie mit Zeichen von Baugeschichte und Verwitterung als Bildreliefs auf. Andere Arbeiten beschäftigten sich mit dem Turiner Grabtuch.

Windhose, *Meteorologie:* → Trombe.

Wịndhuk (afrikaans Windhoek), Hptst. von Namibia, im Zentrum des Landes, 1645 m ü.M., 125 000 Ew.; Sitz eines kath. Erzbischofs und anglikan. Bischofs; Univ. (1990 aus der W.-Akademie entstanden), Konservatorium, Wetterwarte, Wiss. Gesellschaft (mit Bibliothek); Nahrungsmittelind., Maschinenbau; Bahn- und Straßenknotenpunkt, internat. Flughafen. – Die wichtigsten Gebäude aus der dt. Kolonialzeit (Jugendstil, Historismus und eigenständiger Verandenstil) liegen auf einer Anhöhe; 1955 entstand ein Komplex, der Theater, Kunstmuseum und Bibliothek umfasst. – Um 1842 hatte W. als Sitz des Orlam-(Nama-)Führers Jonker Afrikaner (*um 1790, †1861) etwa 2000 Ew. 1893 ließen sich die ersten weißen Siedler in der 1891 zur Hauptstadt von Deutsch-Südwestafrika erklärten Stadt nieder.

Windhunde, Rassengruppe sehr schneller Haushunde; Kopf und Körper lang und schmal; Brust tief; Rute lang und kräftig; verfolgen das Wild mit den Augen. Bekannte Rassen sind: **Afghan. W.** (Afghane), bis zu 72 cm schulterhoch, lang und üppig behaart, Färbung unterschiedlich; **Greyhound** (engl. W.), bis zu 72 cm schulterhoch, Haar kurz, fein, einfarbig und gestromt; **Saluki** (pers. W.), bis zu 65 cm schulterhoch, Fell kurzhaarig und glatt, Färbung unterschiedlich.

Windischẹschenbach, Stadt im Landkreis Neustadt a.d. Waldnaab, Bayern, 6100 Ew.; Porzellan- und Glasind., Papierfabrik. – In W. wurde seit 1990 die Hauptbohrung des → kontinentalen Tiefbohrprogramms zur Erkundung der Erdkruste niedergebracht (im Okt. 1994 wurde eine Endtiefe von 9101 m erreicht).

Wịndischgrätz (Windischgraetz), Alfred Fürst (seit 1804) zu W., österr. Feldmarschall, *Brüssel 11. 5. 1787, †Wien 21. 3. 1862; unterdrückte als Generalkommandant in Böhmen im Juni 1848 den Aufstand in Prag, nahm am 31. 10. 1848 das aufständ. Wien ein, führte den Krieg gegen die ungar. Aufständischen, wurde am 12. 4. 1849 abberufen.

Windjammer [von engl. to jam »pressen«, eigtl. »Windpresser«] *der, seemännisch* für: großes Segelschiff.

Windkanal, **1)** *Orgel:* Teil der → Windlade.

2) *Technik:* Anlage zur Untersuchung der aerodynam. Eigenschaften von Körpern und der Druck-

Wilhelm Windelband

Wolfgang Windgassen

Windhalm: Gemeiner Windhalm (30–100 cm)

verteilung auf ihrer Oberfläche in einer Luftströmung. Die auftretenden Luftkräfte werden durch Mehrkomponentenwaagen, an denen der Mess-

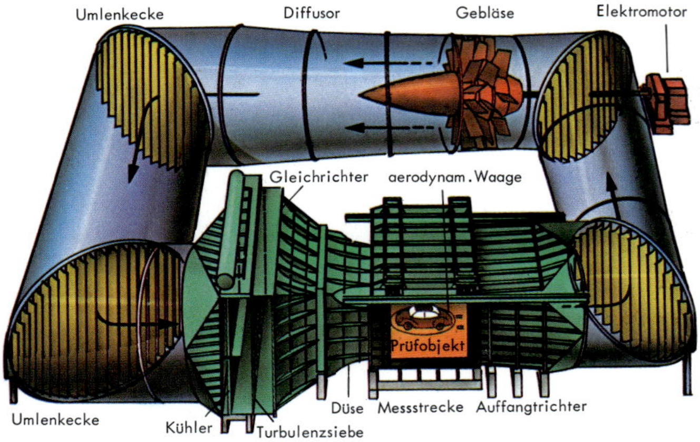

Windkanal 2): Schema eines kontinuierlich arbeitenden Windkanals mit geschlossenem Kreislauf und umschlossener Messstrecke

körper aufgehängt ist, oder aus Druckverteilungen am Modell und in der Nachlaufströmung ermittelt. Bei der Verwendung von Modellen müssen Mach- und Reynolds-Zahl mit den Werten des Originals übereinstimmen. – Man unterscheidet W. mit geschlossenem und offenem Kreislauf der Luft. Je nach Geschwindigkeit des Luftstroms gibt es Unterschall-W., für den Bereich in der Nähe der Schallgeschwindigkeit transson. W., beide durch Gebläse betrieben, Überschall-W., die mit Druckluft (Blowdown-W.) oder Vakuumkessel (Vakuumspeicher-W.) arbeiten, und für Mach-Zahl über 5 Hyperschall-W., in denen hoch verdichtete Luft (auch Stickstoff oder Helium) über eine Düse in eine evakuierte Messstrecke entspannt wird. – L. Prandtl baute 1908 den ersten W. mit geschlossenem Kreislauf, G. Eiffel 1909 den ersten offenen W. Der in zehnjähriger Bauzeit errichtete Europ. Transson. W. (Abk. ETW), gegenwärtig der modernste W. der Welt, ging 1993 in Köln in Betrieb.

📖 *Windkanalversuche, Redaktion:* T. LÖFFLER. *Stuttgart* ^{2}*1994.*

Windkanter, vom Wind zugeschliffener Stein (→Korrasion), dessen Schliffflächen sich an deutl. Kanten schneiden **(Ein-, Doppel-, Drei-** und **Vierkanter).**

Windkasten, *Orgel:* Teil der →Windlade.

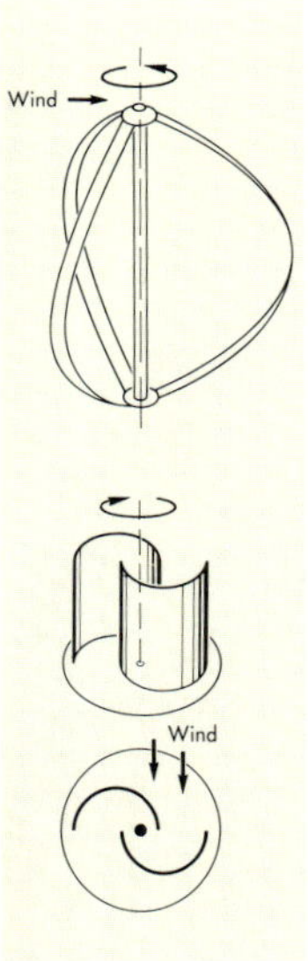

Windkraftwerk: Funktionsschema des Darrieus-Rotors (oben) und des Savonius-Rotors

Windkraftwerk (Windkraftanlage), Anlage zur Gewinnung elektr. Energie aus der natürl. Strömungsenergie des Windes. Wichtigstes Bauelement eines W. ist der Rotor (»Windrad«, »Windturbine«), der an einer Welle befestigt ist und dem Wind geeignet geformte und positionierte Angriffsflächen (Flügel, Schaufeln o. Ä.) bietet, sodass er von der zuströmenden Luft in Drehung versetzt wird. Über die Welle und ein Getriebe wird die Drehung auf einen Generator übertragen, der elektr. Strom erzeugt. Die max. Leistung eines W. steigt mit der dritten Potenz der Windgeschwindigkeit, die wiederum mit der Höhe über dem Boden zunimmt. Häufigste Bauart von W. sind Anlagen mit schnell laufenden Rotoren mit waagerecht, d. h. parallel zum Erdboden angeordneter Rotorwelle und zwei oder drei senkrecht dazu stehenden, aerodynamisch gestalteten Rotorblättern. Die die Windenergie aufnehmende Welle wird entsprechend der Windrichtung ausgerichtet; der Blattanstellwinkel der Rotorblätter wird in Abhängigkeit von der Windgeschwindigkeit verstellt, damit die Rotordrehzahl auf einen konstanten Wert geregelt werden kann (Pitch-Regelung). Die Drehzahlbegrenzung kleiner Rotoren erfolgt durch konstruktionsbedingten Strömungsabriss an den Blättern (Stall-Regelung). Bei zu hohen Windgeschwindigkeiten (etwa ab 25 m/s, d. h. Windstärke 10) muss aus Schutz vor mechan. Überlastung der Rotor gebremst oder stillgesetzt werden, und ggf. müssen die Blätter aus dem Wind gedreht werden. Neben W. mit horizontaler Rotorachse gibt es Anlagen mit vertikaler Rotationsachse wie den **Darrieus-Rotor,** der aus zwei oder drei senkrechten Rotorblättern, die als Mantellinien einer Rotationsfigur ausgebildet

Windkraftwerk: Dreiblattrotoranlagen im Windpark auf Fehmarn

sind, besteht. Ähnlich konzipiert ist der **Savonius-Rotor** mit zwei senkrecht stehenden schaufelförmigen Blättern.

📖 HEYMANN, M.: *Die Geschichte der Windenergienutzung 1890–1990. Frankfurt am Main u. a.*

1995. – *Windkraftanlagen. Grundlagen u. Entwurf, hg. v.* R. GASCH. *Stuttgart* [3]*1996.*

Windlade, bei der Orgel ein rechteckiger, flacher Kasten aus Hartholz, auf dem die Pfeifen stehen und der die Spielventile der Tasten und die Registerventile oder Schleifen der Registerzüge enthält. Der **Windkasten,** ein Teil der W., speichert den aus dem Balg durch den **Windkanal** strömenden Wind.

Windmessung (Anemometrie), Messung, Anzeige und Aufzeichnung von Windrichtung und -geschwindigkeit. Beim bodennahen Wind wird die Richtung gewöhnlich durch eine **Windfahne** bestimmt (Windrichtungsanzeiger), während der **Windsack** zugleich auch eine grobe Beurteilung der Windgeschwindigkeit zulässt. Ein Geschwindigkeitsmesser ist das **Schalenkreuzanemometer,** ein horizontal rotierendes, mit drei offenen Halbkugeln besetztes Windrad, dessen Drehzahl der Windgeschwindigkeit proportional ist. Böen werden durch die Druckschwankungen in einem in den Wind gerichteten **Prandtl-Rohr** erfasst. Für W. im Bereich unter 1 m/s eignet sich das **Hitzdrahtanemometer,** bei dem der Luftzug einen geheizten Draht kühlt und dadurch dessen elektr. Widerstand ändert. Eine verzögerungsfreie W. ohne Beeinträchtigung des Windfeldes erhält man mit dem **Schallanemometer** durch Bestimmung der Dämpfung eines quer zur Windströmung verlaufenden Schallstrahls und mit dem **Laser-Doppler-Anemometer.** Hierbei werden die an bewegten Aerosolen der Luft vom Doppler-Effekt hervorgerufenen Frequenzverschiebungen von reflektiertem Laserlicht vermessen. Der Wind der freien Atmosphäre wird i.d.R. aus der durch Radar verfolgten Abdrift eines mit einem Reflektor versehenen frei fliegenden Ballons errechnet. (→Windskale)

Windmühle, eine die natürliche Energie der Luftströmungen (Windenergie) ausnutzende Maschine, deren wesentl. Bestandteil schräg zur Windrichtung gestellte, an einer Achse befestigte Flächen (Flügel, Schaufeln u.a.) sind, die von der Windkraft in Drehung versetzt werden. Es gibt zwei Typen von W.: die **dt. W. (Bock-W.),** die ganz aus Holz besteht und bei der das gesamte (auf einen Bock montierte) Mühlenhaus über einen vertikalen Zapfen in die Windrichtung gedreht wird, und die **holländ. Mühle (Turm-W.),** bei der auf einem massiven (steinernen) Gebäude nur die Dachkappe mit dem meist vierflügeligen Windrad drehbar ist.

Geschichte: Erste sichere Nachrichten über W. stammen aus dem 10.Jh. aus Persien. Von dort verbreiteten sich die W. zunächst in den arab. Ländern, dann in Europa. Bereits die frühesten (um 1180) in Europa gebauten W. weisen die durch schräg gestellte Flügel bewegte horizontale Achse auf. BILD Mühle

Windows ['wɪndəʊz; engl. »Fenster«], Ausschnitte, in die der Bildschirm eines Computers aufgeteilt wird, um versch. Anwenderprogramme (z.B. Texte, Grafiken) gleichzeitig ausgeben zu können. Jedes Window (Fenster) kann vom Benutzer selbst festgelegt und verändert werden. Die **Window-(Fenster-)Technik,** zeichnet sich durch einfache Bedienbarkeit aus. Die Bez. W. wird auch oftmals als Kurzform für Betriebssysteme der Firma Microsoft (z.B. Windows95) verwendet, die auf der Windowtechnik beruhen.

Windmühle: Turmwindmühle bei Farve im Kreis Ostholstein

Windpocken (Spitzpocken, Wasserpocken, Schafpocken, Varizellen), sehr ansteckende, i.d.R. gutartig verlaufende, virusbedingte Infektionskrankheit mit bläschenförmigem Hautausschlag. Befallen werden vorwiegend Kleinkinder. Die Übertragung erfolgt meist durch Tröpfcheninfektion; die Inkubationszeit beträgt 12–21 Tage. Nach uncharakterist. Frühsymptomen (Kopfschmerzen, Übelkeit, ggf. leichtes Fieber) tritt der Hautausschlag in Schüben im Verlauf einer Woche auf. Dabei entstehen jeweils innerhalb von Stunden aus linsengroßen, blassroten Flecken Papeln und Bläschen mit rotem Saum, deren Decke leicht einreißt. Nach einigen Tagen stehen frische und unter einer Kruste abheilende Bläschen nebeneinander. Das Exanthem befällt unter leichtem Fieber den ganzen Körper. W. sind ansteckend bis zum Abfall der letzten Krusten (Isolierung des Erkrankten). Nach der Erkrankung besteht eine latente Immunität, sodass das Virus bei Immundefekten oder -schwäche reaktiviert werden kann (jenseits des 45. Lebensjahrs meist als Gürtelrose). – Die *Behandlung* besteht bei Fieber in Bettruhe und medikamentöser Linderung des Juckreizes (Kratzen ruft die Gefahr späterer Narbenbildung hervor); bei Schwan-

Windkraftwerk: Anlage nach dem Darrieus-Prinzip, Gesamthöhe 6,5 m, Rotordurchmesser 5,5 m, Leistung 1 kW

geren in den ersten drei Monaten prophylakt. Isolierung und passive Immunisierung.

Windrös|chen, Arten der →Anemone.

Windrose, Scheibe, auf der die Himmelsrichtungen aufgezeichnet sind, bes. beim Kompass, dessen W. außerdem in Grade eingeteilt ist.

Windschatten, Zone geringer Windgeschwindigkeit auf der windabgewandten Seite eines Strömungshindernisses.

Windscheid, Bernhard, Jurist, *Düsseldorf 26. 6. 1817, †Leipzig 26. 10. 1892; Mitgl. der Kommission zur Ausarbeitung des ersten Entwurfs eines dt. BGB; schrieb u.a. »Lb. des Pandektenrechts« (3 Bde., 1862–70).

windschief, *Geometrie:* zwei Geraden im Raum, die sich weder schneiden noch parallel sind, heißen windschief.

Windschliff (Sandschliff), Abscheuerung und Abschleifung von Gesteinsoberflächen durch vom Winde mitgeführte Sandkörner; Form der →Korrasion.

Windschutz, Schutz landwirtsch. Kulturen vor starken Winden durch Anlage von Hecken (Knicks), Baumstreifen, Waldstreifen usw.; vermindert neben Windschäden die Verdunstung und fördert eine gleichmäßigere Verteilung der Schneeschicht (Frostschutz, Bodenfeuchte). W. ist dort notwendig, wo der Schutz durch Wald fehlt.

Windsheim, Bad, →Bad Windsheim.

Windsichter, eine Sichtmaschine zur trockenen Staubabscheidung oder pneumat. Klassierung bei geringen Korngrößen (etwa 0,1–2 mm), z.B. in der Steinkohlenaufbereitung, in der Feinmahlung von Zement, in der Kohlemahlung für Staubfeuerung sowie in der chem. Industrie. Durch das aufgelockerte Haufwerk wird ein Luftstrom vertikal nach oben geleitet, der alle die Teilchen mit sich fortführt, deren Fallgeschwindigkeit kleiner als die Aufwärtsgeschwindigkeit der Sichtluft ist.

Windskale (Beaufort-Skala), Messskala zur Ermittlung der Windstärke in Boden- oder Wasseroberflächennähe; die Windstärke wird nach der vom brit. Admiral F. Beaufort aufgestellten 12-teiligen W. zur Schätzung anhand der Auswirkungen gemessen (1946–56 wurde eine 17-teilige W. benutzt).

Windsor ['wɪnzə], 1917 vom brit. Königshaus Sachsen-Coburg-Gotha angenommener Name (nach der Sommerresidenz W. Castle). – **Herzog von W.,** Titel Eduards VIII. seit seiner Abdankung als König (→Eduard).

Windsor ['wɪnzə], **1)** (amtlich New W.), Stadt in der Cty. Berkshire, England, an der Themse, gegenüber Eton, 28300 Ew. – Am NO-Rand der Stadt das Schloss **W. Castle,** Stammschloss und Sommersitz des engl. Königshauses. Der Bau soll von Wilhelm dem Eroberer 1070 begonnen worden sein; Steinbauten seit dem 12. Jh., im 13. und 14. Jh. wesentl. Erweiterung; Umgestaltung zum repräsentativen Schloss im 16./17. Jh. und v.a. seit 1824 durch J. Wyatville im Auftrag Georgs IV. Der riesige Komplex erstreckt sich um zwei Höfe (Lower und Upper Ward), zw. denen der Round Tower liegt; dem Lower Ward schließt sich die Saint George's Chapel (1474–1528) im Perpendicular Style an, während die State Apartments an der N-Seite des Upper Ward liegen, u.a. Speisezimmer Karls II., Rubenssaal, die Gemäldegalerie und der Van-Dyck-Saal; bed. Sammlung von Handzeichnungen. Der durch den Großbrand von 1992 schwer zerstörte Schlosskomplex (einschl. der beschädigten Kunstwerke) wurde restauriert.

2) Stadt in der Prov. Ontario, Kanada, am Detroit River gegenüber Detroit, mit dem es durch Auto- und Bahntunnel sowie Brücken verbunden ist; 191400 Ew.; Univ.; Auto-, Maschinenbau, chem. Ind., Brauereien.

Windspoiler ['wɪndspɔɪlə, engl.] *der, Kraftfahrzeugtechnik:* an der Karosserie angebrachte oder in sie integrierte Luftleitbleche zur Minderung des Luftwiderstandes, z.B. bei Lkw mit hohem Kofferaufbau über dem Fahrerhaus.

Windskale nach Beaufort

Windstärke	Bezeichnung der Windstärke	Auswirkungen des Windes im Binnenland	Geschwindigkeit in m/s, gemessen in 10 m Höhe
0	Stille	Windstille, Rauch steigt senkrecht empor	0–0,2
1	leiser Zug	Windrichtung angezeigt nur durch Zug des Rauches, aber nicht durch Windfahne	0,3–1,5
2	leichte Brise	Wind am Gesicht fühlbar, Blätter säuseln, Windfahne bewegt sich	1,6–3,3
3	schwache Brise	Blätter und dünne Zweige bewegen sich, Wind streckt Wimpel	3,4–4,5
4	mäßige Brise	Wind hebt Staub und loses Papier, bewegt Zweige und dünnere Äste	5,5–7,9
5	frische Brise	kleine Laubbäume beginnen zu schwanken, auf Seen bilden sich Schaumköpfe	8,0–10,7
6	starker Wind	starke Äste in Bewegung, Pfeifen von Telegrafenleitungen, Regenschirme schwierig zu benutzen	10,8–13,8
7	steifer Wind	ganze Bäume in Bewegung, fühlbare Hemmung beim Gehen gegen den Wind	13,9–17,1
8	stürmischer Wind	Wind bricht Zweige von den Bäumen, erschwert erheblich das Gehen	17,2–20,7
9	Sturm	kleinere Schäden an Häusern, Dachziegel werden abgeworfen	20,8–24,4
10	schwerer Sturm	Bäume werden entwurzelt, bedeutende Schäden an Häusern	24,5–28,4
11	orkanartiger Sturm	verbreitete Sturmschäden (sehr selten im Binnenland)	28,5–32,6
12	Orkan	schwerste Verwüstungen	>32,6

Umrechnungsfaktor 1 m/s = 3,6 km/h

Windsor 1): Windsor Castle vor dem Brand im Jahr 1992; die um zwei Höfe (13./14. Jh.) gruppierte, zum großen Teil aus dem 17. Jh. stammende Schlossanlage mit dem Round Tower (im Bildhintergrund) und der 1474–1528 erbauten Saint George's Chapel erhielt ihr heutiges romantisierendes Gepräge im 19. Jahrhundert

Windstärke, → Windskale.

Windstau, Erhöhung des Wasserspiegels durch Wind, an der Küste bei auflandigem Wind, aber auch in Binnengewässern.

Windstille (Flaute), völlige Luftruhe oder nicht wahrnehmbare Windgeschwindigkeit < 0,2 m/s. (→ Kalmen)

Windsurfing [-'sɔ:fıŋ], Wassersportdisziplin, → Surfen.

Windthorst, Ludwig, Politiker, *Kaldenhof (heute zu Versmold) 17. 1. 1812, †Berlin 14. 3. 1891; Rechtsanwalt, 1851–53 und 1862–65 Justizmin. des Königreichs Hannover, nach 1866 Rechtsberater des entthronten Königs Georg V. von Hannover, für den er die Abfindungsverhandlungen führte. Seit 1867 MdR im Norddt. Bund, ab 1871 im Dt. Reich, entwickelte sich W. zum Wortführer der Zentrumspartei und zum bedeutendsten parlamentar. Gegner Bismarcks im Kulturkampf.

Windung, Abweichung einer Raumkurve vom ebenen Verlauf.

Windward Islands ['wındwəd 'aılǝndz], Inselgruppe der Kleinen Antillen, Westindien, der südl. Teil der Inseln über dem Winde (von Dominica bis Grenada).

Winfried, angelsächs. Benediktinermönch, → Bonifatius.

Winglet ['wıŋlıt, engl.] *das,* kleiner, aufwärts gerichteter Hilfsflügel an den Flügelspitzen eines Flugzeugtragflügels; vermindert den induzierten Widerstand des Flügels.

Winiwarter-Buerger-Krankheit ['by-; nach dem österr. Chirurgen Alexander von Winiwarter, *1848, †1917, und dem amerikan. Internisten Leo Buerger, *1879, †1943] (Thrombangiitis obliterans, Endangiitis obliterans), Entzündung der inneren Gefäßwandschichten, die durch bindegewebige Umgestaltung und Einengung des Gefäßlumens zu Durchblutungsstörungen und Brand führt, bes. an den unteren Gliedmaßen beginnend. – Die *Behandlung* erfolgt medikamentös (z. B. mit Reserpin, Acetylsalicylsäure), bei Gefäßverschlüssen auch operativ; ganz wesentlich ist der Verzicht auf Nikotin.

Winkel, *Geometrie:* 1) **ebener W.,** geometr. Figur aus zwei von einem Punkt S ausgehenden Strahlen (Halbgeraden) g und h; den Schnittpunkt S bezeichnet man als den **Scheitel** des W., g und h als seine **Schenkel.** I. d. R. werden W. mit kleinen grch. Buchstaben ($\alpha, \beta, \gamma, \ldots$), mit $\sphericalangle (g, h)$ oder, falls A ein Punkt auf g und B ein Punkt auf h ist, mit $\sphericalangle ASB$ bezeichnet. Die Größe eines W., das **W.-Maß,** kann als → Bogenmaß in der SI-Einheit → Radiant oder als Gradmaß in → Grad oder → Gon angegeben werden; dabei beträgt z. B. ein rechter W. ($\pi/2$) rad, 90° oder 100 gon. Ergänzen sich die Schenkel eines W. zu einer Geraden, so spricht man von einem **gestreckten W.** ($\alpha = 180°$); zwei W., die einen Schenkel gemeinsam haben und sich zu einem gestreckten W. ergänzen, heißen **Neben-W.** ($\alpha + \beta = 180°$). Einen W., der seinem Neben-W. gleich ist ($\alpha = \beta = 90°$), nennt man einen **rechten W.** (Zeichen ⊾, ⊾ oder R), einen W., der kleiner bzw. größer ist als sein Neben-W., einen **spitzen** bzw. **stumpfen W.** ($0 < \alpha < 90°$ bzw. $90° < \alpha < 180°$). Alle W. zw. 180° und 360° nennt man **überstumpfe W.;** beim **Voll-W.** ($\alpha = 360°$) fallen die beiden Schenkel zusammen. Im Schnittpunkt zweier Geraden entstehen zwei Paare jeweils gleich großer **Scheitelwinkel;** 2) **Räuml. W.,** → Raumwinkel.

Winkel, Ortsteil (seit 1972) von Oestrich-W., Hessen; Weinbau und -handel, Polstermöbelfabrik. – Pfarrkirche St. Walpurgis (im Kern gotisch, im 17. Jh. umgestaltet); roman. »Graues Haus« (um 1075), »Johannisberger Klause« (1285 bezeugt), Zehnthof (1591), Brentanohaus (1751), Rathaus (1686, im 18. Jh. umgestaltet). – 1248 erstmals erwähnt. – Bei W. liegt Schloss Vollrads (Turmburg, 14. Jh.; Barockschloss, um 1680).

Winkelfunktionen (trigonometrische Funktionen, Kreisfunktionen, goniometrische Funktionen), Sammelbez. für die transzendenten Funktionen **Sinus** (Formelzeichen sin), **Kosinus** (Cosinus, cos), **Tangens** (tan), **Kotangens** (Cotangens, cot), **Sekans** (Secans, sec) und **Kosekans** (Cosecans, cosec), die in der elementaren Geometrie als Seitenverhältnisse im rechtwinkligen Dreieck dargestellt

Ludwig Windthorst

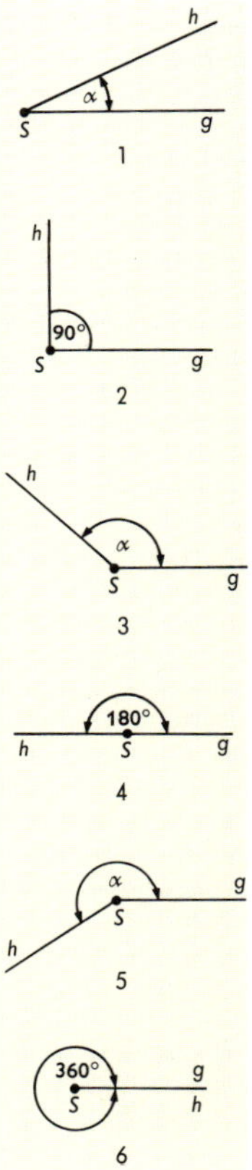

Winkel:
1 spitzer Winkel,
2 rechter Winkel,
3 stumpfer Winkel,
4 gestreckter Winkel,
5 überstumpfer Winkel, 6 Vollwinkel;
S Scheitelpunkt, g und h Schenkel, α Winkel

werden; für Winkel $\alpha \leqq 90°$ (im Bogenmaß $\leqq \pi/2$) gilt:

$$\sin\alpha = a/c \quad \tan\alpha = a/b \quad \sec\alpha = c/b$$
$$\cos\alpha = b/c \quad \cot\alpha = b/a \quad \operatorname{cosec}\alpha = c/a\,.$$

Für beliebige Winkel definiert man die W. an einem Kreis mit dem Radius R, dessen Mittelpunkt im Ursprung eines kartes. Koordinatensystems liegt. Der Punkt mit den Koordinaten $(x(\alpha), y(\alpha))$ gehöre zum (gerichteten) Winkel α. Die W. sind dann wie folgt definiert:

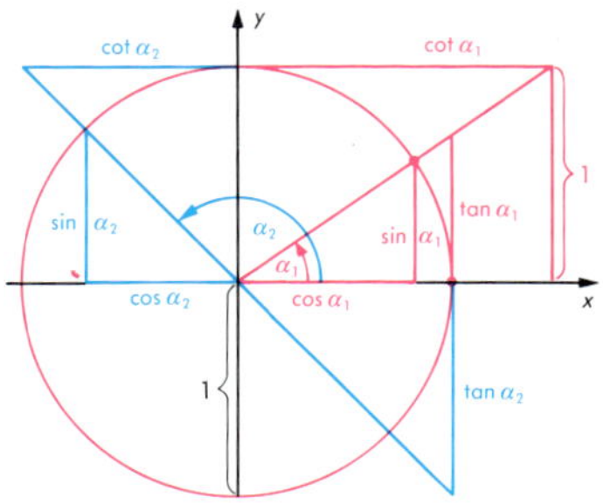

Winkelfunktionen: sin α, cos α, tan α und cot α am Einheitskreis

$$\sin\alpha = y/R,\ \cos\alpha = x/R$$
$$\tan\alpha = \sin\alpha/\cos\alpha = y/x, \quad a \neq (2z+1)\cdot\pi/2,\ z \in \mathbb{Z}$$
$$\cot\alpha = \cos\alpha/\sin\alpha = x/y, \quad a \neq z\cdot\pi$$
$$\sec\alpha = R/x = 1/\cos\alpha, \quad a \neq (2z+1)\cdot\pi/2$$
$$\operatorname{cosec}\alpha = R/y = 1/\sin\alpha, \quad a \neq z\cdot\pi.$$

Die in den Definitionen verwendeten Verhältnisse sind nach den Strahlensätzen unabhängig vom Radius R. Man wählt daher $R = 1$ (Einheitskreis), sodass z.B. $\sin\alpha = y$ und $\cos\alpha = x$ wird.

Für die W. ergeben sich u.a. die folgenden Eigenschaften: $\sin^2\alpha + \cos^2\alpha = 1$; $\sin(-\alpha) = -\sin\alpha$ bzw. $\cos(-\alpha) = \cos\alpha$; $\cos[(\pi/2)-\alpha] = \sin\alpha$ bzw. $\sin[(\pi/2)-\alpha] = \cos\alpha$, ferner gelten die Additionstheoreme, insbesondere:

$$\sin(\alpha+\beta) = \sin\alpha\cdot\cos\beta + \cos\alpha\cdot\sin\beta$$
$$\cos(\alpha+\beta) = \cos\alpha\cdot\cos\beta - \sin\alpha\cdot\sin\beta.$$

Die graf. Darstellung der Abhängigkeit der W. von der Größe des Winkels, die i. Allg. im Bogenmaß angegeben wird, führt in kartes. Koordinaten auf die Graphen der Sinus- und Kosinusfunktion $y = \sin x$ bzw. $y = \cos x$ sowie der Tangens- und Kotangensfunktion $y = \tan x$ bzw. $y = \cot x$. Die W. sind period. Funktionen mit der Periode 2π für sin und cos und π für tan und cot. Die Umkehrfunktionen der W. sin, cos, tan und cot sind die **Arkusfunktionen (zyklometr. Funktionen),** deren graf. Darstellung man durch Spiegelung der zugehörigen W. an der Geraden $y = x$ erhält. Wegen der Periodizität der W. kann man diese jeweils nur bei Einschränkung des Definitionsbereiches auf geeignete Intervalle umkehren. Wenn x nur Werte zw. $-\pi/2$ und $\pi/2$ annehmen darf, gehört zur Sinusfunktion $y = \sin x$ die Arkusfunktion Arkussinus (arcsin) $x = \arcsin y$; dabei hat y Werte zw. -1 und $+1$. Analog sind die Umkehrfunktionen $\arccos y$, $\arctan y$, $\operatorname{arccot} y$. Ferner sind die W. mit den →Hyperbelfunktionen und durch die →eulersche Formel mit der Exponentialfunktion verknüpft (→komplexe Zahl).

1
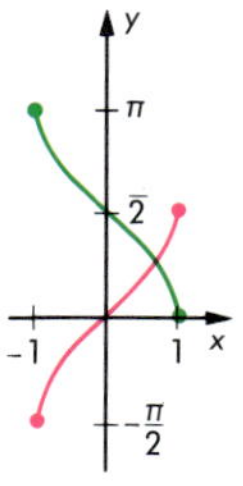

2
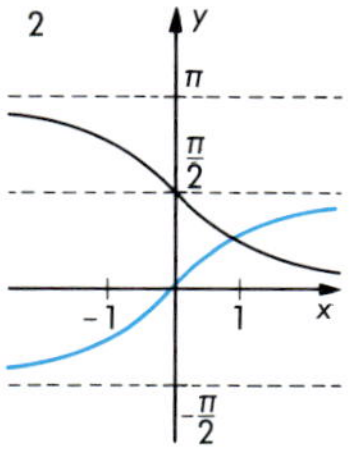

Winkelfunktionen: Arkusfunktionen

Winkelgeschwindigkeit, Formelzeichen ω, bei einer Drehbewegung der Quotient aus der Änderung des Winkels φ, den die Verbindungslinie vom Zentrum der Drehbewegung zum betrachteten Punkt mit einer zeitlich konstanten Bezugsrichtung bildet, und der dazu benötigen Zeit t, $\omega = d\varphi/dt$; SI-Einheit ist rad/s. Bei einer gleichförmigen Kreisbewegung (Periodendauer T) ist die W. konstant und gleich der Kreisfrequenz $\omega = 2\pi/T$.

Winkelhalbierende, die vom Scheitelpunkt eines Winkels ausgehende Halbgerade, die einen Winkel halbiert. Die drei W. eines Dreiecks schneiden sich in einem Punkt, dem Mittelpunkt des Inkreises.

Winkelmaß, 1) *Astronomie:* (Norma) Sternbild des südl. Himmels.

2) *Geometrie:* →Winkel.

3) *Mess-* und *Fertigungstechnik:* Vorrichtung zum Abmessen, Zeichnen und Anreißen rechter Winkel, z.B. der Anschlagwinkel.

Winkelmesser, 1) halbkreisförmige oder volle Scheibe mit Winkelteilung zum Messen und Anzeichnen von Winkeln in der Ebene; beim **Universal-W.** sind die Schenkel einstellbar; 2) für räuml. Winkelmessung →Goniometer.

Winkelprisma, *Vermessungskunde:* drei-, vier- oder fünfkantiges Glasprisma zum Abstecken rechter Winkel.

Winkelried, Arnold (Erni), sagenhafter schweizer. Nationalheld, ⚔ angeblich Sempach 9. 7. 1386; Bauer aus Stans, soll in der Schlacht bei Sempach (1386) mehrere feindl. Spieße auf sich gezogen und im Fallen eine Bresche geschlagen haben, die zum Sieg der schweizer. Eidgenossen über Herzog Leopold III. von Österreich führte. Seit dem 15. Jh. verkörpert W. das Ideal der eidgenöss. Frühzeit.

Winkelspiegel, *Vermessungskunde:* Spiegelgerät zum Abstecken rechter Winkel.

Winkelspinne, die →Hausspinne.

Winken (Winkern), opt. Signalverfahren der Seeschifffahrt; hierbei werden Winkflaggen mit beiden Armen in bestimmte Stellungen gebracht, die je einen Buchstaben bedeuten. Die Regeln beim W. basieren auf dem internat. Signalbuch. Durch die Entwicklung der Funktechnik hat das W. stark an Bedeutung verloren.

Winkerkrabben (Uca), Gattung der Krabben, deren Männchen auf einer Körperseite eine stark vergrößerte Schere als Schauapparat haben, mit der sie bes. während der Balz winkende Bewegungen ausführen.

Winkler, 1) Eugen Gottlob, schweizer. Schriftsteller, *Zürich 1. 5. 1912, † (Selbstmord) München 28. 10. 1936; zeichnete in seinen Essays die metaphys. »Unbehaustheit« des modernen Menschen; auch Lyriker und Erzähler.

2) Hans Günter, Springreiter, *Barmen (heute Wuppertal) 24. 7. 1926; fünffacher Olympiasieger, Weltmeister 1954 und 1955, Europameister 1957; sein bekanntestes Pferd war Halla.

Winkler-Generator (Wirbelschichtgenerator), techn. Anlage zum Vergasen fester Brennstoffe zu Generatorgas, Synthesegas oder Wassergas unter Anwendung des Wirbelschichtverfahrens; 1921 von dem Chemiker Fritz Winkler (*1888, †1950) konstruiert. In einen etwa 20 m hohen Schacht werden kontinuierlich fein gemahlene Braunkohle oder Grude eingebracht; von unten werden Sauerstoff und Wasserdampf eingeblasen, die den Brennstoff in der Schwebe halten und zu Kohlenmonoxid und Wasserstoff vergasen.

Winnenden, Große Kreisstadt im Rems-Murr-Kreis, Bad.-Württ., nordöstlich von Stuttgart, 26100 Ew.; Museen; Berufsfachschule für Gehörlose; Elektroind., Holz- und Metallverarbeitung. – Deutschordensschloss (17. Jh., im 18. Jh. umgebaut, seit 1834 Heilanstalt), Schlosskirche (15. Jh.) mit Schnitzaltar (1520). – 1181 erstmals erwähnt.

Winnig, August, Politiker und Schriftsteller, *Blankenburg (Harz) 31. 3. 1878, †Bad Nauheim 3. 11. 1956; Maurer, trat früh der SPD bei; wurde 1913 Vors. der Dt. Bauarbeitergewerkschaft; 1919–20 Oberpräs. von Ostpreußen; trat nach dem 1. Weltkrieg für eine nat. Richtung der Arbeiterschaft ein; 1920 abgesetzt und aus der SPD ausgeschlossen; autobiograph. Schriften.

Winnipeg, Hptst. der kanad. Prov. Manitoba, an der Mündung des Assiniboine River in den Red River, 652400 Ew.; Erzbischofssitz; zwei Univ., Kunstakademie; Museen, Ballett, Sinfonieorchester; Planetarium; Getreidebörse, Mühlen, Brauereien, Fleisch- u. a. Industrie; internat. Flughafen.

Winnipegosissee [wɪnɪpeˈgəʊsɪs-], See in der kanad. Prov. Manitoba, 5215 km^2 groß, hat Verbindung zum Winnipegsee.

Winnipegsee, See in der kanad. Prov. Manitoba, größter Restsee des eiszeitl. Lake Agassiz, 24390 km^2 groß.

Winniza (ukrain. Winnyzja), Hptst. des Gebiets W., in der Ukraine, am oberen Südl. Bug, 387000 Ew.; Hochschulen, Theater, Museen; Chemiewerk, Metallverarbeitung, Nahrungsmittelindustrie. – Erstmals 1363 als litauische Festung erwähnt, fiel 1569 an Polen; erhielt 1640 Magdeburger Stadtrecht; kam mit der 2. Poln. Teilung 1793 unter russ. Herrschaft.

Winogradow, Wiktor Wladimirowitsch, russ. Sprach- und Literaturwissenschaftler, *Saraisk (Gebiet Moskau) 12. 1. 1895, †Moskau 4. 10. 1969; ab 1920 Prof. in Leningrad, ab 1950 in Moskau. Beeinflusst von F. de Saussure und dem russ. Formalismus, untersuchte W. Stilistik, Lyrik, Grammatik und Geschichte der russ. Sprache.

Fritz Winter: »Lichtsäulen« (1935; Mannheim, Kunsthalle)

Winrich von Kniprode, Hochmeister des Deutschen Ordens (seit 1351), *um 1310, †Marienburg 24. 6. 1382; führte den Ordensstaat als Feldherr, Diplomat und Verwaltungsfachmann zu wirtsch. und kultureller Blüte.

Winsen (Luhe), Krst. des Landkreises Harburg, Ndsachs., an der Luhe, am Rand der Elbmarschen, 30600 Ew.; Museum im Marstall; Holz-, Textil-, pharmazeut. Ind., Maschinenbau. – Burg (1315 bezeugt, Neubau 16. Jh.; Wasserschloss der Herzöge von Braunschweig-Lüneburg); Marienkirche (14. Jh.). – 1158 erstmals erwähnt, seit 1293 Stadt.

Winston-Salem [ˈwɪnstən ˈseɪləm], Stadt in North Carolina, USA, im östl. Appalachenvorland; 143500 Ew.; zwei Univ., privates College (Salem Academy, gegr. 1772); Tabakhandel und -verarbeitung, Textil-, Holz- u. a. Ind.; Fremdenverkehr.

Winter, eine der vier →Jahreszeiten.

Winter, 1) Fritz, Maler, *Altenbögge (heute zu Bönen, Kr. Unna) 22. 9. 1905, †Herrsching a. Ammersee 1. 10. 1976; 1927–30 Schüler am Bauhaus, erhielt 1937 Malverbot. In seinen abstrakten Bildern verflechten sich anfangs halborgan. Formen, später schwarze Zeichen und schwarzes Gitterwerk vor stark leuchtendem Grund.

Leon de Winter

2) Leon de, niederländ. Schriftsteller und Filmregisseur, *Herzogenbusch 24. 2. 1954. Die Figuren seiner Romane sind Menschen auf der Suche nach der eigenen, oft jüdischen Identität in einer verfremdeten Welt (»Hoffmans Hunger«, 1990; »SuperTex«, 1991; »Serenade«, 1995; »Zionoco«, 1997); einige seiner Romane wurden verfilmt.

3) Peter von, Komponist, getauft Mannheim 28. 8. 1754, †München 17. 10. 1825; wurde 1787 Vize- und 1798 Hofkapellmeister in München. Mit der Oper »Colmal« (1809, nach Ossian) schuf er eine der frühesten romant. Opern; schrieb weitere Opern (u. a. »Das unterbrochene Opferfest«, 1796), Sinfonien, Ballette, Kammer-, Kirchenmusik.

Winter|astern, die → Chrysanthemen.

Winter|ausfallgeld (früher Schlechtwettergeld), Lohnersatzleistung im Baugewerbe für witterungsbedingte Arbeitsausfälle in der Schlechtwetterzeit (1. 11. bis 31. 3.) ab der 121. Ausfallstunde in Höhe von 67% (60% bei Antragstellern ohne Kind) des pauschalierten Nettoarbeitsentgelts. Voraussetzung ist, dass ein durch Tarifvertrag, Betriebsvereinbarung oder Arbeitsvertrag geregelter Anspruch auf Leistungen für die ersten 120 Stunden bzw. als Sonderform für die ersten 50 Ausfallstunden ausgeschöpft ist (Winterausfallgeld-Vorausleistung).

Lambert Wintersberger: »Spaltung 8« (1969; Privatbesitz)

Winterberg, Stadt im Hochsauerlandkreis, NRW, 620–841 m ü. M., auf der Hochfläche am Kahlen Asten, 15 100 Ew.; heilklimat. Kurort und Wintersportplatz mit Sprungschanze und Kunsteisbahn; Schraubenfabrik, Herstellung von Fertighäusern. – W. wurde zw. 1263 und 1271 Stadt.

Winterdienst, die auf öffentl. Straßen und Plätzen von den Trägern der Straßenbaulast übernommenen Maßnahmen gegen die Gefahren des Winters, z. B. Schneeräumung und Streuen bei Schnee- und Eisglätte. (→ Streupflicht)

Wintergarten, von der Wohnung aus zu betretender heller, lüftbarer, auch heizbarer Raum für (exot.) Zimmerpflanzen.

Wintergetreide, das im Herbst ausgesäte überwinternde Getreide (Winterweizen, -roggen, -gerste).

Wintergrün (Pyrola), Gattung der W.-Gewächse, überwiegend in der nördl. gemäßigten Zone; ausdauernde Kräuter oder kleine Halbsträucher mit derben, immergrünen, ganzrandigen oder schwach gekerbten Blättern; einheimisch meist in Nadelwäldern, u. a. das **Rundblättrige W.** (Pyrola rotundifolia) mit glockigen, weißen Blüten.

Winterhalter, Franz Xaver, Maler und Lithograph, *Menzenschwand (heute zu Sankt Blasien) 20. 4. 1805, †Frankfurt am Main 8. 7. 1873; lebte 1834–70 in Paris; einer der beliebtesten Porträtisten des europ. Hochadels.

Winterkönig, Beiname Friedrichs V. von der Pfalz, bezogen auf sein kurzes Königtum in Böhmen (Okt. 1619 bis Nov. 1620).

Winterling (Eranthis), Gattung der Hahnenfußgewächse in S-Europa und O-Asien; Kräuter mit grundständigen, handförmig geteilten Blättern. Eine früh blühende Zierpflanze ist der 10–15 cm hohe **Kleine W.** (Eranthis hiemalis) mit goldgelben Blüten.

Winterpilz, der Samtfußrübling (→ Rübling).

Winterruhe, im Unterschied zum → Winterschlaf ein nicht allzu tiefer, oft und auch für längere Zeit (für die Nahrungssuche) unterbrochener Ruhezustand bei versch. Säugetieren (z. B. Eichhörnchen, Dachs, Braunbär) während des Winters, wobei die Körpertemperatur nicht absinkt und der Stoffwechsel normal bleibt.

Wintersaat (Winterung), die im Herbst ausgesäten Nutzpflanzen (Wintergetreide, -raps, -rübsen; in milderen Gebieten ebenso Winterhafer, -wicke, -erbse).

Wintersberger, Lambert Maria, Maler, *München 23. 4. 1941; Vertreter der Pop-Art; stellt in überdimensionaler Vergrößerung und kühler Farbgebung »Verletzungen« menschl. Körperteile dar.

Winterschlaf, schlafähnl., z. T. hormonal gesteuerter und unter Mitwirkung des Tag-Nacht-Rhythmus und der Außentemperatur ausgelöster Ruhezustand bei manchen Säugetieren (z. B. Hamster, Igel, Murmeltier, Ziesel), v. a. der gemäßigten Gebiete und der Gebirge, während des Winters. Im Unterschied zur → Winterruhe wird der W. nur selten durch kurze Pausen (v. a. zum

Harnlassen) unterbrochen. Während des W. sinkt die Körpertemperatur tief unter die Normaltemperatur bis auf eine bestimmte, artspezif., unter 5 °C liegende Grenztemperatur ab, bei der wieder eine mäßige zusätzl. Wärmeproduktion einsetzt oder das Tier aufwacht. Mit der Temperaturerniedrigung ist eine Verlangsamung des Herzschlags und der Atmung verbunden; bei dem (stark verlangsamten) Stoffwechsel wird v.a. das Depotfett verwertet; bei verminderten Sinneswahrnehmungen bleibt im Unterschied zur →Winterstarre die Reflextätigkeit erhalten.

Winterschlussverkauf, →Saisonschlussverkauf.

Wintersport, Sammelbez. für Skisport, Eissport, Bobsport, Rennschlittensport, Biathlon.

Winterstarre, Zustand der Bewegungslosigkeit und Starre bei wechselwarmen Tieren (z.B. Lurche; →Kaltblüter) der gemäßigten und kalten Gebiete während der Winterzeit. Bei einer solchen **Kältestarre** kann die Körpertemperatur extrem tief (entsprechend der Umgebungstemperatur) absinken, sodass alle Aktivitäten (auch die Reflexe) zum Erliegen kommen.

Winterthur, Bezirkshauptstadt im Kt. Zürich, Schweiz, 87 700 Ew.; Technikum, Musikkollegium (gegr. 1629), Kunstmuseum, Museum der Stiftung und Sammlung O. Reinhart, Technorama der Schweiz; Zentrum des schweizer. Maschinen- und Fahrzeugbaus, Textil-, Schuh-, Armaturen- u.a. Industrie. – Alter Stadtkern mit Bürgerhäusern der Spätgotik, des Barock und Rokoko; got. Stadtkirche St. Laurentius (Neubau nach Brand 1313, weiter erneuert 1485–1515), Altes Rathaus (1782–84), Stadthaus von G. Semper (1865–69); frühbarockes Schloss Wülflingen (1644/45, Museum). – An der Stelle des röm. Kastells **Vitudurum** (280 bezeugt) liegt der Stadtteil Ober-W. mit der roman. Kirche St. Arbogast (12. Jh.; frühgot. Fresken, um 1340).

Winterung, die →Wintersaat.

Winterzwiebel (Jakobszwiebel, Jakobslauch, Johannislauch, Allium fistulosum), ausdauernder →Lauch aus O-Asien, mit verdicktem Stängelgrund. Blätter und Stängel werden als Gemüse und Gewürz verwendet.

Winzer [ahd. wīnzuril, von lat. vinitor »Weinleser«], landwirtsch. Ausbildungsberuf (drei Jahre). Der W. pflegt, kultiviert, erntet und veredelt die Weinrebe.

Winzergenossenschaft, genossenschaftl. Zusammenschluss von Winzern (Weinbauern) zur gemeinsamen Verarbeitung ihrer Ernte und Vermarktung ihrer Weine und Moste.

Wipfeldürre (Gipfeldürre, Zopftrocknis), das Absterben von Baumwipfeln, altersbedingt oder als Folge von Pilzbefall, Insektenfraß, Rauchschaden, Frost oder sinkendem Grundwasserspiegel.

Wipper *die,* der Oberlauf der →Wupper.

Wipperfürth, Stadt im Oberberg. Kr., NRW, im Berg. Land, an der Wipper, 22 600 Ew.; Elektro-, Textilind., Metall- und Kunststoffverarbeitung. – Romanische Pfarrkirche St. Nikolaus (12./13. Jh.), ehemalige Franziskanerkirche (1670–74), Marktbrunnen (1590). – Um 1130 erstmals erwähnt, Stadtrecht seit 1222.

Wipperfürth
Stadtwappen

Wipptal, Talschaft der Sill und des oberen Eisack bis Sterzing, in Tirol (Österreich) und Südtirol (Italien).

Wiprecht von Groitzsch, Markgraf von Meißen (seit 1123), *um 1050, †Pegau 22. 5. 1124; Parteigänger Heinrichs IV., bemühte sich um die Erschließung östlich der Saale (Ausbau seiner Herrschaft um Burg Groitzsch, Gründung von Kloster Pegau). 1123 belehnte ihn Kaiser Heinrich V. mit der Mark Meißen und der Nordmark (Niederlausitz). W. v. G. starb als Mönch in Pegau. Sein Besitz fiel an die Wettiner.

Wirbel, 1) *Anatomie:* (Vertebra, Spondylus) Bauelement der Wirbelsäule; jeder W. besteht (mit Ausnahme der ersten beiden Hals-W. Atlas und Axis) aus W.-Körper und W.-Bogen; Letzterer umschließt das W.-Loch und besitzt einen nach hinten gerichteten Dornfortsatz, zwei seitl. Querfortsätze sowie je zwei auf- bzw. abwärts gerichtete Gelenkfortsätze zu den benachbarten Wirbeln.

Winterthur
Stadtwappen

2) *Musik:* a) Schlagart auf Trommeln u.a. Schlaginstrumenten, die aus schnellem, gleichmäßigem Wechsel beider Schlägel besteht; b) bei Saiteninstrumenten die drehbaren Pflöcke, Stifte oder Schrauben, um die das Ende der Saiten gewunden ist. Durch Drehen der W. werden die Saiten gestimmt. Es gibt seitenständige W. (Lauten, Violen), hinterständige W. (Gitarre) und in den Stimmstock von besaiteten Tasteninstrumenten, Zither u.a. eingelassene Wirbel.

3) *Strömungslehre:* ein Strömungsfeld, in dem die Teilchen einer Flüssigkeit oder eines Gases näherungsweise eine kreisende Bewegung um ein Zentrum ausführen. Dabei existieren geschlossene Linien, längs derer die Zirkulation nicht verschwindet. W. treten als Folge der inneren Reibung beim Umströmen von Körpern auf (→Turbulenz).

Wirbelbruch, Bruch eines oder mehrerer Wirbelkörper oder Wirbelfortsätze, entsteht meist durch übermäßiges Biegen oder Stauchung der Wirbelsäule (z.B. durch Sturz) und ist gefährlich, weil das Rückenmark verletzt werden kann. Völlige Durchtrennung oder Quetschung des Rückenmarks führt zur →Querschnittslähmung.

Wirbelkammerverfahren, →Dieselmotor.

Wirbellose (wirbellose Tiere, niedere Tiere, Invertebrata, Evertebrata), i.w.S. alle tier. Organismen ohne Wirbelsäule (also einschl. der Einzeller),

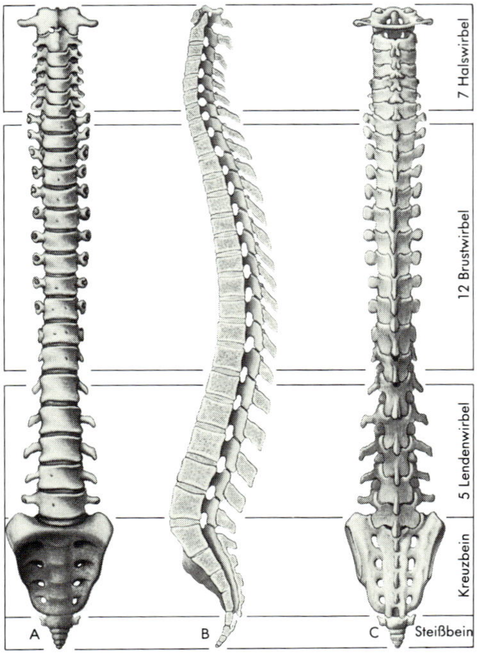

Wirbelsäule (von links): Vorder-, Seiten- und Rückansicht

i.e.S. Sammelbez. für alle Vielzeller ohne Wirbelsäule. Den W. fehlt i.d.R. ein Innenskelett, dagegen ist oft ein Außenskelett ausgebildet. Die W. sind meist einfach organisiert (z.B. Schwämme, Hohltiere, Plattwürmer); die am höchsten entwickelten W. sind die Kopffüßer, Spinnen und Insekten. Die W. umfassen etwa 95% aller bekannten Tierarten.

Wirbelsäule (Rückgrat, Columna vertebralis), knorpelige oder (meist) knöcherne dorsale, aus Wirbeln zusammengesetzte Skelettachse der Wirbeltiere und des Menschen, die den Schädel trägt und (soweit ausgebildet) mit einem Schultergürtel (indirekt) und einem Beckengürtel in Verbindung steht. Der Bau der W. ergibt sich aus ihrer Stütz-, Schutz-, Abfederungs- und Bewegungsaufgabe. Sie setzt sich beim Menschen aus 33–34 Wirbeln zusammen. Die Wirbelbögen umschließen den Wirbelkanal, in dem geschützt das Rückenmark liegt. Die Wirbel besitzen jeweils einen Dornfortsatz, zwei Querfortsätze, zwei obere und zwei untere Gelenkfortsätze. Die Dorn- und Querfortsätze dienen als Anheftungsstellen für Muskeln. Je zwei benachbarte Wirbel sind durch ein Bewegungssegment (Bandscheibe, Wirbelgelenk, Bänder) beweglich miteinander verbunden. An der W. unterscheidet man drei Hauptbewegungsrichtungen (Vor- und Rückwärtsneigen, Seitwärtsneigen, Drehen), wobei der Bewegungsumfang in den einzelnen Bereichen der W. unterschiedlich ist. – Bei den höheren Wirbeltieren kann die W. in versch. Abschnitte gegliedert werden: Hals-W., Brust-W., Lenden-W., Kreuzbein und Schwanz-W. Die Zahl der eine W. aufbauenden Wirbel schwankt von neun (Frosch) bis über 200 (Schlange); der Mensch hat sieben Hals-, zwölf Brust- und fünf Lendenwirbel sowie das aus fünf Wirbeln entstandene Kreuz- und das aus vier oder fünf Wirbeln entstandene Steißbein. Die gesunde W. des Menschen besitzt eine physiolog., der Abfederung dienende (doppelt s-förmige) Krümmung.

Wirbelsäulenerkrankungen, angeborene oder erworbene Störungen oder Veränderungen der Wirbelsäule. Wichtigste Schäden sind Haltungs-, Stellungs- und Formfehler; außerdem z.B. Scheuermann-Krankheit, Skoliose, Bandscheibenschäden, Hexenschuss, Osteochondrose und Spondylose, Wirbelmissbildungen sowie Spondylitis und Bechterew-Krankheit.

📖 *Die Rückenschule. Aufbau u. Gestaltung eines Verhaltenstrainings für Wirbelsäulenpatienten, hg. v.* C. G. Nentwig *u.a. Stuttgart* [2]*1993.* – Richard, J.-P.: *Die W. aus Sicht der Osteopathie. A.d.Frz. Kötzting 1994.*

Wirbelsäulenverkrümmung (Rückgratverkrümmung), fixierte (starre) oder nicht fixierte Verformung der Wirbelsäule entlang ihrer Längsrichtung. Man unterscheidet →Skoliose, →Kyphose, →Lordose sowie Mischformen (Kyphoskoliose). Zu den Ursachen einer W. gehören u.a. Missbildungen, Beckenschiefstand, Muskellähmung, Traumen oder Rachitis.

Wirbelschicht (Fließbett), durch ein Trägermedium (Gas oder Flüssigkeit) aufgelockerte, fließfähige Masse aus feinkörnigen Feststoffteilchen. Wird eine ruhende Schüttung aus Teilchen mit 0,1–10 mm Korndurchmesser in einem Behälter von unten nach oben von einem Gas oder einer

Wirbelsturm

In Australien heißen sie Zyklon, im Atlantik Hurrikan und im Pazifik Taifun. Gemeint aber sind stets die gleichen, spiralförmigen Tiefdruckgebiete, die sich speziell in den Tropen zu richtigen Wirbelstürmen auswachsen können. Besonders schlimm trieb es beispielsweise der Hurrikan Gilbert, der 1988 durch den Golf von Mexiko tobte und schwere Verwüstungen auf Jamaika hinterließ.

Die Energie für solche Wirbelstürme liefert der warme Ozean. Wasser verdunstet und kondensiert in der Höhe zu Gewitterwolken. Dies setzt große Energien frei, welche die Luftmassen antreiben. Dabei ist es im wolkenfreien Auge des Hurrikans ruhig, während in der unmittelbaren Nähe dieses Zentrums die größten Windgeschwindigkeiten auftreten.

Die Winde strömen spiralförmig in Tiefdruckgebiete hinein, welche die Meteorologen ganz allgemein als Zyklone bezeichnen. Die Zyklone drehen sich wegen der Erddrehung auf der Südhalbkugel mit dem Uhrzeigersinn, auf der nördlichen aber entgegengesetzt.

Wirbelstürme

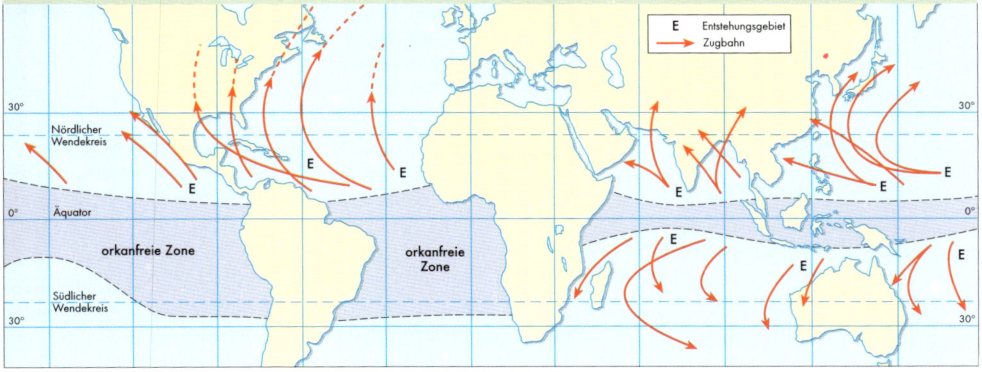

Flüssigkeit durchströmt, so geht die Schüttung von einer bestimmten Strömungsgeschwindigkeit w_p (Lockerungspunkt, Wirbelpunkt) an in die W. über. Bei Ausbildung der W. wird die Gewichtskraft der Feststoffteilchen durch die entgegengesetzt gerichtete Strömungskraft des Trägermediums aufgehoben. Der Feststoff verhält sich dann flüssigkeitsähnlich, d.h., er kann während des Betriebes einfach zu- und abgeführt werden. Außerdem findet in der W. ein sehr intensiver Stoff- und Wärmeaustausch statt. Bei weiterer Erhöhung der Strömungsgeschwindigkeit bis über den Austragungspunkt w_t hinaus verliert die W. ihre definierte Oberfläche, und der Feststoff wird pneumatisch gefördert. Das W.-Verfahren (Fließbettverfahren) wurde großtechnisch erstmals 1921 bei der Kohlevergasung im Winklergenerator angewandt. **W.-Reaktoren** haben für Reaktionen zw. Feststoffen und Gasen oder Flüssigkeiten große Bedeutung. Der Feststoff kann dabei Reaktionspartner (z.B. beim Rösten sulfid. Erze) oder Katalysator (z.B. beim katalyt. Cracken) und zugleich Wärmeträger sein.

Wirbelsinterverfahren, Herstellung von gesinterten Kunststoffüberzügen auf Metallen durch Eintauchen der hocherhitzten Werkstücke (bis 400 °C) in durch Druckluft oder Druckgas aufgewirbeltes Thermoplastpulver.

Wirbelstrom, der durch ein magnet. Wechselfeld oder bei Bewegung in einem inhomogenen Magnetfeld in einem elektr. Leiter induzierte Wechselstrom. Die dabei im Leiter erzeugte Joule-Wärme kann z.B. zum Schmelzen von Metallen (Induktionsofen) benutzt werden. Im Allg. tritt sie als unerwünschte Verlustleistung (W.-Verluste) auf, die z.B. in Eisenkernen von Transformatoren durch Unterteilung des Kerns in dünne, gegeneinander isolierte Bleche verringert wird. Anwendung z.B. in der **W.-Bremse** (→Bremse), zur Dämpfung elektr. Messgeräte und zur Erzeugung des Gegendrehmoments in Wechselstromzählern.

Wirbelstürme, alle heftigen, orkanartigen →Luftwirbel; am gefährlichsten sind die trop. W. (Hurrikan, Taifun), gekennzeichnet durch höchste Windgeschwindigkeiten (Spitzenböen bis etwa 200 km/h), oft begleitet von schweren Regengüssen; i.w.S. auch Tornados und Tromben.

Wirbeltiere (Vertebraten, Vertebrata), Unterstamm der Chordatiere mit rd. 46 500 Arten, die in allen Lebensräumen (Süßwasser, Meer, Land, Luft) verbreitet sind; zweiseitig symmetrisch gebaute Tiere mit einem Knorpel- oder Knochenskelett; der Körper ist gegliedert in Kopf (daher auch die Bez. **Craniota** oder Schädeltiere), Rumpf und Schwanz. Das Skelett besteht aus einer gegliederten Achse, der **Wirbelsäule,** mit den davon abgehenden Rippen, dem am Vorderende befindl. →Schädel, dem Schulter- und Beckengürtel sowie den daran ansetzenden meist zwei Paar **Gliedmaßen** (Extremitäten). Die Gliedmaßen der Vierfüßer (**Tetrapoda;** Lurche, Kriechtiere, Vögel, Säugetiere) zeigen einen grundsätzlich anderen Skelettbau als die Flossen der Fische; zumeist sind sie als Schreitbeine ausgebildet; sie können aber auch zu Greif- (z.B. Affen), Grab- (Maulwurf), Flug- (Vogel, Fledermaus) oder Schwimmgliedmaßen (Wal) umgebildet sein. Das **Zentralnervensystem** (→Nervensystem) der W. besteht aus dem im Schädel befindl. Gehirn und dem daran anschließenden, durch die Wirbelsäule verlaufenden und von dieser durch Skelettspangen geschützten Rückenmark. Die **Mundhöhle** trägt meist Zähne (Ausnahme z.B. Vögel). Ein Teil des vor dem Magen befindl. **Verdauungskanals** ist bei den wasserbewohnenden W. als Kiemendarm ausgebildet. Die Resorption der verdauten Nahrung erfolgt in dem hinter dem Magen befindl. Dünndarm, in den

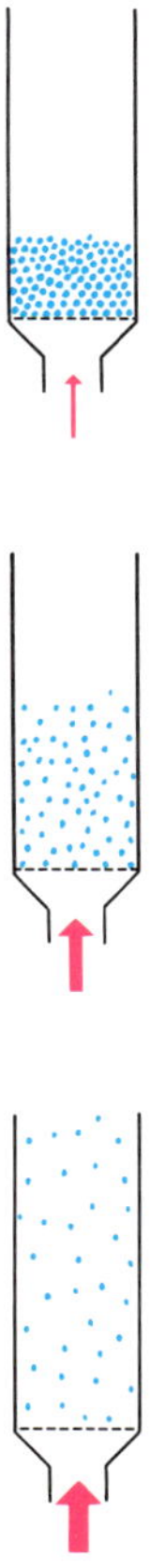

Wirbelschicht: schematische Darstellung (von oben) der ruhenden Schüttung ($w < w_p$), der Wirbelschicht ($w > w_p$) und der pneumatischen Förderung ($w > w_t$); w Strömungsgeschwindigkeit, w_p Strömungsgeschwindigkeit am Wirbelpunkt, w_t Strömungsgeschwindigkeit am Austragungspunkt

auch Leber und Bauchspeicheldrüse einmünden. Das **Blut** fließt in einem in sich geschlossenen Kanalnetz (geschlossenes Blutgefäßsystem, →Blutkreislauf). Als **Atmungsorgane** dienen Kiemen oder Lungen. **Exkretionsorgane** sind die Nieren. Diese stehen mit den Geschlechtsorganen in enger räuml. und funktioneller Beziehung **(Urogenitalsystem).** W. pflanzen sich i.d.R. geschlechtlich fort. Die niederen W. (Fische, Lurche) legen meist Eier, die erst außerhalb des mütterl. Körpers befruchtet werden. Die Eier der Kriechtiere und Vögel werden im mütterl. Körper befruchtet, ebenso die Eier der Säugetiere, deren Junge geboren werden (Ausnahme: Kloakentiere). Alle W. haben eine mehrschichtige **Oberhaut (Epidermis),** darunter eine **Lederhaut (Corium)** von bed. Dicke. Verhornungen der Oberhaut sind Kriechtierschuppen, Vogelfedern und Säugetierhaare; Fischschuppen sind Verknöcherungen der Lederhaut. – Je nach Fehlen oder Vorhandensein von Embryonalhüllen werden **Anamnier (niedere W.;** mit Fischen und Lurchen) und **Amnioten (höhere W.;** mit Reptilien, Vögeln und Säugetieren) unterschieden.

📖 KÄMPFE, L. *u. a.: Leitfaden der Anatomie der W. Jena u. a.* [6]*1993.* – CARROLL, R. L.: *Paläontologie u. Evolution der W. A. d. Engl. Stuttgart u. a. 1996.*

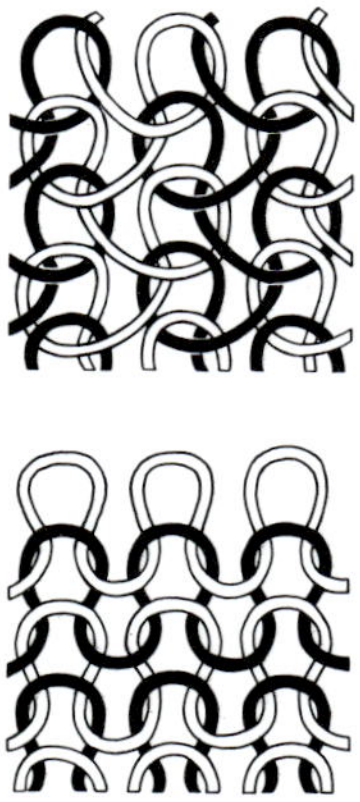

Wirkerei: Schema des Maschengeschlinges eines Kettengewirkes (oben) und eines Kuliergewirkes

Wirkerei, die Herstellung von Maschenwaren mit (im Unterschied zum Stricken) fest stehenden, nicht einzeln bewegl. Nadeln und Platinen. Die Fäden verkreuzen sich nicht wie bei den Geweben rechtwinklig, sondern verschlingen sich in maschenförmigen Fadenschleifen. Durch die bogig gewundene Fadenlage erhalten **Gewirke** oder **Wirkwaren** (wie auch die Strickwaren) ihre Dehnbarkeit, Elastizität und Schmiegsamkeit. Je nach Art der Fadenverschlingung unterscheidet man Kulierware (Kulierwirkware), bei der wie beim Stricken nur ein Fadensystem Maschenreihe für Maschenreihe verarbeitet wird, und Kettenwirkware, bei der sich viele parallel zueinander angeordnete Fäden gegenseitig seitlich verschlingen. Nach der Fertigstellung ist eine Kulierware von einem Gestrick nicht zu unterscheiden. – Beim **Kulierwirken** formen zw. den Nadeln angeordnete Platinen einen über die Nadeln gelegten Faden zu Schleifen und hängen die vorher gebildete Maschenreihe über die von einer Presse geschlossenen Nadelköpfe in diese neuen Schlingen ein. Die Nadeln, meist als Spitzennadeln ausgebildet, können in einer Reihe nebeneinander (flach) oder im Kreis (rund) angeordnet sein. Auf **Flachwirkmaschinen (Cottonmaschinen)** werden gleichzeitig auf mehreren Arbeitsbreiten nebeneinander Teile für Oberbekleidung (z.B. Ärmel, Rücken) oder Feinstrümpfe als Rechts-links-Gewirk regulär gewirkt, auf **Rundwirkmaschinen** mit bis zu 12 Systemen Rechts-links-Gewirk in Schlauchform mit angepasster Weite. – Beim **Kettenwirken** werden Maschenwaren aus einer oder mehreren Fadenscharen (Ketten) gebildet, deren Einzelfäden sich zu Maschen oder Henkeln und Flottungen verschlingen. **Kettenwirkautomaten** arbeiten z.B. aus endlosem synthet. Garn 200–1500 Maschenreihen je Minute bei 3 oder 6 m Breite als Rechts-links-Kettengewirk für Unterwäsche, Oberbekleidung, Beschichtungsunterlage. Auf **Raschelmaschinen** (Herstellung von Raschelware wie Trikotagen, Jersey, Spitzenstoffe, Gardinen) werden bis zu 3 m breite 200–600 Maschenreihen je Minute erzeugt. Die Steuerung der seitl. Verschiebung der Legeschienen, die das Musterbild beeinflussen, geschieht von Spiegelscheiben oder Kettengliedern (Exzentersteuerung) aus. Das Durchschwingen der Lochnadeln zw. den Wirknadeln und deren Bewegung wird direkt durch Exzenter gesteuert. – Kettenwirkware kann je nach Bindung und Zusatzaggregaten die Elastizität von Kulierware wie auch die Festigkeit von Geweben haben.

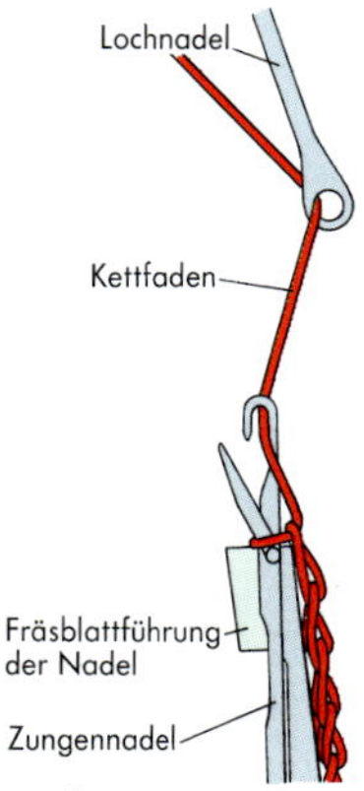

Wirkerei: Schema der Maschenbildung auf einer Raschelmaschine

Wirkleistung, für die Energieumformung bei Wechselstrom maßgebende Leistung; Zeichen P, P_w oder P_p, SI-Einheit Watt (W). Sie wird als Mittelwert über eine Periode gebildet und ist das Produkt aus Spannung U, Stromstärke I und dem Leistungsfaktor $\cos\varphi$.

Wirkleitwert (Konduktanz), Kehrwert des Wirkwiderstands im Wechselstromkreis; Zeichen G, SI-Einheit Siemens (S).

Wirklichkeit, *Philosophie:* der Inbegriff des wahrhaft Seienden und Wirkenden; die Realität. Bei I. Kant gehört W. als eine Kategorie der Modalität (neben Möglichkeit und Notwendigkeit) zu den Grundlagen des empir. Denkens. Der Idealismus begreift die W. als immaterielles geistiges Sein, der Materialismus als materielle Dingwelt, der Empirismus als die Summe des empirisch Gegebenen (Erfahrung, Empfindungen, Sinnesdaten).

Wirklichkeitsform, *Sprachwissenschaft:* der Indikativ (ÜBERSICHT Verb).

Wirkung, physikal. Größe der Dimension, aus dem Produkt von Energie und Zeit oder von Impuls und Weg; SI-Einheit ist J · s.

Wirkungsgrad, das Verhältnis der Nutzleistung zur aufgewandten Leistung (pro Zeiteinheit verbrauchte Energie) bei Kraftmaschinen, Arbeitsmaschinen u.Ä. Der W. ist v.a. ein Maß für die Güte von Kraftmaschinen und ist stets kleiner als eins.

Wirkungsquantum, *Physik:* →plancksches Wirkungsquantum.

Wirkungsquerschnitt, *Kernphysik:* Wahrscheinlichkeitsmaß für das Eintreten atomarer Wechselwirkungsprozesse. Der W. ist der scheinbare Querschnitt, gemessen in cm^2 oder →Barn, den ein beschossenes Teilchen, z.B. ein Atomkern, einem einfallenden punktförmig angenommenen Teilchen, z.B. einem Neutron, bietet; sein Wert hängt von der Natur der in Wechselwirkung tretenden Teilchen sowie von deren Energie und Impuls ab. Er ist definiert als Quotient δ = (Anzahl der einzelnen Wechselwirkungsakte je Zeiteinheit)/(Anzahl der je Zeit- und Flächeneinheit senkrecht auf diese einfallenden Primärteilchen). Sind zw. den einander treffenden Teilchen mehrere Reaktionen möglich, so kann jeder ein bestimmter W. zugeordnet werden; der totale W. misst die Häufigkeit aller bei einer bestimmten Gesamtenergie mögl. Reaktionen. Handelt es sich bei der speziellen Reaktion um die Absorption der Teilchen bzw. deren Einfang oder Streuung, spricht man auch von **Absorptions-** bzw. **Einfang-** oder **Streuquerschnitt;** Letzterer kann auch als **differenzieller W.** $d\delta/d\Omega$ der Streuung in das Raumwinkelelement $d\Omega$ angegeben werden.

Wirnt von Grafenberg: Seite aus dem Artusroman »Wigalois oder der Ritter mit dem Rad«, Papierhandschrift aus dem 15. Jh. (Donaueschingen, Fürstlich Fürstenbergische Hofbibliothek)

Wirkwiderstand (Resistanz), Realteil des → Wechselstromwiderstands.

Wirnt von Grafenberg, mhd. Epiker aus Oberfranken, schrieb Anfang des 13. Jh. den Artusroman »Wigalois oder der Ritter mit dem Rad«, der im 15. Jh. als Volksbuch Verbreitung fand.

Wirsing [von lat. viridia »Grünzeug«] *der* (Welschkohl, Welschkraut, Savoyer Kohl), Kulturvarietät des Gemüsekohls mit gekrausten, sich zu einem lockeren Kopf zusammenschließenden Blättern; als Kochgemüse verwendet.

Wirt, *Biologie:* ein Lebewesen, das einem bestimmten Parasiten als Lebensstätte dient und ihn ernährt. (→ Wirtswechsel)

Wirtel, 1) *Baukunst:* (Schaftring) wulstartiger Ring um Rundpfeiler oder Säulen; gewirtelte Stützen kommen bes. im 12. und 13. Jh. vor; die Wirtelung diente der Verbindung zur Wand und/oder der Gliederung des Architekturglieds.

2) *Botanik:* der → Quirl.

Joseph Wirth

Wirth, Joseph, Politiker, * Freiburg im Breisgau 6. 9. 1879, † ebd. 3. 1. 1956; Gymnasiallehrer; 1914–18 und 1920–33 MdR (Zentrum), 1919–20 Mitglied der Nationalversammlung, 1920–21 Reichsfinanzmin.; unterzeichnete als Reichskanzler (1921–22, → Erfüllungspolitik) zus. mit W. Rathenau den Rapallovertrag und setzte nach dessen Ermordung das Republikschutz-Ges. durch; 1929–30 Reichsmin. für die besetzten Gebiete, 1930–31 Reichsinnenmin.; 1933–48 im Schweizer Exil; gründete 1953 den Bund der Deutschen; trat nach dem 2. Weltkrieg für Neutralisierung Dtl.s und eine Verständigung mit der Sowjetunion ein.

Wirtschaft (Ökonomie), die Gesamtheit aller Einrichtungen und Tätigkeiten zur Befriedigung menschl. Bedürfnisse an Gütern und Dienstleistungen. Die Gesamtheit der laufenden Produktions- und Konsumtionsvorgänge wird als **W.-Prozess** bezeichnet. Ihr historisch einmaliges Gepräge erhält die W. durch wirtsch. Rahmenbedingungen (→ Wirtschaftsordnung). Die moderne, arbeitsteilige W. hat sich über den nationalen Rahmen hinaus zur → Weltwirtschaft entwickelt. Die wiss. Analyse der W. ist Aufgabe der → Wirtschaftswissenschaften, bes. der Betriebs- und der Volkswirtschaftslehre.

Wirtschaftlichkeitsprinzip (ökonomisches Prinzip), Grundsatz für optimales wirtsch. Handeln, entweder mit gegebenen Mitteln (z.B. Gütern) einen möglichst großen Erfolg (Nutzen, Gewinn) zu erzielen (Maximumprinzip) oder ein vorgegebenes Ziel (z.B. ein bestimmtes Wohlstandsniveau) mit einem möglichst geringen Aufwand (z.B. Einsatz von Produktionsfaktoren) zu erreichen (Minimumprinzip). Im Unterschied zum erwerbswirtschaftl. Prinzip wird das W. als unabhängig vom konkreten Wirtschaftssystem betrachtet.

Wirtschaftsakademie, → Verwaltungsakademie.

Wirsing

Wirtschaftsausschuss, Gremium in Unternehmen (soweit keine → Tendenzbetriebe) mit mehr als 100 Beschäftigten, besteht aus 3–7 vom Betriebsrat gewählten Arbeitnehmern (nicht notwendig Betriebsräten). Der W. berät zus. mit der Geschäftsführung über wirtsch. Angelegenheiten des Unternehmens und unterrichtet den Betriebsrat (§§ 106 ff. Betriebsverfassungsgesetz).

Wirtschaftsberatung, die →Unternehmensberatung.

Wirtschaftsdemokratie, eine an den Prinzipien der Demokratie orientierte Wirtschaftsordnung. Merkmale sind u.a. die innerbetriebl. Mitbestimmung und die Mitwirkung wirtsch. Selbstverwaltungsorgane (u.a. Industrie- und Handelskammern).

Wirtschaftsethik, theoret. Reflexion über die moral. Aspekte wirtsch. Handelns und seine institutionellen Bedingungen, ein interdisziplinäres Teilgebiet der Wirtschaftswiss. und der Philosophie. Wenngleich Ökonomie und Ethik heute vielfach eher als Gegensätze denn als Ergänzung angesehen werden, gehören eth. Überlegungen seit jeher zu den Grundlagen der Wirtschaftstheorie. Die Problemfelder der W. erstrecken sich von den moral. Aspekten individuellen Handelns (z.B. Verbraucher-, Führungsethik), der Institutionen (z.B. Unternehmensethik) bis hin zu den grundsätzl. gesellschaftlichen Wert- und Zielvorstellungen, in die wirtsch. Handeln eingebunden ist.

📖 *Aktuelle Probleme der W., hg. v.* K. HOMANN, *Beiträge v.* F. BÖCKLE *u.a. Berlin 1992. – Ethik in der Wirtschaft, hg. v.* J. BECKER, *Beiträge v.* H. LENK *u.a. Stuttgart u.a. 1996.*

Wirtschaftsförderung, Maßnahmen des Bundes, der Länder und Kommunen zur Steigerung der Leistungs- und Wettbewerbsfähigkeit der gewerbl. Wirtschaft (v.a. im internat. Maßstab), zur Unterstützung strukturschwacher Wirtschaftszweige und Regionen (Regionalförderung) sowie zur Förderung neuer, zukunftsträchtiger Ind.zweige. Instrumente der W. sind u.a. Finanzhilfen (Subventionen, Investitionszuschüsse, Kredite, Darlehen, Bürgschaften), Vergabe öffentl. Aufträge, steuerl. Maßnahmen, Verbesserung der Infrastruktur und der Standortbedingungen für unternehmer. Aktivitäten, arbeitsmarkt- und beschäftigungspolit. Maßnahmen. (→Mittelstandspolitik, →Strukturpolitik)

Wirtschaftsgemeinschaft westafrikanischer Staaten (engl. Economic Community of West African States, Abk. ECOWAS, frz. Communauté Économique des États de l'Afrique de l'Ouest, Abk. CEDEAO), 1975 gegr. Gemeinschaft als Erweiterung der Westafrikan. Wirtschaftsgemeinschaft (CEAO), 16 Mitgl.staaten, Sitz: Abuja. Ihre Ziele sind Schaffung eines gemeinsamen Marktes, freier Verkehr von Personen, Dienstleistungen und Kapital innerhalb der Gemeinschaft ohne Zölle, Vereinheitlichung der Wirtschaftspolitik, abgestimmte Entwicklung von Verkehr, Nachrichtenwesen, Energiewirtschaft, Harmonisierung der Geld- und Kreditpolitik.

Wirtschaftsgeographie, Zweig der Anthropogeographie, untersucht die Beziehungen zw. der Wirtschaft und dem geograph. Raum, wobei es um die Analyse wirtsch. Aktivitäten im Raum und um die Darstellung einzelner Wirtschaftsräume geht. Zweige der W. sind die Agrargeographie, die Ind.geographie und gewisse Bereiche der Sozial- und der Verkehrsgeographie.

Wirtschaftsgeschichte, Zweig der Geschichtswiss., der die histor. Entwicklung der Wirtschaft bei einzelnen Völkern und in versch. Wirtschaftsbereichen untersucht. Grundsätzl. Bedeutung für die Volkswirtschaftslehre hat die W. in der histor. Schule der Nationalökonomie gewonnen. Haupterkenntnisobjekt ist der Wandel von Wirtschaftsverfassung, -systemen, -formen; wichtigste Sondergebiete: Agrar-, Bergbau-, Gewerbe- und Industrie-, Handels- und Verkehrsgeschichte, Geschichte des Geld-, Bank- und Börsenwesens sowie die der Preise, der Konjunkturbewegungen und des wirtsch. Wachstums. Darüber hinaus entwickelte sich die Unternehmens- und Unternehmergeschichte. Es gibt eine enge Beziehung zw. W., allg. Kultur- und Sozialgesch. sowie der Geschichte anderer Wissenschaftsdisziplinen.

📖 BUCHHEIM, C.: *Einführung in die W. München 1997.*

Wirtschaftsgymnasium, aus den Wirtschaftsoberschulen entwickelter Gymnasialtyp (seit 1958), zu dessen Fächerkanon Wirtschaftslehre, Rechnungswesen und Wirtschaftsrecht gehörten, mit Einführung der gymnasialen Oberstufe in einigen Bundesländern als Fachgymnasium weitergeführt, meist durch →Fachoberschulen sowie das →Kolleg ersetzt.

Wirtschaftshochschulen, wiss. Hochschulen mit betriebswirtsch. Promotionsrecht. Die W. entsprechen in gewisser Weise den frühen Handelshochschulen zur Ausbildung in kaufmänn. Berufen; diese wurden seit Ende der 1960er-Jahre in Univ. umgewandelt oder in bestehende wiss. Hochschulen integriert. In *Österreich* wurde die Hochschule für Welthandel in Wien (gegr. 1898) in die Wirtschaftsuniv. Wien umgewandelt, in der *Schweiz* gibt es die Univ. St. Gallen – Hochschule für Wirtschafts-, Rechts- und Sozialwiss. (gegr. 1898).

Wirtschaftsjahr, das →Geschäftsjahr.

Wirtschaftskreislauf, graf. Darstellung der in einer arbeitsteiligen Volkswirtschaft zw. versch. Polen (Unternehmungen, private Haushalte u.a.) fließenden Geld- und Güterströme. Neben der graf. kennt man die kontenmäßige und die tabellar. Darstellung sowie die Darstellung durch ein Gleichungssystem. Besondere Bedeutung hat die Darstellung des W. im Rahmen der →volkswirtschaftlichen Gesamtrechnung.

Wirtschaftskrieg, schärfste Form wirtschaftspolit. Kampfes zw. Ländern mit dem Ziel, wirtsch., polit. oder militär. Vorteile zu erringen oder den Gegner zur Änderung seiner Politik zu bewegen. Eine wichtige Form ist der **Handelskrieg,** durch den der Außenhandel beeinträchtigt werden soll. Dabei kommt der Blockade der Zufuhr von Rohstoffen, Lebensmitteln, Ind.gütern und Waffen besondere Bedeutung zu; in Friedenszeiten v.a. Boykott, Embargo, Dumping, zoll-, kredit- und währungspolit. Maßnahmen; außerdem Wirtschaftsspionage und -sabotage.

Wirtschaftskriminalität, die Gesamtheit der Straftaten, die sich gegen die Wirtschaft richten. Der Begriff umfasst Straftaten nach dem Nebenstrafrecht (Wettbewerbs-, Steuer-, Embargo-, Konkurs-, Börsen-, Warenfälschungs-, Bilanz- und sonstige Buchführungsdelikte, Preistreiberei u.a.) und aus dem StGB bestimmte Fälle des Betrugs, der Untreue und der Bestechung im Zusammenhang mit wirtsch. Vorgängen (Wechsel- und Scheckdelikte, Kreditbetrug, Betrug bei Ausschreibungen, Subventionsschwindel, Gründungs-, Abschreibungs- und sonstiger Zertifikatsschwindel, Computerkriminalität u.Ä.). Zur Verfolgung und Bestrafung **(Wirtschaftsstrafrecht)** sind z.B. Schwerpunktstaatsanwaltschaften und Wirtschaftsstrafkammern eingerichtet.

📖 MÜLLER, RUDOLF *u.* WABNITZ, H.-B.: *W. Eine Darstellung der typ. Erscheinungsformen mit prakt. Hinweisen zur Bekämpfung. München ³1993.*

Wirtschaftskrise, ernste Störung des Wirtschaftsprozesses, z.B. infolge von Missverhältnissen zw. Produktion und Nachfrage oder gesunkener Konkurrenzfähigkeit auf dem Weltmarkt. Merkmale einer W. sind Produktionsrückgänge, abnehmendes Sozialprodukt, Unternehmenszusammenbrüche, Massenarbeitslosigkeit u.a. Nach der Konjunkturtheorie (→Konjunktur) markieren W. die Wendepunkte der period. Konjunkturzyklen. W. können auf einzelne Wirtschaftsbereiche beschränkt bleiben, eine nat. Wirtschaft in Form von Agrar-, Struktur-, Wachstums- und Währungskrisen erfassen, Teile der Weltwirtschaft betreffen oder als Weltwirtschaftskrise auftreten.

📖 ZINN, K. G.: *Die W. Wachstum oder Stagnation. Mannheim u.a. 1994.*

Wirtschaftsoberschulen, nach dem 1. Weltkrieg entstandene Schulart, seit 1958 zunehmend in Wirtschaftsgymnasien überführt. Die W. führten nicht zur allg., sondern zur fachgebundenen Hochschulreife (Studium an Handels- oder Wirtschaftshochschulen).

Wirtschaftsordnung, die Gesamtheit der Rahmenbedingungen, innerhalb derer der arbeitsteilige Wirtschaftsprozess abläuft und die als Ordnungsgefüge das wirtsch. Handeln bestimmt. Wesentl. Faktoren sind die gesetzlich fixierte →Wirtschaftsverfassung, die gewachsene kulturelle, sittlich-moral. Ordnung und die realisierte Wirtschaftspolitik. Klassifikationskriterien sind v.a. die unterschiedl. Formen der Planungsordnung (zentral oder dezentral), die Eigentumsordnung (Privat-, Gesellschafts- oder Staatseigentum an den Produktionsmitteln) sowie Markt- und Unternehmensformen. Als idealtyp. Modellfälle existieren die freie →Marktwirtschaft und die Zentralverwaltungswirtschaft (→Planwirtschaft), die in der Praxis in versch. Misch- und Übergangsformen auftreten.

Wirtschaftsplan, für einen bestimmten Zeitraum (Planungsperiode) von Wirtschaftssubjekten (private Haushalte, Unternehmen, Staat) aufgestellter Plan über die beabsichtigten wirtsch. Tätigkeiten und Ziele. Der W. von Unternehmen besteht i.d.R. aus versch. Teilplänen (Produktions-, Finanz-, Absatz-, Einkaufs-, Investitionsplan u.a.). – In arbeitsteiligen Volkswirtschaften besteht eine Fülle von W., die aufeinander abgestimmt werden müssen. In →Planwirtschaften sind die zentralen W. des Staates die Grundlage der gesamten Wirtschaftstätigkeit der Betriebe. In marktwirtsch. Systemen stellen die Wirtschaftssubjekte selbstständig Produktions- und Konsumpläne auf; die Koordination erfolgt über den →Wettbewerb. Staatl. W. beziehen sich hier auf gesamtwirtsch. Größen (z.B. Raumordnung, Landesplanung) und zielen auf die Entwicklung der gesamten Volkswirtschaft auf der Grundlage von volkswirtsch. Gesamtrechnungen ab. (→Haushaltsplan, →Planung)

Wirtschaftspolitik, alle Maßnahmen staatl. Instanzen zur Gestaltung der Wirtschaftsordnung (Ordnungspolitik) und zur Beeinflussung der Struktur (→Strukturpolitik) und des Ablaufs des arbeitsteiligen Wirtschaftsprozesses (Allokations-, Stabilisierungs-, Verteilungspolitik; auch als Prozesspolitik bezeichnet). Die W. kann sich auf die gesamte Volkswirtschaft **(allg. W.)** oder auf Teilbereiche **(spezielle W.)** erstrecken. Träger der W. sind v.a. Bund, Länder, Gemeinden, Notenbank, Tarifparteien, internat. Organisationen. Wesentl. ordnungspolit. Ziel in marktwirtsch. orientierten Volkswirtschaften ist ein funktionsfähiger Wettbewerb; bedeutsam sind gerechte Vermögensverteilung und soziale Sicherheit; zu den stabilitätspolit. Zielen gehören v.a. angemessenes, stetiges Wirtschaftswachstum, hohes Beschäftigungsniveau, Preisniveaustabilität, außenwirtsch. Gleichgewicht (→magisches Vieleck). Schwerpunkte der Allokationspolitik sind die Bereitstellung einer materiellen Infrastruktur und die Regulierung der Umweltnutzung. Das Ziel der W. in Dtl. ist im →Stabilitätsgesetz festgeschrieben. (→Geldpolitik, →Konjunkturpolitik)

Wirtschaftsprüfer (Bilanzprüfer), öffentlich bestellte und vereidigte Person, die befugt ist, betriebswirtsch. Prüfungen, insbesondere solche von Jahresabschlüssen wirtsch. Unternehmen, vorzunehmen und zu bestätigen sowie ihre Auftraggeber steuerlich zu beraten und zu vertreten (§2 W.-Ordnung i.d.F. v. 5. 11. 1975). Voraussetzung für die Bestellung als W. ist i.d.R. der Abschluss eines jurist., wirtschaftswiss., techn. oder landwirtsch. Hochschulstudiums und eine fünfjährige Berufspraxis (davon vier Jahre Prüfungstätigkeit) sowie das Bestehen einer Prüfung vor einem von der obersten Landesbehörde eingerichteten Prüfungsausschuss.

Wirtschaftsprüfung (Revision), die Durchführung von Jahresabschlussprüfungen sowie von Sonderprüfungen (z.B. Gründungs-, Depot-, Unterschlagungs-, Wirtschaftlichkeits-, Kreditwürdigkeitsprüfung) in Unternehmen durch →Wirtschaftsprüfer bzw. W.-Gesellschaften. Die Prüfung des Jahresabschlusses bezieht sich auf die Beurteilung der Ordnungsmäßigkeit der Buchführung, die zutreffende Gliederung von Bilanz und Gewinn-und-Verlust-Rechnung sowie die richtige Bewertung der Bilanzposten. Auch die Erläuterungen des Jahresabschlusses im Geschäftsbericht sind zu prüfen. Das Ergebnis wird in einem Bestätigungsvermerk **(Testat)** zusammengefasst.

Wirtschaftspsychologie, Teilgebiet der angewandten Psychologie, das sich mit den Fragen beschäftigt, die sich im Zusammenhang mit dem Wirken des Menschen als Produzent wie als Konsument ergeben; unterteilt insbesondere in Kauf- und Verkaufs-, der Käufer- und Verkäufer-, in Marktpsychologie, Werbepsychologie und Arbeits- und Organisationspsychologie.

Wirtschaftsrecht, allg. die Rechtsvorschriften, die das Wirtschaftsleben regeln, also das Vermögensrecht des BGB, das Handels-, Gesellschafts-, Wertpapier-, Börsen-, Versicherungsrecht, der gewerbl. Rechtsschutz und Teile des Verwaltungsrechts; i.e.S. das Recht der Wirtschaftslenkung: Sicherung, Beeinflussung und Steuerung des Wirtschaftslebens durch den Staat (u.a. das Steuer-, Kartell- und Mitbestimmungsrecht). Das nat. W. wird vom Recht der EG überlagert.

Wirtschaftssektoren, Gliederungsprinzip einer Volkswirtschaft aus entwicklungstheoret. Sicht: **primärer Sektor** (Urproduktion, bes. Land- und Forstwirtschaft, Fischerei, Bergbau); **sekundärer Sektor** (verarbeitendes Gewerbe); **tertiärer Sektor** (Dienstleistungsgewerbe).

Wirtschaftssoziologie, sozialwiss. Disziplin, die die Zusammenhänge zw. wirtsch. und gesellschaftl. System, insbesondere die gesellschaftl. Voraussetzungen, Erscheinungsformen und Folgen wirtsch. Prozesse, zum Gegenstand hat. Gegenwärtige Schwerpunkte sind Untersuchungen zu Ursachen und Folgen der Arbeitslosigkeit, zum Weltwirtschaftssystem, zu den Wechselbeziehungen zw. Wirtschaft bzw. Technik, Gesellschaft und Umwelt, daneben Systemvergleiche und histor. Untersuchungen.

Wirtschaftsspionage [-ʒə] (Werkspionage, Industriespionage), das Auskundschaften und Weitergeben von Geschäftsgeheimnissen; strafbar ggf. wegen Diebstahls (§242 StGB), Verwertung fremder Geheimnisse (§204 StGB) oder nach §§17ff. Ges. gegen den unlauteren Wettbewerb.

Wirtschaftsstufen, nach bestimmten Kriterien (z.B. Art der Agrar- und Güterproduktion oder Organisationsform des Tauschverkehrs) voneinander abgrenzbare Entwicklungsstadien in der Wirtschaftsgeschichte. Nach der v.a. von der →historischen Schule (der Nationalökonomie) entwickelten Theorie der W. gehen die W. jeweils organisch ineinander über. Unter den neueren Stufentheorien erlangte insbesondere die von W. W. Rostow Bedeutung, der fünf W. unterschied: traditionelle Gesellschaft, Übergangs-, Aufstiegs-, Reifestadium und Massenkonsumgesellschaft.

Wirtschaftssubjekt, jede selbstständig handelnde Wirtschaftseinheit, z.B. private Haushalte, Unternehmen, Staat, öffentlich-rechtl. Körperschaften; i.e.S. der Mensch als Gestalter und Träger des Wirtschaftsprozesses.

Wirtschaftssystem, Form des Wirtschaftslebens einer Epoche, umfasst die wirtsch. Elemente (natürl. u.a. Ressourcen sowie die Menschen in ihrer Funktion als Produzenten und Konsumenten), die wirtsch. Beziehungen (Produktions-, Verteilungs- und Konsumtionsprozesse) und die wirtsch. Ordnung oder Organisation, die auf den für den Wirtschaftsprozess verbindlichen rechtl. und institutionellen Regelungen basiert. Das W. umfasst demnach →Wirtschaftsordnung und -ablauf und wird maßgeblich durch die Interdependenz mit anderen sozialen Teilsystemen, insbesondere mit dem polit. System, geprägt. Die Klassifikation von W. orientiert sich i.d.R. an der Wirtschaftsordnung sowie an der versch. Ausprägung von Teilordnungen (z.B. Planungs- und Eigentumsordnung, Unternehmensverf., Marktordnung).

Wirtschaftstheorie, →Volkswirtschaftslehre.

Wirtschafts- und Sozialrat, →UN.

Wirtschafts- und Sozialwissenschaftliches Institut des DGB GmbH, Abk. **WSI,** gewerkschaftseigenes Forschungsinst., Sitz: Düsseldorf, gegr. 1946 auf Initiative H. Böcklers als **Wirtschaftswiss. Inst. der Gewerkschaften** (Abk. **WWI**), seit 1972 jetziger Name. Es wurde 1995 der **Hans-Böckler-Stiftung** (gemeinnütziges Mitbestimmungs-, Forschung- und Studienförderungswerk des DGB) angegliedert.

Wirtschaftsunion, Integration selbstständiger Staaten zu einem einheitl. Wirtschaftsgebiet, in dem Zölle und Handelshemmnisse im internen Verkehr von Produktionsfaktoren, Geld und Kapital beseitigt sind und ein gemeinsamer Außentarif gegenüber Drittstaaten gebildet wird (gemeinsamer Markt). Die Mitgl. der W. harmonisieren nicht nur Außenhandels- und Zollpolitik, sondern auch Wirtschafts-, Finanz- und Sozialpolitik. Darüber hinaus wird angestrebt, nat. Recht durch supranat. Recht abzulösen oder zu ergänzen. (→Europäische Wirtschafts- und Währungsunion, →Benelux-Länder)

Wirtschaftsverbände (Wirtschaftsvereinigungen), Zusammenschlüsse von Unternehmen gleicher oder artverwandter Branchen v.a. zur Vertretung der Interessen der Mitgl. gegenüber der Öffentlichkeit und staatl. Instanzen. Die W. gehören über ihre Zentral- und Spitzenorgane dem Gemeinschaftsausschuss der Deutschen Gewerblichen Wirtschaft (gegr. 1950; Bonn) an.

Wirtschaftsverfassung, im verfassungsrechtl. Sinn Bez. für die in der Verf. verankerten normativen Aussagen über das Wirtschaftsleben. Das GG ist nach Auffassung des Bundesverfassungsgerichts »wirtschaftspolitisch neutral« und enthält keine geschlossene W. Insbesondere die Grundrechte der Berufsfreiheit, des Eigentums (samt Sozialisierungsermächtigung), der Koalitionsfreiheit, das Sozialstaatsgebot und die Vorschriften über das gesamtwirtschaftl. Gleichgewicht enthalten aber normative Vorgaben des Wirtschaftslebens, die die Freiheit des Gesetzgebers bei der (Um-)Gestaltung der Wirtschaft einschränken; sie werden häufig als Ausdruck einer »gemischten W.« angesehen. Heute wird die W. in der Bundesrep. Dtl. wesentlich auch durch das Recht der EG, v.a. durch ihre vier Grundfreiheiten (Freiheit des Warenverkehrs, Arbeitnehmerfreizügigkeit, Dienstleistungs- und Niederlassungsfreiheit, Freiheit des Kapitalverkehrs), bestimmt.

Wirtschaftswissenschaften, Wiss.disziplin, die sich mit Wesen, Ordnung, Aufbau, Ablauf und Ziel der Wirtschaft beschäftigt. Traditionell werden die W. je nach Untersuchungsgegenstand in die Hauptgebiete Betriebs- und Volkswirtschaftslehre einschl. der Finanzwiss. unterteilt. Neben der Mathematik sind für die W. v.a. von Bedeutung: Rechtswiss., Soziologie, polit. Wiss., Informatik sowie Statistik, Wirtschaftsgeschichte und -geographie, Arbeitsphysiologie und -psychologie.

wirtschaftswissenschaftliche Forschungsinstitute (Wirtschaftsforschungsinstitute), Institute, die sich bes. mit gesamtwirtsch. Fragestellungen beschäftigen. Die sechs großen, auch für die wiss. Politikberatung wichtigen w. F. in Dtl. sind: Dt. Institut für Wirtschaftsforschung, Berlin; IFO-Institut für Wirtschaftsforschung, München; Institut für Weltwirtschaft, Kiel; HWWA – Institut für Wirtschaftsforschung, Hamburg; Rheinisch-Westfäl. Institut für Wirtschaftsforschung e.V., Essen; Institut für Wirtschaftsforschung Halle (in Halle).

Wirtschaftswunder, Schlagwort für die rasche wirtsch. Entwicklung in der Bundesrep. Dtl. nach der →Währungsreform (1948). Als Vater des W. gilt L. →Erhard.

Wirtswechsel, *Biologie:* der bei vielen Parasiten regelmäßig mit Erreichen eines bestimmten Entwicklungsstadiums erfolgende Übergang von einem Wirtsorganismus **(Wirt)** auf einen anderen. Beim letzten Wirt **(Endwirt)** erreicht der Parasit seine Geschlechtsreife; alle vorausgehenden Wirte heißen **Zwischenwirte.**

Wis., Abk. für den Staat **Wis**consin, USA.

Wischnẹwskaja, Galina, russ. Sängerin (dramat. Sopran), *Leningrad (heute Sankt Petersburg) 25. 10. 1926; bed. Interpretin v.a. des russ. und italien. Repertoires; auch Liedsängerin. 1974 verließ sie mit ihrem Mann, dem Violoncellisten M. L. Rostropowitsch, die Sowjetunion (1978 ausgebürgert, 1990 Staatsbürgerschaft wieder zuerkannt).

Hans-Jürgen Wischnewski

Wischnẹwski, Hans-Jürgen, Politiker (SPD), *Allenstein 24. 7. 1922; war 1957–90 MdB, 1966–68 Bundesmin. für wirtsch. Zusammenarbeit, 1968–71 Bundesgeschäftsführer der SPD, 1974–76 Staatsmin. im Auswärtigen Amt, 1976–79 und 1982 im Bundeskanzleramt; 1979–82 war er stellv. Parteivors., 1984–85 Schatzmeister der SPD. Im Auftrag der Bundesregierung unternahm er viele Sondermissionen.

Wisconsin [wɪsˈkɔnsɪn], **1)** *der* (W. River) linker Nebenfluss des oberen Mississippi im Staat W., USA, 690 km lang, entspringt im N, mündet nordwestlich von Dubuque.

Wisconsin 2)
Flagge

2) Abk. **Wis.,** Staat im N der USA, zw. Oberem See, Michigansee und Mississippi, 145 436 km², (1995) 5,123 Mio. Ew.; Hptst. ist Madison, größte Stadt Milwaukee. Der hügelige N des z.T. an die Oberen Seen grenzenden Staates gehört zum Kanad. Schild, der S (zw. Michigansee und Mississippi) zum Zentralen Tiefland. Haupterwerbszweig ist die Landwirtschaft, v.a. Milchviehwirtschaft; auch die Holzwirtschaft (43% der Fläche bewaldet) spielt eine Rolle; Maschinenbau-, Metall-, Holz-, Papier-, Nahrungsmittelindustrie. – 1634 von dem Franzosen Jean Nicolet (*1598, †1642) erkundet, kam das Gebiet Ende des 17. Jh. an Frankreich, 1763 an Großbritannien und 1783 an die USA; ab Mitte der 1830er-Jahre verstärkte Besiedlung (v.a. dt. und skandinav. Einwanderer); 1848 als 30. Staat in die Union aufgenommen; stand im Sezessionskrieg aufseiten der Union.

Wismar
Stadtwappen

📖 CURRENT, R. N.: *W. A history. Madison, Wis., 1977.* – VOGELER, I.: *W., a geography. Boulder, Colo., 1986.*

Wiseman ['waɪzmən], Nicholas, brit. kath. Theologe, *Sevilla 2. 8. 1802, †London 15. 2. 1865; erreichte die Wiedererrichtung der kath. Hierarchie in England, wurde 1850 Kardinal und der erste Erzbischof von Westminster seit der Reformation.

Wisent, Unterart des →Bisons.

Wisła ['visu̯a] *die,* Hauptstrom Polens, →Weichsel.

Wismar (Hansestadt W.), kreisfreie Stadt in Meckl.-Vorp., an der S-Spitze der Wismarer Bucht der Ostsee, 49600 Ew.; FH; Museum, Theater; Schiff- und Maschinenbau, Elektro-, Möbel-, Nahrungsmittelind.; Fischereiflotte; Hafen. – Backsteinbauten der im 2. Weltkrieg z. T. zerstörten Altstadt erinnern an die Bedeutung W.s als reiche Hansestadt, so die got. Marienkirche (13./14. Jh., Turm erhalten), die spätgot. Nikolaikirche (14. und 15. Jh.), spätgot. Giebelhäuser, der Fürstenhof im Stil der italien. Frührenaissance (16. Jh.), das Brunnenhaus (»Wasserkunst«, 1580–1602), das ehem. gotische, 1817–19 klassizistisch umgebaute Rathaus; maler. Häuserfront am Alten Hafen. – Als Kaufmannssiedlung entstanden, 1229 als Stadt mit lüb. Recht erwähnt; 1257–1358 Residenz der Fürsten von Mecklenburg; eine der mächtigsten Hansestädte (wend. Hansequartier); kam 1648 als Reichslehen an die schwed. Krone und wurde zu einer starken Festung ausgebaut (bis 1803; endgültiger Verzicht Schwedens 1903).

Wissenschaft

In seiner 1620 erschienenen Schrift »Novum Organum« vergleicht Francis Bacon »die Tätigkeit der Wissenschaftler« mit der von Ameisen, Spinnen und Bienen:

»Die Empiriker sammeln und verbrauchen nur wie die Ameisen; die Theoretiker produzieren aus sich heraus Netze wie die Spinnen; die Biene aber hält sich in der Mitte, sie holt ihr Material aus den Blumen der Gärten und Felder hervor, verwandelt es aber aus eigener Kraft und verdaut es.«

Wismut (fachsprachl. Bismut), chem. Symbol **Bi,** Element aus der fünften Hauptgruppe des →Periodensystems der chemischen Elemente; Ordnungszahl 83, relative Atommasse 208,9804, Dichte 9,80 g/cm³, Schmelzpunkt 271 °C, Siedepunkt 1580 °C. W. ist ein rötlich silberweiß glänzendes sprödes Metall, das mit einigen Metallen (bes. Cadmium, Indium, Blei, Zinn, Thallium) sehr niedrig schmelzende Legierungen bildet. In nicht oxidierenden Säuren ist es unlöslich, von oxidierenden Säuren wird es unter Bildung der entsprechenden Salze gelöst. Mit Gehalten von $2 \cdot 10^{-5}$% gehört W. zu den seltenen Elementen der Erdkruste. Neben gediegenem W. sind v. a. die Minerale →Bismuthin (W.-Glanz), Bismutit (W.-Spat) und W.-Ocker von Bedeutung. – Zur Darstellung aus den oxid. Erzen werden diese mit Kohle reduziert. Sulfid. Erze werden in gleicher Weise nach Abrösten verarbeitet oder unmittelbar mit Eisenspänen oder Soda und Kohle zu elementarem W. umgesetzt. Das reine Metall wird in der pharmazeut. und kosmet. Ind., zur Herstellung von niedrig schmelzenden Legierungen, von Druckstöcken, Elektroden, Thermoelementen, Halbleitern, für Glas- und Leuchtfarben verwendet.

Verbindungen: W. tritt in den Oxidationsstufen +3, seltener in den Stufen +5 und –3 auf. Beim Verbrennen von Wismut an der Luft oder beim Erhitzen von weißem, aus Wismutsalzlösungen mit Basen ausfallendem **Wismut(III)-oxid-Hydrat,** $Bi_2O_3 \cdot xH_2O$, entsteht **W.-Trioxid,** Bi_2O_3, das in Säuren unter Bildung der entsprechenden Salze löslich ist. **Wismut(III)-chlorid (Wismuttrichlorid),** $BiCl_3$, wird z. B. durch Chlorieren von geschmolzenem Wismut gewonnen und geht bei Reaktion mit Wasser in **Wismutoxidchlorid** (veraltet: **Bismutylchlorid**), BiOCl, über; dieses wird als Perlglanzpigment u. a. bei der Herstellung von Lidschatten, Pudern, Nagellacken verwendet.

Wismut AG, ehem. Unternehmen für Uranerzbergbau mit Aufbereitungsanlagen in Ost-Dtl.; gegr. 1945 als **Sowjet. AG Wismut (SAG Wismut)** zur Ausbeutung der für die UdSSR wichtigen Uranvorkommen, 1954 in die paritätisch zusammengesetzte **Sowjetisch-Dt. AG Wismut (SDAG Wismut)** umgebildet, 1990 W. AG, seit 1991 **Wismut GmbH.** Aufgrund eines Abkommens zw. Dtl. und der Sowjetunion vom 16. 5. 1991 übertrug Letztere ihren Aktienanteil (50%) unentgeltlich in Bundesbesitz und wurde dafür von der Sanierung der schwer umweltgeschädigten Abbauregionen in S-Sachsen und O-Thüringen befreit (veranschlagte Kosten 13 Mrd. DM). Nach Einstellung der Uranproduktion (1990) und der Ausgliederung von Geschäftssparten in die DFA Fertigungs- und Anlagen GmbH ist die Wismut GmbH ein reiner Sanierungsbetrieb.

Wismutmalerei, *Maltechnik:* Buntfarbenmalerei mit Tempera- oder Lackfarben auf Kreidegrund, der mit einer dünnen, als grauer Metallton hindurchschimmernden Wismutschicht überzogen ist; vom 15. bis 18. Jh. zum Schmuck von kleinen Möbeln, Kästchen und Schachteln verwendet, auch in der Volkskunst.

Wissen, alle Kenntnisse im Rahmen alltäglicher Handlungs- und Sachzusammenhänge (Alltags-W.); im philosoph. Sinne die begründete und begründbare (rationale) Erkenntnis im Unterschied zur Vermutung und Meinung oder zum Glauben. W. kann primär durch zufällige Beobachtung, durch systemat. Erforschung (Experiment) oder deduzierende Erkenntnis gewonnen werden, sekundär durch lernende Aneignung von W.-Stoff. (→ Wissenschaft)

Wissenschaft, das System des durch Forschung, Lehre und überlieferte Literatur gebildeten, geordneten und begründeten, für gesichert erachteten Wissens einer Zeit; auch die für seinen Erwerb typ. methodisch-systemat. Forschungs- und Erkenntnisarbeit sowie ihr organisatorisch-institutioneller Rahmen.

Geschichte: W. wurde erstmals im W.-Verständnis der klass. grch. Philosophie von Sokrates, Platon und Aristoteles im Sinne von rational begründetem Wissen begriffen. Bis ins 18. Jh. hinein wurde kaum zw. Philosophie und W., z.B. zw. Naturphilosophie und naturwiss. Physik, unterschieden. Seit dem 19. Jh. hat eine Ablösung des begründungsorientierten W.-Begriffs durch ein an method. Normen und an der Beherrschung empir. Daten orientiertes W.-Verständnis stattgefunden. – Ein einheitlich logisch zusammenhängendes System der W. gibt es trotz versch. Entwürfe zu einer Einheits-W. (v.a. Neopositivismus) nicht.

Die *Einteilung* der W. folgt unterschiedl. Gesichtspunkten. Dem Ziel nach sind die W. entweder **theoretische (»reine«) W.** oder **angewandte (praktische) W.,** dem Gegenstand nach werden am häufigsten **Natur-W.** (Physik, Chemie, Biologie, Astronomie, Geologie, Medizin u.a.) und **Geistes-W.** (Geschichte, Philologie, Philosophie, Psychologie, Theologie, Staats- und Rechts-W., Wirtschafts-W., Kunst-W. u.a.) unterschieden, der Methode nach empir. oder Erfahrungs-W. (durch planmäßige Beobachtung, Hypothesenbildung und Experiment gekennzeichnet, v.a. Naturwiss., empir. Sozialforschung), axiomat. oder rationale W. (z.B. Mathematik, Logik) und Geistes-W. (Deutung individueller Phänomene, Bedeutungszuweisung, Sinnverstehen; → Hermeneutik). Mit den Grundlagenproblemen beschäftigt sich die → Wissenschaftstheorie.

Die Idee der (wert)freien W. und die Erfolge der Natur-W. v.a. seit dem 19. Jh. prägten entscheidend das moderne Weltbild und führten zu einem über weite Strecken des 19. und 20. Jh. wirksamen Fortschrittsoptimismus. In Anbetracht v.a. der ökolog. Schäden durch die wiss.-techn. Zivilisation geriet dieser jedoch in den letzten Jahrzehnten zunehmend in eine Krise; es traten Zweifel an einer Verwissenschaftlichung aller Lebensbereiche auf. In kontroversen Diskussionen erfolgt eine Infragestellung der Zweckfreiheit von Forschung, die Forderung einer Orientierung am gesellschaftl. Bedarf, die Betonung der Verantwortung des Wissenschaftlers gegenüber der Gesellschaft und der Umwelt sowie die erneute Erörterung der wiss. Methoden, Aufgaben und Ziele.

Wissenschaft

»Diejenigen, die ins Detail der Wissenschaften einzudringen lieben, misstrauen den abstrakten und allgemeinen Forschungen, und diejenigen, welche die Grundlagen vertiefen, treten selten in die Beschäftigung mit den Einzelheiten ein. Ich selbst, ich schätze das eine ebenso wie das andere, denn ich habe gefunden, dass die Analyse der Prinzipien auch zur Entdeckung von Einzelheiten anregt.«

Gottfried Wilhelm Leibniz

📖 *W. u. Wissenschaftsbegriff, Beiträge v.* G. Funke *u.* E. Scheibe. *Wiesbaden 1983.* – Weizsäcker, C. F. von: *Die Tragweite der W. Neuausg. Stuttgart 1990.* – Gräfrath, B. *u. a.: Einheit, Interdisziplinarität, Komplementarität. Orientierungsprobleme der W. heute. Berlin 1991.* – Markl, H.: *Natur als Kulturaufgabe. Über die Beziehung des Menschen zur lebendigen Natur. Tb.-Ausg. München 1991.* – Spaemann, R. *u.* Löw, R.: *Die Frage »Wozu?« Geschichte u. Wiederentdeckung des teleolog. Denkens. München u. a.* ^{3}*1991.*

Wissenschaft des Judentums (Judaistik), um 1820 geprägte Bez. für die wiss. Erforschung des Judentums (Religion, Gesch., Sprache, Lit.); als Begründer gilt der jüd. Gelehrte L. Zunz. Die Herausbildung der W.d.J. war verbunden mit der Gründung privater jüd. Bildungseinrichtungen (1872 Hochschule für die W.d.J., Berlin) und überregionaler jüd. Zeitschriften (1851 »Monatsschrift für die Gesch. und Wiss. des Judentums«); mit der Gründung der Hebr. Univ. Jerusalem 1925 wurde die W.d.J. erstmals wiss. Disziplin an einer Universität.

wissenschaftliche Betriebsführung, → Scientific Management.

wissenschaftliche Gesellschaften, i.e.S. Vereinigung von Forschern und Förderern einzelner Forschungsbereiche oder zur Förderung der Wiss. und der wiss. Zusammenarbeit auf nat. oder internat. Ebene (z.T. von der UNESCO gefördert, z.B. → International Council of Scientific Unions), i.w.S. auch die großen Wissenschaftler- und Wissenschaftsorganisationen zur Förderung der Wissenschaft in staatl. Trägerschaft. Zu den w.G. rechnen in Dtl. u.a.: → Deutsche Physikalische Gesellschaft, → Gesellschaft Deutscher Naturforscher und Ärzte e.V., → Max-Planck-Gesellschaft zur Förderung der Wissenschaften e.V., → Deutsche Forschungsgemeinschaft e.V., → Fraunhofer-Gesellschaft zur Förderung der angewandten Forschung e.V., → Stifterverband für die Deutsche Wissenschaft e.V. und die → Humboldt-Stiftung.

Wissenschaftlicher Rat, auslaufender, durch das Hochschulrahmengesetz 1976 abgeschaffter Titel und Stellung (Beamter); Entsprechendes gilt für den Akadem. Rat (im Angestelltenverhältnis).

Wissenschaftsethik, systemat. Studium der eth. Probleme, denen sich Wissenschaftler gegenübersehen. Die W. wird sowohl als ein Teilgebiet der philosoph. Ethik als auch eng an die Einzel-Wiss. angeschlossen, z.T. sogar von diesen abgelöst als eigene Disziplin (Bioethik, medizin. Ethik) betrieben.

📖 *Wissenschaft u. Ethik, hg. v.* H. LENK. *Stuttgart 1991.*

Wissenschaftsfreiheit, die in Art. 5 Abs. 3 GG als Grundrecht gewährte Freiheit der Wiss., Forschung und Lehre. Die W. beinhaltet zum einen das Recht des einzelnen Wissenschaftlers auf wiss. Betätigung, wiss. Erkenntnis und ihre Verbreitung bzw. lehrmäßige Vermittlung und zum anderen die institutionelle Garantie der wiss. Hochschule (Univ.) und ihrer akadem. Selbstverwaltung. An den Staat gerichtet enthält Art. 5 Abs. 3 GG den Verfassungsauftrag, Wiss. und Forschung zu pflegen; die Grenzen der W. sind nicht festgelegt.

Wissenschaftsgemeinschaft Gottfried Wilhelm Leibniz e.V., Abk. **WGL,** neben der Hermann von Helmholtz-Gemeinschaft Deutscher Forschungszentren, der Max-Planck-Gesellschaft und der Fraunhofer-Gesellschaft die vierte Säule der außeruniversitären Forschung in Dtl.; ein Zusammenschluss von (1998) 78 wissenschaftlich, rechtlich und wirtschaftlich eigenständigen Forschungs- und Dienstleistungseinrichtungen. Die WGL koordiniert gemeinsame Interessen der Mitgliedseinrichtungen und präsentiert sie der Öffentlichkeit. Sie stärkt die Zusammenarbeit in der Forschung und fördert den wiss. Nachwuchs. Die WGL umfasst fünf Sektionen; Sektion A: Geistes- und Bildungsforschung; Sektion B: Wirtschafts-, Sozial- und Raumwissenschaften; Sektion C: Lebenswissenschaften; Sektion D: Mathematik, Natur- und Ingenieurwissenschaften; Sektion E: Umweltwissenschaften. – Die WGL entstand 1997 durch Umbenennung der Wiss.-Gemeinschaft Blaue Liste e.V.

Wissenschaftslehre, ausgehend vom dt. Idealismus (J.G. Fichte) die Metaphysik der Erkenntnis, d.h. die philosoph. Lehre von den Voraussetzungen und Grundlagen des Wissens und der Wissenschaften; seit dem 20. Jh. gleichbedeutend mit →Wissenschaftstheorie.

Wissenschaftsrat, Abk. **WR,** 1957 aufgrund eines Verwaltungsabkommens zw. Bund und Ländern in der Bundesrep. Dtl. gegr. zentrales Beratungsgremium für die Förderung von Wiss. und Hochschulen; Sitz: Köln. Hauptaufgaben sind die Erarbeitung von Empfehlungen zur inhaltl. und strukturellen Förderung von Hochschulen, zum Hochschulbau, zu Wiss. und Forschung. – In der *Schweiz* wurde 1965 ein W. als beratendes Organ des Bundesrates für alle Fragen der nat. und internat. Wissenschaftspolitik gegründet; seit 1968 im Hochschulförderungs-Ges. verankert.

Wissenschaftssoziologie, Teildisziplin der Soziologie, die einerseits die religiösen, kulturellen, polit. und ökonom. Bedingungen für die Herausbildung der Wiss. untersucht und andererseits den Charakter der Wiss. (Theorieabhängigkeit wiss. Tatsachen oder »Seinsverbundenheit« von Wissen), ihre soziale Organisation, die Beziehungen zu anderen gesellschaftl. Institutionen sowie ihre sozialen Folgen und Risiken erforscht.

Wissenschaftstheorie, wichtiges Teilgebiet der zeitgenöss. theoretischen Philosophie; eine philosoph. Grundlagendisziplin, die Begriff und Einteilung der Wiss., ihre Erkenntnisprinzipien, ihre Methoden und ihre Sprache zum Gegenstand hat. Sie soll Verfahrensregeln für die Wissensgewinnung und Aussagenüberprüfung, aber ebenso für die Erarbeitung von Werturteilen und Handlungsanweisungen formulieren und bedient sich dabei sowohl analyt. als auch histor. Untersuchungen. Als analyt. W. hat sich die W. infolge der im Rahmen klass. Denkgewohnheiten nicht erfassbaren Vorstellungen der modernen Physik (→Quantenmechanik) seit der Jahrhundertwende unter dem Einfluss der formalen Logik und Sprachphilosophie entwickelt. Dabei orientiert sich die W. der empir. Wiss. bes. an den methodolog. Grundlagenproblemen der exakten Naturwiss. (v.a. der theoret. Physik). Die Philosophen des Wiener Kreises, aber auch H. Weyl, H. Poincaré, B. Russell, K. R. Popper (krit. Rationalismus), C. G. Hempel, W. Stegmüller, E. Topitsch, P. Lorenzen, I. Lakatos, T. S. Kuhn, P. Feyerabend u.a. förderten die W. entscheidend.

📖 SEIFFERT, H.: *Einf. in die W., 4 Bde. München* [1–12]*1992–97.* – CHALMERS, A. F.: *Wege der Wissenschaft. Einf. in die W. Berlin u. a.* [3]*1994.*

Wissenssoziologie, ein in den 1920er-Jahren entstandenes Spezialgebiet der Soziologie, das den Einfluss gesellschaftl. Faktoren auf Bewusstseinsinhalte und Denkformen untersucht. Zu den Begründern gehören hauptsächlich M. Scheler und K. Mannheim, indirekt auch É. Durkheim und M. Weber. Die »radikale« W. (K. Mannheim) geht auf die These von K. Marx zurück, wonach das gesellschaftl. Sein der Menschen ihr Bewusstsein bestimmt, wendet die Idee der »Standortgebundenheit« des Denkens (»Ideologieverdacht«) aber auch konsequent auf den Marxismus selbst an. Die in der W. angelegten Tendenzen des Soziologismus und Relativismus lösten nach dem Erscheinen von Mannheims Hauptwerk »Ideologie und Utopie« (1929) heftige Diskussionen aus, die bis heute immer wieder aufleben.

Wissmann, **1)** Hermann von (seit 1890), Offizier und Afrikaforscher, *Frankfurt (Oder) 4. 9. 1853, †Weißenbach (heute zu Haus, bei Schladming) 15. 6. 1905; durchquerte 1880–82 als Erster Äquatorialafrika von W nach O, erforschte u. a. das Kongogebiet. 1895/96 war er Gouv. in Deutsch-Ostafrika.

2) Matthias, Politiker (CDU), *Ludwigsburg 15. 4. 1949; Jurist, 1973–83 Bundesvors. der Jungen Union; seit 1976 MdB; 1983–92 wirtschaftspolit. Sprecher der CDU/CSU-Bundestagsfraktion; Jan.–Mai 1993 Bundesmin. für Forschung und Technologie, Mai 1993 bis 1998 Bundesverkehrsminister.

Wissowa, Georg, klass. Philologe, *Neudorf bei Breslau (heute Nowa Wieś Wrocławska) 17. 6. 1859, †Halle 11. 5. 1931; widmete sich bes. der Erforschung der altröm. Religion; begann 1893 mit der Neuausgabe von »Pauly's Realencyclopädie der class. Altertumswissenschaft«.

Wisteria *die* (Blauregen, Glyzinie, Glycine, Wisterie), Gattung in Nordamerika und O-Asien beheimateter Schmetterlingsblütler; sommergrüne, hochwindende Kettersträucher mit unpaarig gefiederten Blättern; Blüten groß, duftend, in langen, hängenden Trauben, blau, weiß oder lilafarben; werden auch in Mitteleuropa als Ziersträucher kultiviert.

Pieter de Wit: Die Herzogin Magdalena von Bayern (um 1613; München, Alte Pinakothek)

Wit (Witte), Pieter de, seit 1574 Peter Candid (Candido), niederländ. Maler, *Brügge (?) um 1548, †München 29. 3. 1628; seit 1586 Hofmaler in München; schuf Altarbilder für Münchner Kirchen (St. Michael, Frauenkirche) und für den Freisinger Dom, Fresken für die Münchner Residenz und das Schloss in Schleißheim sowie Entwürfe für Wandteppiche. Sein Stil gehört zum späten Manierismus.

Witebsk (weißruss. Wizebsk), Hptst. des Gebiets W., Weißrussland, an der Düna (Hafen), 360 900 Ew.; mehrere Hochschulen; Theater; Maschinen- und Elektrogerätebau, Textil-, Leder-, Schuh-, Nahrungsmittel-, Holzind.; Verkehrsknotenpunkt, Flughafen. – Verkündigungskirche (12. Jh.), Gouverneurspalast und Rathaus (18. Jh.). – W., 1021 erstmals urkundlich erwähnt, war ein bed. Handelszentrum im Fürstentum Polozk und seit 1101 Hptst. des Fürstentums Witebsk.

Witim *der,* rechter Nebenfluss der Lena, in Sibirien, Russland, 1 837 km lang, entspringt im W.-Plateau in Transbaikalien, mündet bei Witim; Wasserkraftwerk; im Unterlauf ab Bodaibo (dort Goldgewinnung) auf 300 km schiffbar.

Witjastiefe, Name versch. Meerestiefen im Pazif. Ozean, benannt nach dem sowjet. Forschungsschiff Witjas. W. I im Marianengraben ist mit 10 924 m die größte bisher ausgelotete Meerestiefe.

Witkiewicz [vit'kjɛvitʃ], Stanisław Ignacy, poln. Schriftsteller und Maler, *Warschau 24. 2. 1885, †(Selbstmord) Jeziory (Wolhynien) 18. 9. 1939; Theoretiker der Avantgardegruppe »Formiści Polscy«, schrieb in kulturkrit. Absicht utopisch-groteske Romane (»Unersättlichkeit«, 1930), auch Dramen, die zu den Vorläufern des absurden Theaters gehören (u. a. »Die da«, entstanden 1920, UA 1963; »Narr und Nonne«, 1925).

Witold (litauisch Vytautas), Großfürst von Litauen (1401–30), *um 1350, †Trakai (bei Vilnius) 27. 10. 1430; von seinem Vetter →Jagiełło 1392 als Fürst und 1401 Großfürst von Litauen eingesetzt, trieb eine von Polen weitgehend unabhängige Politik und dehnte die Grenzen Litauens bis zum Schwarzen Meer aus. W. trug wesentlich zum polnisch-litauischen Sieg über den Dt. Orden bei Tannenberg (1410) bei.

Witoscha *die,* Gebirgsgruppe in W-Bulgarien, südlich von Sofia (Naherholungsgebiet), bis 2 290 m ü. M. (Tscherni Wrach); am N-Fuß zahlr. Thermen.

Witt, **1)** Johan (Jan) de, niederländ. Staatsmann, *Dordrecht 24. 9. 1625, †Den Haag 20. 8. 1672; prägte als Ratspensionär Hollands (seit 1653) in der »ersten statthalterlosen Zeit« (1650–72) die Innen- und Außenpolitik der Vereinigten Niederlande. Als Führer der republikanisch-ständ. Partei und Gegner des Hauses Oranien suchte er die Statthalterschaft ganz aufzuheben; er führte die Seekriege mit England (1652–54, 1665–67). Nach Ausbruch des 3. Seekrieges und dem Einfall frz. Truppen in Holland 1672 sowie der Berufung Wilhelms III. von Oranien zum Statthalter wurde W. abgesetzt und von einer Volksmenge erschlagen.

2) Katarina, Eiskunstläuferin, *Staaken (heute zu Berlin) 3. 12. 1964; Olympiasiegerin 1984 und 1988, Weltmeisterin 1984, 1985, 1987, 1988, Europameisterin 1983–88.

Hermann von Wissmann

Wisteria

Emanuel de Witte: Inneres der portugiesischen Synagoge in Amsterdam (1680; Amsterdam, Rijksmuseum)

Sergei Graf Witte

Witte, **1)** Emanuel de, niederländ. Maler, * Alkmaar um 1617, † Amsterdam Anfang 1692; tätig in Rotterdam, Delft und Amsterdam; malte Bilder niederländ. Kirchenräume, deren Wirkung durch besonderen Lichteinfall gesteigert wird.

2) Pieter de, fläm. Maler, → Wit, Pieter de.

3) Sergei Juljewitsch Graf (seit 1905), russ. Politiker, * Tiflis 29. 6. 1849, † Petrograd 13. 3. 1915; förderte als Finanzmin. (1892–1903) durch Schutzzölle, Aufnahme ausländ. Kapitals und Eisenbahnbau (Transsibir. Eisenbahn) die Industrialisierung Russlands. Als Vors. des Min.komitees (1903–05) schloss er 1905 den Frieden von Portsmouth, der den → Russisch-Japanischen Krieg beendete, und entwarf 1905 das Oktobermanifest Nikolaus' II.; 1905–06 Ministerpräsident.

Wittelsbacher, bayer. Herrschergeschlecht. Die Nachkommen des um die Mitte des 11. Jh. bezeugten Grafen Otto von Scheyern nannten sich seit 1115 nach der Burg Wittelsbach bei Aichach (Oberbayern). 1180 erhielten sie das Herzogtum Bayern (bis Mitte des 13. Jh. Ausbau einer bed. Landesherrschaft), 1214 auch die Rheinpfalz. 1255 kam es zur 1. Teilung des Territoriums der W. in »Oberbayern« (Pfalzgrafschaft bei Rhein und Nordgau; Zentrum München) sowie in »Niederbayern« (Zentrum Landshut). Unter Kaiser Ludwig IV., dem Bayern (1314/28–1347; oberbayer. Linie), wurde 1329 durch Hausvertrag von Pavia die pfälz. Linie (mit der Oberpfalz, 1356 mit der anfänglich gemeinsamen Kurstimme) selbstständig. Nach kurzzeitiger Vereinigung (1340) folgte 1349 die 2. Teilung in die Linien Ober- und Niederbayern, 1392 die 3. Teilung in die Linien Bayern-Straubing (1425 erloschen), Bayern-Ingolstadt (1447 erloschen), Bayern-Landshut (1503 erloschen) und Bayern-München (Oberbayern). Letzterer gelang 1504/05 (1506 Primogeniturgesetz) die erneute Zusammenfassung und unter Maximilian I. der Erwerb der (vorher pfälz.) Kurwürde (1623, endgültig 1648; die Pfalz erhielt eine 8. Kur) und der Oberpfalz (1628). Die bayer. Hauptlinie wurde 1777 von dem pfälz. Kurfürsten Karl Theodor (→ Karl) beerbt, dessen Nachfolger 1799 Maximilian IV. aus der einzigen noch blühenden Linie Pfalz-Zweibrücken-Birkenfeld antrat; dieser wurde 1806 als Maximilian I. bayer. König. 1806–1918 waren die W. Könige von Bayern. Nebenlinie sind seit 1799 die »Herzöge in Bayern« (ihr entstammte Elisabeth, Kaiserin von Österreich und Königin von Ungarn). STAMMTAFEL S. 282–284

📖 RALL, H. *u.* RALL, M.: *Die W. Sonderausg. Wien u. a. 1994.* – STRAUB, E.: *Die W. Berlin 1994.*

Witten, Stadt im Ennepe-Ruhr-Kreis, NRW, an der Ruhr, 104 300 Ew.; private Univ. W.-Herdecke (gegr. 1983); Märkisches Museum; Edelstahlwerk, Maschinenbau, Glas-, chem., elektrotechn. u. a. Industrie. – 1214 erwähnt, seit 1825 Stadt.

Witten, Hans, Bildhauer, * Braunschweig (?) zw. 1470 und 1480, † Annaberg (?) nach 1522; früher nur durch das Monogramm der von ihm bezeichneten Werke bekannt **(Meister H. W.),** arbeitete in Mittel-Dtl. und im sächs. Erzgebirge. In seinem Werk verbindet sich eine eigenwillig-fantast. Formensprache mit lebendigem Ausdruck: »Tulpenkanzel« im Dom von Freiberg (1508–10); »Schöne Tür« der St.-Anna-Kirche, Annaberg (um 1512); »Geißelsäule« in der Schlosskirche in Chemnitz (um 1515).

Wittenberg, **1)** Landkreis in Sa.-Anh., 1508 km², (1995) 138 500 Einwohner.

Wittenberg 2)
Stadtwappen

2) Lutherstadt W., Krst. von 1) in Sa.-Anh., an der Elbe, 51 700 Ew.; Ev. Predigerseminar, Evang. Akademie, Stiftung »Zentrum für globale Ethik«, Stiftung »Leucorea« (Standort der Martin-Luther-Univ. Halle-Wittenberg); zahlr. Museen, Theater; Maschinen-, Mühlen-, Kranbau, chem., Papierindustrie, Brauereien, Stickstoffwerk im Stadtteil Piesteritz, Gummiwerk. – Renaissanceschloss (1489/90–1525; Museum) mit spätgot. Schlosskirche (1498–1502/07, Umbau 1883–92; Grabstätten von M. Luther und P. Melanchthon), spätgot. Stadtkirche St. Marien (13.–16. Jh.; reiche Ausstattung), Melanchthonhaus (1536; Museum), Augusteum (1564–86, Renaissancebau der Univ.) mit Lutherhaus (»Lutherhalle«, urspr. Klausurflügel des Klosters der Augustiner-Eremiten, 1873–83 umgestaltet; reformationsgeschichtl. Museum), Rathaus (1523–40, Umbau 1570–73), zahlr. Bürgerhäuser (u. a. Wohnhäuser von L. Cranach d. Ä. und Melanchthon). W. wurde 1997 als UNESCO-Weltkulturerbe ausgewiesen. – 1180 erstmals erwähnt (askan. Burg; etwa ab 1250 Mittelpunkt des bis 1422

Witwenvögel, → Witwen.

Witz, geistreicher Spaß, Scherz; die sprachl. Form des Komischen. Im älteren Sprachgebrauch svw. »Verstand«, »Klugheit«, »geistreiche Schlagfertigkeit« (so heute noch: »Mutter-W.«, »jemand hat W.«). Seit dem 19. Jh. bedeutet W. meist die zum Bereich der → Komik gehörende belustigend zugespitzte, sehr kurz gefasste Begebenheit. Der scherzhafte Einfall des W. wirkt durch seine pointierte Wortprägung, die Benutzung von Klangähnlichkeit und Vieldeutigkeit der Wörter (Wort-W.), auch durch Kollision versch. Normbereiche (Situations-W.). Anders als im gefühlsgetragenen → Humor entwirft im W. der Verstand einen zunächst unsinnigen Zusammenhang, entdeckt in ihm durch überraschende Pointe einen verborgenen Sinn und stellt damit überkommene Wertungen infrage. Der W. ist eng an den jeweiligen Zeitgeist gebunden und hat oft eine Ventilfunktion in polit., sittl. oder sexueller Hinsicht; er gilt auch häufig bestimmten Typen oder Nationalitäten, deren Eigenarten er schlagartig erhellen will, wobei er durch grobe Vereinfachungen aber auch Vorurteile bestätigt. Witzige Zeichnungen sind die → Cartoons.

📖 RÖHRICH, L.: *Der W. Seine Formen u. Funktionen. München ²1980.* – NEUMANN, N.: *Vom Schwank zum W. Zum Wandel der Pointe seit dem 16. Jh. Frankfurt am Main u. a. 1986.* – BEST, O. F.: *Der W. als Erkenntniskraft u. Formenprinzip. Darmstadt 1989.*

Witz, Konrad, Maler, *Rottweil (?) um 1400, † Genf oder Basel um 1445/46; 1434 in Basel in die Malerzunft aufgenommen. Wie H. Multscher gehört W. zu den großen Realisten, die sich mit Entschiedenheit gegen den höfisch ausgerichteten »Schönen Stil« wandten. Er malte wuchtige, in ihrer Plastizität erfasste Gestalten in einem klar abgegrenzten Tiefenraum. Auf seinem Genfer Altar ist zum ersten Mal eine genau bestimmbare Landschaft (Ufer des Genfer Sees) wiedergegeben.

Werke: Heilsspiegelaltar (um 1434, unvollständig erhalten, 12 von insgesamt 16 Tafeln heute in: Basel, Kunstmuseum; Berlin-Dahlem, Gemäldegalerie; Dijon, Musée des Beaux-Arts); Petrus- oder Genfer Altar (1444, Genf, Musée d'Art et d'Histoire); drei Flügelbilder eines Altars (Nürnberg, German. Nationalmuseum; Basel, Kunstmuseum; Straßburg, Museum).

Witzenhausen, Stadt im Werra-Meißner-Kr., Hessen, an der unteren Werra, 16 700 Ew.; Fachbereiche Landwirtschaft und Internat. Agrarwirtschaft der Gesamthochschule Kassel, Dt. Inst. für trop. und subtrop. Landwirtschaft, Völkerkundemuseum; Textil-, Papier-, Möbel- u. a. Industrie; im Umland Kirschkulturen. – Got. Hallenkirche (13.–16. Jh., Reste des spätroman. Vorgängerbaus erhalten), ehem. Wilhelmitenkloster (1291 gegr., später Veränderungen; gehört heute zur Hochschule), zahlr. Fachwerkhäuser (15.–17. Jh.). – Entstanden aus einem fränk. Salhof; 1225 Marktrecht; 1247 als Stadt bezeichnet; 1264 an Hessen.

Witzleben, Erwin von, Generalfeldmarschall (seit 1940), *Breslau 4. 12. 1881, † (hingerichtet) Berlin-Plötzensee 8. 8. 1944; seit 1938 Befehlshaber einer Heeresgruppe, 1941–42 Oberbefehlshaber West; Initiator (gemeinsam mit General L. Beck) des militär. Widerstandes gegen A. Hitler; vom Kreis um Stauffenberg zum neuen Oberbefehlshaber der Wehrmacht vorgesehen; nach dem fehlgeschlagenen Attentat auf Hitler (20. 7. 1944) zum Tode verurteilt und hingerichtet.

Erwin von Witzleben

Wizebsk, Stadt in Weißrussland, → Witebsk.

Wjatka, 1) *die,* rechter Nebenfluss der Kama, 1314 km lang, entspringt auf den Kamahöhen, mündet bei Sokolka, ab Wjatka 700 km schiffbar.

2) (1934–91 Kirow), Gebietshptst. in Russland, an der Wjatka, 441 000 Ew.; Hochschulen; Metall verarbeitende, chem., Spielwarenind., Musikinstrumentenbau; Flusshafen, Bahnknotenpunkt, Flugplatz. – W. wurde Ende des 12. Jh. gegründet.

w. L., Abk. für **w**estliche(r) **L**änge.

Konrad Witz: »Der wunderbare Fischzug«, Außenseite des linken Flügels des Genfer Altars (1444; Genf, Musée d'Art et d'Histoire)

Wlachen (Walachen), alte Bez. für die Rumänen, i. e. S. für die Bewohner der Walachei.

Wladikawkas (Dsaudschikau, 1931–90 Ordschonikidse), Hptst. der Rep. Nordossetien innerhalb der Russ. Föderation, am N-Abfall des Großen Kaukasus, am Terek, 300 200 Ew.; Univ. (gegr.

Wladimir: Das Goldene Tor (12. Jh., Umbauten 17./18. Jh.) zählt zu den bedeutendsten Baudenkmälern der Stadt

1969), Hochschulen, Museen, Theater, Planetarium; Buntmetallurgie, Maschinen- und Apparatebau, elektrotechn., chem., Nahrungsmittelind.; Verkehrsknotenpunkt. – 1784 gegründet.

Wladịmir, Hptst. des Gebiets W., Russland, an der Kljasma, 350 000 Ew.; russ.-orth. Bischofssitz; Hochschulen, Theater, Museen; Maschinen- und Traktorenbau, elektrotechn., chem. u.a. Industrie. – Zentrum der frühen russ. Baukunst mit bed. Baudenkmälern der W.-Susdaler Bauschule des 12. Jh., z.B. Goldenes Tor, Haupttor der Stadt (Umbauten im 17./18. Jh.), Uspenski-Kathedrale (Krönungskirche der späteren russ. Großfürsten; Freskenfragmente des 12./13. Jh. sowie Ikonostase von D. Tschorny und A. Rubljow, 15. Jh.), Demetrius-Kathedrale (Freskenfragment von 1194). W.s histor. Gebäude wurden von der UNESCO zum Weltkulturerbe erklärt. Der Palastbezirk lag nordöstlich von W. im heutigen Dorf Bogoljubowo. – W. wurde 1108 als Grenzfestung gegründet. 1157 wurde es Hptst. des bis Ende des 13. Jh. stärksten russ. Fürstentums →Wladimir-Susdal; 1299–1326 Sitz des russ. Metropoliten.

Wladịmir, Kiewer Fürsten: **1) W. I. Swjatoslawitsch** (W. der Heilige), Großfürst von Kiew (um 980–1015), *956, †15. 7. 1015; wurde 969 Fürst von Nowgorod. W. festigte durch Feldzüge gegen Litauer, Petschenegen und Wolgabulgaren die Kiewer Rus, unterstützte den byzantin. Kaiser Basileios II. militärisch und heiratete dessen Schwester Anna; in diesem Zusammenhang ließ er sich taufen (988) und erhob das Christentum zur Staatsreligion; trug damit zur inneren Konsolidierung und zum kulturellen Aufstieg der Kiewer Rus bei; Heiliger der russisch-orth. Kirche; Tag, 15. 7.

2) W. II. Wsewolodowitsch Monomach, Großfürst von Kiew (1113–25), *1053, †19. 5. 1125; 1078–94 Fürst von Tschernigow, dann von Perejaslaw; führte 1103, 1107 und 1111 erfolgreiche Feldzüge gegen die Kumanen. 1113 nach Kiew berufen, konnte er das in Teilfürstentümer zerfallene Reich weitgehend einigen, führte Reformen durch und ließ die Sozialgesetzgebung neu fassen. In seinem auch literarisch bed. Werk »Belehrung« stellt er das Wirken eines Fürsten seiner Zeit dar.

Wladịmir-Sụsdal, Fürstentum im NO Russlands (Residenz seit 1054 Rostow, dann Susdal, seit 1157 Wladimir); stieg unter Andrei Bogoljubski (1157–74) zum mächtigsten russ. Teilstaat auf und erwarb 1169 auch Kiew; seit 1242 Großfürstentum. Durch Teilungen und Familienfehden geschwächt, verlor W.-S. im 14. Jh. seine führende Stellung an Twer und Moskau. – Mit der polit. Blütezeit im 12. Jh. ging eine bed. Baukunst einher, die die russ. Architektur beeinflusste.

Wlạdislaw, Herrscher:

Böhmen: **1) Vladislav,** König (1471–1516), →Wladislaw (Ungarn).

Polen: **2) W. I. Łokietek** [poln. »ellenlang«], König (1320–33), *um 1260/61, †Krakau 2. 3. 1333; erlangte die Herzogswürde in versch. poln. Teilgebieten, konnte sein Ziel, Polen zu einen, aber erst nach dem Tod König Wenzels II. (†1306) bis 1315 vollenden. Ohne Erfolg bemühte er sich um die Herausgabe Pommerellens durch den Dt. Orden.

3) W. II., König, →Jagiełło.

Wladimir Monomach

In der an seine Söhne gerichteten »Belehrung« schildert Wladimir Monomach das Fürstenleben:

»Von Tschernigow zum Vater nach Kiew bin ich etwa hundertmal geritten, immer einen Tag hindurch bis zum Abendgottesdienst. Insgesamt habe ich dreiundachtzig große Kriegszüge unternommen, an die übrigen, kleineren, kann ich mich nicht mehr erinnern. Neunzehnmal habe ich – zu meines Vaters Lebzeiten und auch später – mit Polowzerfürsten Friedensverträge geschlossen, und ich habe ihnen reichlich Geld und eigene Gewänder als Geschenk übergeben. ... Vernehmt nun, was ich in Tschernigow getan habe: In den dichten Wäldern habe ich zehn oder auch zwanzig lebende Wildpferde zusammengebunden, abgesehen davon, dass ich zuvor diese Wildpferde beim Ritt durch Flur und Steppe auch mit meinen eigenen Händen gefangen habe. Zwei Auerochsen haben mich mitsamt dem Pferd auf ihre Hörner genommen, ein Hirsch hat mit seinem Geweih nach mir gestoßen. Auch mit zwei Elchen musste ich Bekanntschaft machen. Einer trat mich mit den Hufen, der andere stieß mit dem Geweih nach mir. Ein wilder Eber hat mir das Schwert von der Hüfte gerissen, ein Bär zerbiss mir am Knie die Schweißkehle, ein fauchendes wildes Tier ist mir auf die Schenkel gesprungen und hat mich mitsamt dem Pferd umgerissen. Doch Gott hat mich vor Schaden bewahrt. Häufig bin ich vom Pferd gefallen, zweimal habe ich mir den Kopf verletzt. Arme und Beine habe ich mir wund geschlagen – das war in meiner Jugend, als ich mich nicht um mein Leben sorgte und meinen Kopf nicht schonte.«

4) W. IV. Wasa, König (1632–48), *Łobzów (Wwschaft Katowice) 19. 4. 1595, †Merkinė (bei Vilnius) 20. 5. 1648; Sohn Sigismunds III. Wasa, wurde 1610 während der »Zeit der Wirren« in Russland zum Zaren gewählt, trat jedoch die Herrschaft nie an. Seine Reg.zeit gilt als Glanzzeit Polens.

Ungarn: **5) W. II.,** König (1490–1516), als **Vladislav** König von Böhmen (1471–1516), *Krakau 1. 3. 1456, †Buda (heute zu Budapest) 13. 3. 1516; Jagiellone, Sohn Kasimirs IV. Andreas von Polen; er musste 1478 Mähren, Schlesien und die Lausitz an den ungar. König Matthias I. Corvinus abtreten und konnte sich im Kampf um dessen Nachfolge in Ungarn gegen den Habsburger Maximilian I. durchsetzen, mit dem er einen Erbvertrag schloss.

Wladiwostọk, Hptst. der Region Primorje und größte Hafenstadt Russlands am Pazif. Ozean, an der Hafenbucht Goldenes Horn, 648 000 Ew.; Univ., mehrere Hochschulen und Institute, Museen, Theater; Schiff- und Maschinenbau, elektrotechn. u. a. Ind.; Handels-, Marine- und Fischereihafen; Endpunkt der Transsibir. Eisenbahn, internat. Flughafen. – 1860 gegr., 1862 zum Freihafen erklärt; ab 1872 zum Hauptstützpunkt der russ. Pazifikflotte ausgebaut; seit 1880 Stadt.

Wlạssow, Andrei Andrejewitsch, sowjet. General, *Lomakino (bei Nischni Nowgorod) 1901, †(hingerichtet) Moskau 1. 8. 1946; war 1938–39 Militärberater in China; kämpfte als Oberbefehlshaber der 20. Armee 1941 vor Moskau gegen die dt. Truppen; bot den Deutschen nach seiner Gefangennahme 1942 Unterstützung im Krieg gegen die Sowjetunion an. Von der nat.-soz. Führung zunächst kritisch betrachtet, wurde er 1944 Vors. des nationalist., antisowjet. »Komitees zur Befreiung der Völker Russlands« und begann im Herbst 1944 mit der Aufstellung einer aus russ. Kriegsgefangenen und Freiwilligen bestehenden »Russ. Befreiungsarmee« (sog. **W.-Armee;** Anfang 1945 zwei Divisionen); geriet im Mai 1945 in amerikan. Gefangenschaft, wurde an die Sowjetunion ausgeliefert, dort verurteilt und hingerichtet.

Andrei Wlassow

Włocławek [vu̯ɔ'tsu̯avɛk] (1940–45 Leslau), Hptst. der Wwschaft W., Polen, an der Weichsel, 122 900 Ew.; Museen; chem., Porzellan-, Nahrungsmittel-, Papier- u. a. Industrie. – Marktplatz mit got. und barocken Häusern, Dom (1340–1411, im 19. Jh. umgebaut; reiche Innenausstattung), barocke Franziskanerkirche und -kloster (1639–44). – Im 11. Jh. Handelsplatz und Piastensitz; seit 1123 Bischofssitz, 1261 Culmer, 1339 Magdeburger Recht; gehörte 1793–1807 und 1815–1920 zu Preußen.

WMO, Abk. für →**W**orld **M**eteorological **O**rganization.

Wọbbelung [von engl. to wobble »wackeln«], *Elektrotechnik:* period. Änderung der Frequenz eines Generators innerhalb eines bestimmten Frequenzbereichs zur Frequenzgangdarstellung von Vierpolen auf dem Leuchtschirm von Elektronenstrahloszilloskopen.

Wọbbe-Zahl, Kurzzeichen W_0, der Quotient aus dem Brennwert (oberer Heizwert) und der Quadratwurzel aus dem Verhältnis der Dichte eines Brenngases und der Luftdichte. Die W. ist das Maß für die Wärmebelastung eines Brenners bei Verwendung eines bestimmten Brenngases. Sie liegt bei Erdgasen bed. höher als bei klass. Stadtgasen. Brenngase werden nach der W. eingeteilt.

Woche, Zeitraum von sieben Tagen, der als Kalender-W. zur fortlaufenden Unterteilung des Kalenderjahres ohne Berücksichtigung der Monats- und Jahresanfänge dient. Seit 1976 gilt der Montag als erster und der Sonntag als siebter Tag der Kalender-W. Zu einem Kalenderjahr können 52 oder 53 Kalender-W. zählen. Die W. findet sich als Zeiteinteilung schon im 2. Jt. v. Chr. bei den Babyloniern und Juden. Im Röm. Reich wurde die achttägige Woche des altröm. Kalenders 321 n. Chr. durch Konstantin d. Gr. durch die siebentägige ersetzt, gleichzeitig der Sonntag als Feiertag festgelegt. Babylonier und Ägypter, ebenso später die Griechen und Römer benannten die einzelnen W.-Tage nach den sieben »Planeten« Sonne, Mond, Mars, Merkur, Jupiter, Venus und Saturn. Diese Namen haben sich in den roman. Sprachen stark erhalten. Im Deutschen wurden die Namen der röm. Götter durch die entsprechenden german. ersetzt. (→Kalender)

Wochenbett (Kindbett, Puerperium), die 6–8 Wochen dauernde Zeitspanne nach der Geburt, in der sich die durch die Schwangerschaft veränderten Organe (bes. die Gebärmutter) der **Wöchnerin** wieder zurückbilden und in der die Sekretion der Brustdrüsen (→Laktation) beginnt. – Das von den Gebärmutterschleimhautwunden abgesonderte Wundsekret, der **Wochenfluss (Lochien),** ist anfangs blutig, später bräunlich, gelblich und schließlich hellwässrig. Die Wundheilung ist nach etwa sechs Wochen abgeschlossen.

Wochenbettfieber (Kindbettfieber, Puerperalfieber), jede fieberhafte Erkrankung bei Wöchnerinnen, die durch die Infektion der bei der Geburt entstandenen Wunden mit pathogenen Bakterien (v. a. Streptokokken, Staphylokokken) verursacht wird. In schwersten Fällen dringen die Erreger in die Blutbahn ein **(Puerperalsepsis);** früher häufige Todesursache, inzwischen durch Antibiotikabehandlung außerordentlich selten.

Wochenfest (hebr. Schawuot), urspr. ein Erntedankfest, in ein Erinnerungsfest an die Gesetzgebung am Sinai umgedeutet; 50 Tage (7 Wochen) nach Passah gefeiert; in Israel am 6., in der Diaspora am 6./7. Siwan (Mai/Juni).

Adolf Wohlbrück

Friedrich Wöhler (Ausschnitt eines zeitgenössischen Gemäldes)

Wochenschau, früher wöchentlich im Beiprogramm der Kinovorstellung gezeigter Kurzfilm über aktuelle Ereignisse.

Wodan, german. Gott, →Odin.

Wodehouse ['wʊdhaʊs], Sir (seit 1975) P. G. (Pelham Grenville), engl. Schriftsteller, *Guildford 15. 10. 1881, †Southampton (N. Y.) 14. 2. 1975; seit 1955 amerikan. Bürger; schrieb humorist. Unterhaltungsromane; u. a. »Der unnachahml. Jeeves« (1923), »Pass auf, Berry« (1931), »Stets zu Diensten« (1961), »Der Junggesellen-Club« (1973).

Wodka [russ. »Wässerchen«] *der,* wasserheller Trinkbranntwein aus über Aktivkohle filtriertem Kartoffel- oder Getreidedestillat, nach EU-Norm mit mindestens 37,5 Vol.-% Alkohol.

Wodu *der* [von Ewe wudu »Schutzgeist«] (Wudu, engl. Voodoo, frz. Vaudou), afrokarib. Religion westafrikan. Ursprungs, entstanden aus der Verschmelzung afrikan., karib. und kath. Glaubensvorstellungen. Der Götterglaube ist polytheistisch. Neben versch. Opferriten stehen v. a. ekstat. Tänze im Mittelpunkt des W.-Kults, verbunden mit der Vorstellung, dass die Götter über die in Ekstase versetzten Gläubigen den direkten Kontakt mit der Kultgemeinschaft pflegen, sowie im Rahmen mag. Kultformen der Glaube an →Zombies. Die Götter der W.-Religion sind afrikan. Ursprungs, werden aber in der W.-Frömmigkeit weitgehend mit den kath. Heiligen identifiziert. Urspr. die Religion der afrikan. Sklaven, ist der W. heute in der ganzen Karibik verbreitet; Zentrum ist Haiti, wo sich rd. 90% der nominell kath. Bevölkerung zu ihm bekennen.

📖 POLLAK-ELTZ: *Trommel u. Trance. Die afroamerikan. Religionen. Freiburg 1995.*

Wodzisław Śląski [vɔ'dʑisu̯af 'ɕlɔ̃ski] (dt. Loslau), Stadt in der Wwschaft Katowice (Kattowitz), Polen, im oberschles. Ind.gebiet, 88 500 Ew.; v. a. Wohnsiedlung für das Rybniker Steinkohlenrevier.

Woestijne [wu:s'tɛjnə], Karel van de, fläm. Schriftsteller, *Gent 10. 3. 1878, †Zwijnaarde (bei Gent) 24. 8. 1929; trug als bedeutendster Vertreter des Symbolismus in der fläm. Literatur wesentlich zu deren internat. Anerkennung bei. W. setzte sich v. a. mit dem Spannungsverhältnis von Geist und Sinnlichkeit auseinander.

Woëvre [vwa:vr] *die,* Landschaft in Lothringen, Frankreich, eine Ebene (200–240 m ü. M.) zw. Maas- und Moselhöhen, westlich von Metz; Getreidebau und Milchwirtschaft.

Wogulen, Volk in Sibirien, →Mansen.

Wöhe, Günter, Betriebswirtschaftler, *Zeitz 2. 5. 1924; beschäftigt sich v. a. mit methodolog. Grundproblemen der Betriebswirtschafts- und der Steuerlehre; schrieb »Einführung in die allg. Betriebswirtschaftslehre« (1960).

Wohlau, Stadt in Polen, →Wołów.

Wohlbrück, Adolf (in England Anton Walbrook), Schauspieler, *Wien 19. 11. 1896, †Garatshausen (heute zu Feldafing, Kr. Starnberg) 9. 8. 1967; u. a. 1920–26 in München am Schauspielhaus und an den Kammerspielen, 1930–35 in Berlin; 1936 Emigration nach London (ab 1947 engl. Staatsbürger); ab 1951 auch wieder an dt. Bühnen. W., ein herausragender Boulevarddarsteller, wurde internat. bekannt durch die Filme »Der Reigen« (1950) und »Lola Montez« (1955) von Max Ophüls.

Weitere Filme: Viktor und Viktoria (1933); Der Student von Prag (1935); Gaslight (1940); Die roten Schuhe (1948).

Wöhler, 1) August, Ingenieur, *Soltau 22. 6. 1819, †Hannover 21. 3. 1914; schuf Geräte zur Werkstoffprüfung (→Dauerschwingversuch), entwickelte 1876 Festigkeitsvorschriften für Stahl und Eisen.

2) Friedrich, Chemiker, *Eschersheim (heute zu Frankfurt am Main) 31. 7. 1800, †Göttingen 23. 9. 1882; einer der bedeutendsten Chemiker seiner Zeit. Er stellte Jodcyan, Cyansäure, Hydrochinon, Acetylen und Calciumcarbid dar und entdeckte die Isomerie von Knall- und Cyansäure. Er isolierte u. a. die Elemente Aluminium, Beryllium, Silicium und Bor sowie das Kokain. Seine Synthese von »organ.« Harnstoff aus »anorgan.« Ammoniumcyanat (1828) gilt heute als Markstein in der Geschichte der Chemie.

Wohlfahrtsausschuss (frz. Comité de Salut Public), 1793–95 das oberste Exekutivorgan des frz. Nationalkonvents; unter M. de Robespierres Führung Instrument der jakobin. Terrorherrschaft während der Frz. Revolution (→Frankreich, Geschichte).

Wohlfahrtsmarken, Postwertzeichen mit Zuschlag für soziale Zwecke; erstmals 1898 in New South Wales (Australien) ausgegeben.

Wohlfahrtsstaat, polit. Begriff zur Charakterisierung eines Staats, der die Sicherung der materiellen Wohlfahrt der Bürger (Daseinsvorsorge) zu seiner umfassenden Aufgabe macht. Während der →Sozialstaat auf dem Versuch beruht, soziale Sicherheit mit persönl. Freiheit zu verbinden, birgt der W. die Tendenz, die persönl. Initiative und Verantwortung des einzelnen Bürgers der kollektiven Sicherheit unterzuordnen. – Historisch ist der Polizeistaat des aufgeklärten Absolutismus als W. zu verstehen.

Wohlfahrtstheorie (Wohlfahrtsökonomik), volkswirtsch. Theorie, die den Wohlstand insgesamt als Summe des Wohlergehens der Individuen betrachtet und das Wohlstandsoptimum einer Gesellschaft (Gleichgewicht) zu quantifizieren versucht. Da monopolistische Beschränkungen der

Konkurrenz sowie Krisenerscheinungen zu ökonom. Verlusten führen und eine optimale Produktion und Verteilung verhindern, sollen diese nach der W. mittels steuer- und finanzpolit. Maßnahmen überwunden werden. Hauptvertreter sind V. Pareto (→Pareto-Optimum), S. C. Pigou, in neuerer Zeit u.a. N. Kaldor und P. A. Samuelson.

Wohlstand, der Versorgungsgrad einer Person oder eines Haushalts, einer Gruppe oder einer Gesellschaft mit wirtsch. Gütern und Dienstleistungen einschließlich der öffentl. Güter und der Haushaltsproduktion. In dieser Definition, die manchmal auch als materieller oder wirtsch. W. genauer gefasst wird, ist W. gleichbedeutend mit dem Begriff Lebensstandard. Meist wird unter W. als Ggs. zur Armut weniger eine Mindestversorgung mit Waren und Dienstleistungen etwa zur Befriedigung der Grundbedürfnisse verstanden, sondern vielmehr ein vergleichsweise hohes Versorgungsniveau (relativer Reichtum). In diesem Sinne wird dann häufig auch von einer Wohlstandsgesellschaft gesprochen. Der wirtsch. W. wird traditionell durch eine Sozialprodukt- oder Einkommensgröße gemessen, da sich in Sozialprodukt oder Einkommen das in Geld bewertete Ergebnis des Wirtschaftens einer Volkswirtschaft oder eines Wirtschaftssubjekts niederschlägt. In einem weiteren Verständnis beinhaltet W. auch Faktoren wie subjektives Wohlbefinden oder ein möglichst hohes subjektives Nutzenniveau. Diese Einbeziehung der allg. Lebensbedingungen und der subjektiven Zufriedenheit damit führt zu einem weiten W.-Begriff, der häufig mit Wohlfahrt und Lebensqualität gleichgesetzt wird. Da mit dem Sozialprodukt (pro Kopf) als dem vorrangigen W.-Indikator selbst die materiellen Aspekte von W. nur annähernd erfasst und gemessen werden, wurden in den letzten Jahren Indikatoren wie z.B. der Human Development Index entwickelt. Zunehmend wird im Sinne eines nachhaltigen Wirtschaftens auch über neue W.-Modelle diskutiert, die einen weniger güterintensiven Lebensstil (»Suffizienzrevolution«) und ein Ressourcen schonendes Wirtschaften (»Effizienzrevolution«) beinhalten.

📖 *Einstellungen u. Lebensbedingungen in Europa, hg. v.* W. GLATZER. *Frankfurt am Main u.a. 1993. – Soziale Schichtung u. Lebenschancen in Deutschland, hg. v.* R. GEISSLER. *Stuttgart* ²*1994.*

Wohlstandsgesellschaft, Gesellschaft, in der Hunger und Armut als Massenphänomene weitgehend überwunden sind. Kennzeichnend ist eine hoch industrialisierte Wirtschaft, in der das durchschnittl. Pro-Kopf-Einkommen beträchtlich über dem Existenzminimum liegt; unter gesellschaftskrit. Aspekt auch als »Überflussgesellschaft« gekennzeichnet.

Wohlverleih, die Pflanzengattung →Arnika.

Wohmann, Gabriele, Schriftstellerin, *Darmstadt 21.5.1932. Zentrales Thema ihrer Prosa ist die Unfähigkeit der Menschen zur Kommunikation; veröffentlichte u.a. die Romane »Jetzt und nie« (1958), »Abschied für länger« (1965), »Ernste Absicht« (1970), »Frühherbst in Badenweiler« (1978), »Aber das war noch nicht das Schlimmste« (1995) sowie zahlr. Erzählungen, u.a. »Ländl. Fest und andere Erzählungen« (1968), »Der Irrgast« (1985), »Kassensturz« (1989); auch Lyrik sowie zahlr. Hör- und Fernsehspiele.

Gabriele Wohmann

Wohndichte, 1) *Regionalplanung:* Maßzahl zur Beurteilung der baul. Ausnutzung von Wohnbauland oder auch Richtgröße bei der Ermittlung des Flächenbedarfs für Wohnungen.

2) *Wohnungsstatistik:* ein statist. Maß für den Wohnstandard oder die Belegung von Wohnungen. Bei der Berechnung werden i.d.R. die Bewohner je Wohnung, je Wohnraum oder je m^2 Wohnraum ermittelt oder umgekehrt die Zahl der auf 1000 Personen entfallenden Wohnungen oder Wohnräume.

Wohngeld, zur Sicherung angemessenen und familiengerechten Wohnens auf Antrag gewährter Zuschuss zu den Aufwendungen für den Wohnraum. W. wird gewährt als Zuschuss für die Nutzung einer Mietwohnung **(Mietzuschuss, Mietbeihilfe)** oder für eigengenutztes Wohneigentum **(Lastenzuschuss):** Rechtsgrundlagen sind §7 Sozialgesetzbuch (Allgemeiner Teil), das W.-Ges. i.d.F. v. 1.2.1993 und die W.-Verordung i.d.F. v. 30.9.1992. Maßgebend für die W.-Berechtigung sind die Höhe des jährl. Familieneinkommens, die Zahl der zum Haushalt gehörenden Familienmitgl. und die Höhe der zuschussfähigen Miete bzw. Belastung, wobei sich die Höchstbeträge nach dem örtl. Mietniveau (Mietenstufe) richten. In den neuen Bundesländern galt bis 31.12.1996 das günstigere W.-Sondergesetz; jetzt gelten Sonderbestimmungen des §42 W.-Ges. bis Ende 2000.

Wohnhaus, dem Menschen als Wohnstätte (→Wohnung) dienendes Gebäude, das – nach Funktion (Ein- und Mehrfamilienhaus, Gemeinschafts-W., Heim), nach Form (frei stehendes oder eingebautes W., Reihenhaus; Flach-, Mittel-, Hochbau) sowie Besitzverhältnissen (Eigenheim, Miethaus) unterschieden – in zahlr. unterschiedl. Typen errichtet wird, z.B. Atriumhaus, Außenganghaus, Bungalow, Mietshaus, →Bauernhaus, →Bürgerhaus. In der Gegenwart stehen soziale Verpflichtungen und Programme (Eigenheim- oder Siedlungsbau, sozialer Wohnungsbau), wirtsch. Forderungen (Rentabilität, Bodennutzung) sowie städtebauliche Überlegungen stehen einander dabei oft widersprüchlich gegenüber und zwingen fast immer zu politisch motivierten Grundsatzentscheidungen, durch die zusätzlich zu den bestehenden bautechn., baupolizeil. und hygien. Vorschriften für Bauträger und Ausführende oft wesentl. Teile der gesamten Bauaufgabe vorfixiert werden. – Über rechtl. Fragen →Baugenehmigung, →Bauüberwachung, →Bebauungsplan, →Miete, →sozialer Wohnungsbau, →Wohnungseigentum, →Wohnungsrecht.

Geschichte: Auf Urformen der Behausung (Höhle, Windschirm, Zelt) folgten mit dem Sesshaftwerden des Menschen feste Wohnstätten, die sich zu einer Fülle unterschiedl. Typen entwickelten. Bereits in vorgeschichtl. Zeit bildeten sich zwei Grundtypen aus: das baulich fest mit einem Innenhof gekoppelte Hofhaus und das frei stehende Einzelhaus. – In der Jungsteinzeit treten im ägäischen Raum und in Kleinasien zunächst in den Boden eingetiefte **Grubenhäuser** in Oval- und Rundformen auf, oft mit abgeteilten kleinen Nebenräumen; wenig später erscheinen rechteckige **Pfostenhäuser** mit lehmbeworfenen Flechtwerkwänden und Walmdächern und schließlich **Oval-** und **Rechteckhäuser,** deren Wände aus Lehmziegeln auf Steinsockeln bestanden. Der für die Weiterentwicklung wichtigste Haustyp dieser Periode war das **Megaronhaus** (→Megaron), das im ägäischen Raum in der Bronzezeit weit verbreitet war. Reiche Grundrissformen zeigen auch W. in Mesopotamien und Ägypten, wo seit dem 3. Jt. aber immer häufiger **Hofhäuser** auftraten: Innerhalb eines festen Mauerrings wurden um einen zentralen Innenhof herum Räume für die unterschiedl. Wohn- und Wirtschaftsfunktionen angelegt. Dieser Hofhaustyp ist als **Stadthaus** im Prinzip unverändert in allen Ländern des Nahen und Mittleren Ostens beibehalten worden. – Während der Antike wurden in Syrien, Persien und im ägäischen Raum das Megaron- und das **Pastashaus** (quer gerichtetes Vorhallenhaus) im Lauf des 7.–5. Jh. v. Chr. mit dem Hofhaustypus kombiniert. Gesteigerte Wohnbedürfnisse führten etwa seit dem 3. Jh. v. Chr. zur Ausbildung des **Peristylhauses** (→Peristyl). Dieser Typus des städt. W. verbreitete sich mit der Hellenisierung der antiken Welt im 3./2. Jh. v. Chr. über viele Länder und ging dabei oft Verbindungen mit traditionellen örtl. W.-Formen ein; bes. bekannt sind die Kombinationen mit dem italischen →Atrium, an das in hellenist. Zeit das Peristyl angefügt wurde (Pompeji, Herculaneum). Bes. reiche Raumbildungen wurden beim Bau einer →Villa erreicht. Hinzu kamen die künstler. Innenausstattungen wie auch der techn. Ausbau (Bäder, →Hypokaustum u. a.). Parallel zur Entwicklung der Villa entstand bes. in den antiken Großstädten (z. B. Rom, Alexandria) der Typus des mehrgeschossigen **Mietwohnhauses.**

Während mit dem Niedergang der antiken Großstädte im 5./6. Jh. n. Chr. bei nachlassendem Bevölkerungsdruck das Massen-W. wieder verschwand, hielten sich die aus dem Peristylhaus entwickelten und mit röm. Kultureinfluss über Teile Europas und der Mittelmeerländer verbreiteten Formen bis in die Neuzeit. In Mittel- und N-Europa blieb der Hofhaustypus während des MA. beschränkt auf Gemeinschaftsbauten (Klöster, Spitäler) und wurde erst wieder im gehobenen Wohnungsbau der Renaissance lebendig. – Im W.-Bau des mitteleurop. MA. wiederholte sich unter Veränderung der Einzelformen der bereits in den frühen Kulturen mehrfach abgelaufene Prozess der Umwandlung urspr. dörflicher, für landwirtsch. Nutzung vorgesehener Häuser zum städt. W., wobei häufig die Grundkonzeption und oft sogar Details des jeweiligen regionalen →Bauernhauses bewahrt wurden. Ausgangspunkt war das bereits in der Jungsteinzeit auftretende frei stehende **Einraumhaus,** das gelegentlich mit Wirtschaftsbauten zu haken- oder u-förmigen Grundrissen zusammengesetzt wurde. Erst der etwa im 8. Jh. einsetzende Stadtentstehungsprozess führte zur Ausbildung eines spezifisch städt. W., das, in Reihen mit der Giebelseite zur Straße stehend, von der Straßen- und Hofseite aus erschlossen und belichtet wurde. Die Grundrisse früh- und hochmittelalterl. W. sind infolge häufiger Stadtbrände und späterer Um- und Einbauten kaum bekannt. Eine Ausnahme bilden die Einraumformen steinerner **Wohntürme.** Das regelmäßige Konstruktionssystem der übl. Gerüste aus →Fachwerk erlaubte bei wechselnden Bedürfnissen eine variable Innenteilung der Bauten. I. d. R. lagen in dem meist höheren, oft $1^1/_2$-geschossigen Erdgeschoss mit der Diele, die vielfach zugleich als Werkstatt, Küche und Wohnraum diente, häufig auch in »eingehängten« Zwischengeschossen kleinere Werkstatträume oder Kontore; in den Obergeschossen sowie in den meist ausgebauten Dachgeschossen folgten Schlafzimmer und Kammern. In S-Europa, bes. in Italien, wurde der dort traditionelle Steinbau für städt. W. nicht aufgegeben. Neben einfachen Bürgerhäusern haben der schon im Früh-MA. einsetzende Umzug adliger Familien in die Städte und das rasche Aufblühen eines reichen Kaufmannsstandes in den oberitalien. Städten bald den Bau größerer W. bewirkt: Es entstanden mehrgeschossige Wohnbauten mit Läden oder Wirtschaftsräumen im Erdgeschoss sowie schlanke, hohe Wohntürme (u. a. die Geschlechtertürme, z. B. in Bologna, San Gimignano, Regensburg).

Im 15. Jh. entstanden einerseits großartige und reiche **Bürgerhäuser,** in denen adlige Lebensformen nachgeahmt wurden (u. a. Nürnberg, Augsburg, Antwerpen, Florenz), auf der anderen Seite wurden auch Hinterhäuser und Keller bewohnt und in den **Ganghäusern** (Lübeck, Hamburg) eigens für die Ausnutzung der tiefen Grundstücke geeignete neue W.-Formen entwickelt sowie erste Kleinhaussiedlungen angelegt (Weberhäuser in Nürnberg 1488, Fuggerei in Augsburg 1516–23). In vielen europ. Residenzen (Paris, London, Rom) ließen sich seit Beginn des 16. Jh. die Adelsfamilien des Landes **Stadtpaläste** errichten, bei denen umfangreiche Raumprogramme um zur Straße hin gelegene Höfe (Paris, Hôtel de Cluny u. a.) oder um peristylartige rechteckige Innenhöfe herum (Pienza, Rom u. a.) entwickelt wurden. Etwa gleichzeitig tauchte der seit der Spätantike verschwundene Bautyp Villa als unbefestigter Landsitz zunächst in Italien wieder auf. Eine spezif. Form des städt. W. bildete sich seit dem 17. Jh. in England aus. Es war ein meist dreiachsiges, drei- bis viergeschossiges Reihenhaus, das im 18. Jh. auch zu größeren, architektonisch durchgestalteten Einheiten zusammengefügt und um halb private Grünplätze (Squares) herum, seit der Mitte des 18. Jh. auch in halbrunden und ovalen Formen als »Crescent«, angelegt wurde.

Diese im 18. Jh. durch stärkere räuml. Differenzierung vervollkommneten Wohnformen und W.-Typen wurden auch im 19. Jh. beibehalten. Die in den seit 1820/30 rasch wachsenden städt. Randzonen immer häufiger vertretene **bürgerl. Villa** orientierte sich ebenso am adligen Gartenpalais wie die **städt. Bürgerhäuser** an den Stadtpalais adliger Familien, doch wurde die Innengliederung in Hinsicht auf die angestrebte Vermietbarkeit mehrerer Geschosse so umgestaltet, dass neben 1–2 Wohnungen im 1. Obergeschoss in den übrigen 5–6 Obergeschossen jeweils 3–4 entsprechend kleinere Wohnungen vorhanden waren; neu war dabei, dass seit der Mitte des 19. Jh. bei ständiger Verbesserung sanitärer und stadthygien. Einrichtungen immer stärker funktionelle Überlegungen die Grundrissbildung bestimmten. Die Fassaden wurden nach einheitl. klassizist. Beginn in Stilformen des Historismus und um 1900 in denen des Jugendstils errichtet. Gleichzeitig entstand in den rasch wachsenden Arbeitervororten und in einzelnen Gebieten der Altstädte die **Mietskaserne.** Profitstreben und eine blühende Bodenspekulation führten bei gleichzeitigem ungeheurem Wachstum der Ew.-Zahlen und akuter Wohnungsnot zur Anlage von Hinterhäusern. In der 2. Hälfte des 19. Jh. entstanden in fast allen europ. Ländern **Arbeitersiedlungen** mit unterschiedl. W.-Typen, am Jahrhundertende die →Gartenstadt.

Obwohl auf der Suche nach neuen Grundrisslösungen seit Anfang des 20. Jh. Versuche mit dem **Zeilenbau** unternommen wurden, der mit dem Standard-Wohnungstypus »Zweispänner« eine bessere Besonnung aller Wohnungen erlaubte, wurde in vielen Großstädten noch die traditionelle Form der **Blockbebauung** beibehalten, oft allerdings mit Unterbrechung der zusammenhängenden Blockfronten oder mit erdgeschossigen Durchgängen, um die Gartenhöfe optisch miteinander zu verbinden (Wohnviertel in Hamburg von F. Schumacher; in Wien u. a. Karl-Marx-Hof). Auf Initiative des Dt. →Werkbunds entstand 1927 die Weißenhofsiedlung in Stuttgart. Ein Ausbildungsschwerpunkt des →Bauhauses lag in der Planung typisierter W. vom Einfamilienhaus bis zur mehrgeschossigen Wohneinheit.

Das für Bürozwecke schon lange bewährte →Hochhaus wurde mit Gemeinschaftseinrichtungen (Ladengeschoss, Restaurant, Kindergarten, Freizeiteinrichtungen) zur verdichteten Wohnform. Le Corbusier prägte den Begriff »Wohnmaschine«, um den funktionellen Grundriss einer Wohnung zu betonen. In den USA wurden industriell vorgefertigte Gebäudeteile entwickelt, die nach dem Transport montiert wurden, ferner die Anwendung flexibler Grundrisse (F. L. Wright) ermöglicht. In den Jahren nach dem 2. Weltkrieg entstanden Eigentumswohnungen am Cityrand mit wirtsch. Vorteilen durch rationellere Herstellung in der Serie und anteilige Grundstückskosten. Bei alternativen Projekten des W.baus spielt das →ökologische Bauen eine wesentl. Rolle; Anregungen u. a. liefert die Stuttgarter Musterhauskolonie »Expo Wohnen 2000«. (→moderne Architektur

📖 KLEINE, G. *u.* QUIBELDEY, J.: *Häuser. Typologie u. Gestalt. Braunschweig u. a. 1993.* – *Wohn-Häuser. Beispiele u. Hintergründe, hg. v. der Architektenkammer Hessen, Redaktion:* R. TOYKA. *Hamburg 1994.* – WELSH, J.: *Das moderne Haus. A. d. Engl. Berlin 1995.*

Wohnmobil (Reisemobil, Campingbus), zum Wohnen, Schlafen und Kochen eingerichteter Kraftwagen mit kastenförmigem Aufbau und spezif., zweckangepasster Inneneinrichtung; meist für Reise und Camping.

Wohnraumkündigungsschutzgesetz, Gesetz zum Kündigungsschutz für Mieter (→Miete).

Wohnsitz (Domizil), Ort der ständigen Niederlassung einer Person, räuml. Mittelpunkt ihrer Lebensverhältnisse (§§ 7 ff. BGB). Zur W.-Begründung ist. i. d. R. volle Geschäftsfähigkeit erforderlich. Minderjährige Kinder haben als gesetzl. W. den W. der Eltern. Steht die Personensorge nur einem Elternteil oder einem Dritten (z. B. dem Vormund) zu, so teilt das Kind dessen W. (§ 11 BGB). Eine Person kann mehrere W. haben, das öffentl. Recht unterscheidet zw. **Haupt-W.** und **Nebenwohnsitz.** Über den W. im Prozessrecht →Gerichtsstand. – Den W. eines Unternehmens nennt man Niederlassung. – Ähnl. Regelungen gelten in *Österreich* (»bleibender Aufenthalt«) und der

Schweiz, die allerdings Neben-W. rechtlich nicht anerkennt.

Wohnung, in sich abgeschlossene Einheit innerhalb eines Wohnhauses, innerhalb eines Geschosses oder auf mehrere Geschosse verteilt, mit Küche (Kochnische) und eigenem Zugang. Die **Wohnfläche** setzt sich zusammen aus den Flächen sämtl. Räume hinter dem Wohnungsabschluss abzüglich der Wanddicken. Die Grundfläche der Treppe bleibt unberücksichtigt, auch wenn sie in einen Wohnraum eingebaut ist. Bei schrägen Dachwänden wird nur die Fläche gerechnet, die innerhalb eines senkrechten Abstandes von 1,50 m Höhe zw. Dachschräge und Fußboden liegt. Faktoren, die das phys. und psych. Wohlbefinden beeinflussen und deren Optimierung erstrebt werden muss, sind Raumtemperatur, Belüftung, Luftfeuchtigkeit, Beleuchtung und Akustik, daneben müssen Keim- und Ungezieferfreiheit sowie eine ausreichende Wasserversorgung gewährleistet sein.

Recht: Im Verfassungsrecht stellt die **Unverletzlichkeit der W.** ein Grundrecht dar (Art. 13 GG), das dem Schutz des räuml. Privatbereichs vor staatl. Eingriffen dient. Es sichert elementaren Lebensraum zur freien Entfaltung der Persönlichkeit, gewährt als klass. Abwehrrecht aber keinen Anspruch auf Schaffung menschenwürdigen Wohnraums. Ein Eingriff in die Unversehrtheit der W. liegt im Eindringen oder Verweilen gegen den Willen des Wohnungsinhabers, aber auch im Erfassen von Vorgängen in der W. durch innerhalb oder außerhalb installierte Geräte (Abhöranlage). Träger des Grundrechts ist jeder rechtmäßige W.-Inhaber (Eigentümer, Mieter, Familienangehörige). Dem Schutz unterliegen auch Nebenräume (Keller o.Ä.) sowie (mit Einschränkungen) Geschäfts- und Betriebsräume. Durchsuchungen der W. dürfen nur durch den Richter angeordnet werden (»Durchsuchungsbefehl«), bei Gefahr im Verzug auch durch andere Staatsorgane, bes. die Staatsanwaltschaft. Im Übrigen kann die Unverletzlichkeit der W. aufgrund von Gesetzen zur Verhütung dringender Gefahren für die öffentl. Sicherheit und Ordnung und aufgrund anderer wichtiger Ziele eingeschränkt werden.

Durch eine Anfang 1998 vollzogene Änderung des GG ist es ferner zulässig, zur Verfolgung schwerer Verbrechen Gespräche in W. abzuhören (»Lauschangriff«). Das Abhören ist befristet und kann nur durch einen Ausschuss von drei Richtern (in Eilfällen durch einen Richter) angeordnet werden, wenn die Verbrechensaufklärung sonst scheitern oder wesentlich erschwert würde.

In *Österreich* ist die Unverletzlichkeit der W. in inhaltlich vergleichbarer Weise unter dem Begriff »Hausrecht« durch Art. 9 Staatsgrund-Ges. von 1867, Art. 8 der Europ. Menschenrechtskonvention und das (Verfassungs-)Gesetz vom 27. 10. 1862 zum Schutz des Hausrechts als Grundrecht gewährleistet. – In der *Schweiz* ist die Unverletzlichkeit der W. zwar nicht ausdrücklich durch die Bundes-Verf. garantiert, jedoch als Grundrecht anerkannt. Für die Durchsuchung einer Wohnung bedarf es einer richterl. Verfügung.

Wohnungsamt, kommunale Behörde zur Wohnungsaufsicht. Nach Abbau der Wohnungszwangswirtschaft sind die Aufgaben der W. überwiegend auf Zuweisung von Wohnungen im sozialen Wohnungsbau beschränkt.

Wohnungsbau, Erstellung von Wohnungen im öffentlich geförderten →sozialen Wohnungsbau, im frei finanzierten W. oder im →steuerbegünstigten Wohnungsbau. In Dtl. gab es (1993) 32,252 Mio. Wohnungen (Ost-Dtl. 6,121), von denen 19,748 Mio. Miet- und 12,504 Mio. Eigentümerwohnungen waren. In der ersten Hälfte der 1990er-Jahre war der Wohnungsmarkt durch ein starkes Ungleichgewicht geprägt. Gründe dafür waren eine Zunahme der Bev.zahl, die steigende Zahl von Einpersonenhaushalten, Abriss und Nutzungsänderung von Wohnungen sowie unzureichende Förderung des sozialen W.; charakteristisch für die »Wohnungsnot« war v.a. ein Mangel an bedarfsgerechtem und finanzierbarem Wohnraum, der sich in einem starken Anstieg des Mietenniveaus niederschlug. Gründe für den unzureichenden W. sind v.a. hohe Grundstückspreise und Baukosten sowie die als zu gering angesehenen Renditen. In den neuen Bundesländern wirken sich v.a. die ungeklärten Eigentumsverhältnisse und die nicht kostendeckenden Mieten negativ aus. Durch gesetzl. Regelungen (W.-Erleichterungsgesetz vom 17. 5. 1990, Investitionserleichterungs- und Wohnbaulandgesetz vom 22. 4. 1993) wurden Hindernisse (insbesondere verwaltungsrechtl.) für zügige Baulandbereitstellungen und Genehmigungen von W.-Projekten in den Gemeinden beseitigt. In einem Bauboom 1994–96 wurden 1,8 Mio. neue Wohnungen geschaffen und damit die Lücke zw. Angebot und Nachfrage verringert. Für die nächsten Jahre besteht aber weiterhin ein Bedarf von 400000–500000 neuen Wohnungen. Die Umstellung der steuerl. Förderung auf eine Investitionszulage soll ab 1999 erfolgen.

Wohnungsbauförderung, in der Bundesrep. Dtl. vom Staat gewährte Förderungen im Rahmen des sozialen Wohnungsbaus und des steuerbegünstigten Wohnungsbaus sowie in Form von Wohnungsbauprämien (oder Erleichterungen bei der Einkommensteuer), ferner durch Bewilligung öffentl. Mittel als zinsverbilligte Darlehen oder als Zuschüsse.

Wohnungsbaugenossenschaft, →Baugenossenschaft.

Wohnungsbaugesetze, →sozialer Wohnungsbau.

Wohnungsbauprämi|e, staatl. Maßnahme zur Förderung des Wohnungsbaus, die Bausparern nach Maßgabe des Wohnungsbau-Prämien-Ges. gewährt wird. Bis zu einer Einkommensgrenze von 50000 DM bzw. (für Ehegatten) 100000 DM werden Aufwendungen wie Beiträge an Bausparkassen, Beiträge aufgrund von längerfristigen Sparverträgen, sofern die eingezahlten Sparbeiträge und Prämien zum Bau oder Erwerb eines Eigenheims oder einer Eigentumswohnung verwendet werden, wahlweise durch eine Prämie **(Bausparprämie)** oder Steuerermäßigung gefördert. Die Prämie beträgt 10% der Aufwendungen, insgesamt höchstens 1000 DM jährlich (bei Ehegatten 2000 DM).

Wohnungseigentum, Sondereigentum an einer Wohnung, verbunden mit Miteigentumsanteil am Grundstück und an den gemeinsam benutzten Teilen des Gebäudes (Eigentumswohnung). Das Sondereigentum an nicht zu Wohnzwecken dienenden Teilen des Gebäudes (z.B. Büroräume) wird **Teileigentum** genannt. Gesetzl. Grundlage bildet das Ges. über das W. und das →Dauerwohnrecht (W.-Gesetz) vom 15. 3. 1951. Danach wird das W. rechtlich wie das Eigentum an Grundstücken behandelt. Es entsteht durch Teilung des bisherigen Alleineigentums an dem Grundstück oder durch notariellen Vertrag der Miteigentümer und Eintragung im Grundbuch. Das W. erhält ein Grundbuchblatt **(Wohnungsgrundbuch)** und kann als solches belastet werden. Mehrere Wohnungseigentümer bilden eine unauflösl. Gemeinschaft; hiervon kann ausgeschlossen werden, wer die Gemeinschaftspflichten so schwer verletzt, dass eine Fortsetzung der Gemeinschaft unzumutbar ist. Die Veräußerung von W. ist grundsätzlich frei, kann aber an die Zustimmung der anderen Miteigentümer gebunden werden. Als Verwaltungsorgane vorgesehen sind die Wohnungseigentümerversammlung, der Verwalter, den die Wohnungseigentümerversammlung bestellt, und der Verwaltungsbeirat. Die mindestens einmal jährlich einzuberufene Eigentümerversammlung fasst ihre Beschlüsse mit der Mehrheit der Köpfe oder nach dem Beteiligungsverhältnis. Die Beschlüsse können binnen eines Monats vor dem Amtsgericht im Verfahren der freiwilligen Gerichtsbarkeit angefochten werden. – Als Vorläufer des W. kann das von vor 1900 übernommene Stockwerkseigentum gelten, das nach Geltung des BGB wegen seines Verbots, Sonderrechte an wesentl. Bestandteilen zu bilden, nicht mehr neu begründet werden konnte.

Wohnungsmodernisierung, Maßnahmen, die den Gebrauchswert der Wohnung nachhaltig erhöhen, die allg. Wohnverhältnisse auf Dauer verbessern oder nachhaltig Einsparungen von Heizenergie oder Wasser bewirken (§3 Miethöhe-Ges. vom 18. 12. 1974). Der Vermieter kann bei W. die jährl. Miete um 11% der für die jeweilige Wohnung aufgewendeten Kosten erhöhen. Von der W. ist die Instandsetzung zu unterscheiden, die Maßnahmen umfasst, die die Wohnung in einem Zustand erhalten oder diesen wiederherstellen, der einen vertragsgemäßen Gebrauch ermöglicht. Modernisierungsmaßnahmen muss der Mieter, soweit kein Härtefall vorliegt, nach rechtzeitiger vorheriger Anmeldung grundsätzlich dulden (§541b BGB).

Wohnungspolitik, Gesamtheit der staatl. Maßnahmen, die Produktion, Erhaltung oder Nutzung von Wohnungen beeinflussen. Die Zielsetzung der W. enthält Elemente der Sozial-, Vermögens-, Struktur- sowie Regional- und Städtebaupolitik.

Wohnungsrecht, das Recht, ein Gebäude oder einen Teil desselben unter Ausschluss des Eigentümers als Wohnung zu benutzen. Das W. ist eine beschränkte persönl. Dienstbarkeit und daher nicht veräußerlich und nicht vererblich (§1093 BGB). Von der Miete unterscheidet sich das W. dadurch, dass es ein dingl. Recht ist, das ins Grundbuch eingetragen wird; es kann ferner nicht gekündigt werden, sondern erlischt mit dem Tod des Berechtigten. Das W., das häufig als Bestandteil des Altenteils bestellt wurde, wird heute oft durch Wohnungseigentum und Dauerwohnrecht ersetzt.

Wohnungszwangswirtschaft, Beschränkung der Vertragsfreiheit bei Begründung und Auflösung von Wohnraummietverhältnissen durch staatl. Eingriffe in Form von Mietpreisbindung, Mieterschutz und Wohnraumbewirtschaftung. Die 1946 zur Behebung des Wohnraummangels eingeführte W. wurde in der Bundesrep. Dtl. durch das Aufbau-Ges. vom 23. 6. 1960 schrittweise beseitigt. Zum Schutz der Mieter wurden neue Vorschriften erlassen; für die neuen Bundesländer gelten Übergangsregelungen. (→Miete)

Wohnwagen (Wohnanhänger), zum Wohnen, Schlafen und Kochen eingerichteter Wagen als Kfz-Anhänger; je nach Größe ein- **(Campingwagen, Caravan)** oder zweiachsig.

Wladimir Woinowitsch

Woinowitsch, Wladimir Nikolajewitsch, russ. Schriftsteller, *Duschanbe 26. 9. 1932; bekannt v.a. als Satiriker; wurde 1974 aus dem sowjet. Schriftstellerverband ausgeschlossen (1989 Wiederaufnahme), lebt in München (1980 Ausbürgerung aus der Sowjetunion); schrieb krit. Erzählwerke über den sowjet. Alltag (die Romane: »Zwei Freunde«, 1967; »Die denkwürdigen Abenteuer des Soldaten Iwan Tschonkin«, 1975; »Iwan Tschonkin, Thron-

Wolf 3): Eurasischer Wolf

anwärter«, 1979; »Moskau 2042«, 1987; außerdem »Die Mütze«, Erz., 1990).

Woiwọde [slaw. »Heerführer«] *der* (Wojewode), urspr. im MA. slaw. Bez. für einen gewählten Heerführer, später auch Bez. für hohe Beamte. – In der Moldau, Walachei und in Siebenbürgen bis ins 16. Jh. Titel der Herrscher; in Polen (seit dem 12. Jh.) urspr. Pfalzgraf (Statthalter), ab 1918 oberster Beamter eines VerwBez. **(Woiwodschaft).**

Wojerẹcy [-tsy], sorbischer Name der Stadt →Hoyerswerda.

Wojwọdina [auch vɔjvo'di:na] (serbisch Vojvodina), Provinz in der Rep. Serbien, Jugoslawien, 21 506 km^2, (1993) 2,0 Mio. Ew. (Mehrzahl Serben und Ungarn, ferner Kroaten, Slowaken, Rumänen u. a.); Hptst. ist Novi Sad. Die W. liegt in der Batschka, dem W-Teil des Banats und in Sirmien; bed. Landwirtschaftsgebiet (Anbau von Mais, Weizen, Sonnenblumen, Zuckerrüben, Wein; Viehzucht); Ind.: Verarbeitung landwirtsch. Produkte, Landmaschinenbau, chem. Ind.; Erdöl- und Erdgasförderung. – Seit dem 10. Jh. Teil des ungar. Reichs, 1552–1699 unter türk. Herrschaft. Durch die Türkenkriege verödet, danach mit Serben, Deutschen (»Donauschwaben«), Ungarn und Rumänen neu besiedelt. 1849–60 mit dem Banat von Temesvar österr. Kronland (Selbstverw.), 1860 mit Ungarn vereinigt. Nach dem 1. Weltkrieg (Vertrag von Saint-Germain-en-Laye, 1919) zw. Jugoslawien und Rumänien geteilt; im 2. Weltkrieg wurde die jugoslaw. W. von dt. und ungar. Truppen besetzt. Nach der Vertreibung der Deutschen 1945/46 ab 1946 innerhalb Serbiens Autonomie (1990 aufgehoben).

Woking ['wəʊkɪŋ], Stadt in der engl. Cty. Surrey, südwestlich von London, 81 400 Ew.; Sitz der Muslim Society (Moschee); Druckereien, Gummi-, elektrotechn. Ind., Gärtnereien.

Wọlchow *der,* Fluss in Russland, Abfluss des Ilmensees zum Ladogasee, 224 km lang.

Wolf, 1) *Astronomie:* Sternbild des südl. Himmels.

2) *Medizin:* umgangssprachl. Bez. für →Wundsein der Haut.

3) *Zoologie:* (Canis lupus) früher in ganz Eurasien und Nordamerika weit verbreitetes Raubtier (Familie Hundeartige), das heute durch weitgehende Ausrottung überwiegend in Rückzugsgebieten vorkommt (bes. in den asiat. Teilen Russlands, in Alaska und Kanada). In jüngster Zeit sind einige Populationen über Polen bis nach O-Dtl. eingewandert. Größe und Färbung sind je nach Verbreitungsgebiet sehr unterschiedlich, Länge rd. 100–140 cm, Schulterhöhe 65–90 cm, Schwanz etwa 30–50 cm lang, Höchstgewicht 75 kg (Männchen größer und stärker als Weibchen). Sehr geselliger, in Rudeln mit ausgeprägter Rangordnung lebender Hetzjäger, der auch große Beutetiere (bis zu Hirschgröße) zur Strecke bringt; Angriffe auf Menschen sind nur äußerst selten belegt. Unterarten sind u. a.: **Rot-W.** (in küstennahen, sumpfigen Prärien von O-Texas und Louisiana), **Polar-W.** (im äußersten NW Nordamerikas; mit dichtem, langhaarigem, fast weißem Fell) und **Timber-W.** (in den nordamerikan. Wäldern). In Europa ist der **Eurasische W.** in Restbeständen erhalten. – Knochenfunde (v. a. in Oberkassel bei Bonn) deuten darauf hin, dass die Domestikation des W. zum Haushund im Jungpaläolithikum begann. Seit dem Altertum gilt der W. als Sinnbild der Mordlust, auch als Zeichen der Verbannung und der Todesnähe. In der nord. Mythologie symbolisiert er das Weltende (→Fenrir). Zeugnisse eines uralten W.-Kults sind auch im grch. (der W. war dem Apoll heilig) und im röm. Mythos (die »Röm. Wölfin«, →Romulus) überliefert; im Volksglauben →Werwolf.

Wolf

Der Wolf ist der Langstreckenchampion unter den Raubtieren.

Auf kurze Strecken ist er zwar ziemlich lahm, aber auf lange Distanzen erzielt er unglaubliche Leistungen. Man hat bei einem Wolf über eine Strecke von zwanzig Kilometern gemessen, dass seine Geschwindigkeit ständig zwischen 24 und 48 Stundenkilometer betrug. Wölfe jagen z. B. einen Hirsch in der Tundra über eine Strecke von zehn Kilometern, bevor sie zum Angriff übergehen. Bei Antilopen hätte ein Wolf allerdings keine Chance, wenn diese gut aus den Startlöchern kommen. Forscher beobachteten, dass die flinken Läufer über den ersten Kilometer eine Durchschnittsgeschwindigkeit von nahezu 70 km/h erreichen, über fünf Kilometer mehr als 50 km/h schnell sind und über dreißig Kilometer immer noch eine Durchschnittsgeschwindigkeit von knapp 50 km/h durchhalten.

📖 Okarma, H.: *Der W. Ökologie, Verhalten, Schutz. A. d. Poln. Berlin 1996.* – Ziemen, E.: *Der W. Verhalten, Ökologie u. Mythos. Frankfurt am Main u. a. (Neuausg. 1997).*

Friedrich August Wolf: zeitgenössischer Kupferstich

Wolf, 1) Caspar, schweizer. Maler, * Muri (AG) 1735, † Heidelberg 1783; verband in seinen Landschaftsbildern detailgetreue Darstellung mit romantisierenden Elementen; schuf auch Illustrationen (»Alpes helveticae«, 1767–68) und betätigte sich als Ofen- und Tapetenmaler (Sommerhaus des Klosters Muri, 1762 und 1763).

2) Christa, Schriftstellerin, * Landsberg an der Warthe 18. 3. 1929; bis 1962 Verlagslektorin; begann mit krit. und essayist. Arbeiten sowie Filmdrehbüchern; 1949–89 Mitgl. der SED. W. gehört zu den Vertretern der deutschsprachigen Gegenwartsliteratur, deren erzähltechnisch differenziertes Prosawerk – v. a. die Romane »Der geteilte Himmel« (1963), »Nachdenken über Christa T.« (1968), »Kindheitsmuster« (1976) sowie die Erzählung »Kassandra« (1983) – internat. Beachtung fand. Im Mittelpunkt ihres Schreibens steht die Frage nach den Bedingungen von Individualität. 1980 erhielt W. den Georg-Büchner-Preis, 1984 den Großen Österr. Staatspreis für europ. Literatur.

Weitere Werke: Was bleibt (Erz., hg. 1990, entst. 1979); Kein Ort, nirgends (Erz., 1970); Störfall (Erz., 1987); Kassensturz (Erz., 1989); Auf dem Weg nach Tabou. Texte 1990–94 (1994).

3) Christian Freiherr von, → Wolff.

4) Erik, Rechtsphilosoph und Kirchenrechtslehrer, * Biebrich (heute zu Wiesbaden) 13. 5. 1902, † Oberrotweil (heute zu Vogtsburg im Kaiserstuhl) 13. 10. 1977; Prof. in Rostock, Kiel, Freiburg im Breisgau; arbeitete über Strafrecht, Rechtsgeschichte und -philosophie sowie über theolog. Rechtsbegründung; Mitgl. der Bekennenden Kirche.

5) Friedrich, Schriftsteller, * Neuwied 23. 12. 1888, † Lehnitz (Kr. Oberhavel) 5. 10. 1953, Vater von 9) und 10); Arzt, emigrierte als Mitgl. der KPD 1933, war nach Teilnahme am Span. Bürgerkrieg im sowjet. Propagandadienst tätig, nach 1945 am Wiederaufbau des Rundfunk- und Theaterwesens in der DDR beteiligt; schrieb radikale zeit- und sozialkrit. Erzählungen und Dramen (»Der arme Konrad«, 1924; »Cyankali«, 1929, gegen § 218); Schauspiel über die nat.-soz. Judenverfolgung »Doktor Mamlocks Ausweg« (Uraufführung 1934 u. d. T. »Professor Mamlock«; in Moskau 1935 erschienen) sowie Romane.

6) Friedrich August, klass. Philologe und Pädagoge, * Haynrode (Kr. Eichsfeld) 15. 2. 1759, † Marseille 8. 8. 1824; legte den Grund zu einer umfassenden Altertumswiss.; stand in Verbindung mit Goethe, W. von Humboldt und Schiller. Seine »Prolegomena ad Homerum« (1795) beschäftigten sich mit der Entstehung der homerischen Dichtungen.

7) Hugo, österr. Komponist, * Windischgraz (heute Slovenj Gradec, Slowenien) 13. 3. 1860, † Wien 22. 2. 1903; 1884–87 Musikkritiker am »Wiener Salonblatt«, lebte nach 1887 als freischaffender Komponist in Wien. W. ist der bedeutendste Gestalter des Klavierliedes zw. J. Brahms und A. Schönberg. Als leidenschaftl. Anhänger R. Wagners geriet er in Ggs. zu Brahms, da er die harmon. und neuen deklamator. Ausdrucksformen Wagners auf das Klavierlied zu übertragen suchte. Er bindet die Singstimme stark an die Sprachführung des Textes; der Klavierpart übernimmt die malende oder psycholog. Ausdeutung des dichter. Gehaltes und ist häufig wie ein eigenständiges Musikstück komponiert. Daneben schrieb W. Opern, Orchester- sowie Kammermusik und Chorwerke.

Werke: Vokalmusik: Gedichte von Mörike (1888), von Eichendorff (1889), von Goethe (1890); Span. Liederbuch (1891); Italien. Liederbuch (1892/96); Chorwerke, Kammermusik, Oper »Der Corregidor« (1896).

📖 Werba, E.: *H. W. u. seine Lieder. Wien 1984.* – Honolka, K.: *H. W. Sein Leben, sein Werk, seine Zeit. Tb.-Ausg. München 1990.*

Christa Wolf

Friedrich Wolf

Hugo Wolf

Caspar Wolf: Ansicht des Schlosses Bensberg (1781; Zürich, Kunsthaus Zürich)

8) Johannes, Musikforscher, *Berlin 17. 4. 1869, †München 25. 5. 1947; war 1928–34 Direktor der Musikabteilung der Preuß. Staatsbibliothek in Berlin; bed. Forscher auf dem Gebiet der mittelalterl. Musiktheorie und Notationskunde.

Thomas C. Wolfe

9) Konrad, Filmregisseur, *Hechingen 20. 10. 1925, †Berlin (Ost) 7. 3. 1982, Sohn von 5), Bruder von 10); 1965–82 Präs. der Akademie der Künste der DDR; Filme für die DEFA: »Sterne« (1959), »Professor Mamlock« (1961); »Der geteilte Himmel« (1964); »Ich war neunzehn« (1968); »Goya« (1971); »Mama, ich lebe« (1977); »Solo Sunny« (1979).

10) Markus Johannes (»Mischa«), Politiker (SED), *Hechingen 19. 1. 1923, Sohn von 5), Bruder von 9); 1934–45 in der Emigration (Schweiz, Frankreich, Sowjetunion); 1949–51 im diplomat. Dienst der DDR; seit 1958 Leiter der »Hauptverwaltung Aufklärung« im Ministerium für Staatssicherheit der DDR; stellv. Min. dieses Ministeriums; seit 1980 Generaloberst des Staatssicherheitsdienstes. In zwei Prozessen (1995 und 1997) musste sich W. nach dem Zusammenbruch der DDR strafrechtlich verantworten.

Max Wolf

11) Max (Maximilian), Astronom, *Heidelberg 21. 6. 1863, †ebd. 3. 10. 1932; gründete die Sternwarte auf dem Königstuhl; führte den Stereokomparator und kurzbrennweitige Objektive zur Himmelsfotografie ein und entdeckte Hunderte von Planetoiden, einige Kometen sowie Sterne mit großer Eigenbewegung.

Ror Wolf

12) Ror, Pseudonym Raoul Tranchirer, Schriftsteller, *Saalfeld/Saale 29. 6. 1932; Verfasser einer Erzählprosa (»Pilzer und Pelzer«, R., 1967; »Raoul Tranchirers Mitteilungen an Ratlose«, Prosa, 1988), die Gewohntes verfremdet. Bevorzugt nutzt W. dabei populäre Themenbereiche wie Fußball (»Punkt ist Punkt«, Prosa, 1971, erweitert 1982) und Sciencefiction (»Doktor Q«, Hörspieltrilogie, 1976).

13) Rudolf, schweizer. Astronom, *Fällanden (bei Zürich) 7. 7. 1816, †Zürich 6. 12. 1893; führte den Begriff der Sonnenfleckenrelativzahl ein und entdeckte 1852 den Zusammenhang zw. Sonnenflecken und Schwankungen des Erdmagnetismus.

Wolfach, Stadt im Ortenaukreis, Bad.-Württ., im Kinzigtal des mittleren Schwarzwalds, 6100 Ew.; Luftkurort; Metallwaren- u.a. Ind., Glashütte, Töpferei; Abbau von Schwerspat. – Ehem. Fürstenberg. Schloss (1671).

Wolf-Creek-Krater [-kri:k-], 1947 in Western Australia entdeckter Krater mit 854 m Durchmesser, entstand durch den Einschlag eines Eisenmeteoriten vor etwa 500 000 Jahren.

Wolfdietrich, Hauptgestalt eines mhd. Heldenepos (1. Hälfte 13. Jh.), das in mehreren Fassungen überliefert ist; der Stoff stammt aus dem merowing. Sagenkreis. In der Version des »Großen W.« (um 1300), die in die bürgerl. Heldenbuchliteratur einging, ist der Held Rächer des Ortnit, des Sohnes von →Alberich. Die Abenteuer W.s enthalten viele märchenhafte Züge.

Wolfe [wʊlf], **1)** Thomas Clayton, amerikan. Schriftsteller, *Asheville (N. C.) 3. 10. 1900, †Baltimore (Md.) 15. 9. 1938. Nach erfolglosen Versuchen als Dramatiker schrieb er stark autobiograph. Romane in überquellender, intensiver Prosa, die in der Tradition von W. Whitman steht. Kindheit und Jugend seines Helden verarbeitete er in »Schau heimwärts, Engel!« (1929); die folgenden Romane »Von Zeit und Strom« (1935), »Geweb und Fels« (hg. 1939) und »Es führt kein Weg zurück« (hg. 1940) verfolgen den komplizierten Reifeprozess in der Zeit der großen Depression und vermitteln dabei ein vielschichtiges, zuweilen satir. Bild der amerikan. Gesellschaft.

2) Tom, eigtl. Thomas Kennerly W., amerikan. Journalist und Schriftsteller, *Richmond (Va.) 2. 3. 1931; arbeitete bei versch. Zeitungen, Mithg. des »New York Magazine« (1968–76), seit 1977 von »Esquire«; entwickelte den als »New Journalism« bezeichneten Schreibstil zw. Reportage und Essay (Darstellung tatsächl. Ereignisse mit fiktionalen Techniken); befasst sich v. a. mit Trends der amerikan. Gegenwartskultur (»Unter Strom«, R., 1968; »Das gemalte Wort«, Essays, 1975). In dem Roman »Fegefeuer der Eitelkeiten«, 1987 zeichnet er ein Bild der New Yorker Gesellschaft; gab »The new journalism« (1973, mit E. W. Johnson) heraus.

Wolfegg, Gemeinde im Landkr. Ravensburg, Bad.-Württ., 3200 Ew.; Luftkurort; Bauernhaus-, Schloss- und Automobilmuseum. – Sitz der Fürsten von Waldburg zu W. und Waldsee; Renaissanceschloss (1578–86) mit 52 m langem Rittersaal (Deckengemälde 1749 von J. Zick); ehem. Kollegiatsstiftskirche (1733–42) mit Fresken von F. J. Spiegler und Stuckaturen der Wessobrunner Schule.

Wolfen, Stadt im Landkr. Bitterfeld, Sa.-Anh., im Bitterfelder Braunkohlenrevier, 40 100 Ew.; Industrie- und Filmmuseum; chem. Ind., Filmfabrik.

Wolfenbüttel, 1) Landkr. im RegBez. Braunschweig, Ndsachs., 722 km², (1997) 122 600 Einwohner.

2) Krst. von 1) in Ndsachs., im nördl. Harzvorland, an der Oker, 53 600 Ew.; FH Braunschweig-W., Bundesfachschule für das Konditorenhandwerk; Stadt- und Kreisheimatmuseum, Abt. des Braunschweig. Landesmuseums, Niedersächs. Staatsarchiv, Lessingtheater, Herzog-August-Bibliothek (an ihr waren G. W. Leibniz und G. E. Lessing tätig) mit Forschungsstätte zur Buchgesch. und für europ. Kulturgeschichte, Lessinghaus (Museum); Spirituosenfabrik, chem., elektron. Ind., Landmaschinenbau. – Ehem. Residenzschloss (Neubau um 1283, im 16. Jh. Ausbau, 1714–16 Verblendung der Außenfassaden) mit Hausmannsturm (1614), Marienkirche (1608–26), Johanniskirche (1661–64), Trinitatiskirche (1719 geweiht); Zeughaus (1613 begonnen); ehem. Neue Kanzlei (2. Viertel 16. Jh., 1587/1588 vergrößert, Umbau 1851–54); zahlr. Fachwerkhäuser (17./18. Jh.). – Die 1118 erwähnte und 1255 zerstörte Burg W. wurde nach 1283 von den Welfen zur Residenz ausgebaut (Sitz versch. Linien Braunschweigs, ab 1432 des Herzogtums, ab 1495 des Fürstentums Braunschweig-W.). Anfang des 16. Jh. erhielten Burg und Dammvorstadt (1570 Heinrichstadt) eine gemeinsame Befestigung; Stadtrecht zw. 1540 und 1570–78; die seit 1567 entstandene Juliusvorstadt und die seit 1652 angelegte Auguststadt wurden 1742 mit der Heinrichstadt zur Stadt W. zusammengeschlossen (bis 1753 Residenz).

📖 *W. Bilder aus der Lessingstadt, hg. v.* P. RAABE. *Hamburg* ²*1993.* – WÖTZEL, C.: *Die Geschichte der Stadt W. 1914 bis 1933. Wolfenbüttel 1995.*

Christian Wolff: Ausschnitt eines zeitgenössischen Kupferstichs

Wọlff, 1) (auch Wolf), Christian Freiherr von (seit 1745), Philosoph, *Breslau 24. 1. 1679, †Halle (Saale) 9. 4. 1754; auf Betreiben der Pietisten als Religionsfeind seiner Professur für Mathematik in Halle enthoben, lehrte er in Marburg; 1740 von Friedrich d. Gr. nach Halle zurückberufen. W. entwickelte, insbesondere Lehren von G. W. Leibniz weiterbildend und popularisierend, ein umfassendes System des Rationalismus und beeinflusste damit die dt. Aufklärung maßgebend; an fast allen dt. Univ. wurde die »Leibniz-Wolffsche Philosophie« gelehrt. Er arbeitete v. a. auch an der Grundlegung einer philosophischen dt. Fachsprache entscheidend mit und hielt als Erster mathemat. Fachvorlesungen in dt. Sprache.

Werke: Anfangsgründe aller mathemat. Wiss., 4 Tle. (1710); Vernünftige Gedanken von Gott, der Welt und der Seele des Menschen (1720); Jus gentium (1749).

📖 *C. W., 1679–1754. Interpretationen zu seiner Philosophie u. deren Wirkung, hg. v.* W. SCHNEIDERS. *Hamburg* ²*1986.*

2) Jakob d. Ä., Baumeister, Bildhauer, *Bamberg um 1546, †Nürnberg vor dem 16. 7. 1612, Vater von 3); seit 1596 Stadtbaumeister in Nürnberg; schuf in Würzburg 1601–05 den Neubau der Feste Marienberg und das Echtertor, in Nürnberg das Pellerhaus (1602–07, im 2. Weltkrieg zerstört, Reste des Arkadenhofes erhalten).

3) Jakob d. J., Baumeister, *wohl Bamberg 1571, †Nürnberg 25. 2. 1620, Sohn von 2); erbaute in repräsentativem Renaissancestil das Rathaus in Nürnberg (1616–22, nach Zerstörung im 2. Weltkrieg wieder aufgebaut).

Martin Wolff

4) Martin, Rechtslehrer, *Berlin 26. 9. 1872, †London 20. 7. 1953; 1935 vom nat.-soz. Regime amtsenthoben, ging W. 1938 nach Oxford.

Werke: Das Recht zum Besitze (1903); Das Sachenrecht, in: Lb. des bürgerl. Rechts, hg. v. L. Enneccerus u. a., Bd. 2.1 (1909); Das Familienrecht, Bd. 2.2, ebd. (1912).

Theodor Wolff

5) Theodor, Schriftsteller und Publizist, *Berlin 2. 8. 1868, †ebd. 23. 9. 1943; Mitbegründer (1889) der Freien Bühne in Berlin; Vertreter des Linksliberalismus; 1906–33 Chefredakteur des »Berliner Tageblattes«; emigrierte 1933 (1934 Aberkennung der dt. Staatsbürgerschaft), 1943 in Nizza verhaftet; starb nach KZ-Haft in Sachsenhausen im Israelit. Krankenhaus in Berlin-Moabit. W. schrieb u. a. Romane und Theaterstücke. – Der **Theodor-Wolff-Preis** wird seit 1952 für bed. journalist. Leistungen verliehen.

6) Willy, Maler, Zeichner und Plastiker, *Dresden 5. 7. 1905, †ebd. 8. 7. 1985; Meisterschüler von O. Dix; schuf gegenständl. Bilder und skurrile, detailgenaue Zeichnungen, in den 60er-Jahren von der Pop-Art beeinflusste Collagen, später Farbkompositionen und Metallobjekte im Sinne der konkreten Kunst.

Ermanno Wolf-Ferrari

Wọlf-Ferrạri, Ermanno, italien. Komponist dt. Herkunft, *Venedig 12. 1. 1876, †ebd. 21. 1. 1948; schrieb heitere Opern (u. a. »Die vier Grobiane«, 1906; »Susannens Geheimnis«, 1909), Orchester- und Kammermusikwerke, Chorwerke, Lieder.

Wọ̈lfflin, 1) Eduard, schweizer. klass. Philologe, *Basel 1. 1. 1831, †ebd. 8. 11. 1908; erforschte die lat. Sprachgeschichte, war an der Gründung und Organisation des »Thesaurus Linguae Latinae« beteiligt.

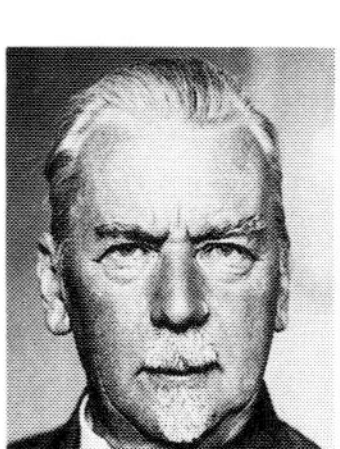

Heinrich Wölfflin

2) Heinrich, schweizer. Kunsthistoriker, *Winterthur 24. 6. 1864, †Zürich 19. 7. 1945; wirkte bes. durch seine »Kunstgeschichtl. Grundbegriffe« (1915) weit über sein Fachgebiet hinaus.

Weitere Werke: Renaissance und Barock (1888); Die Jugendwerke des Michelangelo (1891); Die klass. Kunst (1899); Die Kunst Albrecht Dürers

(1905); Italien und das dt. Formgefühl (1924); Gedanken zur Kunstgeschichte (1940).

Wolffs Telegraphisches Bureau AG [-by'ro-], Abk. **WTB,** erstes dt. Nachrichtenbüro, gegr. 1849 von Bernhard Wolff (*1811, †1879) in Berlin; 1934 mit der Telegraphen-Union zur »Dt. Nachrichtenbüro« (DNB; bis 1945) zusammengelegt.

Wolff von Amerongen, Otto, Industrieller, *Köln 6. 8. 1918; bis 1985 Vorstandsvors. der Otto Wolff AG (seit 1990 Tochterges. der Thyssen AG); 1969–88 Präs. des Dt. Ind.- und Handelstages, 1967–90 Präs. der Ind.- und Handelskammer Köln, seit 1957 Vors. des Ostausschusses der dt. Wirtschaft.

Wolfgang, Missionar und Bischof, *Pfullingen um 924, †Pupping (bei Eferding, OÖ) 31. 10. 994; Benediktiner (seit 965), seit 956 Lehrer an der Domschule zu Trier; 971 Missionar in Ungarn; seit 972 Bischof von Regensburg, als solcher v.a. Reformer des Klosterwesens; Heiliger, Tag: 31. 10.

Wolfgangsee (Sankt-Wolfgang-See), →Sankt Wolfgang im Salzkammergut.

Wolfhagen, Stadt im Landkr. Kassel, Hessen, 13300 Ew.; Textil-, Elektroind., Apparate-, Maschinen-, Fahrzeugbau. – Stadtkirche (13.–15. Jh.), Fachwerkhäuser (17./18. Jh.). – Nördlich von W. liegt Schloss Elmarshausen (15./16. Jahrhundert).

Wolfram *das* (engl. Tungsten), chem. Symbol **W,** Element aus der sechsten Nebengruppe des →Periodensystems der chemischen Elemente; Ordnungszahl 74, relative Atommasse 183,85, Dichte 19,3 g/cm³, Schmelzpunkt 3410 °C, Siedepunkt 5660 °C. W. ist ein weißglänzendes, als Pulver mattgraues Schwermetall, das den höchsten Schmelzpunkt aller Metalle besitzt. Reinstes W. ist ziemlich leicht verformbar; das meist Verunreinigungen enthaltende techn. W. ist jedoch hart und spröde. Chemisch ist W. sehr beständig. In der Erdkruste sind etwa 0,0064 % W. enthalten. Wichtige W.-Minerale sind v.a. →Scheelit, →Wolframit und Tungstit. – Zur Darstellung des W. werden die Minerale nach ihrer Anreicherung in wasserlösl. Natriumwolframat überführt, aus dessen Lösung beim Ansäuern unlösl. Wolfram(VI)-oxid-Hydrat, $WO_3 \cdot xH_2O$, ausfällt. Dieses kann gereinigt und mit Wasserstoff zum reinen Metall reduziert werden. W. findet wegen seines hohen Schmelzpunkts v.a. zur Herstellung von Glühdrähten für elektr. Glühlampen und Elektronenröhren Verwendung; es ist aber auch wichtiger Legierungsbestandteil.

Verbindungen: enthalten W. mit den Oxidationszahlen +2 bis +6. Unter den Sauerstoffverbindungen ist v.a. das **Wolfram(VI)-oxid (W.-Trioxid),** WO_3, ein gelbes, in Wasser und Säuren schwer lösl. Pulver, wichtig; es ist Zwischenprodukt bei der techn. Gewinnung von W. und wird auch als Katalysator verwendet. In starken Laugen löst sich W.-Trioxid unter Bildung von **Wolframaten,** $M^{II}WO_4$ (z.B. Calcium- und Magnesiumwolframat, $CaWO_4$ bzw. $MgWO_4$, die als Leuchtstoffe verwendet werden). Mit Kohle bildet W. bei hoher Temperatur diamantharte **W.-Carbide,** W_2C und WC, die für Hartmetalle verwendet werden. Durch Reduktion von Natriumwolframaten entstehen metallglänzende, von gelb bis blau gefärbte **W.-Bronzen,** Na_xWO_3 (x = meist 0,3 bis 0,9), die als Farbpigmente dienen.

Wolframs-Eschenbach: Stadtansicht mit dem Unteren Tor (um 1400) im Vordergrund und dem Turm der Pfarrkirche Mariä Himmelfahrt (Mitte 13. Jh.) im Hintergrund

Wolframit *der,* das wichtigste Wolframerz, $(Fe,Mn)WO_4$, ein Mischkristall aus Eisen- **(Ferberit)** und Manganwolframat **(Hübnerit).** W. bildet monokline, kurzsäulenförmige oder tafelige Kristalle von bräunlich schwarzer, metallisch glänzender Farbe; Entstehung pegmatitisch-pneumatolytisch oder hydrothermal.

Wolframs-Eschenbach, Stadt im Landkreis Ansbach, Bayern, 2700 Ew.; Wolfram-von-Eschenbach-Museum. – W.-E., seit 1316 im Besitz des Dt. Ordens, hat sein mittelalterl. Stadtbild bewahrt: Stadtmauer, Oberes Tor (Mitte 13. Jh.), Unteres Tor (um 1400), Fachwerkhäuser; ehem. Ordensschloss (1632, heute Rathaus); Altes Rathaus (1471) und Pfarrkirche Mariä Himmelfahrt (13. Jh.; Schreinaltar mit Rosenkranztafel, um 1510). – W.-E. gilt als die Heimat Wolframs von Eschenbach.

Wolfram von Eschenbach, mhd. Dichter, *um 1170/80, †um 1220; vermutlich aus fränk. Ministerialengeschlecht und selbst Ministeriale des Grafen von Wertheim. Er weilte auch am Thüringer Hof Landgraf Hermanns I.; auf der Wartburg traf er vermutlich mit Walther von der Vogelweide zusammen.

Seine wenigen Lieder sind meist Tagelieder mit ep. Eingang, die sich durch ihre Leidenschaft und ihre Sprachgewalt von der sonstigen höf. Minnedichtung weit abheben und den Höhepunkt dieser

Wolfram von Eschenbach: Die Miniatur der Manessischen Handschrift stellt Wolfram von Eschenbach als Ritter dar (1. Hälfte des 14. Jh.; Heidelberg, Universitätsbibliothek)

Gattung in der dt. Literatur bilden. Sein Hauptwerk, das einzige vollendete seiner Epen, ist der →Parzival (um 1200–12). Dem Vorbild des frz. »Rolandslieds« folgte er im »Willehalm« (entstanden im Auftrag des Landgrafen von Thüringen nach 1211, nach dessen Tod 1217 abgebrochen). Ein weiteres Epos, der »Titurel« (aus der Gesch. des Gralskönigtums), ist nur in zwei Bruchstücken überliefert und wurde später von →Albrecht überarbeitet. – W. v. E. ist der selbstständigste und eigenwilligste der mhd. Dichter. Ursprünglichkeit des Denkens und schöpfer. Originalität zeichnen ihn aus. Die seine Zeit bewegende Frage, wie die Bewältigung der Welt in Einklang mit dem Heil der Seele zu bringen sei, gestaltet er in seinen Romanen mit tiefer, jedoch i. e. S. theologisch nicht gebundener Frömmigkeit. Ungewöhnlich für seine Zeit ist das Hervortreten des selbstbewussten künstler. Ichs und seine subjektive Erzählweise, in der sich Ernst mit Humor verbindet. Er besaß umfassende Kenntnisse der zeitgenöss. Literatur, der Naturwiss. und der Astrologie. W. v. E. wirkte v. a. als Stilvorbild. Die Meistersinger zählten ihn zu den zwölf Gründern ihrer Kunst; im →Wartburgkrieg besiegt er den Zauberer Klingsor. Weiteres Bild deutsche Literatur

📖 *Studien zu W. von E., hg. v.* K. Gärtner *u.* J. Heinzle. *Tübingen 1989.* – Bumke, J.: *W. von E. Stuttgart* [6]*1991.*

Wolfratshausen, Stadt im Landkreis Bad Tölz-W., Bayern, an der Loisach, 16 300 Ew.; pharmazeut. und feinmechan. Ind., Cembalobau; Fremdenverkehr. – Hallenkirche St. Andreas (1484, 1619–31 erneuert), Frauenkapelle (1643–49), Dreifaltigkeitskapelle (1715), ehem. Wallfahrtskirche St. Nantwein (heute St. Laurentius; got. Chor, Langhaus nach 1604).

Wolf-Rayet-Sterne [-raˈjɛ-; nach den frz. Astronomen Charles Joseph Étienne Wolf, *1827, †1918, und Georges Antoine Pons Rayet, *1839, †1906] (W-R-Sterne, auch W-Sterne), Sterne sehr hoher Temperatur (25 000–50 000 K) und Leuchtkraft, die von ausgedehnten Gashüllen umgeben sind, die breite Emissionslinien von ionisiertem Helium und hoch ionisiertem Kohlenstoff (WC-Sterne), Stickstoff (WN-Sterne) und Sauerstoff erzeugen. Sie bilden die →Spektralklasse W.

Wolfsberg, Bezirkshauptstadt in Kärnten, Österreich, an der Lavant, 27 800 Ew.; Lavanttaler Heimatmuseum; Schuh-, Bekleidungs-, Papier-, Zellstoffind., Metallverarbeitung. – Romanisch-got. Pfarrkirche (13./14. Jh.), spätgot. Annenkapelle (1497); Renaissanceschloss Bayerhofen (16. Jh.). Die bischöfl. Burg (12. Jh. bis 1759) wurde im 19. Jh. zu einem Schloss neugotisch umgebaut.

Wolfsburg Stadtwappen

Wolfsburg, kreisfreie Stadt im RegBez. Braunschweig, Ndsachs., vom Mittellandkanal durchschnitten, 124 700 Ew.; Fachhochschulen, Hoffmann-von-Fallersleben-Museum, Automuseum, Kunstsammlung im Schloss W. (Ende 16. Jh. ff.). W. ist in seiner wirtsch. Struktur vom Volkswagenwerk (rd. 45 000 Beschäftigte) bestimmt; Binnenhäfen; Congress Park. – Marienkirche (2. Hälfte 17. Jh.); nach Entwürfen von A. Aalto: Kulturzentrum (1958–62), Heilig-Geist-Kirche (1960–62) sowie St. Stephan (1965–68); Theater (1971–73, Entwurf: H. B. Scharoun). – W. wurde 1938 auf dem Gebiet des Rittergutes W. und sechs umliegender Gemeinden als »Stadt des Kdf-Wagens bei Fallersleben« gegründet und erhielt 1945 seinen heutigen Namen. 1972 wurden die Städte **Fallersleben** (Heilbad und Hafen) und **Vorsfelde** sowie 18 ländl. Gemeinden in W. eingegliedert.

Wolfsburg: Das Volkswagenwerk rechts des Mittellandkanals bestimmt das Stadtbild; links ein Teil der Stadt

Wolfshund (Irischer W.), ir. Windhundrasse; bis 95 cm schulterhohe, rauhaarige Hunde mit Windhundekopf.

Karl Wolfskehl (um 1920)

Wolfskehl, Karl, Schriftsteller, *Darmstadt 17. 9. 1869, †Bayswater (zu Takapuna, bei Auckland, Neuseeland) 30. 6. 1948; gehörte zum Kreis um S. George, emigrierte 1933 nach Italien, 1938 nach Neuseeland. W.s Lyrik ist sowohl in der dt. als auch in der jüd. Tradition verwurzelt (»Die Stimme spricht«, 1934; »An die Deutschen«, 1947) und verarbeitet häufig Mythen in dunkel-ekstat. Bildern; bed. Förderer der Buchkunst, Übersetzer u.a. aus dem Mittelhochdeutschen.

Wolfsmilchschwärmer (Spannweite 8 cm)

Wolfskehlmeister, Bildhauer um die Mitte des 14. Jh.; ben. nach dem Grabmal des Bischofs Otto von Wolfskehl im Würzburger Dom (um 1348). Zu den bedeutendsten Werken der dt. Plastik des 14. Jh. zählt sein Grabmal des Bischofs Friedrich von Hohenlohe (†1352) im Bamberger Dom.

Wolfsmilch (Euphorbia), Gattung der Wolfsmilchgewächse, bes. in den Tropen und Subtropen (v.a. in Afrika) verbreitet; Kräuter, Sträucher oder Bäume mit giftigem Milchsaft in ungegliederten Milchröhren. Viele Arten, v.a. afrikan., sind stammsukkulent und ähneln Kakteen. Bekannte Zierpflanzen sind →Christusdorn und →Weihnachtsstern. Einheimisch sind u.a. **Garten-W.** (Euphorbia peplus), Stängel 10–30 cm hoch, mit gestielten, rundl. Blättern und gelblich grünen Blüten; Garten- und Ackerunkraut; **Sonnenwend-W.** (Euphorbia helioscopia), 10–30 cm hoch, mit Scheinblüten in fünfstrahliger gelblich grüner Scheindolde; Ackerunkraut; **Zypressen-W.** (Euphorbia cyparissias), 15–30 cm hoch, mit dünnen, hellgrünen, linealförmigen, bis zu 3 mm breiten Blättern; Hüllblätter der Teilblütenstände gelb bis rötlich; auf trockenen, sandigen Böden; **Spring-W.** (**Kreuzblättrige W.,** Euphorbia lathyris), bis zu 1,5 m hoch, mit gekreuzt-gegenständigen, schmalen Blättern und haselnussgroßen, knackend aufspringenden Kapselfrüchten; wird häufig in Gärten angepflanzt (soll Wühlmäuse vertreiben).

Wolfsmilch: Sonnenwend-wolfsmilch (Höhe 10–30 cm)

Wolfsmilchschwärmer (Celerio euphorbiae), dämmerungsaktiver Schmetterling aus der Familie Schwärmer mit 8 cm Flügelspannweite; die Vorderflügel sind graugelb mit braunolivfarbenen Zeichnungen, die Hinterflügel rosenrot mit schwarzer Zeichnung. Die bunte, bis zu 9 cm lange Raupe lebt auf Wolfsmilcharten.

Wolfsrachen, →Spaltbildungen.

Wolfsschanze, Bez. für das im 2. Weltkrieg 1941–44 von A. Hitler genutzte Führerhauptquartier nahe Rastenburg; Schauplatz des Attentats vom →Zwanzigsten Juli 1944.

Wolfsspinnen (Lycosidae), Familie mittelgroßer, gelbbrauner bis schwarzer, meist Haarflecken oder -binden tragender Raubspinnen, die ihre Beute im Lauf oder Sprung überwältigen. Das Weibchen bewacht seine in ein kugeliges Gespinst eingeschlossenen Eier oder trägt sie am Hinterleib. Zu den W. gehören u.a. die →Taranteln.

Wolfsspitz, Haushunderasse, →Spitze.

Wolga *die* (im Altertum Rha, arab. und pers. im MA. Hil, Etel), längster Fluss Europas, 3530 km lang (von der Flussregulierung 3685 km), Einzugsgebiet 1,36 Mio. km²; entspringt in den Waldaihöhen, Russland, und mündet ins Kasp. Meer. Zw. Okamündung und Wolgograd erstreckt sich rechtsseitig das Bergufer (bis 375 m ü.M.), dem linksseitig das flache Wiesenufer gegenüberliegt. Die W. nimmt etwa 200 Nebenflüsse auf, darunter von rechts Oka, Sura, Swijaga und von links Kama, Samara, Wetluga, Mologa. Von der unteren W. zweigt der Nebenarm Achtuba ab. Das etwa 19 000 km² große W.-Delta beginnt 46 km nördlich von Astrachan, es weist über 800 Wasserarme auf. Die W. ist die wichtigste Binnenwasserstraße Russlands, sie ist von Rschew an auf 3256 km schiffbar und durch Kanäle mit Ostsee, Weißem, Asowschem und Schwarzem Meer sowie mit Moskau verbunden. An ihrem Flusslauf liegen acht Staustufen mit großen Stauseen und Wasserkraftwerken (W.-Kaskade) bei Iwankowo (Stausee Iwankowo oder Moskauer Meer: 327 km², Stauraum 1,12 Mrd. m³; Wasserkraftwerk 30 MW), bei Uglitsch (Uglitscher Stausee: 249 km², Stauraum 1,2 Mrd. m³; Wasserkraftwerk 110 MW), bei →Rybinsk, →Nischni Nowgorod, →Tscheboksary, →Samara, →Saratow und →Wolgograd; am Unterlauf befinden sich mehrere Bewässerungsgebiete.

Wolgadeutsche, älteste Gruppe der dt. Siedler in Russland, →Russlanddeutsche.

Wolgadeutsche Republik (Wolgarepublik, 1924–41 Autonome Sozialistische Sowjetrepublik der Wolgadeutschen), ehem. Teilrepublik in Russland, an der unteren Wolga, 28 200 km², (1939) 605 000 Ew. (etwa 400 000 Deutschsprachige); Hptst. war Engels. – Das am 19. 10. 1918 errichtete autonome Gebiet der Wolgadeutschen wurde am 6. 1. 1924 in eine ASSR innerhalb der RSFSR umgewandelt; Amtssprache war Deutsch. Nach dem dt. Angriff auf die Sowjetunion (22. 6. 1941) wurde die dt. Bev. am 28. 8. 1941 kollektiv der Kollaboration mit Hitler-Dtl. beschuldigt und zwangsweise nach Sibirien und Mittelasien (Kasachstan, Kirgistan, Tadschikistan) umgesiedelt; die ASSR wurde aufgelöst (28. 8. 1941; offiziell erst am 25. 9. 1945). – Nach dem dt.-russ. Abkommen vom Nov. 1991 bzw. dem dt.-russ. Protokoll vom April/Juli 1992 sowie Dekreten B. Jelzins vom April 1991 bzw. März 1992 über die stufenweise Wiederherstellung der W. R. bzw. dt. Selbstverwaltungseinrichtungen innerhalb der Russ. Föderation begann trotz deren schwieriger Verwirklichung ein sich inzwischen verstärkender Zuzug von →Russlanddeutschen in das Wolgagebiet bei Saratow (»Regionalverband für Russlanddeutsche«); die im Juli 1993 gegr. »Regionalgesellschaft Wolga« soll die Ansiedlung unterstützen.

Wolga-Don-Schifffahrtskanal, Schifffahrtsweg (seit 1952) zw. der unteren Wolga (Wolgograd) und dem unteren Don (Zimljansker Stausee), 101 km lang, 13 Schleusen. Der W.-D.-S. ist ein wichtiger Abschnitt des russ. Wasserstraßensystems; er verbindet Weißes Meer, Ostsee, Schwarzes Meer, Asowsches Meer, Kasp. Meer.

Wolga-Ostsee-Wasserweg (bis 1964 Marienkanalsystem), Binnenwasserstraße, verbindet als Teil des russ. Wasserstraßennetzes die obere Wolga über Flüsse, Kanäle und Seen (darunter Onegasee, Swir, Ladogasee und Newa) mit der Ostsee; rd. 1100 km lang.

Wolgast, Stadt im Landkreis Ostvorpommern, Meckl.-Vorp., an der Peene, 7 km oberhalb deren Mündung in die Ostsee, 15 200 Ew.; Werft, Holzindustrie, Futtermittelwerk; Hafen. – Petrikirche (14. Jh.), Gertrudenkapelle (um 1400). – Um 1250 gegr., 1257 Stadtrecht (Lüb. Recht seit 1282); 1295–1464 und 1532–1625 Residenz des Herzogtums Pommern-W.; Hansestadt; bis 1994 Kreisstadt.

Wolgemut, Michael, Maler und Zeichner für den Holzschnitt, *Nürnberg 1434, †ebd. 30. 11. 1519; Schüler und 1473 Werkstattnachfolger von H. →Pleydenwurff; beeinflusst von der niederländ. Malerei und von M. Schongauer. In seiner Werkstatt wurden viele Holzstöcke angefertigt (Holzschnitte für das Andachtsbuch »Schatzbehalter«, Holzschnitte für H. Schedels »Weltchronik«), die für die Entwicklung des jungen A. Dürer, der bei W. ausgebildet wurde, von Bedeutung waren. W. war auch als Porträtist geschätzt.

Werke: Altarflügel »Messe des hl. Gregor«, Wallfahrtskirche Maria Verkündigung, Andechs (um 1470); Hochaltar der Marienkirche in Zwickau (1476–79); Altar der Stiftskirche in Feuchtwangen (1484); Peringsdörfer Altar (1485–88, seit 1952 in der Friedenskirche Nürnberg); Hochaltar der Stadtpfarrkirche in Schwabach (1506–08).

Wolgograd (bis 1925 Zarizyn, bis 1961 Stalingrad), Hptst. des Gebiets W., Russland, auf dem rechten, hohen Ufer der Wolga, 1 Mio. Ew.; Univ., fünf Hochschulen; Museen, Theater; wichtiger Hafen, Bahnknotenpunkt und Industriestandort: Maschinenbau (u. a. Traktorenwerk), Stahlwerk, Aluminiumhütte, Werft, Erdölraffinerie, chem., Baustoff-, Nahrungsmittel-, Leder-, Schuhindustrie. Nördl. von W. der **Wolgograder Stausee** (3 117 km², Inhalt 31,5 Mrd. m³; Wasserkraftwerk 2 540 MW). – 1598 als Grenzfestung gegr.; entwickelte sich im 18. Jh. zu einem bed. Wolgahafen und im 19. Jh. (seit 1862 Eisenbahnknotenpunkt) zum Industriezentrum. Im 2. Weltkrieg 1942/43 erfolgreiche Verteidigung gegen dt. Truppen (Gedenkstätte auf dem Mamaihügel).

Wolfskehlmeister: Die Grabplatte vom Grab des Bischofs Friedrich von Hohenlohe im Bamberger Dom stammt aus dem Jahr 1352

Michael Wolgemut: Kreuztragung Christi, Tafel aus dem Seitenflügel des Peringsdörfer Altars (1485–88; seit 1952 in der Friedenskirche in Nürnberg)

Wolhyni|en (Wolynien), histor. Landschaft im NW der Ukraine, zw. dem Bug (im W) und dem Tal des Dnjepr (im O), grenzt im S an Podolien. – Im 9./10. Jh. Teil des Kiewer Reichs, im 11./12. Jh. unabhängiges Herzogtum **(Lodomerien),** 1188 mit Galizien vereinigt; kam im 14. Jh. an Litauen, 1569 durch die Lubliner Union an Polen, Ansied-

Wolgast Stadtwappen

Wolken

1

2

3

4

1 Zirrus, hohe Federwolken | **2** Nimbostratus | **3** Stratokumulus | **4** Kumulus, flache Haufenwolken (Schönwetterwolken)

lung poln. Bauern. 1795 fiel W. an Russland; im 19. Jh. Ansiedlung von Deutschen und Tschechen. Bald nach Ausbruch des 1. Weltkriegs wurden die rd. 200 000 **W.-Deutschen** z. T. nach Sibirien (Rückkehr von etwa 100 000 Überlebenden nach dem Krieg) verschleppt. Der W-Teil W.s kam 1921 an Polen, 1939 an die Sowjetunion; während der dt. Besetzung 1941–44 Ausrottung der jüd. Bev. und Umsiedlung der W.-Deutschen z. T. nach Dtl., z. T. in das Gebiet um Posen; 1947 Umsiedlung der **W.-Tschechen** in die ČSSR.

wolhynisches Fieber, das → Fünftagefieber.

Wolken, sichtbare, in der Luft schwebende Ansammlungen von Kondensationsprodukten des Wasserdampfes, d. h. von sehr kleinen Wassertröpfchen, Eiskristallen oder beiden gemeinsam. Die W.-Bildung setzt eine genügend feuchte, sich unter den Taupunkt abkühlende Luft voraus, wobei gleichzeitig Kondensationskerne in ausreichender Zahl vorhanden sein müssen, an denen sich die Wasserdampfmoleküle anlagern können. Die Abkühlung der Luft erfolgt v. a. durch Vertikalbewegungen: durch erzwungene Hebungsprozesse (Aufgleiten z. B. an Berghängen oder an Fronten in der Atmosphäre) oder Aufsteigen infolge Dichteunterschiedes ungleich erwärmter Luftmassen. Aufsteigende Luft kühlt sich ab, bis der in ihr enthaltene Wasserdampf den Sättigungszustand (100 % relative Feuchtigkeit) erreicht hat. In dieser Höhe (Kondensationsniveau) beginnt die Kondensation des Wasserdampfes; kleine W.-Wassertröpfchen (Ø 2–15 µm) bilden sich. Die weitere Abkühlung geht langsamer vor sich. Steigt die Luft so weit auf, dass der Gefrierpunkt unterschritten wird, tritt i. Allg. noch kein Gefrieren ein. Ab etwa −12 °C gefrieren die ersten W.-Tröpfchen unter Mitwirkung von Gefrierkernen zu Eiskristallen.

Nach internat. Vereinbarung werden nach Form und Höhe zehn **W.-Gattungen** unterschieden und vier **W.-Familien** (drei W.-Stockwerken) zugeordnet: 1) *hohe W.* (oberes Stockwerk, 7–13 km): **Zirrus (Cirrus, Ci):** Feder-W., aus einzelnen Fasern

Wolken

Cloud Seeding

Aus der Hagelabwehr ist bekannt, dass man sich darum bemüht, hagelträchtige Gewitterwolken mit künstlichen Gefrierkernen (meist Silberjodid) zu »impfen«, um sie vor dem Erreichen wertvoller Sonderkulturen (Wein, Hopfen) zum Abregnen zu bringen. Ähnliches wird auch bei Regenwolken versucht. Aber der so verursachte Niederschlag führt zu einem rechtlichen Problem, denn er fehlt dann in der Regel an anderer Stelle. Ein Fall von »Wolkendiebstahl«?

oder Büscheln bestehende, weiße, seidig glänzende Eiswolken; **Zirrostratus (Cirrostratus, Cs):** dünner, weißer Eiswolkenschleier, der meist den ganzen Himmel überzieht und Haloerscheinungen hervorruft; **Zirrokumulus (Cirrocumulus, Cc):** feine Schäfchen-W., Flecken oder Felder kleiner, weißer W.-Flocken oder -Bällchen. – 2) *Mittelhohe W.* (mittleres Stockwerk, 2–7 km): **Altokumulus (Altocumulus, Ac):** höhere, gröbere Schäfchen-W., Felder oder Bänke aus weißen oder grauen, flachen W.-Ballen oder -walzen, gröber als Zirrokumulus; **Altostratus (As):** graue oder bläul., gleichmäßige W.-Schicht, große Teile des Himmels bedeckend; lässt die Sonne stellenweise als verwaschene Scheibe erkennen; **Nimbostratus (Ns):** gleichmäßig strukturlose graue bis dunkelgraue W.-Schicht mit uneinheitl. Untergrenzen, aus der Niederschlag fällt; unterhalb der W.-Masse sich bildende W.-Fetzen können mit ihr zusammenwachsen. – 3) *Tiefe W.* (unteres Stockwerk, 0–2 km): **Stratokumulus (Stratocumulus, Sc):** tiefe, grobe Schäfchen-W., Schicht oder Bänke aus grauen oder weißl., schollen-, ballen- oder walzenartigen W.-Teilen, die auch zusammengewachsen sein können; **Stratus (Schicht-W., St):** graue, gleichförmige W.-Schicht mit tiefer Untergrenze, aus der – im Ggs. zu Nimbostratus – nur kleintropfiger Niederschlag fallen kann; typ. Form des Hochnebels. – 4) *W. mit großer senkrechter Erstreckung* (0–13 km): **Kumulus (Cumulus, Cu):** dichte, scharf abgegrenzte Haufen-W. mit nahezu horizontaler Untergrenze; entweder verhältnismäßig flach (Schönwetterkumulus) oder quellend in die Höhe wachsend; leuchtend weiß im Sonnenlicht; **Kumulonimbus (Cumulonimbus, Cb):** mächtig aufgetürmte Haufen-W. (oft große Höhen erreichend, in den Tropen bis zu 16 km), die höchsten Teile vielfach ambossartig ausgebreitet, aus der Schauerniederschläge, häufig von Gewittern begleitet (Gewitter-W.), fallen. Kumulus und Kumulonimbus zählen zu den Quell-W. und zeigen eine labile Schichtung der Atmosphäre an (Quellbewölkung; häufig mit Regenschauern). – Innerhalb dieser zehn Gattungen unterscheidet man weitere Arten durch Zusätze wie congestus (con) = mächtig aufquellend, fibratus (fib) = faserig, stratiformis (str) = schichtförmig (stratiforme W.) oder lenticularis (len) = linsenförmig (Lentikularis-W.).

📖 BONT, G. DE: *Wolkenatlas. W. u. Wetter. A. d. Niederländ. Stuttgart 1987.* – WALKER, A.: *Zeichen am Himmel. Wolkenbilder u. Wetterphänomene richtig verstehen. Basel u. a. 1997.*

Wollaffen (Lagothrix), Gattung der Greifschwanzaffen mit bis zu 65 cm Körperlänge, rundem Kopf, wolligem braunem oder schwarzem Fell und muskulösem Greifschwanz; tagaktive Baumbewohner des trop. Regenwaldes Südamerikas.

Wollaston ['wʊləstən], William Hyde, brit. Naturforscher, * East Dereham (Cty. Norfolk) 6. 8. 1766, † London 22. 12. 1828; entdeckte Palladium und Rhodium, beobachtete dunkle Linien im Sonnenspektrum und erfand das nach ihm benannte **W.-Prisma,** mit dem zwei senkrecht zueinander linear polarisierte Lichtstrahlen erzeugt werden können; entwickelte auch ein Verfahren, Platin hämmerbar zu machen.

William Hyde Wollaston (zeitgenössische Darstellung)

Wollastonit [nach W. H. Wollaston] *der,* $Ca_3[Si_3O_9]$, Mineral in triklinen, als **Para-W.** monoklinen, tafeligen Kristallen oder schaligen bis feinstängeligen Massen, meist grau, gelblich oder rötlich mit Glas- oder Seidenglanz. Oberhalb 1125 °C existiert noch eine pseudohexagonale Modifikation; Entstehung kontaktmetamorph.

Wollbaum, der → Kapokbaum.

Wollbaumgewächse (Bombacaceae), Familie der Malvenartigen in den Tropen, vorwiegend im trop. Amerika; Bäume mit oft dickem, Wasser speicherndem Stamm (Flaschenbäume); u. a. Affenbrotbaum, Kapokbaum.

Wollaffen (Körperlänge bis zu 65 cm)

Wolle, die aus dem Haarvlies von Schafen gewonnenen, v. a. aus Wollhaaren (Unterhaar) bestehenden spinnbaren Fasern, die als Rohstoffe für Textilien verwendet werden; i. w. S. auch Bez. für die von anderen Säugetieren, insbesondere Angora- und Kaschmirziegen, Kamelen (Kamel, Alpaka, Vikunja) und Angorakaninchen, gewonnenen spinnfähigen tier. Haare, die im Ggs. zu der (meist einfach W. genannten) Schaf-W. mit einem ihre Herkunft kennzeichnenden Vorsatz versehen und häufig auch als »Haar« bezeichnet werden (z. B. Angora-W., Kamelhaar). – Die Haare der **Schaf-W.** zeichnen sich durch eine mehr oder weniger starke Kräuselung aus, durch die hohe Bauschkraft und große Wärmehaltigkeit bedingt sind. Allg. sind feine W. stärker gekräuselt und haben eine geringere Faserlänge. Nach der Feinheit werden folgende Hauptgruppen unterschieden: **Merino-W.** (bes. fein und sehr stark gekräuselt) vom Merinoschaf, **Crossbred-W.** (mittelfein, mittellang, normal gekräuselt) vom Crossbredschaf, **Cheviot-W.** (grob, lang, wenig gekräuselt) vom Cheviotschaf. Nach der Art der Gewinnung unterscheidet man: **Schur-W.** (von lebenden Schafen geschoren), **Haut-** oder **Schlacht-W.** (vom Fell geschlachteter Tiere), **Gerber-W.** (**Schwitz-W.** oder **Schwöde-W.**; bei der Lederherstellung anfallende W.; sie ist durch die Vorbehandlung in Griff, Festigkeit, Glanz und Geschmeidigkeit geschädigt), **Sterblings-W.** (von verendeten Tieren; Haare geringer Qualität, im Durchmesser ungleichmäßig). Feine, meist kurze und stark filzende W. werden vorwiegend zu Streichgarnen (Streich-W.), mittelgrobe und grobe W. v.a. zu Kammgarnen (Kamm-W.) verarbeitet. Bes. grobe und lange W. werden Teppich-W. genannt.

Eigenschaften: Aufgrund der zahlr. in der W. enthaltenen hydrophilen Säureamidgruppen sind die Fasern hygroskopisch; sie nehmen aus der Luft Feuchtigkeit auf und geben sie in trockener Umgebung wieder ab. Eine weitere wichtige Eigenschaft der W. ist ihre Elastizität und damit ihre Fähigkeit, sich von Deformationsbeanspruchung zu erholen. Unterschiedlich reagiert W. auf die Einwirkung von heißem Wasser und Wasserdampf: Während sie bei kurzzeitiger Einwirkung von heißem Wasser stark (bis über 30%) schrumpft, kann sie bei längerer Einwirkung von Wasserdampf unter Dehnung bleibend (formbeständig) gestreckt werden. Diese Reaktion wird bei Ausrüstung von Wollstoffen zur Verhinderung des Einlaufens ausgenutzt, wobei gleichzeitig Glanz und Griff der Stoffe verbessert werden. Große Bedeutung besitzt das durch die schuppige Oberflächenstruktur der W. bedingte Filzvermögen, das die Grundlage für die Herstellung von Filz und Tuch durch Walken bildet; gleichzeitig ist das Filzvermögen jedoch auch die Ursache für das v.a. bei unsachgemäßem Waschen auftretende Verfilzen und Schrumpfen von Wolltextilien.

Verarbeitung: Die durch Scheren der Schafe gewonnene Roh-W. enthält neben den Wollhaaren v.a. →Wollfett und Wollschweiß, durch die die Wollhaare zum zusammenhängenden Vlies verklebt sind. Bei der Verarbeitung werden die Vliese zunächst zerteilt und nach Feinheit sortiert. Danach werden die Vliesteile maschinell aufgelockert (»geöffnet«) und anschließend meist in mehreren hintereinander geschalteten Bottichen schonend (um ein Verfilzen zu vermeiden) mit Wasser unter Zusatz von schwachen Alkalien oder unter Zugabe von synthet. Detergenzien gewaschen und dabei entfettet. Um ein zu weit gehendes Entfetten zu vermeiden, wird die W. meist am Ende der Wäsche mit Schmälzmitteln behandelt. Nach dem Trocknen leitet man sie der Spinnerei zu.

🕮 Dannenfeldt, G.: *Die Wollfaser. Chem., physikal. u. bekleidungsphysiolog. Eigenschaften. Köln 1989.*

Wollfett (Wollwachs), gelbe bis braune fettartige Masse, die bei der Entfettung roher Schafwolle aus dem Waschwasser gewonnen wird. W. besteht vorwiegend aus den Estern versch. Fettsäuren mit Cholesterin u.a. höhermolekularen Alkoholen. Wasserhaltiges gereinigtes W. heißt **Lanolin** (besteht aus 13 Teilen W., vier Teilen Wasser und drei Teilen flüssigem Paraffin); raffiniertes W. und Lanolin werden z.B. zur Herstellung von Salben oder als Überfettungsmittel für Seifen verwendet.

Wollgras (Eriophorum), Gattung der Riedgräser, in Torfmooren der nördl. gemäßigten Zone; ausdauernde, Rasen bildende Kräuter mit meist stielrunden Blättern und in endständiger Ähre stehenden, vielblütigen Ährchen; Blütenhülle nach der Blüte in lange, weiße Haare auswachsend. Von den fünf einheim. Arten ist das **Zierl. W.** (Eriophorum gracile) vom Aussterben bedroht.

Wollhandkrabbe (Chinesische W., Eriocheir sinensis), nachtaktive, 8–9 cm breite, bräunliche Krabbe in Süßgewässern Chinas, auch in zahlr. dt. Flüsse verschleppt; mit einem Paar bes. bei den Männchen dicht behaarter Scheren.

Wollin (poln. Wolin), **1)** Insel an der Ostseeküste Pommerns, zw. dem Stettiner Haff und der Pommerschen Bucht, Polen; 265 km², bis 115 m hoch, z.T. Nationalpark.

2) Stadt in der Wwschaft Szczecin (Stettin), Polen, im S von 1), an der Dievenow, 4000 Ew.; Fischfang und -verarbeitung. – Als Julin (Jumne, Jumneta, Jomsburg) im 10. Jh. reiche Stadt mit lebhaftem Handel; wohl das der Sage nach vom Meer verschlungene **Vineta** (ab 1934 teilweise bis 6 m unter der heutigen Stadt freigelegt); zw. 900 und 1200 mindestens zehnmal zerstört und wieder aufgebaut; um 1263 Lüb. Recht; kam 1648 an Schweden, 1720 an Preußen.

Wollläuse (Schmierläuse, Pseudococcidae), Familie der Schildläuse mit je nach Art durch Wachsausscheidungen mehlig bepudertem oder von gekräuselten Fäden umgebenem 3–6 mm großem

Wollin

Vineta war der Sage nach eine blühende, reiche Handelsstadt an der Ostsee, die vom Meer verschlungen wurde. Heutzutage ist man sich sicher, dass es eine solche Stadt im 10. Jahrhundert tatsächlich gegeben hat. Sie lag auf der Insel Wollin und wurde von heidnischen Wenden bewohnt. Funde lassen den Schluss zu, dass sie Handel mit griechischen, sizilianischen und arabischen Häfen trieb. In alten Urkunden heißt sie Jumne oder Jumneta, aus dessen lateinischer Schreibweise, IVMNETA, wahrscheinlich der Name Vineta entstanden ist. Der Chronist Adam von Bremen berichtet sogar, dass Vineta ein »byzantinisches Feuer« gehabt habe. Es wäre das erste Leuchtfeuer der Ostsee gewesen.

ovalem Körper; als Pflanzensaftsauger an Kulturpflanzen schädlich.

Wollongong ['wʊləngɔŋ], Stadt an der Küste von New South Wales, Australien, 239 600 Ew.; Univ.; im Stadtteil Port Kembla bed. Industrie (v.a. Eisen- und Stahlerzeugung), Hafen; nahebei Steinkohlenbergbau. – Entstand durch Zusammenschluss von **Port Kembla** und **Greater Wollongong.**

Wollsackverwitterung (Matratzenverwitterung), an ungeschichteten, grobkörnigen Massengesteinen wie Granit auftretende chem. Verwitterung, die längs Klüften von außen nach innen fortschreitet und zur Entstehung von kantengerundeten Blöcken (»Wollsäcke«) führt, die, freigespült, sich zu Blockmeeren ansammeln können.

Wollsackverwitterung

Wọllschläger, Hans, Schriftsteller und Übersetzer, *Minden 17. 3. 1935; Ausbildung als Kirchenmusiker; zahlr. Publikationen zu Karl May, seit 1987 Mit-Hg. der historisch-krit. Karl-May-Ausgabe; als Übersetzer (z.T. mit Arno Schmidt) wurde er v.a. durch die kongeniale Übersetzung von J. Joyces »Ulysses« (1975) bekannt; schreibt Prosa, u.a. »Herzgewächse oder Der Fall Adams« (R., 1982).

Hans Wollschläger

Wollschweber (Hummelschweber, Bombyliidae), Familie gedrungener, pelziger Fliegen mit langem Saugrüssel, die »stehend« im Rüttelflug an Blüten saugen; als Larven Schmarotzer in anderen Insektenlarven.

Wollstonecraft ['wʊlstənkrɑːft], Mary, engl. Schriftstellerin, →Godwin, Mary.

Wọllweber, Ernst Friedrich, Politiker, *Hann. Münden 28. 10. 1898, †Berlin 3. 5. 1967; seit 1919 Mitgl. der KPD; 1928–32 MdL in Preußen, 1932/33 MdR; baute das Westeuropa-Büro der Komintern auf **(W.-Organisation);** 1940 in Schweden verhaftet, 1944 an die Sowjetunion überstellt; nach Rückkehr in die SBZ 1949–53 Staatssekretär, 1955–57 Min. für Staatssicherheit der DDR, 1954–58 Mitgl. des ZK der SED; als Kritiker W. Ulbrichts 1958 aller Funktionen enthoben.

Ernst Friedrich Wollweber

Wọlmirstedt, Stadt im Ohrekreis, Sa.-Anh., im SO der Letzlinger Heide, 11 500 Ew.; Armaturen- und Gerätebau, Lederind.; nördlich von W. das Kaliwerk Zielitz. – Ehem. Schloss der Magdeburger Erzbischöfe (durch Umbauten von 1480 und 1575–82 aus der Burg hervorgegangen; Kapelle 1480). – Entstand neben einer 1009 bezeugten Burg; wurde vor 1363 Stadt; war bis 1994 Kreisstadt.

Wọlof (Jolof, Djolof), Volk der Sudaniden in W-Senegal, Mauretanien und Gambia; Feldbauern, betreiben daneben Viehhaltung, Fischfang und Handwerk. Ihre Sprache, das W., gehört zur westatlant. Gruppe der Niger-Kongo-Sprachen.

Wọlogda, Hauptstadt des Gebiets W., Russland, an der Wologda, 283 000 Ew.; zwei Hochschulen, Theater; Maschinenbau (Holzbearbeitungsmaschinen), Nahrungsmittel-, Textil-, Möbelindustrie. – Im alten Stadtkern der Erzbischöfl. Hof (1671–75) mit der Sophienkathedrale (1568–70) sowie Barockpaläste, zahlr. Kirchen (17./18. Jh.), klassizist. Bauten und reich verzierte Holzhäuser. – 1147 erstmals erwähnt.

Wołów ['vɔu̯uf] (dt. Wohlau), Stadt in der Wwschaft Wrocław (Breslau), Polen, westlich des Katzengebirges, in Niederschlesien, 12 000 Ew.; Holz-, Nahrungsmittelindustrie. – Spätgot. Kirche (14./15. Jh., barocke Innenausstattung), barockes Karmeliterkloster mit Kirche (1713–26; nach 1781 verändert), ehem. herzogl. Schloss (urspr. 14. Jh., im 16. Jh. erweitert, im 18./19. Jh. umgebaut), Renaissancerathaus (im Barock erweitert, nach Kriegszerstörung 1960 wiederhergestellt). – Um 1285 als dt. Stadt gegründet.

Wọls, eigtl. Alfred Otto Wolfgang Schulze, Maler, Grafiker und Fotograf, *Berlin 27. 5. 1913, †Paris 1. 9. 1951; lebte ab 1932 in Paris; Hauptvertreter des →Tachismus. In seinen Bildern finden Stimmungen und existenzielle Nöte als Farbflecken und subtile lineare Gespinste Ausdruck; er schuf auch Radierungen und Fotografien. Bild S. 306; weiteres BILD informelle Kunst

Wọlschski, Stadt im Gebiet Wolgograd, Russland, am linken Ufer der Wolga, 278 400 Ew.; bed. Ind.standort: Walzwerk, Kugellagerfabrik, chem., Nahrungsmittelind.; Hafen. – W. entstand 1951 mit dem Bau des Wolgograder Staudammes.

Wolsey ['wʊlsɪ], Thomas, engl. Kardinal und Staatsmann, *Ipswich um 1475, †Leicester 29. 11. 1530; wurde 1514 Erzbischof von York, 1515 Kardinal, 1518 päpstl. Legat. Als Lordkanzler (seit 1515) und Ratgeber Heinrichs VIII. stärkte er den Einfluss der engl. Krone gegenüber Hochadel und Parlament. Er stand zunächst aufseiten Karls V.,

Thomas Wolsey (Ausschnitt eines zeitgenössischen Gemäldes)

Wols: »Le moulin à vent« (um 1951; Münster, Westfälisches Landesmuseum)

schloss aber nach der Schlacht von Pavia (1525) ein Bündnis mit Frankreich. W. gründete das spätere Christchurch College in Oxford. Als es W. nicht gelang, die Zustimmung des Papstes zur Ehescheidung Heinrichs VIII. von Katharina von Aragonien zu erreichen, wurde er 1529 abgesetzt und des Hochverrats angeklagt; er starb als Gefangener.

Ernst von Wolzogen (zeitgenössische Zeichnung)

Wölsungen (Welsungen, Wälsungen, altnord. Völsungar), Heldengeschlecht der nordgerman. Sagendichtung, Hauptgestalt ist Sigurd (→Siegfried). Die ausführlichste Darstellung liefert die altnord. Völsunga Saga (wohl 2. Hälfte 13. Jh.).

Wolter, Charlotte, Schauspielerin, *Köln 1. 3. 1834, †Wien 14. 6. 1897; seit 1862 am Wiener Burgtheater als trag. Heldin; ihre Darstellungen zeichneten sich durch besondere Leidenschaftlichkeit aus (»Wolterschrei«).

Wolters, Friedrich, Literarhistoriker und Schriftsteller, *Uerdingen (heute zu Krefeld) 2. 9. 1876, †München 14. 4. 1930; gehörte dem George-Kreis an, veröffentlichte Gedichte; Übersetzungen u. a. aus dem Griechischen und Lateinischen.

Karoline von Wolzogen (Ausschnitt eines zeitgenössischen Pastells)

Woltman, Reinhard, Wasserbauingenieur, *Axstedt (Kr. Osterholz) 28. 12. 1757, †Hamburg 20. 4. 1837; förderte die Regulierung von Flüssen, erfand 1790 den nach ihm benannten W.-Zähler zur Messung von Geschwindigkeit und Menge strömenden Wassers.

Wolverhampton ['wʊlvəhæmtən], Stadt in der engl. Metrop. Cty. West Midlands, 239 800 Ew.; Univ.; Kunstgalerie, Museen; chem., Textil- und bed. Metallind. (Verarbeitung von Kupfer, Aluminium, Messing, Eisen und Stahl), Maschinen- und Karosseriebau, Reifen- und Nahrungsmittelindustrie.

Wolynilen, →Wolhynien.

Wolzogen, **1)** Ernst Ludwig Freiherr von, Schriftsteller, *Breslau 23. 4. 1855, †München 30. 8. 1934, Halbbruder von 2); schrieb humorvoll-unterhaltende, z. T. zeitkrit. Gesellschaftsromane und Dramen (u. a. »Der Thronfolger«, R., 2 Bde., 1892; »Das Lumpengesindel«, Dr., 1892); gründete 1901 in Berlin das »Überbrettl«. Später wandte er sich religiösen Themen im Sinne eines »nordisch-dt. Christentums« zu.

2) Hans Paul Freiherr von, Schriftsteller, *Potsdam 13. 11. 1848, †Bayreuth 2. 6. 1938, Halbbruder von 1); gab seit 1878 die von R. Wagner gegr. »Bayreuther Blätter« heraus, veröffentlichte Schriften zu Werk und Leben Wagners.

3) Karoline Freifrau von, geb. von Lengefeld, Schriftstellerin, *Rudolstadt 3. 2. 1763, †Jena 11. 1. 1847; heiratete 1794 in 2. Ehe ihren Vetter, den weimar. Oberhofmeister Wilhelm von W.; schrieb Romane (»Agnes von Lilien«, 2 Bde., 1796/97) und Erzählungen. Ihr Hauptwerk ist die Biographie ihres Schwagers Schiller, den sie seit 1787 kannte (»Schillers Leben«, 2 Bde., 1830).

Wombats (Plumpbeutler, Vombatidae), Familie in Australien lebender Beuteltiere; plumpe, Höhlen grabende Pflanzenfresser mit vorwiegend nächtl. Lebensweise, z. B. der bis zu 1 m lange **Nacktnasen-Wombat** (Vombatus ursinus).

Women's Lib ['wɪmɪnz-, engl.], Kw. für Women's Liberation Movement, in den USA Ende der 1960er-Jahre entstandene Frauenbewegung, die sich im Anschluss an die Bürgerrechts- und Anti-Vietnam-Bewegung bildete. Sie kämpft gegen die gewohnheitsmäßige Zuweisung geschlechtsspezif. Rollen und Überlegenheitsansprüche der Männer.

Won *der,* Währungseinheit in Nord-Korea und Süd-Korea: 1 W. = 100 Chon.

Wombats: Nacktnasenwombat

Wonder ['wʌndə], Stevie, eigtl. Steveland Judkins Morris, amerikan. Rocksänger und Multiinstrumentalist, *Saginaw (Mich.) 13. 5. 1950; blind geboren; profilierte sich seit Mitte der 60er-Jahre zu einem der Hauptvertreter der Soulmusik; experimentierte mit elektron. Klangeffekten und schuf Soulsymphonien; Komponist, Texter und Produzent auch für andere Interpreten.

Grant Wood: »American Gothic« (1930; Chicago, Ill., Art Institute)

Wọndratschek, Wolf, Schriftsteller, *Rudolstadt 14. 8. 1943; schreibt experimentelle, sozialkrit. Prosa (»Früher begann der Tag mit einer Schußwunde«, 1969; »Menschen, Orte, Fäuste. Reportagen und Stories«, 1987), ferner Lyrik (»Chuck's Zimmer«, 1974; »Das leise Lachen am Ohr eines anderen«, 1976; »Männer und Frauen«, 1978) sowie den Roman »Einer von der Straße« (1992); auch Hörspiele.

Wŏnsan [wʌnsan], Provinz-Hptst. in Nord-Korea, 350 000 Ew.; Fischerei, Schiffbau, Eisenbahnwerkstätten, Erdölraffinerie, chem. Ind.; Hafen am Japan. Meer.

Wood [wʊd], **1)** Grant, amerikan. Maler, *Anamosa (Ia.) 13. 2. 1892, †Iowa City (Ia.) 12. 2. 1942; Studien in Paris und München. Seine Darstellungen von Menschen und Landschaften seiner Heimat in einem von der Neuen Sachlichkeit beeinflussten strengen Realismus sind Ausdruck der Suche nach nat. Identifikation und lokaler Tradition; bed. Vertreter des amerikan. Regionalismus.

2) John d. Ä., gen. W. of Bath, engl. Baumeister und Architekturschriftsteller, *wohl Yorkshire 1704, †Bath 23. 5. 1754, Vater von 3); Vertreter des palladian. Klassizismus. W. entwarf seit 1724 die Stadtanlage von Bath, baute Landsitze, die Börse in Bristol (1740–43) und das Rathaus in Liverpool (1748–55).

3) John d. J., engl. Baumeister, getauft Bath 25. 2. 1728, †Batheson (bei Bath) 18. 6. 1782, Sohn von 2); baute Landsitze und Kirchen; er vollendete die von seinem Vater begonnenen Arbeiten in Bath und entwickelte mit dem dortigen Circus (1764 ff.; von John Wood d. Ä. 1754 begonnen) und dem Royal Crescent (1767–75) den Typus der halbrunden Platzanlagen, wie sie u. a. auch in London ausgeführt wurden.

4) Natalie, eigtl. Natasha Gurdin, amerikan. Schauspielerin, *San Francisco (Calif.) 20. 7. 1938, †Los Angeles (Calif.) 29. 11. 1981; verkörperte den Typ des bürgerl. jungen Mädchens der 50er-Jahre, spielte auch in Komödien und Musicals (»Denn sie wissen nicht, was sie tun«, 1955; »West Side Story«, 1961; »Das große Rennen«, 1965; »Verdammt in alle Ewigkeit«, TV-Film, 1979).

woodsches Metạll ['wʊd-; nach dem amerikan. Metallurgen B. Wood], Legierung aus 50% Wismut, 25% Blei, 12,5% Zinn und 12,5% Cadmium; schmilzt bei 60 °C und wird als Schnelllot sowie für Schmelzsicherungen verwendet.

Woodward ['wʊdwəd], Robert Burns, amerikan. Chemiker, *Boston (Mass.) 10. 4. 1917, †Cambridge (Mass.) 8. 7. 1979; synthetisierte zahlr. Naturstoffe wie Chlorophyll, Strychnin, Tetracycline, Vitamin B_{12} und lieferte auch Beiträge zur theoretischen organischen Chemie. Er erhielt 1965 den Nobelpreis für Chemie.

Woolf [wʊlf], Virginia, engl. Schriftstellerin, *London 25. 1. 1882, †(Selbstmord) im Fluss Ouse bei Lewes (East Sussex) 28. 3. 1941. Ihr Heim in Bloomsbury (Stadtteil von London) war Mittelpunkt eines literar. Kreises (Bloomsbury Group). W. hat für die Entwicklung des modernen Romans eine ähnl. Bedeutung wie J. Joyce und M. Proust. Das individuelle Bewusstsein ihrer Gestalten spiegelt die Realität in einem Strom von Empfindungen, Gedanken und Erinnerungen: »Mrs. Dalloway« (1925), »Die Fahrt zum Leuchtturm« (1927), »Die Wellen« (1931). In »Orlando« (1928, verfilmt) nutzt sie vorwiegend das Mittel des Berichts, um ihre Romanfigur (Vorbild ist ihre Freundin Victoria Sackville-West) mit wechselndem Geschlecht in drei versch. histor. Epochen zu zeigen. Auch zahlr. Essays zur engl. Literatur sowie Tagebücher.

Wolf Wondratschek

Robert B. Woodward

Virginia Woolf

Wer hat Angst vor Virginia Woolf?

Bei diesem Zitat handelt es sich um die wörtliche Übersetzung des Titels eines Schauspiels von Edward Albee aus dem Jahr 1962, das im Original »Who's afraid of Virginia Woolf?« heißt; die gleichnamige Verfilmung entstand 1965. Der Name der Schriftstellerin steht dabei für die emanzipierte Frau und für die literarische Technik des inneren Monologs, die die Engländerin als eine der Ersten verwendete. Zugleich ist der Titel eine Parodie auf das Kinderlied »Who is afraid of the big bad wolf?« (»Wer hat Angst vor dem bösen Wolf?«). So wird er denn auch im Sinne der rhetorischen Frage des Kinderspiels »Wer fürchtet sich vorm schwarzen Mann?« zitiert.

📖 Erzgräber, W.: *V. W. Eine Einführung. Tübingen u. a. ²1993.* – Waldmann, W.: *V. W. mit Selbstzeugnissen u. Bilddokumenten. Reinbek 31.–33. Tsd., ⁷1994.*

Virginia Woolf (um 1915)

Woolley ['wʊlɪ], Sir (seit 1935) Charles Leonard, brit. Archäologe, *London 17. 4. 1880, †ebd. 20. 2. 1960; leitete Ausgrabungen in Nubien (1907–12) und Karkemisch (1912–14, 1919), bes. erfolgreich in Ur (1922–34) und Alalach (1936–39; 1946–49). – *Werke:* Ur in Chaldäa (1956); Ein vergessenes Königreich (1953); Mesopotamien und Vorderasien (1961).

Woomera ['wʊmərə], Ort im zentralen South Australia, australisch-brit. Raketenversuchsanlage; nahebei Weltraumbeobachtungsstation **Island Lagoon.**

Worbis, Stadt im Landkreis Eichsfeld, Thür., 5200 Ew.; Heimatmuseum; Herstellung von elektron. Teilen, Möbeln, Getränken. – Ehem. Franziskanerkloster (1667–1825) mit Barockkirche (17. Jh.); Sankt-Rochus-Kapelle (17. Jh.), Fachwerkbauten. – W. erhielt 1255 Stadtrecht; war bis 1994 Kreisstadt.

Worcester ['wʊstə], **1)** Stadt in der engl. Cty. Hereford and Worcester, am Severn, 81000 Ew.; Herstellung von W.-Porzellan, Metallwaren, Werkzeugen, Maschinen- und Fahrzeugbau. – Kathedrale (11.–14. Jh., Außenbau v. a. 19. Jh.), spätgot. Kreuzgang mit Chapter House (12. Jh.), georgian. Bauten (18. Jh.).

2) Stadt in Massachusetts, USA, am Blackstone River, 169800 Ew.; kath. Bischofssitz; Univ.; Fahrzeug-, Waggonbau, Metall-, Maschinen-, Textil-, Leder-, chem. u. a. Industrie.

Worcesterporzellan ['wʊstə-], das Porzellan der bedeutendsten engl. Manufaktur im 18. Jh. (1751 in Worcester gegr.), orientierte sich an Vorbildern aus Ostasien, Sèvres und Chelsea. Seit der 2. Hälfte des 19. Jh. wird v. a. Gebrauchsporzellan hergestellt.

Worcestersoße ['wʊstə-], scharfe Würzsoße, nach engl. Rezept aus Sojabohnen, Essig, Sherry, Zwiebeln, Limonen, Ingwer, Tamarindensaft u. a. Bestandteilen.

Wordsworth ['wə:dzwə:θ], William, engl. Lyriker, *Cockermouth (Cty. Cumbria) 7. 4. 1770, †Rydal Mount (bei Grasmere, Cty. Cumbria) 23. 4. 1850; wurde 1792 in Frankreich begeisterter Anhänger der Frz. Revolution, zus. mit S. T. Coleridge und R. Southey Führer der romant. »Lake School«. 1798 veröffentlichte er mit Coleridge die »Lyrical ballads«, mit denen in England die »romantic revolt« begann. In der zur erweiterten Fassung (1800, 2 Bde.) verfassten Vorrede legte er die Forderungen der neuen Dichtkunst dar; Gegenstand der Poesie solle das einfache, mit der Natur eng verbundene und durch die Ratio nicht verbildete Leben sein, ihre Sprache müsse der des Alltags entsprechen. W.s beste Gedichte verwirklichen mit ihren schlichten Versen diese Forderung (»Intimations of immortality«, 1803–06). Seine pantheist. Haltung zeigt die autobiograph. Bekenntnisdichtung »Präludium oder das Reifen eines Dichtergeistes« (1805, nach mehrfacher Revision hg. 1850), ähnlich das Fragment »The excursion« (1814), beide waren als Teile eines Menschheitsepos geplant (»The recluse«, hg. 1888). 1843 wurde W. zum Poet laureate ernannt.

📖 Byatt, A. S.: *Unruly times. W. and Coleridge in their time. London 1989.*

Wörgl, Stadt im Bezirk Kufstein, Tirol, Österreich, im Inntal, 513 m ü. M., 10100 Ew.; Heimatmuseum; Holzfaserplattenfabrik, Landmaschinenbau; Fremdenverkehr.

Wörishofen, Bad, →Bad Wörishofen.

Worksong ['wə:ksɔŋ, engl.] *der,* Arbeitslied, bes. der afrikan. Sklaven in Nordamerika, das, geprägt vom Arbeitsrhythmus, als einstimmiges Chorlied oder im Wechselgesang von Vorsänger und Chor gesungen wird; beeinflusste Spiritual, Blues, Jazz.

Worcesterporzellan: Untertasse und zweihenklige Tasse mit Tier- und Pflanzendekor (um 1770; Hamburg, Museum für Kunst und Gewerbe)

Workstation ['wə:ksteɪʃn; engl. »Arbeitsstation«] *die,* hochwertige Arbeitsplatzrechner, meist integriert in ein lokales →Netz. W. sind durch hohe Speicherkapazität, Rechenleistung und Bildschirmauflösung sowie die Vernetzbarkeit mit anderen Systemen (z. B. Massenspeicher) gekennzeichnet.

Workụta, Stadt in der Rep. Komi, Russ. Föderation, 120 km nördlich des Polarkreises, 117 400 Ew.; Bergbauinstitut, Verw.- und Wirtschaftsakademie; Zentrum des Steinkohlenbergbaus im Petschora-Kohlenbecken; Eisenbahnverbindung zum Ob, Flugplatz. – W. wurde seit 1931 von Zwangsarbeitern erbaut und war bis in die 50er-Jahre eines der berüchtigtsten Zwangsarbeitslager der UdSSR.

William Wordsworth: zeitgenössische Kreidezeichnung

World Health Organization ['wə:ld 'helθ ɔ:gənaɪ'zeɪʃn, engl.], Abk. **WHO,** → Weltgesundheitsorganisation.

World Jewish Congress ['wə:ld 'dʒu:ɪʃ 'kɔŋgres, engl.], Abk. **WJC** (Jüdischer Weltkongress), internat. Zusammenschluss von jüd. Organisationen; 1936 in Genf gegr., Sitz der Zentrale: New York.

World Meteorological Organization ['wə:ld mi:tɪərə'lɔdʒɪkl ɔ:gənaɪ'zeɪʃn, engl.], **Abk. WMO** (Weltorganisation für Meteorologie), Sonderorganisation der UN, Sitz: Genf; gegr. 1950 als Nachfolger der seit 1873 bestehenden Internat. Meteorolog. Organisation (IMO); Aufgaben: weltweite Organisation der Wetterdienste, einheitl. Beobachtungsnetze, vergleichbare Beobachtungsmethoden und -instrumente, Förderung der Forschung und Ausbildung.

World University Service ['wə:ld ju:nɪ'və:sɪtɪ 'sə:vɪs, engl.], Abk. **WUS,** 1920 gegr. internat. Vereinigung von nat. Studentenkomitees, bes. zur Förderung für unter erschwerten Bedingungen studierende Kommilitonen und Finanzierung von Projekten wie Bibliotheken oder Begegnungen; auch Initiativen zur Zusammenarbeit von Hochschulen und Wirtschaft.; Sitz: Genf; 36 nat. Komitees; Sitz des Dt. Komitees e. V. in Wiesbaden.

Worldwatch Institute ['wə:ldwɔtʃ 'ɪnstɪtju:t, engl.], 1974 gegr. unabhängige, gemeinnützige Einrichtung, die v. a. den Zusammenhang zw. Weltwirtschaft und globalen ökolog. Problemen untersucht; Sitz: Washington (D. C.). Das W. I. gibt jährlich den Bericht »Zur Lage der Welt« sowie das Umweltmagazin »World Watch« heraus.

World Wide Fund for Nature ['wə:ldwaɪd 'fʌnd fɔ: 'neɪtʃə, engl.], Abk. **WWF,** 1961 gegr. internat. Organisation (bis 1987 unter dem Namen **World Wildlife Fund**), die Naturschutzprojekte durchführt und eng mit der → Internationalen Union für Naturschutz zusammenarbeitet; Sitz: Gland (Schweiz); Wappentier: Großer Panda.

WWF®

World Wide Fund for Nature

World Wide Web [wə:ld waɪd web, engl.], *Informationstechnik:* → WWW.

Wọ̈rlitz, Stadt im Landkreis Anhalt-Zerbst, Sa.-Anh., in der Elbaue, 1 800 Ew. – Schloss (1769–73 von F. W. von Erdmannsdorff) mit bed. Gemälde- und Antikensammlung, Landschaftspark im engl. Stil (1765–1805) mit »Got. Haus«, »Pantheon«, »Venustempel« und »Floratempel«. – 966(?)/1004 erstmals erwähnt; 1440 Stadt genannt.

Wọrmditt, Stadt in Polen, → Orneta.

Wọrms, 1) kreisfreie Stadt im RegBez. Rheinhessen-Pfalz, Rheinl.-Pf., am linken Rheinufer, 80 500 Ew.; Fachhochschule; städt. Museum, jüd. Museum, Stiftung Kunsthaus Heylshof; chem. Ind., Stahl- und Leichtmetallbau, Maschinenbau, Holz-, Kunststoffind., Druckereien, Nahrungs- und Genussmittelindustrie. – Bed. mittelalterl. Bauwerke: → Wormser Dom, roman. Pauluskirche mit zwei Rundtürmen (1016, spätroman. Westvorhalle, fünfseitiger Ostchor von 1250, 1706–16 barocker Umbau des Langhauses, seit 1928 Dominikanerklosterkirche), Andreaskirche (11.–13. Jh., roman. Pfeilerbasilika mit angrenzenden Stiftsgebäuden; zum Museum umgebaut), spätromanische Magnuskirche (8.–14. Jh.), spätgot. Liebfrauen-

Wörlitz: Das 1769–73 erbaute Schloss gilt als Hauptwerk des Baumeisters Friedrich Wilhelm von Erdmannsdorff

Wormser Dom: Ansicht von Westen (links) und Blick in den Westchor

Worms 1)
Stadtwappen

kirche (14.–15. Jh.), romanische Martinskirche (10./11. Jh., Um- und Neubau 1265 geweiht), Synagoge (1174–1213, 1938 zerstört, Neubau 1959–61), Judenfriedhof mit nahezu 2000 Gräbern vom 11. Jh. an. Im 18. Jh. entstanden u. a. die Stiftsherrenhäuser und die Dreifaltigkeitskirche (1709–25). Die Lutherkirche (1910–12) verfügt über eine hervorragende Jugendstilausstattung.

Der urspr. kelt. Ort **(Borbetomagus),** fiel im 1. Jh. v. Chr. an die german. Vangionen; um 50 v. Chr. von Cäsar erobert, danach **Civitas Vangionum;** seit dem 2. Jh. bed. Stadt; Befestigung in der 2. Hälfte des 3. Jh., seit dem 4. Jh. Bischofssitz (bis 1801/02); ab 413 Zentrum des Burgunderreiches, nach dessen Vernichtung (436) alemannisch; 469 (seit dem 7. Jh. **Wormatia**) fränkisch; seitdem Königsgut (zeitweilig bevorzugte Residenz); 898 gingen die königl. Rechte an den Bischof über; 1122 →Wormser Konkordat. Schon von den Saliern begünstigt, unter den Staufern ein Mittelpunkt kaiserl. Macht, vermutlich älteste freie Reichsstadt (1184 große Freiheitsurkunde); 1254 maßgeblich an der Gründung des Rhein. Städtebundes beteiligt. 763–1545 Ort vieler bed. Reichstage, u. a. 1495 (Reichsreform) und 1521 (→Wormser Edikt). 1659 lehnte es die Stadt ab, Hptst. der Kurpfalz zu werden. 1689 im Pfälz. Erbfolgekrieg durch frz. Truppen verwüstet. 1801–16 unter frz. Herrschaft, dann an das Großherzogtum Hessen(-Darmstadt); seit 1945 zu Rheinland-Pfalz. Weiteres BILD Friedhof

Manfred Wörner

📖 *W. Die Stadt der Nibelungen, Text v.* F. REUTER, *Fotos v.* K. BARANENKO. *Heidelberg 1995.*

2) ehem. Bistum, entstanden in der 1. Hälfte des 4. Jh.; im 8. Jh. dem Erzbistum Mainz unterstellt; ab 1648 meist in Personalunion mit Mainz oder Trier verbunden; im Gefolge der Frz. Revolution während der frz. Herrschaft (1801–16) aufgehoben.

Wormser Dom, doppelchörige Basilika mit je einem achteckigen Turm über Ostvierung und Westbau und vier höheren Rundtürmen paarweise an jedem Chor; ein Hauptwerk der Romanik und Schlüsselbau für die Entwicklung der oberrhein. Baukunst. Von dem vorausgehenden, zu Beginn des 11. Jh. errichteten Dom sind die Untergeschosse der westl. Rundtürme erhalten. Der heutige spätroman. Bau wurde um 1120/25 begonnen (Weihe 1181); wohl gegen 1210–20, möglicherweise bereits vor 1192, war nach Errichtung des Langhauses der Westchor vollendet. Aus roman. Zeit sind am östl. Chor Unheil abwehrende Tierdarstellungen erhalten, auch einige Skulpturen im Innern des Doms (Relief des Daniel in der Löwengrube u. a.). Der Hochaltar (1740) nach Entwurf J. B. Neumanns ist mit Figuren von J. W. van der Auwera ausgestattet. Weiteres BILD Doppelchoranlage

Wormser Edikt, auf dem Reichstag von Worms (8./26. 5. 1521) über M. Luther verhängtes Edikt; sprach die Reichsacht über ihn aus und verbot Lektüre und Verbreitung seiner Schriften.

Wormser Konkordat, am 13. 9. 1122 in Worms zw. Papst Kalixt II. und Kaiser Heinrich V. geschlossener Vertrag zur Beilegung des →Investiturstreits. Der Kaiser verzichtete auf die Investitur mit Ring und Stab, erhielt aber das Recht, in Dtl. (nicht in Burgund und Italien) die gewählten Bischöfe und Äbte vor ihrer Weihe mit den weltl. Besitzungen ihrer Kirchen zu belehnen.

Wörner, Manfred, Politiker (CDU), *Stuttgart 24. 9. 1934, †Brüssel 13. 8. 1994; 1965–88 MdB; 1982–88 Bundesverteidigungsmin., war ab Juli 1988 Gen.-Sekr. der NATO.

Woronesch, Hauptstadt des Gebiets W., Russland, am Fluss W., 902 200 Ew.; Univ., weitere Hochschulen, Theater; Maschinen-, Flugzeug-, Radio-, Fernsehgerätebau u. a. Ind.; Flusshafen. – W., 1177 erstmals erwähnt, wurde 1585 befestigt und war im 17. Jh. Handelsmittelpunkt des Schwarzerdegebiets. 1695/96 entstand hier die erste russ. Werft; ab 1711 Gouv.-Hauptstadt.

Woronichin, Andrei Nikiforowitsch, russ. Baumeister, *Nowoje Ussolje (Gebiet Perm) 28. 10. 1759, †Sankt Petersburg 5. 3. 1814. Sein Hauptwerk ist die klassizist. Kasaner Kathedrale (1802–12) in Sankt Petersburg.

Woroschilow, 1935–57 Name der Stadt →Ussurisk.

Woroschilow, Kliment Jefremowitsch, Marschall der Sowjetunion (seit 1935) und Politiker, *Werchneje (heute zu Lissitschansk, Gebiet Lugansk, Ukraine) 4. 2. 1881, †Moskau 2. 12. 1969; organisierte 1917 mit F. E. Dserschinski die Tscheka;

1925–40 Volkskommissar für Armee und Flotte bzw. für Verteidigung; führend an der »Säuberung« der Roten Armee 1937/38 beteiligt; im 2. Weltkrieg u.a. Oberbefehlshaber der NW-Front; 1926–60 Mitgl. des Politbüros bzw. Präsidiums des ZK der KPdSU, 1953–60 Vors. des Präsidiums des Obersten Sowjets (Staatsoberhaupt); von N. S. Chruschtschow seiner Ämter enthoben.

Woroschilowgrạd, 1935–58 und 1970–90 Name der Stadt →Lugansk.

Woroschịlowsk, 1) 1936–43 Name der Stadt →Stawropol.

2) 1931–61 Name der Stadt →Altschewsk.

Worpswẹde, Gemeinde im Landkreis Osterholz, Ndsachs., am S-Rand des Teufelsmoors, 9 300 Ew.; Museum für Frühgeschichte, Torfschiffsmuseum. – Künstlerkolonie, 1889 von F. Mackensen, O. Modersohn und H. am Ende gegr.; ihr traten später H. Vogeler, Paula Modersohn-Becker u.a. bei. Auch der Schriftsteller R. M. Rilke lebte zeitweise in Worpswede.

Wort, 1) *Informatik:* Folge von Zeichen, die in einem Computer als Einheit betrachtet und verarbeitet wird. Häufig verwendete Zeichen sind im Rahmen von Maschinensprachen binäre Zeichen mit dem Informationsgehalt eines Bits (z.B. die Ziffern 0 und 1), im Rahmen von symbol. und höheren Programmiersprachen die Buchstaben des Alphabets und die Dezimalziffern (alphanumer. Zeichen) sowie ggf. Sonderzeichen. Je nach Ausführung des Computers kann die W.-Länge z.B. 8, 16, 32 oder 64 Bits betragen; auch Bytes können zu Wörtern zusammengefasst werden.

2) *Sprachwiss.:* kleinste selbstständige sprachl. Einheit, akustisch und orthographisch isolierbarer und verschiebbarer Bedeutungsträger im Satz, nicht immer identisch mit dem →Lexem. In der Sprachwiss. sind Wörter Untersuchungsgegenstand u.a. in der Lexikographie, Lexikologie und Morphologie.

Wortart (Wortklasse), die Einteilung der Wörter einer Sprache aufgrund ihrer unterschiedl. Funktion im Satz und der damit verbundenen Merkmale. Die Klassifikation der Wörter in der europ. Grammatiktradition geht auf die alexandrin. Grammatik (Dionysios Thrax, 2. Jh. v.Chr.) zurück. Im Deutschen unterscheidet man die Haupt-W. **Verb, Substantiv, Adjektiv;** die Begleiter bzw. Stellvertreter des Substantivs **Artikel** und **Pronomen;** die Partikeln **Adverb, Präposition, Konjunktion** sowie die **Interjektion.** Die Grenzen zw. den W. sind fließend, z.B. können Verben und Adjektive als Substantive gebraucht werden; deshalb unterscheiden sich die Zahlen der angenommenen W. z.T. beträchtlich.

Wortatlas (Deutscher W.), Ergänzung zum →Deutschen Sprachatlas, umfasst die lexikal. Besonderheiten des dt. Sprachraums mit Ausnahme der Schweiz.

Wortbildung, die Entstehung von neuen Wörtern aus einem oder mehreren bereits vorhandenen Wörtern, entweder durch die Kombination zweier oder mehrerer Wörter oder Stämme (Komposition, Zusammensetzung) oder durch Ableitung, d.h. durch die Kombination eines Wortes oder Stammes mit einem Affix oder durch phonolog. Veränderung (z.B. Ablaut). Die W. ist das wichtigste und flexibelste Mittel zur Wortschatzerweiterung.

Wörterbuch, Nachschlagewerk, das den Wortschatz einer Sprache nach bestimmten Gesichtspunkten auswählt, anordnet und erklärt; das W. gibt Sprachinformationen, während das Lexikon Sachinformationen bietet. Einsprachige W.-Typen: **Rechtschreib-W.** (orthograph. W.): verzeichnet die richtige Schreibung gemäß den (amtl.) Regeln; es hat stark normativen Charakter. **Aussprache-W.:** enthält die (normierte) Aussprache der Wörter in der internat. Lautschrift. **Rückläufiges W.:** ordnet die Wörter vom Wortende her bis zum Wortanfang hin alphabetisch. **Bedeutungs-W.:** erklärt die Bedeutung der Wörter, z.T. ergänzt durch Angabe des Ggs., Anwendungsbeispiele und Beispiele für den übertragenen Gebrauch. **Fremd-W.:** nimmt nur aus anderen Sprachen übernommene, noch nicht eingedeutschte Wörter auf und erklärt sie. **Idiomat. W.:** erklärt die Bedeutung idiomat. oder phraseolog. Wendungen und gibt Anwendungsbeispiele. **Mundart-W.** (Idiotikon): verzeichnet den Wortschatz einer Einzelmundart, einer größeren Dialektlandschaft oder eines gesamten Sprach- oder Dialektgebiets. **Bezeichnungs-W.:** stellt den Wortschatz einer Sprache nach Begriffsgruppen zusammen; es vermittelt einen Eindruck von der Gliederung des Wortschatzes und dem Aufbau der Wortfelder. **Synonym-W.:** stellt Wörter gleicher oder ähnl. Bedeutung zusammen, die (unter bestimmten Bedingungen) in einem Text austauschbar sind.

Wormser Konkordat

In der Urkunde Kalixts II., die den einen Teil des Wormser Konkordats von 1122 bildet, gesteht der Papst dem Kaiser einen Anteil an der Erhebung von Bischöfen und Äbten des Reiches zu; die Unterscheidung zwischen geistlichem Amt und weltlichen Besitz- und Hoheitsrechten hatte diesen Kompromiss ermöglicht:

»Ich, Bischof Calixtus, ... bewillige dir, meinem geliebten Sohn Heinrich, ... dass die Wahl der Bischöfe und Äbte des deutschen Reiches ... in deiner Gegenwart ... vollzogen werde. ... Der Erwählte soll dann von dir ohne jegliche Bezahlung die Regalien durch Verleihung des Stabes erhalten und dir leisten, wozu er von Rechts wegen verpflichtet ist.«

Bild-W.: geht von den bildlich darstellbaren Wirklichkeitsbereichen aus; zu den dargestellten Dingen werden die jeweiligen Wörter aufgeführt.

DEUTSCHES
WÖRTERBUCH
VON
JACOB GRIMM UND WILHELM GRIMM.
ERSTER BAND.
A – BIERMOLKE.
LEIPZIG
VERLAG VON S. HIRZEL.
1854.

Wörterbuch: Titelblatt des 1854 erschienenen ersten Bandes des »Deutschen Wörterbuches« von Jacob und Wilhelm Grimm

Sönke Wortmann

Andrei Wosnessenski

Phraseolog. W. (syntagmat. W.): führt die inhaltlich sinnvollen und grammatisch richtigen Wortverknüpfungen im Satz auf. **Etymolog. W.:** gibt Auskunft über die Herkunft und Geschichte eines Wortes und zeigt Parallelen in anderen Sprachen auf. Das **Häufigkeits-W.** gibt die Häufigkeit des Vorkommens eines Wortes an. Ferner gibt es W. von Sondersprachen oder Soziolekten, z.B. der Jugend- oder Gaunersprache, von Individualsprachen (Goethe-W.) und fachsprachl. Wörterbücher.

Die Anfänge der dt. W. gehen auf die Glossen zu lat. Texten in althochdt. Zeit zurück. Die dt.-lat. Glossare mit ihren Definitionen, Hinweisen zur Orthographie, Betonung, Synonymen, teils auch grammat. Merkversen waren der übl. W.-Typ des Spät-MA. Als erstes dt. W. gilt das Glossar von Dietrich Engelhus (*um 1362, †1434). Das erste gedruckte W. mit dt. Stichwort ist der 1477 in Köln erschienene »Teutonista« von dem Humanisten Gerhard van der Schueren (*1411, †zw. 1490 und 1499). Erst im 17. und 18. Jh. begannen die Bemühungen um eine Kodifizierung der im gesamten dt. Sprachgebiet geltenden Sprache (»Der teutschen Sprache Stammbaum und Fortwachs oder Teutscher Sprachschatz« von K. Stieler, 1691). 1774–86 erschien das fünfbändige Werk »Versuch eines vollständigen grammatisch-krit. W. der hochdt. Mundart, mit beständiger Vergleichung der übrigen Mundarten, bes. aber der oberdeutschen« von J. C. Adelung; 1807–11 gab J. H. Campe sein »W. der dt. Sprache« (5 Bde.) heraus. Die bedeutendste Leistung der Lexikographie des 19. und 20. Jh. ist das »Dt. W.« von J. und W. Grimm. Die Gegenwart der dt. Lexikographie beginnt mit dem Abschluss des grimmschen W. im Jahre 1960.

Die lexikograph. Erarbeitung von W. mit EDV sowie ihre Präsentation durch elektronisch gestützte Medien (Datenbanken, Disketten, CD-ROM) spielt in neuerer Zeit eine immer größer werdende Rolle.

📖 KÜHN, P.: *Dt. Wörterbücher. Eine systemat. Bibliographie. Tübingen 1978. – Nachdenken über Wörterbücher, bearb. v.* G. DROSDOWSKI *u. a. Neuausg. Mannheim u. a. 1984. – Wörterbücher. Ein internat. Hb. zur Lexikographie, hg. v.* F. J. HAUSMANN, *3 Bde. Berlin u. a. 1989–91.*

Wortfamili|e, Bez. für eine Gruppe von Wörtern, die sich aus einer etymolog. Wurzel entwickelten (z.B. »glücken«, »beglücken«, »Glück«, »Unglück«, »glücklich«).

Wortfeld, Bez. für eine inhaltlich zusammengehörige Gruppe von Wörtern, die sich in ihren Bedeutungsgehalten wechselseitig bestimmen (z.B. »kalt«, »lau«, »warm«, »heiß«).

Wörth (Wört), der → Werder.

Wörth a.d. Donau, Stadt im Landkreis Regensburg, Bayern, 4500 Ew.; Schloss (Ausbau 1570–1616, seit 1812 im Besitz der Fürsten von Thurn und Taxis).

Wörth am Rhein, Stadt im Landkreis Germersheim, Rheinl.-Pf., Hafen am Rhein, 17500 Ew.; Heimatmuseum; Lastkraftwagenwerk, Erdölraffinerie.

Wörther See, größter See Kärntens, im Klagenfurter Becken, Österreich, 440 m ü.M., 18,8 km², 17 km lang, bis 1,7 km breit, bis 86 m tief; Wassersportzentrum mit Badeorten (am W- und N-Ufer Velden, Pörtschach, Krumpendorf, am S-Ufer Maria Wörth).

Wortklasse, die → Wortart.

Wortmann, Sönke, Filmregisseur, *Marl 25. 8. 1959; drehte v.a. erfolgreiche Komödien wie »Der bewegte Mann« (1994), »Das Superweib« (1996), »Charley's Tante« (TV-Film, 1996); 1997 folgte die Hochschulsatire »Der Campus«.

Wortschatz, Gesamtheit der in einer Sprache vorhandenen Wörter und festen Wortverbindungen. Etymologisch gesehen besteht der W. aus Erbwörtern, dem Grundbestand einer Sprache aus der ältesten Zeit der Sprachentwicklung, aus Lehnwörtern und aus Fremdwörtern. Als **aktiven W.** bezeichnet man den von einem Sprecher/Schreibenden tatsächlich eingesetzten W. und als **passi-**

ven W. den von ihm darüber hinaus verstandenen Wortschatz.

Woschod [wɔsˈxɔd; russ. »Aufstieg«], der zweite Typ sowjet. bemannter Raumfahrzeuge, die 1964 und 1965 auf Erdumlaufbahnen gebracht wurden (→Raumfahrt). Die W.-Unternehmen dienten raumflugtechn. und medizin. Erprobungen. Beim Flug von W. 2 hielt sich A. A. Leonow 1965 als erster Mensch für 12 min 9 s außerhalb seines Raumschiffs auf (»Weltraumspaziergang«).

Wosnessẹnski, Andrei Andrejewitsch, russ. Lyriker, *Moskau 12. 5. 1933; mit seinen in Bildwelt, Vers- und Reimtechnik erfindungsreichen Gedichten bed. Vertreter der russ. Gegenwartslyrik (»Antiwelten«, 1964; »Schatten eines Lauts«, 1970; »Rov«, 1987; »Wenn wir die Schönheit retten«, dt.-russ. Auswahl 1988).

Wostọk [russ. »Osten«], der erste Typ sowjet. Raumfahrzeuge für einen Mann Besatzung, mit dem als erster Mensch am 12. 4. 1961 J. A. →Gagarin in 1 h 48 min einmal die Erde umkreiste. Die Gesamtmasse betrug etwa 4,7 t. Die W.-Raumfahrzeuge bestanden aus einer kugelförmigen Rückkehrkabine (∅ 2,3 m) und einem kegelförmigen Geräteteil; insgesamt sechs bemannte Flüge (1961–63).

Wọtan, german. Gott (→Odin); Zentralgestalt von R. Wagners »Ring des Nibelungen«.

Wọten (finn. Vatjalaiset), westfinn. Stamm, urspr. nordöstlich von Narwa, im 2. Weltkrieg meist nach Dtl. umgesiedelt.

Wotjạken, frühere Bez. für die →Udmurten.

Wọtruba, Fritz, österr. Bildhauer, Maler und Zeichner, *Wien 23. 4. 1907, †ebd. 28. 8. 1975; emigrierte 1938 in die Schweiz, lehrte ab 1945 an der Wiener Akademie. Er schuf meist aus grobem Stein gehauene Figuren von blockhaft kantigen, roh belassenen Formen; auch Bühnenbilder und Radierungen. Nach seinen Entwürfen wurde die Dreifaltigkeitskirche in Wien-Mauer errichtet (1974–76).

Wouk [wəʊk], Herman, amerikan. Schriftsteller, *New York 27. 5. 1915; schrieb den Erfolgsroman »Die Caine war ihr Schicksal« (1951; Film- und Bühnenversion, 1954), ferner krit. Gesellschaftsromane: »Der Feuersturm« (1971), »Der Krieg. Weltsturm« (1978; dt. 2 Tle.), »Der Enkel des Rabbi« (1985).

Wounded Knee [ˈwuːndɪd ˈniː], Weiler und Bach in der Indianereservation Pine Ridge im südwestl. South Dakota, USA. – Nahebei brachen amerikan. Truppen am 29. 12. 1890 den letzten Widerstand der Dakota (→Geistertanzbewegung) mit einem Massaker, dem etwa 200 Indianer zum Opfer fielen; Symbol für den Freiheitskampf der Indianer. (→Redpower)

Fritz Wotruba: Großes Figurenrelief, Bronze (1957/58; Wien, Museum moderner Kunst)

Wouwerman [ˈwɔuwərman], Philips, niederländ. Maler, getauft Haarlem 24. 5. 1619, begraben ebd. 19. 5. 1668; wurde 1640 Mitglied der Malergilde in Haarlem. Sein umfangreiches Werk, v. a. Landschaften mit Jagdgesellschaften und Reiterszenen, zeichnet sich durch ein fein abgestuftes Kolorit und eine lebendige Erzählweise aus.

Herman Wouk

Wow and Flutter [ˈwaʊ ənd ˈflʌtə, engl.], *Elektroakustik:* →Gleichlaufschwankungen.

Wrack, gesunkenes, gestrandetes oder anders unbrauchbar gewordenes Schiff; behindert es die Schifffahrt, wird es durch Seezeichen gekennzeichnet.

Wrạngel (Wrangell), dt.-balt. Adelsgeschlecht (erste Erwähnung 1277), verzweigte sich auch nach Schweden, Russland, Preußen, Holland, bed. v. a.:

1) Carl Gustaf Graf von Salmis, schwed. Feldherr, *Schloss Skokloster (bei Uppsala) 23. 12. 1613, †Gut Spieker (auf Rügen) 25. 6. 1676; erhielt im Dreißigjährigen Krieg 1646 den Oberbefehl über die schwed. Truppen in Dtl.; seit 1664 Mitgl. der Vormundschaftsreg. für Karl XI.

2) Ferdinand Petrowitsch, Graf von, russ. Admiral (seit 1847) und Polarforscher, *Pskow 9. 1. 1797, †Tartu 6. 6. 1870; unternahm 1820–24 Forschungsreisen in den N Sibiriens und kartierte bis dahin unerforschte Küstengebiete; sichtete 1823 die nach ihm benannte Wrangelinsel; 1829–35 Gouv. von Russisch-Amerika (Alaska).

3) Friedrich Graf von (seit 1864), preuß. Generalfeldmarschall (seit 1856), *Stettin 13. 4. 1784, †Berlin 1. 11. 1877; vertrieb 1848 als Oberbefehlshaber der dt. Bundestruppen die Dänen aus Schleswig, kommandierte die Truppen, die im Nov. 1848

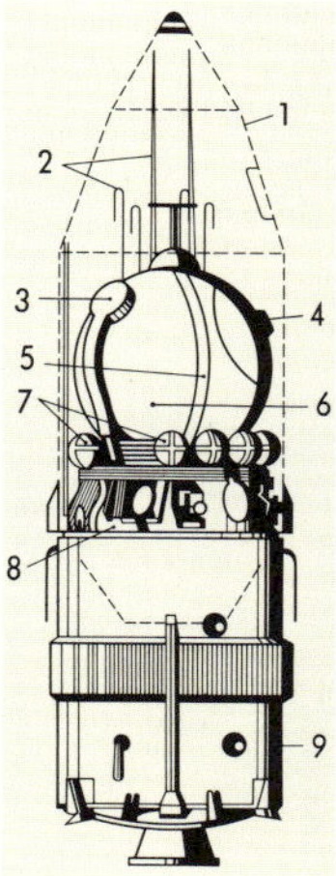

Wostok: schematische Darstellung des Raumflugkörpers, 1 abwerfbarer Schutzkegel, 2 Antennen, 3 Schwenkarm mit Abreißkontakten, 4 Luke mit Sichtfenster, 5 Spannband, 6 kugelförmige Kabine, 7 Druckgasbehälter, 8 Gerätezelle, 9 Endstufe der Trägerrakete

Frank Lloyd Wright: »Haus über dem Wasserfall« in Bear Run, Pennsylvania (1935–38)

die preuß. Nationalversammlung in Berlin auseinander sprengten; 1864 Oberbefehlshaber im 2. Dt.-Dän. Krieg.

4) Pjotr Nikolajewitsch, Baron von, russ. General, *Nowo-Alexandrowsk 27. 8. 1878, †Brüssel 25. 4. 1928; übernahm im April 1920 als Nachfolger A. I. Denikins den Oberbefehl über die weißgardist. Truppen in S-Russland und auf der Krim; floh im Nov. 1920 nach der Niederlage gegen die Rote Armee ins Ausland.

Frank Lloyd Wright

Wrangel|insel (russ. Ostrow Wrangelja), russ. Insel im Nordpolarmeer, vor der N-Küste Sibiriens, vom Festland durch die De-Long-Straße getrennt, 7300 km², bis 1096 m ü. M., vergletschert; Forschungsstation; Eisbären-Schutzgebiet. – 1823 von F. P. von Wrangel gesichtet.

Wrasen, aus kleinen Wassertröpfchen bestehender Nebel, der bei der Abkühlung des unsichtbaren Wasserdampfes entsteht.

Wrede, Karl Philipp Fürst von (seit 1814), bayer. Feldmarschall, *Heidelberg 29. 4. 1767, †Ellingen (Kr. Weißenburg-Gunzenhausen) 12. 12. 1838; lenkte die bayer. Truppen 1813 in das Lager der Gegner Napoleons I. und vertrat Bayern auf dem Wiener Kongress.

Richard Wright

Wren [ren], Sir (seit 1673) Christopher, engl. Architekt, *East Knoyle (Cty. Wiltshire) 20. 10. 1632, †Hampton Court (heute zu London) 25. 2. 1723; ab 1657 Prof. für Astronomie in London, 1669–1718 königl. Generalarchitekt, lieferte nach dem Brand von London (1666) den Plan für den Wiederaufbau, der zwar abgelehnt wurde, dessen Einfluss aber fortwirkte. W. baute 51 Stadtkirchen (etwa 15 erhalten). Sein Hauptwerk ist die Saint Paul's Cathedral in London (1675–1709), bei der er sich an Vorbilder der italien. Renaissance und des italien. und frz. Barock anlehnte. – *Weitere Bauten:* Bibliothek des Trinity College, Cambridge (1676–84); Ostflügel von Schloss Hampton Court (1689–1702). BILD London

Wrexham ['reksəm], Industriestadt in NO-Wales, 40 000 Ew.; Verw.sitz des County Borough W. (498 km², 123 400 Ew.); Steinkohlenbergbau, chem., Reifen- u. a. Ind., Maschinenbau.

Wright [raɪt], **1)** Frank Lloyd, amerikan. Architekt, *Richland Center (Wis.) 8. 6. 1867, †Phoenix (Ariz.) 9. 4. 1959; arbeitete 1888–93 bei D. Adler und L. H. Sullivan in Chicago, danach eröffnete er ein eigenes Büro. Ausgehend von dem Grundsatz Sullivans, Innen- und Außenwelt durch die »organ. Einfachheit« zu verknüpfen, schuf er Bauten, die aus den Gegebenheiten der Landschaft, aus Zweck, Material und Konstruktion erwachsen und organisch gestaltet sind (→organische Architektur). Meisterhaft mit der Natur in Einklang gesetzt sind seine Landhausbauten, für die er Holz und Stein bevorzugte (»Präriehäuser«; Willits House, Chicago, 1902, u. a.), später aber auch Beton verwendete (»Haus über dem Wasserfall« in Bear Run, Pa., 1935–38). Seit 1930 wurden nach einem von ihm entworfenen, geringe Kosten erfordernden Typus zahlr. Einfamilienhäuser gebaut (»Usonia-Häuser«). Eigenwillig und von völlig neuer Art war jedes seiner Werke: das Imperial Hotel in Tokio (1915–23, 1968 abgerissen), das Verwaltungsgebäude der Johnson Wax Company in Racine, Wis. (1936–39), der Price Tower in Bartlesville, Okla. (1955) und das →Guggenheim-Museum in New York (1956–59).

📖 *F. L. W. Die Meisterwerke, hg. v.* D. LARKIN *u.* B. B. PFEIFFER. *A. d. Amerikan. Stuttgart u. a. 1993. – Architekten – F. L. W., bearb. v.* H. FRITSCH. *Stuttgart ⁴1995.*

2) Georg Henrik von, finn. Logiker und Wissenschaftstheoretiker, *Helsinki 14. 6. 1916; Prof. u. a. in Helsinki und Cambridge; arbeitete an einem die Aussagelogik erweiternden System der deont. Logik (1951), in dem es um die log. Beziehungen zwischen normativen Urteilen geht; wichtige Beiträge zur Wittgenstein-Forschung.

3) Orville, amerikan. Flugzeugtechniker, *Dayton (Oh.) 19. 8. 1871, †ebd. 30. 1. 1948, Bruder von 5); war mit seinem Bruder erfolgreicher Erfinder des Motorflugzeugs; am 17. 12. 1903 gelangen ihnen die ersten gesteuerten Motorflüge (erster Flug 12 Sekunden Dauer und 53 m Länge) mit einem Doppeldecker, der von zwei durch einen kleinen Benzinmotor angetriebenen Luftschrauben bewegt wurde. Die Brüder W. gelten als die eigentl. Pioniere des Motorfluges.

4) Richard, amerikan. Schriftsteller, *Natchez (Miss.) 4. 9. 1908, †Paris 28. 11. 1960; wuchs als Afroamerikaner in den Südstaaten auf; lebte 1937–46 in New York, anschließend in Paris. W. engagierte sich in seinen Romanen und Erzählungen kompromisslos für die soziale und polit. Gleichstellung der schwarzen Amerikaner, verwendete dazu z. T. naturalist. Mittel (Erzählungen: »Onkel Toms Kinder«, 1938; Romane: »Sohn dieses Landes«, 1940; »Der schwarze Traum«, 1958); in Paris gehörte er zum Kreis um J.-P. Sartre (existenzialistisch beeinflusst der Roman »Der Mörder und die Schuldigen«, 1953); Autobiographien »Ich Negerjunge« (1945); »Schwarzer Hunger« (hg. 1977).

Orville und **Wilbur Wright**

5) Wilbur, amerikan. Flugpionier, * bei Millville (nahe New Castle, Ind.) 16. 4. 1867, † Dayton (Oh.) 30. 5. 1912, Bruder von 3), mit dem er zeitlebens eng zusammenarbeitete.

Wróblewski [vruˈblɛfski], Zygmunt Florenty, poln. Physiker, *Grodno 28. 10. 1845, † Krakau 19. 4. 1888; Prof. in Krakau, verflüssigte zus. mit Karol Stanisław Olszewski (* 1846, † 1915) erstmalig Sauerstoff und Stickstoff in größeren Mengen.

Wrocław [ˈvrɔtsu̯af], Stadt in Polen, → Breslau.

W-R-Sterne (W-Sterne), die → Wolf-Rayet-Sterne.

Wrụbel, Michail Alexandrowitsch, russ. Maler und Bildhauer, * Omsk 17. 3. 1856, † Sankt Petersburg 14. 4. 1910; schuf monumentale Wandgemälde, Porträts, Illustrationen, Bühnenbilder, kunsthandwerkl. Arbeiten; gilt als Hauptvertreter des russ. Symbolismus.

Ws (W · s), Einheitenzeichen für **W**att**s**ekunde. (→ Watt)

WStG, Abk. für **W**ehr**st**raf**g**esetz, → Wehrrecht.

WTO, Abk. für engl. **W**orld **T**ourism **O**rganization, Weltorganisation für Probleme des Fremdenverkehrs, gegr. 1975, Sitz: Madrid.

WTO, Abk. für engl. **W**orld **T**rade **O**rganization, die → Welthandelsorganisation.

Wu, Chien-Shiung, amerikan. Physikerin chines. Herkunft, * Schanghai 31. 5. 1912, † New York 16. 2. 1997; Prof. in New York; Arbeiten zur experimentellen Kernphysik. 1957 gelang es ihr in dem von T. D. Lee und C. N. Yang vorgeschlagenen Experiment, die Verletzung der → Parität nachzuweisen. (→ CPT-Theorem)

Wuchang [-tʃaŋ], seit 1953 Teil von → Wuhan.

Wucher, die Ausbeutung der Notlage, des Leichtsinns oder der Unerfahrenheit eines anderen dadurch, dass jemand sich oder einem Dritten für die Vermietung von Wohnraum **(Miet-W.),** Kreditgewährung **(Kredit-W., Zins-W.),** sonstige Leistungen oder für die Vermittlung einer dieser Leistungen Vermögensvorteile versprechen oder gewähren lässt, die in einem auffälligen Missverhältnis zu der Leistung und deren Vermittlung stehen. Nach § 302 a StGB wird W. mit Freiheitsstrafe bis zu drei Jahren oder Geldstrafe, in bes. schweren Fällen mit Freiheitsstrafe von sechs Monaten bis zu zehn Jahren bestraft. Preisüberhöhung kann als Ordnungswidrigkeit (Geldbuße bis 100 000 DM) nach §§ 4 f. Wirtschaftsstraf-Ges. geahndet werden. Wucher. Rechtsgeschäfte sind gemäß § 138 Abs. 2 BGB nichtig. Bei der Kreditvergabe liegt ein wucher. Geschäft vor, wenn der vereinbarte Zins das Doppelte des Marktüblichen erreicht oder der absolute Unterschied zum Marktüblichen mindestens 12 % beträgt. – Nach *österr.* Recht sind W.-Geschäfte nichtig (§ 879 ABGB; Wucher-Ges. von 1949). Vorsätzl. W. ist nach §§ 154 ff. StGB strafbar. Nach *schweizer.* Recht ist zivilrechtlich der wucher. Vertrag einseitig unverbindlich; er kann vom Verletzten binnen Jahresfrist angefochten werden (Art. 21 OR). Strafbar ist W. nach Art. 157 StGB.

Wucherblume (Chrysanthemum), Gattung der Korbblütler mit rd. 200 Arten auf der N-Halbkugel und im südl. Afrika; Blütenköpfchen meist mit Zungen- und Röhrenblüten, klein und in Doldentrauben angeordnet oder groß, einzeln stehend und lang gestielt. Einheimisch sind u. a. → Margerite und → Rainfarn. Zahlreiche Arten und Sorten sind beliebte Garten- und Schnittblumen wie die aus O-Asien stammenden **Chrysanthemen** (bes. Hybriden von Chrysanthemum indicum).

Michail Alexandrowitsch Wrubel: »Sitzender Dämon« (1890; Moskau, Tretjakow-Galerie)

Wucherung, gut- oder bösartige überschießende Neubildung von Gewebe.

Wuchsstoffe, umgangssprachl. Bez. für die → Pflanzenhormone.

Wuhan, Hauptstadt der chines. Provinz Hubei, an der Mündung des Han Shui in den Jangtsekiang,

3,75 Mio. Ew.; Univ., Fachhochschulen; ein Zentrum der chines. Schwerind.; chem., Zement-, Textil-, Papier- u.a. Ind., Maschinen- und Schiffbau; Doppelstockbrücke (seit 1957; 1760 m; für Eisenbahn- und Straßenverkehr) über den Jangtsekiang, Hochseehafen, Flughafen. – W., durch Zusammenschluss der drei Städte Wuchang, Hankou und Hanyang 1953 entstanden, ist eine der bedeutendsten Ind.- und Handelsstädte Chinas; in W. großes Erholungsgebiet mit mehreren Seen.

Wühlmäuse: Feldmaus (Körperlänge bis zu 12 cm)

Wühlechsen, die →Skinke.

Wühler (Cricetidae), Familie der Mäuseartigen, die mit Ausnahme von Australien alle Kontinente besiedelt; zu den fünf Unterfamilien gehören z.B. die Wühlmäuse und die Hamster.

Wühlmäuse (Microtinae), Unterfamilie meist plumper, kurzschwänziger →Wühler in Eurasien, N-Afrika sowie Nord- und Mittelamerika; Körper 10–40 cm lang, mit stumpfer Schnauze. Die W. graben unterird. Gangsysteme, in die sie für den Winter pflanzliche Vorräte eintragen. Die bis zu 12 cm körperlange **Feldmaus** (Microtus arvalis) mit bräunlich-gelbgrauer Oberseite lebt v.a. auf Äckern, Wiesen, Weiden. Weitere W. sind Erdmäuse, Bisamratten, Rötelmäuse, Schermäuse und Lemminge.

Monika Wulf-Mathies

Wuhsi [-çi], chines. Stadt, →Wuxi.

Wuhsien [wuç-], 1912–49 Name der chines. Stadt →Suzhou.

Wujin [-dʒɪn], Stadt in China, →Changzhou.

Wulfenit [nach dem österr. Mineralogen F. X. von Wulfen, *1728, †1805] *der,* das →Gelbbleierz.

Wulfila [got. »kleiner Wolf«] (grch. Ulfilas), westgot. arian. Theologe und Bischof, *um 311, †Konstantinopel 383; seit 341 Bischof der Goten; begründete das Christentum arianisch-german. Ausprägung; übersetzte die Bibel in die got. Sprache (→Codex argenteus), wofür er eine neue →gotische Schrift schuf.

Jürgen Wullenwever (Ausschnitt eines zeitgenössischen Gemäldes)

Wulf-Mathies, Monika, Gewerkschafterin, *Wernigerode 17. 3. 1942; Historikerin; seit 1965 Mitgl. der SPD, 1982–94 Vors. der Gewerkschaft Öffentl. Dienste, Transport und Verkehr (ÖTV); 1995–99 Mitgl. der EG-Kommission (zuständig für Regional- und Strukturpolitik).

Wülfrath, Stadt im Kreis Mettmann, NRW, 22200 Ew.; Niederberg. Museum; Fahrzeugbau, Kalksteinindustrie.

Fritz Wunderlich

Wullenwever, Jürgen, *Hamburg um 1492, †Wolfenbüttel 24. 9. 1537; wurde 1533 in Lübeck als Vorkämpfer der Reformation und Gegner der Patrizierherrschaft zum Bürgermeister gewählt. Durch sein Eingreifen in die →Grafenfehde suchte er die Vormachtstellung Lübecks in der Ostsee wiederherzustellen, musste aber nach den schweren Niederlagen gegen Dänemark 1535 zurücktreten; wurde im Nov. 1535 vom Erzbischof von Bremen gefangen genommen und dem kath. Herzog Heinrich d.J. von Braunschweig-Wolfenbüttel ausgeliefert, der ihn enthaupten ließ.

Wüllner, Franz, Dirigent und Komponist, *Münster 28. 1. 1832, †Braunfels 7. 9. 1902; ab 1864 Dirigent der Hofkapelle in München, ab 1869 auch der Hofoper und der Akademiekonzerte; leitete die Uraufführungen von R. Wagners »Rheingold« (1869) und »Walküre« (1870); schrieb v.a. Chorwerke; Hg. von »Chorübungen der Münchener Musikschule« (3 Tle., 1876).

Wulstbug, *Schifffahrt:* der →Taylor-Wulst.

Wulstling (Amanita), Gattung der Blätterpilze mit Knolle oder Scheide am Stielgrund; hierzu gehören stark giftige Arten, wie Knollenblätter-, Fliegen- und Pantherpilz; essbar sind u.a. Perlpilz und Kaiserling.

Wümme *die,* rechter Nebenfluss der Weser, entspringt in der Lüneburger Heide, 118 km lang, Vereinigung mit der Hamme zur **Lesum,** die nach 10 km in Bremen-Vegesack mündet.

Wunde, Durchtrennung von Körpergeweben (Haut, Schleimhaut, Muskeln, Knochen) als Folge einer Verletzung oder eines operativen Eingriffs.

Wunder, außergewöhnl., den Naturgesetzen oder aller Erfahrung widersprechendes und deshalb der unmittelbaren Einwirkung einer göttl. Macht oder übernatürl. Kräften zugeschriebenes Geschehen, Ereignis; in den Religionen als »Zeichen« der (allumfassenden) göttl. Macht gedeutet; im N.T. immer im Zusammenhang mit der Verkündigung Jesu (→Jesus Christus) stehend.

Wunderblume (Mirabilis), Gattung überwiegend in Amerika beheimateter W.-Gewächse; Kräuter mit glockigen oder trichterförmigen Blüten in versch. Farben oft auf der gleichen Pflanze. Die bekannteste, in Mitteleuropa einjährig kultivierte Art ist die in Mexiko heim. **Echte W.** (Mirabilis jalapa), eine 60–100 cm hohe Staude mit trichterförmigen, langröhrigen, nur abends und nachts geöffneten Blüten.

Wunderhorn, Des Knaben, bedeutendste Volksliedsammlung der dt. Romantik, in drei Bänden, hg. 1806–08 von A. von Arnim und C. Brentano; reicht vom MA. bis zum 18. Jh., enthält auch Umdichtungen und eigene Texte der Herausgeber.

Wunderkerzen, zu den Feuerwerksspielwaren (→Pyrotechnik) gehörende, etwa 15 cm lange verkupferte Stahldrähte mit einem Überzug aus einem weißen Leuchtsatz (z.B. Bariumnitrat, Aluminiumpulver und Dextrin) und Zusatz von Eisenspänen, die beim Abbrennen z.T. weggeschleudert werden und dadurch den typ. Funkensprüheffekt ergeben.

Wunderlich, 1) Fritz, Sänger (Tenor), *Kusel 26. 9. 1930, †Heidelberg 17. 9. 1966; bed. lyr. Operntenor; auch Lied- und Konzertsänger.

2) Paul, Grafiker und Maler, *Berlin 10. 3. 1927; entwickelte einen vom Surrealismus geprägten fantast. Figurenstil, wobei er zunehmend fotograf. Vorlagen verwendete; häufig sind erot. Motive; zahlr. Lithographien, auch Plastik.

Paul Wunderlich: »Aurora. Hommage à Runge« (1964; Hamburg, Kunsthalle)

Wundheilung, Zellvermehrung zum Schließen von Gewebedefekten (Wunden) bis zur Überhäutung; Endzustand ist die Narbe.

Wund|infektion, Störung der Wundheilung durch eingedrungene Bakterien (Staphylokokken, Streptokokken, Kolibakterien u.a.). Die W. ist durch lokale (Schmerzen, Schwellung, Rötung, Hitze) und allg. Symptome (Fieber, Schüttelfrost, Appetitlosigkeit) gekennzeichnet. Durch Weiterverbreitung der Bakterien auf dem Blut- oder Lymphweg kann es zur Allgemeininfektion kommen. Spezif. W. sind Wundstarrkrampf, Tollwut und Gasbrand.

Wundklee (Anthyllis), Gattung der Schmetterlingsblütler, in Europa, Vorderasien und N-Afrika. Die wichtigste, sehr formenreiche Art ist der **Gelbe W.** (Anthyllis vulneraria), ein 6–60 cm hohes Kraut mit gelben oder rötl. Blüten in köpfchenförmigen Blütenständen; wird als Futterpflanze angebaut.

Wundrose (Rose, Erysipel), durch Streptokokken hervorgerufene Entzündung von Haut und Unterhautzellgewebe mit scharf begrenzter Rötung, Schwellung sowie Schmerzen und Fieber; Blasenbildung und Gewebezerstörung sind möglich.

Wundsein (Intertrigo, volkstümlich Hautwolf, Wolf), Rötung an gegeneinander scheuernden, schwitzenden Hautflächen, z.B. an den Innenseiten der Oberschenkel, in der Aftergegend, unter den Brüsten der Frau; bes. bei Fettleibigen auftretend, oft durch Hautpilze und Bakterien mitbedingt oder verschlimmert.

Wunderblume: Echte Wunderblume (Staudenhöhe 60–100 cm)

Wundstarrkrampf (Starrkrampf, Tetanus), akute, schwere Wundinfektionskrankheit mit krampfartiger Starre der Muskulatur und hoher Sterblichkeit, hervorgerufen durch das Toxin des Bakteriums Clostridium tetani. Die Tetanusbakterien sind v.a. im Erdboden und Straßenstaub verbreitet. Die Inkubationszeit beträgt 4–14 (auch bis 28) Tage, selten länger. Zu Beginn des W. treten Abgeschlagenheit, Kopfschmerzen, Lichtscheu, Schwitzen, Schlaflosigkeit, manchmal vermehrte Schmerzen an der Verletzungsstelle und Steigerung der Reflexerregbarkeit auf. Das erste sichere Kennzeichen ist ein meist zunehmendes Steifwerden der Kaumuskulatur mit relativ raschem Übergreifen auf andere Muskelgruppen; nachfolgend kommt es zu allg. Muskelkrämpfen (auch der Atemmuskulatur). Kleinste äußere Reize, z.B. Geräusch oder Berührung, können qualvolle und schmerzhafte Krampfanfälle auslösen. Bei Beteiligung der Schlund-, Atem- und Zwerchfellmuskulatur können Atmungsstörungen ausgelöst werden, die im Anfall zum Tod führen. – Die *Behandlung* umfasst neben der Wundversorgung (schnellste Entfernung des erregerhaltigen Gewebes an der Eintrittspforte durch vollständige Wundausschneidung) und wiederholten Serumgaben die Intensivtherapie mit Anwendung von künstl. Beatmung, muskelerschlaffenden Mitteln, Narkotika, Antibiotika sowie Ernährung mit einer Sonde und Herz-Kreislauf-Stützung. – Zur *Prophylaxe* des W. empfiehlt sich die aktive Immunisierung im Vorschulalter; bei Erwachsenen wird die aktive Immunisierung durch dreimalige intramuskuläre Injektion von Tetanustoxoid (zweimal im Abstand von vier Wochen und nach einem Jahr) erreicht. Diese Immunisierung gibt sicheren Schutz gegen W. für etwa zehn Jahre, danach sollte eine Auffrischimpfung erfolgen.

Wundklee: Gelber Wundklee (Höhe 6–60 cm)

Wundt, Wilhelm, Philosoph und Psychologe, *Neckarau (heute zu Mannheim) 16. 8. 1832, †Großbothen (Muldentalkreis) bei Leipzig 31. 8. 1920; urspr. Mediziner, Prof. in Heidelberg, Zürich und Leipzig, wo er das erste Institut für experimentelle Psychologie gründete. W. stützte die Psychologie auf Experimente und Introspektion (Selbstbeobachtung). Er sah im Willen die Grundform des seel. Geschehens (Voluntarismus), in der Psychologie die Grundwissenschaft aller Geisteswissenschaften und Sprache, Mythos, Sitte, Kunst u.a. als Gegenstand der Völkerpsychologie.

Werke: Grundzüge der physiolog. Psychologie (2 Bde., 1873–74); Logik (2 Bde., 1880–83); Ethik

Wilhelm Wundt

(1886); System der Philosophie (1889); Grundriß der Psychologie (1896); Völkerpsychologie (2 Bde., 1900–1910); Einf. in die Psychologie (1911).

📖 LAMBERTI, G.: *Wilhelm Maximilian Wundt (1832–1920). Leben, Werk u. Persönlichkeit in Bildern u. Texten. Bonn 1995.*

Wurf

Die maximale Wurfweite erreicht man bei einem Winkel von 45°, aber das ist ziemlich theoretisch. Zum einen gelten sämtliche Berechnungen nur, wenn man den Luftwiderstand vernachlässigt. Und zum anderen ist das Winkelmaß nur dann richtig, wenn Abwurf- und Auftreffpunkt auf gleicher Höhe liegen oder die Abwurfgeschwindigkeit unendlich hoch ist. Die praktischen Anstellwinkel (z.B. beim Speerwerfen) sind darum auch alle etwas niedriger.

Wunibald, angelsächs. Benediktiner, *Südengland 701, †Heidenheim an der Brenz 18. 12. 761; von Bonifatius als Missionshelfer nach Dtl. gerufen; wirkte in Thüringen, der Oberpfalz und Mainz; Heiliger, Tag: 18. 12. (in Eichstätt: 15. 12.; in Fulda: 7. 7.).

Wuppertal
Stadtwappen

Wünschelrute, gegabelter Zweig (meist Haselnuss) oder zur Gabel geformter Draht, mit dem das Auffinden unterird. Vorkommen von Wasser, Erzen, Erdöl u.a. möglich sein soll, indem Bewegungen (das »Ausschlagen«) registriert werden (wiss. nicht belegt).

Wunsiedel, Kreisstadt des Landkreises W. i. Fichtelgebirge, Bayern, 10 700 Ew.; Fachschule für Steinbearbeitung, Fichtelgebirgsmuseum; Likörfabrik, feinkeram. Ind.; Fremdenverkehr. – Stadtkirche (spätgot. Chor, barockes Langhaus), spätgot. Kirche mit Spital (1451 gegr.; Sigmund-Wann-Stift). – 1163 als Burgsiedlung erstmals erwähnt; 1326 Nürnberger Stadtrecht; bis ins 16. Jh. Wallfahrtsort.

Wunsiedel i. Fichtelgebirge, Landkreis im RegBez. Oberfranken, Bayern, 607 km², (1997) 88 900 Ew.; Krst. ist Wunsiedel.

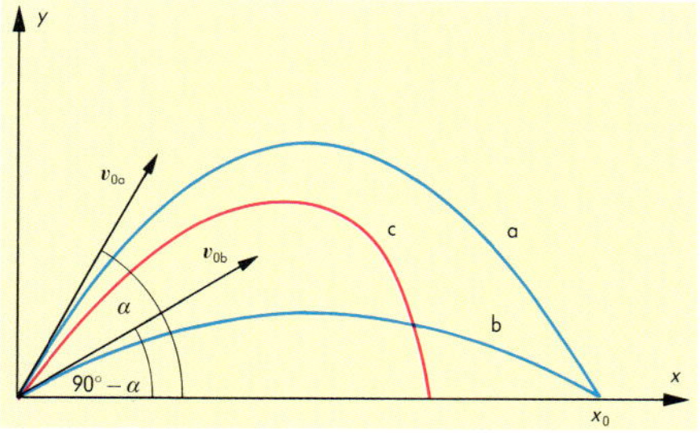

Wurf 1): Die Wurfparabeln a und b für zwei Würfe mit demselben Betrag der Anfangsgeschwindigkeit v_{0a} bzw. v_{0b} ergeben dann dieselbe Wurfweite x_0, wenn die Summe ihrer Anfangswinkel 90° beträgt; eine ballistische Kurve c ergibt sich bei Berücksichtigung des Luftwiderstands

Wunstorf, Stadt im Landkreis Hannover, Ndsachs., südöstlich des Steinhuder Meeres, 40 500 Ew.; Fischer- und Webermuseum, Spielzeugmuseum; Zement-, keram., Lebensmittel-, Genussmittelind., Kalisalzbergbau. – Roman. Stiftskirche (Ende 12. Jh.). – Seit 1261 Stadt.

Wuolijoki, Hella Maria, finn. Dramatikerin estn. Herkunft, *Helme (Estland) 22. 7. 1886, †Helsinki 2. 2. 1954. In Zusammenarbeit mit B. Brecht entstand 1940/41 die Komödie »Der Bauer von Iso-Heikkilä und sein Knecht Kalle« (Vorlage für Brechts Stück »Herr Puntila und sein Knecht Matti«).

Wupper *die,* rechter Nebenfluss des Rheins, 114 km lang, entspringt als Wipper im südl. Sauerland, mündet unterhalb von Leverkusen.

Wuppertal, kreisfreie Stadt im RegBez. Düsseldorf, NRW, an der Wupper, 379 800 Ew.; Bergische Univ./Gesamthochschule, kirchl. Hochschule, Institut der Staatl. Hochschule für Musik Rheinland, FH für öffentl. Verwaltung, Max-Planck-Institut für Verhaltensphysiologie, Bayer-Forschungszentrum; Museen, zoolog. und botan. Garten, Opernhaus, Schauspielhaus; 13,3 km lange Schwebebahn (1898–1903; ab 1901 in Betrieb). Die industrielle Entwicklung wurde im 19. Jh. durch die Textilind. geprägt; heute v.a. Chemie, Maschinenbau und Elektrotechnik. – Im 2. Weltkrieg wurden fast alle histor. Bauten zerstört. Erhalten sind (in W.-Elberfeld): ref. Kirche (1688–90), klassizist. Laurentiuskirche (1825–35), Altes Rathaus (1828–42, darin das Von-der-Heydt-Museum); Friedrich-Engels-Haus (Museum) mit Engels-Denkmal von A. Hrdlička (1981). – Das Gebiet des heutigen W. gehörte seit dem Spät-MA. größtenteils zur Grafschaft bzw. zum Herzogtum Berg; seit 1815 preußisch. Die 1929 durch den Zusammenschluss von **Barmen** (Ersterwähnung 1070; Stadtrecht 1808), **Elberfeld** (Ersterwähnung 1176; Stadtrecht 1610), **Ronsdorf** (Ersterwähnung 1246; 1737 Gründung einer Siedlung für die Zionistengemeinde »Philadelph. Societät« mit sternförmigem Straßennetz; Stadtrecht 1745), **Vohwinkel** (Ersterwähnung 1312; Stadtrecht 1921), **Cronenberg** (Ersterwähnung im 11. Jh.; Stadtrecht 1808) entstandene Stadt **Barmen-Elberfeld** wurde 1930 in W. umbenannt.

Wurf, 1) *Physik:* Bewegung eines freien (antriebslosen) Körpers bzw. Massepunktes unter dem Einfluss der Fallbeschleunigung g, dem eine Anfangsgeschwindigkeit mit dem Betrag v_0 erteilt wurde, deren Richtung mit der Horizontalen den Winkel α einschließt. Die Bahnkurve (W.-Bahn) ist bei Vernachlässigung des Luftwiderstandes eine Parabel (W.-Parabel). Die W.-Höhe $y_h = (v_0^2 \sin^2 \alpha)/2g$ erreicht für den senkrechten W. nach oben ($\alpha = 90°$) ihren größten Wert; die W.-

Würger: Neuntöter mit einem Hirschkäfer als Beutetier

Weite $x_w = (\upsilon_0^2 \sin 2\alpha)/g$ hat beim schiefen W. unter $\alpha = 45°$ ihr Maximum ($x_{w,max} = \upsilon_0^2/g$) und für jeweils zwei Abwurfwinkel α und $90°-\alpha$ gleiche Werte (Flach- bzw. Steil-W.). Als Sonderfälle unterscheidet man weiterhin den freien Fall mit $\alpha = 90°$ und $\upsilon_0 = 0$ m/s sowie den waagerechten W. mit $\alpha = 0°$. Die Berücksichtigung des Luftwiderstandes führt zur **ballist. Kurve,** einer von der parabol. Gestalt abweichenden W.-Bahn mit geringerer Steighöhe und W.-Weite bei gleichen Anfangsbedingungen. (→Flugbahn)

2) *Zoologie:* bei Tieren, die Mehrlinge zur Welt bringen, die Gesamtheit der nach einer Trächtigkeitsperiode geborenen Jungen.

Würfel (Kubus), **1)** *Geometrie:* von sechs Quadraten begrenzter regelmäßiger →Körper (Hexaeder). Ein W. mit der Kantenlänge a hat den Rauminhalt $V = a^3$ und die Oberfläche $F = 6a^2$.

2) *Kristallographie:* regelmäßiges Hexaeder, spezielle Kristallform des kub. Kristallsystems.

3) *Spiele:* (Knobel) zum W.-Spiel benutzter sechsseitiger Körper aus versch. Materialien (u.a. Elfenbein, Knochen, Stein, Holz); auf den Seiten sind durch Punkte oder »Augen« die Zahlen 1–6 so angegeben, dass die sich gegenüberliegenden zusammen jeweils 7 ergeben. In einer Reihe von alten Kulturen gab es Vorläufer aus kleinen Wirbelknöchelchen.

Würfelbein, *Biologie:* ein Fußwurzelknochen, →Fuß.

Würfelhocker, ägypt. Statuenform eines hockenden Mannes (häufig Beamter des Königs), auf einen Würfel reduziert. Meist ist nur der Kopf herausgearbeitet; die Flächen trugen Inschriften und Darstellungen. BILD ägyptische Kunst

Würfelverdoppelung, *Mathematik:* das →delische Problem.

Wurfmesser (Wurfeisen), im mittleren Afrika gebrauchte Waffe, ein mit einem Handgriff versehener, schmaler, flacher, mehrfach verästelter Eisenstab.

Wurfmesser der Yangere aus Zentralafrika

Wurfscheibenschießen (früher Wurftaubenschießen), *Schießsport:* →Skeetschießen, →Trapschießen und Doppeltrapschießen.

Wụrgassen, seit 1970 Stadtteil von →Beverungen, NRW.

Würger (Laniidae), vorwiegend altweltl. Singvogelfamilie mit häufig hakig nach unten gekrümmter Oberschnabelspitze. Die europ. W. spießen die lebende Beute bei Nahrungsüberfluss auf Dornen als Vorrat auf. Der 25 cm große **Raub-W.** (Lanius excubitor), oben hellgrau, unten weiß mit schwarzen Streifen an den Kopfseiten, erbeutet sogar junge Vögel; auf Dornenhecken der bis zu 18 cm große **Neuntöter (Dorndreher, Rotrücken-W.,** Lanius collurio), Männchen mit grauem Oberkopf und rotbraunem Rücken, Weibchen auf Kopf und Rücken braun, unten weiß mit braunen Wellen, überwintert in Afrika.

Theophil Wurm

Wụrm, Theophil, evang. Theologe, *Basel 7.12. 1868, †Stuttgart 28.1.1953; seit 1933 Landesbischof der Evang. Landeskirche in Württemberg, 1945–49 Vorsitzender des Rates der EKD; ein Wortführer der evang. Kirche im Kampf gegen den Nationalsozialismus.

Wụrm *die,* Abfluss des Starnberger Sees, 38 km, rechter Nebenfluss der Amper; nach ihr ist die **W.-Kaltzeit** (→Eiszeitalter) benannt.

Würmer (Vermes), Sammelbez. für lang gestreckte, bilateralsymmetr. Wirbellose sehr verschiedener, untereinander nicht näher verwandter systematischer Kategorien, z.B. →Plattwürmer, →Schlauchwürmer, →Ringelwürmer.

Wurmfarn, Gattung der W.-Gewächse, v.a. auf der Nordhalbkugel verbreitet; in Laub- und Nadelwäldern der **Gemeine W.** (Dryopteris filix-

Würfel

Die ersten Würfel wurden aus Knochen hergestellt. Später gesellten sich als Werkstoffe Elfenbein, Holz und Kunststoffe hinzu. Schon im alten Ägypten, im Orient und in Indien kannte man Würfel. Auch die Griechen waren leidenschaftliche Würfler, und sie schrieben die Entstehung des Würfels dem der Mythologie entstammenden Erfinder Palamedes zu. Der römische Kaiser Claudius schrieb gar eine Abhandlung über das Würfeln.
Die fallenden Würfel haben aber nicht nur bei den Römern sprichwörtliche Bedeutung erlangt, sie blieben das gesamte Mittelalter hindurch beliebt und entfalteten auch weiterhin sprachbildende und geistesgeschichtliche Kraft. Denn die Wahrscheinlichkeitsrechnung begann mit dem Studium des Würfelspiels, weil man endlich genau wissen wollte, wie denn nun die Chancen für Gewinn und Verlust stehen.
Das französische Wort »hazard« für den Zufall ist dem arabischen »az-zahr« entlehnt, und das bedeutet – was Wunder – so viel wie Spielwürfel!

mas) mit 0,5–1,5 m langen Blättern und hellbraun beschuppten Blattstielen. Aus dem Wurzelstock wurde früher ein giftiger Farnextrakt als Bandwurmmittel hergestellt.

Wurmfarn: Gemeiner Wurmfarn

Wurmfortsatz, *Anatomie:* →Blinddarm.

Wurmfortsatzentzündung, *Medizin:* →Blinddarmentzündung.

Wurmkrankheiten (Helminthiasen), Gruppe weltweit verbreiteter, in den Tropen und Subtropen endemisch vorkommender Erkrankungen der Tiere und des Menschen durch parasitäre Würmer. Infektion erfolgt beim Menschen i. Allg. durch Aufnahme ungekochter bzw. ungewaschener Nahrungsmittel und durch Schmutz. Typ. Krankheitserscheinungen sind neben Störungen des Allgemeinbefindens oft hochgradige Anämie, juckende Ekzeme in der Afterregion und mechan. Störungen, z.B. infolge Eindringens von Würmern in die Ausführungsgänge der Gallenblase oder Bauchspeicheldrüse oder durch Knäuelbildung im Darm, die bis zum Darmverschluss führen kann. Nachweis der Darmparasiten oder ihrer Eier erfolgt im Stuhl. Wichtigste einheim. Wurmarten: Band-, Maden-, Spulwürmer und Trichinen.

Wurm|mittel (Anthelminthika), Arzneimittel zur Behandlung von Wurminfektionen; wirksam gegen Spulwürmer ist z.B. Piperazin, gegen Madenwürmer Pyrviniumpamoat, gegen Rinder-, Schweine- und Fischbandwurm bes. Niclosamid. Ein Breitspektrum-W. ist Tiabendazol.

Wurmschnecken (Vermetidae), Familie der Meeresschnecken mit röhrenförmigem Gehäuse; sie ernähren sich als Strudler oder fangen ihre Beute mit Schleimfäden.

Würmsee, →Starnberger See.

Wurmzüngler, die →Chamäleons.

W-Ursae-Maioris-Sterne, Bez. für →Bedeckungsveränderliche mit ähnl. Lichtkurve wie die Beta-Lyrae-Sterne, aber mit einer Lichtwechselperiode von weniger als einem Tag.

Würselen, Stadt im Kr. Aachen, NRW, in der Jülicher Börde, 36100 Ew.; EUREGIO-Kolleg, Freilichttheater Burg Wilhelmstein; Nahrungsmittelind., Maschinenbau, Nadelindustrie; bis 1969 bed. Steinkohlenbergbau.

Wurst, in Natur- und Kunstdarm, Magen oder Behältnisse abgefüllte schnittfeste oder streichfähige Gemenge aus zerkleinertem Fleisch, Innereien und Fett mit würzenden Zutaten bei unterschiedl. Herstellungsweise. **Roh-W.** besteht meist aus Rind- und Schweinefleisch, Speck (Fett), Salz, Zucker und Gewürzen. Die Masse (Brät) wird im Darm angetrocknet und geräuchert. Roh-W. sind u.a. Zervelat-, Plock-W., Salami, Schlack-, Schinken-, Mett-W. und Landjäger. **Brüh-W.** (Anreibe-W.) wird aus frischem Rind-, Kalb- oder Schweinefleisch, heute auch aus Putenfleisch hergestellt, das sehr gut gekuttert (zerkleinert) und mit Wasser versetzt wird. Die W. wird meist erst heiß geräuchert und dann in Wasser von etwa 80 °C gebrüht. Hierzu gehören die Brühwürstchen (Wiener, Frankfurter, Halberstädter u.a.), die Münchner Weiß-W., die Regensburger und Lyoner W., die Bier-, Jagd-, Knack-, Bock- und Knoblauch-W. sowie die Mortadella. **Koch-W.** wird aus gegartem oder gekochtem Schweine-, z.T. auch Rind- oder Kalbfleisch, Fett, Innereien, Blut oder gelierenden Teilen hergestellt. Die gewürzte, in W.-Hüllen abgefüllte Masse lässt man in heißem Wasser ziehen, nach dem Abkühlen wird kalt geräuchert. Dazu gehören Leber-W., Blut-W. (Rot-W.), Zungen-W., Fleischrot-W., Grütz-W. (enthält Gersten- oder Hafergrütze), Sülz-W. (Abarten: Schwartenmagen, Presskopf). **Brat-W.** besteht aus Schweinefleisch (auch mit Kalbfleischanteilen). Wurstähnl. **Fleischpasteten,** meist mit Eiern angerührt, werden gebacken.

Wursten (Land W.), wurtenreiches Marschland zw. Weser- und Elbmündung in Ndsachs., mit vorwiegender Weideviehwirtschaft; Seebäder: Wremen, Dorum u.a. – Die seit dem MA. selbstständige Bauernrepublik der **Wurster Friesen** wurde 1517/18 (endgültig 1525) vom Bremer Erzbischof unterworfen.

Wurten [niederdt.] (Werf(t)en, Warf(t)en, Warpen, niederländ. Terpen), im niederländ. und norddt. Küstenstreifen sowie auf den Halligen künstlich aufgeworfene Wohnhügel zum Schutz vor Sturmfluten. Es gibt **Haus-** und **Dorfwurten.**

Württemberg, histor. Land in SW-Dtl., zw. Bodensee und Tauber bzw. Schwarzwald und Kraichgau; Hptst. war Stuttgart. – W. entstand als polit. Größe im Stammesherzogtum Schwaben aus den Besitzungen der (1081 erstmals gen.) Herren (seit 1135 Grafen) von **Wirdeberch (Wirtemberg)** im mittleren Neckar- und im Remstal, die im staufisch-welf. Thronstreit (nach 1198) und durch den Zusammenbruch der stauf. Macht (Mitte des 13. Jh.) beträchtl. Teile der stauf. Gebiete erwerben konnten und bis zum 15. Jh. ihre Stellung zur stärksten Territorialmacht in SW-Dtl. ausbauten (u. a. 1397/1409 Zuerwerb der Grafschaft Mömpelgard, →Montbéliard; bis 1801); 1442–82 Teilung in zwei Linien mit den Residenzen Stuttgart (seit 1321 Sitz des Hofes, seit 1482 Hptst.) und Urach; 1495 Erhebung zum einheitl. Reichslehen als Herzogtum W. (und Teck). Herzog Ulrich (1498/1503–19, 1534–50) wurde 1519 vom Schwäb. Bund vertrieben, W. fiel an die Habsburger; auch nach seiner Rückkehr 1534 blieb W. österr. Afterlehen, 1599 wurde es wieder zum Reichslehen. Durch den Dreißigjährigen Krieg (1618–48) und die frz. Expansion unter Ludwig XIV. (v. a. 1688–92) schwere Zerstörungen; unter Karl Alexander (1733–37; Finanzrat: J. S. Oppenheimer) und Karl Eugen (1737–93) absolutistisch regiert. Unter Friedrich I. (1797–1816) wurde W. 1803 Kurfürstentum, Dez. 1805 (Frieden von Preßburg) Königreich und Mitgl. des Rheinbundes (1806–13); sein Territorium verdoppelte sich (neun Reichsstädte, Teile Oberschwabens und des Allgäus). 1816 trat W. dem Dt. Bund, 1834 dem Dt. Zollverein bei. 1819 konstitutionelle Verfassung; nach der Unterdrückung (1849) der Märzrevolution von 1848 Rückkehr zum System der Reaktion. Gegen Preußen lehnte sich W. meist an Österreich an, trat aber 1871 in das Dt. Reich ein. 1918 wurde die Republik (Freistaat) ausgerufen, 1919 erhielt W. eine demokrat. Verfassung; 1933–45 unter einem nat.-soz. Reichsstatthalter »gleichgeschaltet«. Nach dem 2. Weltkrieg zunächst in →Württemberg-Baden und →Württemberg-Hohenzollern geteilt, 1952 mit dem in der frz. Besatzungszone gelegenen Land →Baden zum neuen Land →Baden-Württemberg zusammengeschlossen.

📖 MARQUARDT, E.: *Geschichte W.s. Neuausg. mit einem Rückblick auf die Entstehung des Südweststaates v.* T. ESCHENBURG. *Stuttgart ³1985. – Geschichte W.s in Bildern, 1083–1918. Beiträge v.* H.-M. MAURER *u. a. Stuttgart u. a. 1992.*

Württemberg-Baden, im Sept. 1945 aus den in der amerikan. Besatzungszone gelegenen (nördl.) Teilen von Baden und Württemberg gebildetes dt. Land (Hptst.: Stuttgart); MinPräs. war R. Maier (DVP/FDP); ging 1952 im Land →Baden-Württemberg auf.

Württemberg-Hohenzollern, 1946/47 aus dem ehem. preußischen RegBez. Sigmaringen (ehem. Fürstentum Hohenzollern) und dem kleineren südl. Teil Württembergs gebildetes Land in der frz. Besatzungszone (Hptst.: Tübingen); Min.-Präs. waren C. Schmid (SPD), 1947/48 L. Bock, 1948–52 Gebhard Müller (beide CDU); ging 1952 im Land →Baden-Württemberg auf.

Württembergische Metallwarenfabrik AG, Abk. **WMF,** Unternehmen der Branche Metallwaren, Bestecke, Tafel- und Haushaltgeräte, Glaswaren; Sitz: Geislingen an der Steige; verfügt über eigene Verkaufsfilialen sowie über zahlr. Tochtergesellschaften im In- und Ausland.

württembergische Weine, die Weine aus den schwäb. Weinbaugebieten zw. Bodensee und Tauber. Wichtige Rebsorten sind Trollinger, Schwarzriesling, Lemberger (für Rotweine), Riesling, Kerner und Müller-Thurgau (Weißweine); eine Besonderheit ist der Schillerwein (Roséwein).

Wurtzit [nach dem frz. Chemiker C. A. Wurtz, *1817, †1884] *der,* weit verbreitetes, hell- bis dunkelbraunes hexagonales Mineral, β-ZnS (Zinksulfid), mit Eisen- und Cadmiumgehalten; häufig in bräunlich schwarzen, schaligen Aggregaten (Schalenblende), die aus W. oder Zinkblende (α-ZnS) oder aus einem Gemenge beider bestehen; wichtiges Zink- und Cadmiumerz; Entstehung hydrothermal.

Wurzach, Bad, →Bad Wurzach.

Würzburg, 1) Landkreis im RegBez. Unterfranken, Bayern, 969 km², (1997) 155 700 Einwohner.

2) kreisfreie Stadt und Verw.sitz von 1) in Bayern, in einer Talweitung des Mains, überragt vom Muschelkalkfelsen des Marienbergs, 127 000 Ew.; W. ist der wirtsch. und kulturelle Mittelpunkt Unterfrankens; kath. Bischofssitz; Univ., Musikhochschule, Fachhochschule W.-Schweinfurt-Aschaffenburg, Fachschulen; Wasser- und Schifffahrtsdirektion; Landesanstalt für Weinbau und Gartenbau; Bayer. Staatsarchiv; Röntgengedächtnisstätte; Mainfränk. Museum mit der größten Sammlung von Werken T. Riemenschneiders (seit 1946 auf der Festung Marienberg), Städt. Galerie, Martin-von-Wagner-Museum, Theater, Botan. Garten. Maschinenbau, Nahrungsmittelind., Brauereien,

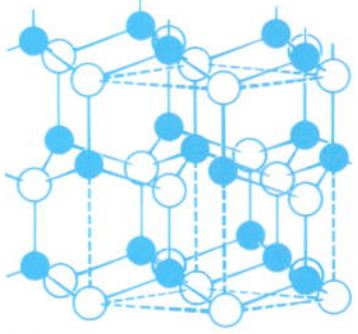

Wurtzit: Kristallgitter

Wurtzit: Schalenblende

Würzburg 2): Der Marienberg mit der im frühen 13. Jahrhundert angelegten und bis zum 18. Jahrhundert mehrfach ausgebauten Festung ist Wahrzeichen der Stadt, im Vordergrund eine Statue des heiligen Kilian auf der Mainbrücke

Würzburg 2)
Stadtwappen

Sektkellerei, Möbel-, Kugellagerfabrik u.a. Ind.; Mainhafen. W. ist Mittelpunkt des fränk. Weinbaugebiets am Mittelmain.

Wahrzeichen W.s ist der linksmain. **Marienberg** mit Festung (Ausbau 13.–18. Jh.). Weitere bed. Bauwerke sind die →Würzburger Residenz, der Dom St. Kilian (um 1040, Neubau der Ostteile in der 1. Hälfte des 13. Jh.; im 17./18. Jh. barocke Neuausstattung), die Neumünsterkirche (11.–13. Jh., barock umgestaltet 1710–19; im Kreuzgang, dem »Lusamgarten«, vermutet man die Grabstätte Walthers von der Vogelweide), die Marienkapelle (14./15. Jh.), die Universitäts- oder Neubaukirche (1582–91), die Hauger Stiftskirche (1670–91), die Augustinerkirche (Umbau 1741–44 durch J. B. Neumann) und das »Käppele«, eine Wallfahrtskirche auf dem Nikolausberg (Zentralbau 1747–50 von J. B. Neumann); Altes Rathaus (13.–17. Jh.), Alte Univ. (1582–92), Juliusspital (1576–85), Bürgerspital (1319); zahlr. Domherren-, Kloster- und Adelshöfe sowie Bürgerhäuser aus der »Schönbornzeit«. 85% der Stadt wurden am 16. 3. 1945 durch Bombenangriff zerstört, mehr als 20 Kirchen brannten aus. Der Wiederaufbau ist abgeschlossen.

Im 8. Jh. v. Chr. befestigte Höhensiedlung auf dem Marienberg; um 500 v. Chr. Sitz kelt. »Fürsten«. Im 7. Jh. n. Chr. Amtssitz fränk. (thüring.) Herzöge (704 bezeugt), die eine Burg **(Castellum Wirciburg)** mit Kirche auf dem Marienberg und einen Sitz am Main hatten. Um den 741/742 durch Bonifatius errichteten Bischofssitz und die Königsresidenz (um 800 belegt) entwickelte sich eine städt. (befestigte) Siedlung, der Konrad II. 1030 Münz-, Zoll- und Marktrecht verlieh; im MA. Tagungsort von Reichstagen; 1137 erstmals Erwähnung des Würzburger Stadtrechts. 1248–1400 versuchten Stadt und Zünfte vergeblich, sich von der Herrschaft des Bischofs (seit 1030 Stadtherr) zu lösen; kam 1803, endgültig 1814 an Bayern (1805/06–14 als Hptst. des Großherzogtums W. an Ferdinand III. von Toskana).

📖 Süss, P. A.: *Das alte W. Würzburg 1995.*

3) Bistum, nach Missionsanfängen durch den ir. Wanderbischof →Kilian (um 685) von Bonifatius 741/742 im Rahmen der angelsächs. Mission errichtet und der Kirchenprovinz Mainz eingegliedert, zu der es bis 1806 gehörte; 1803 Säkularisation (das Gebiet fiel an Bayern), nach der kirchl. Reorganisation 1821 als Suffraganbistum dem Erzbistum Bamberg unterstellt.

Würzburger Residenz, ehem. Sitz der Fürstbischöfe. Johann Philipp Franz von Schönborn begann 1719/20 den Neubau der W. R. nach Plänen J. B. Neumanns unter Mitarbeit von M. von Welsch und J. L. von Hildebrandt sowie nach Vorschlägen von R. de Cotte und G. Boffrand (im Rohbau vollendet 1744). Die W. R. ist ein Hauptwerk des dt. Barock mit einzigartiger Ausstattung (Treppenhaus und Kaisersaal mit Fresken von G. Tiepolo, 1751 ff.); im S-Flügel das Martin-von-Wagner-Museum (Antikensammlung, Gemäldegalerie, Kupferstichkabinett). – Durch Bombenangriff (16. 3. 1945) brannten die Innenräume aus (Treppenhaus erhalten); sie wurden z.T. in alter Form wiederhergestellt. Das wertvolle Mobiliar wurde gerettet; seit 1981 UNESCO-Weltkulturerbe. – Alljährlich im Juni findet in der W. R. das Mozartfest statt. Bilder Barock, Neumann, Tiepolo

Wurzel (lat. Radix), **1)** *Anatomie:* Ursprungsteil oder Befestigungsstelle eines Organs, z.B. Zahn-W. (Radix dentis).

2) *Botanik:* neben Sprossachse und Blatt eines der drei Grundorgane der Sprosspflanzen, das der Verankerung im Boden und der Aufnahme von Wasser und darin gelöster Nährsalze dient. An der noch wachsenden W. lassen sich drei Zonen unterscheiden: der an der W.-Spitze liegende Vegetationspunkt mit der W.-Haube, die sich anschließende Wachstumszone und die darauf folgende Zone der W.-Haare. Bei der →Keimung tritt die W. zuerst aus dem Samen als **Keim-W.,** bleibt als **Haupt-** oder **Pfahl-W.** bei den Nacktsamern und Zweikeimblättrigen oft bestehen und verzweigt sich dann durch **Seiten-W.** Bei den Einkeimblättrigen stirbt die Haupt-W. ab und wird ersetzt durch sprossbürtige **Neben-W.** Die Leitbündel liegen bei der W. in einem zentralen Strang **(zentrales, radiales Leitbündel)** zusammen, der in einer Schutzscheide **(Endodermis)** sitzt. Unter der

Wurzel

Wurzeln sind die ersten Pflanzenorgane, die sich beim Keimen entwickeln. Rasch wachsen sie in den Boden hinein und verfolgen dabei eine spiralförmige Bahn, ähnlich einem Bohrer. So können sie den Boden wirksamer durchdringen. Die Länge, die sie bei ihrem nach unten gerichteten Wachstum erreichen, ist nicht unbedingt am oberirdischen Teil der Pflanze ablesbar. Beim Weinstock etwa können die Wurzeln 15 m tief in den Boden eindringen.

Die Pflanze im Boden zu verankern, ist eine Aufgabe der Wurzeln. Sie sorgen aber auch für die Nahrungsaufnahme: Mit ihren feinen Enden saugen sie Feuchtigkeit und Mineralstoffe aus der Erde an. Außerdem bildet die in den häufig fleischigen Wurzeln gespeicherte Flüssigkeit eine wichtige Reserve für Trockenperioden. Dank ihrer großen Wachstumskraft können diese Organe sogar Bauwerke und Mauern anheben, Straßen und Steinböden aufreißen.

Unter den bislang gemessenen Wurzeln ragen die eines tropischen Feigenbaumes in Südafrika besonders heraus: Sie wurden noch in einer Tiefe von 120 m angetroffen. In Europa beeindruckte eine englische Ulme mit Spitzenleistungen: Ihre Wurzeln erreichten eine Länge von 110 m. Der Roggen aber bringt es auf mehr als 60 km Länge, wenn man das gesamte Wurzelsystem zusammenrechnet.

Endodermis liegt ein einschichtiger Zellmantel **(Perizykel, Perikambium),** dessen Zellen lange teilungsfähig bleiben; er erzeugt die Seiten-W., die die meist dicke **W.-Rinde** durchbrechen. Die letzten, dünnsten Verzweigungen der Seiten-W. **(Saug-W.)** tragen die für die Ernährung der Pflanze wichtigen **W.-Haare,** schlauchig ausgewachsene Oberhautzellen, die zw. den Bodenteilchen durch Osmose das Bodenwasser mit den Nährsalzen aufnehmen.

Je nach ihren Aufgaben im Lebenshaushalt der Pflanze können W. umgebildet werden. Die verdickte Pfahl-W. kann Speicherorgan sein (z.B. →Rübe), verdickte Seiten- oder Neben-W. werden **W.-Knollen** (→Knolle). Atmungsorgan sind die →Atemwurzeln. Oberirdisch entstehen die **Luft-W.,** z.B. bei den Mangrovebäumen als **Stelzwurzeln.**

3) *Mathematik:* diejenige nichtnegative reelle Zahl x, die, in eine bestimmte Potenz n erhoben, die nichtnegative reelle Zahl a ergibt: $x^n = a$ oder $x = a^{1/n} = \sqrt[n]{a}$ (sprich: »n-te W. aus a«). Dabei heißt a der **Radikand,** die natürl. Zahl n der **W.-Exponent,** die Rechenoperation **Radizieren** oder W.-Ziehen (Umkehrung des Potenzierens). Die 2. W. einer Zahl bezeichnet man als **Quadrat-W.** (sie wird i. Allg. ohne W.-Exponenten geschrieben), z.B. $\sqrt{64} = 8$, denn $8^2 = 64$, die 3. W. als **Kubik-W.,** z.B. $\sqrt[3]{64} = 4$, denn $4^3 = 64$. Für das Rechnen mit W. gelten folgende Regeln:

$$\sqrt[n]{a\cdot b} = \sqrt[n]{a}\cdot\sqrt[n]{b}; \qquad \sqrt[m]{\sqrt[n]{a}} = \sqrt[m\cdot n]{a};$$

$$\sqrt[n]{(1/a)} = 1/\sqrt[n]{a} \quad \text{und} \quad \sqrt[n]{a^m} = \left(\sqrt[n]{a}\right)^m.$$

4) *Pharmazie:* Wurzeldroge, z.B. Baldrian-W. (Radix Valerianae).

Wurzelbauer, Benedikt, Erzgießer, *Nürnberg 25. 9. 1548, †ebd. 2. 10. 1620; schuf, ausgehend vom niederländ. Manierismus, den Tugendbrunnen in Nürnberg (1584–89), den Venusbrunnen für Prag (1599/1600) sowie kleinplast. Arbeiten.

Wurzelbehandlung, zahnerhaltende Behandlungsmaßnahme bei einem marktoten Zahn; nach Aufbereitung und Säuberung erfolgt die möglichst vollständige Füllung des Wurzelkanals. (→Wurzelspitzenresektion)

Wurzelbohrer (Hepialidae), weltweit verbreitete, primitive Familie bis über 20 cm spannender Schmetterlinge, vorwiegend in der austral. Region; einheimisch sieben etwa 3–6 cm spannende Arten; Saugrüssel stark rückgebildet; Raupen fressen oft an Wurzeln (Schädlinge an Kulturpflanzen), so z.B. in Europa die **Hopfenwurzelbohrer** (an Wurzeln von Hopfen, Ampfer und Löwenzahn).

Wurzelbrand, durch versch. Pilzarten hervorgerufene Keimlingskrankheit zahlr. Kulturpflanzen. Nach der Infektion färben sich die Wurzeln und der Wurzelhals dunkel, die befallenen Keimpflanzen welken und fallen um.

Wurzeldruck, der Druck, unter dem das Wasser aus den lebenden Wurzelzellen aktiv in den Gefäßteil (Xylem) der Pflanze gepresst wird. Der W. ist die Ursache für das Bluten verletzter Pflanzenteile. Die Stärke des W. erreicht etwa 1 bar.

Wurzelfäule, durch den Befall mit Schadpilzen hervorgerufene dunkle Verfärbung und Fäulnis der Wurzeln einiger Nutzpflanzen.

Wurzelfliegen (Phorbia), Gattung 5–7 mm langer Blumenfliegen mit zahlr. Arten; ihre Larven, bes. in organisch gedüngten, feuchten Böden, gehören zu den gefährlichsten landwirtsch. Schädlingen durch Fraß an keimenden Samen und Keimlingen zahlreicher Kulturpflanzen. Zu den W. zählen u.a. Kohl-, Zwiebel- und Rübenfliege.

Wurzelfüßer (Rhizopoden, Rhizopoda), Stamm vorwiegend frei lebender Protozoen mit zahlr. Arten in Süß- und Meeresgewässern sowie in feuchten Lebensräumen an Land; bewegen sich mit Scheinfüßchen fort, die auch dem Nahrungserwerb dienen; Fortpflanzung überwiegend ungeschlechtlich durch Teilung (u.a. Amöben, Strahlentierchen).

Wurzelhaut (Desmodont, Periodontium), das gesamte die Zahnwurzel umgebende, aus Bindegewebe, Blut- und Lymphgefäßen sowie Nerven bestehende Gewebe.

Wurzelhautentzündung (Periodontitis apicalis), akut oder chronisch verlaufende entzündl. Veränderung der Wurzelhaut des Zahnes und angrenzender Knochenbezirke, meist Folge eines kariesbedingten bakteriellen Zerfalls des Zahnmarks.

Wurzelknöllchen, durch Eindringen Stickstoff bindender Bakterien (→Knöllchenbakterien) an den Wurzeln der Schmetterlingsblütler, Erlenarten und des Echten Sanddorns hervorgerufene, meist rundl. Wucherung.

Wurzelspitzenresektion (Apikotomie), operativer Eingriff am Kieferknochen mit Abtrennung der Wurzelspitze eines erkrankten Zahnes zur Beseitigung entzündlich veränderter Gewebeanteile.

Wurzelstock (Rhizom), ausdauernder, unterirdisch oder dicht unter der Bodenoberfläche wachsender Sprossteil einer Staude; er trägt Nieder- und Laubblätter und wächst entweder unbegrenzt fort (z.B. bei Farnen, Einbeere), wobei aus seinen Blattachseln Blüten oder Blütensprosse entstehen, oder (meist) nur begrenzt, indem seine Endknospe zum Blütenspross auswächst (z.B. bei der Schwertlilie).

Wurzen, Stadt im Muldentalkreis, Sachsen, an der Mulde, 17200 Ew.; Nahrungsmittel-, Teppichind., Maschinenbau, Drahtseilwerk. – Dom St. Marien (im Kern 12. Jh., 1260–80 gotisch erweitert); spätgot. ehem. Bischofsschloss (1491–97, 1519

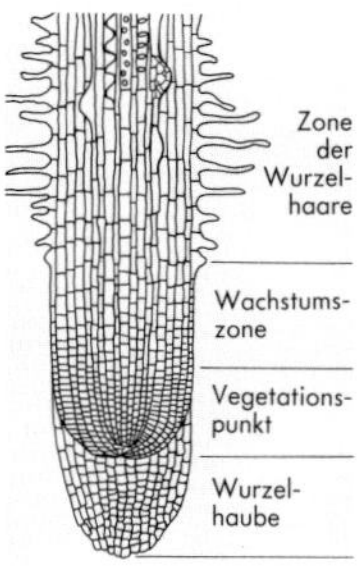

Wurzel 2): Wurzelspitze der Gerste

teilweise ausgebrannt, später erneuert); spätgot. Wenzelskirche (16. Jh.); Altes Rathaus (1803). – 961 erstmals erwähnt; planmäßige Anlage nach 1150 durch die Bischöfe von Meißen, 1489–1581 deren Residenz, dann zu Kursachsen (bis 1818 mit eigener Stiftsregierung); war bis 1994 Kreisstadt.

Wurzenpass (slowen. Koren), Pass in den westl. Karawanken, über den die österr.-slowen. Grenze verläuft, 1073 m ü. M.; die Straße über den W. verbindet das Gailtal südlich von Villach mit dem oberen Savetal.

WUS, Abk. für →**W**orld **U**niversity **S**ervice.

Wu Sangui [wu:sangʊɛi] (Wu San-kuei), chines. General, *Liaodong 1612, †Hengzhou (heute Hengyang) 2. 10. 1678; kollaborierte als Oberbefehlshaber der Ming-Nordarmee ab 1644 mit den Mandschu, denen er die Eroberung Pekings ermöglichte. Später rebellierte er jedoch und ernannte sich selbst zum Kaiser (1673).

Wüste, vegetationsloses oder sehr vegetationsarmes Gebiet. **Kälte-W.** sind durch fehlende Wärme, **Trocken-** oder **Heiß-W.,** die W. i. e. S., durch Wassermangel verursacht. **Eis-W.** sind ganz mit Eis oder Schnee bedeckt. Die Jahresniederschläge in Trocken-W. (ariden W.) liegen zwischen weniger als 100 mm und 200 mm. Sie können in vollariden W. jahrelang ausbleiben. Die mittlere Tagestemperatur schwankt zw. +10 °C und mehr als 26 °C; im Jahresmittel erreicht sie mehr als +18 °C. Kennzeichnend für die W. sind die erheblichen tägl. Temperatursprünge mit Extremwerten von +58 °C bis −10 °C. Verursacht durch Sonneneinstrahlung und nächtl. Ausstrahlung, fördern sie den Gesteinszerfall. Der seltene Regen vermag den entstehenden Schutt nicht wegzuführen, sodass die Erhebungen im Schutt zu ertrinken scheinen. Daneben werden an der Oberfläche des Gesteins und Bodens aus Verwitterungslösungen mineral. Krusten (→Wüstenlack) abgeschieden, unter denen das Gestein völlig zersetzt sein kann.

Die trockenste **Wüste** *der Erde ist die Atacama-Wüste in Chile. Dort hat es seit Menschengedenken noch nie geregnet.*

Die Temperaturgegensätze führen zu kräftiger Luftzirkulation (Trombe) und, wegen der Vegetationslosigkeit, bei richtungsbeständigen Winden zu Staub- und Sandstürmen, die tagelang anhalten können. Durch Deflation werden große Becken und Wannen (Kattarasenke) ausgeblasen und Kies- und Geröll-W. (→Serir) geschaffen. Loch- und Pilzfelsen u. a. bizarre Gesteinsformen sind das Ergebnis der Korrasion.

Bei den episod., meist wolkenbruchartigen »Ruckregen« strömen die mit Sinkstoffen beladenen Wassermassen als Schichtflut ab und sammeln sich in →Wadis zu Wasserwalzen. Dabei entstehen schwach geneigte Felsebenen, über die sich Inselberge und Bergstöcke erheben. Dort, wo die Wassermassen abtrocknen, häufen sich moränenartige Ablagerungen an. Oft enden die Wadis in abflusslosen Verdunstungspfannen (Endsee), die Salztonebenen oder Salzseen (Schott) sein können.

Nach dem Gesteinsuntergrund werden **Kies-** und **Geröll-W., Fels-W.** (Hammada), **Mergel-** oder **Staub-W., Lehm-W.** und **Salz-W.** unterschieden. Wird Sand in großen Dünengebieten angehäuft, bildet sich die **Sand-W.** Nach geograph. Kriterien sind die **Passat-** (Sahara) und **Kontinental-W.** (zentralasiat. W.) bestimmt.

Niederschläge (auch als Luftfeuchtigkeit), die Bodenbeschaffenheit und die Versalzung des Bodens beeinflussen das dürftige Pflanzenleben. Süßwasser ermöglicht Baumwuchs (Tamariske, Schirmakazie, Dattelpalme, Pappeln), v. a. in den Oasen, wo auch begrenzt Anbau betrieben wird. Die W.-Tiere sind meist nachtaktiv und durch helle Färbung, eingeschränkten Wasserhaushalt, Grabfähigkeit, spezielle Fortbewegungsmechanismen u. a. den außerordentl. Bedingungen der W. angepasst.

Die W. ist lebens- und verkehrsfeindlich und nur örtlich dünn besiedelt. Bodenschätze wie Erdöl und Erdgas sowie Erze u. a. nutzbare Minerale (Phosphat, Diamanten u. a.) haben sie aber heute zu einem erstrangigen wirtschaftspolit. Faktor werden lassen. Dem seit langem beobachteten Ausweiten der W. (z. B. die Ausdehnung der Sahara gegen den Sahel), der →Desertifikation, verursacht im Wesentlichen durch menschl. Eingriffe in das ökolog. Gefüge der Randgebiete (Überweidung, bes. durch Ziegenhaltung, Abbrennen der Vegetation, Abholzung der Baumbestände, ackerbaul. Überbeanspruchung des Bodens, dadurch Störung des Wasserhaushalts), soll durch Sanierungs- und Entwicklungsmaßnahmen auf internat. und nat. Ebene Einhalt geboten werden. BILDER Afrika, Atacama, Iran, Libyen, Libysche Wüste, Negev, Sahara, Turkmenistan, Vereinigte Staaten von Amerika, Wadi; KARTE Desertifikation

📖 *Wüsten-Erde. Der Kampf gegen Durst, Dürre u. Desertifikation, hg. v.* P. E. STÜBEN *u.* V. THURN. *Gießen 1991. – W.n der Welt, Text v.* T. MONOD, *Fotografie v.* J.-M. DUROU. *A. d. Frz. München u. a. 1992. – Die W. Vorstoß zu den Grenzen des Lebens, hg. v.* R. WINTER. *Hamburg* [6]*1993.*

Wüsten, Johannes, Maler, Grafiker und Schriftsteller, *Heidelberg 14. 10. 1896, †Zuchthaus Brandenburg-Görden 26. 4. 1943; leitete ab 1926 die Grafikklasse der »Görlitzer Malschule«, emigrierte 1934 nach Prag, 1938 nach Paris, 1941 von der Gestapo verhaftet; v. a. durch seine Kupferstiche einer der profiliertesten Vertreter des satirisch orientierten, sozialkritisch engagierten Verismus.

Wüstenlack, glänzende, meist braunschwarze, lackartige Mineralkruste auf Steinen oder Felsflächen; besteht aus einer 1–2 mm dünnen Hartrinde von Mangan-, Kieselsäure- oder Eisenverbindungen, die an der Gesteinsoberfläche angereichert werden. Zur Bildung des W. tragen Mikroorganismen, Taubefeuchtung und rasche Verdunstung im Wüstenklima bei. Dickere (bis 40 mm) Gesteinsüberzüge heißen **Wüstenrinden,** durch Sandschliff erzeugter Firnisglanz auf der Gesteinsoberfläche **Wüstenpolitur.**

Wüstenrose (Sandrose), blättrig-rosettenartige Verbackung von Sandkörnern und Gips im Wüstensand. Das Bindemittel, das auch aus Baryt, Calcit, Steinsalz u.a. bestehen kann, ist aus dem Gestein des Untergrundes ausgelaugt und infolge der hohen Verdunstung in Oberflächennähe wieder ausgeschieden worden.

Wustrow [-stro:] (Ostseebad W.), Gemeinde im Kreis Nordvorpommern, Meckl.-Vorp., auf dem Fischland zw. Ostsee und Saaler Bodden, 1400 Ew.; Außenstelle der Univ. Rostock; alte Fischerhäuser.

Wüstungen, verlassene Siedlungsstätten **(Orts-W.)** oder aufgegebene, ehem. landwirtschaftlich genutzte Flächen **(Flur-W., wüste Marken).** W. entstanden z.B. durch Bevölkerungsabnahme (Seuchen, Kriege) oder Konzentrationsprozesse.

Wutach *die,* rechter Nebenfluss des Hochrheins, 112 km, verlässt als **Gutach** den Titisee, fließt als W. in ein tief eingeschnittenes Tal (Naturschutzgebiet **W.-Schlucht**) bis Achdorf/Blumberg, mündet bei Waldshut-Tiengen.

Wutai Shan [- ʃ-], Gebirge der chines. Provinz Shanxi; seine höchste Erhebung, der W.S. (3058 m ü.M.), ist einer der hl. Berge Chinas mit einem viel besuchten buddhistisch-lamaist. Heiligtum (5. Jh. n.Chr.).

Wütende Neiße *die,* Fluss in Polen, → Neiße.

Wuwei (früher Liangchow, Liangtschou), Stadt in der chines. Provinz Gansu, an der alten Karawanenstraße (»Seidenstraße«) von China nach Zentralasien; rd. 100000 Ew.; Mittelpunkt eines Kohlenreviers und Bewässerungsgebietes.

Wuxi [wuçi] (Wuhsi), Stadt in der chines. Provinz Jiangsu, am Kaiserkanal; 826800 Ew.; Univ., Inst. für Limnologie; Zentrum der Seidenraupenzucht; Maschinenbau, Textilind.; Binnenhafen.

Wuxian [wuç-], 1912–49 Name der chines. Stadt → Suzhou.

W. Va., Abk. für den Bundesstaat **W**est **V**irginia, USA.

W-Virginis-Sterne, *Astronomie:* Gruppe der → Cepheiden.

WWF, Abk. für → **W**orldwide **F**und for Nature.

WWW [Abk. für engl. **W**orld **W**ide **W**eb »weltweites Netz«], Dienst im Internet, der über eine Benutzeroberfläche mithilfe eines → Browsers den Zugriff auf weltweit verteilte, auf Servern gespeicherte Information ermöglicht. Der Benutzer kann über einen Serviceprovider oder → Onlinedienst auf die Dokumente zurückgreifen. Die Daten werden mithilfe des → HTTP übermittelt. Die Dokumente sind in → HTML verfasst, wodurch sie prinzipiell unabhängig vom Anzeigesystem gleich angezeigt werden; für die Anzeige ist auch der Browser erforderlich. Die Dokumente sind als → Hypertexte gestaltet, die durch Hyperlinks miteinander verknüpft sind. Die erste Seite eines WWW-Dokuments ist die Homepage, mit der sich i.d.R. der Anbieter darstellt. Die verschiedenen Homepages sind über speziell strukturierte WWW-Adressen zu finden, meist nach dem Schema http://www.<Firma, Institution oder Organisation>.<Ländercode oder ein anderer Code> (z.B. http://www.brockhaus.bifab.de).

Wyandot [ˈwaɪəndɔt], Indianerstamm, → Huronen.

Wyatt [ˈwaɪət], Sir (seit 1537) Thomas, engl. Staatsmann und Dichter, *Allington Castle (bei Maidstone) 1503, begraben Sherborne (Cty. Dorset) 11. 10. 1542; kam in diplomat. Auftrag nach Frankreich, Italien und Spanien; wegen seiner vormals engen Beziehung zu Anna Boleyn in deren Prozess verwickelt; führte mit seinen Sonetten (hg. in der Anthologie »Tottel's Miscellany«, 1557) italien. Dichtungsformen in England ein.

Thomas Wyatt (Stich von Francesco Bartolozzi aus dem Jahr 1792 nach einem Gemälde von Hans Holbein d.J.)

Wüstenlack in der Zentralsahara in Algerien

Wyborg (Wiborg, schwed. Viborg, finn. Viipuri), Stadt im Gebiet Leningrad, Russland, an der N-Küste des Finn. Meerbusens, 81000 Ew.; Werft, elektrotechn., Nahrungsmittelindustrie; Hafen. – Runder Turm (1550), Rathausturm (15./16. Jh.), Festungsanlagen (1740). Die um eine Burg (1293, 1891–94 rekonstruiert) entstandene Stadt wurde 1944 stark zerstört. – Im frühen 12. Jh. als Handelsplatz urkundlich erwähnt; 1293 von Schweden zur Festung ausgebaut; im 2. Nord. Krieg 1710 von Russen erobert und 1721 Russland zugesprochen; kam 1811 an Finnland, nach dem »Winterkrieg« 1940 und erneut 1944/47 an die Sowjetunion. BILD S. 326

Wyborny [-ni], Klaus, Filmemacher, *Bittkau (Kr. Stendal) 5. 6. 1945; Vertreter des Avantgardefilms, u.a. »Dämon. Leinwand« (1969), »Die Geburt der Nation« (1973), »Das szen. Opfer« (1981), »Ohne Titel« (1988).

Wycliffe ['wɪklɪf] (Wyclif, Wiclif), John, engl. Theologe und Reformer, *Spreswell (bei Wycliffe-on-Tees, Cty. Yorkshire) um 1320, †Lutterworth (bei Leicester) 31. 12. 1384; seit 1356 (?) Dozent in Oxford (Philosophie; seit 1363 Theologie);

John Wycliffe

seit 1374 Pfarrer in Lutterworth. – W. vertrat eine bibl. Theologie, als deren Konsequenz er seit 1376 eine allein an der Bibel orientierte Kirche forderte, deren Kleriker die Nachfolge Christi exemplarisch vorleben sollten. Er vertrat das urchristl. Armutsideal, kritisierte mit zunehmender Schärfe das Besitzstreben der Kirche, erklärte das Kirchengut zum Nationaleigentum und bestritt den polit. Herrschaftsanspruch des Papstes. Ablasspraxis, Bilder-, Reliquien- und Heiligenverehrung, Ohrenbeichte und Transsubstantiationslehre lehnte er als nicht biblisch begründet ab. Vor allem die von ihm begonnene engl. Bibelübersetzung (1383 erschien das N.T.) und die Tätigkeit von Wanderpredigern (Lollarden), die seine Lehren verbreiteten, führten zum raschen Anwachsen seiner Anhängerschaft. Vermittelt über Hieronymus von Prag und Jan Hus, wirkten seine Ideen stark auf die Vorreformation. Die erste kirchl. Verurteilung von wycliffeschen Lehrsätzen erfolgte bereits 1377 durch Papst Gregor XI.; das Konstanzer Konzil erklärte W. 1415 zum Ketzer und ordnete die Ausgrabung und Verbrennung seiner Gebeine an (1427 ausgeführt). Die Anhänger W.s wurden grausam verfolgt.

📖 VASOLD, M.: *Frühling im Mittelalter. John Wyclif u. sein Jh. München 1984.*

Wye-Abkommen, → Westjordanland.

Wyeth ['waɪɪθ], Andrew, amerikan. Maler, *Chadds Ford (Pa.) 12. 7. 1923; schildert in fotografisch exakter Darstellungsweise das amerikan. Alltagsleben und zeigt einen idealisierten »American way of life«; die Porträtfolge »Helga pictures« (rd. 240 Arbeiten) entstand zw. 1971 und 1985. BILD magischer Realismus

Wygodzki [vi'gɔtski], Stanisław, poln. Schriftsteller, *Będzin 13. 1. 1907, †Givatayim (bei Tel Aviv-Jaffa) 8. 5. 1992; emigrierte 1968 nach Israel; Prosa, v.a. über jüd. Schicksale in Polen sowie über die Bürokratie im Sozialismus (»Bis zur Klarstellung«, R., 1968; »Im Kessel«, Erz., 1949; »Die Erzählung des Buchhalters«, 1951).

Wyk auf Föhr [vi:k-], Stadt im Kr. Nordfriesland, Schlesw.-Holst., auf der nordfries. Insel Föhr, 4500 Ew.; Häberlin-Friesenmuseum, Mühlenmuseum; Nordseeheilbad; Meerwasserwellenbad; Flugplatz, Fährverkehr mit Dagebüll und Wittdün (Amrum).

Wyle ['vi:lə], Niklas von, schweizer. Humanist, *Bremgarten (Aargau) um 1410, †Stuttgart 13. 4. 1479; war Ratsschreiber in Nürnberg und Esslingen, 1469–78 Kanzler des Herzogs von Württemberg; versuchte die Entwicklung einer dt. Kunstprosa durch ihre Anlehnung an die lat. Syntax zu fördern. Die seit 1461 in Einzeldrucken, 1478 als Sammlung erschienenen »Translationen« (hg. 1861) enthielten dt. Übertragungen von 18 Werken des italien. Humanismus, z.B. E. S. Piccolominis »Euryalus und Lukretia« und G. Boccaccios »Guiscardo und Sigismonda«.

Wyler ['waɪlə], William, amerikan. Filmregisseur, *Mülhausen (Elsass) 1. 7. 1902, †Beverly Hills (Calif.) 27. 7. 1981; seit 1920 in Hollywood. Seine Filme entstanden häufig nach literar. Vorlagen, u.a. »Das Geheimnis von Malampur« (1940), »Die besten Jahre unseres Lebens« (1946), »Ein Herz und eine Krone« (1953), »Ben Hur« (1959), »Der Fänger« (1964), »Funny Girl« (1967), »Die Glut der Gewalt« (1969). BILD Film

Wyneken, Gustav Adolph, Pädagoge, *Stade 19. 3. 1875, †Göttingen 8. 12. 1964; gründete 1906 mit P. Geheeb die Freie Schulgemeinde Wickersdorf. Seine Idee einer »Jugendkultur« zielte auf die Entfaltung der besonderen geistigen Selbstbildungskräfte im Jugendalter.

Wyborg: Die ursprünglich aus dem späten 13. Jh. stammende Burg wurde in den Jahren 1891–94 wieder aufgebaut

Wyoming [waɪˈəʊmɪŋ], Abk. **Wyo.,** Bundesstaat im NW der USA, 253 326 km^2, (1995) 480 000 Ew. (2,1 % Indianer, 5,7 % Hispanics); Hptst.: Cheyenne; Staatsuniv.: Laramie. Im O hat W. Anteil an den Great Plains (Missouriplateau), im äußersten NO Ausläufer der Black Hills; das übrige Gebiet wird von den Ketten der Rocky Mountains (Bighorn Mountains, Absaroka Range, Wind River Range) und den von ihnen umschlossenen Becken eingenommen. In diesem Bereich liegen der Yellowstone- und der Grand Teton Nationalpark. Wichtigster Wirtschaftszweig ist der Bergbau (v. a. Erdöl, Erdgas, Kohle, Salz, Uran-, Eisenerz), gefolgt von Landwirtschaft (Viehwirtschaft, v. a. Rinder und Schafe), Holzwirtschaft, Fremdenverkehr. – Das 1743 von Franzosen (Brüder La Vérendrye) erkundete Gebiet war von den Indianerstämmen Arapaho und Shoshone bewohnt; seit den 1840er-Jahren Durchzugsgebiet der nach W vordringenden Siedler (Fort Laramie als wichtiger Stützpunkt). Mit dem Eisenbahnbau (Union Pacific Railroad) setzte ab 1867/68 die verstärkte Besiedlung ein; 1868 Bildung des Territoriums W., das 1869 (erstmals in den USA) das Frauenwahlrecht einführte; bis in die 1870er-Jahre Schauplatz zahlr. Kämpfe mit den Indianern. 1890 wurde W. der 44. Bundesstaat der Union.

📖 LARSON, T. A.: *History of W. Lincoln, Nebr.,* ^{4}*1973.* – BROWN, ROBERT H.: *W. A geography. Boulder, Colo., 1980.*

Wyschịnski, Andrei Januarjewitsch, sowjet. Jurist und Politiker, *Odessa 10. 12. 1883, †New York 22. 11. 1954; war 1935–39 Generalstaatsanwalt der UdSSR, trat 1936–38 als Hauptankläger bei den Moskauer Schauprozessen (Große →Tschistka) hervor und prägte die sowjet. Justiz im Sinne des Stalinismus; 1949–53 Außenmin., 1953–55 ständiger Vertreter der UdSSR bei den UN.

WYSIWYG [Abk. für engl. **w**hat **y**ou **s**ee **i**s **w**hat **y**ou **g**et, »Was Sie (auf dem Bildschirm) sehen, bekommen Sie (auf dem Papier)«], *Datenverarbeitung:* Bez. für eine Art des Bezugs zw. der Darstellungsform eines Dokuments auf dem Bildschirm und dessen endgültiger Form, die es z. B. durch die Ausgabe über einen Drucker oder ein Belichtungsgerät erhält. WYSIWYG im wörtl. Sinn bedeutet, dass die Darstellungsform auf dem Bildschirm exakt mit der endgültigen Form übereinstimmt. Praktisch wird meist nur eine große Ähnlichkeit erreicht, weil die Auflösung der Bildschirme meist geringer ist als z. B. die von Laserdruckern.

Wyspiański [visˈpjaĩski], Stanisław, polnischer Schriftsteller und Maler, *Krakau 15. 1. 1869, †ebd. 28. 11. 1907; bed. poln. Dramatiker, eine der führenden Persönlichkeiten in der neuromant. Bewegung »Junges Polen«. Seine Dramen behandeln antike Stoffe sowie die polnische Geschichte (»Die Warschauerin«, 1898; »Wesele«, 1901; »Die Befreiung«, 1903; »Novembernacht«, 1904). – Als Maler Ausbildung in Italien, Frankreich und Dtl., dort Bekanntschaft mit R. Wagner und F. Nietzsche; ab 1902 Dozent an der Kunstakademie in Krakau; in seinen u. a. von P. Gauguin beeinflussten Gemälden dominieren Porträts, Landschaften und Blumen; daneben Glasmalereien und Buchillustrationen. BILD polnische Literatur

Wyss [viːs], **1)** Johann David, schweizer. Theologe und Schriftsteller, *Bern 28. 5. 1743, †ebd. 11. 1. 1818, Vater von 2); schrieb das Jugendbuch »Der schweizer. Robinson ...« (2 Bde., 1812–13).

2) Johann Rudolf d. J., schweizer. Schriftsteller, getauft Bern 4. 3. 1781, †ebd. 21. 3. 1830, Sohn von 1); ab 1805 Prof. für Philosophie in Bern; sammelte und bearbeitete Alpensagen, schrieb Reiseberichte und verfasste den Text des Liedes »Rufst du, mein Vaterland« (1811; bis 1961 schweizer. Nationalhymne).

Wyssọzki [vi-], Wladimir Semjonowitsch, russ. Schauspieler und Dichtersänger, *Moskau 25. 1. 1938, †ebd. 25. 7. 1980; seit 1966 ⚭ mit der frz. Schauspielerin Marina Vlady (*1938); spielte seit 1964 am Moskauer Taganka-Theater und in Filmen. Seine zur Gitarre vorgetragenen schmucklos-lakon. Lieder und Balladen wirkten durch ihre Wahrhaftigkeit und Poesie des Alltäglichen; dt. erschienen u. a. die Sammlungen »Nerv« (1981), »Wolfsjagd« (1986) und »Zerreißt mir nicht meine silbernen Saiten« (1989).

Wyszyński [viˈʃiĩski], Stefan, poln. kath. Theologe, *Zuzela (Wwschaft Białystok) 3. 8. 1901, †Warschau 28. 5. 1981; zunächst in der Seelsorge und der christl. Gewerkschaftsbewegung sowie publizistisch tätig, ab 1948 Erzbischof von Gnesen und Warschau (in Personalunion) und Primas von Polen; ab 1953 Kardinal; unterstützte nach der dt. Besetzung die polnische Widerstandsbewegung; suchte nach 1945 unter Wahrung der kirchl. Interessen und Unabhängigkeit den Ausgleich mit dem volksdemokrat. Staat; deshalb 1953–56 inhaftiert. W. betonte die enge Verbindung zw. kath. Kirche und poln. Nation und verkörperte für das poln. Volk den Selbstbehauptungswillen des poln. Katholizismus gegenüber der kommunist. Ideologie und dem sozialist. Staat.

Stefan Wyszyński

Wỵtschegda *die,* rechter Nebenfluss der Nördl. Dwina, im europ. N Russlands, 1130 km lang; bei Hochwasser rd. 960 km, sonst rd. 690 km schiffbar, von April bis November eisfrei.

Wyttenbach [ˈvi-], Jürg, schweizer. Komponist und Pianist, *Bern 2. 12. 1935; bed. Interpret Neuer Musik; wandte sich als Komponist bes. dem instrumentalen Theater zu.

WZ, Abk. für →**W**elt**z**eit.

X

Altsemitisch Altgriechisch Römische Kapitalschrift Unziale und karoling. Minuskel

x, X, 1) Konsonant (→Laut); der 24. Buchstabe des dt. Alphabets, geht zurück auf das Zusatzzeichen X der altgrch. Schrift; hat meist den Lautwert [ks] behalten. Im Spanischen bezeichnet es den Laut [x], im Portugiesischen den Laut [ʃ]; im Französischen dient es zur Bezeichnung der Laute [ks], [gz], [s] und [z] und ist am Wortende meist stumm.

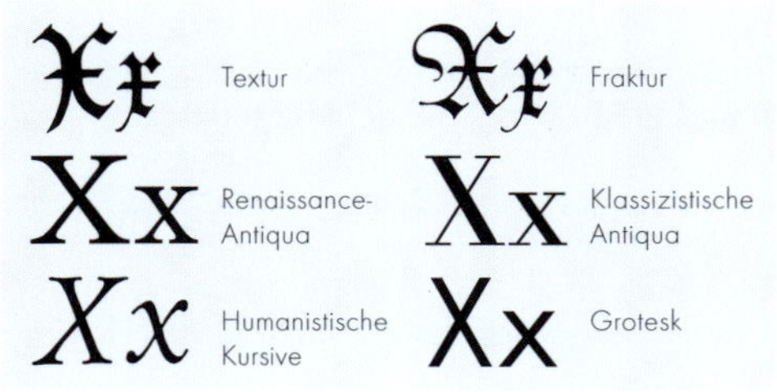

Druckschriftvarianten des Buchstabens **X**

2) *Mathematik:* *x*, Formelzeichen für eine bei der grafischen Darstellung auf der Abszissenachse (*x*-Achse) abgetragene Variable bzw. kartes. Koordinate oder für eine unbekannte, zu bestimmende Größe.

3) röm. *Zahlzeichen:* X für 10.

Xanten
Stadtwappen

Xanten, Stadt im Kr. Wesel, NRW, links des Niederrheins, 19 300 Ew.; Regionalmuseum, Stiftsbibliothek; Baustoffind., Bootsbau. – Dom St. Viktor (um 1200–1530, mit reicher Ausstattung: Glasmalereien, Hochaltar mit Viktorschrein u.a.), Klever Tor (1393). – Die röm. **Colonia Ulpia Traiana** (mit Amphitheater) entstand um 100 n. Chr. zu Füßen des Lagers **Vetera Castra** auf dem Fürstenberg. Ihr O-Teil wurde ausgegraben und seit 1974 zu einem »Archäolog. Park« ausgestaltet. Über einer Märtyrermemorie des 4. Jh. für den hl. Viktor und seine Gefährten entstand das Stift X. (»ad Sanctos«). 1228 erhielt X. Stadtrecht. 1444 fiel es an das Herzogtum Kleve und mit diesem durch den **Vertrag von X.** 1614 (→Jülich-Klevescher Erbfolgestreit) an Brandenburg. – Im »Nibelungenlied« wird X. als Heimat Siegfrieds genannt.

📖 *X., Text v.* W. Fährmann, *Fotos v.* A. Schroten. *Kleve 1992. – X.er Berichte. Grabung – Forschung – Präsentation, Redaktion:* S. Kraus *u.a. Köln u.a. 1994.*

Xanthe (Xanthi), Hptst. des grch. VerwBez. (Nomos) X., in W-Thrakien, 33 700 Ew.; orth. Bischofssitz; Tabakhandel und -verarbeitung; Textilind., Zuckerfabrik.

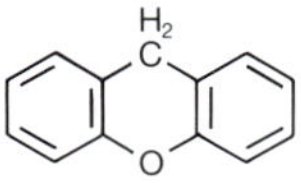

Xanthen

Xanthen *das,* gelbl. kristalline heterozykl. Verbindung; Baustein der **X.-Farbstoffe,** zu denen Fluoreszenzfarbstoffe wie Fluorescein, Eosin und die Rhodamine gehören.

xantho... [grch.], gelb..., hellfarbig.

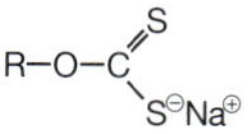

Natrium-xanthogenat
Xanthogenate

Xanthogenate [grch.] (Xanthate), Salze oder Ester der ölartigen **Xanthogensäuren** (systematische Bez. Dithiokohlensäure-O-ester). Alkali-X. (z.B. Natrium-X.) werden aus Schwefelkohlenstoff (CS_2), einem Alkohol und Alkalihydroxid hergestellt und z.B. als Flotationsmittel (→Flotation) verwendet. Das technisch wichtigste X. ist das als Zwischenprodukt bei der Herstellung von →Viskose gebildete Cellulosexanthogenat.

Xanthom [grch.] *das,* meist in Mehrzahl **(Xanthomatose)** auftretende gelbe Knötchen in der Haut; häufig auf Störung des Fettstoffwechsels beruhend.

Xanthophyceae [grch.], einzeln oder in Kolonien lebende einzellige oder fädige Algen mit zwei ungleich langen (heterokonten) Geißeln; Plastiden gelb bis dunkelgrün; v.a. im Süßwasser.

Xanthophyll [grch.] *das* (Lutein), gelber bis bräunl. Naturfarbstoff (Carotinoid), der zus. mit Chlorophyll in allen grünen Teilen der Samen- und Farnpflanzen sowie zahlr. Algen vorkommt.

Xanthoproteinreaktion, *Chemie:* Nachweisreaktion für Eiweißstoffe, die aromat. Aminosäuren enthalten, durch konzentrierte Salpetersäure. Dabei tritt Gelbfärbung auf.

Xanthos, im Altertum größte Stadt Lykiens, am Fluss X. (heute Koçaçay) beim heutigen Kınık, 120 km südwestlich von Antalya, Türkei; 42 v. Chr. während des röm. Bürgerkrieges zerstört; Fundort bed. Grabbauten, u.a. das »Harpyienmonument«

(um 480 v. Chr.) und das Nereidenmonument (Ende des 5. Jh. v. Chr.) mit einer ion. Säulenhalle auf hohem Sockel (Originalreliefs im Brit. Museum, London). Die Ruinen der Stadt und das nahe gelegene Heiligtum der Latona gehören zum UNESCO-Weltkulturerbe.

X-Beine, Fehlstellung der Beine mit Abknickung der Unterschenkel (gegenüber den Oberschenkeln) nach außen, z. B. nach Rachitis, meist verbunden mit Knickfuß.

X-Bosonen, die →X-Teilchen.

Xe, chem. Symbol für →Xenon.

X-Einheit, Einheitenzeichen **XE,** nicht gesetzl. Längeneinheit in der Röntgenspektroskopie:

$1\,\mathrm{XE} = (1{,}00202 \pm 3 \cdot 10^{-5}) \cdot 10^{-13}\,\mathrm{m}$.

Xenakis, 1) Constantin, frz. Künstler grch. Abstammung, *Kairo 28. 12. 1931. Sein Werk, das geometrisch-konstruktive Malerei, kinet. Kunst, graf. Zeichenkombinationen sowie Piktogramme umfasst, konzentriert sich auf die Erforschung visuell-kinet. Zusammenhänge, oft unter Einbeziehung von Spiegeleffekten.

2) Iannis (Yannis), frz. Komponist grch. Herkunft, *Brăila (Rumänien) 29. 5. 1922; begründete eine auf der Wahrscheinlichkeitsrechnung basierende »stochast.« Musik, die in den Umkreis der seriellen Musik gehört; schrieb Orchesterwerke (»Metastasis«, 1954; »Terretektorh«, 1966; »Dämmerschein«, 1994), Kammermusik, elektron. und Computermusik, Oper »Faust« (1992).

Xeni|en [grch.], **1)** *Genetik:* Samen und Früchte, an denen der Bastardcharakter ihrer Embryonen zu erkennen ist. So entstehen z. B. nach Kreuzung einer als mütterl. Elter verwendeten grünsamigen mit einer als väterl. Elter verwendeten gelbsamigen Erbse Embryonen, die gelbe Keimblätter ausbilden. Komplizierter ist die Entstehungsweise der **Endosperm-X.,** die z. B. beim Mais vorkommen: Die Bestäubung einer gelbkörnigen Maispflanze mit Pollen einer blaukörnigen ergibt Maiskörner, in denen das Endosperm infolge der Doppelbefruchtung blau ist.

2) *Literaturgeschichte:* Titel des 13. Buches der Epigramme Martials, das vorwiegend freundschaftliche Begleitverse zu Geschenken am Saturnalienfest enthält. Im Rückgriff auf diese »Xenia« von Goethe vorgeschlagene iron. Bez. für die von ihm und Schiller Ende 1795/96 verfassten polem. Epigramme gegen andere zeitgenöss. literatur- und kunstkrit. Richtungen, die in Schillers »Musen-Almanach für das Jahr 1797« erschienen und zahlr. polem. »Anti-X.« hervorriefen (»Xenienstreit« oder »Xenienkampf«).

xeno... [grch.], fremd...

Xenokratie [grch.] *die,* Fremdherrschaft.

Xenon [grch.] *das,* chem. Symbol **Xe,** chem. Element aus der Gruppe der →Edelgase; Ordnungszahl 54, relative Atommasse 131,29, Schmelzpunkt −111,9 °C, Siedepunkt −107,1 °C. X. ist ein farb- und geruchloses Gas, das mit $0{,}8 \cdot 10^{-5}$ Vol.-% in der Luft enthalten ist. Es gehört zu den sehr seltenen Elementen und steht in der Häufigkeit der chem. Elemente an 83. Stelle. X. wird durch fraktionierende Destillation von verflüssigter Luft gewonnen und dient zur Füllung von Glühlampen, Leuchtröhren und X.-Lampen. – X. ist wie alle Edelgase sehr reaktionsträge, jedoch gelang es, mehrere **X.-Verbindungen** herzustellen. Die **X.-Fluoride** (XeF_2, XeF_4, XeF_6) entstehen aus den Elementen bei Energiezufuhr (z. B. UV-Strahlung); sie sind farblose kristalline Substanzen, die als Fluorierungsmittel verwendet werden können. **X.-Oxide** (XeO_3, XeO_4) sind explosive Verbindungen. Außerdem sind mehrere **X.-Oxidfluoride** ($XeOF_2$, XeO_2F_2, $XeOF_4$) bekannt.

Xanthos: In den Ruinen der 42 v. Chr. zerstörten größten lykischen Stadt finden sich Grabbauten wie das »Harpyienmonument« (um 480 v. Chr.) und Pfeilersarkophage (5. Jh. v. Chr.)

Iannis Xenakis

Xanten: Das gotische Langhaus des Doms Sankt Viktor stammt aus dem 14./15. Jahrhundert

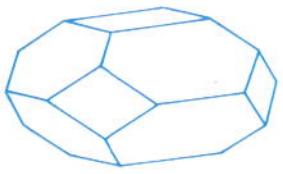

Xenotim: Kristallform

Xenonlampe, eine Hoch- oder Höchstdruckentladungslampe (→Gasentladungslampe) mit Vorschalt- und Zündgerät, die die Strahlung des Edelgases Xenon ausnutzt, eine Lichtausbeute von 25 bis 30 lm/W sowie ein tageslichtähnl. Strahlungsspektrum aufweist; Verwendung zur Farbbeurteilung sowie zu Farbechtheits- und Materialprüfungen.

Xenophanes, grch. Dichter und Philosoph, *Kolophon (bei Ephesos) um 570 v. Chr., †Elea (heute Castellammare di Velia, bei Pisciotta, Prov. Salerno) um 470 v. Chr.; wurde aus der Heimat vertrieben, führte ein Leben als Rhapsode und Wanderphilosoph; gilt als einer der ersten Philosophen, die die Wirklichkeit als Einheit betrachtet haben. Parmenides, einer seiner Schüler, führte seine Lehren fort.

Xenophon: römische Marmorkopie einer zeitgenössischen griechischen Herme (Alexandria, Museum für griechisch-römische Altertümer)

Xenophon, grch. Schriftsteller, *Attika um 430 v. Chr., †Korinth oder Athen (?) nach 355 v. Chr.; wohl aus dem Ritterstand, Gegner der Demokratie, Schüler des Sokrates; nahm 401 als Zivilist am Heerzug Kyros' d. J. gegen dessen Bruder Artaxerxes II. Mnemon teil. Nachdem Kyros bei Kunaxa gefallen war, führte X. die etwa 10 000 grch. Söldner nach Trapezunt zurück; er überliefert ihren sprichwörtlich gewordenen Jubelruf beim Anblick des Meeres: »Thalatta, Thalatta!« (»Das Meer, das Meer!«, d. h. »Wir sind am Ziel!«). 396 begleitete er den Spartanerkönig Agesilaos II. und war 394 in der Schlacht von Koroneia gegen die mit Athen verbündeten Thebaner auf seiner Seite. Aus Athen verbannt, ließ sich X. in Skillus bei Olympia nieder. – Sein Gesamtwerk lässt sich in vier Gruppen einteilen: 1) histor. Schriften: »Anabasis« (7 Bücher), »Hellenika« (die grch. Geschichte von 411 bis 362 v. Chr.); 2) sokrat. Schriften (im Ggs. zu Platon konzipiert): »Memorabilien« (4 Bücher, Erinnerungen an Sokrates) u. a.; 3) politisch-eth. Schriften: »Der Staat der Spartaner«, »Kyrupädie« (8 Bücher, die Erziehung des Kyros [II.], ein Fürstenspiegel); 4) prakt. Schriften: Lehrschriften über die Reitkunst, über die Staatsfinanzen. Seine trotz vielfältiger Inhalte gerade Gedankenführung, sein reines att. Griechisch sowie sein klarer und gefälliger Stil zeichnen X.s Schriften aus.

📖 Schiffmann, B.: *Untersuchungen zu X. Tugend, Eigenschaft, Verhalten, Folgen. Göttingen 1993.*

Xenopulos, Gregorios, ngrch. Schriftsteller und Dramatiker, *Konstantinopel 9. 12. 1867, †Athen 14. 1. 1951; Romane mit sozialen Konflikten; Mitbegründer des ngrch. Theaters und der Literaturzeitschrift »Nea Hestia« (1927 ff.).

Xenotim [grch.] *der* (Yttererde, Ytterspat), tetragonales Mineral, YPO_4; meist gelbl. kleine Kristalle, Hauptmineral für die Gewinnung von Yttererden, Vorkommen in Pegmatiten und Seifen.

Xerés de la Frontera [xeˈrɛð ðe -], ältere Schreibung für →Jerez de la Frontera.

xero... [grch.], trocken...

Xerographie [grch.] *die,* elektrostat. Vervielfältigungsverfahren; eine mit einer photoleitfähigen Halbleiterschicht (z. B. Selen) überzogene Metallplatte o. Ä. wird elektrostatisch aufgeladen. An den durch bildgemäße Belichtung leitfähig gewordenen Stellen fließen die Ladungen ab, es entsteht belichtungsabhängig ein latentes »elektr. Bild«, das durch Einstäuben mit Tonerpuder sichtbar gemacht (entwickelt) und nach Übertragen des Toners auf den endgültigen Bildträger (Papier oder Metallfolie) dort durch Wärme oder Lösungsmittel fixiert wird.

Xeromorphie [grch.] *die,* Anpassung der Pflanzen an extrem trockene Standortbedingungen. (→Xerophyten)

Xerophthalmie [grch.] *die,* das Austrocknen der Horn- und Bindehaut des Auges infolge Vitamin-A-Mangels.

Xerophyten [grch.] (Trockenpflanzen), Pflanzen, die großer Trockenheit angepasst sind, z. B. durch verkleinerte Oberfläche, Behaarung und Wachsüberzüge als Verdunstungsschutz oder durch Ausbildung Wasser speichernder Gewebe (Sukkulenz).

Xeroradiographie (Elektroradiographie), röntgenfotograf. Verfahren, bei dem nach dem Prinzip der Xerographie statt des Röntgenfilms eine elektrostatisch aufgeladene, selenbeschichtete

Xi'an

Xi'an war unter Kaiser Wen-ti (581–604) aus der Sui-Dynastie die größte Stadt der Welt, umgeben von einer 25 km langen Mauer, die an der Basis 16 m maß. Vor der Mauer verlief ein Graben. Die zwölf Stadttore hatten jeweils drei Durchgänge von 8 m Breite. Zwei Drittel des Geländes innerhalb der Mauer wurde von den Palastanlagen bedeckt. Noch bis in die Tangzeit (618–906) waren die Stadtviertel (»li«) – etwa jeweils 100 Häuser – ebenfalls von Mauern umgeben, die bewacht und deren Tore nachts geschlossen wurden.

Aluminiumplatte verwendet wird. Das **Xeroradiogramm** ist ein Papierbild und kann wie eine Fotografie betrachtet werden. Aufgrund des breiten Aufnahmespektrums sind sowohl die Weichteile (in versch. Dicke) als auch die Knochen auf einer Aufnahme sichtbar; angewendet v.a. zur Darstellung der weibl. Brust (Xeromammographie) sowie in der Unfall- und plast. Chirurgie. Nachteil ist die hohe Strahlenbelastung.

Xerothermrelikte, *Tiergeographie:* wärmeliebende und an offene Landschaften angepasste Populationen, die bei klimat. Verschlechterung auf »Wärmeinseln« überleben konnten.

Xerxes I. (im A.T. Ahasver), altpers. König (486–465 v. Chr.), *um 519 v. Chr., † (ermordet) Susa 465 v. Chr.; Sohn des Dareios I.; schlug Aufstände in Ägypten und Babylonien nieder und versuchte 480 vergeblich, Griechenland zu unterwerfen (→ Perserkriege).

Xetra [Abk. engl. für e**x**change **e**lectronic **tra**ding], an der Börse in Frankfurt am Main am 28. 11. 1997 gestartetes elektron. Wertpapierhandelssystem (Computerbörse); löst das »Integrierte Börsenhandels- und Informationssystem« (IBIS) ab.

Xhosa ['ko:sa] (Xosa, früher Kaffern), Bantuvolk in Südafrika, für das die ehem. Homelands Transkei und Ciskei geschaffen wurden; rd. 7 Mio., in zahlr. Stämme gegliedert.

Xi *das,* ξ, Ξ, der 14. Buchstabe des grch. Alphabets.

Xia [ɕja] (Hsia), legendäre chines. Dynastie (2205–1766 v. Chr.), → China (Geschichte).

Xiamen [ɕja-] (Hsiamen, südchines. Amoy), chines. Stadt auf einer Insel in der Formosastraße, Prov. Fujian, durch einen Eisenbahndamm mit dem Festland verbunden, 530 000 Ew.; Univ., Navigationsschule; Schiff- und Maschinenbau, elektron., Textilind.; Seehafen, Flughafen. – 1980 zur Wirtschaftssonderzone (131 km²) für Auslandsinvestitionen erklärt.

Xi'an [ɕi-] (Sian, Hsian, 1932–43 Siking), Hptst. der chines. Prov. Shaanxi, im Zentrum der Wei-He-Ebene, 2,76 Mio. Ew.; zwei Univ., mehrere FH, landwirtsch. Forschungsinst., Kunst- und Musikschulen; Maschinenbau, Textil-, Metall-, chem., elektron., pharmazeut. Ind., Porzellanherstellung; Flughafen. – Histor. Baudenkmäler sind u.a. der Glockenturm aus der Zeit der Tang-Dynastie (618–907), der Trommelturm (1370), der Tempel der Stadtgottheiten (1432 erneuert), die »Kleine-Wildgans-Pagode« (706), der Tempel des »Großen Wohlwollens« (errichtet 647; 1580 wiederhergestellt) mit der »Großen-Wildgans-Pagode« (652; im 8. Jh. aufgestockt) sowie die große Moschee (14. Jh.); im ehem. Konfuziustempel Museum mit dem »Stelenwald«. Bei X. im Tal des Hwangho 1974 Entdeckung des Grabes des Kaisers Qin Shi Huangdi (221–209 v. Chr.) mit 7500 Tonfiguren (lebensgroße Tonsoldaten und -pferde sowie Streitwagen).

X. ist eine der ältesten Siedlungen Chinas. Westlich des heutigen Zentrums lag vom 11. bis 8. Jh. v. Chr. die Hptst. der Zhou-Dynastie, nach der Einigung des chines. Reiches auch die Metropole der Qin-Dynastie (221–206 v. Chr.). Nordwestlich von X. entstand unter der Han-Dynastie um 202 v. Chr. **Chang'an** (»Ewiger Friede«), das um die Zeitenwende mehr als 200 000 Ew. zählte. Ihre größte Blüte erlebte die Stadt vom 6. bis 9./10. Jh. als Hptst. der Sui- und der Tang-Dynastie; zu dieser Zeit reichte sie im S weit über den heutigen Stadtkern hinaus (in ihrer Anlage Vorbild für die »Verbotene Stadt« in Peking sowie für die alten japan. Städte Kyōto und Nara) und war wohl die größte Stadt der damaligen Welt (über 1 Mio. Ew.); danach nur noch als Provinz-Hptst. von Bedeutung. – Im Dez. 1936 wurde hier Chiang Kai-shek durch den chines. Marschall Zhang Xueliang verhaftet und zu einer Allianz mit der KP Chinas im antijapan. Widerstandskampf gezwungen (»Xi'an-Zwischenfall«). Weitere BILDER China, Lintong

📖 XIANG YANG: *X. – Chinas alte Hauptstadt. Peking 1992.*

Xianggang [ɕiaŋ-], chines. für → Hongkong.

Xiang Jiang [ɕiaŋ dʒjaŋ] *der* (Siangkiang), rechter Nebenfluss des unteren Jangtsekiang und Hauptzufluss des Dongting Hu (natürl. Rückstausee des Jangtsekiang), entspringt im N des Berglands von Guangxi; etwa 800 km lang.

Xiangtan [ɕiaŋ-] (Siangtan), chines. Stadt am Xiang Jiang, Prov. Hunan, 620 000 Ew.; Stahlwerk, Elektroind. und Baumwollverarbeitung, Motorenbau, Zementfabrik; Flusshafen.

Xianyang [ɕiaŋjaŋ] (Sienyang, Hsienyang), chines. Stadt im Wei-He-Tal, Prov. Shaanxi, 660 000 Ew.; Baumwollindustrie. – Reste des kaiserl. Palastes. – Unter der Qin-Dynastie (2. Hälfte des 3. Jh. v. Chr.) Hptst. Chinas.

Xigazê [ɕigadzə], Stadt in Tibet, → Shigatse.

Xihyperon, → Xiteilchen.

Xi Jiang [ɕidʒjaŋ] *der* (Sikiang, »Westfluss«), Hauptzufluss des Perlflusses und größter Strom S-Chinas, entspringt (zwei Quellflüsse) im Bergland von Yunnan, mündet mit einem Delta; 2 100 km lang; schiffbar über 550 km.

Xinguindianer [ʃiŋ'gu-], Sammelbez. für brasilian. Waldvölker unterschiedl. Sprachzugehörigkeit (Ye, Waujá, Mehináku, Awetö, Apy'ap, Nafukwá, Kuikúro, Truma'i, Mẽ) im Quellgebiet des Rio

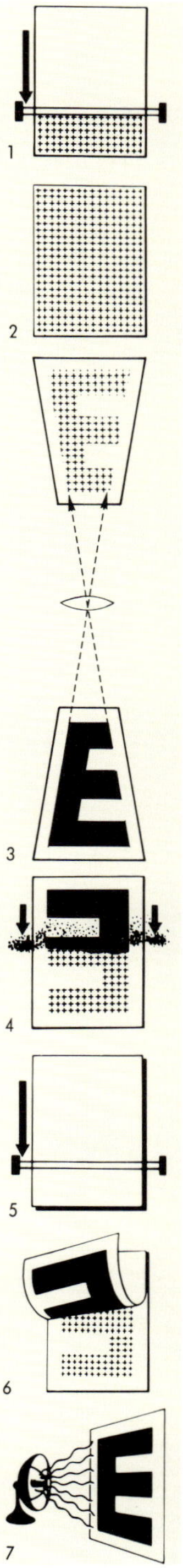

Xerographie: schematische Darstellung des Kopierverfahrens; 1 Aufladen der Halbleiterschicht, 2 durch positive Aufladung lichtempfindlich gemachte Schicht, 3 Ladungsabwanderung an belichteten Stellen, 4 der aufgetragene Toner bleibt am Ladungsbild (unbelichtete Stellen) hängen, 5 und 6 Übertragung des Toners auf Papier durch elektrostatische Kräfte, 7 Fixieren der Kopie durch Wärme

Xingu; v.a. Fischfang und Maniokanbau. Das Gebiet der X. wurde 1961 zum Nationalpark erklärt.

Xingu, Rio [ˈrriu ʃiŋˈgu] *der,* rechter Nebenfluss des Amazonas, 2100 km lang, entspringt am N-Hang des Plateaus von Mato Grosso. Nur der Mündungstrichter ist 200 km weit schiffbar.

Xinhua [ɕinxu̯a; »Neues China«], die staatl. Nachrichtenagentur der VR China, gegr. 1937; Sitz: Peking.

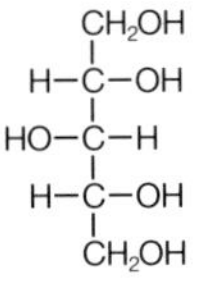

Xylit 1)

Xining [ɕi-] (Sining, Hsining), Hptst. der chines. Prov. Qinghai, im Hochland von Tibet, 2275 m ü.M., 613000 Ew.; FH für Wirtschaft und Gesundheitswesen; Verarbeitung landwirtsch. Produkte, Metall-, chem. Ind., Aluminiumwerk; Eisenbahn von Lanzhou; an der Fernstraße Lanzhou–Lhasa gelegen; Flughafen.

Xinjiang Uygur [ɕindʒjang -], autonome Region in China, → Sinkiang.

Xiongnu [ɕjʊŋ] (Hsiung-nu), ostasiat. Nomadenvolk, das Ende des 3. Jh. v. Chr. das erste große Nomadenreich der nordasiat. Steppe bildete. Die früher auch »ostasiat. Hunnen« genannten X. galten lange als »Stammväter« der im 4. Jh. n. Chr. in Europa auftauchenden Hunnen.

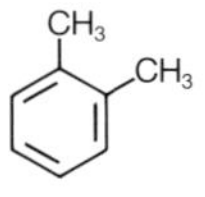

o-Xylol

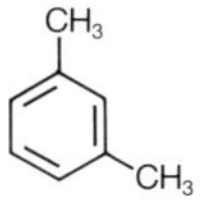

m-Xylol

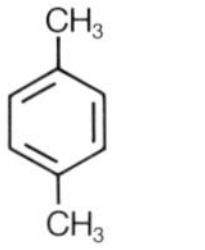

p-Xylol

Xylole

Xisuthros [grch.] (akkadisch Utnapischtim, sumerisch Ziusudra), König von → Schuruppak, Held der sumer. Sintflutsage. Im »Gilgamesch-Epos« erzählt X., wie er durch den Gott Ea vor der Sintflut gewarnt wird.

Xiteilchen (Xihyperon), Elementarteilchen aus der Gruppe der → Baryonen.

Xizang [ɕidzəŋ], autonome Region in China, → Tibet.

Xmas [ˈkrɪsməs, selten ˈeksməs], v.a. in den USA Abk. für → Christmas.

Xochicalco [ʃɔtʃiˈkalko; Nahuatl »Ort des Blumenhauses«], Ruinenstätte im mexikan. Staat Morelos, südlich von Cuernavaca; das religiöse Zentrum liegt auf einer Hügelkuppe und ist durch Mauerringe befestigt; Blütezeit um etwa 800 n. Chr.; erhalten ist u.a. der untere Teil der Hauptpyramide mit Schlangenrelief.

Xochimilco [ʃɔtʃiˈmilko; Nahuatl »Ort des Blumenackers«], Stadt im Bundesdistrikt Mexiko, bekannt durch die »schwimmenden Gärten« (→ Chinampas) der Azteken, heute noch mit intensivem Blumen- und Gemüsebau sowie regem Ausflugsbootsverkehr.

Xographie [grch.] *die,* ein Verfahren, um z.B. bei Bildpostkarten durch Aufprägen einer speziellen linsenähnl. Plastbeschichtung auf dem streifenförmig gerasterten Offsetbilddruck eine dreidimensionale Wirkung zu erzielen.

XP [ˈçi:ro:], das → Christusmonogramm.

X-Strahlen, die → Röntgenstrahlen.

X-Teilchen (X-Bosonen), hypothet. Bindungsteilchen, die für die Zusammenfassung der schwachen, starken und elektromagnet. Wechselwirkung in einer → Großen Vereinheitlichten Theorie postuliert werden.

Xylan [grch.-lat.] *das* (Holzgummi), überwiegend aus Xylosemolekülen aufgebaute Hemicellulose, die im Holz vieler Bäume, in Kleie und Stroh sowie in Kokosschalen vorkommt.

Xylem [grch.] *das, Botanik:* → Leitgewebe.

Xylit [grch.] *der,* **1)** *Chemie:* fünfwertiger Alkohol (Pentit), der sich von der → Xylose ableitet. X. kommt in der Natur nur selten vor, kann aber durch Reduktion von Xylose gewonnen werden. X. hat die gleiche Süßkraft wie Zucker (Saccharose), fördert aber nicht die Karies; er kann als Zuckeraustauschstoff für Diabetiker verwendet werden, da sein Abbau im Stoffwechsel insulinunabhängig verläuft.

2) *Geologie:* (früher Lignit) Holzbestandteil der Braunkohle, in dem die ehem. Holzstruktur noch gut erhalten ist.

xylo... [grch.], holz...

Xylole (Dimethylbenzole), aromatische Verbindungen der allgemeinen Formel $C_6H_4(CH_3)_2$. Je nach Position der Methylgruppen am Benzolring wird zw. o-X., m-X. und p-X. unterschieden. Das Isomerengemisch ist eine farblose, stark lichtbrechende Flüssigkeit, die mit stark rußender Flamme brennt. X.-Gemische finden als Lösungsmittel für Lacke und als Kraftstoffkomponenten Verwendung. Wegen der eng beieinander liegenden Siedepunkte (138–144 °C) ist eine Gewinnung der reinen X. durch Destillation schwierig. p-X. können aufgrund ihres relativ hohen Schmelzpunktes (+13,3 °C) durch Kältekristallisation oder mithilfe von Molekularsieben aus den Gemischen abgetrennt werden und werden nahezu ausschließlich zu → Terephthalsäure weiterverarbeitet. o-X. dienen zur Herstellung von Phthalsäureanhydrid (→ Phthalsäure).

Xylophon [grch.] *das,* Schlaginstrument aus tonleitermäßig abgestimmten Hartholzstäben auf einer weichen Unterlage (z.B. Stroh- oder Filzrollen), die lose durch Stifte gehalten werden oder auf Schnüre gezogen sind. Die Stäbe werden mit zwei löffelartigen Holzschlägeln angeschlagen. Ursprünglich bes. in der außereurop. Musik (Afrika) sowie der alpenländ. Volksmusik gebräuchlich, wird das X. seit dem ausgehenden 19. Jh. auch als Orchesterinstrument verwendet. Beim modernen Orchester-X. (Tonumfang c^1–c^5) sind die Stäbe meist zweireihig klaviaturmäßig angeordnet und mit darunter hängenden, abgestimmten Resonanzröhren versehen.

Xylose [grch.] *die* (D-Xylose, Holzzucker), Monosaccharid, das als Baustein von Xylan vorkommt, aus dem es durch Hydrolyse gewonnen wird. X. wird bevorzugt zu Xylit verarbeitet.

y, Y, 1) Konsonant (→Laut); der 25. Buchstabe des dt. Alphabets, von den Griechen aus dem altsemit. Zeichen für w entlehnt. Er bezeichnete im Altgriechischen den Laut [u], der später in den wichtigsten Mundarten zu y geworden ist. Die Römer übernahmen diesen Buchstaben in der Form V als Zeichen für u; erst später wurde auch die Form Y zur Schreibung von grch. Fremdwörtern entlehnt. Auch im Deutschen wird y fast nur in Fremdwörtern gebraucht, meist mit dem Lautwert [y], aber auch konsonantisch als [j]. Den Lautwert [y] hat y auch in den skandinav. Sprachen sowie im Finnischen; im Spanischen und Englischen hat es den Lautwert [j].

Druckschriftvarianten des Buchstabens **Y**

2) *Chemie:* **Y,** chem. Symbol für →Yttrium.

Yacht [engl.], die →Jacht.

Yacine Kateb [ja'sin ka'tɛb], eigtl. Mohammed Khelloutis, alger. Schriftsteller frz. Sprache, *Condi-Smendou (bei Constantine) 6. 8. 1929, †Grenoble 28. 10. 1989; lebte 1946–49 in Frankreich; schloss sich 1949 der FLN an und arbeitete als Auslandskorrespondent; lebte dann in versch. europ. Ländern. Y.K. schrieb zuerst in frz. Sprache, später in den arab. und berber. Dialekten seiner Heimat (»Soliloques«, Ged., 1946; »Nedschma«, R., 1956; »Le cercle des représailles«, Dramen, 1959; »Mohammed, prends ta valise«, Dr., 1972).

Yad Vashem [ja:d va'ʃɛm; hebr. »ein Denkmal und ein Name«], 1953/57 gegründete Gedenk- und Forschungsstätte in Jerusalem zur Erinnerung an die Opfer des Holocaust. Im Ohel Jiskor (»Halle der Erinnerung«) sind die Namen von 22 Konzentrations- und Vernichtungslagern, in der »Halle der Namen« die Namen von über 3 Mio. Toten, im »Tal der zerstörten Gemeinden« (1990–92 errichtet) die Namen von über 5000 europ. (seit 1993 einschl. dt.) jüd. Gemeinden, die dem Holocaust zum Opfer fielen, festgehalten; die »Kindergedenkstätte« erinnert an die Ermordung vieler jüd. Kinder. Zu der Anlage gehören neben zahlr. Skulpturen auch mehrere Ausstellungen und ein histor. Archiv.

Yak [engl., von tibet. gyak] *der* (Jak, Bos mutus), äußerst widerstandsfähiges, genügsames langhaariges Wildrind aus dem zentralasiat. Hochland, Körperlänge beim männl. Tier 3,2 m; die Haustierform **Grunzochse** ist wesentlich kleiner, oft ungehörnt; u.a. Last-, Reit- und Milchtier. BILD S. 334

Yakuza [-za, japan.], Angehörige krimineller Banden in Japan; ihre mehr als 2000 Gangs (»boryokudan«; rd. 90000 Mitgl.) kontrollieren das organisierte Verbrechen (u.a. Schmuggel, Erpressung, Rauschgifthandel, Glücksspiel, Prostitution), verfügen aber auch über großen Einfluss in der

Yad Vashem: Gedenkstein für Janusz Korczak, der es ablehnte, die von ihm betreuten Waisenkinder, die im August 1942 nach Treblinka gebracht wurden, zu verlassen

Yak: Das Wildrind hat eine Körperlänge von 3,2 m

Wirtschaft. Die Y. sind streng hierarchisch gegliedert (an der Spitze einer Bande steht der »oyabun«) und befolgen samuraiähnl. Rituale. Ihre histor. Wurzeln reichen bis ins 16./17. Jh. zurück; in jüngster Zeit auch in den USA aktiv.

Yale University ['jeɪl ju:nɪ'vɜ:sɪtɪ], eine der führenden Hochschulen (privat) der USA in New Haven (Conn.), gegr. 1701.

Rosalyn S. Yalow

Yalow ['jeɪləʊ], Rosalyn Sussman, amerikan. Physikerin und Nuklearmedizinerin, *New York 19. 7. 1921; entwickelte mit dem amerikan. Mediziner Salomon Aaron Berson (*1918, †1972) eine Indikatormethode zur Bestimmung der (nur in geringsten Mengen im Körper auftretenden) Peptidhormone über deren Antikörper bzw. über die entsprechende Antigen-Antikörper-Reaktion (Radioimmunassay). Hierfür erhielt sie 1977 (mit R. Guillemin und A. Schally) den Nobelpreis für Physiologie oder Medizin.

Yalu *der* (Jalu, chines. Yalu Jiang, korean. Amnokkang), Grenzfluss zw. Nord-Korea und China, entspringt am Baiton Shan, mündet in die Koreabucht, 790 km lang; am Unterlauf Stausee mit Kraftwerk Suphung (700 MW).

Yama [Sanskrit], ind. Todesgott und Richter der Verstorbenen; urspr. einer der Stammväter der Menschheit, der →Urmensch, der als erster Verstorbener die Herrschaft über das Totenreich erhielt.

Yamagata Aritomo

Yamagata (Jamagata), Hptst. der japan. Präfektur Y., auf Honshū; 251400 Ew.; Univ., Museen; Elektronik-, Seidenind., Maschinenbau.

Yamagata, Aritomo, Fürst (seit 1907), japan. Feldmarschall (seit 1898) und Staatsmann, *Hagi (Präfektur Yamaguchi) 22. 4. 1838, †Odawara 1. 2. 1922; reformierte nach dem Ende des Shogunats die japan. Armee nach europ. Vorbild (Einführung der allg. Wehrpflicht 1873; Schaffung eines Generalstabs); errichtete als Min. versch. Ressorts (u. a. für Inneres, Justiz, Armee) und als MinPräs. (1889–91 sowie 1898–1900) ein autoritäres, zentralist. Verwaltungssystem; im Russisch-Japan. Krieg (1904/05) war er Generalstabschef.

Yamaguchi [-tʃi] (Jamagutschi), Hptst. der japan. Präfektur Y., auf Honshū, 132600 Ew.; Univ.; Elektroind.; Flughafen.

Yamasaki, Minoru, amerikan. Architekt japan. Herkunft, *Seattle (Wash.) 1. 12. 1912, †Detroit (Mich.) 6. 2. 1986; gewann durch den 1951–56 errichteten Flughafen in St. Louis (Missouri) internat. Ansehen. Zu seinen bekanntesten Arbeiten zählt das World Trade Center in New York (1962–75). Bild New York

Yamato (Jamato), i. e. S. die histor. Kernlandschaft Japans, das heutige Narabecken, auf Honshū, südlich des Biwasees; i. w. S. ganz Japan.

Yamato-e [japan. »Yamatomalerei«], in Japan eine Gattung illustrierend erzählender Malerei, die in Tusche und Deckfarben meist auf →Querrollen (Makimono) Szenen aus Geschichte, Legenden und höf. Romanen oder Kurzgedichten behandelt; Blütezeit vom 12. bis 14. Jahrhundert.

Yamoussoukro [jamusu'kro], seit 1984 Hptst. der Rep. Elfenbeinküste, im zentralen S des Landes, 107000 Ew.; TH, Kongresszentrum; Flughafen. – Basilika Notre Dame de la Paix (1987–90).

Yamswurzel, die →Jamswurzel.

Yamuna ['jæmʊnɑ:] *der* (engl. Jumna), bedeutendster Nebenfluss des Ganges in N-Indien, 1376 km lang, entspringt in über 6000 m Höhe im westl. Himalaja und mündet bei Allahabad; ein Großteil des Wassers wird zur Bewässerung abgeleitet; heiliger Fluss der Hindus.

Yanam (frz. Yanaon), Hafenstadt an der O-Küste Indiens, im Godawaridelta, 20000 Ew.; ehemalige frz. Besitzung, seit 1954 zum Territorium Pondicherry.

Yan'an [iæn'an] (Yenan, Jenan), Stadt in der chines. Prov. Shaanxi, am Yan He, 270000 Ew.; Univ., Pagode (12. Jh., heute Revolutionsmuseum); Textil- u. a. Ind.; Flughafen. – Y. wurde 1936 nach dem Langen Marsch Mittelpunkt der kommunist. Bewegung.

Yanbu al-Bahr [-baxr], Hafenstadt in Saudi-Arabien, →Janbo.

Yang, Chen-Ning, amerikan. Physiker chines. Herkunft, *Hefei (Prov. Anhui, China) 22. 9. 1922; lieferte bed. Beiträge zu nichtabelschen Eichfeldtheorien und sagte 1956 gemeinsam mit T. D. Lee die Nichterhaltung der →Parität bei der schwachen Wechselwirkung voraus. 1957 erhielt er dafür mit Lee den Nobelpreis für Physik.

Yangon, Hptst. von Birma, →Rangun.

Yang Shangkun [-ʃaŋ-], chines. Politiker, *Shuangjiang (Prov. Sichuan) 1907, †Peking 14. 9. 1998; 1934/35 Teilnehmer am →Langen Marsch; wurde 1945 Gen.-Sekr. der Militärkommission des

ZK der KP, 1956 Mitgl. des ZK. In der Zeit der Kulturrevolution (1966–69) war er Verfolgungen ausgesetzt; ab 1982 Mitgl. des Politbüros und stellv. Vors. der Militärkommission des ZK der KP; 1988–93 Staatspräsident.

Yangshaokultur [-ʃau̯-], neolith. Kultur in N-China (6.–3. Jt. v. Chr.), ben. nach einer bei Yangshao (Prov. Henan) 1921 entdeckten Siedlungsfundstelle; charakteristisch: reich bemalte Keramik (geometr., zoo- und anthropomorphe Motive); große Dorfsiedlungen, Hirseanbau. Möglicherweise war bereits die Seidenraupenzucht bekannt.

Yangzi Jiang [jaŋdzidʒiaŋ], Fluss in Asien, →Jangtsekiang.

Yankee [ˈjæŋkɪ, engl.] *der,* im Ausland Spitzname für US-Amerikaner, urspr. wahrscheinlich nur auf niederländ. Siedler (nach dem niederländ. Namen Jan) bezogen, im 18. Jh. für die Bewohner Neuenglands, im Sezessionskrieg als Schimpfwort für die Nordstaatler gebraucht.

Yanomạmi (Yanoama, Waika), südamerikan. Indianervolk in S-Venezuela, am oberen Orinoco, und im benachbarten Brasilien; schätzungsweise über 20 000; leben hauptsächlich vom Brandrodungsfeldbau, daneben sind sie auch Jäger und Sammler. Die festen Siedlungen bestehen aus massiven, von Großfamilien bewohnten Häusern mit rechteckigem Grundriss. Die Y. sind durch das verstärkte Eindringen von Goldsuchern und Siedlern in ihr offizielles Schutzgebiet seit den 1980er-Jahren sowie durch eingeschleppte Krankheiten vom Aussterben bedroht.

Yaşar Kemal

Yantai [jæntai] (Yentai), chines. Hafenstadt an der N-Küste der Halbinsel Shandong, 452 000 Ew.; Fischereibasis und Exporthafen, Eisen- und Stahlwerk, Werften, Seidenind.; Sonderwirtschaftszone; Fährverkehr mit Kunsan, Süd-Korea.

Yạo, 1) [jaʊ] (Dao Jao, Man, Mien), Bergvolk in SW-China (2,1 Mio.) und im N von Vietnam, Laos, Thailand und Birma; zus. rd. 2,5 Mio.; leben von Brandrodungsfeldbau; vorwiegend Animisten.

2) (Jao, Wayao) Bantuvolk in Ostafrika, im Hochland von Malawi sowie in den angrenzenden Gebieten von Tansania und Moçambique; rd. 2,2 Mio.; Bauern und Rinderhirten; oft als Wanderarbeiter in den Städten; vorwiegend Muslime.

Yaoundé [jaunˈde] (Jaunde), Hptst. von Kamerun, 776 000 Ew.; kath. Erzbischofssitz; Univ., Goethe-Inst., Nat.-Archiv; im Kloster auf dem Mont Fébé Sammlung kamerun. Kunst; Verkehrsknotenpunkt; internat. Flughafen. – Gegr. 1889 als dt. Militärstation.

Yao Wenyuan [jaʊ ʊənjyæn] (Yao Wen-yüan), chines. Journalist und Politiker, *1924 (nach anderen Angaben 1931); löste durch seine scharfe Kritik an chines. Intellektuellen in der »Literaturzeitung« die Kulturrevolution (1966–69) aus. 1967–76 war er Chefredakteur des KP-Zentralorgans »Renmin Ribao«, 1969–76 Mitgl. des Politbüros der KP. 1976 wurde er als Mitgl. der →Viererbande verhaftet und 1981 zu 20-jähriger Freiheitsstrafe verurteilt.

Yap Islands [jɑːp ˈaɪləndz], Inselgruppe der Westkarolinen, im westl. Pazifik; bilden den Staat Yap von Mikronesien, 119 km² groß, (1990) 9 200 Ew. (Mikronesier); Hauptort: Colonia auf der Insel Yap.

Yaqui [ˈjaki], Indianergruppe mit utoaztek. Sprache in Nordamerika, v. a. am Río Yaqui im mexikan. Staat Sonora (etwa 10 000 Y.) und in Arizona, USA.

Yard [jɑːd; engl. »Messrute«] *das,* Einheitenzeichen **yd,** nichtmetr. Längeneinheit in Großbritannien und in den USA; 1 yd = 3 feet = 36 inches = 0,9144 m.

Das **Yard** *wurde 1101 vom englischen König Heinrich I., dem jüngsten Sohn Wilhelms des Eroberers, eingeführt. Die Länge von 91,44 cm entsprach dem Abstand zwischen seiner Nasenspitze und der Kuppe seines Daumens bei ausgestrecktem Arm.*

Yarkand, 1) Quellfluss des Tarim, China, entspringt im Kunlun Shan, rd. 1 000 km lang, durchzieht die Wüste Takla Makan, wo er in Trockenjahren versickert.

2) (uigur. Yarkant, Jarkend, chines. Shache) Oasenstadt im S der Uigur. Autonomen Region Sinkiang, China, am W-Rand der Wüste Takla Makan, rd. 80 000 Ew.; Baumwoll-, Seiden-, Teppichweberei, Lederwarenfabrik. – Y. war ein wichtiger Karawanenort an der Seidenstraße.

Yaşar Kemal [jaˈʃar keˈmal], türk. Schriftsteller, eigtl. Kemal Sadık Gökçeli, *Gökçeli (Prov. Adana) 1922; Exponent der türk. Gegenwartsliteratur; wegen polit. Engagements in Haft, lebte zeitweise in Paris; begann mit Reportagen und Lyrik. Internat. Beachtung fand sein Roman »Memed, mein Falke« (1955), erster Teil des Memed-Zyklus (»Die Disteln brennen«, 1969; »Das Reich der Vierzig Augen«, 1984); seine Erzählweise ist vom Legenden- und Epenstil der Volksliteratur und europ. Prosaformen beeinflusst; ferner: »Gelbe Hitze« (Erz., 1952), »Die Ararat-Legende«

Yang Chen-Ning

Yellowstone National Park: Wasserfall des Yellowstone River

(R., 1970), »Kale Kapisi« (R., 1985). 1997 erhielt er den Friedenspreis des Dt. Buchhandels.

Yawl [jɔ:l, engl.] *die,* anderthalbmastiges Segelboot, dessen hinterer, kleiner Mast (Besanmast, Treiber) auf dem Bootsüberhang steht.

Yaxchilán [jaʃtʃi'lan], Kultstätte der Maya in Chiapas, Mexiko, am Usumacinta, aus klass. Zeit (Blüte zw. 665 und 772), bisher noch nicht systematisch freigelegt. Tempel und Paläste tragen Reliefs mit Huldigungsszenen und Kriegerdarstellungen.

Yazd [-z-] (Jesd), Provinz-Hptst. in einer Oase des inneriran. Wüstenbeckens, 1243 m ü.M., 275 300 Ew.; traditionsreicher Handelsplatz, heute mit Textil- u.a. Industrie. – Traditionelle Lehmbauten mit Windtürmen, Freitagsmoschee (1375 wieder aufgebaut; Kuppelsaal mit reichem Fayenceschmuck), Mir-Tschamak-Moschee (1426, Minaretts um 1800), mehrere Mausoleen, Feuertempel der zoroastr. Gemeinde.

Yazd: Die Lehmbauten der Stadt werden durch Windtürme gekühlt

Yb, chem. Symbol für →Ytterbium.

Ybbs an der Donau [ɪps -], Stadt in NÖ, nahe der Mündung der Ybbs in die Donau, 5 800 Ew.; Metallind.; Donaukraftwerk Ybbs-Persenbeug.

yd, Einheitenzeichen für →Yard.

Yeats [jeɪts], William Butler, irischer Dichter, *Sandymount (heute zu Dublin) 13. 6. 1865, †Roquebrune-Cap-Martin (bei Nizza) 28. 1. 1939; bed. Förderer der ir. Renaissance, schloss sich zeitweise der ir. revolutionären Bewegung an, gründete 1899 das Ir. Nationaltheater (später Abbey Theatre) in Dublin; 1922–28 Senator des Freistaats Irland. – Angeregt von altir. Vorbildern, kelt. Mythologie, japan. Literatur, traditionellen engl. Dichtern wie Shakespeare, P. B. Shelley und W. Blake, den frz. Symbolisten, bes. P. Verlaine, schuf Y. eine national-irische, mythisch-myst., oft symbol. Dichtung und poetische Dramen (»Gräfin Cathleen«, 1892; »Deirdre«, 1907). In den Gedichten seiner letzten Bände, »Die wilden Schwäne von Coole« (1917), »Michael Robartes und der Tänzer« (1920), »Die Wendeltreppe« (1929), »Last poems and two plays« (1939), zeigt sich sein reifer Stil, der Traum und Präzision vereinigt und auf die Einsamkeit des Geistes (»Der Turm«, 1928) gerichtet ist; Essays, u.a. »The Celtic twilight« (1892), »A vision« (1925). Nobelpreis für Literatur 1923.

📖 MYERS, S. W.: *Y.' book of the nineties. Poetry, politics, and rhetoric. New York u.a. 1993.* – REINERSDORFF-PACZENSKY U. TENCZIN, U. VON: *W. B. Y.' poetry and drama between late romanticism and modernism. An analysis of Y.' poetry and drama. Frankfurt am Main u.a. 1996.*

Yedo (Edo), bis 1868 Name von Tokio.

Yellow Ground ['jeləʊ graʊnd, engl.], ein Tiefengestein, →Kimberlit.

Yellowknife ['jeləʊnaɪf], Hptst. der Northwest Territories, Kanada, am N-Ufer des Großen Sklavensees, 15 200 Ew.; Flugplatz; in der Umgebung Goldgewinnung.

Yellowstone National Park ['jeləʊstəʊn 'næʃənəl 'pɑ:k], ältestes (seit 1872) unter Naturschutz gestelltes Gebiet der USA, in NW-Wyoming, mit kleinen Teilen auch in Montana und Idaho, 8 953 km², umfasst im Wesentlichen ein aus basalt. Ergüssen bestehendes Plateau in 2 000 bis 2 500 m ü.M., in das sich der Yellowstone River in einer über 20 km langen und etwa 300 m tiefen Schlucht (Grand Canyon) eingeschnitten hat (zwei große Wasserfälle). Bekannt ist der Y. N. P. v.a. durch die Geysire (v.a. »Old Faithful«), ferner heiße Quellen, die Sinterterrassen bilden, Schlammvulkane u.a. Der Y. N. P. wurde von der

UNESCO zum Welterbe erklärt. Weiteres BILD Vereinigte Staaten

Yellowstone River ['jeləʊstəʊn 'rɪvə], rechter Nebenfluss des Missouri in den USA, 1080 km lang, entspringt im Yellowstone Lake (2356 m ü. M., 355 km²), mündet bei Buford (N. D.).

Yen [jɛn] *der,* japan. Währungseinheit, 1 Y. (¥) = 100 Sen.

William Butler Yeats (um 1930)

Yenan, chines. Stadt, → Yan'an.

Yentai, chines. Stadt, → Yantai.

Yeoman ['jəʊmən, engl.] *der,* im mittelalterl. England urspr. der Freie mit erbl. Lehnsbesitz, später jeder Freibauer, dann auch der Pächter. Während der Kriege gegen Frankreich (1783–1815) stellten die Y. eine freiwillige Reitertruppe, die **Yeomanry** (im 19. Jh. zur Territorialmiliz umgewandelt).

Yeomen of the Guard ['jəʊmən ɔv ðe 'gɑ:d], die Leibwache des engl. Königs, 1485 von Heinrich VII. aufgestellt; zu unterscheiden von den **Yeomen warders of the Tower of London,** der Wachmannschaft des Londoner Towers (volkstümlich auch als **Beefeaters** bezeichnet).

Yepes ['je-], Narciso, span. Gitarrist, *Lorca (Murcia) 14. 11. 1927, †Murcia 3. 5. 1997; spielte auf einem Instrument mit zehn (statt sechs) Saiten und daher auch urspr. für Laute oder Vihuela geschriebene Stücke.

Yersin [jer'sɛ̃], Alexandre John Emile, schweizer. Tropenarzt, *Aubonne (Kt. Waadt) 22. 9. 1863, †Nha Trang (Vietnam) 1. 3. 1943; entdeckte (unabhängig von S. Kitasato) 1894 den Erreger der Pest und entwickelte zu deren Behandlung ein nach ihm benanntes Serum.

Yeşilırmak [jɛ'ʃil-; türkisch »grüner Fluss«] *der,* Fluss im nördl. Anatolien, Türkei, 468 km, entspringt im südl. Pont. Gebirge, mündet mit sumpfigem Delta östlich von Samsun ins Schwarze Meer.

Yeti [tibet.] *der,* der → Schneemensch.

Yeu, Île d' [il'djø], Insel vor der Küste der Vendée, Frankreich, 23 km², 5000 Ew.; Hauptort ist Port-Joinville (Fischereihafen, Seebad).

Yggdrasil (Weltesche), *altnord. Mythos:* der heilige, immergrüne Baum im Weltmittelpunkt. An seinen Wurzeln nagt der Drache Nidhögg, auf dem Wipfel sitzt ein Adler, das Eichhörnchen Ratatoskr trägt die Nachrichten zw. ihnen hin und her. Unter den Wurzeln entspringen das Wasser des Urwerdens und der Schicksalsquell, aus dem → Mimir trinkt.

Yibin [ibɪn] (Ipin), chines. Stadt in der Prov. Sichuan, an der Mündung des Min Jiang in den Jangtsekiang, 250000 Ew.; chem. u. a. Ind.; Binnenschifffahrtszentrum.

Yichang [itʃaŋ] (Ichang), chines. Stadt in der Prov. Hubei, am Jangtsekiang oberhalb des → Drei-Schluchten-Staudamms, 364000 Ew.; altes Handelszentrum; Nahrungsmittel-, chem. u. a. Industrie.

Yijing [idʒɪŋ; chines. »Buch der Wandlungen«] (I-ching, I Ging), im 7./6. Jh. (?) entstandenes chines. Wahrsage- und Weisheitsbuch; bestand in seiner ältesten Form aus 64 Hexagrammen mit kurzen Erläuterungen. Von den Konfuzianern im 2./1. Jh. unter die fünf Kanon. Bücher des Konfuzianismus aufgenommen; Wahrsagegebrauch bis ins 20. Jahrhundert.

Yılmaz, Mesut, türk. Politiker, *Istanbul 6. 11. 1947; Unternehmer, Gründungsmitgl. der Anavatan Partisi (ANAP; Mutterlandspartei, seit 1983 Abg. in der Nationalversammlung, 1987–90 Außenmin., seit 1991 Vors. der ANAP. Y. gilt als Verfechter einer Europa zugewandten Orientierung der türk. Außenbeziehungen; 1991 und 1996 kurzfristig und erneut seit Juli 1997 Ministerpräsident.

Mesut Yılmaz

Yin, anderer Name der chines. Dynastie Shang (→ China, Geschichte).

Yinchuan [intʃʊən] (Jintschuan, bis 1958 Ninghsia), Hptst. des autonomen Gebiets Ningxia Hui, China, am Hwangho, 357000 Ew.; Univ.; Maschinenbau, Textil-, elektron., Nahrungsmittelindustrie.

Narciso Yepes

Yining [iniŋ] (Kuldja, Kuldscha), Handelsstadt in der Uigur. Autonomen Region Sinkiang, China, in einer Oase am Ili, 240000 Ew.; Baumwoll-, Wollwaren- und Teppichweberei, Maschinenbau; altes Handelszentrum an der Seidenstraße.

Yin und Yang [chines.], entgegengesetzte Prinzipien und kosm. Grundkräfte in der chines. Naturphilosophie seit dem 5./3. Jh. v. Chr. Dem Yang entspricht das Männliche, Aktive, der Himmel, die Stärke, die rote Farbe und die ungerade Zahl, dem Yin das Weibliche, Passive, die Erde, die Nachgiebigkeit, die schwarze Farbe und die gerade Zahl. Y. u. Y. haben ihren gemeinsamen Ursprung in einem Absoluten, dem Dao.

Ylang-Ylang-Öl [malaiisch] (Ilang-Ilang), äther. Blütenöl des **Ylang-Ylang-Baums** (Cananga) aus S- und SO-Asien, Rohstoff (aus Réunion, Madagaskar, Komoren) für die Feinparfümerie.

Yoga

Über den Yoga heißt es in den Upanishaden:

»Er bringe seinen Körper in eine ebene Lage, an drei Stellen (Brust, Hals und Kopf) ihn herausstraffend, konzentriere die Sinne im Inneren mit dem Verstande und wird mittels des Brahmanachens kundig über alle Furcht einflößenden Ströme hinwegsetzen. Er hemme seine Atemzüge, reguliere seine Bewegungen und, wenn der Atem geschwunden ist, hauche er durch die Nase aus ...«

Ylide [Kw.], Bez. für sehr reaktionsfähige Ammonium- **(Stickstoff-Y.)**, Phosphonium- **(Phosphor-Y.)** und Sulfoniumverbindungen **(Schwefel-Y.)**, in denen das Heteroatom (N, P oder S) und ein Kohlenstoffatom gleichzeitig durch eine kovalente Bindung (...yl) und eine Ionenbeziehung (...id) verbunden sind. Für die präparative organ. Chemie sind die Phosphor-Y. am wichtigsten (→ Wittig-Reaktion).

Ymir, *german. Mythos:* ein aus dem Eis entstandener Urzeitriese; aus ihm entsprangen die Frost- und Reifriesen; von Odin und seinen Brüdern getötet; aus seinem Fleisch wurde die Erde, aus dem Blut das Meer, aus den Knochen die Berge, aus dem Haar der Weltbaum, aus dem Schädel der Himmel (→ Edda).

Ynglingar, älteste schwed. Königsdynastie, die ihre Herkunft von dem Gott Yngvi-Freyr ableitete und nach der »Ynglinga saga« aus der Gegend von Uppsala kam; nahm unter Olaf III. Skötkonung (etwa 995–1022) das Christentum an. Von der im 11. Jh. erloschenen Dynastie stammen auch die frühen norweg. Könige ab. Die Y. hinterließen eindrucksvolle Nekropolen in Altuppsala.

Yogyakarta: Ansicht des Wasserschlosses Taman Sari aus dem 18. Jahrhundert

Yoga [Sanskrit] *der* oder *das* (Joga), fest in der ind. Kultur verwurzelte, eng mit dem Samkhya verbundene Lehre (und darauf beruhende Methode) der Vervollkommnung des Menschen. Y. wird bereits in den Veden (→ Veda) erwähnt und von Patanjali im »Yogasutra« vermutlich im 2. Jh. v. Chr. schriftlich als Regelwerk und philosophisch-religiöses System fixiert. Danach besteht das Ziel des Y. in der Selbstvervollkommnung im Sinne eines Sichloslösens von der eigenen Persönlichkeit, die durch eine Harmonisierung von Leib, Seele und Geist erreicht werden soll. Auf dem Wege dorthin hat der **Yogi** oder **Yogin** versch. Stufen des Y. zu durchlaufen: die Zügelung körperl. Begierden, die Beachtung von Reinheitsvorschriften, das Erlernen von bestimmten Körperhaltungen, die Beherrschung des Atems, Verinnerlichung, Konzentration, Meditation, Versenkung. – Im Verlauf der Geschichte entstanden unterschiedl. Y.-Schulen, die einzelne Bereiche der Stufenfolge hervorheben. – In Europa bekannt geworden, hat sich Y. mit typisch europ. Denkformen vermischt. Daraus entwickelte sich eine Vielfalt von Systemen, Methoden und Ansichten, die sich z. T. weit vom ursprüngl. Y. entfernt haben.

📖 Varenne, J.: *Y. u. die Tradition des Hinduismus. A. d. Frz. Aachen 1996.* – Pfannstiel, C.: *Handbuch Y. Grundlagen, Übungen u. Techniken. München 1997.* – Yogananda, P.: *Die Reise der Seele nach Innen. Über die Ganzheit des Seins, die Freiheit des Menschen u. die Harmonie der Welt. A. d. Engl. Bern u. a. 1997.*

Yogyakarta (früher Jogjakarta), Stadt im S von Mitteljava, Indonesien, 412 400 Ew.; zwei Univ., islam. theolog. Institut, Kunstakademie; Textil-, Leichtind., bed. Kunsthandwerk (Batik- und Silberwarengewerbe); Flughafen. – Wasserschloss Taman Sari (Mitte 18. Jh.). – Die Stadt wurde 1755 Zentrum des Sultanats Y. und war Ausgangspunkt der von Prinz Diponegoro geführten Rebellion (1825–30) gegen die niederländ. Kolonialherrschaft. 1946–49 Hptst. der Rep. Indonesien.

Yohimbin [Bantu] *das* (Johimbin, Quebrachin), aus der Rinde des westafrikan. Yohimbinbaums (Pausinystalia yohimba) gewonnenes Alkaloid mit gefäßerweiternder Wirkung; medizinisch gegen Durchblutungsstörungen verwendet; gilt als Aphrodisiakum.

Yokkaichi [-tʃi], Industrie- und Hafenstadt auf Honshū, Japan, 282 200 Ew.; petrochem., Glas-, Baumwollind., Porzellanherstellung.

Yokohama (Jokohama), Hptst. der Präfektur Kanagawa, Japan, auf Honshū, 3,29 Mio. Ew.; einer der bedeutendsten Handelshäfen Japans, bildet mit Kawasaki und Tokio die Industriezone Keihin; zwei Univ. sowie weitere Hochschulen, Forschungseinrichtungen, Museen; Schiff-, Kraftfahrzeug-, Elektromaschinenbau, chem., petrochem. Industrie. – Einer der ältesten erhaltenen buddhist. Tempel, der Gumyo-ji, beherbergt eine buddhist. Holzstatue des 9. Jh.; im Sankei-en, einem Landschaftsgarten mit Freilichtmuseum, dreigeschossige Pagode (15. Jh.) sowie das Rinshun-kaku (ehem. Villa der Tokugawa; 1649); Sojiji-Tempel (1321, nach Brand 1898 neu errichtet; einer der bedeutendsten Zentempel Japans). – Urspr. kleines Fischerdorf; 1859 für den ausländ. Handel geöffnet; 1872 Bau der ersten Eisenbahnlinie Japans von Tokio nach Y., das 1889 Stadt wurde. 1923 durch ein Erdbeben und im 2. Weltkrieg stark zerstört.

Yokosuka (Jokosuka), japan. Hafenstadt an der W-Küste der Tokiobucht, Honshū, 435 400 Ew.; Marineschule, Kernforschungsinstitut; Werften, Maschinenbau.

Yọldia *die,* zu den Urkiemern gehörende Muschelgattung arkt. Meere. Mit Y. war einst das **Yoldiameer** besiedelt, das einen Abschnitt in der Entwicklung der → Ostsee bildet.

Yonkers [ˈjɔŋkəz], Wohnstadt nördlich von New York, USA, am linken Ufer des Hudson River, 188 100 Ew.; Hudson River Museum; Maschinenbau, Textilindustrie.

Yonne [jɔn], **1)** *die,* linker Nebenfluss der Seine im mittleren Frankreich, entspringt im Morvan (frz. Zentralmassiv) und mündet bei Montereau, 293 km lang.

2) Département in Mittelfrankreich, 7 427 km², (1990) 323 100 Ew.; Hptst. ist Auxerre.

Yọrck von Wạrtenburg, aus Pommerellen stammende Adelsfamilie; im 18. Jh. Yorck (York, Jork); 1814 Grafentitel mit Zusatz »von Wartenburg«. Bed. Vertreter:

1) Hans David Ludwig Graf (seit 1814), preuß. Feldmarschall (seit 1821), *Potsdam 26. 9. 1759, † Klein Oels (heute Oleśniczka, bei Oleśnica) 4. 10. 1830; schloss als Befehlshaber des preuß. Hilfskorps im Russlandfeldzug Napoleons I. eigenmächtig die Konvention von → Tauroggen und rief gemeinsam mit dem Freiherrn vom Stein zur allg. Volksbewaffnung auf; erzwang 1813 u. a. den Elbübergang bei Wartenburg (bei Wittenberg).

2) Peter Graf, Widerstandskämpfer, *Klein Oels (heute Oleśniczka, bei Oleśnica) 13. 11. 1904, † (hingerichtet) Berlin-Plötzensee 8. 8. 1944, Urenkel von 1); trat 1927 in den Staatsdienst; aus christl. Gesinnung heraus Gegner der nat.-soz. Gewaltherrschaft, 1942 Mitbegründer des Kreisauer Kreises; seit Jan. 1944 enger Vertrauter seines Vetters C. Graf Schenk von Stauffenberg; nach dem Scheitern des Attentatsversuches vom 20. 7. 1944 zum Tod verurteilt.

Yoritomo (Minamoto no Yoritomo), Begründer des ersten Shogunats in Japan, *1147, †1199;

Yokohama: Hafenansicht mit der Yokohama Bay Bridge aus dem Jahr 1989 im Hintergrund

ließ sich 1192 vom Kaiser die Würde des Shoguns (Kronfeldherr) verleihen und verlegte den Sitz seiner Militärregierung nach Kamakura.

York [jɔːk], Stadt in der Cty. North Yorkshire, N-England, am Ouse, 100 000 Ew.; anglikan. Erzbischofssitz (seit dem 7. Jh.), Univ.; Saint John's College of Education, Saint Peter's (eine der ältesten Schulen Englands, gegr. 627); archäolog., Yorkshire-Museum, Nat. Eisenbahnmuseum; Schokoladen- und Süßwarenind., Zuckerfabriken, Textil-, feinmechan. Ind., Maschinenbau. – Von Stadtmauern und Toren umschlossene mittelalterl. Altstadt mit zahlr. sakralen und profanen Bauten (drei Gildenhallen, Saint William's College, Treasurer's House u. a.); die Kathedrale, die größte Kirche Englands (Vorgängerbauten 7., 8., 11. Jh.), repräsentiert in ihrer heutigen Gestalt alle Entwicklungsstufen der engl. Gotik (13.–15. Jh.). – Im 1. Jh. n. Chr. (etwa 71–74 oder 79) wurde hier das röm. Legionslager **Eboracum (Eburacum)** errichtet, die bei ihm entstandene Siedlung später zur Colonia und zur Verwaltungs-Hptst. der Prov. Britannia inferior erhoben; zu Beginn des 4. Jh. als Bischofssitz bezeugt. Unter den Angelsachsen, die die Stadt **Eoforwic** nannten, Hauptstadt des Königreichs Northumbria; im 7. Jh. Erzbistum. Europ. Bedeutung erwarb im 8. Jh. die Münsterschule, aus der u. a. → Alkuin hervorging. 867 eroberten die Dänen die Stadt (nunmehr **Yorvick** gen.), im 11. Jh. durch die Normannen stark zerstört, jedoch bald wieder prachtvoll aufgebaut; im Spät-MA. bed. Hafen- und Handelsstadt. BILD S. 340

York [jɔːk], engl. Dynastie (1461–85); geht zurück auf Eduard III. aus dem Haus Plantagenet, der seinem 5. Sohn Edmund of Langley 1385 den Titel eines Herzogs von Y. verlieh. Herzog Richard (*1416, †1460) löste durch seinen Thronanspruch

Hans David Ludwig Graf Yorck von Wartenburg (Ausschnitt eines zeitgenössischen Gemäldes)

gegenüber dem regierenden Haus Lancaster die Rosenkriege (1455–85) aus; sein Sohn gelangte als Eduard IV. 1461 auf den engl. Thron, dann (nach der Ermordung Eduards V.) dessen Bruder Richard III. (1483), der 1485 von Heinrich VII. aus dem Haus Tudor gestürzt wurde. 1499 erlosch das Haus Y. in männl. Linie. Später wurde der Herzogstitel von Y. dem 2. Sohn des Königs verliehen.

Yoshida Shigeru

York [jɔ:k], Michael, brit. Schauspieler, *Fulmer 27. 5. 1942; neben der Arbeit an Londoner Bühnen v. a. Filmrollen (»Romeo und Julia« 1968; »Cabaret«, 1972; »Die drei Musketiere«, 1973; »Die vier Musketiere der Königin«, 1974); »Der Joker« (1987); »Einer zuviel« (1989); »Sargasso Sea – im Meer der Leidenschaften« (1993).

Yorktown [ˈjɔ:ktaʊn], Ort im SO von Virginia, USA, nahe der W-Küste der Chesapeake Bay, bildet u. a. mit Jamestown den Colonial National Historical Park. – Grace Episcopal Church (1697), Zollhaus (um 1706, restauriert 1929), Moore House (um 1725). – Entstand 1631. – Die Kapitulation des brit. Generals C. Cornwallis vor den amerikanisch-frz. Streitkräften unter G. Washington und J. B. D. de Rochambeau bei Y. (1781) entschied den Nordamerikan. Unabhängigkeitskrieg zugunsten der brit. Kolonien.

Yoruba (Joruba), Volk der Sudaniden in NW-Nigeria, kleinere Gruppen in Ghana und Benin, rd. 21 Mio.; leben von der Landwirtschaft. Der Großteil der Y. wohnt innerhalb hierarchisch strukturierter Großfamilien in sog. Y.-Städten, an deren Spitze ein Oba (König) steht. Geistl. Oberhaupt aller Y. ist der Oni von Ife, Nachkomme des Weltenschöpfers Oduduwa. Die Kunst der Y. hatte im 13./14. Jh. in →Ife ihren Höhepunkt. Seit dem 11. Jh. bestanden versch. Königreiche der Y., die im 19. Jh. allmählich unter brit. Herrschaft gerieten. Durch den Sklavenhandel gelangten Elemente der Y.-Kultur nach Amerika und sind bis heute in Kuba, Trinidad, Brasilien u. a. lebendig. Bild afrikanische Kunst

Yosemite National Park: Der monumentale, 2 307 m hohe Fels El Capitán (links) bildet den nordwestlichen Eckpfeiler des Yosemite Valley; der 15–20 m breite Bridel Veil Fall (rechts) stürzt 189 m senkrecht in die Tiefe

York: Die Kathedrale, eine der prunkvollsten Kirchen Englands, ist Inbegriff gotischer Baukunst (13.–15. Jh.)

Yosemite National Park [jəʊˈsemɪtɪ ˈnæʃənl ˈpɑ:k], Naturschutzgebiet (seit 1864) in der Sierra Nevada (Calif.), USA, 3 072 km²; Zentrum bildet das Yosemite Valley, der rd. 10 km lange, bis 800 m tief eingeschnittene Cañon des Merced River mit zahlr. Wasserfällen; Riesenmammutbaumbestände. – Seit 1890 Nationalpark (UNESCO-Welterbe).

Yoshida [-ʃ-], **1)** Minoru, japan. Künstler, *Ōsaka 1935; entwickelte seine konkret-abstrakte Malerei mit vegetabilen Ornamenten im Sinne der »Shaped-Canvas«-Malerei weiter; daneben konstruktive Plastiken aus Plexiglas u. a. Materialien, die er zu lichtkinet. Environments erweiterte.

2) Shigeru, japan. Politiker, *Tokio 22. 9. 1878, †Oiso (Präfektur Kanagawa) 20. 10. 1967; Diplomat, Botschafter in Rom (1930–32) und London (1936–39), ab 1946 Vors. der Liberalen Partei; 1946–47 und 1948–54 MinPräs. (zeitweilig auch Außenmin.); schloss 1951 den Friedensvertrag von San Francisco, der die Souveränität Japans wiederherstellte, und den Sicherheitsvertrag mit den USA.

Yŏsu [jʌsu] (Josu), Hafenstadt in Süd-Korea, 173 200 Ew.; Fischverarbeitung, Herstellung von Fischereiausrüstungen, Erdölraffinerie.

Young [jʌŋ], **1)** Charles Augustus, amerikan. Astrophysiker, *Hanover (N. H.) 15. 12. 1834, †ebd. 3. 1. 1908; einer der Begründer der Sonnenphysik; u. a. Untersuchungen der Chromosphäre und des Flash-Spektrums der Sonne; entdeckte 1869 bei totaler Sonnenfinsternis die grüne Koronalinie.

2) Edward, engl. Dichter, getauft Upham (Cty. Hampshire) 3. 7. 1683, †Welwyn (Cty. Hertfordshire) 5. 4. 1765; schrieb Verssatiren im Geist der Aufklärung, geistl. Dichtungen und Dramen. Das eleg. Poem »Klagen oder Nachtgedanken über Leben, Tod und Unsterblichkeit…« (9 Tle., 1742–45)

bildet den Höhepunkt seines poet. Schaffens, der Essay über ursprüngl. Dichtung (»Gedanken über die Originalwerke ...«, 1759) wirkte auf den dt. Sturm und Drang und die Romantik.

3) Francis Brett, engl. Schriftsteller, *Halesowen (Metrop. Cty. West Midlands) 29. 6. 1884, †Kapstadt 28. 3. 1954; Arzt, ging nach dem 2. Weltkrieg nach Südafrika; schrieb spannende psycholog. Abenteuerromane (»Der junge Arzt«, 1919; »Claire«, 1927; »Mein Bruder Jonathan«, 1928), denen er seine düster-pessimist. Weltsicht unterlegte (»The tortoise, his dreams and journeys«, ab 1964).

4) La Monte, amerikan. Komponist, *Bern (Id.) 14. 10. 1935; gehört zu den Schöpfern der →Minimalmusic; schuf umfangreiche Kompositionen, in denen er vorwiegend elektronisch erzeugte Töne von z. T. extremer Dauer verwendet.

5) Lester Willis »Pres«, amerikan. Tenorsaxophonist, *Woodville (Miss.) 27. 8. 1909, †New York 15. 3. 1959; neben C. Hawkins bedeutendster stilbildender Saxophonist des Swing.

6) Neil, kanad. Rockmusiker (Sänger, Gitarrist, Pianist), *Toronto 12. 11. 1945; 1969–71 Mitgl. der Gruppe »Crosby, Stills, Nash & Young«, seitdem Solist (u. a. mit der Begleitgruppe »Crazy Horse«); erlangte große Popularität mit seinen balladenhaften, oft melanchol. Songs (»Heart of gold«, »Tonight's the night«).

7) Thomas, brit. Physiker, Arzt und Physiker, *Milverton (Cty. Somerset) 13. 6. 1773, †London 10. 5. 1829; bed. Beiträge zur physiolog. und physikal. Optik. Y. erklärte 1793 die Akkommodation des Auges, entwickelte 1801 eine Dreifarbentheorie des Farbensehens und bewies durch Interferenzversuche (Beugung am Spalt) die Wellennatur des Lichtes. Er ermittelte erstmalig die Wellenlänge der versch. Spektralfarben des Lichtes und nahm 1817 die Transversalität der Lichtwellen an. Bei der Entzifferung der ägypt. Hieroglyphen erzielte Y. erste Ergebnisse.

Younghusband ['jʌŋhʌzbənd], Sir (seit 1904) Francis Edward, brit. Offizier und Asienforscher, *Murree (Prov. Punjab, Pakistan) 31. 5. 1863, †Lytchett Minster (Cty. Dorset) 31. 7. 1942; bereiste 1886 die Mandschurei und durchquerte 1887 Zentralasien von Peking aus nach W (später weitere Expeditionen); führte 1903/04 zus. mit General J. Macdonald die brit. Militärexpedition nach Tibet, die den Zutritt nach Lhasa erzwang.

Young Men's Christian Association [jʌŋ menz 'krɪstjən əsəʊsɪ'eɪʃn] *die,* Abk. **YMCA,** 1844 in London gegründeter christl. Verein junger Männer. Die YMCA ist überkonfessionell, jedoch stark pietistisch und freikirchlich geprägt. Ihren Auftrag sieht sie v. a. in der Verbindung von missionar. Arbeit und sozialem Engagement; 1855 Gründung des Weltbundes der YMCA, Sitz: Genf.

Youngplan [jʌŋ-], internat. Abkommen zur endgültigen Regelung der dt. Reparationsverpflichtungen nach dem 1. Weltkrieg, von einer internat. Sachverständigenkonferenz unter Vorsitz des amerikan. Managers Owen D. Young (*1874, †1962) ausgearbeitet. Der Y. löste 1930 den Dawesplan ab und war de facto bis 1932 (Lausanner Abkommen), praktisch jedoch nur bis 1931 in Kraft. Die jährl. Reparationszahlungen sollten für 59 Jahre durchschnittlich 2 Mrd. Goldmark betragen. Zur bankmäßigen Verwaltung der Zahlungen wurde die Bank für Internat. Zahlungsausgleich gebildet. Mit der Annahme des Y. wurde die vorzeitige Räumung des Rheinlandes vereinbart. Der Plan sah zudem eine internat. 5½-prozentige Anleihe des Dt. Reiches über 300 Mio. US-Dollar zur Finanzierung der Reparationsverpflichtungen vor **(Younganleihe).** (→Londoner Schuldenabkommen)

Youngstown ['jʌŋztaʊn], Stadt im Staat Ohio, USA, 95 700 Ew.; kath. Bischofssitz; Univ., Waffenmuseum; einer der ältesten Standorte der amerikan. Stahlind., Maschinenbau u. a. Industrie.

Yourcenar [jursə'na:r], Marguerite, eigtl. M. de Crayencour, frz.-amerikan. Schriftstellerin, *Brüssel 8. 6. 1903, †Mount Desert Island (Me.) 18. 12. 1987; erhielt eine umfassende humanist. Bildung; wurde 1947 amerikan., 1980 auch wieder frz. Staatsbürgerin; schrieb neben Essays und Dramen, v. a. erfolgreiche psychologisch fundierte histor. Romane (»Ich zähmte die Wölfin«, 1951; »Die schwarze Flamme«, 1968); auch bed. autobiograph. Schriften (u. a. »Gedenkbilder«, 1974; »Lebensquellen«, 1977; »Liebesläufe«, 1988) und Übers. (u. a. V. Woolf, H. James). 1981 wurde sie als erste Frau in die Académie française gewählt.

📖 Ormesson, J. d': *»Wie fad wär es gewesen, glücklich zu sein.« Über M. Y. Aus dem Frz. München u. a. 1984.* – Savigneau, J.: *M. Y. Die Erfindung eines Lebens. Aus dem Frz. Sonderausg. Frankfurt am Main 1997.*

Youssoufia [jusu'fja] (bis 1958 Louis-Gentil), Stadt in Zentralmarokko, 22 400 Ew.; bed. Phosphatbergbau.

Yozgat ['jɔzgat], Hptst. der türk. Prov. Y., in Inneranatolien, 1320 m ü. M., 51 400 Ew.; Nahrungsmittel- und Zementind.; nahebei Nationalpark.

Ypern (fläm. Ieper, frz. Ypres), Stadt in der Prov. Westflandern, Belgien, 35 200 Ew.; Kriegsmuseum u. a. Museen; Textilind., Textilmaschinenbau, Nahrungsmittelindustrie. – Bed. Bauwerke (nach Zerstörungen im 1. Weltkrieg rekonstruiert): die got. Tuchhallen (1280–1304), die ältesten und größten Belgiens; der Renaissancebau »Nieuwwerk« (1620–24), die St.-Maartens-Kathedrale (13.–15. Jh.). – Im Spät-MA. (13./14. Jh.) gehörte Y. mit Brügge und Gent zu den bedeutendsten Städ-

Edward Young (Ausschnitt eines zeitgenössischen Kupferstichs)

Lester W. Young

Thomas Young (Ausschnitt aus der Kopie eines zeitgenössischen Gemäldes von Thomas Lawrence)

Marguerite Yourcenar

ten Flanderns (blühendes Tuchgewerbe); 1559–1801 Bistum; 1678/79–1713 und erneut 1794–1814 unter frz. Herrschaft; 1715–81/82 niederländ. Festung; kam 1830/31 an Belgien. – Im 1. Weltkrieg erlitt die Stadt durch die drei Y.-Schlachten 1914, 1915 und 1917 schwere Schäden.

Ypern: Giebelhäuser am Grote Markt

Ypsilanti (Hypselantes), Alexandros d. J., grch. Freiheitskämpfer, *Konstantinopel 12. 12. 1792, † Wien 31. 1. 1828; stammte aus einer Phanariotenfamilie. Er eröffnete 1821 durch seinen Übergang über den Pruth mit einer Freiwilligenschar (»Heilige Schar«) den Aufstand der Griechen gegen die Türken und floh nach der Niederlage nach Österreich, wo er bis 1827 interniert war.

Alexandros Ypsilanti d. J. (zeitgenössischer Stich)

Ysaye [iza'i], Eugène, belg. Violinist und Dirigent, *Lüttich 16. 7. 1858, † Brüssel 12. 5. 1931; lehrte 1886–98 am Brüsseler Konservatorium, dirigierte seit 1895 die »Concerts Ysaye«; einer der großen schulbildenden Geigenvirtuosen seiner Zeit.

Yser [i'zɛ:r] *die,* Zufluss der Nordsee, 76 km lang, entspringt bei Saint-Omer (Frankreich), mündet bei Nieuwpoort (Belgien).

Ysop [lat.-grch.] *der* (Isop, Hyssopus officinalis), vom Mittelmeergebiet bis zum Altai verbreiteter Lippenblütler; 20–70 cm hoher, aromatisch duftender Halbstrauch mit meist blauen Blüten in dichten, endständigen Scheinähren; Heil- und Gewürzpflanze.

Ysop (Höhe 20–70 cm)

Ystad ['y:stɑ:d], Hafen und Seebad im südschwed. VerwBez. (Län) Malmöhus, 20 000 Ew.; Museen; Lebensmittelind., Kunsthandwerk, Glockengießerei; Fährverkehr nach Bornholm und Swinemünde. – Marien- und Petrikirche (beide 13. Jh.), ehem. Franziskanerkloster (wohl 1267 gegründet; Hauptflügel, um 1400, erhalten), Fachwerkhäuser des 16.–18. Jahrhunderts.

Y-Teilchen, 1977 entdecktes schweres Meson mit einer Ruhemasse von 9,46 GeV/c^2, das zur Einführung eines fünften →Quarks b (Bottomquark, Beautyquark) zwang und sich als ein Quark-Antiquark-Paar $b\bar{b}$ auffassen lässt.

Ytterbium [nach dem schwed. Fundort Ytterby] *das,* chem. Symbol **Yb,** Element aus der Reihe der →Lanthanoide im Periodensystem der chem. Elemente; Ordnungszahl 70, relative Atommasse 173,04, Dichte 6,966 g/cm^3, Schmelzpunkt 819 °C, Siedepunkt 1196 °C. Reines Y. ist ein silberglänzendes, weiches und ziemlich duktiles Metall. In seinen Verbindungen tritt es mit den Oxidationszahlen +3 (farblos), selten +2 (gelblich grün) auf. Y. kommt mit den anderen Lanthanoiden v.a. in Yttriummineralen vor; es kann z.B. durch metallotherm. Reduktion von Y.-Oxid, Yb_2O_3, im Vakuum und anschließende Destillation gewonnen werden, hat aber technisch kaum Bedeutung.

Ytterlerden, Bez. für eine Gruppe der seltenen Erden; umfasst die Oxide des Yttriums und der schwereren Lanthanoide (v.a. Gadolinium, Dysprosium, Erbium und Ytterbium), die meist zus. in Mineralen auftreten.

Yttrium [nach dem schwed. Fundort Ytterby] *das,* chem. Symbol **Y,** Element aus der dritten Nebengruppe des →Periodensystems der chem. Elemente; Ordnungszahl 39, relative Atommasse 88,9059, Dichte 4,469 g/cm^3, Schmelzpunkt 1522°C, Siedepunkt 3338°C. Reines Y. ist ein silberweißes Leichtmetall, das an feuchter Luft oxidiert wird. Wichtige Y.-Minerale sind →Gadolinit, Thalenit, Thortveitit und →Xenotim. Zur Gewinnung des Y. werden die Minerale meist über zahlreiche Reaktionsschritte in Y.-Fluorid, YF_3, überführt, aus dem man durch Reduktion mit Calcium oder Magnesium das Metall erhält. Verwendung findet Y. in der Reaktortechnik, als Zusatz zu Aluminiumlegierungen, bei denen es die Korrosionsfestigkeit und die Verformbarkeit erhöht, sowie zur Herstellung von Legierungen mit Kobalt, die sich als Permanentmagnete eignen. – In den stets farblosen **Y.-Verbindungen** besitzt Y. die Oxidationszahl +3. **Y.-Oxid,** Y_2O_3, ist ein weißes, schwer schmelzbares Pulver, das u.a. für keram. Auskleidungen und keram. Farbkörper verwendet wird. **Y.-Vanadat,** YVO_4, findet, mit Europium aktiviert, als rot fluoreszierender Leuchtstoff in Farbfernsehbildröhren Verwendung.

Yuan [ju:an, chines. jyɛn] *der* (Yüan), urspr. (ab 1892) chines. Bez. des Dollars, 1948–69 amtl. Name der chines. Währungseinheit, danach →Renminbi Yuan.

Yuan [jyɛn] (Yüan), chinesische Dynastie (1271–1368) mongol. Ursprungs (→China, Geschichte).

Yuan Shikai [- ʃikai] (Yüan Shih-k'ai), chines. General und Politiker, *im Kr. Xiangcheng (Prov. Henan) 16. 9. 1859, † Peking 6. 6. 1916; 1885–94 chines. Gouv. in Korea; baute danach eine moderne chines. Armee auf; unterstützte 1898 die reformfeindl. Gruppe um die Kaiserwitwe Cixi, deren Günstling er wurde. 1901 zum Vizekönig der Zentralprovinz Zhili, 1907 zum Mitgl. des kaiserl. Großrates ernannt, wurde er nach dem Tod Cixis (1908) seiner Ämter enthoben. Nach Ausbruch der Revolution 1911 letzter kaiserl. Premiermin., veranlasste er 1912 die Abdankung des Qing-Kaisers Pu Yi und löste Sun Yat-sen als Präs. der Rep. ab; seit 1913 befand er sich im Konflikt mit den republikan. Kräften in der Kuomintang. 1914 zum Präs. auf Lebenszeit gewählt, scheiterte er 1915 mit dem Versuch, sich zum Kaiser zu proklamieren und trat 1916 zurück.

Yucatán, 1) Halbinsel im nördl. Zentralamerika, zw. dem Golf von Mexiko und dem Karib. Meer, umfasst die mexikan. Staaten Y., Campeche und Quintana Roo, den nördl. Teil von Guatemala und Belize. – Y. war in vorkolumb. Zeit das Gebiet der Hochkultur der Maya.

2) Staat der Republik →Mexiko, im N der Halbinsel Yucatán.

Yucatánstraße, Meeresstraße zw. der Halbinsel Yucatán und der Insel Kuba, verbindet den Golf von Mexiko mit dem Karib. Meer.

Yucca [indian.] *die,* die →Palmlilie.

Yukawa Hideki, japan. Physiker, *Tokio 23. 1. 1907, †Kyōto 8. 9. 1981; 1953–70 Leiter des Inst. für Grundlagenforschung der Physik in Kyōto; Hauptarbeitsgebiete: Kern- und Elementarteilchenphysik. Y. veröffentlichte 1935 seine Theorie der Kernkräfte und sagte die π-Mesonen (Pionen) theoretisch voraus; Nobelpreis für Physik 1949.

Yukon River ['ju:kɔn 'rɪvə] *der,* Strom im NW Nordamerikas, 3185 km lang (mit Quellfluss Nisutlin), durchfließt das Yukonplateau, zunächst in Kanada, dann in Alaska, USA, und mündet in das Beringmeer.

Yukon Territory ['ju:kɔn 'terɪtərɪ], Territorium Kanadas, 483450 km², (1991) 25600 Ew.; Verw.sitz ist Whitehorse. Das Y. T. umfasst den äußersten NW Kanadas am Nordpolarmeer und an der Grenze gegen Alaska. Der größte Teil besteht aus dem mit Tundra bedeckten, etwa 1000 m hohen Yukonplateau; zur Gebirgsumrahmung gehören die Saint Elias Mountains mit dem Mount Logan; Wald nur in den tieferen Lagen. Die Waschgoldlager am Klondike River sind nahezu erschöpft (Einstellung der Förderung); Gewinnung von Blei-, Silber-, Kupfer-, Zinkerz; Pelztierfang; Fremdenverkehr; Zugang durch den Alaska und den Dempster Highway. Seit 1842 von Pelzhändlern der Hudson's Bay Company erforscht, seit 1869 in kanad. Besitz, seit 1898 eigenes Territorium.

Yun, Isang, korean. Komponist, *San Chung Gun (bei Tong Yong) 17. 9. 1917, †Berlin 3. 11. 1995; studierte 1957–59 in Berlin u. a. bei B. Blacher; wurde 1967 nach Süd-Korea verschleppt, wegen »Spionage« verurteilt, 1969 freigelassen. Y., ab 1971 dt. Staatsbürger, lehrte 1970–85 Komposition an der Berliner Musikhochschule. Sein Stil verschmilzt westl. avantgardist. Techniken mit chines.-korean. Traditionen; schrieb Opern (u. a. »Die Witwe des Schmetterlings«, 1967/68; »Geisterliebe«, 1971; »Sim Tjong«, 1972), ein Oratorium, fünf Sinfonien (1982–87), Solokonzerte (u. a. drei Violinkonzerte, 1982–92), Kammer- und Vokalmusik.

Isang Yun

Yungas ['juŋgas], das Gebiet der tief eingeschnittenen Täler (Río Beni, Río Mamoré und Zuflüsse) auf der niederschlagsreichen O-Abdachung der bolivian. Anden; Anbau von Koka, Bananen, Kaffee, Tee und Knollengewächsen; Verbreitungsgebiet der Chinarindenbäume; Ansiedlung von Hochlandindianern.

Yunnan [ynnan] (Yünnan, Jünnan), die südwestlichste Prov. Chinas, 436200 km², (1994) 39,4 Mio. Ew. (²/₃ Chinesen; tibetobirman. Bergvölker: Lolo, Pai, Hani, Lisu, Lahu, Tibeter, Zhuang); Hptst. ist Kunming; Anbau von Reis u. a. Getreide, Baumwolle, Tee, Tabak; Bodenschätze; Kohle, Eisen-, Zinn-, Kupfererze, Salz.

Yukawa Hideki

Yunus Emre, anatol.-türk. Dichter und Mystiker, →Junus Emre.

Yupanqui [ju'paŋki], Herrscher der →Inka.

Yupanqui [ju'paŋki], Atahualpa, eigtl. Héctor Bohento Chavero, argentin. Dichter und Volkssänger, *Campos de la Cruz 31. 1. 1908, †Nîmes 23. 5. 1992; wurde als Interpret traditioneller lateinamerikan. Musik internat. bekannt; schrieb Gedichte und zahlr. Lieder, die von seiner tiefen Verbundenheit mit den Menschen seiner Heimat und von großem sozialem Engagement zeugen. Y. war mehrfach im Exil.

Yuppie ['jupi, engl. 'jʌpɪ; Kw. aus **y**oung **u**rban **p**rofessional (**p**eople)] *der,* junger karrierebewusster Großstädter, der großen Wert auf seine äußere Erscheinung legt.

Yü Shan [-ʃan] (engl. Mount Morrison, japan. Niitaka), mit 3997 m ü. M. höchster Berg Taiwans.

Yvelines [iv'lin], frz. Dép. südwestlich von Paris, 2284 km², (1990) 1,306 Mio. Ew.; Hptst. ist Versailles.

Yverdon-les-Bains [ivɛr'dɔ̃ le'bɛ̃] (früher dt. Iferten), Bezirkshauptort im Kt. Waadt, Schweiz, am S-Ende des Neuenburger Sees, 23000 Ew.; seit 1977 Heilbad; Wiss.- und Technologiemuseum, ethnograph., Sciencefictionmuseum; Eisenbahnreparaturwerkstätten. – Schloss (13. Jh.), Pfarrkirche (1753–57), Rathaus (1767–73), Bürgerhäuser des 17. und 18. Jh. – Röm. Siedlung und Militärlager (bis 5. Jh.) an der Stelle des kelt. **Eburodunum;** seit 1260 Stadt.

I I Z Z

Altsemitisch Altgriechisch Römische Kapitalschrift

z, Z, 1) Konsonant (→Laut); der 26. (letzte) Buchstabe des dt. Alphabets; bezeichnet die Affrikata [ts]. Er geht zurück auf den 6. altsemit. Buchstaben Zain, der in das Griechische als Zeta entlehnt wurde. Im lat. Alphabet wurde das Z als überflüssig aufgegeben; erst im letzten Jh. v. Chr. wandte man es erneut zur Wiedergabe des grch. Zeta in Fremdwörtern an und gab ihm den letzten Platz im Alphabet. Für die Schreibung des Althochdeutschen wurde der Buchstabe im Anlaut für die Lautverbindung [ts], im Inlaut für den durch die hochdt. Lautverschiebung aus [t] hervorgegangenen Laut [s] benutzt, wofür später sz (und daraus ß) oder ss geschrieben wurde.

Druckschriftvarianten des Buchstabens **Z**

2) *Mathematik:* $\mathbb{Z}$ für die Menge der ganzen Zahlen, z für die →komplexen Zahlen.

Zaanstad ['za:n-], Industriestadt in der niederländ. Provinz Nordholland, nördlich von Amsterdam, Hafen am Nordseekanal, 131 800 Ew.; Freilichtmuseum; Werft, Holzhandel, Holzverarbeitung, Nahrungsmittel-, chem. u. a. Industrie. – 1974 aus **Zaandam** und sechs weiteren Gemeinden entstanden.

Zabalẹta [θaβa-], Nicanor, span. Harfenist, *San Sebastián 7. 1. 1907, †San Juan (Puerto Rico) 1. 4. 1993; gefeierter Virtuose; gab ältere, v. a. span. Harfenwerke heraus.

Zabern (frz. Saverne), Stadt im Unterelsass, im frz. Dép. Bas-Rhin, am Rand der Vogesen (am O-Ende der Zaberner Steige), an der Zorn und am Rhein-Marne-Kanal, 10 400 Ew.; Metall-, Werkzeug-, Elektro-, Uhrenind.; Fremdenverkehr. – Pfarrkirche (12. bis 15. Jh.), Neues Schloss (1779–89; Museen). – Z., das röm. **Tres Tavernae,** war 1414–1789 Sitz der Bischöfe von Straßburg. – 1913 kam es durch einen Konflikt zwischen den dt. Militärbehörden und der Zivilbevölkerung **(Zabernaffäre)** zu einer Verfassungskrise im Dt. Reich.

Zaberner Steige (frz. Col de Saverne), 410 m hoher Vogesenübergang in der **Zaberner Senke** zw. Pfälzer Wald (Vosges du Nord) und Vogesen, die zw. der Rheinebene und der lothring. Hochfläche vermittelt (Rhein-Marne-Kanal, Autobahn und Eisenbahnlinie Straßburg–Paris).

Ząbkowice Śląskie [zɔmpkɔ'vitsɛ 'ɕlɔ̃skjɛ] (dt. Frankenstein in Schlesien), Stadt in Polen, in der Wwschaft Wałbrzych (Waldenburg), im Vorland des Eulengebirges, 17 000 Ew.; elektrotechn., Holzindustrie, Zuckerfabrik. – Planmäßige Gitteranlage um einen Marktplatz; Pfarrkirche mit dem »Schiefen Turm« (spätgot. Ziegelbau), Rathaus, städt. Tuchhaus (1519). – 1287 gegründet.

Zabrze ['zabʒɛ] (dt. 1915–45 Hindenburg O. S.), Stadt in Polen, in der Wwschaft Katowice (Kattowitz), im oberschles. Industriegebiet, 204 000 Ew.; chem. Institut, Museum für Bergbau und Hüttenwesen; Steinkohlenbergbau, Kokereien, Maschinenbau.

Zacatecas [saka'tekas], **1)** Staat der Rep. →Mexiko, im zentralen Hochland.

2) Hptst. von 1), 2 500 m ü. M. in der Sierra Madre Occidental, 150 000 Ew.; Bischofssitz; Univ.; Hüttenind. – Gut erhaltenes kolonialzeitl. Stadtbild mit Kathedrale (Mitte 18. Jh., churriguereske Fassade), Jesuitenkirche Santo Domingo (1746), Kloster San Augustín (18. Jahrhundert).

Zacharias, 1) Gestalt des N. T., nach Lk. 1,5 ff. Vater Johannes' des Täufers.

2) Prophet des A. T., →Sacharja.

Zacher, Gerd, Organist und Komponist, *Meppen 6. 7. 1929; seit 1970 Prof. und Leiter der Kirchenmusikabteilung an der Folkwang-Hochschule Essen; führender Interpret zeitgenöss. Orgelmusik; komponierte Vokal- und Orgelwerke.

Zackenhirsch (Barasingha, Cervus duvauceli), v.a. in sumpfigen Gebieten N- und Zentralindiens sowie Thailands lebender Hirsch; die Männchen haben ein bis über 1 m langes, vielendiges Geweih.

Zadar ['za-] (italien. Zara), Hafenstadt in Kroatien, an der Adriaküste, 76 300 Ew.; Sitz eines orth. und eines kath. Erzbischofs; philosoph. Fakultät der Univ. Zagreb; Staatsarchiv, archäolog. und ethnolog. Museum; Schiffbau, Textil- u.a. Ind.; Flughafen. – Bauwerke (im serbisch-kroat. Krieg z.T. zerstört): Reste röm. Bauten (Forum, Kapitol, Triumphbögen), Donatuskirche (9. Jh.), roman. Marienkirche (1091, im 16. Jh. z.T. umgebaut), roman. Dom (13. Jh.; Krypta 11. Jh.), Kirche St. Simon (12. Jh., später umgebaut; mit Schrein des hl. Simeon, 1377–80); venezian. Bauten (15. und 16. Jh.). – Z. entstand an der Stelle der röm. Kolonie **Colonia Iulia Iadera** (seit 33 v.Chr.); seit 1102 zu Ungarn, kam 1202 bzw. 1409 an Venedig, 1797 bzw. 1814/15 an Österreich, 1920 an Italien, 1947 an Jugoslawien (Kroatien). BILD kroatische Kunst

Zaddịk [hebr. der »Gerechte«] *der,* im Judentum Bez. für einen frommen, d.h. in den Augen Gottes »gerechten« Menschen; im Chassidismus Ehrentitel für einen in besonderer Achtung stehenden Lehrer, der als Mittler zw. Gott und den Menschen gilt (»Wunderrabbi«).

Ossip Zadkine: »Die zerstörte Stadt«, Mahnmal aus Bronze (1953) in Rotterdam

Zạdek, Peter, Regisseur, *Berlin 19. 5. 1926; emigrierte 1933 nach London; lebt seit 1958 in der Bundesrep. Dtl., gehört zu den Regisseuren, die das dt. Theater seit den 1960er-Jahren auf internat. Niveau geprägt haben; 1962–67 Schauspieldirektor in Bremen, 1972–77 Intendant und Chefregisseur in Bochum, 1985–88 Intendant des Dt. Schauspielhauses in Hamburg, 1993–95 Regisseur und einer der künstler. Leiter des Berliner Ensembles; auch Film- und Fernsehinszenierungen.

Zadkine [zad'kin], Ossip, frz. Bildhauer und Grafiker russ. Herkunft, *Smolensk 14. 7. 1890, †Paris 25. 11. 1967; studierte in London, kam 1909 nach Paris; ging vom Kubismus aus, dessen blockhafte Formen in den späteren Arbeiten durch kurvige und kantige, konkave und konvexe Elemente eine Ausdruckssteigerung erfahren. 1953 schuf er das Mahnmal »Die zerstörte Stadt« in Rotterdam.

Zadruga ['za:-, slaw.] *die,* eine bei den Südslawen bis zum Ausgang des 19. Jh. verbreitete Wirtschafts- und Lebensform, bei der bis zu 60 i.d.R. blutsverwandte Menschen unter einem Hausvater (Gospodar) gemeinsam die Landwirtschaft führten.

Żagań ['ʒagajn] (dt. Sagan), Stadt in der Wwschaft Zielona Góra (Grünberg), Polen, in Niederschlesien, beiderseits des Bober, 27 000 Ew.; Textil- (bes. Wollspinnereien), elektrotechn., Metall-, Lebensmittelindustrie. – Renaissancepfarrkirche (ehem. Kirche eines früheren Augustinerklosters), barocke Gymnasialkirche. – Erste Erwähnung 1202; 1397–1472 Hptst. des piast. Teilherzogtums Sagan, das 1472 an die Wettiner und 1549 an die Habsburger kam, durch Kauf 1628–34 an Wallenstein, 1646–1786 an die Fürsten Lobkowitz, 1786 an die Biron von Kurland, 1845 an die Talleyrand Périgord; 1929 erlosch der Herzogstitel.

Zagazig [zaga:'zi:k] (Sagasik), Hptst. der Prov. Scharkija, Ägypten, im östl. Nildelta, 274 000 Ew.; Univ.; Baumwoll- und Getreidehandel, Textilindustrie. – Nahebei die Ruinen von →Bubastis.

Zaghlụl Paschạ [z-], Sad, ägypt. Politiker, →Saghlul Pascha.

Zagreb Stadtwappen

Zagreb ['za:-] (früher dt. Agram), Hptst. von Kroatien, an der oberen Save, 706 800 Ew.; kath. und orth. Erzbischofssitz; Univ., Akademien und Hochschulen, Museen; internat. Messen; Metall-, Textil-, elektrotechn., chem. u.a. Ind.; Fremdenverkehr; internat. Flughafen. – Bed. Bauten (im serbisch-kroat. Krieg z.T. schwer zerstört): Stephansdom (1217 geweiht, 1264–1421 erneuert, nach Zerstörung und Erdbeben 1880–92 mit zwei Türmen wieder hergestellt), Franziskanerkirche (13. Jh., Seitenkapellen 17. Jh., im 19. Jh. restauriert), Markuskirche (14. Jh., spätere Umbauten), Katharinenkirche (1620–32, im 19. Jh. restauriert), zahlr. Barockpalais, klassizist. Bauten. – Urspr. röm. Gründung; 1093 als Bischofssitz erstmals erwähnt; seit Ende des 17. Jh. kultureller Mittelpunkt Kroatiens, 1718–1918 Hptst. des Königreichs Kroatien; 1941–45 Hptst. des »Unabhängigen Staates Kroatien«. BILD S. 346

Peter Zadek

Zạgrosek, Lothar, Dirigent, *Waging a. See (Kr. Traunstein) 13. 11. 1942; Schüler u.a. von H. von Karajan; 1982–87 Chefdirigent des Radiosinfonieorchesters des ORF in Wien, 1986–89 musikal. Direktor der Grand Opéra Paris, 1988–92 leitender Gastdirigent des Sinfonieorchesters der

BBC in London, 1990–92 Generalmusikdirektor der Oper Leipzig; wurde 1996 Erster Gastdirigent der Jungen Deutschen Philharmonie sowie Generalmusikdirektor der Württembergischen Staatsoper Stuttgart.

Zagrosgebirge ['za-] (Sagrosgebirge), Kettengebirge in SW-Iran, etwa 1200 km lang, bis 4548 m ü.M.; im NW von Kurden, in der Mitte von Luren, im SO von Bachtiaren und Kaschkai besiedelt; Weidewirtschaft.

Zahl, Grundbegriff der Mathematik zur Bez. der Mächtigkeit einer endl. Menge **(Kardinal-Z.)** oder zur Charakterisierung einer Ordnung innerhalb einer Menge **(Ordinal-Z.).** Urspr. beinhaltete der Z.-Begriff nur die zum Zählen geeigneten **natürl. Z. N** (ℕ), die gerade (2, 4, 6...) oder ungerade (1, 3, 5...) sind, erst später alle Elemente der durch Erweiterungen der natürl. Z. gebildeten Z.-Mengen.

In der Menge der natürl. Z. sind Addition und Multiplikation uneingeschränkt ausführbar. Die Subtraktion (als Umkehrung der Addition) führte zur Null (0) und den negativen Z. (–1, –2, –3,...); positive und negative Zahlen werden als **ganze Z. Z** (ℤ) zusammengefasst. Um auch die Division (Umkehrung der Multiplikation) unbeschränkt ausführen zu können, wurde die Menge der ganzen Z. durch Hinzunahme der gebrochenen Z. (→Bruch) zur Menge der **rationalen Z. Q** (ℚ) erweitert. In ihr sind alle Gleichungen der Form $a \cdot x + b = c$ ($a \neq 0$) lösbar, jedoch die Wurzeln bestimmter algebraischer Gleichungen (z.B. $x^2 = 2$) nicht enthalten. Durch Auflösung algebraischer Gleichungen gelangt man zu den **algebraischen Z.,** zu denen außer den rationalen Z. auch die Wurzeln gehören. Nicht mehr als Wurzeln algebraischer Gleichungen darstellbar sind die **transzendenten Z.** (nichtalgebraische Z.), wie z.B. die Z. e (Basis der natürl. Logarithmen), die Zahl π (Kreis-Z., ludolphsche Z.). Algebraische und transzendente Z. bilden zus. die **irrationalen Z.,** die sich durch unendl. nichtperiod. Dezimalbrüche darstellen lassen, rationale und irrationale zus. die **reellen Z. R** (ℝ), deren Erweiterung die →komplexen Zahlen **C** (ℂ) sind. Die Erweiterung des Z.-Bereichs über die komplexen Z. hinaus führt zu den →Quaternionen. (→Zahlensystem, →Ziffer)

Geschichte: Die Bildung von Z.-Vorstellungen ist schon aus der Jungsteinzeit bezeugt. Erst die Entwicklung von Z.-Wörtern, Z.-Zeichen und Z.-Systemen führte zu dem von den gezählten Dingen losgelösten Begriff der natürl. bzw. ganzen Z. Etwa seit 2000 Jahren rechneten die Ägypter und Sumerer mit Bruch-Z.; 500 v.Chr. wurden in Griechenland die ersten Versuche unternommen, auch irrationale Z. als Z. anzuerkennen. Definitionen, die alle reellen Z. erfassen sollten, gaben S. Stevin (1585) sowie R. Descartes (1637) mit seiner Streckenrechnung. Die bereits in der ind. Mathematik verwendeten negativen Z. wurden erstmals von L. Fibonacci als Lösungen von Gleichungen anerkannt und von G. Cardano allg. verwendet. Die von Cardano (1545) und R. Bombelli (um 1560) behandelten, durch den Fundamentalsatz der Algebra (A. Girard, 1629) legitimierten komplexen Z. wurden erst allg. anerkannt, nachdem sie um 1800 von C. Wessel, J. R. Argand und C. F. Gauß als Punkte bzw. gerichtete Strecken in der gaußschen Z.-Ebene und 1837 von W. R. Hamilton als Paare reeller Z. gedeutet wurden. Nach B. Bolzano und K. Weierstraß gaben um 1870 u.a. G. Cantor und R. Dedekind neue Definitionen der reellen Z., D. Hilbert lieferte 1900 eine axiomat. Begründung. Für die natürl. Z. gab G. Peano (1889) eine axiomat. Definition und P. Lorenzen (1950) eine operative Begründung mithilfe des Nachfolgerbegriffs. Ihre Deutung als Kardinal-Z. ist auf G. Frege, Cantor und B. Russell zurückzuführen.

📖 FELSCHER, W.: *Naive Mengen u. abstrakte Z.en, 3 Bde. Mannheim 1978–89.* – IFRAH, G.: *Universalgeschichte der Z.en. Aus dem Frz. Sonderausg. Frankfurt am Main u.a. ²1991.* – *Z.en, bearb. v.* H.-D. EBBINGHAUS *u.a. Berlin u.a. ³1992.* – FREGE, G.: *Die Grundlagen der Arithmetik. Eine log. mathemat. Untersuchung über den Begriff der Z., hg. v.* J. SCHULTE. *Stuttgart 1995.*

Zahl, Peter Paul, Schriftsteller, *Freiburg im Breisgau 14.3.1944; trat 1966 der »Gruppe 61« bei; 1972–82 inhaftiert (Schusswechsel mit der Polizei). Sein radikaldemokratisch-oppositioneller Standpunkt und seine Erfahrungen mit Prozess- und Haftbedingungen gingen in sein literar. Werk ein. Z. schreibt Lyrik (»Aber nein, sagte Bakunin und

Zagreb: Der Stephansdom (13.–15. Jh., nach Erdbeben 1880–92 wiederhergestellt) ist von der bischöflichen Residenz, einem Bau des 18. Jh. mit alten Rundtürmen, umgeben

lachte laut«, 1983), Erzählungen und Romane (»Die Glücklichen. Schelmenroman«, 1979), Essays (»Der Staat ist eine mündelsichere Kapitalanlage. Hetze und Aufsätze 1967–1989«, 1989) und Stücke (»Der Erpresser«, 1991).

Zahle ['zaxlɛ] (Zahla, Sahle), Stadt in Libanon, am O-Rand des Libanongebirges, 1050 m ü. M.; 45 000 Ew.; Textilindustrie.

Zahlensymbolik, bei fast allen Völkern und schon in vielen frühen Kulturen (Babylon, Sumer, Ägypten, Griechenland [Pythagoreer]) verbreitete Vorstellung von einer über den Zahlenwert hinaus reichenden Bedeutung einzelner Zahlen (z. B. 3, 7, 13) sowie durch Multiplikation mit ihnen entstandener Produkte (z. B. 12, 14, 21, 49, 57, 70). Diesen Symbolzahlen werden in Magie sowie religiösem Kult und Mythos versch. Bedeutungen zugeordnet (z. B. alle 7 Jahre ein Sabbatjahr, 9 Musen, 12 Tierkreiszeichen, 12 grch.-römische Hauptgötter, 12 Stämme Israels und 12 Jünger Jesu, 14 Nothelfer). Im Aberglauben sind Glückszahlen beliebt, die in ihren Kernbedeutungen auf die allegor. Schriftdeutung des christl. MA. zurückgehen.

Zahlensystem, die Gesamtheit der zur Darstellung einer Zahl verwendeten Zahlzeichen (→Ziffer) und Regeln für deren Zusammensetzung. In **Additionssystemen** ergibt sich die dargestellte Zahl als Summe der ihren Ziffern zugeordneten Werte. In **Stellenwert-** oder **Positionssystemen** hat jede Stelle einer Zahl den Wert einer Potenz der **Basis** b dieses Z., wobei die Ziffer einer Stelle mit dieser Potenz zu multiplizieren ist; ein Komma steht vor den Ziffern, die sich auf negative Potenzen der Basis beziehen. Man schreibt: $z = z_n b^n + z_{n-1} b^{n-1} + \cdots + z_0 b^0 + z_{-1} b^{-1} + \cdots + z_{-m} b^{-m}$, wobei die Ziffern z_i ($i = n, \cdots, -m$) die Werte 0, 1, ..., b–1 annehmen. Von besonderem Interesse sind Z. mit den Basen 2 (→Dualsystem) und 10 (→Dezimalsystem).

Zahlentheorie, Lehre von den multiplikativen und additiven Zerlegungen der ganzen Zahlen und damit insbesondere die Lehre von den Primzahlen.

Zähler, 1) *Mathematik:* →Bruch.

2) *Technik:* (Zählwerk) Bez. für Geräte, Bauteile oder Funktionseinheiten zum selbsttätigen Zählen nacheinander eintretender Ereignisse, i. d. R. verbunden mit der ständigen Darstellung der Anzahl der gezählten Ereignisse. Z. arbeiten meist mechanisch, elektromechanisch und elektronisch. Sie werden zum Ermitteln des Verbrauchs (Elektrizitäts-Z., Gas-Z., Wassermesser), zurückgelegter Strecken (Kilometer-Z., Schritt-Z.), von Stückzahlen, Längen, Umdrehungen u. a. verwendet.

Zählmaße (Stückmaße), Mengenmaße für Güter, die nach Stück verkauft werden, z. B. Dutzend (12 Stück), Schock (60 Stück) oder Gros (144 Stück).

Zahlmeister, in der früheren dt. Wehrmacht Militärbeamte mit Offiziersrang zur Besorgung des Zahlungs- und Rechnungswesens bei den Truppen.

Zahl

Oberhalb einer Million bildet man die Zahlwörter für Zehnerpotenzen aus den lateinischen Ordnungszahlen und bestimmten Endsilben. Der internationale Gebrauch ist nicht einheitlich:

Deutschland	10^6	*Million*
	10^9	*Milliarde*
	10^{12}	*Billion*
	10^{15}	*Billiarde*
	10^{18}	*Trillion*
	10^{21}	*Trilliarde*
	10^{24}	*Quadrillion*
	10^{27}	*Quadrilliarde*
	10^{30}	*Quintillion*
	10^{33}	*Quintilliarde*
Frankreich	10^6	*million*
	10^9	–
	10^{12}	*billion*
	10^{15}	–
	10^{18}	*trillion*
	10^{21}	–
	10^{24}	*quatrillion*
	10^{27}	–
	10^{30}	*quintillion*
	10^{33}	–
USA	10^6	*million*
	10^9	*billion*
	10^{12}	*trillion*
	10^{15}	*quadrillion*
	10^{18}	*quintillion*
	10^{21}	*sextillion*
	10^{24}	*septillion*
	10^{27}	*octillion*
	10^{30}	*nonillion*
	10^{33}	*decillion*

Zählrohr, Detektor zum Nachweis und zur Messung ionisierender Strahlung. Es besteht aus einem mit Gas (Argon, Neon) gefüllten dünnwandigen Metallrohr, in dessen Achse ein dünner Draht isoliert aufgespannt und an eine positive Spannung von rd. 1 000 Volt gelegt ist. Gelangt ein Teilchen (z. B. Elektron, Gammaquant) in das Z., bildet es durch Ionisation entweder direkt oder indirekt über Sekundärprozesse (Photoeffekt, Compton-Effekt oder Paarbildung) eine von der Strahlungsart und ihrer Energie abhängige Zahl elektr. Ladungsträger, die sich im elektr. Feld in der Nähe des Zähldrahtes durch Stoßionisation lawinenartig vermehren; der durch die Gasentladung verursachte Stromimpuls wird nach elektron.

Zahlentheorie

In der Zahlentheorie gibt es eine Reihe von uralten, aber bis heute noch nicht bewiesenen Vermutungen:

- *Jede gerade Zahl über 2 lässt sich als Summe von zwei Primzahlen darstellen.*
- *Es gibt unendlich viele Primzahlen, die Mersenne-Zahlen sind (d. h. sich als $M_p = 2^p - 1$ schreiben lassen, wenn p eine Primzahl ist).*
- *Es gibt nur vier Primzahlen, die auch Fermat-Zahlen sind, d. h. sich als $F_n = 2^{2^n} + 1$ schreiben lassen: $F_1 = 5$, $F_2 = 17$, $F_3 = 257$, $F_4 = 65537$.*
- *Es gibt unendlich viele Primzahlzwillinge, d. h. Primzahlen, die sich nur um 2 unterscheiden (z. B. 3 und 5).*
- *Alle vollkommenen Zahlen sind gerade.*

Salden der wichtigsten Teilbilanzen der deutschen Zahlungsbilanz 1975–97 (in Mio. DM)*)

Jahr	Handelsbilanz	Dienstleistungsbilanz	Bilanz der laufenden Übertragungen	Leistungsbilanz	Kapitalbilanz	Devisenbilanz
1975	+37276	−4464	−18500	+10616	−12478	−2219
1980	+8947	−8612	−23383	−23960	+30	−27894
1985	+73353	+1482	−31126	+50134	−56008	+1843
1990	+105382	−17711	−38119	+78964	−90519	+10976
1995	+85303	−52505	−58673	−32409	+72295	+17754
1996	+98538	−52512	−54786	−20728	+28095	−1610
1997	+121739	−56328	−56397	−1741	−12582	−8468

*) ab Juli 1990 einschließlich neue Bundesländer

Verstärkung registriert (gezählt). Bei niedriger Z.-Spannung sind die Ausgangsimpulse proportional zur Primärionisation **(Proportional-Z.)**; dadurch kann die Teilchenenergie gemessen werden. Bei höherer Spannung wird die Impulsgröße unabhängig von der Energie der einfallenden Strahlung (**Auslöse-Z., Geiger-Müller-Z., Geiger-Z.,** 1928). Wird als Z.-Gas z.B. das für langsame Neutronen empfindl. Bortrifluorid verwendet, können aufgrund der im Z. stattfindenden Kernreaktionen auch Neutronen nachgewiesen werden **(Neutronen-Z.)**. Die Löschung der Entladung erfolgt durch den Spannungsabfall an einem hochohmigen Widerstand oder mit den heute überwiegend verwendeten selbstlöschenden Z., die mit Zusätzen geeigneter Dämpfe (z.B. Alkohol) oder Halogene arbeiten. – Z. werden insbesondere zum Nachweis radioaktiver Strahlung im Bergbau, Umwelt- und Strahlenschutz, in der Nuklearmedizin sowie zum Nachweis von Kernreaktionen eingesetzt.

Zahlung, → Erfüllung, → Geldschuld.

Zahlungsabkommen, Vereinbarungen über die Modalitäten im internat. Zahlungsverkehr (→ Clearing, → Swing).

Zahlungsbefehl, frühere Bez. für Mahnbescheid (→ Mahnverfahren).

Zahlungsbilanz, systemat. wertmäßige Aufzeichnung aller ökonom. Transaktionen, die in einem bestimmten Zeitraum zw. In- und Ausländern stattgefunden haben. Die Z. gibt Auskunft über Umfang und Entwicklung der internat. Verflechtung und hat Bedeutung für die Kontrolle der Zahlungsfähigkeit einer Volkswirtschaft. Die Z. gliedert sich in folgende Teilbilanzen: 1. **Handelsbilanz:** Gegenüberstellung von Warenexporten (Aktiva) und Warenimporten (Passiva); 2. **Dienstleistungsbilanz:** Gegenüberstellung der Ex- und Importe von Dienstleistungen (Reiseverkehr, Transport, Lizenzen, Patente u.a.); 3. **Übertragungsbilanz** (Bilanz der unentgeltl. Leistungen, Schenkungsbilanz): Gegenüberstellung der empfangenen (Aktiva) und geleisteten Übertragungen (Passiva) ohne Gegenleistung (z.B. Entwicklungshilfe, Geldüberweisungen von ausländ. Arbeitnehmern); 4. **Kapitalbilanz** bzw. **Kapitalverkehrsbilanz:** Gegenüberstellung der lang- bzw. kurzfristigen Forderungen des Auslands (Aktiva) und derjenigen des Inlands (Passiva); 5. **Devisenbilanz:** Gegenüberstellung der Devisenzu- und -abgänge der Dt. Bundesbank sowie der Veränderungen des Goldbestands; 6. **Restposten:** statistisch nicht aufgliederbare Transaktionen bzw. ungeklärte Beträge. Die Handels-, Dienstleistungs- und Übertragungsbilanzen werden zusammengefasst zur **Leistungsbilanz.** Da alle Transaktionen prinzipiell doppelt gebucht werden, ist die Z. statistisch gesehen immer ausgeglichen; Salden treten nur in den Teilbilanzen auf.

📖 SELL, A.: *Einführung in die internationalen Wirtschaftsbeziehungen. Berlin u. a. 1991.* – ROSE, K. u. SAUERNHEIMER, K.: *Theorie der Außenwirtschaft. München [11]1992.* – WILLMS, M.: *Internationale Währungspolitik. München 1992.*

Zahlungseinstellung, Erklärung der → Zahlungsunfähigkeit.

Zahlungskarte, Sammelbez. für alle Karten, die Zahlungen ermöglichen (»Plastikgeld«), v.a. Kredit-, Scheck- und Kundenkarten.

Zahlungsmittel, Geldzeichen (→ Geld) und geldgleiche Forderungsrechte, die im → Zahlungsverkehr umlaufen **(Notenumlauf)**. Gesetzl. Z. sind Geldarten, denen der Staat unbeschränkte Zahlungskraft beigelegt hat.

Zahlungsort, Erfüllungsort einer Geldschuld (→ Erfüllung).

Zahlungsunfähigkeit (lat. Insolvenz), die erkennbar gewordene Tatsache der Nichtzahlung fälliger Geldschulden aus einem nicht nur vorübergehenden Mangel an Zahlungsmitteln. Z. ist i.d.R. Voraussetzung für die Eröffnung des → Konkurses.

Zahlungsverkehr, Gesamtheit der Zahlungsvorgänge in einer arbeitsteiligen Volkswirtschaft. Im **baren Z.** werden die umlaufenden Zahlungsmittel persönlich übergeben; im **bargeldlosen Z.** (→ Giroverkehr, → Scheck) werden Überweisungen vom Konto des Zahlenden auf das Konto des Zahlungsempfängers vorgenommen, oder der Zahlungsempfänger erhält ein Geldersatzmittel

(Wechsel, Anweisung), das er seinem Bankkonto gutschreiben lassen oder weiter in Zahlung geben kann. Der **Lastschriftverkehr** ist eine Form des bargeldlosen Z., bei der der Zahlungsempfänger durch Vermittlung seiner Bank (erste Inkassostelle) bei ihr oder einem anderen Kreditinstitut (Zahlstelle) den aus der Lastschrift ersichtl. Betrag vom Konto des Schuldners einzieht. Den **Abbuchungsauftrag** erteilt der Zahlungspflichtige seiner Bank zugunsten bestimmter Gläubiger, beim **Einzugsermächtigungsverfahren** liegt dem Zahlungsempfänger eine schriftl. Ermächtigung des Schuldners zum Einzug vor.

Zählwerk, der →Zähler.

Zahlwort, das →Numerale.

Zahn, →Zähne.

Zahnarme (Edentaten, Edentata), Ordnung sehr primitiver Säugetiere in Süd- bis Nordamerika; Zähne entweder vollständig fehlend (Ameisenbären) oder bis auf wenige rückgebildet (Faultiere), lediglich bei Gürteltieren in großer Anzahl vorhanden, aber sehr klein.

Zahnarzt, Berufsbez. für Personen, die ein mindestens zehnsemestriges Hochschulstudium der Zahnheilkunde absolviert haben und die Approbation besitzen.

Zahnbein (Dentin), →Zähne.

Zahnbelag, →Plaque.

Zahnbettschwund, →Parodontose.

Zahnbohrer (Dentalbohrer), zahnärztl. Instrument (Bohrmaschine) aus hochwertigem Stahl (Bohrkrone häufig mit Diamantsplittern besetzt) v.a. zur Entfernung erkrankten Zahngewebes bei Karies bzw. zur Präparation von Kavitäten für Zahnfüllungen. – Um 1875 wurden elektr. Z. eingeführt; seit Ende der 1950er-Jahre gibt es **Turbinenbohrmaschinen,** die mit einer automatisch arbeitenden Kühlvorrichtung ausgestattet sind und die einen Wasserstrahl auf die Präparationsstelle richten.

Zahnbürstenbaum (Salvadora persica), zur Familie der Salvadoraceae gehörende strauch- oder baumförmige Pflanze in Busch- und Dornsteppen Asiens und Afrikas mit roten, essbaren Früchten; häufig auf salzhaltigen Böden. Die ausgefransten Zweige werden zum Reinigen der Zähne genutzt.

Zähne (Dentes), in der Mundhöhle der meisten Wirbeltiere und des Menschen vorhandene harte Gebilde, die in ihrer Gesamtheit das Gebiss bilden. Sie dienen dem Ergreifen, Anschneiden, Zerreißen und Zermahlen der Nahrung. Das Gebiss kann spezialisiert sein auf das Ergreifen der Beute (**Greifgebiss;** z.B. bei Robben), das Abrupfen der Nahrung (**Rupfgebiss;** z.B. bei Kühen), Nagen (**Nagegebiss;** z.B. bei Nagetieren), Quetschen (**Quetschgebiss;** z.B. bei Flusspferden), Knochenbrechen, Schneiden und Reißen (**Scherengebiss, Brechscherengebiss;** bei Raubtieren), Zerkauen der Nahrung (**Kaugebiss;** z.B. beim Menschen). Auch versch. wirbellose Tiere und viele Knochenfische haben zahnartige Hartgebilde im Schlund **(Schlundzähne).**

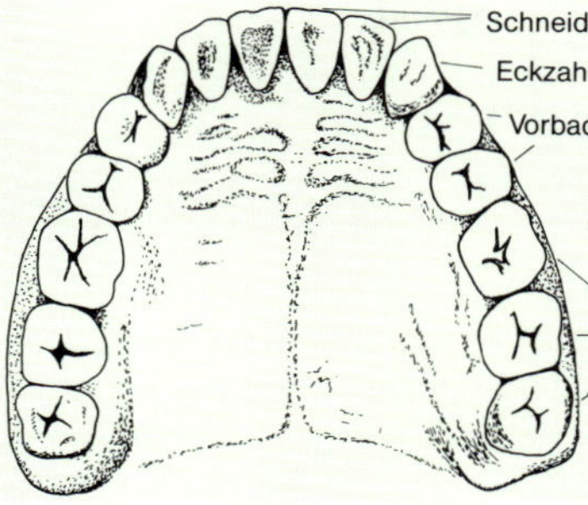

Zähne: Zahnbogen des Oberkiefers beim Menschen

Äußerlich gliedern sich die Z. in die aus dem Zahnfleisch ragende **Zahnkrone** (Krone), den im Zahnfleisch sitzenden **Zahnhals** und die im **Zahnfach** (Alveole) des Kieferknochens verankerte **Zahnwurzel.** An der Wurzelspitze liegt die Öffnung zum Wurzelkanal, in dem Gefäße und Nerven zur **Zahnhöhle** verlaufen, um dort zus. mit lockerem Bindegewebe und Zahnbeinzellen die **Zahnpulpa** (Pulpa, Zahnmark; umgangssprachlich »Zahnnerv«) zu bilden. Der Kern des Zahns besteht aus lebendem, knochenähnl. **Zahnbein** (Dentin). Die Wurzel ist außen von einer dünnen Schicht geflechtartiger Knochensubstanz, dem **Zahnzement,** umgeben, von dem aus Kollagenfasern der bindegewebigen, gefäß- und nervenreichen **Wurzelhaut** zum Zahnfach des Kiefers ziehen und den Zahnhalteapparat bilden. Die Krone ist vom **Zahnschmelz** (Adamantin, Zahnemail), der härtesten Substanz des Körpers überhaupt, dünn überzogen.

Die Z. des Menschen bilden in Ober- und Unterkiefer je einen Zahnbogen. In jeder Hälfte liegen vorn zwei Schneide-Z., ein Eckzahn, zwei Vorbacken-Z. und drei Backen-Z., insgesamt also 32 Z. im bleibenden Gebiss. Dem Milchgebiss feh-

Zahnarzt

1869 eröffnete Henriette Hirschfeld als erste deutsche Zahnärztin eine Praxis in Berlin. Um ihren Berufswunsch erfüllen zu können, hatte sie allerdings im amerikanischen Philadelphia studieren müssen.

*Die erste approbierte deutsche Ärztin überhaupt war übrigens Dorothea Christiana Erxleben, geb. Leporin (*1715, †1762). Sie hatte nur durch die persönliche Intervention Friedrichs des Großen studieren können und praktizierte ab 1754 in Quedlinburg.*

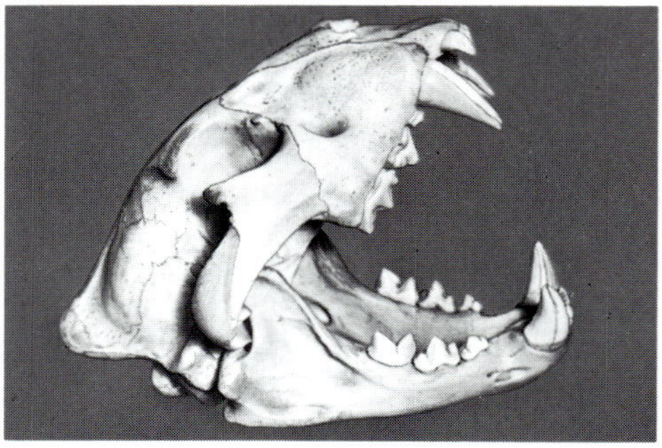

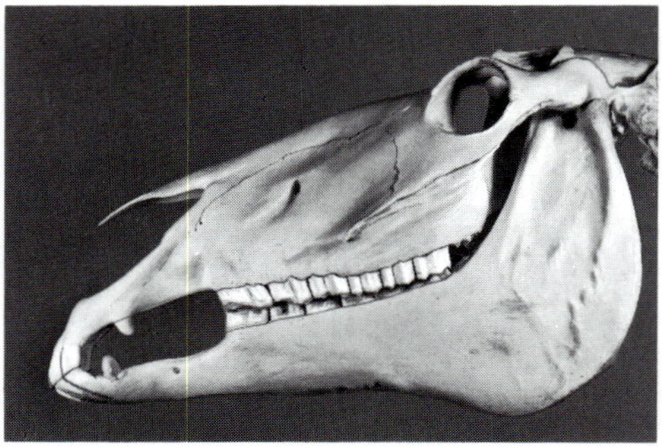

Zähne: Raubtiergebiss des Löwen (links) und Pflanzenfressergebiss des Pferdes

Agnes von Zahn-Harnack

len die Backen-Z., sodass es nur aus 20 Z. besteht. Die **Schneide-Z.** (Inzisivi) besitzen eine scharfe Schneidkante zum Abbeißen der Nahrung und haben nur eine Wurzel. Die **Eck-Z.** (Canini) sind durch eine sehr lange Wurzel im Kiefer verankert und meist vorn zugespitzt. Die **Vorbacken-Z.** (Vormahl-Z., Prämolaren) zerkleinern die Nahrung mit ihrer beim Menschen zweihöckerigen Krone. Die unteren sind mit einer, die oberen mit zwei Wurzeln im Kiefer befestigt. Die **Backen-Z.** (Mahl-Z., Molaren) zermahlen mit ihrer beim Menschen vierhöckerigen Krone die Nahrung. Die oberen Mahl-Z. haben drei, die unteren zwei Wurzeln. Spitzhöckerige Vorbacken- oder Backen-Z., die bei Raubtieren dem Zerteilen der Beute dienen, nennt man **Reißzähne.** Die hintersten (dritten) Backen-Z. **(Weisheits-Z.)** des Menschen werden erst im 4. oder 5. Lebensjahr angelegt. Ihr Durchbruch (der auch ausbleiben kann) erfolgt nach dem 16. Lebensjahr.

Die meisten Säugetiere bekommen zweimal Z. **(Dentition).** Zuerst erscheint das noch unvollständige Milchgebiss. Beim **Zahnwechsel** werden die relativ kleinen Milch-Z. durch die bleibenden Z. ersetzt.

📖 WENDLER, E.: *Z. Ein Wegweiser zur Mundgesundheit. Berlin u. a. 1993.* – SCHUMACHER, G.-H. *u.* GENTE, M.: *Odontographie. Anatomie der Z. u. des Gebisses. Heidelberg ⁵1995.*

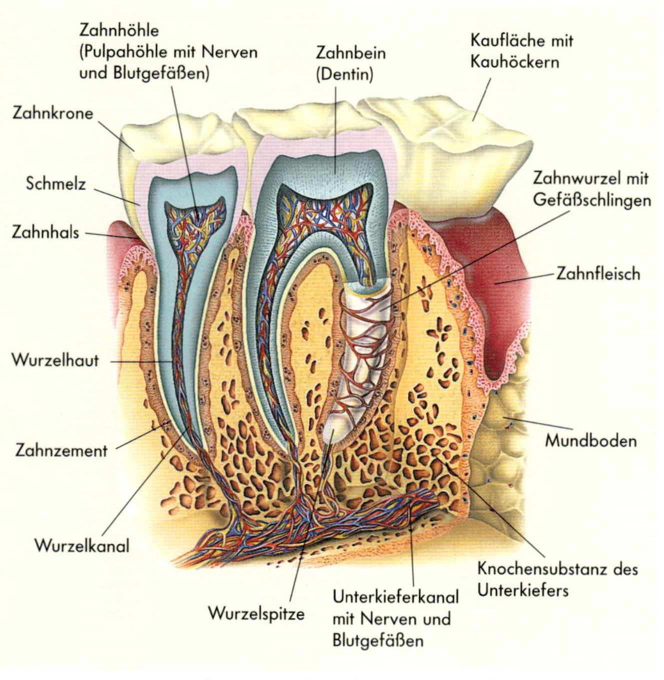

Zähne: Bau und Verankerung eines Vorbackenzahns (links) und eines Backenzahns beim Menschen

Zähneknirschen, mahlende Bewegung der Zahnreihen des Ober- und Unterkiefers gegeneinander, tritt bes. nachts bei nervösen Menschen auf; kann zu schwerer Schädigung der Zähne, des Zahnhalteapparats und des Kiefergelenks führen.

Zahnersatz, Wiederherstellung der geschlossenen Zahnreihe und damit der ursprüngl. Kaufähigkeit durch Einsetzen künstl. Zahnkronen **(Zahnkronenersatz),** Brücken oder einer Zahnprothese. **Zahnkronen (Einzelkronen)** werden eingegliedert, wenn die natürl. Krone durch Mineralisationsstörungen während der Zahnentwicklung (z.B. durch Rachitis) verunstaltet ist, wenn bei starker Zerstörung der Zahnkrone durch Karies eine Zahnfüllung nicht mehr möglich ist, wenn Teile der Zahnkrone abgesprengt sind oder wenn bei Eingliederung von herausnehmbarem Z. noch verbleibende Restzähne aus Stabilitätsgründen zur Abstützung der Prothese überkront werden müssen. Kronen werden hergestellt aus Porzellan **(Jacketkrone),** aus Kunststoff **(Mantelkrone),** aus Dentalgold oder anderen Dentallegierungen **(Vollgusskrone).** Eine Krone aus Metall, die aus kosmet. Gründen auf den Außenflächen mit einer keram. oder Kunststoffmasse überzogen (verblendet) wird, wird **Verblendkrone** genannt. Vor dem Überkronen muss die Zahnsubstanz beschliffen werden. Ist eine Verankerung des Z. in der Zahnwurzel erforderlich, wird eine **Stiftkrone**

hergestellt. – **Brücken** sind ein fest sitzender Z. zur Überbrückung größerer Gebisslücken. Dabei werden die angrenzenden Zähne überkront und mit der Brücke fest verbunden. – Herausnehmbarer Z. sind partielle oder totale **Zahnprothesen. Teilprothesen** sind auf den Restzähnen abgestützt und besitzen eine gegossene Metallbasis (Einstückgussprothese) oder bestehen aus Kunststoff. Vollprothesen (aus Kunststoff) haften nach Benetzung am zahnlosen Ober- und/oder Unterkiefer. Künstlich werden Zähne auch in **Zahnimplantate** aus Keramik eingesetzt, die im Kieferknochen einwachsen.

📖 LEHMANN, K. M. *u.* HELLWIG, E.: *Einführung in die restaurative Zahnheilkunde. München u. a.* ^{7}*1993.* – JÜDE, H. D. *u. a.: Einführung in die zahnärztl. Prothetik. Köln* ^{5}*1997.*

Zahnfäule, die →Zahnkaries.

Zahnfleisch (Gingiva), den Zahnhals und die Ränder der Zahnfächer bedeckende Schleimhaut.

Zahnfleischentzündung (Gingivitis), Entzündung des Zahnfleischsaums. Die **akute Z.** verläuft mit Schmerzen, Schwellung und Blutungsneigung, wobei seröse und geschwürige Entzündungsformen auftreten. Die **chronische Z.** ist häufig symptomärmer. Die Z. tritt bes. bei vernachlässigter Mundpflege auf.

Zahnformel, die →Gebissformel.

Zahnfüllung (Füllung, Plombe), endgültiger Verschluss der Kavität eines Zahnes und Wiederaufbau zerstörter Zahnhartsubstanzen mit plastischen Z.-Werkstoffen (Zahnzemente, Amalgame, Kunststoffe) oder mit labortechnisch hergestellten Einlagefüllungen (Inlay) aus Metall oder Keramik.

Zahnhalteapparat, das →Parodontium.

Zạhn-Hạrnack, Agnes von, Schriftstellerin, *Gießen 19. 6. 1884, †Berlin 22. 5. 1950, Tochter von Adolf von Harnack; seit 1919 in der Frauenbewegung tätig; gründete 1945 den »Berliner Frauenbund 1945 e. V.«.

Zahnheilkunde (Zahnmedizin, Odontologie), Fachgebiet der Medizin, das sich mit Bau und Funktion und v. a. den Erkrankungen der Zähne, des Zahnhalteapparats, des Zahnfleischs und der Kiefer befasst. (→Kieferorthopädie, →Zahnersatz)

Zahnimplantate, →Zahnersatz.

Zahnkari|es (Zahnfäule), Substanzverlust an Zahnhartgeweben durch einen chronisch destruktiven Prozess; ursächlich sind Zahnbeläge verantwortlich, die im Zusammenhang mit der Mikroflora der Mundhöhle und deren Stoffwechselprodukten, der Ernährung und der Mundpflege stehen. Die Z.-Anfälligkeit ist u. a. abhängig vom Mineralisationszustand der Zahnhartgewebe. Ausgangspunkt einer Z. ist bakterieller Zahnbelag (→Plaque), unter dessen demineralisierendem Einfluss sich die Z. zunächst als weißer Fleck zeigt, verbunden mit zunehmender Erweichung der Zahnhartsubstanz. Bestehen nur leichte Schmerzen bei Temperaturschwankungen, so ist nach Beseitigung der kariösen Schmelz- und Dentinteile meist die Erhaltung des Zahnmarks und der Wiederaufbau des Zahnes durch eine Zahnfüllung möglich. Ist jedoch die Pulpa stark geschädigt, so entsteht eine Entzündung des Zahnmarks (Pulpitis). Bei weiterer Nichtbehandlung kommt es nach Zerfall des Zahnmarks zu einer akuten oder chronisch entzündl. Veränderung der Wurzelhaut des betroffenen Zahnes, die nur in günstigen Fällen noch Möglichkeiten für die Zahnerhaltung bietet. Zur Vorbeugung gegen Z. ist eine weitgehend naturbelassene Ernährung (v. a. Rohkost, Obst, Gemüse, Vollkornbrot, Milch) günstig. Das Entkalkungsrisiko wird durch eine Einschränkung der Zuckerzufuhr vermindert. Wichtig ist eine sorgfältige Mund- und Zahnpflege.

📖 LAURISCH, L.: *Individualprophylaxe. Diagnostik u. Therapie des individuellen Kariesrisikos. München u. a. 1994.* – GÜLZOW, H.-J.: *Präventive Zahnheilkunde. Grundlagen u. Möglichkeiten der Karies- u. Gingivitisprophylaxe. München u. a. 1995.*

Zahnkarpfen (Cyprinodontidae), bis 30 cm lange Knochenfische des Süß- und Brackwassers der Tropen und Subtropen; z. T. beliebte Aquarienfische, z. B. Guppy, Platy, Schwertträger.

Zahnkronenersatz, →Zahnersatz.

Zahnlaute (Dentale), *Sprachwiss.:* →Laut.

Zahnlili|e (Hundszahn, Rötling, Erythronium), Gattung überwiegend in Nordamerika beheimateter Liliengewächse. Der **Hundszahn** (Erythronium dens-canis), von Japan bis Mitteleuropa verbreitet, hat längl. rotgescheckte Blätter und rote, alpenveilchenähnl. Blüten; neben anderen Arten der Gattung ist er eine alte Zierpflanze.

Zahnpflege, wichtige, vorwiegend persönlich, aber auch zahnärztlich zu leistende Vorbeugungsmaßnahmen gegen Zahnkaries, Zahnstellungsanomalien und Parodontopathien, die der Entwicklung und Gesunderhaltung des Gebisses dienen. Die Zahnreinigung soll sofort nach jeder Mahlzeit und bes. abends vorgenommen werden, um während des Schlafs Gärungsvorgänge in den Zahnbelägen zu verhindern. Mit der Zahnbürste werden in kreisenden und vertikalen Bewegungen alle Zahnflächen und Zwischenräume gründlich gereinigt; dies kann durch Zahnpasta, Mundddusche u. a. unterstützt werden.

Zahnprothese, ein →Zahnersatz.

Zahnrad, am Umfang gleichmäßig mit Zähnen besetztes Maschinenelement (z. B. Radscheibe) aus Stahl, Gusseisen, anderen Metallen oder Kunststoff, das im Zusammenspiel mit anderen Z. Drehmomente und -bewegungen durch die nacheinander eingreifenden Zähne zwangsläufig in einem

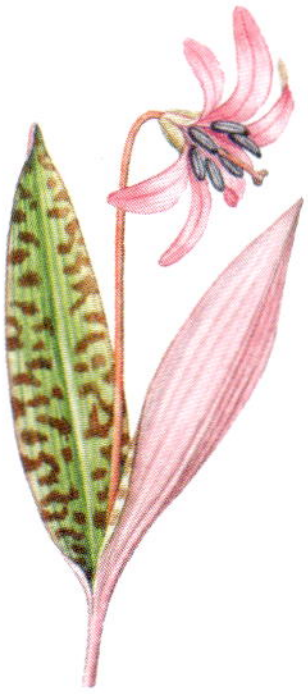

Zahnlilie: Hundszahn

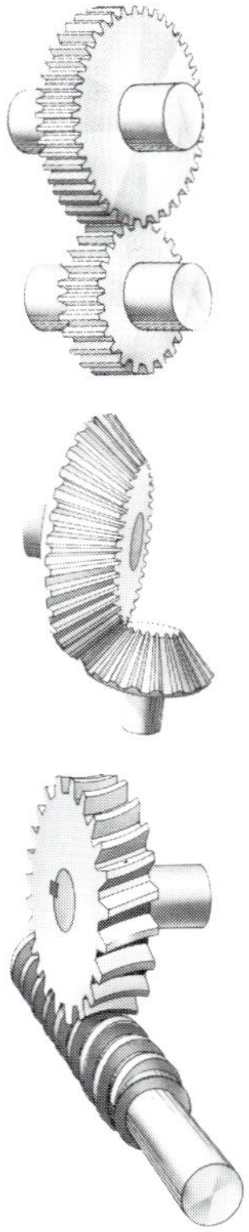

Zahnrad (von oben): Stirnräder, Kegelräder und Schnecke mit Schneckenrad

bestimmten Übersetzungsverhältnis von einer Welle auf eine andere überträgt. **Stirnräder** übertragen die Bewegung zw. parallelen, **Kegelräder** zw. beliebig zueinander geneigten, **Schrauben-** und **Schneckenräder** zw. sich kreuzenden Wellen. Die Zähne können gerade, schräg oder pfeilförmig, bei Kegelrädern auch bogenförmig ausgeführt sein. Die Begrenzungskurve der Zahnflanken ist meist eine Evolvente (→Evolute; Evolventenverzahnung), in Sonderfällen auch eine →Zykloide (Zykloidenverzahnung). Z. werden spanlos (durch Gießen, Pressen) oder spanend auf Verzahnungsmaschinen durch Fräsen, Schleifen, Hobeln hergestellt.

Zahnradbahn, eine →Bergbahn.

Zahnradgetriebe, ein →Rädergetriebe.

Zahnschmelz, →Zähne.

Zahnschnecken, die →Grabfüßer.

Zahnspinner (Notodontidae), weltweit verbreitete Familie meist mittelgroßer Schmetterlinge; Vorderflügel mit einem aus langen Haarschuppen bestehenden Fortsatz am Hinterrand, der bei der dachförmigen Ruhehaltung der Flügel als aufrechter »Zahn« nach oben ragt; in Mitteleuropa u. a. der **Große Gabelschwanz** (Cervra viula).

Zahnstange, mit Zähnen versehenes stangenförmiges Maschinenelement, z. B. im Gleis der Zahnradbahn.

Zahnstein, weißlich gelber oder bräunlich schwarzer, meist an den Zahnhälsen, verstärkt in der Nähe der Ausführungsgänge der Speicheldrüsen zu findender Niederschlag aus Bakterien, Calciumsalzen des Speichels, Mikroorganismen und Speiseresten. Z. führt zur Entzündung und zum Zurückweichen des Zahnfleisches und fördert die Zahnlockerung; er sollte regelmäßig vom Zahnarzt entfernt werden.

Zakros: Marmoramphora aus der minoischen Ruinenstätte Kato Zakros (um 1500 v. Chr.; Heraklion, Archäologisches Museum)

Zahnstocherdolde (Khellakraut, Ammi visnaga), Doldenblütlerart des Mittelmeergebiets, deren nach dem Verblühen holzig werdende Doldenstrahlen als Zahnstocher gebraucht werden. Aus den Früchten wird das krampflösend wirkende **Khellin** gewonnen.

Zahnturbine (Dentalturbine), pressluftgetriebenes Gerät, das die zur Zahn- oder Werkstoffbearbeitung benötigten Instrumente (Bohrer, Polierer u. a.) mit 350 000–550 000 Umdrehungen je Minute in Rotation versetzt.

Zahnwale, Unterordnung der →Wale.

Zahnwechsel, →Zähne.

Zahnwurzelbehandlung, →Wurzelbehandlung, →Wurzelspitzenresektion.

Zähringer, schwäb. Hochadelsgeschlecht (ab Ende des 11. Jh.), benannt nach der Burg Zähringen (erbaut zw. 1078 und 1108) bei Freiburg im Breisgau. Die **ältere Linie** (seit dem 10. Jh. Grafen im Breisgau/Oberrheingebiet) besaß 1061–77 das Herzogtum Kärnten und (1063–73) die Markgrafschaft Verona, 1092–97/98 das Herzogtum Schwaben und erwarb 1127 bed. Besitz in Burgund und die Reichsvogtei Zürich; sie gründete u. a. die Städte Freiburg im Breisgau, Freiburg im Üechtland (Schweiz) und Bern. Die Z. starben 1218 im Mannesstamm aus. Aus der **jüngeren Linie** (ab 1078) gingen die Markgrafen bzw. Großherzöge von Baden hervor.

Zährte, ein Karpfenfisch, →Zärte.

Zainer (Zeyner), Günther, Erstdrucker Augsburgs, *Reutlingen, †Augsburg (?) 13. 4. 1478; druckte volkstüml. Schrifttum, u. a. dt. Bibeln (um 1475 und 1477); verwendete erstmals Antiquatypen, Holzschnittinitialen und -randleisten.

Zaire [z-], →Kongo (Demokrat. Republik).

Zaisser, Wilhelm, Politiker, *Rotthausen (heute zu Gelsenkirchen) 20. 6. 1893, †Berlin (Ost) 3. 3. 1958; wurde 1920 Mitgl. der KPD, 1932 der KPdSU (B); nahm 1936–38 am Span. Bürgerkrieg (»General Gómez«) teil; emigrierte 1938 in die UdSSR (bis 1947); 1950–53 Min. für Staatssicherheit der DDR, Mitgl. des Politbüros; im Juli 1953 (mit R. Herrnstadt) als »Parteifeind« aller Funktionen enthoben, 1954 aus der SED ausgeschlossen.

Zakopane [z-], Kurort und Wintersportplatz in der Wwschaft Nowy Sącz (Neusandez), Polen, am N-Rand der Hohen Tatra, 800–1 000 m ü. M., 28 700 Ew.; Kunstschulen; Tatra-Museum; Thermalquelle.

Zakros [z-], kleiner Ort an der O-Küste Kretas, Griechenland. Bei Z. die minoische Ruinenstätte **Kato Zakros** mit Grundmauern eines Palastes (16./15. Jh. v. Chr.), dem Typ der mittelkret. Paläste ähnlich. Oberhalb des Palastes wurde eine Stadtsiedlung freigelegt, u. a. eine 2,60 m breite Straße mit Plattenpflaster (»Hafenstraße«); Zerstörung des Palastes um 1450 v. Chr.; unter den Funden Keramikerzeugnisse, Luxusgefäße aus Stein, Obsidian und Bergkristall.

Zakynthos (ngrch. Zakinthos), eine der →Ionischen Inseln an der W-Küste Griechenlands, 406 km² groß, 35 000 Ew.; Hptst. und Hafen: Zakynthos (10 000 Ew.); im W gebirgig, im O mit fruchtbaren Ebenen und Hügelland; Anbau von Reben (Korinthen, Wein), Oliven, Südfrüchten.

Zalaegerszeg ['zɔlɔɛgɛrsɛg], Bezirks-Hptst. in Ungarn, 62 900 Ew.; chem., Textil- u. a. Industrie. – Got. Kirche (14. Jahrhundert).

Zạma, Name zweier antiker Städte im karthag. Gebiet N-Afrikas. 202 v. Chr. siegte P. Cornelius Scipio d. Ä. im 2. Pun. Krieg in der Ebene bei Z. Regia (der späteren Residenz der numid. Könige) entscheidend über Hannibal.

Zambia ['zæmbɪə, engl.], Staat in Afrika, →Sambia.

Zạmbo [z-, span.] *der,* →Mischling.

Zander (Länge bis zu 1 m)

Zamboanga [θambo'aŋga], Hafenstadt auf Mindanao, Philippinen, 449 000 Ew.; Erzbischofssitz; Univ.; Ausfuhr von Kopra, Kautschuk, Holz u. a.; Fischerei.

Zamenhof ['zamɛŋxɔf], Ludwik, poln. Augenarzt, *Białystok 15. 12. 1859, †Warschau 14. 4. 1917; erfand und entwickelte das Esperanto. (→Welthilfssprachen)

Zamfir [zam'fɪr], Gheorghe, rumän. Panflötenvirtuose, *Găăeşti (bei Bukarest) 6. 4. 1941; spielt neben klass. Musik und Popmusik v. a. rumän. Folklore und eigene Kompositionen.

Zamọra [θa-], **1)** Provinz in der Region Kastilien und León, Spanien, 10 561 km², (1991) 213 700 Einwohner.

2) Hptst. von 1), 649 m ü. M., am Duero, 68 200 Ew.; Bischofssitz; Textil-, Lederind.; Flughafen; internat. Keramikfestival. – Mittelalterl. Stadtbild mit vielen roman. Kirchen des 12. Jh., älteste Kirche ist S. Tomé (1128); roman. Kathedrale mit byzantinisch anmutender Kuppel (1151–74, Chor und Apsis 1496–1506), wuchtigem Turm (um 1235) und Kreuzgang (1621; Museum); prächtige Adelspaläste des 16. Jh. (bes. Casa de los Momos mit Renaissancefassade).

Zamość ['zamɔɕtɕ], Hptst. der Wwschaft Z. im südl. O-Polen, 65 400 Ew.; Museum; Möbel-, Bekleidungs-, Nahrungsmittelind. – Fast vollständig erhaltene Renaissance-Altstadt (UNESCO-Weltkulturerbe). An den Marktplätzen Häuser aus dem 16./17. Jh., an der N-Seite des Großen Marktes das Rathaus (1639–51), unweit das Zamoyski-Palais (17. Jh., später umgebaut), die ehem. Synagoge und der Residenzpalast der Zamoyski (1581–86; 1741–51 spätbarock und nach 1831 klassizistisch verändert); im SW des Marktes die Kollegiatskirche (1587–1600, 1825–27 umgebaut). – Gegr. 1580 als Festungsstadt auf schachbrettartigem Grundriss von J. Zamoyski.

Zamoyski [za'mɔjski], Jan, poln. Staatsmann und Feldherr, *Skoków (bei Lublin) 19. 3. 1542, †Zamość 3. 6. 1605; setzte als Führer des Kleinadels und Gegner der Habsburger nach dem Tod Sigismunds II. August (1572) das Prinzip der freien Königswahl durch und förderte die Krönung Stephans IV. Báthory (1575) und Sigismunds III. Wasa (1587), deren Politik er als Großkanzler (1578) und Großfeldherr (1581) leitete; führte u. a. Feldzüge gegen Russland und Schweden; gründete 1580 die Stadt Zamość.

Zạnde [z-] (A-Sande, Dinka-Sprache: Niam-Niam), Volk der Sudaniden im N der Demokrat. Rep. Kongo, in S-Sudan und im SO der Zentralafrikan. Rep.; etwa 3 Mio. Angehörige; Feldbauern.

Zander (Hechtbarsch, Schill, Fogosch, Stizostedion lucioperca), bis zu 1 m langer, schlanker, räuberisch lebender Barsch in Süß- und Brackgewässern Mittel-, N- und O-Europas sowie W-Asiens; silberig mit grünlich grauen und dunkleren Schattierungen auf dem Rücken; Speisefisch.

Zạnder, Heinz, Maler und Grafiker, *Wolfen 2. 10. 1939; gestaltet seine Gemälde in altmeisterl. Techniken und Grafik mit diffiziler zeichner. Präzision. BILD S. 354

Zandvoort ['zantfo:rt], Nordseebad in der niederländ. Prov. Nordholland, 16 000 Ew.; Spielkasino; bei Z. Grand-Prix-Automobilrennstrecke.

Zange, Werkzeug zum Greifen, Halten, Transportieren, Biegen, Schneiden; besteht im Wesent-

Zamość: Teilansicht des quadratisch angelegten, mit Arkaden umrahmten Großen Marktes mit dem 1639–51 erbauten Rathaus, dessen weit schwingende Außentreppe aus dem 18. Jh. stammt

Jan Zamoyski
(Ausschnitt eines Holzschnitts, 1588)

Ludwik Zamenhof

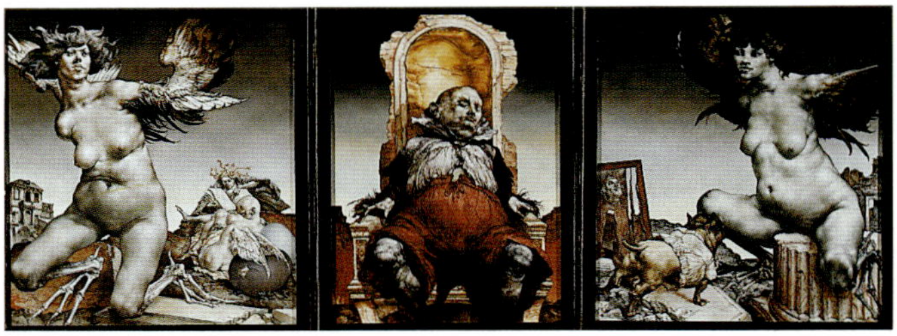

Heinz Zander: »König Phineus« (1986)

Krzysztof Zanussi

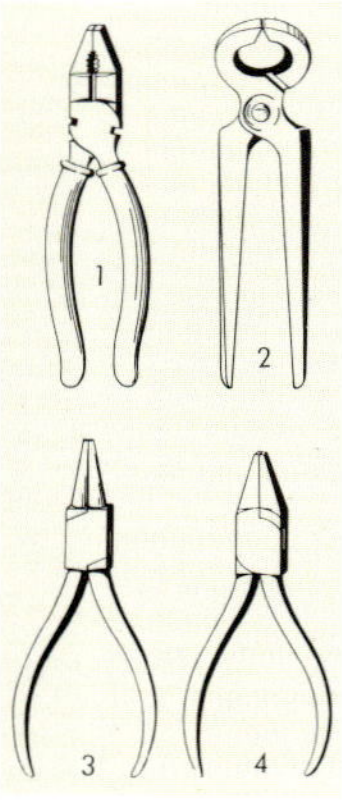

Zange:
1 Kombinations-,
2 Beiß-, 3 Rund-,
4 Flachzange

lichen aus zwei gekreuzten, durch Niet oder Schraube gelenkig miteinander verbundenen Schenkeln, deren längere hintere Teile als Hebelgriffe dienen, während die kürzeren vorderen Teile (Backen) das Werkstück fassen. Die Form der Backen ist dem jeweiligen Verwendungszweck angepasst. Am gebräuchlichsten sind: die **Beiß-** oder **Kneif-Z.** zum Schneiden oder Trennen, die **Rund-** und **Flach-Z.** zum Biegen von Draht und Blech, die verstellbare **Rohr-** oder **Wasserpumpen-Z.**, der **Vorn-** und der **Seitenschneider** als Drahtschneidewerkzeuge, die **Loch-Z.** mit kleinem Lochstempel und Matrize oder Lochmesser, die **Kombinations-Z.** als Flach- und Rohrzange mit Drahtschere und Seitenschneider, auch mit isolierten Griffen für elektr. Leitungen.

Zangengeburt, → Geburtszange.

Zangs, Herbert, Maler, Objektkünstler, * Krefeld 27. 3. 1924; lebt seit 1961 meist in Frankreich, schuf bereits vor der Gruppe Zero weiße Reliefbilder aus Wellpappe, nahm mit seinen Reihungen von Scheibenwischern (1957) serielle Kunstrichtungen der 1960er-Jahre vorweg; schuf auch Brandbilder, Staubmalereien und Buchobjekte, in denen er Bücher in weiche oder fragile Skulpturen zum Umblättern verwandelte.

Zangwill ['zæŋwɪl], Israel, engl. Schriftsteller litauisch-jüd. Abstammung, * London 14. 2. 1864, † Midhurst (Cty. West Sussex) 1. 8. 1926; einer der Führer der zionist. Bewegung; erfolgreicher Erzähler und Dramatiker, v.a. mit Stoffen aus dem Londoner Getto.

Zanni ['dzanni] (Zani), Dienerfiguren, die zus. mit Pantalone und Dottore zu den ältesten Typen der Commedia dell'Arte gehören.

Zanuck ['zænək], Darryl Francis, amerikan. Filmproduzent und Studioleiter, * Wahoo (Nebr.) 5. 9. 1902, † Palm Springs (Calif.) 22. 12. 1979; 1933 Mitbegründer der »20th Century Pictures«; 1935–52 und 1962–71 in leitender Funktion bei der »20th Century Fox«; produzierte u.a. sozialkrit. Filme von J. Ford, E. Kazan.

Zanussi [za'nuçi], Krzysztof, poln. Filmregisseur, * Warschau 17. 6. 1939; wurde 1990 Präs. des Europa-Verbandes der Filmregisseure (FERA); Spielfilmdebüt mit »Struktur des Kristalls« (1969); neben Spielfilmen auch Fernsehfilme; »Illumination« (1973), »Spirale« (1978), »Das Jahr der ruhigen Sonne« (1984), »Bestandsaufnahme« (1989), »Inventar« (1990), »Das lange Gespräch mit dem Vogel« (1992), »Musik im Warschauer Getto« (1993); auch Theaterregie.

Zanzibar ['zænzɪbɑː, engl.], → Sansibar.

Zapata [s-], Emiliano, mexikan. Revolutionär, * Anenecuilco (Morelos) 1883, † (ermordet) Cuernavaca 10. 4. 1919; indianischer Herkunft; schloss sich als Bauernführer (im Süden des Landes) der Revolutionsbewegung an, die 1910 den Sturz des Diktators P. Díaz bewirkte; entwarf 1911 eine weitgehende Landreform, die nicht verwirklicht wurde; ab 1913 in der Opposition. Z., 1919 von der Regierung ermordet, ist bis heute Symbolfigur der lateinamerikan. Bauernbewegung.

Zäpfchen, 1) *Anatomie:* Teil des weichen → Gaumens.

2) *Medizin:* → Suppositorium.

Zapfen, 1) *Anatomie:* (Sehzapfen) → Auge.

2) *Botanik:* Blüte oder Blütenstand mit zentraler Achse und später verholzten Fruchtblättern oder mit Schuppenkomplexen, bes. bei Nadelhölzern.

3) *Maschinenbau:* zylinder- oder kegelstumpfförmiges Bauelement an Achsen oder Wellen, das als Verbindungs-, Befestigungs- oder Gelenkteil dient.

Emiliano Zapata: Der Bauernführer (in der Mitte sitzend) mit Gefährten, Fotografie aus dem Jahr 1911

Zapfenstreich, *Militärwesen:* urspr. der Zeitpunkt, zu dem der Zapfen auf ein Horn- oder Trommelsignal hin bei den Marketendern zu »streichen«, d.h. der Ausschank einzustellen war und im Feldlager Ruhe zu herrschen hatte; heute allg. Bez. für das Ende der Ausgehzeit. Bei feierl. Gelegenheiten wird der **Große Z.** von Musikkorps unter Teilnahme von Truppenabordnungen gespielt.

Zapọlska [z-], Gabriela, eigtl. Maria Korwin-Piotrowska, poln. Schriftstellerin, *Podhajce (bei Luzk, heute Ukraine) 30. 3. 1857, †Lemberg 17. 12. 1921; führende Vertreterin des poln. Naturalismus; schrieb Dramen (»Die Moral der Frau Dulski«, 1907), Romane und Erzählungen.

Zápolya ['za:pojɔ] (Szapolyai), als Johann I. König von Ungarn (1526–40), *Burg Zips 1487, †Sebeş 21. 7. 1540; war ab 1511 Woiwode von Siebenbürgen und wurde 1526 gegen Ferdinand (I.) von Österreich zum König gewählt. Von diesem vertrieben, brachte er 1529 mit türk. Hilfe O-Ungarn in seinen Besitz. Nach seinem Tod fiel das Königreich Ungarn an die Habsburger.

Zapotẹken, indian. Volk im mexikan. Staat Oaxaca sowie in Veracruz und Chiapas, mit eigener Sprache (von rd. 430 000 Menschen gesprochen). Zentrum ihrer vorkolumb. Kultur (Blütezeit 200–800 n. Chr.) war →Monte Albán, das sich offenbar gegenüber →Teotihuacán als unabhängig behaupten konnte. Die Z. verehrten einen Regengott in Gestalt eines Jaguars; charakteristisch für ihre Kunst sind aus Ton geformte Figurengefäße (meist Grabbeigaben). (→mesoamerikanische Hochkulturen). Weiteres BILD Monte Albán

Zapoteken: Grabgefäß aus Monte Albán mit der Darstellung des Vegetationsgottes Xipe Totec, graubrauner Ton (um 500 n. Chr.; Mexiko, Anthropologisches Nationalmuseum)

Zápotocký ['za:pɔtɔtski:], Antonín, tschechoslowak. Politiker, *Zákolany (bei Kladno) 19. 12. 1884, †Prag 13. 11. 1957; 1921 Mitbegründer der KP; 1948–53 MinPräs., 1953–57 Staatspräs.; maßgeblich an der gesellschaftl. Ausrichtung seines Landes am sowjetisch-stalinist. Vorbild beteiligt.

Zappa ['zæpə], Frank, amerikan. Rockgitarrist und Komponist, *Baltimore (Md.) 21. 12. 1940, †Los Angeles (Calif.) 4. 12. 1993; gründete 1964 die Gruppe »Mothers of Invention«, die bis in die 1970er-Jahre als Inbegriff des amerikan. Rock-Underground galt; drehte 1971 den surrealist. dokumentar. Film »200 Motels«; in den 1980er-Jahren Hinwendung zur E-Musik; schrieb u. a. die Orchestersuite »The Yellow Shark« (1992).

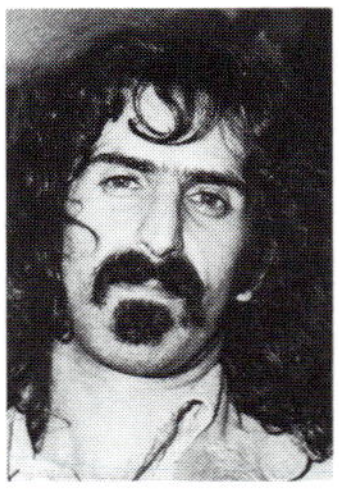

Frank Zappa

Za̲r [slaw., zu lat. Caesar] *der,* slaw. Herrschertitel, in Bulgarien vom 10. Jh. (917 von Simeon I. angenommen) bis zum 14. Jh. sowie 1908–46, in Serbien im 14. Jh. (1346–55 von Stefan Dušan Uroš IV. geführt). In Russland u. a. schon von Iwan III. Wassiljewitsch gelegentlich gebraucht, seit 1547 offizieller Titel des Monarchen (Krönung Iwans IV. Wassiljewitsch). 1721 nahm Peter I., d. Gr., den Titel »Imperator« (Kaiser) an, jedoch blieb die Bez. Z. im Russ. Reich gebräuchlich. Bis ins 18. Jh. war **Zarewitsch** der offizielle Titel jedes Zarensohnes, ab 1797 wurde der Thronfolger als **Zesarewitsch** bezeichnet; die Gemahlin des Z. wurde **Zariza,** die Zarentochter **Zarewna** genannt.

📖 *Die russ. Z.en 1547–1917, hg. v.* H.-J. TORKE. *München 1995.*

Zara ['dza:ra], italien. Name der kroat. Stadt →Zadar.

Zaragoza [θara'ɣoθa], Provinz und Provinz-Hptst. in Spanien, →Saragossa.

Zarathụstra (grch. Zoroaster), altiran. Prophet, Stifter des Parsismus, *Baktrien (?) um 628 v. Chr., †Chorasan (?) um 552 v. Chr.; urspr. Opferpriester, erlebte er im Alter von 30 Jahren eine Vision, die er als seine persönl. Berufung durch →Ahura Masda auffasste; trat seither öffentlich als dessen Prophet auf. Z. verkündete einen in der Gegnerschaft des bösen Geistes Ahriman gegen den guten Gott Ahura Masda begründeten unversöhnl. Dualismus, der den Menschen zur eth. Entscheidung herausfordert. 590 wurde er nach Chorasan ver-

Zarathustra

»Also sprach Zarathustra«

So lautet der Titel einer philosophischen, an der Bibel orientierten, diese zugleich parodierenden Dichtung von Friedrich Nietzsche. Das Zitat wurde in neuerer Zeit durch die (frei nach Nietzsche) 1896 komponierte Tondichtung von Richard Strauss populär, deren Anfang unter anderem in dem Spielfilm »2001 – Odyssee im Weltraum« (1968) und auch gelegentlich in Fernsehwerbespots zu hören ist. Zitiert wird der Titel zumeist in weniger ernsthaften Zusammenhängen, etwa als belustigter Kommentar zu der als allzu großspurig empfundenen Äußerung eines andern.

Zarcillo y Alcaraz: »Der büßende heilige Hieronymus« (1755; Murcia, Museo de la Catedral)

bannt, wo er nach der Bekehrung des Fürsten Wischtaspa (588 v. Chr.) seine endgültige Wirkungsstätte fand. Innerhalb des →Awesta gehen die Gathas (16 Gesänge) wohl auf Z. zurück.

📖 HINZ, W.: *Z. Stuttgart 1961.* – BEMMELEN, D. J. VAN: *Z. Stuttgart 1975.*

Zarcillo y Alcaraz [θar'θiʎo i alka'raθ] (Salzillo y Alcaraz), Francisco, span. Bildschnitzer, *Murcia 12. 5. 1707, †ebd. 2. 3. 1783; Hauptmeister der spätbarocken span. Plastik im 18. Jh.; schuf neapolitan. Prozessionsgruppen und Krippenfiguren aus bemaltem Holz und Terrakotta.

Zarge, 1) *Bautechnik:* verankerte Einfassung von Türen, Fenstern; bei Möbeln häufig eine Rahmenkonstruktion der Unterseite, an deren Ecken die Beine angebracht sind; bei Kartonagen, Kunststoffgehäusen u. a. die Seitenteile, die von einem Z.-Rahmen gehalten werden.

2) *Musikinstrumente:* bei Saiteninstrumenten (z. B. Violine, Gitarre) und Trommeln die Seitenwand des Korpus, die Decke und Boden verbindet.

Zaria [z-], Stadt in N-Nigeria, 351 800 Ew.; Univ.; Handelszentrum; Baumwoll-, Tabak-, Nahrungsmittelindustrie. – Im 14. Jh. gegr., wurde im 16. Jh. Hauptstadt des Hausastaates.

Zarizyn, bis 1925 Name der Stadt →Wolgograd.

Zarjowokokschaisk, bis 1919 Name der Stadt →Joschkar-Ola.

Zarlino, Gioseffo, italien. Musiktheoretiker und Komponist, *Chioggia vor dem 22. 4. 1517, †Venedig 14. 2. 1590; Schüler von A. Willaert. Z.s Bedeutung liegt in der theoret. Fundierung der neuzeitl. Harmonielehre, als deren Grundprinzip er das Dur-Moll-System erkannte. Von seinen Kompositionen (Motetten, Madrigale) ist wenig erhalten.

Zarskoje Selo, bis 1918 Name der russ. Stadt →Puschkin.

Zärte (Zährte, Zehrte, Rußnase, Vimba vimba), 20–30 cm lange osteurop. Art der Karpfenfische; Schnauze nasenartig verlängert; Speisefisch.

Żary ['ʒari] (dt. Sorau), Stadt in der Wwschaft Zielona Góra (Grünberg), Polen, in der Niederlausitz, 39 300 Ew.; Textil-, Holz-, Maschinenbau-, elektrotechn. Ind.; südlich von Ż. Braunkohlenbergbau. – Mittelalterliche Kirchen, »Bibersteinschloss« (16. Jh.), »Promnitzschloss« (18. Jh.). – 1002 erstmals erwähnt, seit 1260 Stadt.

Zarzuela [θarθu'ɛla, span.] *die,* eine dramat. Gattung des span. Musiktheaters, die etwa dem dt. Singspiel entspricht; benannt nach dem königl. Lustschloss La Z. im Pardo (Waldgebiet bei Madrid).

Zasius, Ulrich, eigtl. Zäsy, humanist. Rechtslehrer, *Konstanz 1461, †Freiburg im Breisgau 24. 11. 1535; legte das röm. Recht humanistisch unter Ablehnung der italien. Auffassungen des MA. aus; verfasste das Freiburger Stadtrecht (1520); schrieb u. a. »Lucubrationes aliquot« (1518); »Intellectus singulares« (1526).

Zäsur [lat.] *die,* **1)** *allg.:* (gedanklicher) Einschnitt.

2) *Metrik:* Bez. für ein innerhalb eines Metrums liegendes Wortende, oft mit Sinnabschnitt. Durch die Z. kann eine Verszeile in zwei oder mehrere Teile gegliedert werden (z. B. ein Langvers wie der Alexandriner); beim Zusammenfallen von Metrumende und Sinnabschnitt spricht man dagegen von Diärese.

3) *Musik:* Einschnitt zur Sinngliederung von Motiven, Themen oder größeren Abschnitten, ausgedrückt u. a. durch Phrasierung, Pausen, Fermaten oder entsprechenden melod. Verlauf.

Žatec ['ʒatɛts] (dt. Saaz), Stadt im Nordböhm. Gebiet, Tschech. Rep., an der unteren Eger, 23 000 Ew.; Lederind., Maschinenbau; Hopfenanbau.

Zátopek ['za:tɔpɛk], Emil, tschech. Leichtathlet, *Kopřivnice (bei Ostrau) 19. 9. 1922; gewann 1948 und 1952 vier olymp. Goldmedaillen; mehrfacher Europameister, stellte 13 Weltrekorde auf.

Zauber, Begriff der Religionswiss. und Volkskunde zur Bez. mag. Handlungen bzw. Mittel, mit denen Macht über Menschen, Tiere und die Natur gewonnen werden soll; verbreitet schon in der Frühzeit menschl. Kultur (Jagd-Z., Fruchtbarkeits-Z.). Neben der **apotropäischen** (Unheil abwehrenden) Z.-Wirkung v. a. zum Schutz der eigenen Person **(Abwehr-Z.)** zielte Z. auch auf die Beherrschung des Wetters (Wetter-Z.), Heilung von Mensch und Tier (Besprechen) und auf zwischenmenschl. Beziehungen (Liebe, Ehe, Leid). Nach dem Grundsatz »Gleiches bringe Gleiches hervor«

(»similia similibus«) handelte es sich häufig um Analogiezauber. (→Magie)

Zauberbücher, Schriften, die zum Zaubern anleiten und daher v.a. magische Texte und genaue Rituale enthalten. Z. finden sich in fast allen Kulturen. Es sind babylonisch-assyr., ägypt., griech., jüd. und christl. Texte überliefert, die v.a. die hellenist. Zauberpapyri der ersten nachchristl. Jahrhunderte beeinflussten und dann in hebr., byzantin., arab. und abendländ. Büchern wieder zutage treten. Schwarzkünstler-Z. des MA. werden schon im 11. Jh. erwähnt; aber v.a. die Wiederbelebung der Antike im Zeitalter der Renaissance brachte viele neue Z. mit Anweisungen des Dämonenzwangs, mit Beschwörungslehre und Geheimschriftenkunde hervor. Die Zahl der heute noch belegbaren Z. ist sehr groß.

Zauberkunst, bes. in Varietés und im Zirkus beliebte Unterhaltung, die v.a. auf besonderer Handfertigkeit und Sinnestäuschungen bei Nutzung präparierter Gegenstände beruht.

Zaubernuss, *Botanik:* →Hamamelisgewächse.

Zaubersprüche, Sprüche oder Beschwörungsformeln, die eine bestimmte mag. Wirkung hervorbringen sollen (→Abrakadabra). Z. gehören zu den ältesten Zeugnissen der dt. Literatur (→Merseburger Zaubersprüche).

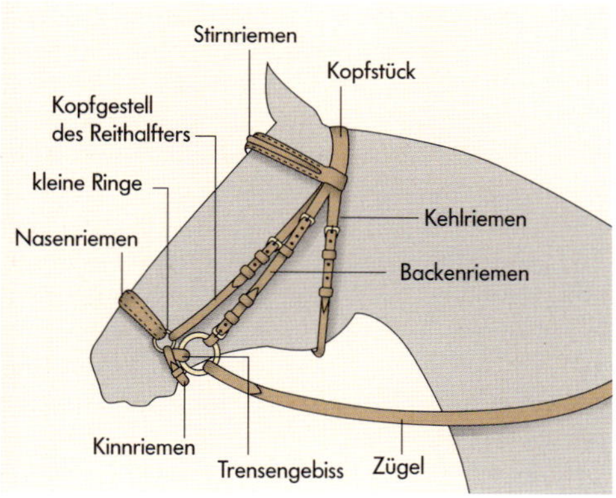

Zaum

Zauberwürfel (Rubik-Würfel), von Ernő Rubik (*1944) 1975 in Ungarn erfundenes Knobelspielzeug, das auch zum Training des räuml. Vorstellungsvermögens verwendet werden kann. Der Z. ist im Prinzip aus 27 (3×3×3) kleineren Würfeln zusammengesetzt. Seine sechs Flächen, die sich aus jeweils 3×3 Flächen der Teilwürfel aufbauen, lassen sich unabhängig um ihre Mittelpunkte drehen. Im Ausgangszustand hat jede der sechs Würfelflächen eine einheitl. Farbe, nach wenigen Drehungen sind die sechs Farben auf alle Flächen verteilt. Ziel des Z.-Spiels ist es, die Ausgangsstellung wieder herzustellen oder bestimmte Muster zu erzeugen. Die zwölf zweifarbigen Kantenwürfel und die acht dreifarbigen Eckwürfel können durch Drehbewegungen untereinander ausgetauscht werden. Es gibt über 43 Trillionen Farbkombinationen; Lösungsstrategien lassen sich aus den Prinzipien der Gruppentheorie mathematisch exakt ableiten. Es sind maximal 52 Drehungen erforderlich, um einen beliebig verdrehten Würfel in den geordneten Zustand zurückzuführen.

Zauche *die,* Landschaft zw. Havel und Fläming, südlich von Brandenburg/Havel und Potsdam, Grundmoränenplatte mit Kiefern-Traubeneichen-Wald, auch Obst- und Spargelanbau.

Zaum (Zaumzeug), zum Lenken und Zügeln von Reit- und Zugtieren (v.a. Pferde) an deren Kopf angebrachte Vorrichtung. Beim Pferd unterscheidet man das meist aus Lederriemen gefertigte **Kopfgestell (Halfter)** und die im Maul liegende **Trense.** Diese besteht aus einer zweigliedrigen Stahlstange mit Stahlringen an den äußeren Enden **(Trensengebiss)** zum Einschnallen in das Backenstück des Kopfgestells und zur Aufnahme der →Zügel. Das Trensengebiss liegt im zahnfreien Teil der Kiefer bzw. (bei männl. Tieren) über den Eckzähnen. Durch Zug an einem der Zügel wird die gewünschte Fortbewegungsrichtung angegeben. Mit der über dem Trensengebiss liegenden Gebissstange, der **Kandare,** wird auf den Unterkiefer eine starke Hebelwirkung ausgeübt, die ein schärferes Zügeln des Tieres ermöglicht.

Zauner, Franz Anton Edler von (seit 1807), Bildhauer, *Unterfalpetan (Tirol) 5. 7. 1746, †Wien 3. 3. 1822; arbeitete in seiner Frühzeit noch in der Tradition von G. R. Donner (Brunnen im Ehrenhof von Schloss Schönbrunn, 1775 ff.), nach einem Aufenthalt in Rom (1776–81) in frühklassizist. Stil (Reiterdenkmal Josephs II. in Wien, 1795 bis 1806).

Zaunkönige (Troglodytidae), Familie der Singvögel in Amerika und Eurasien mit rundl. Flügeln, kurzem Schwanz und brauner Querbänderung in Schwanz und Schwingen. Der unter Naturschutz stehende heim. **Z.** (Troglodytes troglodytes) ist 9,5 cm lang und 8 g schwer; das Männchen baut, meist unter überhängenden Wurzeln, mehrere Moosnester mit seitl. Eingang.

Zaunrübe (Bryonia), Gattung der Kürbisgewächse, in Europa, im Mittelmeergebiet und in W-Asien; einheimisch sind die **Rotbeerige Z. (Gichtrübe, Teufelsrübe,** Bryonia dioica) an Wegrändern und Hecken mit rankenden 2–3 m langen Sprossen, gelblich grünen Blüten und scharlachroten, giftigen Beerenfrüchten und die an Wegrändern vorkommende **Weiße Z.** (Bryonia alba), eine bis 3 m hohe Kletterpflanze mit grünlich weißen Blüten und schwarzen, giftigen Beerenfrüchten.

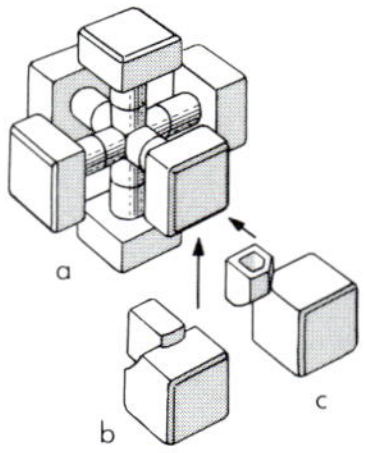

Zauberwürfel in Drehposition; darunter a zentraler Stern mit sechs Zentrumswürfeln, b Kantenwürfel, c Eckwürfel

Zaunkönige: Der heimische Zaunkönig (Größe 9,5 cm) steht unter Naturschutz

Zaunrübe: Rotbeerige Zaunrübe (Höhe 2-3 m)

Zavattini [dz-], Cesare, italien. Schriftsteller, *Luzzara (Prov. Reggio nell'Emilia) 20. 9. 1902, †Rom 13. 10. 1989; Journalist; sozial engagierter Erzähler und Verfasser von neorealist. Drehbüchern, v.a. für V. De Sica, u.a. »Fahrraddiebe« (1948), »Das Wunder von Mailand« (1950).

ZAW, Abk. für →**Z**entral**a**usschuss der **W**erbewirtschaft e.V.

Zebras: Das Grévy-Zebra lebt in den Savannen Äthiopiens und Ostafrikas

Zawiercie [za'vjɛrtɕɛ], Stadt in der Wwschaft Katowice (Kattowitz), Polen, 56100 Ew.; Eisen- und Stahlerzeugung, Metallverarbeitung, Maschinenbau, chem., Nahrungsmittel- u.a. Industrie.

Zawinul, Josef (Joe), österr. Jazzpianist und Komponist, *Wien 7. 7. 1932; lebt seit 1959 in den USA, spielte u.a. mit J. Adderley, M. Davis und F. Gulda; gründete 1970 mit W. Shorter und M. Vitous die Jazz-Rock-Band »Weather Report«. Seine Kompositionen »Mercy, Mercy, Mercy« und »Birdland« wurden Welthits.

Zebras

Warum sind Zebras gestreift?

Ihr auffälliges Streifenmuster dient als Tarnung. Wenn Zebras, die in Herden leben, dicht beisammen stehen oder laufen, ist es infolge der optisch verwirrenden Schraffierung schwer, die Umrisse eines einzelnen Tieres auszumachen. So können Raubtiere in der Herde kein bestimmtes Einzelopfer anvisieren. Vor ihren Augen irisiert eine Unzahl schwarzweißer Streifen.

Zchinwali [tsxin-] (1934–61 Staliniri), Hptst. von Südossetien, innerhalb Georgiens, am Fuß des Großen Kaukasus, 34000 Ew.; pädagog. und landwirtsch. Fachhochschule; Maschinenbau, elektrotechn., Holz-, Nahrungsmittelindustrie.

ZDF, Abk. für →**Z**weites **D**eutsches **F**ernsehen.

Z-Diode (früher Zener-Diode) [nach dem amerikan. Physiker C. M. Zener, *1905], eine Halbleiterdiode (gewöhnlich ein Silicium-Einkristall mit pn-Übergang), die in Sperrrichtung bei Überschreiten einer bestimmten Spannung einen auf dem →Zener-Effekt beruhenden sehr starken Stromanstieg **(Zener-Durchbruch)** zeigt; v.a. in Regelstrecken und zur Konstanthaltung von Gleichspannungen (Referenzdiode) verwendet.

Zeatin [grch.] *das,* Pflanzenhormon (Wuchsstoff) aus unreifen Maiskörnern, das die Zellteilung fördert.

Zeaxanthin [grch.] *das,* orangegelber Naturfarbstoff der Xanthophyll-Gruppe, in vielen Blüten und Früchten, in Algen, Pilzen und Bakterien, in Federn und Eidottern von Vögeln.

Zebaoth [hebr. »Heerscharen«], alttestamentl. Erweiterung des Gottesnamens; als **Jahwe Z.,** »Herr der (ird. und himml.) Heerscharen«, wohl Beschreibung der Allmacht Gottes.

Zebra, 1965 in Hamburg gegr. Künstlervereinigung der Maler D. Ullrich, D. Asmus, P. Nagel und N. Störtenbecker. Ihre Bilder und Grafiken stehen in der Tradition der Neuen Sachlichkeit und sind ein eigenständiger Beitrag zum Realismus der 1960er-Jahre; 1977 Neukonstituierung: N. Störtenbecker trat aus, die Bildhauer Christa (*1940) und Karlheinz (*1934) Biederbeck und Harro Jacobs (*1939) kamen hinzu.

Zebrano [portugies.] *das,* Holz verschiedener Hülsenfrüchtler aus dem westafrikan. Regenwaldgebiet, mit braunen Streifen auf cremefarbenem Grund; Verwendung für Kunsttischlerei.

Zebras [span.] (Tigerpferde), Gruppe wild lebender, auf weißl. bis hellbraunem Grund dunkel bis schwarz quer gestreifter Pferde in Savannen Afrikas südlich der Sahara; meist in großen Herden lebende Unpaarhufer mit aufrecht stehender Nackenmähne. Heute lebende Arten sind das **Berg-Z.** (Equus zebra), in Bergländern des südl. Afrika, 1,2–1,3 m schulterhoch, mit relativ breiten Streifen; das **Grévy-Z.** (Equus grevyi), in Savannen Äthiopiens und O-Afrikas, 1,4–1,6 m Schulterhöhe, sehr dichte Streifung und auffallend große Ohren; Bestände stark zurückgegangen; außerdem das **Steppen-Z.** **(Pferde-Z.,** Equus quagga), ebenso groß wie das Berg-Z.; Unterart u.a. das **Chapman-Z.** (Equus quagga antiquorum) in S- und SW-Afrika. Das zu Beginn des 19. Jh. im westl. Afrika noch in großen Herden lebende **Quagga** (Equus quagga quagga) wurde 1878 ausgerottet.

Zebroid [zu Zebra] *das,* Kreuzung aus Zebra und Pferd sowie aus Zebra und Esel.

Zebu [frz.] *der* oder *das* (Buckelrind, Bos indicus), Hausrind Indiens und angrenzender Länder sowie O-Afrikas **(Sanga)** mit großen Hautfalten und buckelförmigem Fetthöcker über den Schultern; sehr früh in S-Asien domestizierte Form des

Auerochsen; gute Arbeitstiere mit geringer Milchleistung. Bild S. 360

Zech, Paul, Schriftsteller, *Briesen (Westpr.) 19. 2. 1881, †Buenos Aires 7. 9. 1946; 1934 Emigration nach Südamerika; expressionist. Lyriker (»Das schwarze Revier«, 1913), Dramatiker und Erzähler von sozialrevolutionärem und religiösem Pathos; bed. Übersetzer aus dem Französischen, u. a. F. Villon, A. Rimbaud, E. Verhaeren; schrieb den Roman »Deutschland, dein Tänzer ist der Tod« (hg. 1980).

Zeche, 1) *allg.:* Wirtshausrechnung.

2) *Bergbau:* Bergwerk, Grube, mit Namenszusatz eine bestimmte Grube, z.B. »Z. Morgenstern«.

Paul Zech: Federzeichnung von Ludwig Meidner (1913)

Zechlin, Ruth, Komponistin, *Großhartmannsdorf (bei Freiberg) 22. 6. 1926; lehrte 1950–86 an der Musikhochschule Berlin (Ost); schrieb u.a. Klavier- und Kammermusik, Sinfonien, Solokonzerte, Orchesterstücke, Vokalwerke, Opern (»Reineke Fuchs«, 1968; »Die Salamandrin und die Bildsäule«, 1989); auch Cembalistin.

Zechprellerei, Inanspruchnahme einer Leistung in einer Gaststätte oder einem Hotel durch jemanden, der weiß, dass er die Leistung nicht bezahlen kann; als Betrug nach §263 StGB strafbar. – In *Österreich* gilt Entsprechendes (§146 StGB), das *schweizer.* StGB enthält in Art. 150 Z. als besonderes Delikt.

Zechstein, die obere Abteilung des Perm in Mitteleuropa, aus Flachsee- (Kalkstein, Dolomit, Tonstein) und Eindampfungssedimenten (Gips, Anhydrit und bes. Stein- und Kalisalz) bestehend.

Zecken (Ixodidae), weltweit verbreitete Familie flacher, derbhäutiger Milben; an Warmblütern und Reptilien Blut saugende Ektoparasiten, deren Hinterleib beim Saugen stark anschwillt. Eine bekannte Art ist der →Holzbock. Z. haben eine große Bedeutung als Krankheitsüberträger beim Menschen, bei Säugetieren (v.a. Rinder, Schafe) und Vögeln. Die Übertragung erfolgt meist durch den Stich der Z., seltener durch Z.-Kot. Durch Z. werden z.B. Z.-Enzephalitis, Q-Fieber oder Lyme-Borreliose verursacht. Bei Haustieren übertragen Z. Erreger von Piroplasmosen (→Piroplasmen), z.B. des →Texasfiebers.

Zecken|enzephalitis, durch Zecken übertragene virusbedingte Gehirnentzündung; tritt saisonal gehäuft auf; in Europa (v.a. in Österreich, S-Europa, S-Dtl. und S-Schweden) ist die Frühsommermeningoenzephalitis (Abk. FSME) am bekanntesten. Erreger ist das FSME-Virus (ein Flavivirus aus der Familie der Togaviridae). Die Inkubationszeit beträgt sieben bis zehn Tage. Neben grippeähnl. Symptomen und zweiphasigem fieberhaftem Verlauf kommt es zur Beteiligung des Zentralnervensystems. – Für die *Prophylaxe* steht seit 1976 ein Impfstoff zur Verfügung.

Ruth Zechlin

Zedenbal (Tsedenbal), Jumdschagin (Jumshagin), mongol. Politiker, *Aimak Ubsa Nur 17. 9. 1916, †Moskau 21. 4. 1991; 1940–54 und 1958–84 Gen.-Sekr. bzw. Erster Sekr. des ZK der Mongol. Revolutionären Volkspartei (MRVP); 1952–74 Vors. des Ministerrats (MinPräs.) und 1974–84 Vors. des Präsidiums des Großen Volkschurals (Staatsoberhaupt); führte nach dem Tod C. Tschoibalsans die enge gesellschaftl. Ausrichtung des Landes an der Sowjetunion weiter; lebte nach seiner Entmachtung 1984 in der UdSSR; 1990 aus der MRVP ausgeschlossen.

Zedent [lat.] *der, Recht:* →Forderungsübergang.

Zeder [grch.-lat.] *die* (Cedrus), Gattung der Kieferngewächse mit vier Arten in den Gebirgen N-Afrikas und Vorderasiens; hohe, immergrüne Bäume mit unregelmäßig ausgebreiteter Krone und dunkelgrauer, an jungen Bäumen glatter, an älteren Bäumen rissig-schuppiger Borke; Nadeln an Langtrieben spiralig angeordnet, an Kurztrieben in dichten Büscheln, steif; Zapfen aufrecht, eiförmig bis zylindrisch, bei der Reife zerfallend.

Zebra: Peter Nagel, »Strand« (1972; Privatbesitz)

Zeder: Zweig der Atlaszeder

Bed. sind u.a.: **Atlas-Z.** (Cedrus atlantica), bis 40 m hoch, in den Gebirgen N-Afrikas; **Himalaja-Z.** (Cedrus deodara), bis 50 m hoch, im Himalaja; **Libanon-Z.** (**Echte Z.,** Cedrus libani), bis 40 m hoch, im östl. Kleinasien und im Libanon; **Zypern-Z.** (Cedrus brevifolia), ähnlich der Libanon-Z., auf Zypern. – **Z.-Holz** stammt meist von der Atlas- und Himalaja-Z., die ein leichtes, hellbraunes, stark aromat., witterungsfestes Holz liefern; für Innenausstattungen, Möbel und im Bootsbau.

Zedrach [arab.] *der* (Melia), Gattung der Z.-Gewächse (Meliaceae) im trop. Afrika, in S-Asien, Japan, Polynesien. Der **Chines. Holunder** (Melia azedarach) mit zierl. Laub und Rispen violetter Blüten ist Zier- und Alleebaum in den Subtropen.

Zedrele [grch. »Zeder«] *die,* mehrere Gattungen der Zedrachgewächse, so **Cedrela** mit der mittel- und südamerikan. Art **Cedrela odorata** mit weichem, leichtem, duftendem, termitensicherem Holz sowie **Toona** mit der Art **Fiebertuna** (Toona febrifuga) Hinterindiens und Indonesiens, die das Fieber- und Ruhrmittel **ostind. Chinarinde (Zedrelarinde)** liefert, und der Art **Toona ciliata (Rotholz, Ostind. Mahagoni)** Indiens und Indonesiens, deren Holz für Möbel- und Bootsbau, Tee-, Tabak- und Zigarrenkisten verwendet wird.

Franco Zeffirelli

Zeebrugge ['ze:bryxə] (dt. Seebrügge), Seebad und Vorhafen von Brügge, Belgien; Fischereihafen, Fährverkehr nach England.

Zeeland ['ze:-], niederländ. Prov., →Seeland.

Zeeland ['ze:-], Paul van, belgischer Politiker (Christdemokrat), *Soignies (Prov. Hennegau) 11. 11. 1893, †Brüssel 22. 9. 1973; 1935–37 MinPräs., 1935–36 zugleich Außenmin.; ging nach der dt. Besetzung Belgiens 1940 nach Großbritannien. 1949–54 erneut Außenmin., förderte die europ. Einigungsbestrebungen.

Paul van Zeeland

Zeeman ['ze:-], Pieter, niederländ. Physiker, *Zonnemaire (bei Zierikzee, Prov. Seeland) 25. 5. 1865, †Amsterdam 9. 10. 1943; untersuchte die Aufspaltung der Spektrallinien im Magnetfeld **(Z.-Effekt);** erhielt 1902 mit H. A. Lorentz den Nobelpreis für Physik.

Pieter Zeeman

Zeeman-Effekt ['ze:-; nach P. Zeeman], die Verschiebung und Aufspaltung der Energieniveaus von Atomen in einem äußeren homogenen Magnetfeld, die zu einer Wellenlängenverschiebung und Aufspaltung der Spektrallinien führt. Einfache Linien (Singuletts) spalten sich bei Beobachtung in Richtung des Magnetfelds **(longitudinaler Z.-E.)** in zwei entgegengesetzt zirkular polarisierte Linien auf, bei Beobachtung senkrecht dazu **(transversaler Z.-E.)** in drei Linien, von denen die mittlere (unverschobene) in Feldrichtung, die äußeren senkrecht dazu linear polarisiert sind **(normaler Z.-E.).** Multipletts zeigen eine komplizierte Aufspaltung in viele Linien **(anomaler Z.-E.).**

Zeffirelli [dze-], Franco, italien. Regisseur und Bühnenbildner, *Florenz 12. 2. 1923; bes. Opern- und Shakespeare-Inszenierungen, auch Filme (z.B. die Opernfilme »La Traviata«, 1983, und »Otello«, 1986, sowie die Shakespeare-Verfilmung von »Hamlet«, 1991).

Zehdenick, Stadt im Landkr. Oberhavel, Brandenburg, an der Havel, 10 900 Ew.; Ziegel-, Bekleidungs-, Möbel- u.a. Industrie. – Stadtkirche (urspr. 13. Jh., 1805–12), ehem. Zisterzienserinnenkloster (um 1250 gegr.), Schloss (18. Jh.).

Zehen (Digiti), die (meist fünf) Endabschnitte der Füße an den hinteren Gliedmaßen der vierfüßigen Wirbeltiere; beim Menschen besteht ihr Skelett aus zwei **(große Zehe)** bzw. je drei (2.–5. Zehe) kurzen Knochen **(Phalangen).** →Finger

Zehengänger (Digitigrada), Säugetiere, die im Unterschied zu den Sohlengängern beim Laufen den Boden mit den Zehen berühren, z.B. Hund, Katze.

Zehlendorf, Bezirk im SW von Berlin.

Zehnbambushalle, die bekannteste der frühen chines. mehrfarbigen Holzschnittserien mit Wiedergaben von Gemälden versch. Meister und Kalligraphien beigefügter Gedichte auf Querformat, zusammengestellt und herausgegeben in Nanking von Hu Zhengyan (*um 1582, †1672). Die 1. Auflage erschien 1622/33, die 1. Gesamtausgabe 1643. Um 1645 gab Hu Zhengyan in schmalem Hochformat eine »Sammlung von verziertem Briefpapier aus der Z.« heraus. Es folgten versch. Nachschnitte bis in die Gegenwart. Die Z. war wie der →Senfkorngarten als Lehrbuch für Malerei konzipiert.

Zebu: Das Hausrind Indiens hat einen auffallenden buckelförmigen Fetthöcker über den Schultern

Zehnergruppe (Zehnerklub), im Rahmen des Internat. Währungsfonds (IWF) 1962 gegr. Gremium von zehn westl. Ind.staaten (USA, Dtl., Frankreich, Großbritannien, Italien, Japan, Kanada, Niederlande, Belgien, Schweden) zur gegen-

Zehnbambushalle: Der Farbholzschnitt stammt aus der 1. Hälfte des 17. Jahrhunderts

seitigen Unterstützung bei Zahlungsbilanzproblemen; seit 1984 ist auch die Schweiz Vollmitglied. Über die Allg. Kreditvereinbarungen (AKW) und die Sonderziehungsrechte (SZR) werden den Mitgl.ländern des IWF bei Bedarf Kredite zur Verfügung gestellt, um den Ausgleich der Zahlungsbilanzen zu erleichtern und die internat. Währungsordnung zu stabilisieren.

Zehn Gebote (Dekalog, Gesetzestafeln), *A. T.:* die Moses auf dem Berg Sinai offenbarten und von Gott auf zwei Steintafeln (Gesetzestafeln) übergebenen Gebote (2. Mose 20, 2–17; 5. Mose 5, 6–21); sie wurden zur Grundlage der altisraelit. Rechtsordnung und gelten im Judentum als Herzstück der Thora.

Zehnkampf, an zwei Tagen ausgetragener leichtathletischer Mehrkampf für Herren: 1. Tag: 100-m-Lauf, Weitsprung, Kugelstoßen, Hochsprung, 400-m-Lauf; 2. Tag: 110-m-Hürdenlauf, Diskuswerfen, Stabhochsprung, Speerwerfen, 1500-m-Lauf; Punktwertung.

Zehnt (Dezem), *Rechtsgeschichte:* seit dem 9. Jh. die meist jährlich wiederkehrende Abgabe eines Teils (meist weniger als der 10. Teil) der Erträge eines Grundstücks **(Feld-Z.)** oder von Tieren und Tiererzeugnissen **(Blut-Z., Fleisch-Z., Vieh-Z.)** an Grund- und Landesherren. Das weltl. Z.-Recht entstand aus dem **Laien-** und **Kirchen-Z.,** der seit dem 6. Jh. von der Kirche allen Gläubigen abverlangt wurde. Im 19. Jh. (preuß. Ablösungs-Ges. von 1850) wurden die Z. aufgehoben oder für ablösbar erklärt.

Zẹhrer, Hans, Publizist, *Berlin 22. 6. 1899, †Berlin (West) 23. 8. 1966; Redakteur der »Vossischen Zeitung«, Herausgeber der »Tat« (1929–33), der »Tägl. Rundschau« (1932–33), Chefredakteur des »Sonntagsblatts« (1948–53), danach der »Welt«.

Zehrfuss [zer'fys], Bernard-Louis, frz. Architekt, *Angers 20. 10. 1911, †Neuilly-sur-Seine 3. 7. 1996; Vertreter des Rationalismus. Sein Frühwerk stand unter dem Einfluss von A. Perret und Le Corbusier. Als »Architecte en Chef des Bâtiments Civils et Palais Nationaux« prägte er die Entwicklung der offiziellen frz. Architektur.

Werke: UNESCO-Gebäude, Paris (1952–58, mit M. Breuer und P. L. Nervi, 1977 Erweiterungsbau); Centre National des Industries et Techniques (CNIT), ebd. (1956–58, mit R. Camelot, J. de Mailly und J. Prouvé); Musée de la Civilisation Gallo-Romaine in Lyon (1975).

Zehrgebiet, →Gletscher.

Zeichen, 1) *allg.:* jede sinnlich wahrnehmbare Gegebenheit (Gegenstand, Erscheinung, Vorgang, Handlung), die mit einem bestimmten, vereinbarten Bedeutungs- bzw. Informationsinhalt als Signal (z. B. Verkehrs-Z.) oder Symbol (z. B. astronom. Z.) auftritt oder eine andere Gegebenheit (z. B. Phonem, physikal. Größe, mathemat. Variable, techn. Objekt) repräsentiert bzw. diese bezeichnet oder darstellt (z. B. Schrift-Z., Formel-Z., mathemat. Z. oder Schalt-Z.). Vgl. ÜBERSICHTEN astronomische Zeichen, mathematische Zeichen, Vorsätze (Vorsatzzeichen).

2) *Datenverarbeitung:* Element aus einer zur Darstellung von Informationen vereinbarten endlichen Menge (Zeichenvorrat).

3) *Genealogie:* (genealogische Z.) internat. Z. für genealog. Angaben: * = geboren, ~ = getauft, o = verlobt, ⚭ (oder x) = verheiratet, ⚮ = geschieden, † = gestorben, ⚔ = gefallen, †⚔ = an Wunden gestorben, ▭ = begraben.

4) *Philosophie, Sprachwiss.:* eine Lautfolge (oder Buchstabenfolge), die für etwas anderes steht, d. h., die Bedeutungsträger ist. Die auf Aristoteles zurückgehende traditionelle Z.-Theorie betrachtet die Wörter als Z. für Begriffe und Vorstellungen im Bewusstsein und diese wiederum als Abbildungen der Dinge der Wirklichkeit. Die strukturalist. Z.-Theorie F. de Saussures fasst das sprachl. Z. auf als eine willkürl., aber in der →Langue (Sprachsystem) konventionell festgelegte assoziative Beziehung zw. einem Lautbild und einer Vorstellung. Die semiot. Z.-Theorie von C. W. Morris unterscheidet drei Dimensionen: **Syntax** (Beziehung eines Z. zu anderen Z.), **Semantik** (Beziehung eines Z. zu dem, wofür es steht) und **Pragmatik** (Beziehung eines Z. zu seinen Benutzern). Im Anschluss an die Sprachphilosophie L. Wittgensteins wird das sprachl. Z. als Muster oder Regel für den Vollzug von Sprechhandlungen betrachtet.

Zeichenerkennung, *Datenverarbeitung:* die Zuordnung der vom **Zeichenleser** (Klarschriftleser, Lesegerät) gelesenen Zeichen (Buchstaben, Ziffern, Sonderzeichen) zu einem der Maschine eingegebenen Zeichenvorrat. Je nach Form der vorliegenden Zeichen ergibt sich ein wachsender Schwierigkeitsgrad bei der Zeichenerkennung. Im einfachsten Fall sind maschinell leicht lesbare Codezeichen beigefügt oder eingearbeitet. Schwieriger ist die Z. bei uncodierten Zeichen oder versch. Druckschriften. Bes. aufwendig ist die Erkennung handschriftl. Zeichen in Block- oder reiner Handschrift. Je nach Art der Abtastung des Codes oder der Zeichenform unterscheidet man opt. (OCR, Abk. für optical character recognition) und magnet. Zeichenleser. Sie werden v.a. als **Belegleser** unterschiedlichster Art in Banken und Betrieben in Verbindung mit Computern verwendet. Wegen leichter Lesbarkeit mit optisch abtastenden Lesegeräten hat der →Strichcode besondere Bedeutung erlangt.

Zeichengeld, Geld, das den aufgedruckten oder aufgeprägten Wert nur repräsentiert (z.B. Papiergeld).

Zeichenmaschine, Gerät für das techn. Zeichnen, das auf einem Gestell über einem großen Reißbrett (Zeichenbrett) um seine waagerechte Mittelachse drehbar gelagert ist. Mithilfe einer Parallelogrammführung können über die ganze Fläche des Brettes zwei senkrecht zueinander stehende Lineale mit Maßteilung parallel verschoben werden, die drehbar um einen Zeichenkopf mit Winkelteilung einstellbar sind.

Zeichenrolle, das öffentl., beim Dt. Patentamt in München geführte Warenzeichenregister, seit 1. 1. 1995 **Markenregister** genannt. (→Marken)

Zeichenschutz, rechtl. Schutz von →Marken gegen missbräuchl. Verwendung.

Zeichensetzung, geregelte Anwendung von →Satzzeichen (ÜBERSICHT).

Zeichensprache, System der Verständigung mit Zeichen, die nicht Symbole der für die Informationsübermittlung übl. (gesprochenen bzw. geschriebenen) Sprachen sind, z.B. die →Gebärdensprache.

Zeichenunterricht (Zeichnen), wichtiger Bestandteil der Kunstpädagogik an allen Ausbildungsstätten für bildende Künste; an den allgemein bildenden Schulen seit dem 19. Jh. als Zeichnen nach Vorlagen gepflegt, zu Beginn des 20. Jh. zum Fach Kunsterziehung ausgebaut.

Zeichnung, 1) *Bankwesen:* schriftl. Verpflichtung zur Übernahme eines bestimmten Betrages neu ausgegebener, zum Kauf angebotener Wertpapiere. (→Zeichnungsbedingungen)

2) *Kunst:* die Gestaltung in der Fläche, die (im Ggs. zur Malerei) v.a. an die Linie gebunden ist. Als Zeichenfläche dient meist Papier, aber auch Pergament, Holz, Leinwand, Leder, Stein, Keramik und Seide. Bis zum Aufkommen von getöntem Papier im 16. Jh. wurde weißes Papier häufig grundiert. Je nach Verwendung des Zeichenmittels unterscheidet man Bleistift-, Silberstift-, Filzstift-, Kugelschreiber-, Kohle-, Kreide-, Rötel-, Feder-, Pinsel- und Pastell-Z.; bei den beiden letzten Techniken sind die Grenzen zur Malerei fließend. Die Z. ist als Planstufe (Skizze, Studie, Entwurfs-Z., Vor-Z., Karton) zu Werken anderer Gattungen (Gemälde, Skulptur, Architektur) gebräuchlich, hat in der Kunst der Neuzeit aber auch eigenständigen Wert **(Hand-, Künstlerzeichnung).**

Die Z. ist die älteste Kunstübung überhaupt. Gezeichnete und geritzte Darstellungen (z.B. Fels- und Höhlen-Z.), meist mit mag. Bedeutung, waren seit der Altsteinzeit Vorstufen der Malerei. Hauptwerke antiker Zeichenkunst sind die grch. Vasenmalereien, die Pinsel- und Ritz-Z. zugleich sind (→Vase). Neue Aufgaben bot seit der Spätantike die Buchillustration (Feder-Z. des →Utrechtpsalters). Von den Zeichenbüchern der Künstler des MA. ist das des →Villard de Honnecourt erhalten. Die Entwurfs-Z. (Riss) verwendeten bis ins späte MA. nur die Baumeister und Glasmaler. Mit der italien. Frührenaissance wird die Z. als Studie (nach der Natur, bes. Pisanello) und Entwurf (Skizze oder ausführl. Z. für ein Werk) bedeutsam. In Dtl., wo sich die Z. in spätgot. Zeit in enger Verbindung mit der Druckgrafik entwickelte (M. Schongauer, Hausbuchmeister), erreichte sie ihre höchste Vollendung mit A. Dürer und H. Holbein d. J., in der italien. Hochrenaissance mit Leonardo, Raffael und Michelangelo. Die Barockkünstler gaben der **maler. Z.** (mit weichen Stiften und dickerem Pinsel) schon etwas von der Wirkung des gemalten Bildes. Daraus ergab sich (bes. bei Rembrandt) ein Eigenwert der Z., die nun als selbstständiges Kunstwerk geschätzt wurde. Zu hervorragender Plastizität gelangte P. P. Rubens.

Im ausgehenden 18. Jh. entstanden für die weitere Entwicklung so wichtige und zugleich unterschiedl. Beiträge wie die von F. de Goya, J. H. Füssli, W. Blake, J. Flaxman. Den Klassizismus repräsentieren in Frankreich J. L. David und J. A. D. Ingres, die dt. Romantik P. O. Runge und C. D. Friedrich. Die frz. Entwicklung in nachnapoleon. Zeit wird bestimmt durch T. Géricault und E. Delacroix. Die aus der engl. Kunst übernommene Karikatur findet ihren Höhepunkt im Schaffen von H. Daumier. Die größte Begabung unter den dt. Zeichnern um die Mitte des 19. Jh. ist A. von Menzel, nicht zuletzt durch seine Buchillustrationen. Gleichzeitig beginnt die Entwicklung der Bildergeschichten (R. Toepffer, W. Busch), die zu den →Comics führten. Ausgeprägte individuelle Leistungen der Folgezeit finden sich bei A. Feuerbach, H. von Marées, W. Leibl, M. Klinger, Käthe Kollwitz, nach der Jahrhundertwende bei M. Liebermann, L. Corinth und M. Slevogt. Bei den frz. Impressionisten ist bes. E. Dégas zu nennen.

Nach 1880 kann der Beginn der modernen Z. mit G. Seurat, V. van Gogh, H. de Toulouse-Lautrec und P. Cézanne angesetzt werden. Hier nimmt die Autonomie der Z. über die Eigenschaft als Studie oder Skizze hinaus spürbar zu. Bed. Zeichner späterer Zeit sind: E. L. Kirchner, M. Beckmann, M. Ernst, W. Kandinsky, P. Picasso, F. Marc, G. Grosz, O. Dix, P. Klee, D. Hockney. Die Z. steht heute gleichwertig neben den anderen Kunstgattungen.

📖 Loock, F.: *Gestaltungslehren. Grundlagen, Funktionen. Passau 1993.* – Koschatzky, W.: *Die Kunst der Z. Technik, Geschichte, Meisterwerke. Sonderausg. Köln 1994.*

Zeichnungsbedingungen, *Bankwesen:* Modalitäten einer Wertpapieremission, die in einem Prospekt und per Zeichnungseinladung eines Bankenkonsortiums bekannt gegeben werden. Wesentl. Komponenten sind bei Anleihen: Zeichnungsfrist, Anleihekonditionen (Stückelung, Laufzeit, Verzinsung, Tilgung, Emissions- und Rückzahlungskurs), Verwendungszweck, wirtsch. Lage des Emittenten; bei Aktien: Zeichnungsfrist, Emissionsvolumen, Bezugskurs und Bezugsverhältnis.

Zeigerdiagramm, *Elektrotechnik:* Darstellung sinusförmiger Wechselgrößen (Spannung, Stromstärke) als Zeiger in einem Diagramm, wobei der Betrag der entsprechenden Größe durch die Länge des Zeigers dargestellt wird.

Carl Zeiss (um 1887)

Zeigerpflanzen (bodenzeigende Pflanzen), Arten, aus deren Vorkommen auf Bodeneigenschaften wie sauer, basisch, kalkhaltig, silicatreich oder auf Gehalte an bestimmten Erzen wie Uran, Zink, Blei geschlossen werden kann. Bestimmte Pflanzengesellschaften lassen Rückschlüsse auf die Bodeneigenschaften des Standortes zu. Man unterscheidet: **Kalkzeiger** (z.B. Ackersenf, Küchenschelle, Silberdistel), **Säurezeiger** (z.B. Heidelbeere, Kleiner Sauerampfer), **Ton-** und **Lehmzeiger** (**Verdichtungszeiger,** z.B. Ackerwinde, Huflattich), **Rohhumuszeiger** (z.B. Heidekraut, Moosbeere), **Feuchtigkeitszeiger** (z.B. Sumpfdotterblume, Wiesenschaumkraut) und **Sandzeiger** (z.B. Besenginster, Heidenelke, Stechginster).

Zeisige: Erlenzeisig

Zeilensprungverfahren, *Fernsehtechnik:* ein Übertragungs- und Wiedergabeverfahren zur Verminderung des Flimmerns dadurch, dass ein Bild zeilenmäßig in zwei Halbbilder zerlegt wird, die nacheinander übertragen werden: zuerst alle ungeradzahligen Zeilen (1, 3, 5...), dann alle geradzahligen (2, 4, 6...), sodass zwei ineinander geschachtelte Zeilenraster entstehen.

Zeiller, Franz Anton Felix Edler von (seit 1797), österr. Jurist, *Graz 14. 1. 1751, † Hietzing (heute zu Wien) 23. 8. 1828; seit 1797 Mitglied der österr. Gesetzgebungskommission; Mitschöpfer des → Allgemeinen Bürgerlichen Gesetzbuches.

Zein [grch. zéa »Mais«] *das,* Protein des Maiskorns, bestehend aus 23% Glutaminsäure, 19% L-Leucin, 9% L-Prolin und 9% L-Alanin.

Zeisige, zusammenfassende Bez. für mehrere Arten (aus unterschiedl. Gattungen) der Finkenvögel in Eurasien sowie in Nord- und Südamerika; kleine, häufig in Schwärmen umherziehende Singvögel, von denen in Mitteleuropa neben dem **Birken-Z.** (Acanthis flammea), 13 cm lang, oberseits bräunlich, mit roter Kopfplatte, v.a. der **Erlen-Z.** (Z. i.e.S., Carduelis spinus) vorkommt: 11 cm lang; Männchen oberseits vorwiegend grünlich mit schwarzem Scheitel, unterseits gelb und weiß, mit schwarzem Kehlfleck.

Zeiss, Carl, Mechaniker und Unternehmer, *Weimar 11. 9. 1816, † Jena 3. 12. 1888; gründete 1846 in Jena die feinmechanisch-opt. Werkstätte (→ Zeiss-Werke) und zus. mit E. Abbe und O. Schott das Jenaer Glaswerk Schott & Gen.

Zeiss-Stiftung, → Carl-Zeiss-Stiftung.

Zeiss-Werke (Carl Zeiss Jena), Unternehmen der feinmechanisch-opt. Industrie in der ehem. DDR mit Stammbetrieb in Jena. Die Z.-W. wurden 1846 von C. Zeiss als feinmechan. Werkstatt in Jena gegründet. Durch E. Abbe (Eintritt in die Z.-W. 1867; Mitinhaber) wurden die Konstruktionsdaten für Mikroskopoptik wissenschaftlich fundiert und damit die Grundlage für den Bau auch anderer opt. Geräte geschaffen, die, mit dem opt. Glas von O. Schott ausgerüstet, den Weltruf der Z.-W. begründeten. Nach dem Tode von C. Zeiss wählte E. Abbe 1889 eine Stiftung (→Carl-Zeiss-Stiftung) als neue Organisationsform, um den Mitarbeitern ein hohes Maß an sozialer Sicherheit zu gewährleisten. 1948 wurden die in der SBZ befindl. Vermögenswerte entschädigungslos enteignet und die Z.-W. als VEB weitergeführt; seit 1990 GmbH. Im Zuge der Privatisierung wurden die Z.-W. 1991 in drei Unternehmen aufgegliedert: die **Carl Zeiss Jena GmbH** (51% der Anteile bei Carl Zeiss Oberkochen, 49% beim Land Thüringen), die **Jenoptik GmbH** (zu 100% dem Land Thüringen übereignet) und die **Jenaer Glaswerke GmbH** (51% der Anteile bei Schott Glaswerke, Mainz, 49% beim Land Thüringen).

Zeist [zɛjst], Gemeinde in der niederländ. Provinz Utrecht, 59100 Ew.; Metallverarbeitung, Aluminiumgießerei, Herstellung von Orgelpfeifen und Bestecken. – Zentrum der niederländ. Herrnhuter Brüdergemeine.

Zeit, das Nacheinander der Dinge, die Abfolge der Geschehnisse, erfahrbar als nicht umkehrbare Aufeinanderfolge sowie Dauer von Veränderungen und Ereignissen in Natur und Geschichte. Je nach wiss. (philosoph.) Anschauung wird Z. als endl. oder unendl. homogenes, teilbares Kontinuum angesehen, die unter bestimmten Gesichtspunkten und Zwecksetzungen eingeteilte Z. als Ordnungsschema. Unterschieden wird das →Zeiterleben (Z.-Bewusstsein) von der physikal. Z. und der Z.-Ordnung als geschichtl. Z.-Einteilung. In Letzterer sucht die →Chronologie, die histor. (→Kalender), die vorgeschichtl., die geolog. (→geologische Systeme) und schließlich auch die kosmolog. Z.-Räume und -Folgen abzugrenzen und zu bestimmen.

Zeit

In seinen »Confessiones« schreibt Augustinus:

»Und ich bekenne Dir, Herr, dass ich immer noch nicht weiß, was Zeit ist. Aber ich weiß, und auch das bekenne ich Dir, dass ich dies in der Zeit sage und schon lange über die Zeit rede, und dass auch dies ›lange‹ nur durch die Zeitdauer lang ist. Wie aber kann ich das wissen, wenn ich doch nicht weiß, was Zeit ist? Oder weiß ich vielleicht bloß nicht, wie ich das, was ich weiß, aussprechen soll? Weh mir Armem, dass ich nicht einmal weiß, was ich nicht weiß!«

In der *Philosophie* finden sich die ältesten Überlegungen zur Natur der Z. bei den Griechen, als Gegenüberstellung von dem unveränderl., ewigen Sein (Parmenides) und dem Werden, dem Wandel als Grundzug der Erscheinungen (Heraklit). Platon gab einen Hinweis, dass der Ursprung der Z. mit der Struktur des Kosmos zusammenhängt (in »Timaios«). Aristoteles erkannte die Abhängigkeit von Z. und Bewegung; Z. kann nicht von den Prozessen der Welt getrennt verstanden werden. Dagegen sah I. Kant (um 1800) in der Z. eine reine Anschauungsform, eine vor aller Erfahrung (a priori) liegende formale Bedingung aller Erscheinungen überhaupt. Das Verhältnis von objektiver und erlebter Z. wurde u.a. von E. Husserl und H. Bergson behandelt; Letzterer erklärte die erlebte Z. als urspr. und schöpferisch, die objektive Z. dagegen als Konstruktion des Verstandes unter dem Gesichtspunkt des Raumes.

Naturwiss. Zeitbegriff: Die Erforschung der objektiven Z. ist eng mit der Entwicklung der Astronomie, der modernen theoret. Physik und der Technik der Z.-Messung verbunden.

In der Physik ist die Z. eine nach allen Erfahrungen unbeeinflussbare, jedoch nach der →Relativitätstheorie vom Bewegungszustand eines zeitmessenden Beobachters abhängige Grundgröße; Formelzeichen *t*, SI-Einheit →Sekunde (s). In der klass. (nichtrelativist.) Physik wird die Z. nach I. Newton als **absolute Zeit** angesehen, die, unabhängig von der Materie und den materiellen Veränderungen, mit eindeutiger Kausalordnung (»Früher-später-Relation«) an allen Orten des Universums gleich abläuft **(Gleichzeitigkeit).** Sie wird präzisiert durch die Festlegung des Z.-Intervalls zw. Beginn und Ende eines beliebig oft reproduzierbaren, von der Art der Messung unabhängigen Experiments als Maßeinheit der Z.-Dauer. Die Voraussetzung der Gleichzeitigkeit versagt, wenn die zur Z.-Messung benutzten Uhren sich relativ zueinander mit einer Geschwindigkeit bewegen, die vergleichbar ist mit der Vakuumlichtgeschwindigkeit. Von A. Einstein wurde die **Relativität der Gleichzeitigkeit** als Folge der endl. Ausbreitungsgeschwindigkeit des Lichts und aller Wirkungen sowie die sich hieraus ergebende untrennbare Verknüpfung von →Raum und Z. zum vierdimensionalen Raum-Z.-Kontinuum der speziellen Relativitätstheorie (1905) erkannt. Zu einer weiteren Relativierung des Z.-Begriffs führt die allg. Relativitätstheorie (A. Einstein, 1915), nach der eine von der Materieverteilung und deren Bewegung unabhängige absolute Z. nicht existiert, sondern eine Verknüpfung zw. der Geometrie des physikal. Raum-Z.-Kontinuums und der Materie besteht.

Ereignisse, die durch Signale miteinander verbunden sind, heißen **zeitartig** zueinander: Zw. solchen Ereignissen gibt es eine vom Bezugssystem unabhängige, unsymmetr., transitive **Zeitordnung.** Empirisch zeigt sich die Einsinnigkeit der Z. in der Nichtumkehrbarkeit (Irreversibilität) aller realen makroskop. Prozesse (→Entropie). Lange konnte für mikroskop. Prozesse wegen der Invarianz aller für sie bekannten Grundgesetze gegenüber der →Zeitumkehr keine Z.-Richtung ausgezeichnet werden. Die 1964 entdeckte Verletzung der CP-Invarianz wird heute als Verletzung der Z.-Umkehr und damit als Auszeichnung der Z.-Richtung bei Mikroprozessen angesehen. Kosmologisch ist die Z.-Richtung an der Expansion des Weltalls ablesbar.

Bei der **Zeitmessung** werden Z.-Intervalle bzw. Z.-Punkte durch streng period., beliebig reproduzierbare Vorgänge hinreichend konstanter Frequenz (Standardfrequenz), wie die Schwingungen eines Pendels, Quarzkristalls (Quarzuhr), Atoms oder Moleküls (Atomuhr), bestimmt. Ein unveränderl., gleichförmiges Z.-Maß konnte bis zur Entwicklung von Atomuhren nur durch die auf der Rotation der Erde beruhende **astronom. Zeitmessung** definiert werden, deren grundlegende Z.-Skalen die Periode der Eigenrotation der Erde bezogen auf den Meridiandurchgang der Sonne **(Sonnenzeit)** bzw. der Sterne **(Sternzeit)** sowie die Dauer des Umlaufs der Erde um die Sonne **(Ephemeridenzeit,** Abk. **ET)** sind. Die natürl. biologische Z.-Skala ist die →Sonnenzeit. Die an einem Ort beobachteten tägl. Höchststände der wahren oder »mittleren Sonne« definieren jeweils die Z.-Punkte 12^h in der wahren oder mittleren Sonnen-Z. des betreffenden Ortes. Einem Längenunterschied von 1° zw. zwei Orten entspricht ein Z.-Unterschied von vier Minuten. Der Z.-Unterschied zw. der wahren und der mittleren Sonnen-Z. ist die **Zeitgleichung.** Die mittlere Sonnen-Z. des Nullmeridians heißt **Weltzeit** (WZ; engl. Universal Time, UT) oder auch Mittlere Greenwich-Zeit (MGZ; engl. Greenwich Mean Time, GMT).

Gegen Ende des 19. Jh. wurden die Orts-Z. abgeschafft (in Dtl. am 1. 4. 1893) und stattdessen **Zonenzeit** als Einheitsuhrzeit eingeführt. Innerhalb jeder →Zeitzone, die sich an die Zonen-Z. anlehnt, gilt einheitlich die mittlere Sonnen-Z. eines vereinbarten Längengrades (die **Mitteleurop. Zeit, MEZ,** für den 15. Längengrad östlich von Greenwich, die **Osteurop. Zeit, OEZ,** für den 30. Längengrad östlich von Greenwich und die **Westeurop. Zeit, WEZ,** als Zonenzeit des Meridians von Greenwich). Die Zonen-Z. gingen aus der Welt-Z. durch Addition (östlich des Nullmeridians) oder Subtraktion (westlich des Nullmeridians) eines meist ganzzahligen Vielfachen einer Weltstunde hervor; MEZ zeigende Uhren gehen 1 h, OEZ zeigende 2 h gegenüber der WEZ vor. Basiseinheit des Internat. Einheitensystems ist seit 1967 die **Atomsekunde.** Seit 1955 berechnet das Internat. Büro für die Zeit (frz. Bureau Internationale de l'Heure, BIH) in Paris auf der Grundlage der Anzeigen versch. Atomuhren eine »integrierte Atom-Z.«, die seit 1971 als **Internat. Atomzeit** (frz. Temps Atomique International, TAI; engl. International Atomic Time, IAT) bezeichnet wird. Diese wurde so festgelegt, dass sie mit der Welt-Z. am 1. 1. 1958 00:00 Uhr übereinstimmte. Da die Atomsekunde etwa $3 \cdot 10^{-8}$ kürzer ist als die gegenwärtige Sekunde der mittleren Sonnen-Z., findet eine wachsende Verschiebung der TAI gegenüber der UT statt. Durch gelegentl. Einfügen einer zusätzl. Schaltsekunde seit 1972 erhält man eine als **koordinierte Weltzeit** (engl. Universal Time Coordinated, UTC) bezeichnete Z.-Skala, die von der UT nie mehr als 0,9 s abweicht. Die koordinierte Welt-Z. wird heute praktisch weltweit angewandt; sie bildet die Grundlage der Zonen-Z. und der Verbreitung der Zeitzeichen. In der Bundesrep. Dtl. gilt die von der Physikalisch-Techn. Bundesanstalt hergestellte und zus. mit dem Dt. Hydrograph. Institut in Hamburg verbreitete amtl. Z.-Skala (UTC+1 h). – Frequenzstandards für hochpräzise Z.-Messungen basieren heute u. a. auf der Atomstrahlresonanzmethode, auf der Bestimmung der Resonanzfrequenz eingefangener und lasergekühlter Ionen (Ionenfallen) bzw. Atome (Atomfallen) oder auf der Trennung der Atomzustände durch opt. Pumpen; die Abweichung einer optisch gepumpten Cäsium-Atomuhr beträgt heute rd. 1 s in 1 Mio. Jahren.

📖 Wendorff, R.: *Z. u. Kultur. Geschichte des Zeitbewußtseins in Europa. Opladen ³1985.* – Fraser, J. T.: *Die Z. Auf den Spuren eines vertrauten u. doch fremden Phänomens. A. d. Amerikan. München 14.–18. Tsd. ³1993.* – Hawking, S. W.: *Eine kurze Geschichte der Z. A. d. Engl. Tb.-Ausg. Reinbek 391.–420. Tsd. 1996.* – Mainzer, K.: *Z. Von der Urzeit zur Computerzeit. München ²1996.* – *Das Rätsel der Z. Philosoph. Analysen, hg. v.* H. M. Baumgartner, *Beiträge v.* W. Büttemeyer *u. a. Freiburg im Breisgau u. a. ²1996.*

Zeit, Die, unabhängige Wochenzeitung, gegr. 1946 in Hamburg, geleitet seit 1968 von Gräfin Dönhoff (seit 1972 Mitherausgeberin); seit 1983 ist Helmut Schmidt Mitherausgeber; 1996 Übernahme durch die Holtzbrinck-Gruppe.

Zeitakkord (Stückzeitakkord), Form des Akkordlohns, bei der je Leistungseinheit eine bestimmte Bearbeitungszeit vorgegeben und vergütet wird, gleichgültig, ob die Vorgabezeit über- oder unterschritten wird.

Zeitalter, 1) *Geologie:* die →Ära.

2) *Geschichte:* 1) größerer Zeitabschnitt, der durch vorherrschende Denkströmungen (Z. der Aufklärung) und Stile, bestimmte Herrschaftsformen (Z. des Absolutismus), herausragende Persönlichkeiten (Z. Napoleons, viktorian. Z.), bes. markante Entwicklungen (z.B. Atom-Z.) oder auch Zukunftsperspektiven geprägt ist. (→Ära, →Epoche, →Periodisierung); 2) in der oriental. und grch. Sage Periodeneinteilung (von den Römern übernommen) mit (meist) vier **Weltzeitaltern** (»Weltperioden«): goldenes, silbernes, bronzenes und eisernes Z., für die in steigendem Maße sittlicher Verfall, Krieg und Not charakteristisch seien.

Zeitarbeit, die befristete Übernahme einer Arbeit. Z. ist zulässig (§620 BGB) und wird häufig zweckgebunden praktiziert, z.B. in Saisonbetrieben. Die Bezeichnung Z.-Verhältnis wird auch für Arbeitsverhältnisse im Rahmen der →Arbeitnehmerüberlassung oder aufgrund des →Beschäftigungsförderungsgesetzes verwendet.

Bartholomäus Zeitblom: Verkündung Mariä, Ausschnitt aus einer Tafel des Eschacher Altars (1496; Stuttgart, Staatsgalerie)

Zeitbewusstsein, das →Zeiterleben.

Zeitblom, Bartholomäus, Maler, *Nördlingen zw. 1455 und 1460, †Ulm zw. 1518 und 1522; Schüler von F. Herlin, tätig in Ulm; schuf v.a. Altartafeln. Sein Stil – an der Wende von der Spätgotik zur Renaissance – wird von einer ausgeglichenen, flächigen Komposition bestimmt. – *Werke* (in der Stuttgarter Staatsgalerie): Kilchberger Altar (um 1482); Eschacher Altar (1496); Heerberger Altar (1497).

Zeitdilatation, →Relativitätstheorie.

Zeit|erleben (Zeitbewusstsein), das subjektive Erfassen objektiver Zeitverläufe, einerseits als Wahrnehmung der zeitl. Folge, andererseits als Wahrnehmung von Zeitintervallen. Der als unmittelbar gegenwärtig empfundene Zeitraum heißt **Präsenzzeit.** Er kann bis zu sechs Sekunden betragen. Das eben noch unterscheidbare **Zeitintervall** beträgt im Sehbereich etwa 118, im Hörbereich etwa 1500 Sekunden. Die Zeitwahrnehmung des Menschen bildet aber nicht einfach die physikal. Zeit ab. Eine Zeitspanne kann in einer starken Zeitdehnung oder einer Zeitraffung erfahren werden, was in großem Maße von der Ereignisfülle und von psycholog. Faktoren (wie Monotonieerleben, Aufmerksamkeit, Erwartung) abhängig ist. Außerordentl. Änderungen des Z. treten bei Übermüdung, im Schlaf, Traum, in Rauschzuständen und bei psych. Krankheiten auf. Die Fähigkeit, genau zu vorgenommener Zeit aufzuwachen (**innere Uhr,** →Zeitsinn), beruht vermutlich auf einer unbewussten Orientierung am period. Ablauf der Stoffwechselvorgänge (Tagesrhythmik).

Zeitfahren, *Radsport:* Geschwindigkeitswettbewerb auf Bahn oder Straße für Einzelfahrer oder Mannschaften.

Zeitgeist, die einer geschichtl. Periode eigentüml. Auffassungen, Ideen und Lebensformen.

Zeitgeschichte, die der unmittelbaren Gegenwart vorangehende geschichtliche Epoche (als »jüngste Phase der Neuzeit«) und die histor. Disziplin, die sich deren Erforschung widmet. Über die genaue Periodisierung der Z. besteht keine allg. Übereinstimmung; in Dtl. wird unter Z. weithin die Geschichte seit dem Eintritt der USA in den 1. Weltkrieg und der russ. Oktoberrevolution 1917 verstanden. In Frankreich bezeichnet »histoire contemporaine« die Epoche seit der Frz. Revolution 1789; in Großbritannien beginnt die »contemporary history« mit der Parlamentsreform von 1832. – Seit dem Altertum Thema und Teil der Geschichtsschreibung, wurde die Behandlung der Z. mit der Entwicklung der krit. Geschichtswissenschaft im 19. Jh. vielfach aus der Forschung ausgeschieden, da die Unzugänglichkeit von wesentl. (staatl.) Quellen und die geringe zeitl. Distanz die wiss. Erforschung der Z. unmöglich machten. Die Erschütterungen des 1. Weltkriegs führten dann zur Entwicklung von Begriff und Programmatik der Z.; in der Bundesrep. Dtl. wurde die Z. als Teildisziplin der Geschichtswiss. nach dem 2. Weltkrieg etabliert; 1950 wurde das Forschungszentrum im Institut für Z. (München) gegründet.

🕮 SCHULZ, GERHARD: *Einführung in die Z.* *Darmstadt 1997.*

Zeitgleichung, →Sonnenzeit, →Zeit.

Zeitkarte, Fahrkarte zu ermäßigtem Preis, die zu beliebig häufigen Fahrten zw. zwei Orten oder in einem Netz während eines bestimmten Zeitabschnitts berechtigt.

Zeitlohn, →Lohn.

Zeitlupe (Zeitdehner), (Film-)Aufnahmetechnik, bei der die Aufnahmefrequenz höher ist als die Wiedergabefrequenz; bei der Wiedergabe mit normaler Bildfrequenz wird der Bewegungsablauf zeitlich gedehnt, und schnell verlaufende Vorgänge werden beobachtbar. Bei konventionellen Filmkameras sind Zeitdehnergänge bis

50 Bilder/s üblich, mehr als 200 Bilder/s bis 10^{10} Bilder/s werden als **Hochfrequenzaufnahmen** bezeichnet.

Zeitmessung, →Zeit, →Zeitnahme.

Zeitmultiplexverfahren, Verfahren zur gleichzeitigen Übertragung vieler voneinander unabhängiger pulscodemodulierter Signale durch zeitl. Verschachtelung und binäre Codierung der zu versch. Nachrichten gehörenden Pulse.

Zeitnahme, *Sport:* die in versch. Sportarten wie Leichtathletik (Laufwettbewerbe), Skisport, Motor- und Radsport erfolgende Messung der für das Zurücklegen einer bestimmten Strecke benötigten Zeit; geschieht heute meist auf (photo-)elektrisch-opt. Wege durch Zuhilfenahme der Fotografie. Eine **Zeitmessanlage** besteht aus einem Startkontrollgerät und einem Zeitmessgerät am Ziel. Die in der Verlängerung der Ziellinie stehende Zielzeitkamera hält durch die **Ziel(ebenen)fotografie** den Zieleinlauf in jeder Phase fest. Auf dem Film werden ständig drei Zeitmarkierungen (mit der Einhundertstelsekunde als kleinstem Zeitmaß) so eingeblendet, dass auf dem eigentl. Zielfoto die Wettbewerbszeiten beim Überqueren der Ziellinie abgelesen werden können.

Zeitraffer, (Film-)Aufnahmetechnik, bei der die Aufnahmefrequenz niedriger ist als die Wiedergabefrequenz. Bewegungsvorgänge werden somit bei der Wiedergabe als mit größerer Geschwindigkeit ablaufend dargestellt. Extreme Z.-Effekte sind mit der Einzelbildschaltung möglich, bei der in period. Abständen Einzelaufnahmen gemacht werden; damit lassen sich extrem langsam verlaufende Vorgänge als Bewegung darstellen.

Zeitrechnung, →Chronologie.

Zeitreihe, in der amtl. Statistik eine Folge von Werten einer sozioökonom. Variablen, die sich auf aufeinander folgende Perioden bezieht (z.B. die Z. des Bruttosozialprodukts im Zeitraum 1970–93).

Zeitreihenanalyse, *Statistik:* die Zerlegung einer →Zeitreihe in ihre Komponenten. Ziel der Z. ist es, längerfristige Trends und mittel- bis kurzfristige Schwankungen im Beobachtungszeitraum zu erkennen, um auf dieser Grundlage Prognosen ableiten zu können.

Zeitschrift: Die zehn größten Publikumszeitschriften in Deutschland

Zeitschrift (Verlag)	verkaufte Auflage in 1 000*)		Marktanteile in %			
	1994	1996	1988	1992	1994	1996
ADAC-Motorwelt (ADAC)	2658	2759	3,9	3,8	4,2	4,3
Auf einen Blick (Bauer)	2812	2481	4,3	5,1	4,4	3,9
Hörzu (Springer)	2635	2461	5,5	5,0	4,1	3,9
Bild der Frau (Springer)	2102	2091	3,3	3,2	3,3	3,3
TV Hören und Sehen (Bauer)	2340	2020	4,5	4,1	3,7	3,2
Neue Post (Bauer)	1675	1539	2,9	2,7	2,6	2,4
Fernsehwoche (Bauer)	2020	1524	4,1	3,9	3,2	2,4
Funk Uhr (Springer)	1823	1515	3,5	3,4	2,9	2,4
TV Klar (Bauer)	1161	1444	–	–	–	2,3
Tina (Bauer)	1695	1415	2,7	2,7	2,7	2,2
Summe	20920	19249	37,2	36,0	33,0	30,2

*) gewichtet = umgerechnet auf wöchentliche Erscheinungsweise

Zeitschrift, vorwiegend periodisch, in einem Intervall von einer Woche bis zu einem Jahr erscheinendes Presseerzeugnis, das im Ggs. zur Zeitung oft auf bestimmte Leserkreise oder Interessen zugeschnitten ist und weniger aktualitätsorientiert ist. Man unterscheidet nach den publizist. Zielen: 1) Unterhaltungs- oder Publikums-Z., 2) Fach-Z., einschließlich wiss. Z., 3) konfessionelle Z. (Bistumsblätter, Kirchen-Z. und -magazine). Publikums-Z. umfassen u.a. die Illustrierten, Programm-, Frauen-, Mode-, Kinder-, Jugend- und Sport-Z., ferner polit., wirtsch. und kulturelle Z. Sie sind für ein breites Publikum bestimmt und haben häufig eine hohe Auflage und Reichweite. Die Fach-Z. dienen der Wissensvermittlung, Forschung und berufl. Aus- und Weiterbildung und stellen die titelreichste Gruppe dar. Der intensive Wettbewerb auf dem Z.-Markt führte zu einem starken Anstieg der Titelzahl, die einher ging mit einer Segmentierung in eine Vielzahl von Spezial-Z. mit kleiner Auflagenzahl (»Special-Interest-Titel«). Zahlreiche Verlage bieten heute auch Z. oder Teile davon und zusätzliche Dienste über das Internet an.

Zeitschrift: Titel- und Auflagenentwicklung der Zeitschriftenarten in Deutschland[1)] (Auflagen in Mio. Stück)

Jahr[2)]	Publikumszeitschriften				Fachzeitschriften				Kundenzeitschriften			
	Zahl	Druckauflage	verbreitete Auflage	verkaufte Auflage	Zahl	Druckauflage	verbreitete Auflage	verkaufte Auflage	Zahl	Druckauflage	verbreitete Auflage	verkaufte Auflage
1990	565	149,3	118,2	109,7	901	23,7	22,0	16,0	45	24,4	23,7	20,5
1991	596	162,7	132,7	121,7	921	23,8	22,9	16,1	45	25,1	24,9	20,3
1992	619	159,0	130,4	121,0	951	24,4	23,6	16,7	43	25,5	25,4	21,3
1993	648	161,4	133,3	122,8	958	24,1	23,2	16,4	45	27,5	27,3	23,0
1994	703	164,6	134,4	123,2	963	25,0	24,1	17,3	45	24,2	24,1	20,1
1995	709	168,3	136,5	124,8	984	25,3	24,1	17,0	51	27,1	26,9	19,9
1996	758	175,6	142,5	127,6	983	25,3	24,3	16,7	60	28,1	27,9	20,4
1997	778	176,4	142,1	127,2	1029	26,5	25,4	17,1	60	29,9	29,6	22,6

1) Zeitschriften, deren Verbreitung von der Informationsgemeinschaft zur Feststellung von Werbeträgern e.V., IVW, geprüft wird. – 2) jeweils im 4. Quartal

Geschichte: Im 17. Jh. entwickelte sich zuerst der Typ der Gelehrten-Z.: ab 1665 »Journal des Savants« in Paris und »Philosophical Transactions« in London, 1682 die »Acta Eruditorum« in Leipzig. Die erste Z. in dt. Sprache erschien 1688 mit dem Kurztitel »Monats-Gespräche« in Leipzig. Aus den Gelehrtenjournalen entwickelten sich die wiss. Fach-Z. Im letzten Drittel des 17. Jh. kam der Typ der historisch-polit. Z. auf, die entweder als trockene Dokumentensammlung aus diplomat. Schriftverkehr oder in Brief- und Gesprächsform mit unterhaltendem Hofklatsch erschien. Die →moralischen Wochenschriften legten den Grundstein für die Entstehung der Illustrierten, Frauen- und Familien-Z. (»Die Gartenlaube«, ab 1853). Als ein weiterer Z.-Typ war im 18. Jh. die literarisch-krit. Z. stark verbreitet, die als Vorläufer versch. heutiger Z. gilt. Nach dem 2. Weltkrieg setzte ein Z.-Boom in Dtl. ein, der zur Gründung von Z. wie »Der Spiegel« (1946), »Hörzu« (1946), »stern« (1948), »Bunte« (1948) u. a. führte.

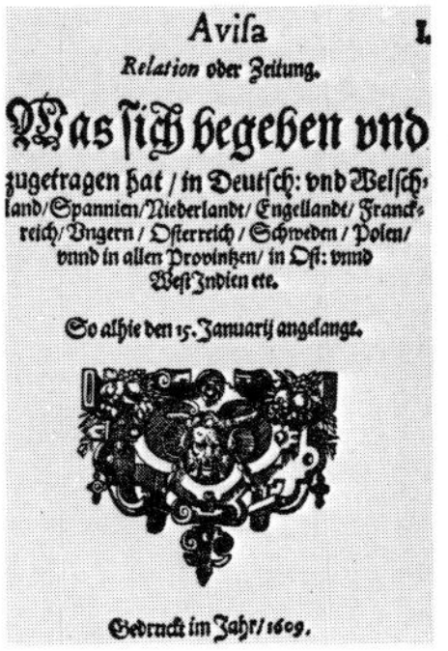
Avisa 1.
Relation oder Zeitung.
Was sich begeben und zugetragen hat / in Deutsch: und Welschland / Spannien / Niederlandt / Engellandt / Franckreich / Ungern / Osterreich / Schweden / Polen / unnd in allen Provintzen / in Ost: unnd West Indien etc.
So alhie den 15. Januarij angelangt.
Gedruckt im Jahr / 1609.

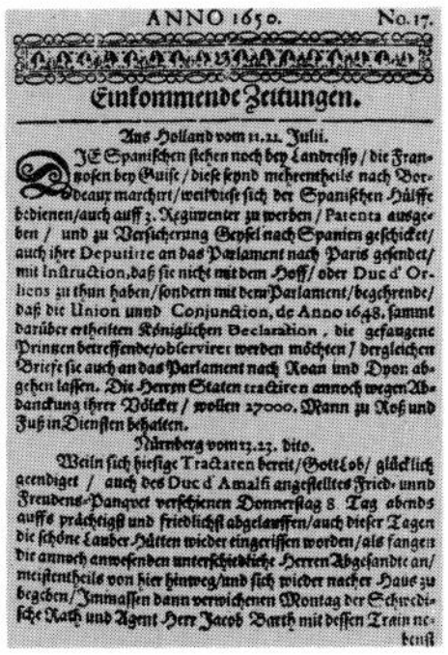
ANNO 1650. No. 17.

Einkommende Zeitungen.

Aus Holland vom 11. 21. Julii.

DJE Spanischen stehen noch bey Landressy / die Frantzosen bey Guise / diese seynd mehrentheils nach Bordeaux marchirt / weil diese sich der Spanischen Hülffe bedienen / auch auff 3. Regimenter zu werben / Patenta ausgegeben / und zu Versicherung Geysel nach Spanien geschicket / auch ihre Deputirte an das Parlament nach Paris gesendet / mit Instruction, daß sie nicht mit dem Hoff / oder Duc d' Orliens zu thun haben / sondern mit dem Parlament / begehrende / daß die Union unnd Conjunction, de Anno 1648. sammt darüber ertheilten Königlichen Declaration, die gefangene Printzen betreffende / observiret werden möchten / dergleichen Briefe sie auch an das Parlament nach Roan und Dyon abgehen lassen. Die Herren Staten tractiren annoch wegen Abdanckung ihrer Völcker / wollen 27000. Mann zu Roß und Fuß in Diensten behalten.

Nürnberg vom 13. 23. dito.

Weiln sich hiesige Tractaten bereit / Gott Lob / glücklich geendiget / auch des Duc d' Amalfi angestelltes Fried- unnd Freudens-Panquet verschienen Donnerstag 8 Tag abends auffs prächtigst und friedlichst abgelauffen / auch dieser Tagen die schöne Lauber-Hütten wieder eingerissen worden / als fangen die annoch anwesenden unterschiedliche Herren Abgesandte an / meistentheils von hier hinweg / und sich wieder nacher Haus zu begeben / Inmassen dann verwichenen Montag der Schwedische Rath und Agent Herr Jacob Barth mit dessen Train nebenst

Zeitung: Im Jahr 1609 erschienen in Straßburg und Wolfenbüttel die ersten Zeitungen; im Bild der »Aviso« aus Wolfenbüttel (links); daneben die erste Tageszeitung der Welt mit dem Titel «Einkommende Zeitungen« aus dem Jahr 1650, sie erschien bis 1918, zuletzt als »Leipziger Zeitung«

Zeitsinn (biologische Uhr, endogene Rhythmik, innere Uhr, physiologische Uhr, Tageszeitsinn), rhythmisch ablaufender physiolog. Mechanismus, der bei den Menschen, allen Pflanzen und Tieren vorhanden ist und nach dem die Stoffwechselprozesse, Wachstumsleistungen und Verhaltensweisen festgelegt werden. Der Z. ist in der Zelle lokalisiert; die molekularen Vorgänge in ihrer Funktion sind noch nicht völlig bekannt. Die Periodendauer des Z. beträgt ziemlich genau 24 Stunden. Bislang ist noch nicht bekannt, ob die Zeitgeber von inneren oder äußeren Faktoren gesteuert werden.

Zeitstudi|e, in Unternehmen die Analyse und Ermittlung der Dauer von Arbeitsabläufen. Sie dient zur Erfassung von Istzeiten (Grund-, Warte-, Liege-, Rüstzeiten) und zur Ermittlung einer Normalarbeitszeit je Arbeitsvorgang **(Vorgabezeit)** als Grundlage für die Arbeitsgestaltung und Nutzungskontrolle von techn. Anlagen, Leistungsentlohnung, Berechnung von Kosten, Planung von Produktionskapazitäten und Terminen.

Zeittakt, Dauer einer Gesprächsgebühreneinheit bei Telefongesprächen; abhängig von der Entfernungszone, dem Wochentag und der Tageszeit. Die Z. werden in Z.-Gebereinrichtungen über log. Relais- oder elektron. Schaltungen gebildet (Grund-Z., Z.-Verdoppelung, Z.-Vervielfachung).

Zeitumkehr, *Physik:* Formelzeichen T, Transformation der Zeitkoordinate t in $-t$. Ist ein Vorgang in seinem Ablauf umkehrbar, so ist er invariant gegenüber Z. **(T-Invarianz).** Bis zur Entdeckung der Verletzung der CP-Invarianz nahm man an, dass außer in der statist. Physik und Thermodynamik alle Naturgesetze (insbesondere die der mikrophysikal. Vorgänge) invariant gegenüber Z. wären.

Zeitung, in regelmäßiger Folge (meist täglich oder wöchentlich) erscheinendes Presseerzeugnis, das durch öffentl. Zugänglichkeit (Publizität), Zeitnähe (Aktualität) und inhaltl. Vielfalt (Universalität) gekennzeichnet ist. Unterschieden werden nach Erscheinungsweise Tages-, Morgen-, Abend-, Sonntags-, Wochen-Z., nach Verbreitung Lokal-, Regional- und überregionale Z. und nach Vertriebsart Abonnement- sowie Straßenverkaufszeitungen. Für den geistigen Inhalt (redaktioneller Teil) und das graf. Bild der Z. ist die Redaktion verantwortlich. Sie gliedert sich in einzelne Ressorts: polit. Redaktion (mit Nachrichtenredaktion), Wirtschafts-, Kultur-, Sport-, Lokal- und z. T. Beilagenredaktion (Wochenendbeilagen). Nachrichten werden von eigenen Mitarbeitern (Reporter, Korrespondent) oder von Nachrichtenagenturen beschafft. Die gebräuchlichen journalist. Stile reichen von tatsachenbetonten (z. B. Nachricht, Interview) über meinungsorientierte (z. B. Leitartikel, Kommentar, Glosse) bis hin zu eher fantasiebetonten Formen (z. B. Feuilleton, Kurzgeschichte). In den letzten Jahren verbreiten immer mehr Z.-Redaktionen ihre Informationen auch elektronisch in Form von Videotext über den Fernsehbildschirm oder als Online-Z. über das Internet oder einen Onlinedienst. Die Z. finanzieren sich zu etwa zwei Dritteln aus Anzeigen und zu einem Drittel aus dem Verkauf.

Geschichte: Die ersten eigentl. Z. erschienen 1609 als Wochenzeitungen (»Aviso« in Wolfenbüttel und Straßburger »Relation«), 1650 die erste Tages-Z. »Einkommende Zeitungen« in Leipzig. Um 1720 erschienen die ersten →Intelligenzblätter. Nach dem Bundesbeschluss über die Freistellung der Zensur 1848 kam es zu vielen Neugründungen, darunter Parteirichtungs-Z. als Vorläufer der Par-

Zeitungen (Auswahl)

Zeitungstitel (Verlagsort)	Druckauflage Herbst 1997 in 1 000
Deutschsprachige Länder	
Deutschland	
Aachener Zeitung/Aachener Nachrichten	176,2
Abendzeitung (München)	216,4
Allgemeine Zeitung (Mainz)	139,3
Augsburger Allgemeine/Allgäuer Zeitung (Kempten)	382,9
Badische Neueste Nachrichten (Karlsruhe)	173,5
Badische Zeitung (Freiburg)	181,3
Berliner Kurier	229,9
Berliner Morgenpost	200,8
Berliner Zeitung	249,3
Bild (Hamburg)	5793,6
Braunschweiger Zeitung	204,2
Bremer Nachrichten/Weser-Kurier (Bremen)	214,3
B. Z. (Berlin)	355,5
Düsseldorf Express	120,8
Express (Köln)	451,6
Flensburger Tageblatt	183,2
Frankenpost (Hof)	90,3
Frankfurter Allgemeine Zeitung	484,5
Frankfurter Neue Presse	253,3
Frankfurter Rundschau	200,1
Freie Presse (Chemnitz)	483,2
Freies Wort (Suhl)	161,8
General-Anzeiger (Bonn)	97,6
Hamburger Abendblatt	330,7
Hamburger Morgenpost	196,1
Handelsblatt (Düsseldorf)	173,4
Hannoversche Allgemeine Zeitung/Neue Presse (Hannover)	253,1
Heilbronner Stimme	105,2
HNA Hessische/Niedersächsische Allgemeine (Kassel)	198,8
Hürriyet (Neu-Isenburg)	96,0
Junge Welt (Berlin)	22,0
Kieler Nachrichten	125,7
Kölner Stadt-Anzeiger	303,4
Kölnische Rundschau	174,8
Lausitzer Rundschau mit Elbe-Elster-Rundschau (Cottbus)	195,4
Leipziger Volkszeitung	362,1
Lübecker Nachrichten	125,2
Magdeburger Volksstimme	304,7
Main-Post (Würzburg)	161,4
Mannheimer Morgen	107,5
Märkische Allgemeine (Potsdam)	241,1
Märkische Oderzeitung (Frankfurt [Oder])/ Oranienburger Generalanzeiger	191,3
Mittelbayerische Zeitung für Regensburg	141,5
Mitteldeutsche Zeitung (Halle)	422,5
Münchner Merkur	222,5
Neue OZ Osnabrücker Zeitung	334,4
Neue Westfälische (Bielefeld)	282,6
Niedersächsisches Tageblatt (Lüneburg)	149,7
Nordkurier (Neubrandenburg)	143,9
Nordwest Zeitung (Oldenburg [O])	348,9
Nürnberger Nachrichten	347,1
Ostsee-Zeitung (Rostock)	223,2
Passauer Neue Presse	193,4
Rheinische Post (Düsseldorf)	440,9
Rhein-Neckar-Zeitung (Heidelberg)	113,3
Die Rheinpfalz (Ludwigshafen)	259,4
Rhein-Zeitung (Koblenz)	260,2
Ruhr-Nachrichten (Dortmund)	238,4
Saarbrücker Zeitung/Pfälzischer Merkur (Zweibrücken)	210,3
Sächsische Zeitung (Dresden)	404,3
Neue Schwäbische Zeitung (Leutkirch)	204,9
Schwarzwälder Bote (Oberndorf)	154,3
Schweriner Volkszeitung/ Norddeutsche Neueste Nachrichten (Rostock)	164,2
Straubinger Tagblatt	142,8
Stuttgarter Zeitung/Stuttgarter Nachrichten	236,3
Süddeutsche Zeitung (München)	481,1
Südkurier (Konstanz)	158,7
Südwest Presse (Ulm)	373,9
Der Tagesspiegel (Berlin)	153,6
die tageszeitung (Berlin)	77,8
Thüringer Allgemeine (Erfurt)/ Ostthüringer Zeitung (Gera)	560,2
Trierischer Volksfreund	105,1
tz (München)	194,9
Die Welt (Hamburg)	289,2
Westdeutsche Allgemeine (WAZ) (Essen)	1 289,6
Westfalen-Blatt (Bielefeld)	149,7
Westfälische Nachrichten (Münster)	2445,5
WZ Westdeutsche Zeitung (Düsseldorf)	195,8
Wochenzeitungen	
Bayernkurier (München)	157,9
Das Parlament (Bonn)	101,1
Rheinischer Merkur (Bonn)	118,3
Die Woche (Hamburg)	184,5
VDI nachrichten (Düsseldorf)	175,9
Die Zeit (Hamburg)	551,2
Österreich[1]	
Kleine Zeitung (Graz)	177
Kurier (Wien)	334
Neue Kronen Zeitung (Wien)	510
Oberösterreichische Nachrichten (Linz)	123
Die Presse (Wien)	105
Der Standard (Wien)	104
Tiroler Tageszeitung (Innsbruck)	104
Schweiz[1]	
Basler Zeitung	115
Berner Zeitung	132
Blick (Zürich)	335
Der Bund (Bern)	62
Neue Luzerner Zeitung	129
Neue Mittelland-Zeitung (Solothurn)	85
Neue Zürcher Zeitung	158
St. Galler Tagblatt	72
Tages Anzeiger Zürich	282
La Tribune de Genève	78
24 heures (Lausanne)	91
Weitere Länder	
Ägypten	
Al-Ahram (Kairo)	900
Al-Akhbar (Kairo)	800
Argentinien	
Clarín (Buenos Aires)	700
Crónica (Buenos Aires)	437
Belgien	
De Nieuwe Gazet (Antwerpen)/ Het Laatste Nieuws (Brüssel)	360
Le Soir (Brüssel)	183
De Standaard (Brüssel)/Het Nieuwsblad (Antwerpen)/ De Gentenaar (Gent)	373
China	
Beijing Ribao (Peking)	1 000
Economic Daily (Peking)	1 200

teizeitungen. Später dämmte die erneut verschärfte Zensur den polit. Elan der Presse wieder ein. Im letzten Drittel des 19. Jh. setzte sich in Dtl. nach frz. und englisch-amerikan. Vorbildern der Mehrzeitungsverlag (die Pressegruppe als publizist. Großunternehmen) durch. Nach 1933 fielen den Stilllegungs- und Konzentrationsmaßnahmen im Rahmen der nat.-soz. Medienpolitik rd. 300 Z. zum Opfer. Nach dem 2. Weltkrieg vergaben die Militärverwaltungen zunächst Lizenzen für Z. und Zeitschriften; nach Aufhebung dieses Lizenzsystems entstand wieder das für Dtl. charakterist. Bild einer vielfältigen Tagespresse mit kleinen Lokal- und mittleren Regional-Z; in den Städten und Bal-

Zeitungen (Auswahl; Fortsetzung)

Zeitungstitel (Verlagsort)	Druckauflage Herbst 1997 in 1 000
Dänemark	
Berlingske Tidende (Kopenhagen)	154
B. T. (Kopenhagen)	155
Ekstra-Bladet (Kopenhagen)	177
Jyllands-Posten (Viby)	166
Politiken (Kopenhagen)	150
Finnland	
Helsingin Sanomat (Helsinki)	471
Frankreich	
France-Soir (Paris)	607
ici (Paris)	530
La voix du Nord (Lille)	377
Le Monde (Paris)	368
Libération (Paris)	182
Matin (Lyon)	824
Ouest-France (Rennes)/La Presse de la Manche (Cherbourg)	816
Großbritannien	
Daily Express (London)	1 206
Daily Mail (London)	2 083
Daily Mirror (London)	2 419
Daily Record (Glasgow)	721
Financial Times (London)	297
The Guardian (London)	395
News of the World (London)[2]	4 537
The Observer (London)[2]	452
The People (London)	2 049
The Sun (London)	3 992
Sunday Mirror (London)[2]	2 445
The Times (London)	784
Italien	
Corriere della Sera (Mailand)	705
Il Giornale (Mailand)	246
Il Messaggero (Rom)	335
Il Sole/24 Ore (Mailand)	439
La Repubblica (Mailand)	650
La Stampa (Turin)	429
Il Tempo (Rom)	145
Japan	
Asahi Shimbun (Tokio)	4 596
Yomiuri Shimbun (Tokio)	6 145
Kanada	
La Presse (Montreal)	200
Toronto Star	500
The Toronto Sun	243
Niederlande[1]	
Algemeen Dagblad (Rotterdam)	414
Brabants Dagblad (Herzogenbusch)/Eindhovens Dagblad	297
De Limburger (Maastricht)	197
NRC Handelsblad (Rotterdam)	272
De Telegraaf (Amsterdam)	800
De Volkskrant (Amsterdam)	368
Norwegen	
Aftenposten (Oslo)	278
Arbeiderbladet (Oslo)	52
Dagbladet (Oslo)	227
Verdens Gang (Oslo)	386
Polen	
Gazeta Wyborcza (Warschau)	480
Polityka (Warschau)	300
Rzeczpospolita (Warschau)	270
Super Express (Warschau)	500
Zycie Warszawy (Warschau)	100
Russland	
Argumenty: fakty (Moskau)	3 161
Iswestija (Moskau)	811
Komsomolskaja Prawda (Moskau)	1 213
Prawda (Moskau)	500
Trud (Moskau)	1 300
Schweden	
Aftonbladet (Stockholm)	437
Dagens Nyheter (Stockholm)	384
Expressen (Stockholm)	418
Svenska Dagbladet (Stockholm)	215
Spanien	
ABC (Madrid)	350
El País (Madrid)	420
El Periódico de Catalunya (Barcelona)	21
El Razón (1998 gegr.)	-
Tschechische Republik	
Blesk (Prag)	600
hn Hospodárské noviny (Prag)	140
Lidové noviny (Prag)	140
Práce (Prag)	145
Svobodné Slovo (Prag)	150
Türkei	
Hürriyet (Istanbul)	700
Milliyet (Istanbul)	450
Sabah (Istanbul)	718
Ungarn	
Blikk (Budapest)	140
Esti Hírlap (Budapest)	40
Népszabadság (Budapest)	335
Népszava (Budapest)	100
Vereinigte Staaten von Amerika	
Los Angeles Times	1 021
New York Post	901
The New York Times	1 158
USA Today (New York)	2 027
The Wall Street Journal (New York)	1 900
The Washington Post	840

[1] Angaben Frühjahr 1997. – [2] Wochenzeitung

lungszentren der Bundesrep. Dtl. drang der Typ der »Z. für alle« (Massenpresse) vor. Die Mitte der 50er-Jahre einsetzende verleger. Konzentration und redaktionelle Kooperation zeigt sich im Rückgang der selbstständigen Z. mit Vollredaktion. (→Presse)

📖 GROTH, O.: *Die Z., 4 Bde. Mannheim 1928–30.* – DOVIFAT, E.: *Zeitungslehre, 2 Bde. Berlin u. a. [6]1976.* – SCHOTTENLOHER, K.: *Flugblatt u. Z. Ein Wegweiser durch das gedruckte Tagesschrifttum, 2 Bde. Neuausg. München 1985.* – *Redaktionelles Marketing. Wie Z.en die Zukunft meistern, Beiträge v.* G. RAGER *u. a. Bonn 1994.* – *Zeitungswörterbuch, hg. v.* H. BOHRMANN *u. a. Berlin 1994.* – KATZENBERGER, P.: *Elektron. Printmedien u. Urheberrecht. Urheberrechtl. u. urhebervertragl. Fragen der elektron. Nutzung v. Z.en u. Zeitschriften. Stuttgart 1996.*

Zeitwert, der Wert, den Vermögensgegenstände und Schulden zum Bewertungszeitpunkt haben. Der Z. bei der Bilanzbewertung (§253 HGB) darf höchstens bei den Anschaffungs- oder Herstellungskosten, vermindert um die Abschreibungen, angesetzt werden.

Zeitz, Stadt im Burgenlandkreis, Sa.-Anh., an der Weißen Elster, 35 400 Ew.; Maschinen-, Anlagen-, Kranbau, Hydrierwerk, Zuckerfabrik, Kinderwagenherstellung. – Spätgot. Michaeliskirche (im Kern 13. Jh., im 15. Jh. zur Hallenkirche umgebaut), Dom (im Kern roman. Anlage, 1433–44 umgestaltet, innen im 17. Jh. barockisiert; mit Krypta des 11. Jh.), Rathaus (im Kern 1505–09), Franziskanerklosterkirche (13.–15. Jh.), Pfarrkirche St. Stephan (1739–41), Schloss Moritzburg (1657 ff., Museum), zahlr. Bürgerhäuser aus Spätgotik und Renaissance. – 967 wurde die urspr. slaw. Burg Z. erstmals erwähnt; 968 Gründung des Bistums Z. (Sitz 1028 nach Naumburg verlegt, Residenz der Bischöfe ab 1286 in Z.); 1210 als Stadt gen.; 1278 Magdeburger Stadtrecht bezeugt. 1663–1718 Residenz des kursächsisch-albertin. Sekundogeniturfürstentums Sachsen-Z.; 1816–1994 Kreisstadt.

Zeitzonen, Gebiete, die entlang von 24 Meridianen jeweils 15° voneinander entfernt (ausgehend vom Nullmeridian von Greenwich) die gleiche Zonenzeit haben. Das System, 1884 in Washington (D. C., USA) von 27 Nationen beschlossen, ist in manchen Ländern abgeändert (→Zeit). KARTE S. 372

Zela (heute Zile), antike Stadt im kleinasiat. Königreich Pontos. Hier errang Cäsar 47 v. Chr. seinen schnellen Sieg über Pharnakes, den König des Bosporan. Reiches (→veni, vidi, vici).

Železná Ruda ['ʒɛlɛzna: 'ruda] (dt. Markt Eisenstein), Stadt im Westböhm. Gebiet, Tschech. Rep., im Böhmerwald, 774 m ü. M., 1200 Ew.; Holz- und opt. Ind., Wintersportort; Grenzübergang nach Bayern (→Bayerisch Eisenstein). – Marienkirche (1727–32).

Zelinograd [z-], Stadt in Kasachstan, →Akmola.

Zell, 1) Zell a. Main, Marktgemeinde im Kr. Würzburg, Bayern, 3 700 Ew.; mit ehem. Doppelkloster: Prämonstratenserinnen in **Unterzell** (Kirche, 1609–11), Prämonstratenser in **Oberzell** (roman. Säulenbasilika, 12. Jh., im 17./18. Jh. barockisiert); spätbarocker Abteiflügel (1744–60) von J. B. Neumann und seinem Sohn Franz Ignaz.

2) Zell am See, Bezirkshauptort im Pinzgau, Bundesland Salzburg, Österreich, am W-Ufer des →Zeller Sees, 758 m ü. M., 8 800 Ew.; Heimatmuseum; Fremdenverkehr; Seilbahn auf die Schmittenhöhe (1965 m ü. M.) und die Sonnenalm (1 400 m ü. M.); Schloss Rosenberg (16. Jh., seit 1973 Rathaus). – Seit 1357 als Markt bezeugt.

3) Zell am Ziller, Marktgemeinde in Tirol, Österreich, im Zillertal, 575 m ü. M., 1 900 Ew.; Bundesfachschule für Fremdenverkehrsberufe; Sommerfrische und Wintersport; Viehmarkt, Gerloskraftwerk. – Wallfahrtskirche Maria Rast (1739) am Hainzenberg.

4) Zell (Mosel), Stadt im Kreis Cochem-Zell, Rheinl.-Pf., am Zeller Hamm, einer Flussschlinge der Mosel, 4 500 Ew.; bed. Weinbau und -handel; Kunststoff-, Holzindustrie. – Ehem. kurfürstl. Schloss (1530–42 und 18. Jh.) sowie ehem. kurtrier. Marienburg (im 12. Jh. Augustinerkloster, 1515 aufgehoben, Ruine 1952–57 wieder ausgebaut). – 1142 als **Cella** erstmals erwähnt.

Zella-Mehlis, Stadt im Kr. Schmalkalden-Meiningen, Thür., im Thüringer Wald, 500 m ü. M., 13 000 Ew.; Heimatmuseum; Wintersportplatz; feinmechan. Ind., Werkzeug-, Eisenwarenherstellung. – Pfarrkirchen in den Ortsteilen Zella (1768–73) und Mehlis (1734). – Zella und Mehlis gehörten urspr. zu einer im 12. Jh. gegr. Cella (kleines Kloster). Zella galt seit dem 17. Jh., Mehlis seit 1894 als Stadt; 1919 zusammengeschlossen.

Zelle [lat.], **1)** *Biologie:* kleinste eigenständig lebensfähige und daher über einen eigenen Energie- und Stoffwechsel verfügende Grundeinheit aller Lebewesen von den Einzellern bis zum Menschen. Man unterscheidet prinzipiell zwei Zelltypen: die Protozyten der Prokaryonten (Bakterien und Cyanobakterien) und die Euzyten der Eukaryonten (alle übrigen Organismen). Die Größe der **Protozyten** liegt zw. 0,2 und 10 µm. Ihr Protoplasma ist von einer Zellmembran begrenzt und von einer Zellwand umgeben. Stets fehlen Zellkern (Nucleus), Mitochondrien, Plastiden, endoplasmat. Retikulum, Golgi-Apparat und Lysosomen, die die Euzyten besitzen. Die DNS liegt in einem besonderen Bereich der Z., dem Nucleoid. – **Euzyten** enthalten einen Zellkern und sind meist größer als Protozyten (8 µm Durchmesser beim menschl. roten Blutkörperchen, über 1 m Länge bei Nerven-Z., mehrere Meter Länge bei pflanzl. Milch-

Zeitz
Stadtwappen

röhren; mittlerer Durchmesser der Euzyten 10–100 µm). Sie sind ebenfalls von einer Zellmembran umgeben und enthalten in ihrem Protoplasma i.d.R. eine große Anzahl von Organellen sowie Strukturelemente. Im Einzelnen zeigen sich auch Unterschiede zw. tier. und pflanzl. Zellen.

Tierische Zelle: Die Z. der Tiere sind nur von der dünnen →Zellmembran begrenzt, die das Zytoplasma umschließt. Neben oft im Zellplasma eingeschlossenen Reservestoffen (z.B. Fetttröpfchen) und Fibrillen (in Muskelzellen) liegen im Zytoplasma v.a. die versch. Zellorganellen: Der →Zellkern nimmt meist eine zentrale Lage ein. Befindet sich der Kern nicht in Teilung, so sind die Chromosomen als aufgelockertes Netzwerk erkennbar. Gegen das Zellplasma wird der Kern durch eine Doppelmembran abgegrenzt. Diese **Kernmembran** (Kernhülle) enthält Poren, durch die vermutlich die genet. Information über die Boten-RNS aus dem Kern zu den Ribosomen in der Z. gelangt. Außerdem findet man in jedem Interphasekern wenigstens ein **Kernkörperchen (Nebenkern, Nucleolus).** In enger Beziehung zum Zellkern bzw. zur (doppelten) Kernmembran steht das **endoplasmat. Retikulum (ER)** mit den Ribosomen, das als System feinster Kanälchen v.a. den intrazellulären Transport synthetisierter Produkte bewirkt. Vermutlich eng verknüpft mit dem endoplasmat. Retikulum ist der **Golgi-Apparat,** ein Membransystem im Zellplasma, das v.a. den Sekretionsleistungen der Z. dient. Die →Mitochondrien liefern die Energie für den Zellstoffwechsel.

Pflanzliche Zelle: Der augenfälligste Unterschied zur tier. Z. ist das Vorhandensein einer aus vier Schichten bestehenden →Zellwand (statt nur einer Zellmembran), die bei der ausgewachsenen Z. ein starres Gebilde darstellt und für das osmot. System der Pflanzen-Z. mit seinem beträchtl. Binnendruck ein Stabilisierungselement darstellt. Als weitere Besonderheit besitzt die differenzierte Pflanzen-Z. eine große, mit Zellsaft gefüllte Zellvakuole, die das Zytoplasma, d.h. den Protoplasten, an die Wand drückt. Dieser wird von zwei Zellmembranen begrenzt, zur Tertiärwand hin vom Plasmalemma, zur Vakuole hin vom Tonoplasten. Im Protoplasten findet man die gleichen Strukturen bzw. Organellen wie in der tier. Z., außerdem noch die →Plastiden in Form von Chloro-, Chromo- und Leukoplasten. – Die Wiss., die sich speziell mit der Z. befasst, ist die **Zytologie.**

📖 KLEINIG, H. *u.* SITTE, P.: *Zellbiologie. Stuttgart* [3]*1992. – Molekulare Zellbiologie, Beiträge v.* H. LODISH *u.a. A.d. Amerikan. Berlin u.a.* [2]*1996.*

2) *Elektrochemie:* Kurzbez. für elektrochem. Elemente, z.B. für die Brennstoffzelle, galvanische Elemente und das Element des Akkumulators.

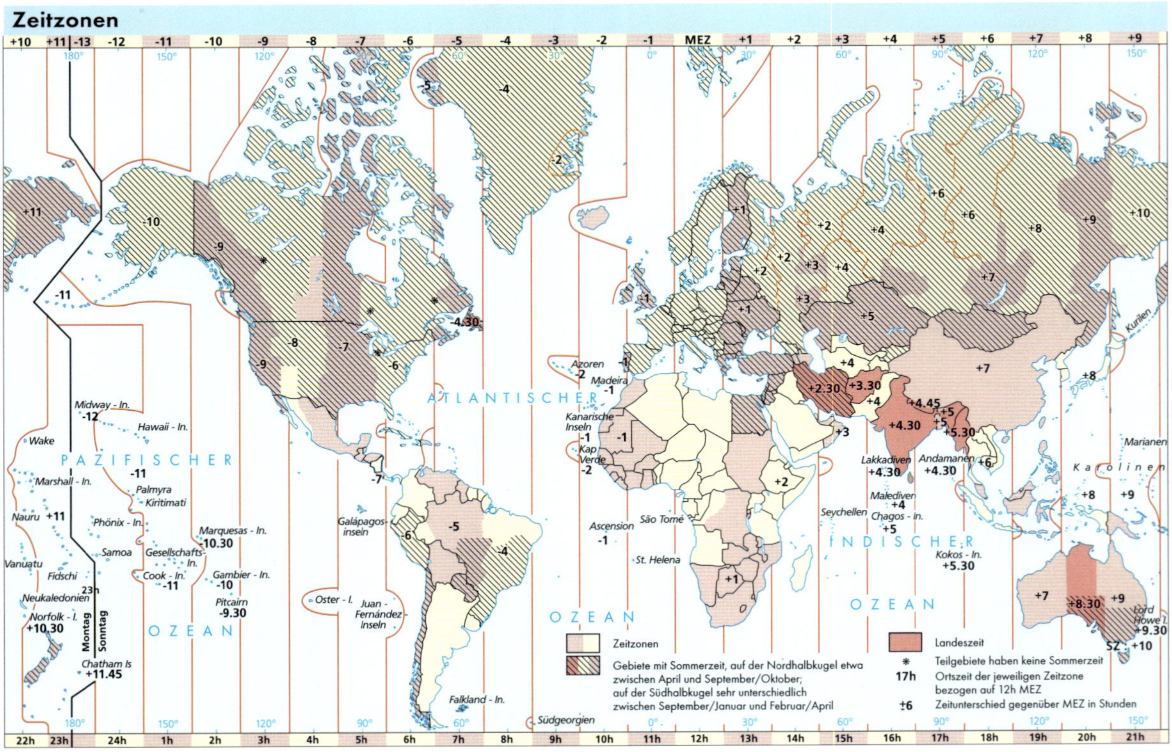

3) *Mikroelektronik:* integrierte Elementarschaltung mit etwa zehn Bauelementen.

Zellendolomit (Zellenkalk), die →Rauchwacke.

Zellengewölbe, *Baukunst:* Gewölbeform der Spätgotik aus kerbschnittartig eingebuchteten Zellen zw. scharf hervortretenden Graten.

Zellenschmelz, eine Technik der →Emailkunst.

Zẹller, 1) Carl, österr. Komponist, *Sankt Peter in der Au (Bez. Amstetten) 19. 6. 1842, †Baden (bei Wien) 17. 8. 1898; einer der Hauptvertreter der klass. Wiener Operette; schrieb u. a. »Der Vogelhändler« (1891), »Der Obersteiger« (1894), ferner zwei Opern und Chorwerke.

2) Eva, Schriftstellerin, *Eberswalde 25. 1. 1923; bis 1956 in der DDR, 1956–62 im heutigen Namibia, seitdem in der Bundesrep. Dtl.; schreibt Lyrik (»Stellprobe«, 1989), psychologisch vertiefte Romane (»Die Hauptfrau«, 1977; »Nein und Amen«, 1986; »Heidelberger Novelle«, 1988) und Erzählungen (»Die mag. Rechnung«, 1965; »Ein Morgen Ende Mai«, 1969; »Tod der Singschwäne«, 1983; »Das Sprungtuch«, 1991).

3) Magnus, Maler und Grafiker, *Biesenrode (bei Mansfeld) 9. 8. 1888, †Berlin 25. 2. 1972; Schüler von L. Corinth; entwickelte unter dem Eindruck des 1. Weltkrieges einen expressiven Realismus; entlarvte in Sinnbildern den Nationalsozialismus, der ihn 1937 als »entartet« verfemte; schuf später v. a. Bildnisse, Landschaften, Alltagsszenen.

Zẹller See, 1) See im Pinzgau, Salzburg, Österreich, 757 m ü. M., 4,3 km^2, 3,8 km lang, bis zu 1,5 km breit und bis zu 68 m tief.

2) Teil des Untersees, →Bodensee.

Zellfusion, Verschmelzung von Zellen infolge Auflösung der Zellmembran. Z. erfolgt spontan oder kann künstlich provoziert werden; entstehende Zellhybriden dienen der Untersuchung von Genstrukturen und Regelmechanismen. (→Biotechnologie)

Zellgewebsentzündung (Bindegewebsentzündung, Phlegmone), in den Bindegewebsspalten fortschreitende, meist eitrige Weichteilinfektion, ohne dass lokalisierte Gewebseinschmelzungen (→Abszess) entstehen. Die Z. wird verursacht durch Eindringen von Streptokokken in Wunden. Die Behandlung erfolgt durch breite Freilegung, Ruhigstellung und Antibiotikagaben.

Zellglas, glasklare, geruchs- und geschmacksneutrale Folie aus Hydratcellulose (→Cellulose, →Viskose), die durch eine in ein Fällbad gepresste Viskoselösung hergestellt wird (Nassgießverfahren). Z. wird als Haushaltsfolie, Verpackungsmaterial und für Kunstdärme verwendet.

Zellịtinnen (Augustinerinnen, Alexianerinnen), rhein. Klostergenossenschaften nach der Augustinerregel, v. a. in der Krankenpflege tätig; Mutterhäuser in Aachen, Köln, Düren.

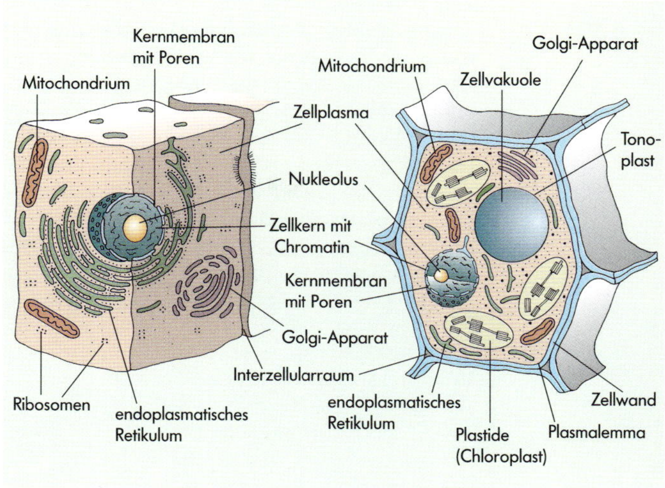

Zelle 1): schematische Darstellung einer tierischen (links) und einer pflanzlichen Zelle

Zellkern (Nucleus, Nukleus, Karyon), etwa 5–25 µm großes, meist kugeliges Organell in den Zellen der Eukaryonten, das im Zytoplasma eingebettet ist und oft in einem bestimmten Verhältnis zur Zellgröße steht (Kern-Plasma-Relation). In den Z. ist fast das gesamte genet. Material eines Lebewesens in Form der chromosomalen DNS (Hauptanteil des Kernplasmas) eingeschlossen. Von den Z. aus werden die Erbmerkmale weitergegeben. Sie sind auch Ort der RNS-Synthese. Neben den Chromosomen enthält der Z. ein Kernkörperchen, bei Pflanzenzellen mehrere; hier entstehen die Vorläufer der ribosomalen Untereinheiten.

Zellkultur, die Haltung von menschl., tier. und pflanzl. Zellen unter sterilen Bedingungen in einem künstlich geschaffenen Milieu außerhalb des Organismus. Durch Z.-Techniken können in kurzer Zeit große Mengen Zellen produziert werden. Sie werden zur Gewinnung von Hormonen u. a. biolog. Produkten genutzt. Im Unterschied zur Gewebekultur liegen zu Beginn nur isolierte Zellen vor. – Bei der **Gewebekultur** tier. und menschl. Gewebe werden frisch aus dem Organismus entnommene, sehr kleine Gewebestücke (Explantate) in ein geeignetes Nährsubstrat, entweder arteigener Herkunft (z. B. Blutplasma) oder künstlich zusammengesetzt, gebracht. – Von Pflanzen können ebenfalls Zellen, Gewebe oder Organe kultiviert werden. Am häufigsten wird die Kultur von isolierten Wurzeln sowie von Kallusgewebe (Zellwucherungen an explantierten Organstückchen) angewandt.

Carl Zeller

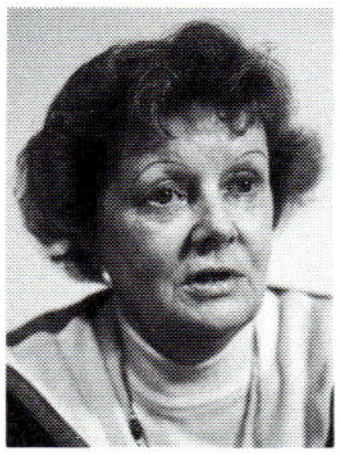

Eva Zeller

Zellmembran (Plasmamembran), Bestandteil und äußere Begrenzung der Zellen aller Organismen, aus Phospholipiden und Proteinen aufgebaut. Die Z. ist Vermittler zw. einer Zelle und ihrer Umwelt. Sie ist semipermeabel, d.h. durchlässig für Wasser und kleine Moleküle, nicht aber für Ionen, Zucker und große Moleküle wie Proteine. Die Z. besitzt jedoch spezielle Transportsysteme für ganz bestimmte Moleküle und Ionen, die die Zelle benötigt oder die aus der Zelle hinausgeschafft werden müssen (Glucosetransport, Na^+-K^+-Transport u. a.). Sie besitzt Rezeptoren für Hormone und andere Signalmoleküle und -systeme, die die Signale in die Zelle hineinleiten, und an ihrer äußeren Oberfläche Strukturen, die die Zelle als eine ganz bestimmte Zelle ausweisen und ihr entsprechende antigene Eigenschaften geben, die immunologisch von großer Bedeutung sind. Die Z. besitzt ein Membranpotenzial von rd. 100 mV (innen negativ); durch kurzfristige Veränderungen solcher Membranpotenziale geschieht die Erregungsleitung an den Nervenzellen.

Zell|organellen, *Biologie:* in Zellen vorkommende organähnl. Gebilde mit spezif. Struktur und Funktion, z. B. →Mitochondrien und →Plastiden. (→Kompartiment)

Zellstoff, bis zu 99 % aus Cellulose bestehende Faserstoffe, die durch chem. Aufschluss aus Holz und anderen Faserpflanzen isoliert und v. a. zur Herstellung von Papier, Pappe, Viskosefasern, Celluloseestern und -äthern sowie als Füllstoff verwendet werden. Rohstoffe sind meist Nadelhölzer (Fichte, Kiefer) aber auch Holzabfälle aus Sägewerken. Zunächst wird das Holz z. B. in Trommelentrindern durch Reiben und Schlagen von der Rinde befreit und in Hackmaschinen durch rotierende Messerscheiben zu Schnitzeln zerkleinert. Zur Gewinnung von Z. werden die Hackschnitzel durch Kochen mit Wasser in Druckgefäßen und Chemikalien von Lignin, Hemicellulosen und Harzen befreit. Die einzelnen Cellulosefasern sollen dabei möglichst schonend freigelegt werden. – Bei dem in Dtl. ausschließlich angewendeten **Sulfitverfahren** erfolgt der Aufschluss bei 125–160 °C mit Sulfit- oder Hydrogensulfitlösungen (»Sulfitlaugen« meist mit Calciumhydrogensulfit oder, wegen der Möglichkeit der Chemikalienrückführung, heute v. a. mit Magnesiumhydrogensulfit). Dabei wird das Lignin des Holzes sulfoniert, hydrolysiert und als Ligninsulfonat gelöst. Beim **Sulfatverfahren** wird das Lignin mit wässrigen Lösungen von Natriumhydroxid und Natriumsulfid bei maximal 180 °C in Lösung gebracht. – Die Ablaugen der Z.-Gewinnung verursachen bei Einleitung in Gewässer eine starke Verschmutzung. Sie werden deshalb bis zu einem Feststoffgehalt von 50–60 % eingedampft und anschließend verbrannt. Die Verbrennungsrückstände von Calciumsulfitablaugen werden deponiert. Aus den Rückständen der übrigen Ablaugen lassen sich die Aufschlusschemikalien zurückgewinnen. Verluste werden beim Sulfatverfahren durch Zusatz von Natriumsulfat ersetzt. In Sulfitablaugen enthaltene Zucker können zur Herstellung von Futterhefen oder Äthanol dienen. Aus den Ablaugen des Sulfatverfahrens können Tallöl und Sulfatterpentinöl isoliert werden. – Der Z. ist nach dem Aufschluss durch Ligninreste dunkel gefärbt. Klass. Bleichverfahren, bei denen das Restlignin durch elementares Chlor entfernt wird, sind aus Umweltschutzgründen (u. a. Möglichkeit der Dioxinbildung) zunehmender Kritik ausgesetzt. Durch den Einsatz von Sauerstoff und Wasserstoffperoxid kann heute beim Bleichen von Sulfit-Z. vollständig auf Chlor verzichtet werden.

Zellteilung, die Aufteilung einer lebenden Zelle in zwei neue, selbstständige Zellen im Zuge einer Zellvermehrung bzw. Fortpflanzung. Man unterscheidet: a) bei Prokaryonten (Bakterien und Cyanobakterien): Nach Verdoppelung der DNS und Trennung der beiden Tochter-DNS-Anteile wird zw. diesen ein Septum angelegt, das schließlich die Teilung der Zelle in zwei Tochterzellen bewirkt; b) bei Eukaryonten: Die Z. setzt nach oder bereits während der Schlussphase einer Kernteilung ein. Bei der Kernteilung handelt es sich i. d. R. um eine →Mitose. Die meisten tier. Zellen teilen sich von einer äquatorialen Ringfurche aus durch eine einfache Durchschnürung. Bei den mit einer Zellwand ausgestatteten pflanzl. Zellen entsteht zw. den Tochterkernen senkrecht zur Teilungsebene eine Plasmadifferenzierung, aus der sich die beiden neuen Zellmembranen und dazwischen die Zellplatte als erste Wandanlage bilden. BILD Mitose

Zelltherapie (Zellulartherapie), Behandlung durch Injektion von Zellen, die aus fetalen Organen oder von Jungtieren gewonnen wurden; beim Verwenden von Aufschwemmungen lebender Zellen (»Frischzellen«) als **Frisch-Z.,** beim Anwenden von Aufschwemmungen der gleichen Zellen, die jedoch durch ein Gefriertrocknungsverfahren haltbar gemacht wurden (»Trockenzellen«), als **Trocken-Z.;** die Z. soll die Verjüngung und Revitalisierung von Organen bewirken. Ein medizin. Nachweis konnte bisher dafür nicht erbracht werden. Es besteht jedoch die Gefahr der Immunisierung durch Fremdprotein, der Allergisierung und der Übertragung von Krankheitserregern.

zellulär [lat.], *Biologie:* zellenförmig, aus Zellen zusammengesetzt, die Zellen betreffend.

Zellularpathologie, die von R. Virchow (1858) begründete lokalist. Krankheitslehre, nach der alle krankhaften Veränderungen auf Störungen der

Körperzellen bzw. ihrer Funktionen zurückzuführen sind.

Zellulartherapie, die →Zelltherapie.

Zellulitis [lat.] *die* (Cellulitis), durch umschriebene Anreicherung von Fettgewebe entstehende groß- oder kleinfeldrige Reliefbildung im Oberschenkel- und Gesäßbereich bei Frauen. Die Z. ist mit leichter Lymphstauung und geringer Ödembildung innerhalb des Bindegewebes verbunden. Bes. bei seitl. Zusammenschieben von Haut und Unterhaut ergibt sich durch trichterförmige Follikeleinziehung die Erscheinung der sog. **Orangenschalenhaut.** Die Z. lässt sich durch Gewichtsreduktion, körperl. Training und Massage günstig beeinflussen.

Carl Friedrich Zelter: Ausschnitt einer Lithographie nach einem zeitgenössischen Gemälde aus dem Jahr 1827

Zelluloid, →Celluloid.

Zellulose, →Cellulose.

Zellwand, vom Zytoplasma nach außen abgeschiedene (d.h. außerhalb der →Zellmembran liegende), starre Hülle pflanzl. Zellen. Sie gliedert sich von außen nach innen in vier Schichten: 1. Die **Mittellamelle** besteht aus Pektinen und bildet sich bei der Zellteilung zw. den beiden Tochterzellen aus. 2. Die **Primärwand,** in deren Grundsubstanz (Pektin und Hemicellulosen) Cellulosefäden (Mikrofibrillen) netzartig eingelagert sind. 3. Auf eine dünne Übergangslamelle folgt die **Sekundärwand.** Diese kann z.B. in Festigungsgeweben durch starke Einlagerung von Cellulose bes. massiv werden, wobei mehrere Schichten mit Paralleltextur entstehen. Die Anordnung der Mikrofibrillen in der Primär- und Sekundärwand wird als Textur bezeichnet. 4. Abschließend nach innen folgt die **Tertiärwand,** die wiederum aus Pektin und Hemicellulosen besteht.

Zeloten, Sammelbez. für versch., überwiegend radikale antiröm. Gruppen im palästinens. Judentum des 1. Jh. n. Chr. Die Z. verbanden auf der Grundlage eines religiös-polit. Messianismus nat. mit sozialrevolutionären Zielen; ihr Wirken gipfelte 66 n. Chr. im Aufstand gegen die Römer und führte im nachfolgenden jüd. Krieg zu ihrer vernichtenden Niederlage; 73 n. Chr. kollektiver Selbstmord der letzten Z. in der Festung →Masada.

Zelt, urspr. nur Bez. für die zerlegbare, transportable Behausung nichtsesshafter Völker; meist aus Tierhäuten, Stoffbahnen, Filzdecken oder auch aus Grasmatten und Rinden bestehend, die über ein Holzstangengerüst gelegt werden; z.B. das Tipi der nordamerikan. Indianer und die Jurte asiat. Hirtennomaden. Moderne Z. sind leicht auf- und abbaubare Unterkünfte unterschiedl. Form und Größe aus wasserdichtem Gewebe **(Z.-Tuch)** oder Kunststoff, die durch ein Gerüst aus Holzstangen (oder Masten bei Groß-Z.) bzw. ineinander steckbaren Metallrohren **(Z.-Stöcke)** gestützt werden; dabei wird das Z. mit Schnüren bzw. Trossen und Pflöcken (»Heringen«) gespannt und am Boden verankert.

Zelter, Carl Friedrich, Komponist und Musikpädagoge, *Berlin 11. 12. 1758, †ebd. 15. 5. 1832; seit 1800 Leiter der Berliner Singakademie, gründete ebd. 1809 die erste (Berliner) Liedertafel; bed. v.a. als Liedkomponist (über 200 Lieder); vertonte u.a. Gedichte von Goethe, mit dem er eng befreundet war; Lehrer u.a. von F. Mendelssohn Bartholdy und C. O. Nicolai.

Zeltingen-Rachtig, Gemeinde im Landkreis Bernkastel-Wittlich, Rheinl.-Pf., 2300 Ew.; bed. Weinort; reger Fremdenverkehr.

Zemeckis [zi:'metskɪs], Robert, amerikan. Filmregisseur, *Chicago (Ill.) 1952; Drehbuchautor; internat. Durchbruch mit der Komödie »Auf der Jagd nach dem grünen Diamanten« (1984), etablierte sich mit der Trilogie »Zurück in die Zukunft« (1985–89); drehte ferner den Trickfilm »Falsches Spiel mit Roger Rabbit« (1988) und die schwarze Komödie »Der Tod steht ihr gut« (1992). BILD Trickfilm

Zement [von lat. caementum »Bruchstein«], zur Herstellung von Beton und Mörtel verwendetes, auch unter Wasser erhärtendes (hydraul.) Bindemittel, das durch Brennen von Kalk und Ton bzw. von Mergel mit geeigneter Zusammensetzung und anschließendes Vermahlen des Z.-Klinkers entsteht. Außer durch die Zusammensetzung des Z.-Klinkers können die Eigenschaften des Z. durch Zusätze variiert werden. Zusammensetzung, Eigenschaften und Bez. der Z.-Arten sind genormt: **Portland-Z.** (Abk. PZ) enthält außer gemahlenem Z.-Klinker zw. 3 und 5% Gips oder Anhydrit. **Hütten-Z.** (ZZ), **Eisenportland-Z.** (EPZ) und **Hochofen-Z.** (HOZ) werden durch gleichzeitiges Vermahlen von Z.-Klinker, granulierter Hochofenschlacke (sog. Hüttensand) und etwas Gips bzw. Anhydrit hergestellt. **Trass-Z.** (TZ) enthält neben Z.-Klinker 30% Trass und etwas Gips bzw. Anhydrit; mit Trass-Z. hergestellter Beton besitzt eine hohe Wasserdichtigkeit und wird daher v.a.

Zen: Bodhidharma, Tuschmalerei aus dem 18. Jahrhundert

im Wasserbau verwendet. **Sulfathütten-Z.** (SHZ, Gipsschlacken-Z.) besteht aus tonerdereichem Hüttensand, bis 5% Portland-Z. und Gips oder Anhydrit; er hat eine hohe Widerstandsfähigkeit gegen sulfathaltige Wässer. Sonder-Z. sind u.a. Ölschiefer-Z., Suevittrass-Z., Trasshochofen-Z. und Tonerde(schmelz)-Z., der durch Schmelzen von Kalkstein und Bauxit hergestellt wird (nicht für tragende Bauelemente aus Beton/Stahlbeton zugelassen).

Wirtschaft: 1994 betrug die Weltzementproduktion 1354 Mio. t; 1994 produzierten China 398,4, die Russ. Föderation 372, Japan 91,9, die USA 77,1, Indien 61,6, Rep. Korea 52, Dtl. 40,2, Italien 32,5, Mexiko 30,4, Thailand 30, Türkei 29,5, Taiwan 22,7, Brasilien 22,5 und Frankreich 20,2 Mio. t.

Zementatiọnszone, bei Erzlagerstätten unterhalb der Oxidationszone und des Grundwasserspiegels liegender Bereich der Fällung und Anreicherung von Metallsulfiden, v.a. von Kupfer und Silber. Die unedlen Metalle gehen als Sulfate in Lösung.

Zemlịnsky [-ki], Alexander von, österr. Komponist und Dirigent, *Wien 14. 10. 1871, †Larchmont (N. Y.) 15. 3. 1942; war Lehrer, Freund und

Alexander von Zemlinsky (1930)

später Schwager A. Schönbergs; wirkte als Kapellmeister 1904–11 an der Wiener Volksoper, 1927–30 an der Kroll-Oper in Berlin; emigrierte 1938 in die USA. Sein kompositor. Schaffen fand erst seit den 1970er-Jahren wieder Anerkennung. Seine Tonsprache ist von G. Mahler beeinflusst und führt mit ihrer gesteigerten Chromatik bis an die Grenze des Umbruchs zur Atonalität. Er komponierte u.a. die sinfon. Dichtung »Die Seejungfrau« (1905), Opern (u.a. »Kleider machen Leute«, 1910; »Der Zwerg«, 1922; »Der Kreidekreis«, 1933; »König Kandaules«, um 1934), drei Sinfonien, Kammermusik sowie zahlreiche Vokalwerke.

Hans Zender

Zen [zɛn; japan., über chines. chan von Sanskrit dhyāna »(geistige) Versenkung«] *das* (Zen-Buddhismus), im 6. Jh. unter dem Einfluss des Daoismus in China entstandene Schulrichtung des Mahajana-Buddhismus; begründet von dem aus Indien oder Persien (?) eingewanderten Mönch Bodhidharma (japan. Daruma; *498, †561). Im 13. Jh. gelangte das Z. nach Japan, auf dessen Kultur v.a. die Schulen des Rinzai- und des Sōtō-Z. seither einen prägenden Einfluss ausübten. Seine Lebenspraxis durchdrang v.a. die Bühnen-, Blumensteck- und Schönschreibekunst (Nō, Ikebana, Kalligraphie), die Dichtkunst (→Haikus), die Teezeremonie, die Tuschmalerei, die Künste des Schwertkampfes und des Bogenschießens (→Kyudō), seine Ethik den Normenkodex des Ritteradels (Samurai). Mittelpunkt des Z. ist das Sitzen mit verschränkten Beinen (Zazen) und die dabei praktizierte »Versenkung«, das Leben in der vollständigen »Hingabe an die Wahrheit«; Ziel ist die »Erleuchtung« (Satori), die Erkenntnis der Einheit allen Seins. Jeder Z.-Schüler hat seinen Z.-Meister, der ihn anleitet, zurechtweist und auch körperlich züchtigt. – Außerhalb Japans wurde das Z., vermittelt u.a. durch den Jesuitenpater Hugo M. Enomiya-Lasalle (*1898, †1990), v.a. durch bestimmte Methoden der Meditation bekannt; es vermittelte der westl. Psychotherapie (z.B. K. Dürckheim) wesentl. Anregungen.

📖 HEMPEL, H.-P.: *Was lehrt Z.? Weinheim 1995.* – IZUTSU, T.: *Philosophie des Z.-Buddhismus. A. d. Engl. Neuausg. Reinbek 23.–24. Tsd. 1995.* – DIENER, M. S.: *Das Lexikon des Z. Tb.-Ausg. München 1996.*

Zen [tsɛn], freie Gruppe abstrakter dt. Maler, die sich 1949 in München zusammenschlossen und an die monochrome japan. Tuschmalerei der Anhänger des Zen-Buddhismus (Zenmalerei) anlehnten; Vertreter u.a. W. Baumeister, F. Winter, J. Bissier und Brigitte Matschinsky-Denninghoff.

Zẹnd-Awẹsta, die heiligen Schriften der Parsen, →Awesta.

Zẹnder, Hans, Komponist und Dirigent, *Wiesbaden 22. 11. 1936; 1972–84 Leiter des Sinfonieorchesters des Saarländ. Rundfunks, 1984–87 Leiter der Staatsoper und Generalmusikdirektor des Philharmon. Orchesters in Hamburg, 1987–94 Chefdirigent bei Radio Hilversum; seit 1988 Prof. an der Musikhochschule Frankfurt a. M.; schuf experimentelle Kompositionen, u.a. »Lo-shu« I–IV (1977–82), »Dialog mit Haydn« für 3 Orchestergruppen (1982), Oper »Stephen Climax« (1986).

Zẹner-Diọde, →Z-Diode.

Zẹner-Effekt, von dem amerikan. Physiker Clarence Melvin Zener 1934 entdeckter Übergang von Elektronen aus dem Valenz- in das Leitungsband eines Halbleiters (→Energiebändermodell) bei sehr hohen elektr. Feldstärken (innere Feldemission); quantenmechanisch als Tunneleffekt erklärbar. Der an pn-Übergängen bereits bei kleinen Sperrspannungen auftretende Z.-E. macht sich v.a. in einer starken Erhöhung der elektr. Leitfähigkeit bemerkbar.

Zenica ['zɛnitsa], Stadt in Bosnien und Herzegowina, nordwestlich von Sarajevo, 145 600 Ew.; metallurg. Fakultät; Zentrum der bosn. Stahl- und Eisenindustrie.

Zenit [italien., aus arab.] *der* (Scheitelpunkt), der genau senkrecht über dem Beobachtungsort liegende Punkt am → Himmel.

Zenitdistanz, der Winkelabstand eines Gestirns vom Zenit, gemessen im Gradmaß. Die Z. ergänzt die Höhe des Gestirns zu 90° (→ astronomische Koordinaten).

Zenneck, Jonathan, Physiker, * Ruppertshofen (Ostalbkreis) 15. 4. 1871, † München 8. 4. 1959; Arbeitsgebiete waren Hochfrequenztechnik und Ionosphärenforschung. Z. erfand ein Wellenmessgerät (1899) und entwickelte einen Richtsender mit Reflektordrähten (1899) sowie ein Verfahren der Frequenzvervielfachung; er errichtete die erste dt. Ionosphärenstation bei Kochel a. See.

Zenobia, Septimia, Herrscherin von Palmyra (267–272), Witwe des Stadtfürsten Odaenathus (ermordet 267) und Regentin für ihren Sohn Vaballathus. Sie erweiterte ihr Herrschaftsgebiet um Arabien, Ägypten sowie große Teile Kleinasiens und nahm 271 den Titel Augusta an. 272 wurde sie vom röm. Kaiser Aurelian besiegt und in dessen Triumphzug mitgeführt.

Zenon, byzantin. Kaiser (474–491), * in Isaurien 426, † Konstantinopel 9. 4. 491; als Schwiegersohn Leons I. 474/475 Mitregent seines Sohnes Leon II., 475/476 von Basiliskos, dem Bruder seiner Schwiegermutter, verdrängt, ab 476 Alleinherrscher. Z., der sich hart mit den Ostgoten auseinander setzen musste, verstand es, den Ostgotenkönig Theoderich nach Italien zum Kampf gegen Odoaker abzulenken.

Zenon, 1) Z. der Ältere (Z. von Elea), grch. Philosoph, * um 490, † um 430 v.Chr.; stützte die Lehre seines Meisters Parmenides, dass allein das unwandelbare Sein wirklich sei, mittelbar durch den Nachweis, dass die Annahme der Vielheit, der Bewegung und des Raumes zu Widersprüchen führe. Am bekanntesten sind seine vier Beweise gegen die Bewegung; z.B.: Im Wettlauf kann Achill nie die Schildkröte einholen; ein fliegender Pfeil ruht eigentlich, da er in jedem Moment seines Fluges an einem Ort verharrt.

2) Z. der Jüngere (Z. von Kition), grch. Philosoph, * Kition (heute Larnaka, Zypern) um 335, † um 262 v.Chr.; Begründer der → Stoa.

Zensoren (lat. Censores), altröm. hohe Beamte (→ Magistrat), die alle fünf Jahre für maximal 18 Monate als Zweierkollegium gewählt wurden. Ihre Aufgaben umfassten die Aufstellung der Bürger- und Senatsliste, die Vermögensschätzung (→ Census), das sittenrichterl. Aufsichtsrecht, die Vergabe der Staatsaufträge sowie die Verpachtung des Staatslandes und der staatl. Einkünfte. Seit Sulla verlor das Amt an Bedeutung.

Zensur [lat.] *die,* **1)** *kath. Kirchenrecht:* a) eine Kirchenstrafe, die erst nach erwiesener Besserung des Bestraften aufgehoben wird; auch Beuge- oder Medizinalstrafe (→ Kirchenzucht); b) die einer bischöfl. Druckerlaubnis (Imprimatur) vorausgehende kirchenamtl. Prüfung von Bibelausgaben und Schriften über Glaubens- und Sittenfragen. (→ Bücherverbot)

2) *Publizistik:* staatl. Überwachung und Unterdrückung von Veröffentlichungen in Druck, Bild und Funk (Vor-Z. und Nach-Z.), um die Publizistik im Sinn der Staatsführung oder der herrschenden Partei oder Klasse zu beeinflussen. Eine Z. gab es insbesondere im Absolutismus. In freiheitlich-demokrat. Staaten ist die Z. abgeschafft (→ Meinungsfreiheit); autoritäre und totalitäre Staaten dagegen arbeiten mit einem Z.-Apparat oder lizenzierten bzw. verstaatlichten Kommunikationssystemen.

3) *Schulwesen:* Form der Bewertung von Leistungen und Verhaltensweisen im (Schul-)Zeugnis; in Dtl. werden die Noten 1 = sehr gut, 2 = gut, 3 = befriedigend, 4 = ausreichend, 5 = mangelhaft und z.T. 6 = ungenügend unterschieden. In der gymnasialen Oberstufe existiert eine Punktwertung: 15 (sehr gut) bis 0 (mangelhaft).

Zensus [lat.] *der,* die → Volkszählung.

Zensuswahlrecht, ungleiches → Wahlrecht, bei dem das Wahlrecht als solches oder das Stimmengewicht vom Besitz oder der Steuerleistung abhängt, galt in Preußen bis 1918 (→ Dreiklassenwahlrecht).

Zent [von lat. centum »hundert«] *der,* frühere dt. Masseeinheit; 1 Z. = 0,16 g.

Zentaur, → Kentaur.

Zentgericht, im MA. Gericht für die niedere, teilweise auch für die Blutgerichtsbarkeit (verhängte Todes- und Verstümmelungsstrafen) unter dem Vorsitz eines **Zentgrafen.**

Zenon der Jüngere: Marmorbüste nach einer griechischen Bronzestatue (vor 250 v. Chr.; Kopenhagen, Ny Carlsberg Glyptotek)

Zenon

Die berühmte Paradoxie des Zenon von Elea betrifft den Wettlauf von Achill mit einer Schildkröte. Achill läuft zehnmal so schnell wie die Schildkröte, und doch kann er sie niemals überholen, wenn sie 10 m Vorsprung bekommt. Hat Achill die zehn Meter geschafft, so ist die Schildkröte 1 m weiter, ist Achill diesen Meter gelaufen, so hat die Schildkröte weitere 1/10 m = 10 cm zurückgelegt. Der scheinbare Widersinn besteht in der Addition von beliebig vielen, immer kleiner werdenden Strecken: Würde Achill die Schildkröte einholen, so gäbe es eine endliche Strecke, in der unendlich viele Teile enthalten sind – im antiken Denken paradox. Übrigens: Lässt man Achill 12 m laufen, so hat er die Schildkröte gleich im ersten Anlauf überholt.

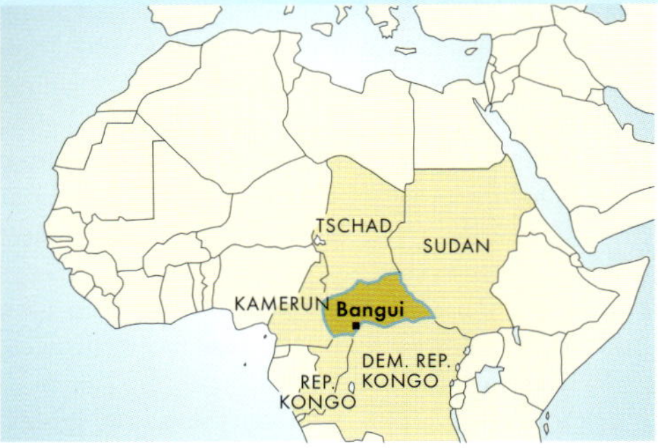

Zentralafrikanische Republik

Fläche: 622984 km²
Einwohner: (1995) 3,315 Mio.
Hauptstadt: Bangui
Verwaltungsgliederung: 16 Präfekturen
Amtssprache: Französisch; nat. Verkehrssprache: Sango
Nationalfeiertage: 13. 8. und 1. 12.
Währung: 1 CFA-Franc = 100 Centimes
Zeitzone: MEZ

Staatswappen

RCA
Internationales Kfz-Kennzeichen

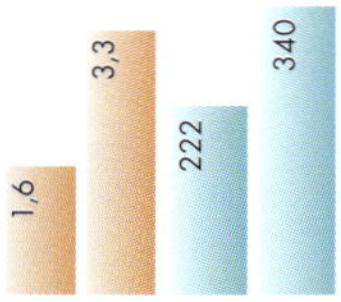

1970 1995 1970 1995
Bevölkerung (in Mio.) Bruttosozialprodukt je Ew. (in US-$)

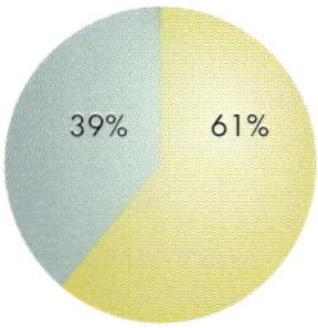

■ Stadt
■ Land
Bevölkerungsverteilung 1995

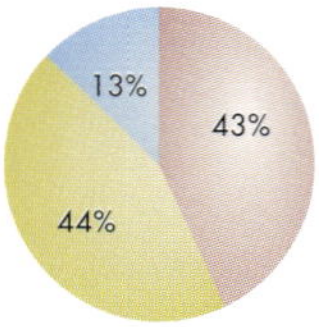

■ Industrie
■ Landwirtschaft
■ Dienstleistung
Bruttoinlandsprodukt 1994

Zenti [lat. centum »hundert«], Vorsatzzeichen **c,** ein Vorsatz vor Einheiten für den Faktor 10^{-2} (Hundertstel); z.B. 1 Zentimeter = 1 cm = 10^{-2} m = 0,01 m.

Zentifolie [lat. »die Hundertblättrige«], eine Art der →Rose.

Zentimeterwellen, →Wellenlängenbereich.

Zentner [von lat. centenarium »Hundertpfundgewicht«] *der,* Einheitenzeichen **Ztr.,** alte Masseeinheit, 1 Ztr. = 50 kg. Im metr. System werden 100 kg als **metr. Z. (Meter-Z.)** bezeichnet, in Dtl. als →Doppelzentner.

zentral [lat.], 1) im Mittelpunkt gelegen; 2) sehr wichtig.

Zentralafrikanische Föderation (Zentralafrikanischer Bund), 1953–63 bundesstaatl. Zusammenschluss der Länder **Britisch-Zentralafrikas:** Südrhodesien (heute Simbabwe), Nordrhodesien (heute Sambia) und Njassaland (heute Malawi).

Zentralafrikanische Republik (amtlich frz. République Centrafricaine), Binnenstaat in Zentralafrika, grenzt im NW an Tschad, im NO an die Rep. Sudan, im S an die Demokrat. Rep. Kongo und die Rep. Kongo, im W an Kamerun.

Staat und Recht: Nach der Verf. von 1986 ist die Z. R. eine präsidiale Rep. Staatsoberhaupt und oberster Inhaber der Exekutive ist der Präs. (auf sechs Jahre direkt gewählt). Er ernennt die Mitgl. des Kabinetts unter Vorsitz des MinPräs., der dem Parlament verantwortlich ist. Die Legislative liegt bei der Nationalversammlung (85 Abg., auf fünf Jahre gewählt). Trotz des 1992 durch Verf.änderung fixierten Mehrparteiensystems blieb zunächst nur die Demokrat. Zentralafrikan. Sammlungsbewegung (RDC) offiziell zugelassen. Seit 1993 sind auch die Oppositionsparteien, z.B. die Bewegung für die Freiheit des Volkes von Zentralafrika (MPLC), legalisiert.

Landesnatur: Die Z. R. liegt im Bereich der flachwelligen Asandeschwelle (500–1000 m ü.M.), die das Tschad- vom Kongobecken trennt. Inselbergmassive erreichen im NO (Bongomassiv) 1360 m ü.M., im NW (Ausläufer des Adamaua) 1420 m ü.M. Das Klima ist überwiegend wechselfeucht-tropisch (eine große und eine kleine Regenzeit), die Niederschläge nehmen von SW (bis 1500 mm; trop. Regenwald) nach NO (bis unter 900 mm; Trockensavanne) ab.

Bevölkerung: Sie besteht überwiegend aus Sudangruppen; die stärksten sind die Banda (29%) im NO, die Mbaya (25%) und Mandja (21%) im W, ferner Sara und Bangivölker; im S leben Bantu (Gbakka, Lissongo), im Regenwald des SW Pygmäen, im O Niloten. Die nat. Verkehrssprache Sango hat sich seit dem 19. Jh. entwickelt. – Allg. Schulpflicht besteht vom 6. bis 14. Lebensjahr; die Analphabetenquote liegt bei 60%; Univ. in Bangui (gegr. 1970). – Die Mehrheit der Bev. sind Anhänger von traditionellen Naturreligionen, rd. $\frac{1}{3}$ Christen; eine Minderheit sind Muslime.

Wirtschaft, Verkehr: Sie ist trotz Waldreichtum (im S) und Bodenschätzen wenig entwickelt. Hauptzweig ist die Landwirtschaft, sie dient v.a. der Selbstversorgung; in Kleinbetrieben werden bes. Maniok, Jams, Mais, Hirse, Erdnüsse und Reis angebaut, in Plantagen für den Export Kaffee, Baumwolle und Tabak. Zunehmend Viehhaltung (Rinder) und Holznutzung (15% der Exporterlöse). Große Bedeutung hat der Abbau von Diamanten (überwiegend Schmuckdiamanten), ferner von Gold; Vorkommen von Uran-, Eisen-, Kupfer-, Zinn-, Chromerz, Erdöl. Die Ind. ist wenig entwickelt; wichtigste Zweige sind Textil-, Leder-, Nahrungs- und Genussmittel-, Holzindustrie. Exportiert werden v.a. Kaffee, Diamanten (bis über 20% der Exporterlöse), Holz, Baumwolle, Tabak; importiert v.a. Erdölderivate, Nahrungsmittel, Maschinen. Haupthandelspartner: Frankreich u.a. EU-Länder, Kamerun, Japan. – Das Straßennetz umfasst rd. 20000 km; die Binnenschifffahrt auf dem Ubangi zum Kongo nach Brazzaville (Rep. Kongo; ab hier Eisenbahn nach Pointe-Noire) hat große Bedeutung, v.a. für den Außenhandel. Eine weitere Transitstrecke führt von Bangui nach Douala (Kamerun). Internat. Flughäfen: Mpoko bei Bangui und Berbérati; nat. Fluggesellschaft Air Centrafrique.

Geschichte: Von Bangui, das 1889 gegr. wurde, stießen die Franzosen zum Tschadsee und zum oberen Nil vor. Von Dtl. und dem unabhängigen Kongostaat Leopolds II. von Belgien erwarben sie ein Territorium, das 1894 unter dem Namen Haut-Oubangui konstituiert wurde. Die Kolonie Oubangui-Chari (Ubangi-Schari) wurde 1910 Bestandteil des Generalgouv. Frz.-Äquatorialafrika, 1946 Überseeterritorium innerhalb der Frz. Union, erklärte sich 1958 zur autonomen Z. R. innerhalb der Frz. Gemeinschaft und wurde am 13. 8. 1960 unter Präs. D. Dacko unabhängig, arbeitete jedoch politisch, wirtsch. und militärisch eng mit Frankreich zusammen. Nach einem Militärputsch zum Jahreswechsel 1965/66 kam Generalstabschef J.-B. Bokassa an die Macht, der 1972 Staatspräs. auf Lebenszeit wurde und durch personalpolit. Maßnahmen, Willkürherrschaft und Terror jegl. Opposition ausschaltete. Am 4. 12. 1976 ließ Bokassa das **Zentralafrikan. Kaiserreich** ausrufen und sich als Bokassa I. zum Kaiser proklamieren (Krönung am 4. 12. 1977). Im Sept. 1979 wurde der in Libyen weilende Bokassa I. mit Unterstützung der frz. Regierung durch Dacko gestürzt, der erneut die Z. R. proklamierte und das Präs.amt übernahm (im März 1981 durch Wahl bestätigt). Im Sept. 1981 brachte ein Militärputsch General A. Kolingba an der Spitze eines Militärkomitees des Nat. Wiederaufbaus an die Macht. 1986 wurde eine Zivilreg. gebildet und Kolingba als Staatspräs. bestätigt. Die RDC, im Febr. 1987 von Kolingba gegr., gewann im Juli 1987 die ersten Wahlen zur Nationalversammlung überlegen. Nach Protesten gegen das Regime Kolingba 1990 wurden Reformen angekündigt und 1991 erstmals mehrere Parteien zugelassen. Die Wahlen 1992 wurden von Kolingba für ungültig erklärt. Die Präsidentschaftswahlen 1993 gewann A.-F. Patassé (MPLC). Im Dez. 1994 wurde per Referendum eine neue Verf. gebilligt. Vor dem Hintergrund wirtschaftl. Schwierigkeiten kam es 1996 mehrfach zu Meutereien der Armee, bei denen auch ein Rücktritt von Präs. Patassé gefordert wurde.

🕮 ZOCTIZOUM, Y.: *Histoire de la Centrafrique, 2 Bde. Paris 1983–84.* – O'TOOLE, T.: *Central African Republic. Boulder, Colo., 1986.* – KALCK, P.: *Central African Republic, a failure in de-colonization. Neuausg. Oxford 1993.*

Zentralafrikanischer Graben, Teil des →Ostafrikanischen Grabensystems.

Zentralafrikanische Wirtschaftsgemeinschaft (frz. Communauté Économique des États de l'Afrique Centrale, Abk. CEEAC), Vereinigung von zehn afrikan. Staaten (Äquatorialguinea, Gabun, Kamerun, Demokrat. Rep. Kongo, Rep. Kongo, Zentralafrikan. Rep., Tschad, Burundi, Ruanda, São Tomé und Príncipe) zur Zusammenarbeit in Ind., Landwirtschaft und Transport sowie zur Harmonisierung ihrer nat. Wirtschaftspolitik; gegr. 1983; Sitz: Libreville (Gabun). Organe: Konferenz der Staats- und Reg.chefs, Min.rat, Sekretariat.

Zentralalpen, die zentralen Teile der Ostalpen, zw. den Nördl. und den Südl. Kalkalpen (→Alpen), meist aus magmat. und metamorphen Gesteinen aufgebaut.

Zentralamerika, die rd. 1900 km lange Festlandsbrücke Mittelamerikas, die Nordamerika mit Südamerika verbindet. Z. reicht von der Landenge von Tehuantepec (Mexiko) bis zur Atratosenke (Kolumbien), doch werden aus statist. Gründen die Anteile Mexikos und Kolumbiens meist (so auch hier) ausgenommen und nur Guatemala, Belize, El Salvador, Honduras, Nicaragua, Costa Rica und Panama zu Z. gezählt; rd. 524 000 km² mit fast 30 Mio. Einwohnern.

Oberflächengestalt: Z. wird von den Faltengebirgszügen der Kordilleren durchzogen, die zum Pazif. Ozean steil abfallen und zum Karib. Meer hin in Hügelland übergehen, an das sich z.T. sumpfiges Schwemmland und schließlich großenteils flache Ausgleichsküsten mit Strandseen anschließen. Zw. der nördl. und südl. Kette der Kordilleren liegen ausgedehnte Hochflächen oder Becken. Die Nicaraguasenke wird vom Nicaragua- und Managuasee eingenommen. Die entlang der pazif. Seite Z.s verlaufende tekton. Schwächezone ist durch häufige Erdbeben und ausgedehnten, z.T. noch tätigen Vulkanismus gekennzeichnet. Höchste Erhebung ist der Vulkan Tajumulco (4210 m ü. M.) in Guatemala.

Klima: Z. hat trop. Klima, das z.T. durch Höhenlage (→Tierra) und durch den Einfluss der Meere abgewandelt wird. Die größten Niederschläge fallen auf der karib. Seite (bis 6000 mm) und an den Gebirgshängen. Die inneren Täler und

Zentralafrikanische Republik (Geschichte): Ange-Félix Patassé

Zentralafrikanische Republik

zentralasiatische Kunst (von links): Darstellung des Buddha Maitreya auf einer Wandmalerei des frühen 20. Jh. im Tempel Jokhang in Lhasa (Tibet); Kopf einer Buddhastatue aus Hotan (Sinkiang), vergoldete Bronze (3./4. Jh.; Tokio, Nationalmuseum); Tanzender Dämon, Tuschmalerei aus Qocho in der Oase Turfan (8./9. Jh.; Berlin, Museum für Indische Kunst)

Hochbecken im Windschatten der Gebirge sind z.T. recht trocken (um 600 mm).

Vegetation und *Tierwelt:* Das feuchtheiße karib. Tiefland wird von immergrünen Regenwäldern eingenommen. An der pazif. Küste herrschen regengrüne Savannenwälder und Dornbusch vor. In 800 m Höhe geht der Regenwald der Küstengebiete in Bergwald über. Auf diesen Höhen (600–1500 m ü.M.) liegen die wichtigsten Kaffeeanbaugebiete. In der Tierra fría wachsen Eichenmischwälder und Kiefern; Laubwälder gedeihen noch bis in Höhen über 3200 m ü.M. Fast bis in diese Höhen werden Mais, Bohnen und Weizen angebaut. Die Tierwelt gleicht in den trop. Regenwäldern des Flachlands der Fauna Südamerikas, während im Hochland und in den offenen Landschaften nordamerikan. Tiergruppen weit nach S vordringen.

Bevölkerung: Nur noch in Guatemala haben die ursprüngl. Bewohner, die Indianer, größeren Anteil an der Bevölkerung (v.a. Maya). In Costa Rica überwiegen die Weißen, in den anderen Staaten herrscht Mischlingsbevölkerung vor. Mestizen leben v.a. im Hochland, Schwarze, Mulatten und Zambos im heißen Küstentiefland, bes. im karib. Bereich. Der jährl. Bevölkerungszuwachs ist mit über 2,5% sehr hoch.

Vorgeschichte →mesoamerikanische Hochkulturen. – *Geschichte* →Südamerika.

📖 Helms, M. W.: *Middle America. A culture history of heartland and frontiers. Englewood Cliffs, N. J., 1975, Nachdr. Washington, D. C., 1982.* – Sandner, G.: *Z. u. der ferne karib. Westen. Konjunkturen, Krisen u. Konflikte 1503–1884. Stuttgart 1985. – Z. Ökonom. Integration u. regionale Konflikte, hg. v.* H. Huhn. *München 1997.*

zentralasiatische Kunst, die Kunst im Gebiet von O-Afghanistan, W-Turkestan, Sinkiang (O-Turkestan), Tibet, N-Nepal, Bhutan, der Mongolei und der Himalajagebiete Indiens. – Über die Karawanenstraßen, die Indien über die →Seidenstraßen mit China verbinden, wurden seit der ind. Kushana-Dynastie (1.–4. Jh. n.Chr.) indoskyth., hellenist., gräkoiran., ind., tibet. und chines. Einflüsse vermittelt. Dies belegen die Ausgrabungen in Bamian (Buddhastatuen und Klosterruine), in W-Turkestan und in N-Baktrien, deren Funde Fresken und Ruinen buddhist. Tempelkunst und höf. Kunst zeigen, wie in Chaltschajan (nördlich Balch) und Ak-Beschim (bei Bischkek), und die Kunst des Palastes und Tempels von Pendschikent (östlich Samarkand).

Die Kunst O-Turkestans mit den versunkenen Kulturoasen des Tarimbeckens (Kuga, Turfan, Hotan) illustriert die durch tausend Jahre (bis zur Islamisierung) völkerverbindende Ausbreitung des Buddhismus von Indien nach China wie auch die Ausbildung eigenständiger Stile, in denen gräkobuddhist. Stilformen neue Individualität gewannen (4.–7. Jh.), bis eine zunehmende Sinisierung eintrat. Einen Höhepunkt der religiösen z. K. bilden die Höhlentempel von →Dunhuang, die von flüchtenden Buddhisten zugemauert wurden und heiml. Pilgerziel blieben, bis sie Anfang des 20. Jh. von Europäern entdeckt wurden.

Zu den ältesten architekton. Zeugnissen gehören die Königsgräber und Verteidigungsbauten im südtibet. Yarlung-Tal. Steinkreise und Megalithe wurden in W- und Zentral-Tibet gefunden. Noch undatierbare Schmuck- und Amulettfunde ähneln dem Tierstil der →Steppenkunst. Die buddhist. Kultur der Königszeit Groß-Tibets (617–842) drang weit in die anderen Gebiete Zentralasiens vor. Während das tibet. Kunsthandwerk zunehmend unter chines. Einfluss stand, erhielt die religiöse Kunst Anregungen von Nepal, Kaschmir und Indien.

Auch in den nachfolgenden Jh. reichte der religiöse und kulturelle Einfluss Tibets bis in die Mongolei, zu den Burjaten am Baikalsee, zu den Kalmücken an der Wolga, nach Sikkim, Nepal und Bhutan. Charakteristisch sind die Applikationen aus Filz, später aus Seide genähte oder bedruckte Thangkas (Rollbilder). Auf diesen entwickelte sich u.a. der figurale, in Flächen eingeteilte westtibet. Malstil und die von Nepal beeinflusste »Sakya-Malschule« des Klosters Ngor Evam (gegr. 1429), ferner der zentraltibet. Stil und die osttibet. Malart, erkennbar am zarten landschaftl. Hintergrund, der an chines. Malereien erinnert; für den Kunststil der Mongolen wurde das nordosttibet. Kloster Labrang wichtig. Neben den rein religiösen Rollbildern entstanden solche mit Themen aus dem zentralasiat. »Gesar-Epos«. Die Buch- und Wandmalereien reichten von einfachen Pilgerführern in naivem Stil bis zu den kosm. Mandalas. Die vollplast. Kunstwerke, meist aus Bronze, stellen v.a. Gottheiten und Geistliche dar oder sind als Reliquienschreine ausgebildet. In der Mongolei entwickelte sich neben dem Schmiedehandwerk, das sich durch aufwendige Verzierungstechniken für Schmuck und Gebrauchsgegenstände auszeichnet, eine bed. Knochenschnitzerei, v.a. seit dem Vordringen des Lamaismus im 16. Jahrhundert.

📖 YALDIZ, M.: *Archäologie u. Kunstgeschichte Chinesisch-Zentralasiens (Xinjiang). Leiden u.a. 1987.* – *The Cambridge history of early Inner Asia, hg. v.* D. SINOR. *Cambridge 1990.* – *Kunst des Buddhismus entlang der Seidenstraße, Redaktion:* B.J. RICHTSFELD, *Ausst.-Kat. Staatl. Museum für Völkerkunde, München 1992.* – STEIN, R.A.: *Die Kultur Tibets. A.d. Frz. Berlin 1993.*

Zentralasien (Innerasien), zusammenfassender Name für die rd. 6 Mio. km² umfassenden, meist abflusslosen Hochgebiete im Innern Asiens zw. Himalaja im S, Pamir im W, Tienschan, Altai und Sajan im N sowie dem Großen Chingan im O. Charakteristisch sind ausgedehnte Hochländer und -becken (Hochland von Tibet, Tarimbecken, Dsungarei, das Hochland der Mongolei). Gemeinsam sind das streng kontinentale Klima, Wüste und Wüstensteppe, in den Randgebieten Steppe. Große Landstriche sind außerhalb einiger Oasen unbewohnt, andere haben spärliche nomad. Bevölkerung. Z. ist die Heimat der mongol. und der Turkvölker.

Zentralatom, →Koordinationsverbindungen.

Zentralausschuss der Werbewirtschaft e.V., Abk. **ZAW**, 1949 gegr. Organisation der dt. Werbewirtschaft mit 44 angeschlossenen Verbänden, Sitz: Bonn.

Zentralbank, **1)** Kurzbez. für Zentralnotenbank, →Notenbank.

2) (genossenschaftliche Z.) Sammelbegriff für die Zentralinstitute der Kreditgenossenschaften auf regionaler und Bundesebene, die die ihnen angeschlossenen Genossenschaften betreuen (Zahlungsverkehr, Geldversorgung usw.) und das Kredit-, Wertpapier- und Auslandsgeschäft u.a. Dienstleistungen betreiben.

Zentralbankrat, oberstes Organ der →Deutschen Bundesbank.

Zentralbau, ein Bau, bei dem im Unterschied zum Langhausbau (→Basilika) alle Teile auf einen Mittelpunkt bezogen sind. Der Grundriss kann aus einem Kreis, einem Vieleck, auch einer Ellipse entwickelt sein. Den oberen Abschluss des Raums, dessen Unterbau durch einen Umgang, Kreuzarme, Apsiden u.a. erweitert sein kann, bildet gewöhnlich eine Kuppel.

Der bedeutendste Z. der Antike ist das →Pantheon in Rom; sonst wurden in röm. Zeit kleinere Tempel, Grabbauten und Thermenbauten als Z.

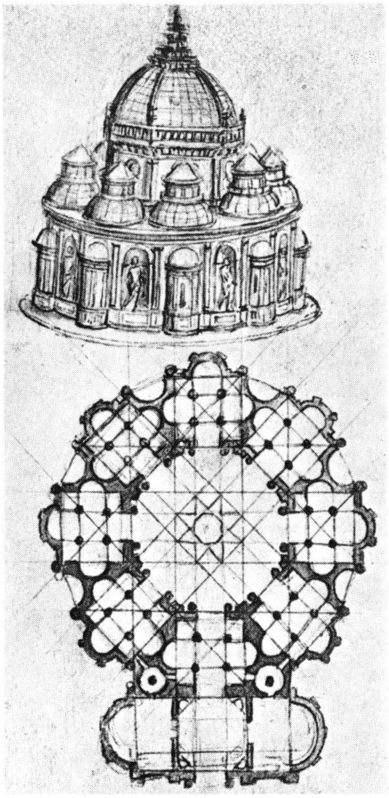

Zentralbau: Entwurf eines Zentralbaus, Federzeichnung von Leonardo da Vinci (Ende 15. Jh.; Paris, Bibliothèque de l'Institut de France)

errichtet. Die frühchristl. Kunst übernahm den antiken Z. v.a. für Tauf- und Grabkirchen. Im Kirchenbau des christl. Ostens setzte sich in mannigfachen Abwandlungen der Z. durch (byzantinische Kunst, Kreuzkuppelkirche). Das Hauptbauwerk ist die →Hagia Sophia in Istanbul. Der Z. blieb im Bereich der orthodoxen Kirche vorherrschend (→russische Kunst) und wurde auch von der →islamischen Kunst aufgenommen und fortgebildet (Kuppelmoscheen). In der mittelalterl. Baukunst des Abendlandes gehören Z. zu den Ausnahmen (Oktogon des Aachener Münsters, um 800 geweiht; Dekagon von St. Gereon in Köln, 1219–27, über antiken Grundmauern; Liebfrauenkirche in Trier, um 1250). Bei Taufkirchen hielt man am Z. fest, so auch bei Grabkirchen und Mausoleen und anderen kapellenartigen Bauten (→Heiliges Grab). Der Z.-Gedanke lebte dann in der italien. Renaissance (→Bramante) wieder auf. Der Bau der →Peterskirche in Rom spiegelt die Auseinandersetzung zw. den Verfechtern der Ideen des Z. und des Langhausbaus wider. Im Barock wurden Z. über ellipt. Grundriss bes. beliebt. Der Klassizismus griff z.T. auf den reinen Z. nach Vorbild des Pantheons in Rom zurück. Im Kirchenbau des 20. Jh. kommt der Z. in vielfältigen Variationen vor. – Neue Aufgaben boten dem Z. im 19. und 20. Jh. u.a. Zirkusbauten, Planetarien, Fest- und Ausstellungshallen. Weitere BILDER Bähr, Istanbul, Mistra, Pantheon, Theoderich der Große

📖 UNTERMANN, M.: *Der Z. im Mittelalter. Darmstadt 1989.* – KLING, M.: *Roman. Zentralbauten in Oberitalien. Vorläufer u. Anverwandte. Hildesheim u.a. 1995.*

Zentralbewegung, die Bewegung eines Körpers (Massenpunktes) unter dem Einfluss einer Kraft, die stets auf denselben festen Raumpunkt (Kraft-, Beschleunigungszentrum) gerichtet ist **(Zentralkraft).** Besitzt der Körper senkrecht zur Verbindungslinie zu diesem Zentrum keine Impulskomponente, so bewegt er sich beschleunigt auf das Zentrum zu. Im andern Fall ergibt sich eine krummlinige Bewegung, bei der die aus der Trägheit des Körpers resultierende →Zentrifugalkraft der auf das Zentrum gerichteten Zentripetalkraft das Gleichgewicht hält. Beispiele für Z. sind die gleichförmige Kreisbewegung sowie die durch die keplerschen Gesetze beschriebene ellipt. Bewegung der Planeten um die Sonne als Folge der wechselseitigen Gravitation.

Zentrale Erfassungsstelle (Salzgitter) (eigtl. Zentrale Erfassungsstelle der Länderjustizverwaltungen in Salzgitter), im Okt. 1961 von den Justizministerien und -senatoren der dt. Bundesländer unter Verantwortung des Landes Niedersachsen geschaffene Einrichtung, um die in Berlin (Ost) und der DDR begangenen polit. Straftaten gegen die Freizügigkeit und die Grundrechte zu registrieren; 1990 umbenannt in **Zentrale Beweis- und Dokumentationsstelle.** Ihre in der Zeit vom 24. 11. 1961 bis zum 3. 10. 1990 zusammengetragenen mehr als 42 000 Akten, die u.a. vollendete und versuchte Tötungshandlungen an der innerdt. Grenze, polit. Terrorurteile der DDR-Justiz, Misshandlungen durch den Staatssicherheitsdienst und im Strafvollzug sowie Formen der Denunziation dokumentieren, erlangen Bedeutung v.a. für die Rehabilitierung der Opfer.

Zentraleinheit, Abk. **ZE** (engl. Central Processing Unit, Abk. CPU), zentrale Baueinheit eines Computers, die für die Verarbeitung der Daten sowie für die zentrale Ablaufsteuerung und Koordination des gesamten Systems zuständig ist. Unter Z. versteht man häufig nur den **Rechnerkern,** der von dem Rechenwerk, dem Steuerwerk und dem Ein-/Ausgabeprozessor gebildet wird und nur über begrenzte Speichermöglichkeit (z.B. Register) verfügt. In Mikrocomputern wird der Rechnerkern durch einen Mikroprozessor verkörpert (ggf. auch durch mehrere). Zur Z. gehört nach DIN neben dem Rechnerkern auch der Hauptspeicher (Arbeitsspeicher).

Zentrale Stelle der Landesjustizverwaltungen zur Aufklärung nationalsozialistischer Verbrechen, 1958 von den Justizministerien und -senatoren der dt. Bundesländer in Ludwigsburg errichtete Einrichtung, die sich um die Aufdeckung nat.-soz. Gewaltverbrechen und ihre strafrechtl. Verfolgung bemüht. Die DDR hatte, im Unterschied zu anderen ehem. Ostblockstaaten, die Zusammenarbeit verweigert; seit Anfang 1992 kann auch auf ein NS-Archiv des Staatssicherheitsdienstes der DDR zurückgegriffen werden.

Zentralheizung, →Heizung.

Zentralinstitut für Kunstgeschichte, kunstwiss. Forschungsinst., bes. für abendländ. Kunstgeschichte von frühchristl. Zeit an; gegr. 1946, Sitz: München; besitzt die wichtigste Fachbibliothek in Dtl. und eine bed. Fotothek.

Zentralisation [lat.] *die,* in Verwaltung, Politik, Wirtschaft u.a. organisator. Zusammenfassung von Funktionen, entweder räumlich oder als sachl. Gleichbehandlung gleichartiger Aufgaben.

Zentralismus [lat.] *der,* Form der Organisation des Staates, bei der alle Kompetenzen bei einer zentralen obersten Instanz liegen. Der Z. äußert sich im Staatswesen am deutlichsten im **zentralisierten Einheitsstaat.** Dem Z. entgegengesetzt ist der Föderalismus; dazwischen gibt es eine Vielzahl von Übergangsstufen.

Zentralkomitee, Abk. **ZK,** in kommunist. Parteien nominelles Führungsgremium zw. den Parteitagen, deren Delegierte es wählen. Das ZK wählt aus seinen Reihen das Politbüro und das

Sekretariat, die tatsächl. höchsten Führungs- und Machtinstanzen.

Zentralkomitee der deutschen Katholiken, Zusammenschluss der in der kath. Laienarbeit in Dtl. tätigen Verbände, Vereine und Personen; koordiniert als Arbeitsgemeinschaft die kath. Laienarbeit und bereitet die Katholikentage (→Katholikentag, Deutscher) vor.

Zentralkraft, →Zentralbewegung.

Zentralmakedoni|en, Region in Griechenland, 18 811 km², (1991) 1,736 Mio. Ew.; Verw.sitz: Saloniki.

Zentralmassiv (frz. Massif Central), Gebirgsmassiv im mittleren und südl. Frankreich, Plateaulandschaft mit erloschenen Vulkanen; umfasst mit rd. 85 000 km² etwa ein Sechstel der Fläche Frankreichs; höchste Erhebung ist der Puy de Sancy (1886 m ü. M.) im Mont-Dore. Das Z. wird umgeben vom Garonnebecken, von dem Pariser Becken im N und der Rhône-Saône-Senke im O. Die meist flachwelligen Plateaus sind durch z. T. tektonisch angelegte Täler und Einbruchsbecken in viele Einzellandschaften gegliedert; die größten sind →Auvergne, →Cevennen, →Causses. Das Klima ist im S und SO mediterran; der O und die im Lee gelegenen Becken sind trockenwarm und erhalten nur rd. 500 mm Jahresniederschlag, während der zentrale Teil und die im W gelegenen Vorläufer atlantisch beeinflusst und am stärksten beregnet sind (1100–2000 mm). Die Weidewirtschaft überwiegt. Auf der Grundlage der Kohlenlager in den randl. Becken (bes. St. Étienne, Montceau-les-Mines, Decize, Alès) hat sich bed. Ind. entwickelt. Heilbäder sind an den vielen Mineral- und Thermalquellen entstanden. Durch die Bevölkerungsabwanderung seit Beginn des 19. Jh. ist das Z. einer der am dünnsten besiedelten Teile Frankreichs.

Zentralnervensystem, Abk. **ZNS** (zentrales Nervensystem), bei Mensch und Wirbeltieren aus →Rückenmark und →Gehirn bestehender Teil des gesamten Nervensystems.

Zentralrat der Juden in Deutschland, Dachorganisation der jüd. Gemeinden in Dtl.; 1950 zur Förderung des religiösen und kulturellen jüd. Lebens in Dtl. und zur Vertretung gemeinsamer jüd. Interessen gegenüber Staat und Öffentlichkeit gegr.; Sitz: Düsseldorf; Vors. seit 1992 ist I. Bubis.

Zentralstaat, →Einheitsstaat.

Zentralstelle für die Vergabe von Studi|enplätzen, Abk. **ZVS,** Behörde in Dortmund (seit 1973), durch Staatsvertrag der Bundesländer geschaffene Anstalt des öffentl. Rechts, deren Aufgabe die Vergabe von Studienplätzen an staatl. und staatlich anerkannten Hochschulen in zulassungsbeschränkten Studiengängen nach geregelten Kriterien ist. (→Numerus clausus)

Zentralstern, sehr heißer Stern im Mittelpunkt planetarischer →Nebel, durch dessen Strahlung die Gasmassen des Nebels zum Leuchten angeregt werden.

Zentralverband des Deutschen Handwerks, Abk. **ZDH,** Spitzenorganisation des Gesamthandwerks, gegr. 1949, Sitz: Bonn; nimmt die Interessen des Handwerks auf überregionaler und internat. Ebene wahr. Angeschlossen sind (1990) 600 000 Unternehmen.

Zentralverwaltungswirtschaft (Zwangswirtschaft), von W. Eucken geprägter Begriff für einen Wirtschaftsordnungstyp, bei dem alle Wirtschaftsprozesse (Allokation, Produktion und Konsumtion) eines Landes von einer zentralen staatl. Instanz einheitlich nach vorgegebenen Zielvorstellungen geplant, koordiniert und überwacht werden. Der Marktmechanismus als wichtiges Steuerungsinstrument einer Verkehrswirtschaft (Marktwirtschaft) wird dabei weitgehend durch einen hierarchisch gegliederten, bürokrat. Lenkungsapparat ersetzt, der seine Entscheidungen mittels verbindl. Direktiven durchsetzt. Die systemadäquate Verbindung der Z. mit Staatseigentum an den Produktionsmitteln ergibt den Typ der staatssozialist. Z. (→Planwirtschaft); möglich ist auch eine Kombination mit Privateigentum (z. B. dt. →Kriegswirtschaft während der beiden Weltkriege) oder mit Gruppen- bzw. Gesellschaftseigentum, die in den Modellen der Rätedemokratie angestrebt wird. Nach dem Zentralisierungsgrad der Planung im Produktions- und Konsumtionsbereich kann zw. total-, hoch- oder dezentralisierter Z. unterschieden werden.

Zentralwert, *Mathematik:* der Median (→Mittelwert).

Zentrieren [lat.], *Technik:* das Einstellen auf den Mittelpunkt (die Mittelachse), z. B. im Maschinenbau das Festlegen der Drehachse eines Rotationskörpers, in der Optik das Einstellen opt. Systeme (Linsen, Spiegel) so, dass alle opt. Achsen und Mittelpunkte auf einer Geraden liegen.

zentrifugal [lat.], vom Mittelpunkt (Zentrum) wegführend; Ggs.: zentripetal.

Zentrifugalkraft (Fliehkraft), die aus der Trägheit resultierende Kraft, die bei krummliniger Bewegung (v. a. Drehbewegung) eines Körpers (Massenpunktes) dessen Richtungsänderung zu verhindern sucht. Die Z. wirkt auf Körper in rotierenden (mitbewegten) Bezugssystemen und ist stets senkrecht zur Drehachse nach außen gerichtet. Für einen Körper der Masse m, der im senkrechten Abstand r mit der Winkelgeschwindigkeit ω um die Drehachse rotiert, hat sie den Betrag $F = m \cdot r \cdot \omega^2$. Die der Z. entgegengerichtete Kraft gleichen Betrages heißt **Zentripetalkraft;** im Ggs. zur Z. als reiner Trägheitskraft (Scheinkraft) hat sie als

→Zwangskraft direkte physikal. Ursachen, z. B. die Massenanziehung der Planeten (→Zentralbewegung). Als Folge der Z. werden die Insassen eines Fahrzeuges beim Durchfahren einer Kurve nach außen gedrückt, auch die Abplattung der Erde beruht auf der Zentrifugalkraft.

Zentrifuge [lat.] *die* (Schleuder, Trennschleuder), Maschine zur Trennung von Stoffgemischen mithilfe der in einem Rotor auf das Gut wirkenden Zentrifugalkraft. Als Maß für die Wirksamkeit einer Z. dient das Verhältnis der erreichbaren Zentrifugalkraft zur Schwerkraft **(Schleuderzahl, Z.-Kennzahl).** Es kann Werte von 200 bis 1 Mio. (Ultra-Z.) annehmen. Je nach Trennprinzip unterscheidet man zw. Filtrations-Z. (Siebschleudern) und Sedimentations-Z. (Vollwand-Z.). **Filtrations-Z.** haben eine gelochte Trommel, die innen mit einem Filtergewebe belegt ist. Sie werden v. a. zur Abtrennung großer Feststoffanteile mit großem Teilchendurchmesser verwendet, z. B. zur Entwässerung von Feinkohle oder zur Abtrennung des Rohzuckers vom Muttersirup. Auch Wäscheschleudern gehören zu dieser Gruppe. **Sedimentations-Z.** haben nicht gelochte Vollmanteltrommeln. Sie nutzen die Zentrifugalkraft zum Beschleunigen des natürl. Absetzvorgangs von Suspensionen oder zum Trennen von Emulsionen. Die zu trennenden Phasen müssen unterschiedl. Dichte haben. Hierzu gehören die **Überlauf-Z.,** bei denen die Suspension kontinuierlich zu- und die klare Flüssigkeit kontinuierlich abläuft, und die **Becher-Z.,** in denen Becher an einer vertikalen Welle aufgehängt sind, die sich durch die Zentrifugalkraft senkrecht zur Drehachse stellen. Eine sehr schnell laufende Becher-Z. ist die **Ultrazentrifuge. Teller-Z. (Separatoren)** sind die am häufigsten verwendeten Z. (z. B. zum Entrahmen von Milch oder zur Fermentation [Abtrennung von Hefen und Melassen]). Sie bestehen u. a. aus bis zu 100 kegelförmigen, dicht übereinander liegenden rotierenden Tellereinbauten, Schnecken- und Trommelwelle. Die Dispersion strömt durch eine Hohlwelle von unten durch das Tellerpaket. Die festen Teilchen (Schlamm) und/oder die Flüssigkeit mit der größeren Dichte werden gegen die Unterseite der Teller gedrückt und gleiten über Austragungsschnecken nach außen. Die Flüssigkeit mit der geringeren Dichte steigt nach oben und kann dort abgezogen werden. Bei der **Gegenstrom-Z. (Gas-Z.)** wird die Entmischung in einer vertikalen Ultra-Z. dadurch stark gesteigert, dass der Rotordeckel (oberes Rotorende) schwach geheizt und damit eine vertikale Konvektion erzielt wird.

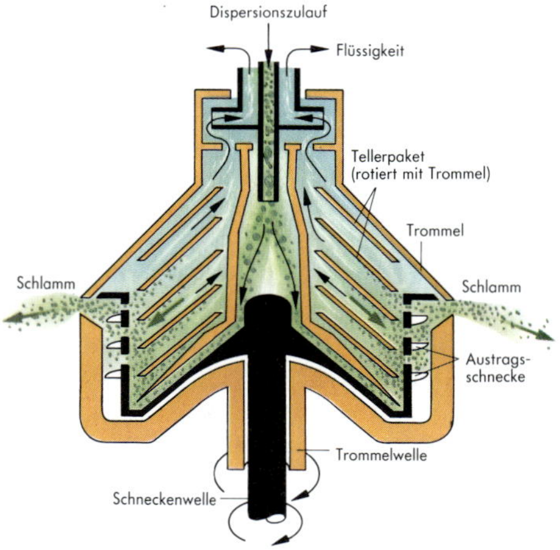

Zentrifuge: Schnittzeichnung einer Tellerzentrifuge

Zentriolen [lat.] (Centriolen, Zentralkörperchen), 0,3–0,6 µm lange Organellen in tier. Zellen und den Zellen niederer Pflanzen. Die zylindr. Z. bestehen aus neun kreisförmig angeordneten Strukturen mit je drei Mikrotubuli. Meist paarig in der Nähe des Zellkerns vorkommend, bilden die Z. mit dem umgebenden Zytoplasma das **Zellzentrum (Zentrosom),** von dem aus die Mikrotubuli organisiert werden. Während der Zellteilung bilden die Z. die Spindelpole für die Kernspindeln. Bei niederen Pflanzen entwickeln sich aus den Z. die Basalkörper der Flagellen und Zilien.

zentripetal [lat.], zum Mittelpunkt (Zentrum) hinstrebend; Ggs.: zentrifugal.

Zentripetalkraft, →Zentrifugalkraft.

Zentriwinkel (Mittelpunktswinkel), von zwei Radien eines Kreises gebildeter Winkel.

Zentromer [lat.-grch.] *das,* Chromosomeneinschnürung, teilt das Chromosom in zwei Schenkel; Spindelansatzstelle bei der Kernteilung (→Mitose).

Zentrosom [lat.-grch.] *das, Zytologie:* →Zentriolen.

Zentrum [lat.] *das,* **1)** *allg.:* Mitte, Mittelpunkt.

2) *Politik:* die →Zentrumspartei.

3) *Städtebau:* Innenstadt.

Zentrum-Peripherie-Modell, Modell zur Analyse sowohl wirtsch. als auch polit., sozialer oder kultureller Beziehungen zw. Staaten oder zw. Regionen. Es geht davon aus, dass die Entwicklung in den Zentren und in den Randgebieten (Peripherie) in jedem Fall ungleichmäßig verläuft und nicht zu einem raumwirtsch. Gleichgewichtszustand führt. Das Zentrum (Städte, Ballungsgebiete) bildet der wirtschaftlich aktivere Raum, der relativ weit entwickelt ist (ausgebaute Infrastruktur, hohe Lebensqualität, hohe Einkommen), seine Wertschöpfung v. a. im Industrie- und Dienstleistungssektor erbringt und als innovativ und fortschrittlich gilt. In der Peripherie (ländl. Raum) herrschen dagegen landwirtsch. Produktion und Rohstoffgewinnung vor.

Zentrumspartei (Deutsche Z., Zentrum), Partei des polit. Katholizismus im Dt. Reich, gegr. 1870/71, benannt nach den Plätzen in der Mitte des Parlaments (preuß. Landtag, dann Dt. Reichstag); wurde unter der Führung L. Windthorsts zu einer der stärksten Parteien (1881–1912 und 1916–18 stärkste Reichstagsfraktion); im Kulturkampf im scharfen Ggs. zu Bismarck und den Liberalen, jedoch eine Stütze Bismarcks beim Übergang zur Schutzzollpolitik. Am Aufbau der Weimarer Republik (1919) entscheidend beteiligt (M. Erzberger); nahm an allen Reichsregierungen bis 1932 teil und stellte vier Reichskanzler (K. Fehrenbach, J. Wirth, W. Marx, H. Brüning). Als letzte der bürgerl. Parteien löste sie sich im Juli 1933 auf. – Die Mehrzahl der überlebenden Führer waren 1945 Mitbegründer der CDU; die Neugründung einer linksorientierten Z. (»Dt. Zentrumspartei«) 1945 war nur in NRW (Helene Wessel) von Bedeutung (bis 1958 Regierungsbeteiligung).

Zentrumspartei: Wahlplakat aus dem Jahr 1928

Zenturie [lat. »Hundertschaft«] *die,* **1)** *Militärgeschichte:* im röm. Heer kleinste militär. Einheit von urspr. 100, später meist 80 Mann unter Führung eines **Zenturio.** Zwei Z. machten eine Manipel, 60 Z. eine Legion aus.

2) *röm. Verfassung:* Einheit einer militärisch-polit. Gliederung der röm. Bürgerschaft bei der Abstimmung in den **Zenturiatkomitien;** nicht die Einzelstimme, sondern die Entscheidung der Z. als Stimmkörper wurde gezählt. Es gab seit dem 4./3. Jh. v. Chr. 193 Z. Sie gliederten sich in 18 Z. der Reiter, 170 Z. der Fußsoldaten in fünf Vermögensklassen, je zwei Z. der Handwerker und Spielleute sowie eine Z. der Proletarier; diese Z.-Ordnung wurde um 220 v. Chr. verändert.

Zeolithe [grch.], sehr artenreiche Familie wasserreicher, meist farbloser bis weißer oder gefärbter Silikatminerale. Die Kristalle sind überwiegend verzwillingt. Z. kommen meist einzeln oder als Aggregate in Hohlräumen und auf Klüften bes. von Vulkaniten sowie rezent in Thermen vor. Das Kristallgitter der Z. ist eine aus SiO_4-Tetraeder und AlO_4-Tetraeder bestehende Gerüststruktur, die von Kanälen und Hohlräumen durchzogen ist. Das darin unter natürlichen Bedingungen enthaltene Kristallwasser wird bei langsamem Erhitzen stufenweise und reversibel abgegeben (Trockenmittel); Gleiches gilt für Ammoniak, Schwefelwasserstoff u. a. Bei sehr schnellem Erhitzen schäumen die Z. auf, sie »sieden«. Z. werden nach ihrem Aufbau eingeteilt in **Faser-Z.** (z. B. →Natrolith), **Würfel-Z.** (z. B. Chabasit, $(Ca, Na_2)\,[Al_2Si_4O_{12}]\cdot 6\,H_2O$) und **Blätter-Z.** (z. B. →Phillipsit). – Große techn. Bedeutung haben synthet. Z. Wichtige Kenngrößen für die Verwendung sind der Durchmesser der Poren, die die Hohlräume des Kristallgitters miteinander verbinden, und das SiO_2/Al_2O_3-Verhältnis im Kristallgitter. Z. mit einer Porenweite von 0,3–0,5 nm dienen als Molekularsiebe und Ionenaustauscher, Z. mit Porenweiten von 0,9 nm als Katalysatoren beim Cracken. BILD Natrolith

Zephanja [hebr.] (in der Vulgata Sophonias), Prophet des A. T., Zeitgenosse Jeremias; wirkte um 630 v. Chr. in Jerusalem; kritisierte die Verehrung fremder Götter (v. a. des Baal) und kündigte das Gericht Gottes als »Tag des Zorns« über Juda an. Das **Buch Z.** (Abk. Zeph.) gehört zu den →Kleinen Propheten; es entstand in nachexil. Zeit und geht im Grundbestand auf Prophetenworte zurück.

Zephir [grch.-lat.] *der* (Zephyr, Zephyros), *grch. Mythos:* Sohn der Eos und des Titanen Astraios, Verkörperung des Westwindes. (→Hyakinthos)

Zeppelin, Ferdinand Graf von, Luftschiffkonstrukteur, *Konstanz 8. 7. 1838, †Berlin 8. 3. 1917; Offizier, widmete sich nach 1892 dem Luftschiffbau und konstruierte in einer auf Pontons schwimmenden Halle in der Bodenseebucht von Manzell bei Friedrichshafen das erste (nach ihm benannte) lenkbare Starrluftschiff (→Luftschiff) »LZ 1« (Start am 2. 7. 1900). Es besaß bereits alle Merkmale der 129 späteren Z.-Luftschiffe: die schlanke Form, die einzelnen Gaszellen für Wasserstoff im Innern, das Gerippe aus Aluminium. Nach der Zerstörung von »LZ 4« bei Echterdingen (1908) schuf eine Nationalspende die Grundlage zur weiteren Entwicklung in der 1909 gegr. »Luftschiffbau Z. GmbH.« in Friedrichshafen. Z.s Mitarbeiter (u. a. L. Dürr und H. Eckener) führten sein Werk nach seinem Tode fort. BILD S. 386

📖 *Die großen Z.e. Die Geschichte des Luftschiffbaus, hg. v.* P. KLEINHEINS. *Düsseldorf* [2] *1996.*

Zepter [grch.] *das* (früher Szepter), zu den Krönungsinsignien gehörender Herrscherstab; im

Zepter aus einem Königsgrab in Kurion (11. Jh. v. Chr.)

MA. zunächst Symbol der kaiserl. bzw. königl. (z. B. Reichskleinodien), später auch der fürstl. Gewalt sowie Belehnungssymbol (daher **Z.-Lehen;** →Lehnswesen). Weitere BILDER Heinrich IV., Muisca, Rechtssymbole

Ferdinand Graf von Zeppelin (1905)

Zerberus, *grch. Mythos:* →Kerberos.

Zerbst, Kreistadt des Landkreises Anhalt-Z., Sa.-Anh., an der Nuthe, 17000 Ew.; Fahrradproduktion, Metall verarbeitende und Nahrungsmittelindustrie. – Innenstadt 1945 stark zerstört, u. a. das Schloss (1681–1749, östl. Seitenflügel als Ruine erhalten); wiederhergestellt ist die Trinitatiskirche (1683–96); z. T. erhalten bzw. z. T. wiederhergestellt St. Nikolai (15. Jh.), Franziskanerklosterkirche (urspr. 13. Jh., im 16. und 19. Jh. verändert), St. Bartholomäi (urspr. 13. Jh., im 14.–16. Jh. verändert). Erhalten ist die Stadtmauer mit mehreren Türmen und drei der ehem. fünf Stadttore, u. a. das Heidetor aus der 2. Hälfte des 15. Jh. – Um 1200 gegründet, 1209 Stadtrecht; 1307–1945 zu Anhalt, 1603–1793 Residenz des Fürstentums Anhalt-Zerbst.

Zerealien [lat.; nach der Göttin Ceres], das →Getreide.

zerebral [lat. cerebrum »Gehirn«], das Gehirn betreffend.

Zerebralisation [lat.] *die,* stammesgeschichtl. Weiterentwicklung des Gehirns im Sinne der Vergrößerung und strukturellen Vervollkommnung.

Zerebroside, die →Cerebroside.

zerebrospinal [lat.], zum Zentralnervensystem gehörend, Gehirn und Rückenmark betreffend.

Zerebrospinalflüssigkeit, die →Gehirn-Rückenmark-Flüssigkeit.

Zeremonie [lat.] *die,* in bestimmten festen Formen, nach einem Zeremoniell oder einem →Ritus ablaufende feierl. Handlung, z. B. Amtseinführung, Inthronisation, Taufzeremonie.

Zeremoniell [lat.-frz.] *das,* Gesamtheit der Regeln und Verhaltensweisen, die bei feierl. Anlässen im staatl. (z. B. militär. Z., →Protokoll) und religiösen Bereich Anwendung finden. Das abendländ. **Hof-Z.** (zumeist unter Verantwortung eines **Zeremonienmeisters**) entfaltete sich bes. am burgund. Hof und in der Zeit des fürstl. Absolutismus.

Zeresin [zu lat. cera »Wachs«] *das* (Ceresin), weißes, geruchloses, gereinigtes →Erdwachs; dient u. a. zur Herstellung von Kerzen, künstl. Vaselinen, Schuh- und Möbelpflegemitteln.

Zerfallskonstante, →Radioaktivität.

Zerfallsreihen, →Radioaktivität.

Zerhacker, *Physik, Technik:* →Chopper.

Zerka [z-] (Zarka, Zarqa, Az Z.), Stadt in Jordanien, nordöstlich von Amman, 359000 Ew.; wichtigster Industriestandort des Landes mit Zementwerken, Erdölraffinerie.

Zermatt, Gemeinde im Kt. Wallis, Schweiz, 1616 m ü. M., am N-Fuß des Matterhorns im Mattertal, 4400 Ew.; alpines Museum; bed. Fremdenverkehrszentrum, Wintersport; Zahnradbahn zum Gornergrat (3131 m ü. M.) oberhalb des →Gornergletschers, Seilbahnen, u. a. zum Kleinen Matterhorn; Endpunkt der Bahnlinie Visp-Z. (Autostraße nur bis Täsch).

Zermatten [zɛrmaˈtɛn], Maurice, schweizer. Schriftsteller frz. Sprache, *Saint-Martin (Kt. Wallis) 22. 10. 1910; schreibt meist im bäuerl. Milieu angesiedelte psycholog. Romane (»Der Garten von Gethsemane«, 1951; »Der Berg ohne Sterne«, 1956; »Denn sie wissen nicht, was sie tun«, 1958; »Land ohne Weg«, 1966; »Eine Liebe in Grenchen-Nord«, 1978; »À l'est du Grand-Couloir«, 1983); auch Erzählungen, Novellen, Dramen und Essays.

Zerbst: Teil der Stadtmauer mit dem Heidetor aus der 2. Hälfte des 15. Jahrhunderts

Zermelo, Ernst Friedrich Ferdinand, Mathematiker, *Berlin 27. 7. 1871, †Freiburg im Breisgau 21. 5. 1953; Prof. in Göttingen, Zürich und Freiburg; stellte 1908 das erste Axiomensystem der Mengenlehre von G. Cantor auf.

Zernatto, Guido, österr. Schriftsteller, *Treffen (bei Villach) 21. 7. 1903, †New York 8. 2. 1943; war

1936–38 unter K. Schuschnigg Staatssekr., emigrierte 1938 nach Frankreich, 1940 in die USA; war Dozent in New York; gestaltete in seinen Gedichten (»Die Sonnenuhr«, 1933) und Romanen (»Sinnlose Stadt«, 1934) den Ggs zw. der ländl. Einfachheit und der Welt der Großstadt.

Zẹrnike [z-], Frits (Frederik), niederländ. Physiker, *Amsterdam 16. 7. 1888, †Naarden (Prov. Nordholland) 10. 3. 1966; Prof. in Groningen; erfand 1932 das Phasenkontrastmikroskop, das die Beobachtung farbloser, durchsichtiger Mikroorganismen in lebendem Zustand ermöglichte; erhielt dafür 1953 den Nobelpreis für Physik.

Zero ['ze:ro; frz. »null«], **1)** *bildende Kunst:* 1958 in Düsseldorf gegr. Künstlergruppe, der u.a. O. Piene, H. Mack und G. Uecker (seit 1960) angehörten. Sie trug um 1960 mit seriellen Bildordnungen und vibrierenden Lichtstrukturen wesentlich zur Überwindung der informellen Kunst bei und begründete eine neue Phase der dt. Nachkriegskunst, in der die Kunst sich für elementare Medien wie Licht, Wasser, Luft und moderne Technologien öffnete. Z. begann 1957 mit Abendausstellungen in Düsseldorf und veröffentlichte seit 1958 die Katalogzeitschrift »Zero«; 1966 war die letzte gemeinsame Ausstellung, 1967 löste sich die Gruppe auf. BILDER Piene, Uecker

2) *die* oder *das, Roulett:* die Null, das Gewinnfeld des Bankhalters.

Zerobond ['ze:ro-], *Bankwesen:* → Bond.

Żeromski [ʒɛ'rɔmski], Stefan, Pseud. Maurycy Zych und Józef Katerla, poln. Schriftsteller, *Strawczyn (bei Kielce) 14. 10. 1864, †Warschau 20. 11. 1925. Seine patriot., zugleich jedoch sozialkrit. Prosa ist dem Realismus und Symbolismus verpflichtet (»Die Heimatlosen«, 2 Bde., R., 1900; »In Schutt und Asche«, 3 Bde., R., 1904; »Die Geschichte einer Sünde«, 2 Bde., R., 1908; »Der getreue Strom«, Erz., 1912). Z.s Enttäuschung über die Entwicklung der neuen unabhängigen Republik, für die er sich eingesetzt hatte, schlug sich in dem Roman »Vorfrühling« (1924) nieder.

Zeroplạstik [grch.], → Wachsbildnerei.

Zéroual [zer'u̯al], Lamine, alger. Politiker und General, *Batna 3. 7. 1941; kämpfte als Mitgl. der »Nat. Befreiungsarmee« gegen Frankreich, stieg in der alger. Armee seit 1962 zu hochrangigen Positionen auf (1982–89 Kommandeur versch. Wehrbereiche; seit 1988 General). 1993 wurde Z. Verteidigungsminister. 1994 zum Staatspräs. ernannt und bei den Präsidentschaftswahlen 1995 im Amt bestätigt, das er bis April 1999 ausübte.

Zerreißversuch, der → Zugversuch.

Zerrung, 1) *Geologie:* durch Zug oder Druck bewirkte Dehnung eines Gesteins oder Erdkrustenteils. Z. führt zur Bildung von Klüften, Verwerfungen, Spalten oder Gräben.

Zermatt: Blick über die Ortschaft auf das Matterhorn

2) *Medizin:* Überdehnung von Muskeln, Sehnen oder Bändern bei Überbeanspruchung oder Gewalteinwirkung.

Zersetzung, Veränderung von Struktur und chem. Zusammensetzung eines Stoffs durch Wärme oder andere Energieformen, Chemikalien oder Mikroorganismen. Erwünschte Z. sind z.B. die elektrochem. Z. bei der Elektrolyse oder die Z. von Abfällen auf Deponien. Durch Pilze und Bakterien bewirkte Z. organ. Substanzen auf oder im Boden gehört zum Stoffkreislauf der Natur.

Zersiedlung, Beeinträchtigung oder Zerstörung der Landschaft durch ausufernde städt. Bebauung im ländl. Raum, durch Bauten außerhalb geschlossener Ortschaften sowie Erschließung von natürl. Biotopen für Wochenend- und Freizeitzentren und für Industrieanlagen.

Frits Zernike

Zerspratzung, Zerreißung heißer, gasreicher Lava beim Auswurf aus einem Vulkan.

Zerstäuber, Vorrichtung zum Zerstäuben von Flüssigkeiten (Zerteilung in feinste Tröpfchen, Herstellung eines Aerosols). Bei der gebräuchlichsten Bauart reißt ein an einer Düse vorbeiströmender Luftstrom die dort austretende Flüssigkeit in Form kleinster Tröpfchen mit. Z. arbeiten im Ggs. zum → Spray ohne Treibgase.

Lamine Zéroual

Zerstörer, mittelgroßes, vielseitig einsetzbares, schnelles und wendiges Kampfschiff (Länge 120–170 m, 30–35 kn, 3000–8000 t), meist mit Mischbewaffnung aus Artillerie (Kaliber bis zu 15 cm), Torpedos (bis zu zehn Rohre) und Flugkörperstartern sowie modernsten Ortungs- und Feuerleitgeräten zum Einsatz gegen Unterseeboote, Überwassereinheiten und Luftfahrzeuge. – Die Bundesmarine verfügt u.a. über die 1969/70 in Dienst gestellten Zerstörer »Lütjens«, »Mölders«

Zerstörer: Die 1969/70 in Dienst gestellte »Rommel« gehört mit 4720 t zu den bislang größten Einheiten der Bundesmarine

und »Rommel«, die mit 4720 t und 337 Mann Besatzung ihre bislang größten Einheiten sind.

Zerstrahlung, *Physik:* die Paarvernichtung, Umkehrprozess der → Paarbildung.

Zertifikat [lat.] *das,* **1)** *allg.:* Bescheinigung, Bestätigung.

2) *Bankwesen:* Anteilschein an einem Investmentfond, urkundl. Bestätigung für ausgegebene oder hinterlegte Wertpapiere.

Philipp von Zesen (zeitgenössischer Kupferstich)

Zervikobrachialsyndrom (Zervikalsyndrom, Halswirbelsäulensyndrom, Schulter-Arm-Syndrom), vielfältiges Beschwerdebild mit oder ohne erfassbare Veränderungen der Halswirbelsäule und Gefäßbeteiligung. Meist handelt es sich um Abnutzungserscheinungen an den Halswirbeln. Wegen der durch Druck hervorgerufenen Schädigung der Nervenwurzeln treten Sensibilitätsstörungen und oft chron. Schmerzzustände im Bereich des Nackens, Schultergürtels und der Arme auf, die bis in die Fingerspitzen ausstrahlen können.

Philipp von Zesen: Titelblatt der 1645 erschienenen Erstausgabe des Romans »Ritterholds von Blauen Adriatische Rosemund«

Zervix|insuffizi|enz, Verschlussschwäche des Gebärmutterhalses in der Schwangerschaft; kann zu Fehl- oder Frühgeburt führen.

Zervixkarzinom, → Gebärmutterkrebs.

Zesen, Philipp von (seit 1653), Dichter, *Priorau (heute zu Schierau, bei Dessau) 8. 10. 1619, †Hamburg 13. 11. 1689; gründete ebd. 1643 die »Teutsch gesinnte Genossenschaft«, die erste bürgerl. Sprachgesellschaft; bed. Lyriker und Epiker des Barock, Theoretiker der Dichtkunst (»hochdt. Helikon, ...«, 1640, erweitert 1649 und 1654); bemühte sich um eine Orthographiereform; schrieb die Romane »Ritterholds von Blauen Adriat. Rosemund« (1645; Pseudonym Ritterhold von Blauen) und »Assenat« (1670).

Zession [lat. »Überlassung«] *die, Recht:* die Abtretung, → Forderungsübergang.

Zeta *das,* Z, ζ, der 6. Buchstabe des grch. Alphabets.

Zeta-Geminorum-Sterne, Untergruppe der Cepheiden, die sich von den Delta-Cephei-Sternen (→ Cepheiden) durch eine symmetr. Lichtkurve unterscheidet.

Zetkin, Clara, geb. Eißner, Politikerin, *Wiederau (bei Rochlitz) 5. 7. 1857, †Archangelskoje (bei Moskau) 20. 6. 1933; Lehrerin, ab 1890 führend in der nat. und internat. sozialistischen → Frauenbewegung; 1916 an der Gründung des Spartakusbundes, 1917 der USPD beteiligt; seit 1919 Mitgl. der KPD und ihrer Zentrale, 1920–33 MdR. Als Alterspräsidentin des Dt. Reichstags forderte sie im Aug. 1932 zum Widerstand gegen den Nationalsozialismus auf.

Zettelbank, Vorläufer der → Notenbank.

Zettelmaschine, in der Webereivorbereitung verwendete Maschine, mit der die Kettfäden von den Garnspulen abgezogen werden.

Zetter, Maschine zum Lockern und Lüften von frisch gemähtem Grüngut zur schnelleren Trocknung.

Zettl, Baldwin, Grafiker und Zeichner, *Falkenau an der Eger (heute Sokolov) 29. 9. 1943; gestaltet in detailpräzisen Kupferstichen, Bleistift- und Silberstiftzeichnungen literar. und mytholog. Stoffe, Stillleben, figürl. Motive sowie Landschaften.

Zeugdruck, → Textildruck.

Zeuge, *Recht:* Person, die in einem Verfahren über eigene Wahrnehmungen aussagen soll **(Beweis-Z.)** oder zum Abschluss von Rechtsgeschäften (z. B. Testamentserrichtung) zugezogen wird **(Instruments-, Solennitäts-Z.).** Ein **sachverständiger Z.** soll über Tatsachen und Zustände aussagen, zu deren Wahrnehmung eine besondere Sachkunde notwendig war. Den Beweis durch Z. enthalten alle Verfahrensordnungen. Z. kann nicht sein, wer Partei, Beteiligter oder Beschuldigter ist; die Z.-Eigenschaft ist nicht an die Geschäftsfähigkeit geknüpft, so können auch Kinder als Z. vernommen werden.

Im *Zivilprozess* setzt die Erhebung des Z.-Beweises einen Beweisantritt durch eine Partei voraus (§ 373 ZPO), d. h. die ladungsfähige Bezeichnung des Z. für bestimmte Tatsachen. Die Vernehmung eines Z. bedarf stets der Anordnung des Gerichts. Für den Z. entstehen durch die Anordnung des Gerichts und ordnungsgemäße Ladung (§377 ZPO) bestimmte staatsbürgerl. Pflichten: zum Erscheinen am Terminsort und zur wahrheitsgemäßen und vollständigen Aussage, die notfalls durch Haft erzwungen werden kann. Bei unentschuldigtem Ausbleiben sind ihm die dadurch verursachten Kosten aufzuerlegen und Ordnungsmittel (Ordnungsgeld, ersatzweise Ordnungshaft) gegen ihn zu verhängen; es kann auch die Vorführung angeordnet werden. Personen des öffentl. Dienstes benötigen für eine Aussage über Umstände, auf die sich ihre Amtsverschwiegenheit bezieht, eine Genehmigung der vorgesetzten Behörde (§376 ZPO). Ein **Zeugnisverweigerungsrecht** (Aussageverweigerungsrecht) besteht nur ausnahmsweise. Persönlich gilt es für Verlobte, (auch geschiedene) Eheleute, nähere Verwandte und Verschwägerte, die die Aussage grundsätzlich unbeschränkt ablehnen können, ferner für Angehörige bestimmter Berufe (v.a. Geistliche, Journalisten, Angehörige von Rechtsberatungsberufen, Ärzte), die die Aussage nur in Bezug auf ihr Berufsgeheimnis verweigern dürfen, falls sie nicht von ihrer Schweigepflicht entbunden wurden. Sachlich besteht für jeden Z. ein **Auskunftsverweigerungsrecht** insoweit, als die Aussage sich für ihn oder seine Angehörigen finanziell nachteilig oder ehrschädigend auswirken, ein Strafverfahren auslösen könnte oder sie ein Kunst- oder Gewerbegeheimnis preisgeben würde (§ 383 f. ZPO). Die gesamte Aussage des Z. ist zu protokollieren, dem Z. vorzulesen und von ihm zu genehmigen. Der Z. hat gegen den Staat einen Anspruch auf Entschädigung für das Zeitversäumnis (v.a. Verdienstausfall), für Fahrtkosten und besonderen Aufwand.

Im *Strafprozess* (§§48–71, 219–224, 238–248, 251–253, 257 StPO) bestehen hinsichtlich der Pflicht zum Erscheinen, zur Aussage und zur Aussageverweigerung parallele Bestimmungen. Bei gefährdeten Z. können die Angaben zur Person oder der Wohnort ggf. geheim gehalten werden. Soweit in der Hauptverhandlung Umstände aus dem persönl. Lebensbereich eines Z. zur Sprache kommen, deren öffentl. Erörterung schutzwürdige Interessen verletzen würde, kann (und muss auf Antrag des Z.) die Öffentlichkeit ausgeschlossen werden.

Ähnliche Regelungen gelten in *Österreich* (z.B. §§ 320 ff. ZPO) und in der *Schweiz*.

📖 ARNTZEN, F.: *Psychologie der Zeugenaussage. München ³1993.*

Zeugenberg (Ausliegerberg), vor dem Rand einer →Schichtstufe liegender Einzelberg, dessen Gestein dem der Schichtstufe entspricht; er bezeugt als Abtragungsrest die ehemalige Lage der zurückverlegten Schichtstufe. – Z. werden auch mehr oder weniger isolierte Berge genannt, die sich bei der Auflösung eines Tafelbergs bilden.

Clara Zetkin
(um 1924)

Zeugen Jehovas (bis 1931 Ernste Bibelforscher; engl. Jehova's Witnesses), auf eine eigenständige Bibelauslegung gegründete, in endzeitl. Naherwartung lebende Religionsgemeinschaft mit Hauptsitz in Brooklyn, N. Y. (seit 1909); Sitz des dt. Zweiges: Wiesbaden. Zentrum der Lehre ist der aus der Bibel abgeleitete »Plan Gottes mit der Menschheit«, auf dessen Grundlage es möglich sei, das Weltende und den Anbruch des darauf folgenden Tausendjährigen Reichs (»Jehovas Königreich«) zu berechnen. Dieses sei 1914 angebrochen. Der eschatolog. Endkampf (Harmagedon), d.h. die endgültige Brechung der Macht Satans, wurde seither mehrmals ohne Verbindlichkeit vorausgesagt (z.B. für 1975). Die Z.J. verstehen sich als die auserwählte Gemeinde, die Gott am Ende der Zeiten erretten wird. Die Bibel gilt ihnen als wortwörtlich inspiriert, die kirchl. Glaubenslehre wird in ihren Hauptstücken (Trinitätslehre, Gottheit und leibl. Auferstehung Jesu Christi, Sakramente) als »unbiblisch« abgelehnt. Die Organisation ist streng zentralistisch und hierarchisch. Wegen ihrer konsequenten Weigerung, einer »ird. Macht« zu dienen (Ablehnung von Militär- und Ersatzdienst sowie Eidesleistung, Wahlverweigerung), wurden die Z.J. im nat.-soz. Dtl. und in den sozialist. Staaten verboten und waren zahlr. Repressionen ausgesetzt. – Gründer der Z.J. ist der amerikan. Kaufmann C. T. Russell (*1852, †1916). 1874 gründete er in Pittsburgh in der Erwartung der unmittelbar bevorstehenden Wiederkunft Christi eine eigene Bibelgemeinde; 1897 die Zeitschrift »Zion's Watch Tower« und 1881 als Aktienges. zum Vertrieb seiner Druckerzeugnisse die »Zion's Watch Tower and Tract Society« (heute: »Watch Tower Bible and Tract Society of Pennsylvania«), heute als »Wachturmgesellschaft« organisator. und wirtsch. Fundament der Z.J. Ihre Missionstätigkeit ist v.a. geprägt durch die persönl. Ansprache (Besuchsdienste) und den Schriftenvertrieb; nach eigenen Angaben weltweit (1992) 8,6 Mio. Anhänger; in Dtl. 284 000.

📖 HAACK, F.-W.: *J. Z. München* [15]*1993.* – WEBER, H. *u.* VALENTIN, F.: *Die Z. J. Zwischen Bewunderung u. Befremdung. Ein Ratgeber. Freiburg im Breisgau u. a.* [2]*1996.*

Zeughaus: Für den unter Friedrich I. 1695–1706 in Berlin Unter den Linden errichteten ersten Repräsentationsbau des Königreichs Preußen schuf Andreas Schlüter im Jahr 1697 die Schlusssteinreliefs

Zeughaus, früher Gebäude, in dem Kriegsgerät aufbewahrt wurde, aus den städt. Rüstkammern des MA. hervorgegangen. Ab dem 16. Jh. errichtete man neben schlichten Nutzbauten (z. B. Zeughaus Sainte-Barbara in Schlettstadt, um 1500) auch Repräsentationsbauten, u. a. in Wien (1564, 1732 umgebaut), Augsburg (von E. Holl, 1600–07), Dresden (Albertinum, 1559 ff.) und in Berlin (1695–1706), das Friedrich I. als ersten Staatsbau des Königreichs Preußen Unter den Linden errichten ließ.

Zeugiten [grch.], im antiken Attika die freien Bauern, seit Solon die dritte der vier nach dem Einkommen eingestuften Klassen mit einem Jahresertrag von mindestens 200 Scheffeln Getreide oder einem Äquivalent an Öl, Wein oder Geld. Sie dienten als Hopliten. Ab 458/457 hatten die Z. Zugang zum Archontenamt.

Zeulenroda: Das klassizistische Rathaus stammt aus dem frühen 19. Jahrhundert

Zeugma [grch.] *das,* rhetor. Figur, bei der ein Wort oder Satzglied mehreren (meist zwei) grammatisch oder semantisch verschiedenartigen Satzteilen zugeordnet wird, z. B. »Er warf einen Blick in die Zeitung und die Zigarette in den Aschenbecher«.

Zeugnis, 1) *Arbeitsrecht:* schriftl. Bescheinigung des Arbeitgebers, die er dem Arbeitnehmer bei Beendigung des Arbeitsverhältnisses auszustellen hat. Auf Erteilung eines Z. besteht, außer im Falle eines nur sehr kurzen, eine Beurteilung ausschließenden Arbeitsverhältnisses, ein unverzichtbarer Rechtsanspruch. Die äußere Form des Z. hat tadelsfrei zu sein. Das **einfache Z.** muss neben den Angaben zur Person des Arbeitnehmers solche über Art und Dauer der Beschäftigung enthalten, wobei bes. die Art der Beschäftigung so vollständig und genau wie möglich beschrieben werden muss.

Das auf ausdrückl. Verlangen des Arbeitnehmers auszustellende **qualifizierte Z.** enthält darüber hinaus Angaben über Führung und Leistung des Arbeitnehmers. Das Z. muss wahrheitsgemäße Aussagen enthalten, soll vom verständigen Wohlwollen des Arbeitgebers getragen sein und das weitere Fortkommen des Arbeitnehmers nicht unnötig erschweren. Es muss alle zur Gesamtbeurteilung des Arbeitnehmers notwendigen wesentl. Fakten und Bewertungen enthalten, kann aber auch negative Aussagen beinhalten, wenn sie zur Unterrichtung eines künftigen Arbeitgebers dienen, der hieran ein berechtigtes und verständiges Interesse haben kann. Das Z. hat von Mehrdeutigkeiten, die sich mitunter hinter positiv klingenden Formulierungen verbergen, frei zu sein (z. B. » … hat sich sehr bemüht …«). Verschuldete Nichterteilung, unrichtige oder verspätete Erteilung des Z. können den Arbeitgeber zu Schadensersatz verpflichten.

Unter bestimmten Voraussetzungen hat der Arbeitnehmer Anspruch auf ein **Zwischen-Z.,** bes. bei Vorgesetztenwechsel und vor Auslaufen eines gekündigten Arbeitsverhältnisses. Unrichtige Z. sind durch neue Z. zu ersetzen, bloße Korrekturen reichen nicht. Z. sind in vollem Umfang durch die Arbeitsgerichte nachprüfbar und ggf. ersetzbar.

Nach *österr.* Recht ist der Dienstgeber nur zur Ausstellung eines einfachen Z. (Dauer und Art der Dienstleistung) verpflichtet, das kein Werturteil über den Erfolg der Tätigkeit enthält (§ 1163 ABGB). In der *Schweiz* gelten ähnl. Bestimmungen wie in Dtl. (Art. 330 a OR).

2) *Pädagogik:* (Schul-Z.) halbjährl. Beurkundung des Leistungsstandes eines Schülers nach dem Urteil der Lehrkräfte (→Zensur). Z. sollen einen Anreiz zu weiterer Leistung geben, bestimmen aber auch die schul. Auslese.

Zeugnisverweigerungsrecht, →Zeuge.

Zeugungsfähigkeit, →Potenz.

Zeugungsunfähigkeit, →Impotenz.

Zeulenroda, Stadt im Landkreis Greiz, Thür., im Vogtland, 15 000 Ew.; Museum; Herstellung von Dämmstoffen, Kunststofftüren und -fenstern sowie Gummiwaren, Maschinenbau. Bei Z. an der Weida die Talsperren Weida (0,9 km² und 9,7 Mio. m³) und Z. (2,4 km² und 28,9 Mio. m³). – Zahlr. klassizist. Bauten, u.a. Rathaus (1825–27), Pfarrkirche (1819/20) und Bürgerhäuser. – 1325 erstmals erwähnt, seit 1438 Stadt; bis 1994 Kreisstadt.

Zeus, der höchste grch. Gott, Sohn des Kronos und der Rhea, Gemahl der Hera, von ihr Vater des Ares, des Hephaistos und der Hebe; zeugte auch mit seinen zahlr. göttl. und sterbl. Geliebten Götter und Helden (Artemis, Apoll, Persephone, Hermes, Dionysos, Herakles, Minos, die Musen, die Horen u.a.); Athene entsprang seinem Haupt. Im Kampf gegen Kronos und die →Titanen begründete Z. die Macht der olymp. Götter. Die Weltherrschaft teilte er sich mit seinen Brüdern Poseidon und Hades. Z. galt als Beherrscher der Naturgewalten; der Blitz war seine Waffe, der Adler sein Symboltier, als Mundschenk diente ihm der schöne Ganymed, den er entführte (oder von seinem Adler rauben ließ). Als König der Götter und Vater der Menschen war er Beschützer der menschl. Ordnung; im Hellenismus wurde er als Garant der hellenist. Staatenwelt verehrt (Z. Basileus). Bed. Kultstätten des Z. waren Dodona und Olympia. – In der röm. Mythologie wurde Z. dem Jupiter gleichgesetzt.

📖 Simon, E.: *Die Götter der Griechen. München ³1985.*

Zeuxis, grch. Maler, tätig um 400 v. Chr.; Schüler Apollodors von Athen, dessen illusionist. Licht- und Schattenmalerei er vervollkommnete; schuf nach literar. Überlieferung u.a. ein Helenabild für den Heratempel in Kroton; sein Bild einer Kentaurenfamilie wurde von Lukian ausführlich beschrieben.

Zeven, Stadt im Kreis Rotenburg (Wümme), Ndsachs., 20 300 Ew.; Museum Kloster Z., Feuerwehrmuseum; Gummi-, Nahrungsmittelind. – Roman. Kirche (12. Jh.) eines ehem. Benediktinerinnenklosters. – Zur Konvention von Kloster Z. (8. 9. 1757) →Siebenjähriger Krieg.

Zeyer, Werner, Politiker, *Oberthal (Kr. Sankt Wendel) 25. 5. 1929, Jurist; 1972–79 MdB, 1978–85 Vors. der CDU Saar, 1979–85 MinPräs. des Saarlandes.

Zezidien [grch. »Gallapfel«], *Botanik:* die Pflanzengallen, →Gallen.

ZF, Abk. für →**Z**wischen**f**requenz.

ZGB, Abk. für **Z**ivil**g**esetz**b**uch.

Zgorzelec [zgɔ'ʒɛlɛts], Stadt in Polen, →Görlitz.

Zeus: Athene entspringt dem Kopf des höchsten griechischen Gottes, Darstellung auf einer schwarzfigurigen Vase aus Attika (um 550 v. Chr.; Basel, Antikenmuseum)

Zhang Chunqiao [dʒaŋ tʃuŋtʃiao] (Chang Ch'un-ch'iao), chines. Politiker, *Prov. Shandong 1917; wurde 1969 Mitgl. des ZK, 1973 des Politbüros der KP und 1971 Parteichef von Schanghai; 1976 als Mitgl. der →Viererbande verhaftet, 1981 zum Tode verurteilt, 1983 zu lebenslängl. Haft begnadigt.

Zhangjiakou [dʒaŋdʒjakɔu] (Changchiakou, Tschangkiakou, früher Kalgan), Stadt in der Prov. Hebei, China, an der Chines. Mauer, 630 000 Ew.; Nahrungsmittel-, Schwerindustrie.

Zhang Jie [dʒaŋdʒiɛ], chines. Schriftstellerin, *Peking 27. 4. 1937; veröffentlicht seit 1978 Erzählungen und Romane insbes. zu sozialen Themen (»Schwere Flügel«, R., 1981; »Die Arche«, R., 1981; »Das Recht auf Liebe«, Erz., dt. Ausw. 1982).

Zeus

Zeus und das Patriarchat

Früher glaubte man, dass die Griechen zunächst erdgebundene, eng mit der Fruchtbarkeit verknüpfte Göttinnen verehrt hätten, diese dann aber durch die patriarchale, olympische Herrschaft des Zeus abgelöst worden seien. Mit Blick auf den großen Einfluss, den der Nahe Osten auf Griechenland hatte, muss diese Auffassung revidiert werden. Wenn Zeus aus dem Orient stammt, leitet sich seine Führungsposition im griechischen Pantheon auch von der zentralen Stellung ab, die er dort als Wettergott einnahm. Die antiken griechischen Göttinnen spiegeln darüber hinaus nicht genau das damalige weibliche Rollenverhalten. Es ist verblüffend, wie oft sie mit Krieg und der männlich dominierten Welt des Handwerks verknüpft wurden. Die Archäologie hat gezeigt, dass diese herausragende Rolle von Göttinnen in männlich dominierter Umwelt auf Zeiten vor der Erfindung des Ackerbaues verweist.

Zhang Xueliang [dʒaŋçyɛ:ljaŋ] (Chang Hsüeh-liang, Tschang Hsüeh-liang), chines. General, *Haizheng (Prov. Liaoning) 1898; Sohn von Zhang Zuolin; nach dessen Tod (1928) Militärmachthaber der Mandschurei. 1931 von den Japanern vertrieben, übernahm er den Oberbefehl der nationalchines. Armee in N-China und wurde führendes Mitgl. der Kuomintang. Er verhaftete 1936 Chiang Kai-shek in Xi'an (sog. Xi'an-Zwischenfall) und zwang ihn zur Bildung einer antijapan. Einheitsfront mit den Kommunisten. 1937 wurde er inhaftiert bzw. unter Hausarrest (ab 1948 in Taiwan) gestellt; 1961 Freilassung.

Zhang Yimou [dʒaŋ imɔu], chines. Filmregisseur und -schauspieler, *Xi'an 1951; bed. Vertreter des asiat. Films; drehte u.a. »Rotes Kornfeld« (1988), »Rote Laterne« (1991), »Die Geschichte der Qui Ju« (1992), »Shanghai Serenade« (1995).

Zhangzhou [dʒaŋdʒɔu] (Changchou), Stadt in der Prov. Fujian, China, 295 400 Ew.; Univ.; Textil-, Lebensmittelind. (Zucker), Maschinenbau.

Zhou Enlai

Zhang Zuolin [dʒaŋ dz-] (Chang Tso-lin, Tschang Tso-lin), chines. Marschall (seit 1920), *Haizheng (Prov. Liaoning) 1874, †(Bombenanschlag) bei Mukden (heute Shenyang) 4. 6. 1928; Vater von Zhang Xueliang; Offizier der kaiserl. Armee; erkämpfte bis 1918 die Kontrolle über die gesamte Mandschurei und war einer der mächtigsten →Warlords; besetzte 1926 Peking und riss die Regierungsgewalt an sich; im Mai 1928 von den Truppen Chiang Kai-sheks aus Peking vertrieben.

Zhanjiang [dʒandʒiaŋ] (Chanchiang, Chankiang, früher Tsamkong), Hafenstadt auf der Halbinsel Leizhou, Prov. Guangdong, China, 401 000 Ew.; Textil-, Nahrungsmittel- und Metall verarbeitende Industrie; Sonderwirtschaftszone; Übersee- und Erdölhafen. – Z. war 1898–1945 als **Fort-Bayard** Verwaltungssitz des frz. Pachtgebiets Guangzhouwan, das 842 km^2 umfasste.

Zhao Ziyang

Zhao Ziyang [dʒaʊdzɪjaŋ] (Chao Tzu-yang, Tschao Tse-jang), chines. Politiker, *im Kreis Hua Xian (Prov. Henan) 17. 10. 1919; ab 1979 Mitgl. des Politbüros des ZK der KP; galt als Vertrauter Deng Xiaopings. Er unterstützte als MinPräs. (1980–87) dessen wirtsch. Reformprogramm. 1987 wurde er als Nachfolger Hu Yaobangs Gen.-Sekr. des ZK der KP. Im Frühjahr 1989 versuchte er zw. der Demokratiebewegung und dem orth. Flügel der KP-Führung zu vermitteln. Nach der blutigen Niederschlagung der Protestbewegung im Juni 1989 abgesetzt und aus allen leitenden Parteifunktionen entlassen.

Zhejiang [dʒedʒjaŋ] (Chekiang, Tschekiang), Provinz in China, am Ostchines. Meer, 101 800 km^2, (1994) 42,9 Mio. Ew.; Hptst. Hangzhou. Der nördl. Teil liegt im Bereich der Jangtsekiangniederung, der größere südl. Teil im südostchines. Bergland. Der stark gegliederten Küste sind etwa 2 000 Inseln (einschl. Zhoushanarchipel) vorgelagert; Anbau von Reis, Mais, Weizen, Bataten, Baumwolle, im Bergland von Tee. Von großer Bedeutung ist die Gewinnung von Rohseide und Jute; Fischfang im Zhoushanarchipel; Abbau von Kohle, Flussspat, Alaun; Erdgasförderung; Aufbau einer Schwerindustrie.

Zheng He [dʒɛŋ-] (Cheng Ho), chines. Seefahrer, *1371, †1435; unternahm zw. 1405 und 1433 mit einer großen Flotte sieben Seereisen (u.a. bis nach O-Afrika) und erschloss bes. in S- und SO-Asien neue Handelsmöglichkeiten für China.

Zhengzhou [dʒɛŋdʒɔu] (Chengchow, Tschengtschou), Hauptstadt der Prov. Henan, China, in der Großen Ebene nahe dem S-Ufer des Hwangho, 1,16 Mio. Ew.; Univ., Hochschulen für Medizin und Landwirtschaft, archäolog. Museum; bed. Textilind., Textilmaschinenbau, chem., elektron. Ind.; Eisenbahnknotenpunkt (Strecken Peking–Kanton und Lianyungang–Lanzhou); Straßenbrücke (5 449 m) über den Hwangho. – Durch Ausgrabungen (v.a. Gräber mit Ritualgefäßen aus der Zeit des 16.–14. Jh. v. Chr.) als eine der ältesten Großstädte Chinas ausgewiesen.

Zhou [dʒɔu] (Chou), chines. Dynastie, etwa 1050 (traditionell 1122) bis 249 v. Chr., →China (Geschichte).

Zhou Enlai [dʒɔu-] (Chou En-lai, Tschou En-lai), chines. Politiker, *Huai'an (Prov. Jiangsu) 5. 3. 1898, †Peking 8. 1. 1976; studierte 1920–24 in Frankreich und Dtl.; wurde 1922 Mitgl. der KP; 1924–26 Polit. Kommissar an der Militärakademie in Huangpu; seit 1927 Mitgl. des Politbüros der KP; einer der Führer des →Langen Marsches (1934–35), danach Hauptunterhändler Mao Zedongs mit der Kuomintang-Regierung; 1949–76 MinPräs. und 1949–58 zugleich Außenmin. der VR China; trat nach der Kulturrevolution (1966–69) für einen pragmat. Wirtschaftskurs ein und war in den 70er-Jahren maßgeblich an der Politik der Öffnung gegenüber dem Westen beteiligt.

Zhoukoudian [dʒɔukɔudiæn] (Chou k'outien), Ort 40 km südwestlich von Peking; in einer ehemals großen Karsthöhle wurden bei Ausgrabungen seit 1927 zahlr. Knochen von Jagdtieren (u.a. Riesenhirsch, Elefant, Nashorn, Riesenbiber, Säbelzahntiger) sowie menschl. Knochen (→Pekingmensch) mit einem Alter von ca. 500 000 Jahren entdeckt. Eine Reihe von Funden ging im 2. Weltkrieg verloren. Die Fundstätte gehört zum UNESCO-Weltkulturerbe.

Zhoushan Qundao [dʒɔʊʃan tʃyndaʊ] (Zhoushanarchipel, Chusaninseln), Inselgruppe mit über 500 gebirgigen Inseln in der Bucht von Hangzhou (Prov. Zhejiang), China, im Ostchines. Meer; bed. Fischfanggebiet.

Zhuangzi [dʒʊaŋ-] (Chuang-tzu, Tschuangtse), chines. Philosoph und Poet, *Meng (Prov. Henan); lebte in der 2. Hälfte des 4. Jh. v. Chr.; Kritiker des Konfuzianismus und der Schule des Mo Di; sein »Wahres Buch vom südl. Blütenland« stellt in tiefgründigen und z. T. humorvollen Dialogen die Seins- und Sittenlehre des frühen philosoph. →Daoismus dar.

Ziborium 2) aus Feingold (um 1740; Nürnberg, Germanisches Nationalmuseum)

Zhu De [dʒu -] (Chu Te, Tschu Teh), chines. Marschall (seit 1955) und Politiker, *Yilong (Prov. Sichuan) 1886, †Peking 6. 7. 1976; 1927 Mitbegründer der chines. »Roten Armee«, Heerführer während des →Langen Marsches (1934/35) und des Krieges gegen Japan (1937–45); errang als Oberkommandierender der kommunist. Streitkräfte (1947–54) bis 1949 den Sieg über die Kuomintang-Truppen; 1934–76 Mitgl. des Politbüros der KP, 1954–59 Vizepräs. der VR China; 1975/76 als Vors. des Ständigen Ausschusses des Nat. Volkskongresses (seit 1959) fakt. Staatsoberhaupt.

Zhu Jiang [dʒu dʒ-], Fluss in China, →Perlfluss.

Zhu Rongji, chines. Politiker, *Changsha 1928; 1988–91 Oberbürgermeister von Schanghai, seit 1992 Mitgl. des Ständigen Ausschusses des Politbüros der KPCh, seit 1998 Ministerpräsident.

Zhu Yuanzhang [dʒu: jyɛndʒaŋ], chines. Kaiser (1368–98), *Zhongli (Prov. Anhui) 1328, †Nanking 1398; buddhist. Mönch, seit 1355 Führer eines Heeres von Aufständischen; stürzte die mongol. Yuan-Dynastie (1368 Eroberung Pekings) und begründete als **Taizu** die Ming-Dynastie.

Zia [zi:a], Khaleda, genannt Begum, Politikerin in Bangladesh, *Noakhali 15. 8. 1945 (nach anderen Angaben Distrikt Dinajpur bzw. 1942); ⚭ mit Zia ur-Rahman, wurde nach dessen Ermordung (1981) politisch aktiv; ab 1984 Vors. der Bangladesh Nationalist Party, 1991–96 Ministerpräsidentin.

Zia ul-Haq [zi:a:ul'ha:k], Mohammed, pakistan. General und Politiker, *Jalandhar 12. 8. 1924, †(Flugzeugabsturz) bei Bahawalpur 17. 8. 1988; wurde 1976 Stabschef des Heeres; übernahm nach einem Militärputsch gegen MinPräs. Z. A. Bhutto 1977 die Macht als »Oberster Kriegsrechtsadministrator«; seit 1978 Staatspräs., betrieb eine Islamisierung von Staat und Gesellschaft.

Zia ur-Rahman [zi:a: ʊə ra'ma:n], Offizier und Politiker in Bangladesh, *Bogra (?) 1936, †(ermordet) Chittagong 30. 5. 1981; nach dem Staatsstreich vom Nov. 1975 Stabschef, Finanz- und Innenmin.; 1976/77 »Oberster Kriegsrechtsadministrator«, seit 1977 (formell gewählt 1978) Staatspräs.; wurde bei einem (gescheiterten) Militärputsch getötet.

Zibet [italien.-arab.] *der,* salbenartiges Drüsensekret der Zibetkatzen, von durchdringendem, etwas moschusartigem Geruch; enthält als wichtigsten Geruchsträger Zibeton, dient in Form der alkohol. **Z.-Tinktur** als Fixateur in der Parfümerie.

Zibetkatzen (Echte Z., Viverra), schlanke, meist auf hellerem Grund dunkel gefleckte oder gezeichnete →Schleichkatzen in S-Asien und Afrika. Nachtaktive Raubtiere, die ihre Reviere mit einem Duftstoff (Zibet) markieren.

Zhu Rongji

Zibo [dzəbɔ:] (Boshan), chines. Stadt in der Prov. Shandong, 2,46 Mio. Ew.; bed. Zentrum des Kohlenbergbaus; Textil-, Papier-, Glas- u. a. Ind. – Das Stadtgebiet entstand 1954 durch Zusammenschluss des Bergbauzentrums Z. mit Zhangdian.

Ziborium [lat., von grch. kibórion »Trinkbecher«] *das,* **1)** *Baukunst:* frei stehender, meist mit einem gewölbten oder pyramidenförmigen Dach abgedeckter Viersäulenbau in der Art eines Baldachins über einem Altar, einem Thron oder einem Grab.

2) *kath. Kirche:* (Ciborium) liturg. Gefäß mit Deckel zur Aufbewahrung der konsekrierten Hostien; wegen der Kelchform (mit Fuß) auch »Speisekelch« genannt.

Khaleda Zia

Zichorie [lat.-grch.] *die* (Cichorium), die Korbblütlergattung →Wegwarte.

Zick, 1) Januarius, Maler, *München 6. 2. 1730, †Ehrenbreitstein (heute zu Koblenz) 14. 11. 1797, Sohn und Schüler von 2); bildete sich in Paris und Rom fort, war seit 1760 kurtrierischer Hofmaler in Ehrenbreitstein; malte bes. Fresken im Übergang vom späten Rokoko zum Frühklassizismus. Zu seinen Meisterwerken gehören die Deckenfresken der Klosterkirche Wiblingen bei Ulm (1778–80). BILD S. 394

Mohammed Zia ul-Haq

2) Johann, Maler, *Lachen bei Ottobeuren 10. 1. 1702, †Würzburg 4. 3. 1762, Vater von 1); nach Ausbildung in Konstanz und Venedig 1732 Hofmaler in München, 1749 in Würzburg. Das Kolorit seiner Fresken zeigt (in zunehmender Aufhellung) seine Wendung zum Rokoko, später auch den Einfluss Rembrandts; malte Fresken im Gartensaal der Würzburger Residenz (1749/50) und in Schloss Bruchsal (1751–54). BILD Wolfegg

Januarius Zick: »Abraham opfert Isaak« (um 1778; Köln, Wallraf-Richartz-Museum)

Ziegel (Backstein), meist quaderförmiger Baustein aus gebranntem Ton, tonigen Massen oder Lehm, mit Zusatz von Sand u. a. Magerungsmitteln. – Die Rohstoffe werden zerkleinert, geschlämmt, geknetet und geformt, indem die feuchte Masse in hölzerne Formkästen gestrichen (Handstrich-Z.) oder maschinell mit entsprechendem Profil zu einem Strang gepresst und auf Länge abgeschnitten wird. Der Trocknung folgt das Brennen (Mindestbrenntemperatur etwa 900 °C, für Klinker 1100–1400 °C) in Ring-, Tunnel- oder Kammeröfen. Höherer Eisengehalt gibt dem gebrannten Material (Scherben) häufig die typisch rote Farbe. Bis zur Sinterung gebrannte Z. werden als **Klinker** bezeichnet; der Klinkerscherben weist hohe Dichte und Festigkeit bei niedrigem Wasseraufnahmevermögen auf. Z.-Erzeugnisse dienen u. a. zur Dachdeckung **(Dach-Z.),** Herstellung von Mauerwerk **(Mauer-Z., Backsteine),** Decken **(Decken-Z.),** Schächten und Schornsteinen **(Radial-Z.),** Abwasser- und Drainageleitungen (Kanalklinker, Steinzeug, Drainrohre), für Pflasterarbeiten (Straßenbauklinker), Wand- und Bodenbeläge sowie Verkleidungen (Fliesen und Platten, Spaltplatten, Riemchen) und feuerfeste Anlagen.

Nicht gebrannte Lehmziegel wurden schon im alten Orient verwendet (→ Lehmbau).

Ziegen (Capra), Gattung der Ziegenartigen; die Männchen (Böcke) mit Kinnbart und säbelförmig gebogenen oder schraubig gedrehten Hörnern; die kleineren Weibchen (Geißen) mit kleinen, seitlich abgeflachten, nur wenig nach hinten gekrümmten Hörnern.

Z. sind geschickte Kletterer der Hoch- und Mittelgebirge S-Europas, N-Afrikas und Asiens. Der **Steinbock** (Capra ibex) mit seiner mitteleurop. Unterart, dem **Alpensteinbock** (Capra ibex ibex), bevorzugt die Gebirgszonen oberhalb der Waldgrenze bis 3500 m ü. M. Da die Hörner und bes. die Magensteine früher als Heilmittel galten, wurde der Alpensteinbock nahezu ausgerottet. Weitere Unterarten sind u. a. die beiden **Kaukasischen Steinböcke** (Capra ibex severtzowi und Capra ibex cylindricornis). Das Gehörn vom **Pyrenäensteinbock** (Capra pyrenaica) ist leicht gedreht; bei der **Schrauben-Z. (Markhor,** Capra falconeri) aus dem westl. Zentralasien hat es Korkenzieherform. Die in SO-Europa auf Kreta und in W-Asien lebende **Bezoar-Z.** (Capra aegagrus) ist die Stammform der Haus-Z. – **Haus-Z.** (Capra hircus) werden weltweit zur Milch-, Fleisch-, Woll- und Ledergewinnung (Chevreau, Glacéleder, Nappa, Saffian, Velours) gehalten. Ihre Körpergewichte schwanken zw. 20 kg bei weibl. Zwerg-Z. und 70–80 kg bei den großen Rassen. Die Z. können noch karge Weiden nutzen. Die Rassen lassen sich einteilen in: Fleisch- und Herden-Z. mit nur geringen Milchleistungen; Wollhaar-Z. mit einem Besatz von Angora-Mohär-Wollhaaren; Milch-Z. mit großem Euter und Milchleistungen von jährlich 500 bis 1000 kg. Wichtige Hausziegenrassen sind: **Weiße Dt. Edel-Z., Bunte Dt. Edel-Z., Gämsfarbene Alpen-Z.** (in den Alpenländern), **Saanen-Z.** und **Sattel-Z.** (in der Schweiz). Ursprungsland der **Angora-Z.** ist die Türkei, die **Kaschmir-Z.** sind in Himalajaländern sowie in Tibet, S-Russland und S-China beheimatet. – Zuchttauglich sind männl. Haus-Z. erstmals im Alter von 5 bis 6 Monaten, weibl. Tiere im Alter von 7 bis 9 Monaten. Sie werfen nach 150 Tagen Tragzeit 1–3 Zickel, die bis zu 5 kg schwer sind.

Ziegen: Die vor allem in Süddeutschland gezüchtete Bunte Deutsche Edelziege (links) und die im schweizerischen Kanton Wallis gezüchtete Sattelziege zählen zu den wichtigen Hausziegenrassen

Ziegen: Das Fragment eines glasierten Tongefäßes aus Assur zeigt einen von einem Fels herabspringenden Ziegenbock (8./7. Jh. v. Chr.; Berlin, Vorderasiatisches Museum)

Geschichte: Die Z. sind neben den Schafen die ältesten Haustiere. Ihre Domestikation begann wahrscheinlich vor etwa 9000 Jahren. Abbildungen wild lebender Bezoar-Z. finden sich auf Siegeln und Gefäßen aus Mesopotamien, W-Persien, Anatolien, Syrien und Kreta. In der Bibel wird an mehreren Stellen ausführlich über Z. berichtet. Im klass. Griechenland und in Italien sowie in den angrenzenden Mittelmeerländern waren Z. über lange Zeit die wichtigsten Nutztiere. Weiteres BILD Bezoarziege

📖 EINHORN, H.-P.: *Z. Eine Anleitung zur Haltung, Fütterung u. Zucht. Berlin 1994.*

Ziegenbart (Ramaria), Gattung der Ständerpilze mit verzweigten Fruchtkörpern, oft lebhaft gefärbt; der in Nadel- und Laubwäldern wachsende **Schwefelgelbe Z.** (**Händling,** Ramaria flava) mit leuchtend gelben Fruchtkörperästen ist kaum genießbar.

Doris Ziegler: »Musizierender Engel in Plagwitz« (1977; Frankfurt/Oder, Museum junge Kunst)

Ziegenhain, ehem. selbstständige Stadt in Hessen, seit 1970 Stadtteil von → Schwalmstadt. – Spätgotisches Schloss (15./16. Jh.), barocke Pfarrkirche (1665–67), Steinernes Haus (1659/60, Museum), Fachwerkbauten. – 1247 als Stadt erwähnt.

Ziegenhals, Stadt in Polen, → Głuchołazy.

Ziegenlippe (Xerocomus subtomentosus), an moosigen Waldrändern häufig wachsender, meist einzeln stehender Speisepilz; Hut 5–12 cm breit, halbkugelig bis flach, samtig weichfilzig, gelblich bis olivbraun, alt mit feldartig zerrissener Oberfläche, Röhren leuchtend zitronengelb.

Ziegenlippe (Hutdurchmesser 5–12 cm)

Ziegenmelker (Europäische Nachtschwalbe, Caprimulgus europaeus), etwa drosselgroßer nachtaktiver 27 cm großer Vogel mit weiter Mundspalte und kleinem Schnabel, Gefieder oberseits baumrindenartig gefärbt, unterseits grau quer gebändert, brütet auf dem Waldboden; surrender Balzgesang in der Dämmerung; Zugvogel; ist nach der Roten Liste im Bestand stark gefährdet.

Ziegenmelker (Größe 27 cm)

Ziegenpeter, Infektionskrankheit, → Mumps.

Ziegler, 1) Doris, Malerin und Grafikerin, * Weimar 14. 3. 1949; lehrt seit 1989 an der Hochschule für Graphik und Buchkunst in Leipzig, der heutigen Bauhaus-Univ. (seit 1992 Prof.). Z.s Arbeiten (v. a. Porträts, Stadtlandschaften) reflektieren existenzielle Erfahrungen und Befindlichkeiten in betont spannungsreich-nüchterner Sicht.

2) Karl Waldemar, Chemiker, * Helsa (bei Kassel) 26. 11. 1898, † Mülheim an der Ruhr 11. 8. 1973; ab 1943 Direktor des Max-Planck-Instituts für Kohleforschung; entwickelte ab 1953 ein bei niedrigem Druck arbeitendes Polymerisationsverfahren für Äthylen in Gegenwart von metallorgan. Mischkatalysatoren. Für seine Entdeckungen auf dem Gebiet der Hochpolymeren erhielt er 1963 zus. mit G. Natta den Nobelpreis für Chemie.

Karl Ziegler

3) Klara (Clara), Schauspielerin, * München 27. 4. 1844, † ebd. 19. 12. 1909; Tragödin, die ihre Rollen vorwiegend rezitierte; wirkte u. a. 1868–74 in München, danach meist Gastspielreisen. Das Theatermuseum in München (eröffnet 1910) ging aus der »Clara-Ziegler-Stiftung« hervor.

4) Konrat Julius Fürchtegott, klass. Philologe, * Breslau 12. 1. 1884, † Göttingen 8. 1. 1974; wurde 1910 Prof. in Breslau, 1923 in Greifswald (1933 aus dem Staatsdienst entlassen). Mithg. von »Paulys Realencyclopädie der class. Altertumswissenschaft« (ab 1948) und des »Kleinen Pauly« (ab 1964); bed. v. a. als Herausgeber antiker Texte (Plutarch, Cicero u. a.).

5) Leopold, Kulturhistoriker und Philosoph, * Karlsruhe 30. 4. 1881, † Überlingen 25. 11. 1958; bezog in seine idealistisch geprägte Kunst- und Kulturphilosophie buddhist. und christl. Gedankengut ein. Wiss. Intellektualismus und das Fehlen einer von Werten und religiösem Erleben geprägten Weltsicht sah er als Ursache der Krise der Kultur.

Klara Ziegler

Ziegler-Natta-Katalysatoren [nach K. W. Ziegler und G. Natta], Metallkomplexkatalysatoren, die bei der Reduktion von Übergangsmetallverbindungen (z. B. Titan(III)-chlorid) mit metallorgan. Verbindungen (z. B. Diäthylaluminium-

Ziehharmonika (von links): Pianoakkordeon der Firma Hohner aus Trossingen und Handharmonika aus Böhmen (Anfang des 20. Jh.; Prag, Národní Muzeum)

chlorid) entstehen und die stereospezif. Polymerisation von Olefinen bei Normaldruck ermöglichen; haben v.a. große Bedeutung für die Herstellung von →Polyäthylen und →Polypropylen.

Ziegler und Kliphausen (Zigler und Kliphausen), Heinrich Anselm von, Schriftsteller, *Radmeritz (heute Radomierzyce, bei Zgorzelec) 6. 1. 1663, †Liebertwolkwitz (Kr. Leipziger Land) 8. 9. 1696. Sein Hauptwerk »Die asiatische Banise. Oder, das blutig – doch muthige Pegu« (1689) ist einer der repräsentativsten spätbarocken politisch-heroischen Romane.

Ziehen, *Fertigungstechnik:* Umformverfahren, bei dem die Kraft durch das Ziehgut selbst übertragen wird. Z. dient bei Blech zur Umformung von Ronden, Platinen oder Zuschnitten zu Hohlkörpern durch →Tiefziehen, zu flachen, großflächigen Karosserieteilen durch **Reck-Z.** Bei massivem Halbzeug (Draht, Stabstahl, Profil, Rohr) dient Z. unter Verringerung des Querschnitts zur Verbesserung von Maßhaltigkeit und Oberflächengüte. Das Ziehgut wird dabei durch einen Ziehstein oder Ziehring hindurchgezogen **(Durchziehen).**

Ziehen, Theodor, Philosoph, Psychologe und Arzt, *Frankfurt am Main 12. 11. 1862, †Wiesbaden 29. 12. 1950; Prof. in Jena, Utrecht, Halle (Saale) und Berlin; entwickelte eine positivist. Erkenntnistheorie und verstand die phys. und die psych. Welt als durch versch. Arten von gesetzl. Beziehungen gekennzeichnete Manifestationen des Gegebenen; als das Gegebene sah er die auf physiolog. Vorgänge zurückgeführten Empfindungen und Vorstellungen an.

Ziehharmonika, volkstüml. Musikinstrument, dessen Tonerzeugung mit durchschlagenden Metallzungen erfolgt, die bei Zug und Druck des Faltenbalges durch einen Luftstrom zum Schwingen gebracht werden. Die Zungen der Bassbegleitung sitzen im links des Balgs angebrachten Kasten, die Melodiestimmen im rechten Kasten. Sie sind bei der einfachen Z. oder der Handharmonika diatonisch geordnet und werden durch Knöpfe ausgelöst, wobei – wie bei der Mundharmonika – aus- und eingeblasene Luft versch. Töne ergeben. Speziell wird unter **Handharmonika** das mit einer Gleichtontaste und Hilfstaste für chromat. Töne versehene Instrument (Klubmodell) verstanden, während als Z. die einfacheren sog. »Wiener Modelle« bezeichnet werden. Beim **Akkordeon** werden durch Zug und Druck die gleichen Töne erzeugt, ebenso bei dem modernen Pianoakkordeon (Tangoharmonika), das im Diskant eine verkleinerte Klaviertastatur hat. Weitere Formen sind das **Bandoneon,** eine vergrößerte Z., und die **Konzertina,** eine chromat. Ziehharmonika.

Ziehrer, Carl Michael, österr. Komponist und Dirigent, *Wien 2. 5. 1843, †ebd. 14. 11. 1922; komponierte 22 Operetten, darunter »Die Landstreicher« (1899), etwa 600 Tänze, v.a. Walzer (u.a. »Donauwalzer«) und Märsche.

Ziehschleifen, das →Honen.

Zielfluggerät, einfaches Flugzeugpeilgerät, das Abweichungen vom Zielkurs optisch oder akustisch anzeigt; heute i.d.R. in der Funknavigation durch **Funkpeiler** ersetzt.

Zielfotografie, Nachweis über die Platzierung der Wettbewerbsteilnehmer in Geschwindigkeitswettbewerben mittels Zielaufnahme. Es werden Foto- oder Filmkameras eingesetzt, die auf Höhe der Ziellinie angeordnet sind. Der Einlauf wird kontinuierlich aufgezeichnet, indem der Film bei geöffneter Blende gleichmäßig abläuft, eine eingeblendete Zeitskala ermöglicht die Ermittlung der jeweiligen Wettkampfzeit bis auf $^1/_{1000}$ s.

Zielgerade, *Sport:* letzter, gerader Teil einer Rennstrecke vor dem Ziel.

Zielgruppe, ein bestimmter Personenkreis, der von einer Aussage, z. B. Werbung, erreicht werden soll.

Zielkonflikt, Handlungssituation, in der ein Individuum (i. w. S. auch eine Gruppe, Organisation) mit seinem Handeln mehrere Ziele zugleich anstrebt, sie jedoch infolge unzureichender Ressourcen oder Widersprüchlichkeit der Ziele nicht alle verwirklichen kann.

Zielona Góra [zjɛˈlɔnaˈgura] (dt. Grünberg in Schlesien), Hptst. der Wwschaft Z. G., Polen, südlich der Oder, 115 600 Ew.; PH, TH, Museum des Lebuser Landes, Theater; Maschinen-, Apparate-, Waggonbau, Busmontage, Textil-, elektron. und Spirituosenind.; um Z. G. Wein- und Obstbau; Flugplatz. – St.-Hedwigs-Kirche (13. und 15. Jh.), Rathaus (16. Jh.) mit Belfried. – 1312 als Stadt bezeugt, kam 1329 an Böhmen, 1742 zu Preußen.

Zielsuchverfahren, Eigenlenkverfahren (→Eigenlenkung) für Flugkörper zu ortsveränderl. Zielen. Bei **passiven Z.** wird die Eigenstrahlung des Zieles (meist dessen Infrarotstrahlung) genutzt; **halbaktive Z.** nutzen vom Ziel reflektierte Energiestrahlung, die durch Strahlungssender (Radargeräte, Laserzielbeleuchter) dem Ziel zugestrahlt wird. Bei **aktiven Z.** empfängt der Sensor der Zielsuchvorrichtung ebenfalls vom Ziel reflektierte Strahlung, die jedoch von Bord des zu lenkenden Fahrzeugs abgestrahlt wird. Z. dienen v. a. zur Führung militär. →Lenkflugkörper.

Zierfische, Süßwasser- oder Meeresfische, die wegen ihrer lebhaften Färbung, besonderen Gestalt oder eigenartigen Lebensweise meist im →Aquarium gehalten werden. Der wohl älteste Z. ist der →Goldfisch mit seinen versch. Züchtungen (z. B. Schleierschwanz); von einheim. Kaltwasserfischen können u. a. Stichling, Bitterling, Elritze, Gründling und Karausche als Aquarienfische gehalten werden. Die meisten Z. sind trop. und subtrop. Arten (z. B. Kampffische, Segelflosser, Salmler, Platys, Fadenfische, Kugelfische).

Ziergräser, ein- oder mehrjährige Arten von Gräsern, Seggen, auch von Binsen und Simsen mit besonderem Schmuckwert.

Zierpflanzen, Pflanzen, die wegen ihres Schmuckwerts gehalten werden und sich z. T. zu Kulturpflanzen entwickelten.

Zierschrift, verzierte oder schraffierte Schreib- oder Druckschrift. In den Handschriften des MA. wurden bes. die Initialen ausgeschmückt. Im 16.–18. Jh. haben die →Schreibmeister die Z. geübt und gelehrt. Z. gibt es auch unter den Druckschriften.

Ziersträucher, Laub abwerfende, wintergrüne oder immergrüne Holzgewächse von besonderem Schmuckwert in Blüte, Frucht, Blatt, Bezweigung oder Wuchs, z. B. Flieder, Goldregen, Berberitze.

Ziesel (Citellus), Gattung etwa 15–40 cm (einschl. Schwanz bis 65 cm) langer Nagetiere (Familie der Hörnchen), v. a. in wüsten-, steppen- und prärieartigen Landschaften Eurasiens und Nordamerikas; legen umfangreiche Erdbaue an; halten je nach Klima Winterschlaf, einige Arten auch Sommerschlaf. In Europa kommen vor: **Schlicht-Z.** (Z. i. e. S., Citellus citellus), etwa 20 cm lang, Fell graubraun, und **Perl-Z.** (Citellus suslicus), rd. 20–25 cm lang, Körperoberseite braun mit weißl. perlförmiger Fleckenzeichnung.

Ziesel: Perlziesel (Größe 20–25 cm)

Ziest (Stachys), Gattung der Lippenblütler in den gemäßigten Zonen; einjährige oder ausdauernde Kräuter, Halbsträucher oder Sträucher; einheimisch ist u. a. der 0,2–1,2 m hohe **Sumpf-Z.** (Stachys palustris), Blüten rötlich mit rot und weiß gefleckter Unterlippe; an Ufern und Gräben. Der **Heil-Z.** (**Gemeine Betonie,** Stachys officinalis) wird bis zu 1 m hoch, mit roten Blüten.

Ziest: Heilziest (Höhe bis zu 1 m)

Zieten (Ziethen), Hans Joachim von, preuß. Reitergeneral (seit 1760), *Wustrau (bei Neuruppin) 24. 5. 1699, †Berlin 27. 1. 1786; ab 1741 Oberstleutnant im Leibhusarenregiment Friedrichs II., d. Gr., von Preußen; führte im 2. Schles. Krieg am 20. 5. 1745 den berühmt gewordenen Ritt durch die österr. Stellung in Oberschlesien aus. Neben der Taktik der bewegl. Kampfführung und kühnen Überraschungen (»Z. aus dem Busch«) bildete er systematisch die leichte Kavallerie zur schlachtentscheidenden Angriffswaffe aus, mit der er im Siebenjährigen Krieg die Siege von Prag, Leuthen (1757), Liegnitz und Torgau (1760) erringen half.

Hans Joachim von Zieten: Holzschnitt nach einer Zeichnung von Adolph von Menzel aus dem Jahr 1850

Ziffer [arab. ṣifr »Null«] (Zahlzeichen), Zeichen zur schriftl. Darstellung einer Zahl. Die einfachste Zahlendarstellung ist das Hintereinandersetzen (Reihung) und Zusammenfassen (Bündelung) von Zählstrichen (z. B. auf Kerbhölzern), Knoten u. a.; die Griechen und die späteren Semiten benutzten

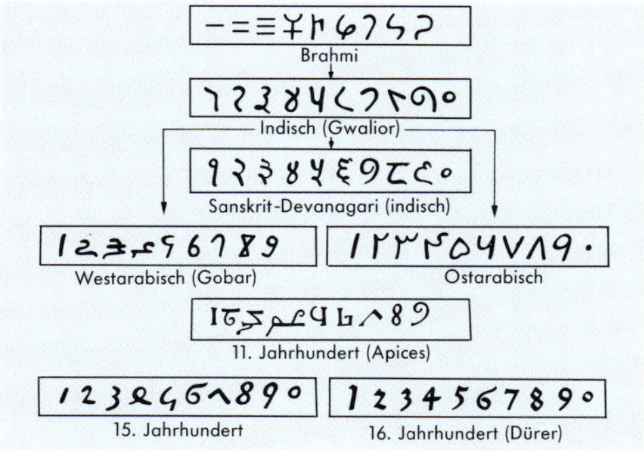

Ziffer: Entwicklung der arabischen Ziffern

Buchstaben als Z. Entsprechend der Bewertung der Z. und nach dem Prinzip ihrer Anordnung unterscheidet man **Additions-** und **Stellenwert-** bzw. **Positionssysteme** (→Zahlensystem).

Zu den Additionssystemen gehören das röm. (etrusk.), ägypt., aztek. und minoisch-kret. System. In Ägypten (Basis 10) war die Z. 1 ein vertikaler Strich, 10 ein Schultergelenk (?), 100 ein Messstrick (aufgerolltes Seil), 1000 eine Lotosblume, 10 000 ein geknickter Finger (Schilfkolben), 100 000 eine Kaulquappe; bei den Azteken (Basis 20) war 1 eine Kakaobohne, 20 ein wimpelförmiges Zeichen (eine halb aufgeschnittene Kakaobohnenschote mit umgeklappter Schale?), 400 eine Vogelfeder.

Die in der röm. Welt sowie in W-Europa bis zum 15. Jh. allg. verwendeten **röm. Z.** sind altitalischen Ursprungs. Im antiken Rom benutzte man u. a. noch die Z. IↃ = 500, CIↃ = 1000, CCIↃↃ = 10 000 usw., erst im MA. verschriftete CIↃ zu M (lat. mille); üblich war auch die Vertausendfachung einer Zahl durch einen übergesetzten Strich, wie $\bar{X}$ = 10 000.

Römische Ziffern

I	= 1	VI	= 6	L	= 50	C	= 100	DC	= 600
II	= 2	VII	= 7	LX	= 60	CC	= 200	DCC	= 700
III	= 3	VIII	= 8	LXX	= 70	CCC	= 300	DCCC	= 800
IV	= 4	IX	= 9	LXXX	= 80	CD	= 400	CM	= 900
V	= 5	X	= 10	XC	= 90	D	= 500	M	= 1000

Die röm. Z. werden in der Reihenfolge abnehmender Zahlenwerte geschrieben und ihre Werte addiert (z. B. XV = 15, VII = 7) mit Ausnahme des Falles, in dem eine geringerwertige vor einer höherwertigen Z. steht und subtrahiert wird (IV = 4, IX = 9). Bei der heutigen Verwendung röm. Z. dürfen höchstens drei gleiche Ziffern I, X oder C hintereinander geschrieben werden (also z. B. CD für 400 und nicht CCCC). Die Zeichen V, L und D treten nie zweimal (da dann einfach X, C und M geschrieben werden könnte) und nicht vor einer größeren Z. auf (da z. B. VX gleich V wäre). Auch darf vor einer Z. immer nur eine kleinere stehen (nicht IIC für 98, sondern XCVIII; nicht IXC, was als 89 oder 91 gelesen werden könnte, sondern LXXXIX oder XCI). Die subtraktive Schreibweise gab es bei den Römern nur ansatzweise; sie wurde erst später eingeführt.

Stellenwertsysteme finden sich in Babylon (Basis 60), bei den Maya (Basis 20), in Indien, China und auf den Knotenschnüren der Inka (Basis 10). Die heute allg. üblichen Z. sind die zehn **arab. Z.** des →Dezimalsystems. Die von den Arabern übernommenen, urspr. ind. Zahlzeichen sind im 10. Jh. in Katalonien aus den westarab. Gobar- oder →Staubziffern entstanden und vom Mönch Gerbert (dem späteren Papst Silvester II.) auf den Rechensteinen ins Abendland eingeführt worden (Apices; damals noch ohne das Zeichen für die Null). Diese westarab. Z. stehen den ind. Vorbildern näher als die heute noch benutzten ostarab. Z. Die arab. Z. setzten sich im Geschäftsleben wegen der Fälschungsgefahr nur langsam gegen die röm. Z. durch, in Dtl. erst im 15. Jahrhundert.

📖 MENNINGER, K.: *Zahlwort u. Z. Eine Kulturgesch. der Zahlen, 2 Bde. Göttingen [3]1979.* – IFRAH, G.: *Universalgesch. der Zahlen. A. d. Frz. Frankfurt am Main u. a. [2]1991.*

Zigarette [zu Zigarre] *die,* im Wesentlichen aus fein geschnittenem Tabak bestehendes Genussmittel zum Rauchen, das zum überwiegenden Teil maschinell hergestellt wird; daneben können Z. auch durch den Raucher selbst aus Feinschnitttabak und Z.-Papier oder Hülsen angefertigt (»gedreht« bzw. »gestopft«) werden. Zur Herstellung von **Filter-Z.** wird maschinell zw. je zwei Z. ein doppelt langer Filterstab (v. a. aus Celluloseacetat) eingefügt, mit dem Mundstückpapier umklebt und anschließend durch rotierende Messer in zwei Filter-Z. zerteilt. (→Rauchen, →Tabak)

Zigarillo [span.] *das* auch *der,* kleine, dünne Zigarre oder kleiner Stumpen, auch als Mundstück-Z. mit Filter.

Zigarre [span. aus indian.] *die,* aus Tabak bestehendes Genussmittel zum Rauchen; zur Herstellung wird aus grob geschnittenem oder gerissenem Tabak durch Zusammendrehen eine Einlage **(Wickel** oder **Puppe)** gebildet, die dann in die gewünschte Form gedrückt und anschließend in bes. gleichmäßige und sorgfältig vorbereitete Tabakblätter (zunächst das **Umblatt,** dann das **Deckblatt**), heute vielfach auch in eine aus gemahlenem Tabak hergestellte Folie eingeschlagen wird.

Zigarrenkäfer (Zigarettenkäfer, Lasioderma serricorne), 2–3 mm lange, rotbraune Art der Klopfkäfer, die sich in fermentiertem Tabak und Tabakwaren, auch in Drogen, Gewürzen, Trockenfrüchten entwickelt; Vorratsschädling.

Zigeuner, im dt. Sprachraum vorherrschende Gesamtbez. für weltweit verbreitete, überwiegend aber in Europa (v.a. im ehem. Jugoslawien, in Rumänien, Ungarn, Frankreich, Spanien und Dtl.) beheimatete ethn. Minderheitsgruppen ind. Herkunft mit (1990) schätzungsweise 12 Mio. (Europa: 8 Mio.) Angehörigen; von einigen dieser Gruppen wird die Bez. als diskriminierend abgelehnt. Die Bez. **Sinti** (für die mitteleurop. Gruppen) leitet sich möglicherweise von der Herkunft ihrer Vorfahren aus der Region Sindh im NW Indiens (heute Pakistan) ab; die Bez. **Roma** (Sg. der Rom, »Mann«, »Mensch«) ist ein allgemeiner Sammelname außerhalb des dt. Sprachraums; in Dtl. überwiegend für Gruppen südosteurop. Herkunft gebraucht. Im engl. Sprachraum werden Z. als **Gypsies,** im spanischen als **Gitanos,** im französischen als **Tsiganes** bezeichnet. In Dtl. leben etwa 50 000 Sinti und 20 000 Roma, überwiegend kath. Konfession; in südost- und osteurop. Ländern gibt es auch muslim., griechisch-orth. und russisch-orth. Z. Selbst innerhalb von Nationalstaaten bilden Z. keine homogene Einheit. Träger der sozialen Organisation und kultureller Überlieferung ist die Familie. Die ältere Generation genießt die besondere Achtung der Jüngeren. Die kulturelle Identität gründet in der eigenen Sprache (→Romani), in der eigenständigen Auseinandersetzung mit der Kultur der Mehrheitsbev. und in der Erfahrung jahrhundertelanger Verfolgung. Sie ist u.a. gekennzeichnet durch einen reichen Schatz an Erzählungen, Märchen und Liedern, durch künstler., bes. musikal. Fähigkeiten und handwerkl. Traditionen (v.a. Kupfer- und Goldschmiedekunst, Korbflechterei, Holz- und Lederbearbeitung).

Geschichte: Erste Abwanderungen aus Indien werden zw. dem 5. und 7. Jh. n. Chr. angenommen. Durch das Eindringen arab. Volksstämme und die dadurch bedingte ökonom. Existenzunsicherheit wurden die Z. wohl zw. 800 und 1000 zur Auswanderung gezwungen. Die Mehrheit der Vorfahren der heutigen europ. Z. ließ sich zw. dem 11. und 14. Jh. auf dem Balkan (um 1100 erstmals erwähnt), im Mittleren Osten und in Osteuropa nieder. Die Westwanderung erreichte um 1400 Mitteleuropa, bald nach 1500 England und 1715 Nordamerika. Da sie auch in ihren Aufnahmeländern, von kurzen Perioden der Duldung abgesehen, meist vertrieben und verfolgt wurden, waren sie seitdem zu einem Wanderleben genötigt bzw. gezwungen, sich in entlegene Gebiete zurückzuziehen oder in einheim. Bev.gruppen mit ähnl. Lebensweise aufzugehen. Dadurch bildeten sich seit dem 16./17. Jh. in nahezu allen westeurop. Ländern kleinere Gruppen (z.B. in Frankreich die Manouches, in Polen die Kalderasch). Ihren Höhepunkt erreichten die Verfolgungen der Z. während der nat.-soz. Zeit in Dtl. (1933–45); seit 1935 wurden die Z. ebenso wie die jüd. Bev. als »Artfremde« gesellschaftlich ausgegrenzt. Bereits ab 1936 erfolgte die zwangsweise Unterbringung in Sammellagern, 1940 die Deportation in Konzentrations- und Vernichtungslager; etwa 500 000 Z. wurden damals in Europa umgebracht. Auch nach 1945 waren sie vielfach Diskriminierungen ausgesetzt. In jüngster Zeit mehren sich Forderungen, sie als rassisch Verfolgte anzuerkennen und entsprechende Entschädigungszahlungen zu leisten.

Die kommunistisch geführten Reg. betrieben eine Politik der Zwangsassimilierung. In einigen Staaten Osteuropas kam es z.T. zu massiven Menschenrechtsverletzungen. Nach dem Sturz der kommunist. Regierungen zw. 1989 und 1991 kamen unter dem Druck weiter bestehender Diskriminierung und drückender sozialer Bedingungen zahlreiche Z., v.a. Roma aus Südosteuropa, nach Dtl. und bemühen sich unter Wahrnehmung des dt. Asylrechts um einen Verbleib.

Die Ende der 70er-Jahre entstandenen Interessenverbände der Sinti und Roma, seit 1982 z.T. im »Zentralrat Dt. Sinti und Roma« zusammengeschlossen, forderten 1991 unter Hinweis auf eine weiterhin bestehende Verfolgung v.a. im südöstl. Europa die Anerkennung als Staatenlose und das Recht auf Freizügigkeit, was ein Bleiberecht in allen europ. Staaten bedeuten würde. 1995 wurden von der Bundesregierung mit der Unterzeichnung des Europ. Minderheitenschutzabkommens die Z. als nat. Minderheit anerkannt.

📖 VOSSEN, R.: *Z., Ausst.-Kat. Museum für Völkerkunde, Hamburg. Frankfurt am Main u.a. 1983.* – *Die Z. Reisende in Europa, Beiträge v.* R. GRONEMEYER *u.a. Köln 1988.* – WITTICH, E.: *Beiträge zur Zigeunerkunde. Frankfurt am Main u.a. 1990.* – *Der nat.-soz. Völkermord an den Sinti u. Roma, hg. v.* R. ROSE. *Heidelberg [2]1995.* – REEMTSMA, K.: *Sinti u. Roma. Kultur, Gesch., Gegenwart. München 1996.* – GILSENBACH, R.: *Weltchronik der Z., auf mehrere Bde. ber. Frankfurt am Main u.a. [1-2]1997 ff.*

Zigeunermusik, der musikal. Vortragsstil der Zigeuner. Die Z. ist in Repertoire, Stil, Instrumentarium und Vortragsweise wesentlich von der Musik der jeweiligen Gastländer geprägt. Bes. bekannt ist die ungar. Z. Im 19. Jh. weitgehend mit der ungar. Musik gleichgesetzt, wurde nach 1900 durch B. Bartók und Z. Kodály nachgewiesen, dass die Z. nicht mit der ungar. Bauernmusik, der eigtl. ungar. Volksmusik, identisch ist. Seit dem 15. Jh. sind in Ungarn Musikanten belegt, die aus ungar. Volks-

Zikaden: Bergzikade (Länge bis zu 25 mm)

weisen und eigenen Kompositionen eine volkstümlich-städt. Unterhaltungsmusik entwickelten. Charakteristisch ist die vom Primás (Leiter) angeführte Kapelle mit Klarinette, Cymbal und (zumeist) Bass. Durch die Verwendung der →Zigeunertonleiter gewinnt die Z. exot. Reiz. – Die span. Z. hat eine eigene musikal. Tradition, sie baut auf Stilelementen der span. und der orientalisch-maur. Volksmusik auf. Als Begleitinstrumente der Tänze dienen Gitarre, Kastagnetten und Rahmentrommel.

📖 SÁROSI, B.: *Z. Aus dem Ungar. Zürich 1977.* – LAJTHA, L.: *Instrumental music from Western Hungary. From the repertoire of an urban Gipsy band. Budapest 1988.*

Zigeunertonleiter, in der südslaw. Volksmusik und der Zigeunermusik verwendete siebenstufige Tonleiter, gekennzeichnet durch zwei übermäßige Sekundschritte und Gleichheit der jeweils zweiten Viertongruppe in der Dur- und Mollform: c des e f/g as h c^1; c d es fis/g as h c^1.

Zihl *die* (frz. La Thielle), linker Nebenfluss der Aare in der W-Schweiz, 18 km lang, entsteht aus dem Zusammenfluss von Orbe und Talent; mündet in den Neuenburger See, führt als **Z.-Kanal** in den Bieler See.

Heinrich Zille

Zikaden [lat.] (Zirpen, Cicadina), weltweit verbreitete Ordnung von Insekten mit einer Spannweite von 0,1–18 cm; Pflanzensauger mit stechend-saugenden Mundwerkzeugen sowie (als Vollinsekt) mit zwei Paar in Ruhestellung dachförmig über dem Hinterleib zusammengelegten Flügeln; die Männchen vieler Z. erzeugen mithilfe von Trommelorganen am Hinterleib artspezif. Schrill- und Zirplaute. In Dtl. verbreitet ist die **Bergzikade** (Cicadetta montana), bis zu 25 mm lang, in trockenwarmen Waldsteppen.

Zikkurat

Zikkurat ist die babylonische Bezeichnung für den abgestuften Tempelturm der Architektur Mesopotamiens und Elams. Aus einer kleinen Terrasse, die in Südmesopotamien schon im 4. Jahrtausend v. Chr. den Tempel trug, entwickelten sich nach und nach mehrstufige massive Anlagen. Sie trugen wohl einen kleinen Hochtempel, der in der Spätzeit auch als Observatorium genutzt wurde. Öfter als der Hochtempel ist der zugehörige Tieftempel am Fuß der Zikkurat belegt.

Der massive Kern der Zikkurat, die auf quadratischem oder rechteckigem Grundriss angelegt war, bestand aus ungebrannten, luftgetrockneten Lehmziegeln. Beim Aufschichten wurden die Lagen mit Schilfmatten abgedeckt und mit dicken Schilftauen horizontal gegen das Auseinanderbersten gesichert. Verkleidet wurden die Zikkurats mit gebrannten, zum Teil farbig glasierten Ziegeln.

In Babylonien führten zum ersten Stockwerk eine zentrale Rampentreppe im rechten Winkel zur Vorderfront, außerdem zwei weitere Treppen entlang der Wand.

Heinrich Zille: »Sonntag nachmittag im Sonnenbad«, Zeichnung (1909)

Zikkurat [akkadisch] *die,* in der sumer., babylon. und assyr. Baukunst ein turmartiger Tempelbau, der sich in Stufen ansteigend über einer Terrassenanlage erhebt. Bekannteste Z. ist der →Babylonische Turm. Die besterhaltene Z. ist der mehrfach umgebaute Tempelturm des Mondgottes Nanna in Ur (Ende des 3. Jt. v. Chr., im 6. Jh. v. Chr. erneuert). BILDER iranische Kunst, Ur

Ziliaten, die →Wimpertierchen.

Zilien [lat.] (Wimpern, Flimmern), haarförmige, im oberflächl. Zytoplasma verankerte, bewegl. Zellfortsätze (Organellen). Die Z. sind i. Allg. kürzer und in größerer Anzahl je Zelle vorhanden als die bei Einzellern verbreiteten Geißeln; beide Typen haben aber eine annähernd gleiche Struktur; Bewegungsform und -geschwindigkeit von Z. und Geißeln sind unterschiedlich. Z. schlagen häufig synchron.

Žilina [ʒ-] (dt. Sillein, ungar. Zsolna), Stadt im Mittelslowak. Gebiet, Slowakei, an der mittleren Waag, 85 000 Ew.; Hochschule für Verkehrswesen (in einer ehem. Synagoge), Konservatorium; Textil-, Holz-, Papier- und chem. Ind., Maschinenbau; Verkehrsknotenpunkt, Flugplatz. – Gegr. Anfang des 13. Jh. als königlich-ungar. Freistadt.

Zille [slaw.] *die,* offener, teilweise gedeckter Lastkahn auf Elbe und Oder.

Zille, Heinrich, Zeichner und Fotograf, *Radeburg 10. 1. 1858, †Berlin 9. 8. 1929; begann als Lithograph, zeichnete ab 1900 u. a. für die »Lustigen Blätter«, die »Jugend« und den »Simplicissimus«;

stellt in seinen Bildern das Milieu des Berliner Proletariats mit Witz und Ironie und einem bestechenden Sinn für Situationskomik dar.

Zillertal, rechtes Seitental des Inntals in Tirol, Österreich, rd. 28 km lang, vom Ziller durchflossen, dessen Quellflüsse (mit Stauseen) in den **Zillertaler Alpen** (höchster Berg der →Hochfeiler) entspringen; Fremdenverkehr. Hauptorte sind Zell am Ziller und Mayrhofen (Endpunkt der Z.-Bahn, Wasserkraftwerke).

Zillich, Heinrich, Schriftsteller, *Kronstadt (Siebenbürgen) 23. 5. 1898, †Starnberg 22. 5. 1988; seine Erzählungen, Novellen, Romane und Gedichte sind seiner siebenbürg. Heimat verpflichtet.

Zillig, Winfried, Komponist und Dirigent, *Würzburg 1. 4. 1905, †Hamburg 18. 12. 1963; schrieb, der Zwölftontechnik A. Schönbergs verpflichtet, Opern, Orchestermusik, Kammermusik, Lieder, Chorwerke, Theater- und Rundfunkmusik. Setzte sich als Dirigent bes. für die Werke G. Mahlers und der 2. Wiener Schule ein.

Zillis-Reischen, Gemeinde im Kt. Graubünden, Schweiz, oberhalb der Via Mala, 300 Ew.; im Ortsteil Zillis roman. Kirche St. Martin (um 1130, auf Vorgängerbauten) mit ältester erhaltener figürlich bemalter Holzdecke des Abendlandes (153 Felder, etwa 1130–40). Weiteres BILD schweizerische Kunst

Zilpzalp [lautmalend], Vogelart, →Laubsänger.

Zimbabwe [zɪmˈbɑːbweɪ, engl.], →Simbabwe.

Zimbel [grch.] *die,* in der Orgel eine bis in die Barockzeit beliebte hoch liegende, gemischte Stimme; glitzernd heller, schneidender Klang.

Zimbelkraut, Orchideengattung, →Waldvögelein.

Zimbeln, kleine abgestimmte Becken, die entweder paarweise gegeneinander oder mit einem Schlägel einzeln angeschlagen werden.

Zimbelstern, an manchen Orgeln ein im Prospekt angebrachter Stern mit abgestimmten Glöckchen oder Schellen, die durch Registerzug zum Klingen gebracht werden.

Zimelie [grch. keimēlion »Schatz«] *die,* kostbares Einzelstück im Besitz von Bibliotheken, z. B. alte Handschriften, Frühdrucke (Inkunabeln), bibliophile Ausgaben, Widmungsexemplare.

Zillis-Reischen: Das Randfeld der bemalten Holzdecke der Kirche Sankt Martin stellt Jona beim Besteigen des Schiffes dar (12. Jh.)

Zimerman [ˈzimɛrman], Krystian, poln. Pianist, *Zabrze 5. 12. 1956. Interpret klass. als auch zeitgenöss. Musik; brillanter Chopin-Interpret.

Zimljansker Stausee, Staubecken am unteren Don, Russland, 2 700 km², 302 km lang, bis 38 km breit, 23,9 Mrd. m³ Stauraum; entstand 1949–55 mit dem Bau des Wolga-Don-Kanals; Zimljansker Wasserkraftwerk (160 MW).

Zimmerische Chronik, die Familiengeschichte der schwäb. Grafen von Zimmern, 1564–66 verfasst von Graf Froben Christoph von Zimmern; aufschlussreich für Volks-, Sitten- und Sagenkunde und ein Dokument des adeligen Alltagslebens; im 19. Jh. von L. Uhland wieder entdeckt.

Zimmerlinde (Sparmannia), Gattung der Lindengewächse mit drei Arten im trop. und südl. Afrika. Die bekannteste, als Zimmerpflanze kultivierte Art ist **Sparmannia africana,** ein Strauch mit großen, herzförmigen, gezähnten, weichhaarigen Blättern und weißen Blüten.

Zimmermann, **1)** Bernd Alois, Komponist, *Bliesheim (heute zu Erftstadt) 20. 3. 1918, †Kö-

Bernd Alois Zimmermann

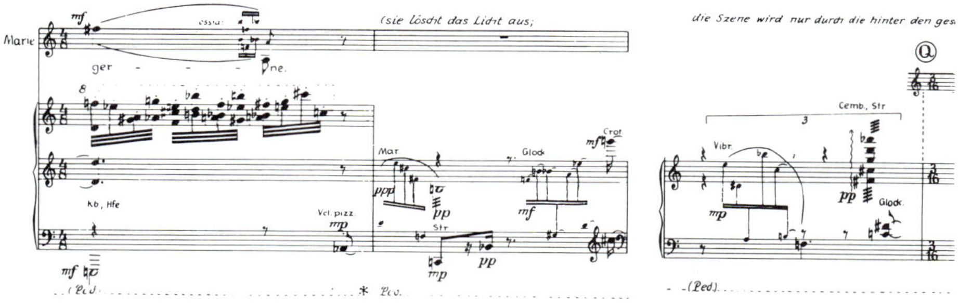

Bernd Alois Zimmermann: Klavierauszug aus dem 1. Akt der Oper »Die Soldaten« (1965), 5. Szene

Dominikus Zimmermann: Die 1736–41 erbaute Frauenkirche in Günzburg zählt zu den Meisterwerken des Baumeisters; Blick durch das Langhaus auf den Altar

nigsdorf (heute zu Köln) 10. 8. 1970; zu seinen epochalen Werken zählen v.a. die Oper »Die Soldaten« (1965; nach J. M. R. Lenz) sowie das »Requiem für einen jungen Dichter« (1969). Z. realisierte mit den Mitteln des Zitats und der Collage seine Vorstellung von der »Kugelgestalt« der Zeit, in der Vergangenheit, Gegenwart und Zukunft gleich nah sind: In der Oper »Die Soldaten« werden im Rahmen seriell streng geordneter Strukturen Ausschnitte aus Gregorian. Gesang, Renaissance-, Barock- und Jazzmusik in expressiver Klangsinnlichkeit ineinander geschoben bzw. z. T. unabhängig voneinander überlagert. In seinem Requiem sind Texte unterschiedl. Zeiten (lat. Text der Totenmesse, Ausschnitte aus Werken von W. Majakowski, J. Joyce, H. H. Jahnn) miteinander verbunden. Auch Orchesterwerke sowie kammermusikal. und szenisch-ballettorientierte Kompositionen.

Mac Zimmermann: »Halle der Mathematik« (1952; Augsburg, Kunsthalle)

2) Dominikus, Baumeister, *Gaispoint (heute zu Wessobrunn) 30. 6. 1685, †Steingaden 16. 11. 1766, Bruder von 4); Stuckateur, dann selbstständiger Baumeister; ansässig in Landsberg am Lech. In seinen aus bodenständiger Überlieferung erwachsenen Kirchenbauten verbindet sich erfindungsreiche Raumgestaltung mit der plast. Dekoration und den Wirkungen des Lichts und der Farben zu einer Einheit von heiter-festl. Stimmung. Der Außenbau ist dagegen schlicht gehalten. Seine Meisterwerke sind die Wallfahrtskirche →Steinhausen, die Frauenkirche in Günzburg (1736–41) und die Wallfahrtskirche →Wies (1745 ff.).

3) Friedrich, Politiker (CSU), *München 18. 7. 1925; Jurist, seit 1957 MdB, 1956–63 Gen.-Sekr. der CSU, 1976–82 Vors. der CSU-Landesgruppe im Bundestag und stellv. Vors. der CDU/CSU-Bundestagsfraktion; war 1982–89 Bundesinnenmin. und von 1989–91 Bundesminister für Verkehr.

4) Johann Baptist, Maler und Stuckateur, *Gaispoint (heute zu Wessobrunn) 3. 1. 1680, begraben München 2. 3. 1758, Bruder von 2); seit 1729 Hofstuckateur in München; malte heiter-beschwingte Fresken im lichten Kolorit des Rokoko für Kirchen (Steinhausen, 1730/31; Wies, 1733/34 und 1753/54) und Schlösser (Festsaal des Nymphenburger Schlosses, 1756/57); schuf Stuckaturen in den »Reichen Zimmern« der Münchener Residenz (1730 ff.) und der Amalienburg in Nymphenburg (1734–39). BILD Deckenmalerei

5) Mac (eigtl. Max), Maler und Grafiker, *Stettin 22. 8. 1912, †Wasserburg a. Inn 11. 6. 1995; folgt in seinen spielerisch-skurrilen und fantast. Bildern und Zeichnungen dem Surrealismus von S. Dalí und Y. Tanguy.

6) Tabea, Bratschistin, *Lahr/Schwarzwald 8. 10. 1966; seit 1988 Professorin an der Saarbrücker Musikhochschule; ist v.a. als Kammermusikerin (u.a. mit G. Kremer) und Interpretin zeitgenöss. Musik hervorgetreten.

7) Udo, Komponist und Dirigent, *Dresden 6. 10. 1943; wurde 1970 Dramaturg an der Dresdner Staatsoper, 1978 Prof. an der Dresdner Musikhochschule und ist Leiter des 1986 gegr. Zentrums für zeitgenöss. Musik in Dresden, seit 1990 Intendant der Leipziger Oper. Er setzt sich bes. für Aufführungen zeitgenöss. Werke ein. Seine Kompositionen umfassen sechs Opern (u.a. »Levins Mühle«, 1973; »Der Schuhu und die fliegende Prinzessin«, 1977; »Die wundersame Schustersfrau«, 1982; »Weiße Rose«, 1967, 1985 zweite Bearbeitung), Orchester- und Vokalwerke.

8) Walter, Komponist, *Schwabach 15. 4. 1949; seit 1993 Prof. an der Hochschule der Künste Berlin; schrieb Opern (»Die Blinden«, 1984; »Über die Dörfer«, 1986; Briefoper »Hyperion« nach F. Hölderlin, 1992), ferner »Vom Nutzen des Lassens« (1981–84; Zyklus nach Meister Eckart), »Fragmente der Liebe« für Tenorsaxophon, Sopran und Streichquartett (1987); als themat. Vorlage dienen oft myth. Sujets.

Zimmerpflanzen, meist aus trop. und subtrop. Gebieten stammende Zierpflanzen für die Zimmerkultur.

Zimmertanne, →Araukarie.

Zimmertheater, ein nach 1945 entstandener Theatertypus in Behelfsräumen, mit sehr kleiner Bühne; wurde später vielfach als Experimentierbühne beibehalten. (→Kammerspiele)

Zimmerung, *Berg-* und *Tunnelbau:* der Ausbau von offen zu haltenden Räumen mit vorgefertigten Holzbauteilen.

Zincirli: Das Relief einer Grabstele von Samal stellt die Königin beim Mahl dar (um 730 v. Chr.; Berlin, Vorderasiatisches Museum)

Zimnik, Reiner, Zeichner, Karikaturist und Grafiker, * Beuthen (heute Bytom) 13. 12. 1930; hat zahlreiche Kinder- und Jugendbücher sowie poetisch-satir. Erzählungen für Erwachsene (»moderne Märchen«) illustriert und verfasst; ein Teil seiner Werke (u.a. »Geschichten vom Lektro«, 1962; »Sebastian Gsangl«, 1979) wurde für das Fernsehen verfilmt. In den letzten Jahren widmete sich Z. mehr der freien Grafik.

Zimt [lat.], Gewürz von Pflanzen der bes. in Asien und Australien verbreiteten Gattung Cinnamomum und der trop. amerikan. Gattung Canella. Die feinste Z.-Sorte ist der hellbraune, süßlich schmeckende **Ceylon-Z., Kaneel, Echter Z.** (von Cinnamomum zeylanicum). Von rd. 2,5 cm dicken (abgeschnittenen) Zweigen wird die Borke abgeschabt und die Rinde abgeschält. Die dünnen, röhrenförmigen Rindenstücke werden zu 8 bis 10 ineinander gesteckt und getrocknet und kommen als Stangen-Z. oder gemahlen in den Handel. **Weißer Z., Canella,** ist die Rinde von Canella winterana; er schmeckt nelkenartig scharf und bitter, sein Geruch erinnert an Piment. – Z. wird als Gewürz im Haushalt, in der Süßwaren- und Likörind. sowie in der Parfümerie verwendet. **Chines. Z., Z.-Kassie,** besteht aus der Rinde von Zweigen des Z.-Baumes Cinnamomum aromaticum; er wird wie Ceylon-Z. aufbereitet.

Zimtlöle, äther. Öle aus der Rinde und den Blättern des Ceylonzimtbaums oder des Chines. Zimtbaums, hellgelbe Öle mit feinem balsam. Zimtgeruch und würzigem, brennendem Geschmack. Sie enthalten 65–70 % Zimtaldehyd neben 5–15 % Eugenol (nur bei Ceylonzimt). Z. wird in der Parfümerie und Likörfabrikation verwendet.

Zimtsäure (3-Phenylpropensäure), aromatische Monocarbonsäure mit ungesättigter Seitenkette, die in zwei isomeren Formen – als (Z)- und (E)-Z. – auftritt. In der Natur findet sich fast ausschließlich die (Z)-Form, die frei oder verestert in äther. Ölen und Harzen vorkommt. Bedeutung hat die Z. v.a. in Form ihrer Salze und Ester, der **Cinnamate;** diese sind balsamisch oder fruchtig riechende flüssige oder kristalline Substanzen, die als Riechstoffe verwendet werden.

Zincgref (Zinkgref), Julius Wilhelm, Dichter, *Heidelberg 3. 6. 1591, †Sankt Goar 12. 11. 1635; frühbarocker Lyriker und Epigrammatiker des Heidelberger Kreises; wichtig sind seine Sammlungen von Sinnsprüchen (»Emblematum ethicopoliticorum centuria«, 1619) und Aussprüchen (»Der Teutschen scharpfsinnige kluge Sprüch, ...«, 2 Bde., 1626–31).

Zincirli [zin'dʒirli] (Sendschirli), türk. Dorf in der Prov. Gaziantep; Ruinenstätte von **Samal,** der Hauptstadt eines späthethit. Königreichs, seit dem 10. Jh. v. Chr. Sitz einer aramäischen Dynastie. Durch Ausgrabungen wurde die doppelt ummauerte Stadt mit Zitadelle und Palästen freigelegt, die mit Orthostatenreliefs und Laibungslöwen geschmückt waren. Unter den Funden ist die Siegesstele des assyr. Königs Asarhaddon (680–669) sowie Götterbilder und Statuen mit Inschriften der Herrscher; heute in Berlin.

Zinder [frz. zɛ̃'dɛːr], Dép.-Hptst. im S der Rep. Niger, 121 000 Ew.; Handelszentrum, Lederverarbeitung; Flugplatz. – Z. war bis 1926 Hptst. des Landes.

Zinerarile [lat.] *die* (Aschenpflanze, Senecio cruentus), auf den Kanar. Inseln vorkommende Kreuzkrautart; 40–60 cm hohe Staude mit weichhaarigem Stängel, herzförmigen, behaarten Blättern und zahlr., in Doldentrauben stehenden, meist blauen bis violetten Blütenköpfchen; in vielen Sorten als Topfpflanze kultiviert.

Zingst, Halbinsel an der Ostsee, Meckl.-Vorp., die östl. Fortsetzung des →Darß. – Die Gemeinde Z. im Landkreis Nordvorpommern (3 200 Ew.) ist Ostseebad.

Tabea Zimmermann

Udo Zimmermann

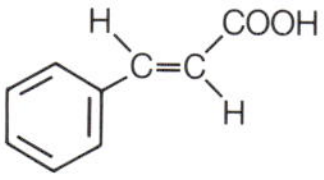

Zimtsäure: (E)-Zimtsäure

Zinerarie: (Höhe 40-60 cm)

Zingulum [lat.] *das* (Cingulum), *kath. Kirche:* das schmale, weiße Band (Schnur) zum Schürzen der Albe sowie das meist breite, schärpenähnliche Band zum Gürten der Soutane oder Kutte (Prälaten: violett, Kardinäle: rot, Papst: weiß).

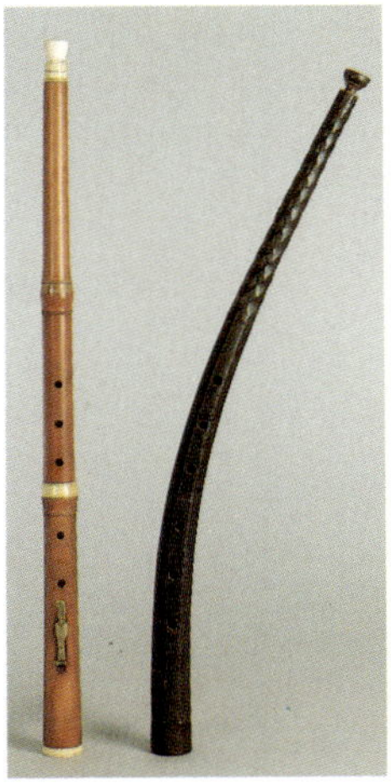

Zink
(von links): gerader Zink (Ende des 18. Jh.) und krummer Zink (Ende des 16. Jh.), deutsche Arbeiten (München, Musikinstrumentenmuseum im Münchner Stadtmuseum)

Zink *das,* chem. Symbol **Zn,** Element aus der zweiten Nebengruppe des →Periodensystems der chem. Elemente; Ordnungszahl 30, relative Atommasse 65,38, Dichte 7,14 g/cm^3, Schmelzpunkt 419,6 °C, Siedepunkt 907 °C. Z. ist ein bläulich weißes, an frischen Oberflächen stark glänzendes, sprödes Metall, das bei etwa 120 °C walz- und dehnbar wird. Bei etwa 500 °C verbrennt es an der Luft mit grünlich blauer Flamme zu Z.-Oxid. An feuchter Luft und im Wasser überzieht sich Z. mit einer stumpfgrauen, fest haftenden Schicht aus Z.-Oxid und bas. Z.-Carbonat, die das Metall vor weiterem Angriff schützt und auch die Korrosionsbeständigkeit verzinkter Eisenoberflächen bewirkt. Der Anteil des Z. an der oberen Erdkruste wird auf 0,012 % geschätzt. Das weitaus wichtigste Erz ist die →Zinkblende, die oft mit →Wurtzit verwachsen ist (»Schalenblende«). Bei der Verwitterung von Z.-Blende entsteht →Zinkspat und →Galmei.

Zinkblende:
Marmarit (oben) und Honigblende

Metall. Z. wird im »trockenen« Verfahren durch Abrösten von Z.-Blende zu Z.-Oxid und anschließender therm. Reduktion des Z.-Oxids mit Kohle bei 1100–1300 °C in Muffeln gewonnen. Das gebildete Z. entweicht dampfförmig und wird zu Roh-Z. kondensiert, das durch mehrmalige Destillation gereinigt wird. Beim »nassen« Verfahren entsteht durch Behandeln von gerösteter Z.-Blende oder gebranntem Galmei mit Schwefelsäure eine Z.-Sulfidlösung, die elektrolysiert wird. Das an der Kathode abgeschiedene Elektrolyt-Z. kann wie beim trockenen Verfahren weiter gereinigt werden. Z. wird v. a. zum Verzinken und Galvanisieren verwendet. Es lässt sich mit zahlr. Metallen legieren; wichtig sind die Z.-Kupfer-Legierungen Messing, Tombak und Neusilber sowie bes. Z.-Druckgusslegierungen mit 3,5–6 % Aluminium, bis 2,8 % Kupfer und etwas Magnesium. Darüber hinaus findet Z. Verwendung für galvan. Elemente, als Z.-Staubfarben und im Laboratorium in Form von Z.-Staub als Reduktionsmittel und zur Erzeugung von Wasserstoff.

Biolog. Bedeutung: Z. ist ein wichtiges Spurenelement. Bei Pflanzen verursacht Z.-Mangel z. B. unzureichende Chlorophyllbildung sowie Zwergwachstum. Einige Pflanzen vertragen oder benötigen hohe Z.-Mengen im Boden, andere werden dadurch geschädigt und sterben ab. Beim Säugetierorganismus werden durch Z. mehrere Enzyme aktiviert. Bes. stark angereichert findet sich Z. in den Inselzellen der Bauchspeicheldrüse und in der Netzhaut des Auges. Die notwendigen Z.-Mengen (etwa 6 mg/Tag) werden mit der normalen Nahrung aufgenommen; höhere Z.-Mengen, die z. B. durch Aufbewahren von sauren Speisen in verzinkten Gefäßen in die Nahrung gelangen können, führen zu Vergiftungserscheinungen mit Erbrechen und Entzündung der Verdauungsorgane. Das Einatmen von Z.-Staub verursacht in Gießereien das →Metalldampffieber.

Verbindungen: Z. tritt in seinen Verbindungen stets mit der Oxidationszahl +2 auf. Wichtigste Verbindung ist das **Z.-Oxid,** ZnO, ein weißes Pulver, das als das Pigment Z.-Weiß vielfältige Anwendung findet und in der Natur als Mineral →Rotzinkerz auftritt. **Z.-Chlorid,** $ZnCl_2$, ein weißes hygroskop. Salz, dient z. B. zum Abbeizen von Metallen und Konservieren von Holz. **Z.-Sulfat,** $ZnSO_4$, wird in der Galvanotechnik und als Konservierungsmittel verwendet. Weitere anorgan. Z.-Verbindungen sind die →Zinkpigmente. – **Z.-Hexafluorosilicat,** $Zn[SiF_6] \cdot 6\,H_2O$, das farblose, leicht wasserlösl. Prismen bildet, dient im Bautenschutz zum Wasserdichtmachen von Zement und ist in Holzschutzmitteln enthalten.

📖 *Elemente in der aquat. Umwelt. Daten zu Wasser, Sediment, Organismen u. Ökotoxikologie, bearb. v.* F. R. Atri *u.* U. Mezger, *Bd. 3: Z. Stuttgart 1992.*

Zink *der,* hornartiges Blasinstrument aus meist lederüberzogenem Holz, mit Kesselmundstück und sieben Grifflöchern, lang gestreckt **(gerader Z.)** oder gebogen **(krummer Z.).** Das Bassinstrument der Z.-Familie ist der schlangenförmig gewundene Serpent; Blütezeit im 16./17. Jh. als Kammer- und Kirchenmusikinstrument; in Dtl. als Instrument der Stadtpfeifer **(Zinkenisten)** bis ins 19. Jh. üblich.

Zinkätzung, *Drucktechnik:* →Hochdruckätzung mit Zink als Grundmaterial.

Zinkblende (Sphalerit), kub. Mineral der chem. Zusammensetzung α-ZnS, enthält oft auch

Eisensulfid **(Marmatit),** schwarz über braungelb bis weiß gefärbt, als **Honigblende** ist es gelb, als **Rubinblende** rot und als **Cleiophan** weißlich. Entsteht meist hydrothermal; geht bei 1020 °C in Wurtzit über.

Zinkblüte (Hydrozinkit), monoklines Mineral der chem. Zusammensetzung $Zn_5[(OH)_3/CO_3]_2$, weiß bis grau oder gelblich, erdig bis dicht. Entsteht in der Oxidationszone aus Zinkblende; wichtiges Zinkerz.

Zinken, an Hauswänden und sonstigen Stellen angebrachte Zeichen, mit denen sich Gauner und Bettler Hinweise geben (auf ansprechbare oder hartherzige Personen, auf reiche Haushalte, auf Gefahren); auch die Markierung auf präparierten, »gezinkten« Karten von Falschspielern.

Zinkernagel, Rolf Martin, schweizer. Immunologe, *Riehen (Basel) 6. 1. 1944; leitet seit 1992 das Institut für Experimentelle Immunologie an der Univ. Zürich. Er erhielt 1996 (mit P. C. Doherty) den Nobelpreis für Physiologie oder Medizin für Arbeiten zur körpereigenen Abwehr virusinfizierter Zellen.

Zinkfieber, das →Metalldampffieber.

Zinkit *das,* →Rotzinkerz.

Zinkleimverband, stabilisierender und gut haftender, halbstarrer Verband aus mit Zinkleim (bestehend aus Zinkoxid, Glycerin, Gelatine, Wasser) durchtränkten Mullbinden; wird v.a. am Unterschenkel bei Neigung zu Anschwellung, Krampfadern und Geschwürbildung angewendet.

Zinkpigmente, anorgan. Zinkverbindungen, die als →Pigmente verwendet werden. Weißpigmente sind z.B. das aus reinem Zinkoxid bestehende **Zinkweiß,** das besonders hohe Lichtechtheit und Wetterbeständigkeit besitzt, und das **Zinksulfid,** ZnS, das sich durch hohes Aufhell- und Deckvermögen auszeichnet, ferner die aus Zinksulfid und Bariumsulfat bestehende →Lithopone. – Buntpigmente enthalten v.a. wechselnde Mengen an Zinkchromat, $ZnCrO_4$: **Zinkgelb,** ein leuchtend gelbes Mischoxid (Kalium-Zink-Chromat) wird als Pigment in Ölanstrichen verwendet. **Zinkgrün,** ein bes. lichtechtes Mischpigment aus Zinkgelb und →Berliner Blau, wird für Öl- und Lackfarben gebraucht. – Als **Zinkgrau** werden Pigmente bezeichnet, die aus Zinkstaub, meist mit Zinkoxid, Ruß u.a., bestehen; sie dienen v.a. zur Herstellung von Rostschutzfarben.

Zinkspat (Smithsonit), trigonales Mineral der chem. Zusammensetzung $ZnCO_3$, durchscheinend bis trüb, meist gelblich, seltener grünlich, bläulich oder orangegelb. Z. ist ein wichtiges Zinkerz, es entsteht metasomatisch in der Oxidationszone sulfidischer Blei-Zink-Lagerstätten.

Zinn *das* (lat. Stannum), chem. Symbol **Sn,** Element aus der vierten Hauptgruppe des →Periodensystems der chem. Elemente; Ordnungszahl 50, relative Atommasse 118,69, Dichte (β-Zinn) 7,31 g/cm³, Schmelzpunkt 231,9 °C, Siedepunkt 2270 °C. Z. bildet versch. Modifikationen: Das tetragonale weiße Z. **(β-Z.)** geht unterhalb 13,2 °C langsam und reversibel in kub. graues Z. **(α-Z.)** über. Dabei bilden sich zunächst dunkle Flecken (»Pusteln«), die sich langsam auf dem Metall ausbreiten **(Z.-Pest),** danach verläuft die Umwandlung um so rascher, je tiefer abgekühlt wird. Durch Zugabe geeigneter Legierungselemente (u.a. Blei, Antimon, Wismut) lässt sich die Bildung von α-Z. stark verlangsamen. – Das gewöhnlich vorliegende β-Z. ist ein silberweißes, stark glänzendes, sehr weiches und dehnbares Metall, das sich zu dünnen Folien (→Stanniol) auswalzen lässt; beim Erhitzen auf über 162 °C wird es jedoch so spröde, dass es leicht pulverisiert werden kann (»sprödes Z.«, »Körner-Z.«). Beim Biegen eines Z.-Stabes tritt ein knirschendes Geräusch auf **(Z.-Geschrei),** das durch Reibung der β-Z.-Kristalle aneinander verursacht wird. – Chemisch verhält sich Z. ziemlich reaktionsträge; bei normaler Temperatur ist es gegen Wasser und Luft beständig; erst bei starkem Erhitzen verbrennt es mit Sauerstoff zu Z.-Dioxid, SnO_2. Mit verdünnten Säuren und Basen reagiert Z. sehr langsam.

Z. steht in der Häufigkeit der chem. Elemente an 31. Stelle. Es kommt sehr selten gediegen vor, findet sich aber in mehreren sulfid. Mineralen, z.B. im →Zinnkies. Das weitaus wichtigste Z.-Erz ist der →Zinnstein, der zur Z.-Gewinnung abgebaut wird. Zur Z.-Herstellung werden die Minerale aufbereitet, reduzierend verschmolzen, schließlich durch Seigern oder elektrolytisch raffiniert. Viel Z. wird auch aus Weißblechabfällen zurückgewonnen. Z. ist ein wichtiges Gebrauchsmetall, das zur Herstellung techn. und kunstgewerbl. Gegenstände verwendet wird; als techn. Werkstoff wird Z. jedoch heute immer mehr durch Aluminium verdrängt. Fast die Hälfte der gesamten Z.-Produktion wird zum →Verzinnen von Metallen zum Schutz gegen Korrosion verwendet. Z. ist Bestandteil vieler niedrigschmelzender Legierungen wie **Weichlote,** die 8–63 % Zinn, bis zu 3 % Anti-

Zinn

Neben seinen nützlichen Eigenschaften hält das silbrigweiße Metall einige merkwürdige Überraschungen bereit. Auf Biegen hin knirschen Zinnstangen vernehmlich, stoßen also das Zinngeschrei aus, welches von aneinander reibenden Kristallen herrührt. Unterhalb von 13 °C bekommt es gar die Zinnpest: Es verwandelt sich in graues Pulver und zerbröselt gleichsam im Laufe der Zeit, was schon viele Kunstgegenstände zerstört hat.

mon, Kupfer oder Silber, Rest Blei, enthalten, sowie von →Bronze, Rotguss und Weißmetall.

Verbindungen: Z. tritt in den Oxidationsstufen +2 und +4 auf. **Zinn(II)-oxid (Z.-Monoxid),** SnO, ist ein schwärzl., in der Emailherstellung gebrauchtes Pulver. **Zinn(IV)-oxid (Z.-Dioxid),** SnO_2, ist ein in Wasser und Säuren unlösl. weißes Pulver, das als Poliermittel und als Zusatz zu Glasflüssen (Milchglas) verwendet wird. **Zinn(II)-chlorid (Z.-Dichlorid),** kristallisiert aus wässriger Lösung als Dihydrat, $SnCl_2 \cdot 2\,H_2O$, das als **Zinnsalz** bezeichnet wird; es wird v.a. als Reduktionsmittel, in der Textilfärberei als Beizmittel verwendet. **Zinn(IV)-chlorid (Z.-Tetrachlorid),** $SnCl_4$, ist eine ätzende, an der Luft rauchende Flüssigkeit. Bei längerem Stehen an feuchter Luft bildet Zinn(IV)-chlorid ein **Zinnbutter** genanntes halbfestes Pentahydrat, $SnCl_4 \cdot 5\,H_2O$. Z. bildet mit Flusssäure **Zinn(II)-fluorid,** SnF_2, eine weiße, schwer lösl. Verbindung, die zur Herstellung fluoridhaltiger Zahnpasten dient. **Zinn(IV)-sulfid,** SnS_2, dient als Musivgold zum Bronzieren. Organ. Z.-Verbindungen sind im Gegensatz zu den meisten anorgan. Z.-Verbindungen sehr giftig. (→Stanate)

Zinne: Schwalbenschwanzform

Fred Zinnemann

Zịnn, Georg August, Politiker, *Frankfurt am Main 27. 5. 1901, †ebd. 27. 3. 1976; Jurist, seit 1920 Mitgl. der SPD; 1947–49 und 1950–62 hess. Justizmin., 1948/49 Mitgl. des Parlamentar. Rats, 1949–51 und 1961 MdB; 1950–69 MinPräs. von Hessen.

Zịnna, ehem. Zisterzienserkloster in der Gem. **Kloster Z.,** (1100 Ew.) im Landkreis Teltow-Fläming, Brandenburg, im N des Flämings; von der 1170 gegründeten Abtei (1553 säkularisiert) sind die romanisch-frühgot. Kirche (um 1200 begonnen), Abts- oder Fürstenhaus (15. Jh.) und Vogtei (16. Jh.) erhalten.

Zinne *die, Befestigungswesen:* pfeilerartiger Aufbau auf einer Mauer. Bei Festungsbauten stehen Reihen von Z. (Z.-Kranz) mit Zwischenräumen zum Schießen (Schießscharten) auf der Brustwehr des Wehrgangs. In Oberitalien war die Schwalbenschwanzform verbreitet (Ghibellinenzinne).

Zinnemann [ˈzɪnɪmən], Fred, amerikan. Filmregisseur österr. Herkunft, *Wien 29. 4. 1907, †London 14. 3. 1997; erhielt seine Ausbildung in Paris an der »Ecole technique de photographie«; ging 1929 nach Hollywood; Dokumentar-, dann Spielfilme, wurde internat. bekannt mit der Verfilmung des Romans von Anna Seghers »Das siebte Kreuz« (1944). – *Weitere Filme:* Die Gezeichneten (1948), Zwölf Uhr mittags (1952), Verdammt in alle Ewigkeit (1953), Oklahoma (1955), Der Schakal (1972), Am Rande des Abgrunds (1982).

Zinnfiguren, aus Zinnlegierungen (Zinn, Blei, Antimon) gegossene und bemalte Figuren, z.B. Soldaten. Z. erlebten im 18. Jh. und Anfang des 19. Jh. einen künstler. Höhepunkt. Herstellungszentren waren zunächst Nürnberg (Werkstatt von Johann G. Hilpert [*1742 (?), †1795]), dann Fürth, Aarau und Straßburg. Z.-Museen bestehen in Kulmbach (Plassenburg) und in Sankt Pölten (Schloss Pottenbrunn).

Zinnguss, das Gießen von Geräten, Gefäßen und Figuren aus versch. Zinnlegierungen. Die in einzelnen Teilen gegossenen Stücke werden zusammengelötet, geglättet und poliert. Als Verzierung dienen u.a. Gravierung, Punzierung, Schlagen mit dem Hammer, (seltener) Ätzung, Behandlung mit Farbe und Einlagen von Messing. Seit dem 14. Jh. werden zur Kennzeichnung der Herkunft Stadt- und Meistermarken verwendet. Im 16. Jh. kamen Qualitätsmarken auf.

Zịnnie [nach dem Mediziner und Botaniker J. G. Zinn, *1727, †1759] *die* (Zinnia), Korbblütlergattung Mexikos; Zinnia elegans, die als sommerl. Gartenzierpflanze gebräuchlichste Art, hat gabelige Stängel mit gegenständigen, sitzenden Blättern und in der Mitte hochgewölbten roten, gelben, violetten oder weißen Blütenköpfen.

Zinnkies (Stannin), tetragonales Mineral der chem. Zusammensetzung Cu_2FeSnS_4, in grünen bis grauen, körnigen bis dichten Massen, oft verwachsen mit Blei-, Kupfer- und Silbermineralen; ist Begleiter des Zinnsteins.

Zinnkraut, *Botanik:* ein →Schachtelhalm.

Zinnfiguren: Turnierritter aus Fürth (Ende 19. Jh.; München, Stadtmuseum)

Zinnober [mhd., von grch. kinnábari(s)] *der* (Cinnabarit), rotes bis schwarzes trigonales Mineral der chem. Zusammensetzung HgS, das wichtigste Quecksilbererz, mit 86% Quecksilber; bläulich metall. Aggregate heißen **Stahlerz.** Entstehung aus tiefthermalen (unter 100 °C) Lösungen.

Zinnfiguren: »Affe« von Johann G. Hilpert (Ende des 18. Jh.; Nürnberg, Germanisches Nationalmuseum)

Zinnowitz (Ostseebad Z.), Gemeinde im Landkreis Ostvorpommern, Meckl.-Vorp., im NW der Insel Usedom, 3800 Ew.; Kur- und Seebad.

Zinnstein (Kassiterit), tetragonales Mineral der chem. Zusammensetzung SnO_2, in kurzsäuligen Kristallen **(Zinngraupen),** selten in spitzen Pyramiden **(Nadelzinn)** oder feinfaserigen, gebänderten, glaskopfartigen Massen **(Holzzinn),** auch derb; meist gelb, braun oder schwarz gefärbt, diamantglänzend. Z. ist das wichtigste Zinnerz; enthält 78,6% Zinn. Seifenzinn ist sekundär angereichert, **Bergzinn** entsteht in pegmatit. oder pneumatolyt. Lagerstätten.

Zins [lat. census »Abgabe«] *der, Volkswirtschaftslehre:* Preis für die Überlassung von Kapital bzw. Geld. In diesem Sinne werden gelegentlich auch Miete und Pacht als Z. betrachtet. Die Höhe der Z. bildet sich am Markt entsprechend Angebot und Nachfrage und wird von der Länge der Leihfristen sowie geldpolit. Maßnahmen beeinflusst. Zu unterscheiden sind: **Real-Z. (Güter-Z.),** Ertrag aus der Nutzung investierten Kapitals, auch der tatsächl. Z.-Ertrag von Wertpapieren, der sich aus dem jeweiligen Kurs und dem Z.-Satz bzw. der Dividende errechnet; **Nominal-Z. (Geld-Z.),** auf den Nennwert von Wertpapieren bezogener Z.-Satz; **Effektiv-Z.,** aus dem Verhältnis zw. Z.-Erträgen und Kaufpreis eines Wertpapiers resultierender Z.-Satz. – Eine weitere Unterscheidung ist die in Geld-Z. und natürl. Z. (originärer Z.). Der **natürl. Z.** ist die Z.-Rate, die ein Investor als Nettorendite aus einer Investition erzielt. Nur wenn natürl. Z. und Geld-Z. übereinstimmen, befindet sich eine Wirtschaft im Gleichgewicht. – In der *Betriebswirtschaftslehre* unterscheidet man 1) in der Kostenrechnung die auf das betriebsnotwendige Kapital verrechneten **kalkulator. Z.;** 2) in der Finanzbuchhaltung die in der Gewinn-und-Verlust-Rechnung gesondert auszuweisenden **Aufwand-** und **Ertrags-Z.,** die gewöhnlich mit ähnl. Aufwendungen wie Kreditprovisionen und Wechseldiskonten zusammengefasst werden. – Im *Bankwesen* unterscheidet man auch **Aktiv-** bzw. **Soll-Z.** (vom Kunden für Kredite zu zahlender Z.) und **Passiv-** bzw. **Haben-Z.** (von der Bank für Kundeneinlagen zu zahlender Zins). → Zinstheorien

Rechtliches: Die Verpflichtung zur Zahlung von Z. beruht entweder auf Vertrag (Vertrags-Z.) oder auf gesetzl. Bestimmung (gesetzl. Z.). Der regelmäßige gesetzl. Z.-Satz ist 4% (§ 246 BGB), bei beiderseitigen Handelsgeschäften 5% (§ 352 HGB). Eine Höchstgrenze für rechtsgeschäftl. Vereinbarungen von Z. besteht nicht, jedoch gilt das Verbot des Wuchers. Eine im Voraus getroffene Vereinbarung, dass Z. wieder Z. tragen sollen (→ Zinseszins), ist nichtig (§ 248 BGB, Verbot des Anatozismus).

📖 SCHUMPETER, J. A.: *Theorie der wirtschaftl. Entwicklung. Eine Untersuchung über Unternehmergewinn, Kapital, Kredit, Z. u. den Konjunkturzyklus. München [4]1935, Nachdr. Berlin 1993.* – SCHMITZ, R.: *Zinsrecht. Zum Recht der Z.en in Dtl. u. in der Europ. Union. Münster u. a. 1994.* – HEINSOHN, G. u. STEIGER, O.: *Eigentum, Z. u. Geld. Reinbek 1996.*

Zinnober

Zinsabschlag, → Kapitalertragsteuer.

Zinsanleihe, Anleihe, die im Unterschied zur Tilgungsanleihe mit dem gesamten Kapitalertrag zu einem bei der Ausgabe festgelegten Termin (mit oder ohne Aufgeld) rückzahlbar ist.

Zinsausgabenquote, → Verschuldungsgrenze.

Zinsendienstkoeffizi|ent, → Verschuldungsgrenze.

Zinnstein: Zinngraupen

Zinseszins, Zinsen, die entstehen, wenn fällige Zinsen nicht ausbezahlt, sondern dem Kapital hinzugefügt (kapitalisiert) und mit diesem zus. verzinst werden. Das Kapital nach Jahren ergibt sich entsprechend der **Z.-Rechnung** aus der Formel $K_n = K_0 q^n$; dabei bedeutet K_0 das Anfangskapital, $q = 1 + p/100$ den **Verzinsungsfaktor (Aufzinsungsfaktor);** p ist der Zinssatz (Zinsfuß). – Soll aus dem gegebenen Endkapital K_n das Anfangskapital (der Barwert) $K_0 = K_n/q^n$ berechnet werden, so spricht man von **Diskontierung** oder **Abzinsung.** Eine Vereinbarung über die Zahlung oder Berechnung von Z. ist unzulässig. Kreditinstitute können jedoch nicht ausbezahlte Zinsen am Ende des Jahres dem Kapital zuschlagen; sie gelten somit als neue verzinsl. Einlage.

Zinsfuß, → Zinsrechnung.

Zinsgefälle, 1) unterschiedl. Niveau der Zinsen in versch. Ländern, wodurch i. d. R. ein Kapitalfluss von dem Land mit dem niedrigeren Zinsniveau in das mit dem höheren induziert wird; schränkt den geldpolit. Spielraum eines Landes ein.

2) Zinsunterschiede zw. Geld- und Kapitalmarkt; i. d. R. ist der Zins auf dem Geldmarkt niedriger, im umgekehrten Fall spricht man von inverser Zinsstruktur **(Zinsinversion).**

Zinspolitik, 1) alle Maßnahmen einer Notenbank (→Deutsche Bundesbank) zur direkten Beeinflussung von Höhe und Struktur der Zinssätze. Instrumente der Z. sind v. a. Diskont- (→Diskont), Lombard- (→Lombardgeschäft) und →Offenmarktpolitik. Das Ziel der Z. besteht darin, über Variationen der Kreditkosten die Ausgaben, insbesondere die Investitionstätigkeit von Wirtschaftssubjekten zu beeinflussen.

2) Maßnahmen der Kreditinst., die auf eine angemessene Spanne zw. Zinsaufwand und -ertrag gerichtet sind. 1957 wurde die Bindung der Soll- und Habenzinsen der Geschäftsbanken an die von der Bundesbank vorgegebenen Sätze aufgegeben.

Zinsrechnung, Verfahren für die Berechnung von Zinsen. Die Höhe der Zinsen richtet sich nach dem Kapital K, dem Zinssatz (Zinsfuß) p (bezogen auf ein Jahr = p. a., per annum) und der Zeitdauer t. In der Z. wird das Jahr üblicherweise mit 360 Tagen **(Zinstage),** der Monat mit 30 Tagen angenommen. Die Zinsen berechnen sich entsprechend der Prozentrechnung für i Jahre nach der Formel: $Z = K \cdot i \cdot p/100$, für t Tage nach der Formel: $Z = K \cdot p \cdot t/(360 \cdot 100)$. Sind Zinsen auf verschieden hohe Kapitalerträge zu berechnen, so werden bei gleichem Zinssatz Zinszahlen angewendet. Steht ein Kapital K etwa t_T Tage zu p % auf Zinsen, so wird die Größe $K \cdot t_T/100$ als **Zinszahl** und $360/p$ als **Zinsdivisor** bezeichnet. Demnach berechnen sich die Zinsen

$$Z = \frac{K \cdot t_T}{100} : \frac{360}{p} = \text{Zinszahl} : \text{Zinsdivisor}.$$

Für den Abrechnungszeitraum addiert man die auf ganze Zahlen gerundeten Zinszahlen und dividiert das Ergebnis durch den Zinsdivisor.

Zinssatz (Zinsfuß), →Zinsrechnung.

Zinsschein, Ertragsschein für festverzinsliche Wertpapiere, der zum Bezug der fälligen Zinsen am Zinstermin berechtigt.

Zinsspanne, in der Bankkalkulation die Differenz aus durchschnittl. Sollzins im Aktivgeschäft und durchschnittl. Habenzins im Passivgeschäft (Bruttozinsspanne).

Zinstermine, in den Vertragsbedingungen von Anleihen festgelegte Zahlungstermine von Zinsen; i. d. R. werden Zinsen jährlich fällig.

Zinstheori|en, unterschiedl. Erklärungsansätze für Entstehung, Wesen und Höhe des Zinses. Zu den bekanntesten Z., von denen keine allg. akzeptiert wird, zählen: 1. die **Fruktifikationstheorie** von A. R. J. Turgot, die davon ausgeht, dass der Boden der alleinige wertschaffende Faktor in einer Volkswirtschaft ist (→Physiokratismus). Da durch Erwerb von Grund und Boden jederzeit ein Einkommen erzielt werden kann, muss auch für anderweitige Verwendung des Kapitals ein Einkommen, der Zins, erzielbar sein, da sonst alles Kapital in Grund und Boden angelegt werden würde; 2. die **Residualtheorie** D. Ricardos, in der der Anteil der Profite am Sozialprodukt, nicht die Profitrate als Verhältnis zw. Profiten und eingesetztem Kapital im Vordergrund steht; 3. die **Abstinenztheorie** von N. W. Senior, die im Zins eine Entschädigung für den Konsumverzicht der Kapitalgeber sieht; 4. die **marxsche Theorie,** die den Zins als dem Arbeiter vorenthaltenen Mehrwert betrachtet; 5. die **Agiotheorie** von E. von Böhm-Bawerk, nach der der Zins auf einer Minderschätzung zukünftiger Bedürfnisse gegenüber den höher bewerteten Gegenwartsgütern beruht; 6. die **Liquiditätstheorie** von J. Keynes, nach der der Zins nicht nur von der Produktivität des Kapitals und vom Sparen abhängt, sondern auch von der vorhandenen Geldmenge und dem Liquiditätsbedürfnis der Wirtschaftssubjekte; 7. die **dynam. Zinstheorie** von J. A. Schumpeter, wonach der Zins der Anteil der vorübergehenden Unternehmergewinne ist, der für die Kreditgewährung an die Kapitalgeber abgeführt wird; 8. die **Grenzproduktivitätstheorie** (J. B. Clark), nach der der Zins dem Grenzprodukt des Kapitals entspricht; 9. die **Loanable-Fund-Theorie** (B. G. Ohlin u. a.), nach der die Höhe des Zinses vom verfügbaren Kreditangebot und der Kreditnachfrage bestimmt wird.

📖 ANKER, P.: *Zinsstruktur u. Zinsprognose. Theoret. Beziehungen u. empir. Evidenzen für die Bundesrep. Dtl. Pfaffenweiler 1993.* – SENF, B.: *Der Nebel um das Geld. Zinsproblematik – Währungssysteme – Wirtschaftskrisen. Lütjenburg 1996.*

Zinzaren, serb. Name für die →Aromunen.

Zinzendorf, Nikolaus Ludwig Graf von Z. und Pottendorf, Begründer der Herrnhuter →Brüdergemeine, *Dresden 26. 5. 1700, †Herrnhut 9. 5. 1760; besuchte 1710–16 das Franckesche Pädagogium in Halle (Saale), wo er bleibend durch den Pietismus geprägt wurde; studierte 1716–19 die Rechte in Wittenberg; war 1721–32 Hof- und Justizrat in Dresden; nahm 1722 auf seinem Gut Berthelsdorf (Oberlausitz) aus Mähren vertriebene Böhmische Brüder auf und gründete mit ihnen die Kolonie Herrnhut, aus der die kirchlich eigenständige →Brüdergemeine erwuchs. Er ließ sich 1734 zum luther. Geistlichen und 1736 zum mähr. Bischof ordinieren, wurde deshalb 1736 aus Kursachsen ausgewiesen; 1747 durfte er zurückkehren. Z. verbreitete seine Gedanken auf vielen Reisen in

Nikolaus Ludwig Graf von Zinzendorf
(Ausschnitt eines Kupferstichs, 1748)

Europa und Nordamerika und verfasste zahlr. religiöse Schriften und geistl. Lieder.

📖 *Z. u. die Herrnhuter Brüder, hg. v.* H.-C. Hahn *u. a. Hamburg 1977.* – Modrow, I.: *Dienstgemeine des Herrn. N. v. Z. u. die Brüdergemeine seiner Zeit. Hildesheim u. a. 1994.*

Ziolkowski, Konstantin Eduardowitsch, russ. Wissenschaftler, Luft- und Raumfahrttheoretiker, *Ischewskoje (Gebiet Rjasan) 17. 9. 1857, †Kaluga 19. 9. 1935; Lehrer für Mathematik und Physik; projektierte Ganzmetallluftschiffe und -flugzeuge, führte aerodynam. Untersuchungen in einem selbst gebauten Windkanal durch, gab erstmals die Raketengrundgleichung an und entwickelte die Flüssigkeitsrakete.

Konstantin Ziolkowski
(Zeichnung)

Zion *der* (in der Vulgata Sion), vorisraelit. Name des SO-Hügels Jerusalems, dann auch des nördlich angrenzenden Tempelbergs; später (z.B. Ps. 87,2 f.), Bez. Jerusalems als der »Stadt Gottes«; im nachexil. Judentum und N. T. bes. das »himml. Jerusalem« als Stadt des endzeitlichen Heils.

Zionismus *der,* Bez. (1893 geprägt) für die polit. (nat.) und soziale Bewegung zur Errichtung eines jüd. Staates in Palästina. Die Anfänge des Z. liegen im 19. Jh. (M. Hess und L. Pinsker) und stehen – neben der religiösen Verwurzelung in der (passiven) messian. Erwartung einer Rückkehr ins »Gelobte Land« (Israel/Palästina) und nach Zion (Jerusalem) – im Zusammenhang mit dem Aufkommen des Nationalismus in Europa und des modernen Antisemitismus in O- und Mitteleuropa Ende des 19. Jh. (Suchen jüd. Identität, Existenz und Eigenstaatlichkeit). Widerhall fand der Z. deshalb zuerst bei Teilen der Ostjuden, bes. im zarist. Russland, wo die Judenemanzipation unterblieben war (→Haskala), während die Westjuden den Z. zumeist ablehnten. Zw. 1881 und 1914 verließen etwa 2,5 Mio. Juden O-Europa und wanderten meist in die USA aus; auch die aktive jüd. Besiedlung Palästinas setzte ein. Dieser »prakt.« bzw. »Pionier-Z.« (wichtigster Vertreter: C. Weizmann) fand seine Ergänzung durch das Auftreten T. →Herzls, der den Z. als polit. Kraft organisierte und ihm durch die **Zionist. Weltkongresse** seit 1897 eine wichtige Plattform schuf. Die ebenfalls 1897 gegr. **Zionist. Weltorganisation** erklärte 1905 die Errichtung einer »öffentlich-rechtlich gesicherten Heimstätte« für das jüd. Volk in Palästina zu ihrem Ziel, seit 1917 von Großbritannien unterstützt (→Balfour). Die 1918–39 stark wachsende jüd. Einwanderung in Palästina (Verzehnfachung auf etwa 0,6 Mio.) führte u.a. 1922 zur Gründung der →Jewish Agency for Palestine und zur Ausbildung von Parteien, von denen die sozialist. und religiösen Gruppierungen besondere Wichtigkeit erlangten. Der zunehmende Widerstand der palästinens. Araber gegen die jüd. Besiedlung (auch aus arab. Staaten) verstärkte sich nach 1933, als – bedingt durch die nat.-soz. Judenverfolgung (»Holocaust«) – die legale und illegale Einwanderung sprunghaft anstieg (→Nahostkonflikt). Vorschläge zur Errichtung eines binationalen Staates ließen sich nicht verwirklichen. Mit dem Teilungsplan der UN vom 29. 11. 1947 (Teilung Palästinas in einen jüd. und einen arab. Staat), der von den arab. Staaten abgelehnt wurde, v.a. aber mit der Ausrufung des Staates Israel am 14. 5. 1948 wurde das Ziel der zionist. Weltbewegung erreicht. Ihre Bemühungen konzentrieren sich seitdem auf die Stärkung der Beziehungen zw. dem (säkular zionist.) jüd. Staat mit bald sephard. (→Sephardim) Bev.mehrheit (ab 1948 zunehmende jüd. Einwanderung aus arab. Staaten, v.a. N-Afrika, Irak, Syrien) und der jüd. Diaspora, v.a. in den USA. Politisch und sozial heterogen (u.a. Links-Z., v.a. Israel. Arbeiterpartei, Rechts-Z., Likud-Block), entstand ein sog. Neuer Z. (1. 8. 1985 Neudefinition Israels als »Staat des jüd. Volkes«). – Im Dez. 1991 annullierte die UN-Vollversammlung die Resolution von 1975, in der Z. als »eine Form von Rassismus und rass. Diskriminierung« verurteilt worden war. Der umstrittene, seit der Besiedlung (1977–92) der von Israel besetzten Gebiete v.a. von der Siedlerbewegung erhobene, von rechtszionist. Kreisen unterstützte Anspruch auf »das ganze Land Israel« wird durch den Übergang zum Ausgleich mit der PLO (Beginn: »Gaza-Jericho-Abkommen« vom 13. 9. 1993) infrage gestellt und birgt Konfliktpotenzial in sich.

📖 Laqueur, W.: *Der Weg zum Staat Israel. Geschichte des Z. Aus dem Engl. Wien 1975.* – Cruise O'Brien, C.: *Belagerungszustand. Die Geschichte des Z. u. des Staates Israel. Aus dem Engl. Neuausg. München 1991.* – Krupp, M.: *Z. u. Staat Israel. Ein geschichtl. Abriß. Gütersloh ³1992.* – Katz, J.: *Zwischen Messianismus u. Z. Zur jüd. Sozialgeschichte. Aus dem Engl. Neuausg. München 1993.*

Zips *die* (slowak. Spiš, ungar. Szepes), histor. Landschaft in der Slowak. Rep., am SO-Fuß der Hohen Tatra **(Ober-Z.)**, an der oberen Popper und dem oberen Hernád **(Zipser Becken)** und im Slowak. Erzgebirge **(Unter-Z.)**; größte Städte sind Poprad (Deutschendorf), Kežmarok (Käsmark), Spišská Nová Ves (Zipser Neudorf) und Levoča (Leutschau), seit Ende des 13. Jh. Hauptort der Z.; 10 km östlich liegen bed. Reste von **Spišsky hrad,** der mächtigsten Burganlage der Slowakei (12./13. Jh., 14.–16. Jh. erweitert), seit 1993 zus. mit dem Ort an ihrem Fuß UNESCO-Weltkulturerbe.

Geschichte: Im Verlauf der dt. Ostsiedlung wurden von ungar. Königen seit Ende des 12. Jh. in Schlesien und Mittel-Dtl. angeworbene Bauern in der Ober-Z. (Sammelbez. **Zipser Sachsen**), im 13. Jh. auch aus Bayern stammende Bergleute und

Handwerker im Gründner Boden angesiedelt. Die 24 Zipser Städte sicherten 1370 ihre Selbstverwaltungsrechte in der »Zipser Willkür« (1608 beschnitten), die 1876 aufgehoben wurde. Wegen der nun zunehmenden Magyarisierung wanderten viele Menschen in die Städte ab oder in die USA aus und Slowaken zogen zu. 1918 wurde die Z. Teil der Tschechoslowakei; 1945 Vertreibung der Zipser Sachsen.

Zipser Neudorf, Stadt in der Slowak. Rep., →Spišská Nová Ves.

Zirbeldrüse (Epiphyse, Pinealorgan, Corpus pineale, Glandula pinealis), vermutlich als neurosekretorisch tätige Hormondrüse fungierendes unpaares Organ bei Vögeln und den meisten Säugetieren. Beim Menschen gehört die ovale, pinienzapfenähnl. und 8–14 mm lange Z. zum Zwischenhirn. Sie hemmt wahrscheinlich infolge Melatoninproduktion die Geschlechtsdrüsenentwicklung beim Kind und unterliegt nach dem 7. Lebensjahr einer allmähl. Rückbildung.

Zirbelkiefer [ahd. zirbens »Fichtenzapfen«], →Kiefer.

Zirkel [grch.-lat.] *der,* **1)** *Astronomie:* (lat. Circinus), Sternbild des südl. Himmels.

2) *techn. Zeichnen:* Gerät zum Zeichnen von Kreisen, zum Abgreifen von Maßen **(Greif-Z., Taster)** und Übertragen von Strecken **(Stech-Z.).** Der gewöhnl. Z. **(Einsatz-Z.)** besteht aus zwei durch ein Scharnier verbundenen Schenkeln, von denen der eine eine Stahlspitze, der andere einen Zeicheneinsatz trägt. Zum Zeichnen kleinster Kreise verwendet man den **Nullen-Z.** Eine Verstellschraube und eine Federmechanik (anstelle des Scharniers) besitzen auch der **Teil-Z.** und der **Wendefeder-Z.** Für größere Kreise benutzt man **Stangen-Z.,** bestehend aus einer Metallschiene und zwei darauf verschiebbaren Schenkeln. Sonderformen sind z.B. **Ellipsen-** und **Hyperbelzirkel.**

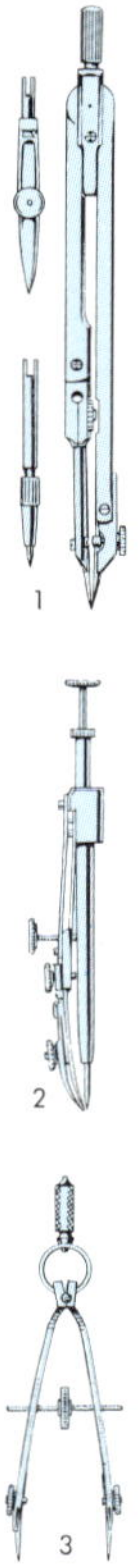

Zirkel 1):
1 Einsatzzirkel mit Reißfeder und Mineneinsatz,
2 Nullenzirkel,
3 Teilzirkel

Zirkon: Kristall

Zirkelschluss (Zirkelbeweis, Circulus vitiosus), ein Fehlschluss, bei dem das zu Beweisende im Beweisgang vorausgesetzt wird.

Zirkon [Herkunft ungeklärt] *der,* tetragonales Mineral der chem. Zusammensetzung $Zr[SiO_4]$, ein Zirkoniumsilikat mit Gehalten an Hafnium, Uran und Thorium (dadurch radioaktiv), meist säulenförmige Kristalle von brauner bis roter Farbe (selten grün, gelb oder farblos). Durchsichtiger gelbroter Z. (Hyazinth) und durch Brennen blauer oder farbloser, urspr. brauner Z. sind Edelsteine. Entstehung bes. pegmatitisch.

Zirkonium *das* (fachsprachl. Zirconium), chem. Symbol **Zr,** Element der vierten Nebengruppe des →Periodensystems chem. Elemente; Ordnungszahl 40, relative Atommasse 91,22, Dichte 6,49 g/cm³, Schmelzpunkt 1852 °C, Siedepunkt 4377 °C. Reines Z. ist ein grauweißes, glänzendes, relativ weiches, walz- und ziehbares Metall. In kompakter Form ist Z. gegen Sauerstoff beständig und überzieht sich beim Erhitzen nur mit einer dünnen Oxidschicht; fein verteiltes Z. (Pulver, Schwamm, Späne) reagiert dagegen schon bei geringem Erwärmen, bei Reibung oder Schlag sehr heftig mit Sauerstoff unter Bildung von Z.-Dioxid, ZrO_2. Gegen Säuren und Alkalien ist Z. sehr beständig; es wird jedoch durch Königswasser, Flusssäure und konzentrierte Schwefelsäure angegriffen. Z. kommt in der Natur weit verbreitet vor und steht in der Häufigkeit der chem. Elemente an 20. Stelle. Technisch wichtige Z.-Minerale sind v.a. der →Zirkon und der →Baddeleyit. – Zur Gewinnung von Z. dienen v.a. Zirkonkonzentrate, die meist zunächst mit Alkalien aufgeschlossen und in Z.-Dioxid übergeführt oder im Lichtbogenofen mit Koks oder Graphit zu Z.-Carbonitrid (Gemisch von Z.-Carbid und Z.-Nitrid) umgesetzt werden; durch anschließendes Chlorieren erhält man daraus das Z.-Tetrachlorid, $ZrCl_4$, das nach dem →Kroll-Verfahren mit Magnesium reduziert wird. – Verwendung findet Z. wegen seiner geringen Neutronenabsorption rein oder in Form von Z.-Legierungen v.a. im Kernreaktorbau (z.B. für die Umhüllung von Brennstoffelementen). Daneben dient es wegen seiner chem. Beständigkeit in der chem. Industrie zur Herstellung von Apparateteilen, in der Chirurgie als Material z.B. für Schrauben und Nägel. Z.-Folien werden für Blitzlichtlampen, Z.-Pulver in der Pyrotechnik für Leuchtkugeln und Zünder verwendet.

Verbindungen: Z. liegt fast ausschließlich in der Oxidationsstufe +4, selten auch in den Stufen 0 bis +3 vor. Das **Z.-Dioxid (Zirkonium(IV)-oxid),** ZrO_2, eignet sich wegen seines hohen Schmelzpunktes (2700 °C), seiner chem. Widerstandsfähigkeit und seines kleinen Wärmeausdehnungskoeffizienten zur Herstellung von feuerfesten Geräten und für Ofenauskleidungen. Durch Zusatz von 10–30 % Yttrium- oder Calciumoxid zu geschmolzenem Zirkoniumdioxid werden Mischkristalle gewonnen, die eine dem Diamanten entsprechende Lichtbrechung besitzen und als Diamantimitationen für Schmuckwaren verwendet werden. Die →Hartstoffe **Z.-Carbid,** ZrC, und **Z.-Nitrid,** ZrN dienen v.a. als feuerfeste Werkstoffe.

Zirkularnote, *Völkerrecht:* →Note.

Zirkulation [lat.] *die,* **1)** *allg.:* Umlauf.

2) *Meteorologie:* (atmosphär. Z., planetar. Z.) Luftströmungen der Erdatmosphäre, die mit der variablen Luftdichteverteilung zusammenhängen. Die großräumigen mittleren charakterist. Z.-Formen bilden die allg. Z. Sie gliedert sich in der Troposphäre in folgende Hauptzonen: die trop. Tiefdruckrinne mit vorherrschend schwachen O-Winden, die angrenzende Passatzone mit sehr beständiger NO- bzw. SO-Strömung, die schwachwindigen subtrop. Hochdruckgürtel (30° bis 40° n. und s. Br.) und die Westwindzonen der mittleren und hohen Breiten.

3) *Strömungslehre:* eine das Strömungsfeld kennzeichnende Größe (mathematisch das Linienintegral der Geschwindigkeit längs einer geschlossenen Kurve). Sind die Stromlinien bei der Umströmung eines Körpers geschlossene Linien, spricht man von **Z.-Strömung.** Die Z. bei der Umströmung eines Tragflügelprofils ist die Ursache für die Auftriebskraft.

Zirkulator *der* (Richtungsgabel), *Mikrowellentechnik:* unter Verwendung von Ferritbauelementen aufgebautes, drei- oder vierarmiges Leitungsbauteil (Hohlleiter oder koaxiale Leitung), bei dem jeweils eine in einen Arm eingespeiste elektromagnet. Welle nur durch einen bestimmten anderen Arm wieder austritt (nichtreziprokes Verteilerglied).

zirkum... [lat.], um..., herum...

Zirkumflex [lat.] *der,* das Akzentzeichen [^], z.B. être, →Akzent.

zirkumpolar [lat.], rings um den Nord- oder Südpol der Erde befindlich, den Pol umkreisend.

Zirkumpolarsterne, Sterne, die bei ihrer tägl. Bewegung nie unter dem Horizont verschwinden. Ihr Abstand vom Himmelspol ist stets kleiner als die geograph. Breite des Beobachtungsortes. An den Erdpolen sind alle sichtbaren Sterne Z., am Äquator gibt es keine. Für die Orte innerhalb der Polarkreise ist während eines Teils des Jahres auch die Sonne ein Zirkumpolarstern.

zirkumstellare Materie, im Ggs. zur interstellaren Materie gas- oder staubförmige Materie, die in unmittelbarer Nachbarschaft und im kosmogon. Zusammenhang zu einem Stern steht.

Zirkus [lat., zu grch. kírkos »Ring«] *der,* **1)** im röm. Altertum lang gestreckte Arena für Wagen- und Pferderennen (→zirzensische Spiele). Auf der einen Schmalseite lagen das Eingangstor, daneben beiderseits die Carceres (Pferdeschuppen), darüber die Loge für die Veranstalter und in der Nähe die Schiedsrichtertribüne. Auf der zweiten, halbrunden Schmalseite befand sich die Porta triumphalis, durch die der Sieger die Arena verließ. – Der größte Z. des Altertums war der **Circus maximus** in Rom. Er war etwa 600 m lang und 150 m breit und fasste in augusteischer Zeit rd. 60 000 Zuschauer. Z.-Bauten gab es in der Kaiserzeit in fast allen größeren Städten.

Zirkus 2): »Cirque des Champs-Elysées« in Paris, Lithographie aus dem 19. Jahrhundert; der Zirkus wurde 1898 geschlossen

2) ein i.d.R. mobiles Unternehmen, das, in einem Zwei- oder Viermastzelt (Chapiteau), ausgestattet mit einer Manege und ansteigenden Sitzreihen, Tierdressuren (u.a. Raubtiere), Reitkünste (u.a. hohe Schule), Akrobatik, Artistik und Clownerien anbietet sowie außerhalb der Vorstellungen eine Tierschau. Z. besitzen oft (v.a. für den Winter) feste Gebäude an ihrem Standort. – Als Begründer der noch heute gültigen Z.-Form gilt der Brite Philip Astley (*1742, †1814), der 1768 bei London eine Reitschule gründete, in der auch Kunstreiterei vorgeführt wurde. Diese Vorführungen wurden schrittweise durch Auftritte von Seiltänzern, anderen Akrobaten und Clowns ergänzt, sodass ab 1770 von Z.-Vorführungen im heutigen Sinne gesprochen werden kann. Astley baute 1803 in London ein festes Z.-Gebäude; den von ihm in Paris gegr. Z. übernahm 1789 Antonio Franconi (*1737, †1836), der mit Tourneen die europ. Z.-Kunst beeinflusste; 1807 gründeten seine Söhne in Paris das feste Z.-Gebäude »Cirque Olympique«. Nach 1845 wurde dann der dt. Z. tonangebend. Ernst Jakob Renz (*1815, †1892) gründete in Berlin, Breslau, Bremen und Hamburg feste Z.-Gebäude. Bekannt war auch der von Paul Vincenz Busch (*1850, †1927) gegr. »Z. Busch«. Ende des 19. Jh. wurden in den USA große Wander-Z. gegründet, in denen in mehreren Manegen gleichzei-

Zisterzienserbaukunst: Abteikirche in Pontigny, Burgund (um 1185–1208)

tig Vorführungen stattfanden. Das bekannteste Unternehmen dieser Art wurde von dem amerikan. Schausteller Phineas Taylor Barnum (*1810, †1891) gegründet. Große Wander-Z. in Dtl. sind u.a. »Z. Sarrasani«, »Z. Krone« und der 1975/76 gegr. »Z. Roncalli«; in der Schweiz arbeitet das vom dem Artisten Friedrich Knie (*1784, †1850) gegr. Unternehmen seit 1919 unter dem Namen »Schweizer National Circus Knie«. Internat. Bedeutung erlangte der »Moskauer Staats-Z.« durch Clowns wie Oleg K. Popow (*1930) sowie durch die Perfektion der artist. Darbietungen. Außerdem wird in den letzten Jahren der poetisch-fantast. Z. gepflegt, z.B. von A. Heller. Weiteres BILD Seurat

📖 GÜNTHER, E. *u.* WINKLER, D.: *Zirkusgeschichte. Ein Abriß der Geschichte des dt. Z. Berlin (Ost) 1986.* – SCHMITT, WINFRIED CHRISTIAN *u.* DEGENER, V. W.: *Z. Geschichte u. Geschichten. München 1991.*

Zirl, Marktgemeinde im Inntal, Tirol, Österreich, 622 m ü.M., nahe der **Zirlerbergstraße** von Seefeld über Mittenwald nach Innsbruck, 5000 Ew.; Fremdenverkehr; oberhalb die →Martinswand.

Zirndorf, Stadt im Landkreis Fürth, Bayern, 26400 Ew.; Bundesamt für die Anerkennung ausländ. Flüchtlinge; Maschinenbau, Metall-, Möbel-, Spielwarenindustrie.

Zirpen, die →Zikaden.

Zirp|organe, die →Stridulationsorgane.

Zirrhose [grch.] *die,* Umbau eines Organs nach Entzündung oder Nekrose mit Bindegewebswucherung und nachfolgender narbiger Schrumpfung; v.a. →Leberzirrhose.

Zirrus [lat.] *der* (Cirrus), die Federwolke (→Wolken).

zirzensische Spiele [lat.], im Röm. Reich im Zirkus ausgetragene öffentl. Spiele (u.a. Wagenrennen, Faust- und Ringkämpfe, Wettläufe), eingeleitet durch einen Festumzug. (→panem et circenses)

zis... [lat.], diesseits, diesseitig.

zisalpin (zisalpinisch), diesseits der Alpen (von Rom aus gesehen), südlich der Alpen.

Zisalpinische Republik, 1797 von Napoléon Bonaparte in Oberitalien gegr. Republik nach frz. Muster; Hptst.: Mailand; seit 1802 **Italien. Republik;** 1805–14 Teil des Königreichs Italien.

Zischka, Anton, österr. Journalist und Schriftsteller, *Wien 14. 9. 1904, †Pollença (auf Mallorca) 31. 5. 1997; schrieb romanhafte Sachbücher zu Wirtschaft und Zeitgeschichte (u.a. »Ölkrieg«, 1939; »Die Trillionen-Invasion«, 1971; »Das Ende des amerikan. Jahrhunderts«, 1972; »Die alles treibende Kraft, Weltgesch. der Energie«, 1988).

Zischlaut, →Laut.

Ziselieren [frz.], das Einarbeiten von Mustern und Ornamenten in eine Metall- oder Glasoberfläche mit Stichel, Punze oder Meißel.

Ziska, Johann, Hussitenführer, →Žiška z Trocnova.

Ziskaukasi|en, Gebiet im Süden Russlands, →Nordkaukasien.

Žiška z Trocnova [ˈʒiʃkaz'trɔtsnɔva], Jan (dt. Johann Ziska von Trocnov), Hussitenführer, *Trocnov (bei Budweis) um 1370, †Přibyslav (bei Havlíčkův Brod) 11. 10. 1424; böhm. Ritter, führender Feldherr der Taboriten; besiegte 1420 und 1422 Kaiser Sigismund.

Zisleithani|en, 1867–1918 inoffizielle Bez. für das Land diesseits (westlich) der Leitha, den österr. Teil Österreich-Ungarns.

Ziste (Ciste) [lat. cista, grch. kíste »Kiste«] *die,* vorgeschichtl. zylindr. Bronzeeimer. Waagerecht gerippte Z. mit Henkeln waren in der jüngeren Hallstattzeit und älteren La-Tène-Zeit verbreitet. Im grch. Kulturgebiet, auch bei den Etruskern, entstanden Z. mit Löwenfüßen und plastisch verziertem Deckel.

Zisterne [lat.] *die,* **1)** *Anatomie:* Hohlraum, Höhlung in Zellen oder Organen, z.B. im →Euter oder Gehirn (Gehirnventrikel).

2) *Wasserbau:* Anlage zum Auffangen und Speichern von Regenwasser; seit dem Altertum weltweit in Trockengebieten verbreitet.

Zistersdorf, Stadt im östl. Weinviertel, NÖ, 5500 Ew.; Erdöl- und Erdgasförderung, Fernmeldegeräte-, Maschinenbau.

Zisterzienser (lat. Sacer Ordo Cisterciensis, Abk. SOCist, OCist, SOrdCist), benediktin. Reformorden; heute weltweit in 12 Klosterverbände (Kongregationen) gegliedert; v.a. in Seelsorge und Unterricht tätig. – 1098 wurde das Stammkloster Cîteaux durch Robert von Molesme (*um 1027, †1111) gegründet; es folgte die Gründung von Tochterklöstern, u.a. 1115 Clairvaux; 1119 päpstl. Bestätigung einer Ordensverf. (»Charta caritatis«). Der Orden verbreitete sich rasch, v.a. durch →Bernhard von Clairvaux (daher auch Bernhardiner gen.), und gewann wachsenden Einfluss in ganz Europa; um 1132 entstand ein weibl. Zweig

(Zisterzienserinnen). Im 17. Jh. bildete sich die Bewegung der reformierten Z. (→Trappisten). Die Z. betonen die Verbindung von geistl. Leben und prakt. Arbeit. Durch die Einrichtung von landwirtsch. (Muster-)Betrieben wurden sie zu einem wesentl. Träger der dt. Ostbesiedlung im 12. und 13. Jahrhundert.

📖 *Die Z., Beiträge v.* J. SYDOW *u. a. Stuttgart u. a.* *²1991.* – DUBY, G.: *Die Kunst der Z. Aus dem Frz. Stuttgart 1993.* – *Die Z. in Europa, bearb. v.* F.-K. VON LINDEN *u.* C. WETZEL. *Stuttgart u. a. 1997.*

Zisterzienserbaukunst, der vom Zisterzienserorden nach strengen Regeln geprägte Baustil: turmlose (allenfalls mit einem Dachreiter versehene), gestreckte, kreuzförmige Basilika mit vorwiegend rechteckigen Chor- und Kapellenabschlüssen und sorgfältig bearbeitetem Quadermauerwerk; Verzicht auf Glasmalerei und Bauskulptur. Von Burgund (Fontenay, Pontigny) aus verbreitete sich die Z. u. a. über S-Frankreich (Le Thoronet), Italien (Fossanova, Chiaravalle di Fiastra), Dtl. (Ebrach, Eberbach, Maulbronn, Walkenried, Doberan, Chorin), Spanien, England und Skandinavien. Weitere BILDER Chorin, Eberbach, Fürstenfeldbruck, Kreuzgang, Loccum, Maulbronn, Salem, Zwettl-Niederösterreich

Zịst|rose (Cistus), strauchige Gattung der Zistrosengewächse am Mittelmeer (bes. in den Macchien) und in Vorderasien, mit ledrigen, auch behaarten, gegenständigen Blättern, wildrosenähnl. roten und weißen Blüten und Kapselfrüchten. Über das von den Drüsenhaaren der Art **Cistus ladaniferus** abgesonderte Harz →Labdanum.

Zịta, letzte Kaiserin von Österreich und Königin von Ungarn, *Villa Pianore (bei Viareggio) 9. 5. 1892, †Zizers (bei Chur) 14. 3. 1989; Tochter des Herzogs Robert von Bourbon-Parma, ab 1911 ⚭ mit Kaiser Karl I., den sie politisch stark beeinflusste; ab Nov. 1918 im Exil.

Zitadẹlle [italien. citadella »kleine Stadt«] *die,* starkes Befestigungswerk am Rand älterer Festungen, von der Stadtumwallung zur Verbesserung des Schussfeldes oft durch eine freie Fläche, die →Esplanade, getrennt, z. B. die 1828 auf Fundamenten von 1749 erbaute Z. in Halifax. BILD S. 414; weitere BILDER Aleppo, Almeria, Dinant, Tower

Zistrose

Zita, Kaiserin von Österreich

Zisterzienserklöster – Verbreitung

Zítek ['zi:tɛk], Josef von (seit 1908), tschech. Architekt, *Prag 4. 4. 1832, †ebd. 2. 8. 1909; Vertreter der Neurenaissance; erbaute u.a. das Landesmuseum in Weimar (1863–68), das Nationaltheater (1868–81) und das Rudolfinum (1876–84) in Prag.

Zither [von grch. kithára] *die,* Zupfinstrument mit kastenförmigem, einseitig ausgebuchtetem Korpus aus Holz (meist Fichte). Bei der heute gespielten Konzert-Z. laufen fünf Spielsaiten über ein Griffbrett mit 29 Bünden, daneben liegen 24 bis 37 Frei- oder Begleitsaiten. Die Spielsaiten werden mit einem Metallring am Daumen der rechten Hand angeschlagen, die Begleitsaiten mit den Fingern gezupft. – In den Alpenländern ist die Z. ein Volksinstrument.

Zitronat [zu Zitrone] *das* (Sukkade), mit Zucker eingekochte, noch grüne Schale der bis kopfgroßen Z.-Zitrone aus dem Mittelmeerraum; Backzutat.

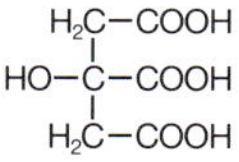

Zitronensäure

Zitrone [italien, aus lat. citrus] *die,* die Frucht des →Zitronenbaums, eine Zitrusfrucht mit gelber (auch grüner) Schale. Das saftige, saure Fruchtfleisch enthält rd. 3,5–8% Zitronensäure und viel Vitamin C. Aus Z. werden Saft, Z.-Säure, äther. Öl und Pektin gewonnen.

Zitronenbaum (Citrus limon), in Vorderindien oder China heim., seit langem im subtrop. Asien und seit rd. 1000 n. Chr. auch im Mittelmeergebiet in zahlr. Varietäten kultivierte Art der Zitruspflanzen; etwa 3–7 m hohe Bäume mit bedornten Zweigen, hellgrünen, eiförmigen Blättern und großen, rosafarbenen bis weißen Blüten sowie gelben (auch grünen) Früchten (→Zitrone).

Zitadelle in Halifax (Kanada); die 1749 erbaute, nach mehrfacher Zerstörung im Jahr 1828 wieder errichtete Anlage ist heute eine historische Gedenkstätte mit mehreren Museen

Zitronenfalter (Gonepteryx rhamni), Tagschmetterling in NW-Afrika, Europa und in den gemäßigten Zonen Asiens; etwa 5–6 cm Flügelspannweite, leuchtend gelb (Männchen) oder grünlich weiß (Weibchen), mit je einem kleinen, orangeroten Tupfen in der Mitte beider Flügelpaare; die Raupen fressen bes. an Kreuzdorn und Faulbäumen. BILD Schmetterlinge

Zither aus Mittenwald (um 1815; Nürnberg, Germanisches Nationalmuseum)

Zitronensäure (Citronensäure), farblose, kristalline organ. Säure (chemisch die 2-Hydroxy-1,2,3-tricarbonsäure). Z. kommt in vielen Früchten (bes. Zitrusfrüchten und Johannisbeeren) vor und spielt im Zellstoffwechsel aller Organismen eine große Rolle (→Zitronensäurezyklus). Z. bildet mit mehrwertigen Metallionen (meist wasserlösl.) Komplexe. Ihre Salze und Ester heißen **Zitrate (Citrate).** Verwendung findet Z. bes. in der Lebensmittel- und Getränkeindustrie zur Erzeugung einer sauren Geschmacksrichtung und zur Stabilisierung von Aroma und Aussehen, ferner als Zusatz zu Futtermitteln sowie zum Entfernen von Kalk- und Rostschichten.

Zitronensäurezyklus (Zitratzyklus, Citratzyklus, Tricarbonsäurezyklus, Krebszyklus), in den Mitochondrien der tier. und pflanzl. Zellen ablaufender Teilprozess der der Energiegewinnung dienenden inneren Atmung. Im Z. laufen die Abbauwege aller Energie liefernden Stoffe (Kohlenhydrate, Fette, Proteine) zusammen. Das Prinzip des Z. ist die Abspaltung von Wasserstoffatomen (mithilfe der Koenzyme NAD^+ und FAD^+), die zur Energiegewinnung (unter aeroben Bedingungen) der Atmungskette zugeführt werden, und die Abspaltung des Stoffwechselendprodukts Kohlendioxid. Der Z. dient aber nicht nur dem Abbau von Substanzen, sondern auch (ausgehend von einigen Zwischenprodukten des Z.) dem Aufbau, z.B. von Aminosäuren, Fettsäuren, Glucose und Häm; er nimmt daher im Zellstoffwechsel eine zentrale Stellung ein. Der Z. beginnt mit der Kondensation von Acetyl-CoA (»aktivierte Essigsäure«) mit Oxalessigsäure zu Zitronensäure, die über sieben enzymatisch katalysierte Reaktionsschritte (unter mehrfacher Umlagerung und Abspaltung zweier Kohlendioxidmoleküle sowie von acht Wasserstoffatomen) zu Oxalessigsäure abgebaut wird, mit der der Kreislauf wieder beginnt.

Zitrulle [frz., aus lat.] *die,* →Wassermelone.

Zitrusfrüchte [lat.] (Agrumen), Früchte der →Zitruspflanzen, die (botanisch gesehen) Beerenfrüchte darstellen. Das Fruchtfleisch besteht aus keulenförmigen Saftschläuchen, die die Fruchtfächer ausfüllen. Die Fruchtschale setzt sich aus dem farbigen, zahlr. Öldrüsen aufweisenden, karotinoidreichen (äußeren) Exokarp und dem weißen, schwammigen Endokarp zusammen. Die v.a. als Frischobst sowie zur Herstellung von Säften und Marmelade verwendeten Z. sind reich an Vitaminen (v.a. Vitamin C) und Mineralstoffen (v.a. Kalium).

Zitruspflanzen [lat.] (Citrus), Gattung der Rautengewächse mit rd. 60 in China, S- und SO-Asien heim. Arten, die in zahlr. Kulturformen in allen subtrop. und trop. Gebieten angebaut werden; immergrüne kleine Bäume oder Sträucher mit einfachen, durch Öldrüsen punktierten Blättern und weißen oder rosafarbenen Blüten mit meist fünf Kronblättern; Fruchtknoten 8- bis 15-fächerig, eine kugelige oder längl. Beere bildend (→Zitrusfrüchte). Bekannteste Arten sind Pampelmuse, Grapefruitbaum, Zitronenbaum, Zitronatzitronenbaum, Pomeranze, Mandarinenbaum, Apfelsinenpflanze. Daneben spielt die →Limette eine wirtsch. Rolle.

Zittau, Krst. des Landkreises Löbau-Z., Sachsen, in der Oberlausitz, 29200 Ew.; FH Z./Görlitz, Internat. Hochschulinst. Z.; Theater; klein- und mittelständige Betriebe: Maschinenbau, Textilindustrie, Umwelttechnik; Grenzübergang nach Polen und in die Tschech. Republik. – Erhalten sind Reste der Frauenkirche (13. Jh.), die Kreuzkirche (1410, im 17. Jh. schwer beschädigt, im 18. Jh. verändert; bed. Hungertücher), spätgot. Petri-Pauls-Kirche (13. Jh. ff.), Johanniskirche (urspr. spätgotisch, Neubau 18. Jh., ab 1834 nach Entwürfen von K. F. Schinkel umgebaut); ehem. Marstall (1511), Bürgerhäuser aus Renaissance und Barock, zahlr. Brunnen, Rathaus (1840–45). – Entstand um 1200 bei einer böhm. Burg; 1275 als Stadt genannt; trat 1346 dem Sechsstädtebund der Oberlausitz bei.

Zittauer Gebirge, sächs. Teil des →Lausitzer Gebirges.

Zittel, Karl Alfred von, Geologe und Paläontologe, *Bahlingen (Kr. Emmendingen) 25. 9. 1839, †München 5. 1. 1904; entwickelte die Paläontologie zu einer selbstständigen Wissenschaft.

Zitterfische (elektrische Fische), Fische sehr versch. Verwandtschaftsgruppen, die zum Beuteerwerb, zur Verteidigung auf kurze Entfernungen und beim Berühren sowie zur Orientierung elektr. Stromstöße abgeben; u.a. der in Süßgewässern des nördl. Südamerika lebende, bis zu 2,3 m lange **Zitteraal** (Electrophorus electricus) sowie Arten der Gattung **Zitterrochen** (Torpedo), deren paarige elektr. Organe am Vorderkörper eine Spannung bis zu 300 V erzeugen können. BILD Rochen

Zittergras (Briza), Gattung der Süßgräser, von Europa bis Zentralasien und in Mittel- und Südamerika verbreitet. Die einzige, auf trockenen Böden vorkommende Art in Dtl. ist **Briza media,** ein bis zu 1 m hohes Gras mit in ausgebreiteter Rispe stehenden Ährchen (Rispenäste sehr lang, dünn); wird als Ziergras kultiviert.

Zittern, *Medizin:* der →Tremor.

Zitterpappel (Espe), →Pappel.

Zitterpilze (Tremallales), gallertartige Ständerpilze mit gelben, grünen bis schwarzen klumpigen, durchscheinenden Fruchtkörpern; wachsen an Baumstämmen.

Zittergras: Briza media (Höhe bis zu 1 m)

Zitterrochen, →Zitterfische.

Zitwer, ein Korbblütler →Santonin.

Zitze (Mamille), auf dem Hügel des Milchdrüsenkörpers befindl. warzenartige Hauterhebung mit durchlaufendem Kanal (bei Kühen Strichkanal) oder mehreren Mündungen der Milchdrüsen im Bereich der Brust bzw. des Bauchs bei höheren Säugetieren. (→Euter)

Zittau Stadtwappen

Ziu, altgerman. Gott, →Tyr.

zivil [lat. civilis »bürgerlich«, zu civis »Bürger«], 1) nicht militärisch, bürgerlich; 2) anständig, annehmbar.

Zivilcourage [-kura:ʒə], Mut, die eigene Überzeugung stets zu vertreten.

Zivildienst (ziviler Ersatzdienst), Ersatzdienst Wehrpflichtiger, der bei anerkannter →Kriegsdienstverweigerung zu leisten ist. Im Z. sind Aufgaben, die dem Allgemeinwohl dienen, vorrangig im sozialen Bereich, zu erfüllen. Der Z. dauert (seit 1. 1. 1996) 13 Monate. Die im Z.-Gesetz enthaltenen Bestimmungen über Tauglichkeit u. a. sind weitgehend dem Wehrrecht nachgebildet.

Zivilehe, die durch Eheschließung vor dem Standesbeamten begründete Ehe (→Eherecht).

ziviler Bevölkerungsschutz, der →Zivilschutz.

ziviler Ungehorsam (engl. Civil Disobedience), öffentl., gewaltloser, gewissensbestimmter bewusster Verstoß gegen einzelne Gesetze als eine Form des (passiven) Widerstands gegen den Staat; Zentralbegriff einer bes. von der amerikan. Bürgerrechts- und Friedensbewegung entwickelten und nach Europa gelangten Lehre (J. Rawls, 1971, u. a.), die v. a. an Vorstellungen H. D. Thoreaus (1849) und Mahatma →Gandhis anknüpft.

Zivilgerichtsbarkeit, Recht sprechende Tätigkeit der staatl. Gerichte auf dem Gebiet des Privatrechts durch die Gerichte der ordentl. Gerichtsbarkeit sowie z. T. der Arbeitsgerichtsbarkeit.

Zivilgesetzbuch, Abk. **ZGB,** in der Schweiz das Gesetzbuch vom 10. 12. 1907, das das bürgerl. Recht zusammenfasst und durch kantonale Einführungsgesetze und bundesrechtl. Nebenerlasse ergänzt wird; es trat am 1. 1. 1912 in Kraft. Es enthält vier Teile, als 5. Teil das Obligationenrecht (OR) von 1881. Teil 1 behandelt das Personen-, Teil 2 das Familien-, Teil 3 das Erb-, Teil 4 das Sachenrecht. Das Obligationenrecht behandelt neben den schuldrechtl. Verträgen bes. das Gesellschafts- und Wertpapierrecht. – Das ZGB der DDR vom 19. 6. 1975 wurde am 3. 10. 1990 durch das BGB abgelöst.

Zivilisation *die,* die durch Wiss. und Technik veränderten materiellen und sozialen Gegebenheiten einer Gesellschaft, in Abhebung von einem ungeformten Naturzustand menschl. Zusammenlebens. In Dtl. wird gelegentlich noch zw. Z. und Kultur unterschieden, wobei Z. mehr auf das Äußere, Technische, Kultur mehr auf innere, geistige Werte bezogen ist. Die soziale Seite der Z. besteht in der Regelung der zwischenmenschl. Beziehungen mithilfe von Verträgen und Institutionen. Damit verbunden ist die Schaffung kollektiver Schutzeinrichtungen, die dem Einzelnen ein Gefühl erhöhter Sicherheit und Freiheit geben. Da sich diese Lebensform am frühesten in städt. Siedlungen entwickeln konnte und wegen des engen Zusammenlebens in diesen notwendig war, wurde sie in kulturkrit. Sicht häufig als eine Entfernung von den Bedingungen des naturverbundenen, bäuerl. Lebens angesehen. Für den Lebensstil der Z. sind Handel, Handwerk, Berufe mit höherer Vorbildung und der Bereich der Verw., die sich in den Städten konzentrieren, charakteristisch; in ihnen haben sich bes. differenzierte Formen der Arbeitsteilung und der Bürokratie entwickelt.

Im Selbstverständnis der modernen bürgerl. Gesellschaft, gekennzeichnet durch Wiss., Technik sowie bestimmte Lebens- und Umgangsformen, wird der eigene Zustand, die Z., mit dem verwirklichten Fortschritt identifiziert, der als objektivweltgeschichtl. Geschehen interpretiert wird. Neben diese optimist. Fortschrittsauffassung traten seit der Kulturphilosophie des 19. und 20. Jh. krit. und pessimist. Bewertungen der Z. sowie in den neueren gesellschaftskrit. Debatten alternative Vorstellungen, um Probleme der modernen Massengesellschaft zu bewältigen.

📖 Blomert, R.: *Psyche u. Z. Münster ²1991.* – Pickerodt, I. *u.* Wolf, J.: *Z. u. Identität. Der abendländ. Weg. Göttingen 1991. – Z. u. Barbarei. Die widersprüchl. Potentiale der Moderne, hg. v.* F. Bajohr *u. a. Hamburg 1991.* – Lübbe, H.: *Der Lebenssinn der Industriegesellschaft. Berlin u. a. 1994.* – Breuer, S.: *Die Gesellschaft des Verschwindens. Von der Selbstzerstörung der techn. Z. Hamburg 1995.* – Elias, N.: *Über den Prozeß der Z., 2 Bde. Frankfurt am Main ¹⁹1995.*

Zivilisationskrankheiten, unklare Sammelbez. für Krankheitserscheinungen beim Menschen, die durch zivilisator. Faktoren (v. a. durch die mit der Zivilisation verbundene Lebensweise) beeinflusst oder ausgelöst werden. Zu den mögl. negativen Einflüssen gehören unausgewogene oder übermäßige Ernährung, Bewegungsmangel, Überbelastung im Berufsleben, Alkohol-, Tabak- und Arzneimittelmissbrauch, Lärmbelastung, Reizüberflutung durch Rundfunk und Fernsehen (bes. bei Kindern und Jugendlichen). Zu den Z. werden z. B. Übergewicht, Stoffwechselkrankheiten (Diabetes mellitus), Herz-Kreislauf-Erkrankungen, Gebiss- und Skelettschäden (u. a. Zahnkaries, rheumat. Erkrankungen), Allergien, psychosomat. Krankheiten (Magenschwüre u. a.), Verstopfung, Darm- oder Lungenkrebs gezählt.

Zivilkammer, beim Landgericht gebildetes Richterkollegium für Zivilsachen, bestehend aus einem Vorsitzenden Richter und zwei richterl. Beisitzern.

Zivilprozess, das gesetzlich geordnete Gerichtsverfahren zur Feststellung und Verwirklichung privater Rechte. Das Z.-Recht beruht auf dem **Gerichtsverfassungs-Ges. (GVG)** i. d. F. v. 9. 5. 1975, das die Gerichtsbarkeit, den Aufbau und den Geschäftsgang der ordentl. Gerichte behandelt, und der **Z.-Ordnung (ZPO)** i. d. F. v. 12. 9. 1950, die den Gang des Verfahrens einschl. der Zwangsvollstreckung regelt. Der Z. wird unterteilt in das Erkenntnisverfahren und das davon unabhängige Vollstreckungsverfahren (die →Zwangsvollstreckung). Die wichtigsten Grundsätze des Z. sind 1) →Mündlichkeit, 2) →Unmittelbarkeit, 3) →Öffentlichkeit, 4) die →Dispositionsmaxime, 5) die →Verhandlungsmaxime (Ggs.: →Amtsgrundsatz), 6) →Wahrheitspflicht, 7) freie richterl. Beweiswürdigung, d. h., das Gericht entscheidet nach freier Überzeugung unter Berücksichtigung des gesamten Inhalts der Verhandlungen und des Beweisergebnisses, ob eine tatsächl. Parteibehauptung bewiesen ist oder nicht (§ 286 ZPO).

Gang des Verfahrens: Der Z. beginnt mit der Klageerhebung (→Klage) beim zuständigen Gericht erster Instanz. Über örtl. und sachl. Zuständigkeit entscheidet der →Gerichtsstand. Die Klageschrift wird von Amts wegen dem Beklagten zugestellt, sobald der Kläger den Kostenvorschuss gezahlt oder →Prozesskostenhilfe erhalten hat. Das Gericht soll den Rechtsstreit in einem einzigen, umfassend vorbereiteten »Haupttermin« erledigen. Zu dessen Vorbereitung bestimmt es entweder einen »frühen ersten Termin«, in dem unstreitige Sachen schnell abgeschlossen und streitige vorerörtert werden können, oder es ordnet ein »schriftl. Vorverfahren« an. Zur Vorbereitung des frühen ersten Termins fordert es den Beklagten auf, unverzüglich oder innerhalb einer bestimmten Frist seine Verteidigungsmittel in einer Klageerwiderungsschrift vorzubringen. Wird der Prozess im frühen ersten Termin nicht erledigt, hat das Gericht alle Anordnungen zu treffen, die zur Vorbereitung des Haupttermins noch erforderlich sind. In bestimmten Fällen besteht anwaltl. Vertretungspflicht (→Anwaltszwang). Beim Ausbleiben einer Partei findet das →Versäumnisverfahren statt oder das Gericht entscheidet auf Antrag nach Lage der Akten; beim Ausbleiben beider Parteien ruht das Verfahren. Nach streitiger Verhandlung wird meist über streitige wesentl. Tatsachen Beweis erhoben, z.B. durch Vernehmung von Zeugen. Danach ist der Sach- und Streitstand mit den Parteien erneut zu erörtern, sodann entscheidet das Gericht den Rechtsstreit durch ein →Urteil. Die Parteien können stattdessen den Streit durch Prozessvergleich (→Vergleich), →Anerkenntnis oder Klagerücknahme beenden. Meist ist gegen erstinstanzl. Urteile der Amts- und Landgerichte →Berufung, gegen Urteile der Oberlandesgerichte →Revision zulässig. Für einzelne Verfahrensarten gelten, auch hinsichtlich der Grundsätze, besondere Bestimmungen, z.B. in Ehesachen, im Mahnverfahren, im Urkunden- und im Wechselprozess. – Mit Rechtsmitteln nicht mehr angreifbare Urteile erlangen →Rechtskraft. Aus ihnen und den für vorläufig vollstreckbar erklärten Urteilen findet die →Zwangsvollstreckung statt. – Im *österr. Z.* herrschen im Wesentl. dieselben Grundsätze wie im dt. Z. In der *Schweiz* ist der Z. bes. durch kantonale Prozessordnungen geregelt.

🕮 BAUMGÄRTEL, G.: *Einführung in das Zivilprozeßrecht, fortgef. v.* H. PRÜTTING. *Neuwied u.a.* [8]*1994.* – KROPHOLLER, J.: *Europ. Zivilprozeßrecht. Heidelberg* [5]*1996.*

Zivilrecht, andere Bez. für →Privatrecht.

Zivilsachen, *Recht:* bürgerl. Rechtsstreitigkeiten; gebräuchlich auch im Sinne der den Zivilgerichten zugewiesenen Rechtsangelegenheiten (→Zivilgerichtsbarkeit).

Zivilschutz (früher ziviler Bevölkerungsschutz, Luftschutz), Teil der zivilen Verteidigung; gegliedert in 1) den auf freiwilliger Grundlage durchgeführten **Selbstschutz;** 2) den **Warndienst** zur laufenden Unterrichtung der Behörden und Betriebe über die Luft- und ABC-Lage und zur Alarmierung der Bev. bei drohender Gefahr; 3) den **Katastrophenschutz** zur Rettung von Menschen und zur Beseitigung oder Milderung von eingetretenen Schäden; 4) den **Schutzraumbau** zum Schutz der Bevölkerung sowie lebens- und verteidigungswichtiger Anlagen und Einrichtungen; 5) die **Aufenthaltsregelung** im Spannungs- und Verteidigungsfall; 6) das **Gesundheitswesen** und 7) den **Schutz von Kulturgut** (Z.-Ges. v. 25. 3. 1997). – Verwaltungsaufgaben werden durch das Bundesamt für Z. wahrgenommen; soweit die Durchführung des Z. den Ländern obliegt, handeln sie im Auftrag des Bundes. – In *Österreich* werden die Aufgaben des Z. von versch. Behörden des Bundes, der Bundesländer und der Gemeinden sowie von Hilfsorganisationen erfüllt (bes. Österr. Z.-Verband). In der *Schweiz* sind das Bundesamt des Z., die kantonalen Z.-Ämter und die gemeindl. Z.-Stellen für den Z. zuständig.

Ziwije: Pektorale mit skythischen Tiermotiven, Gold (700 v. Chr.; New York, Metropolitan Museum of Art)

Zivilsenat, Richterkollegium beim Oberlandesgericht (mit i.d.R. drei Berufsrichtern) und beim Bundesgerichtshof (fünf Berufsrichter) zur Entscheidung über Rechtsmittel.

Zivilstandsregister, in der Schweiz öffentl. Register, geführt als Geburts-, Todes-, Ehe-, Anerkennungs- und Familienregister.

Zivilverteidigung, allg. der Schutz der Bevölkerung vor Kriegseinwirkung (Zivilschutz) sowie Maßnahmen zur Sicherung des Wirtschaftslebens und zur Unterstützung der Streitkräfte.

Ziwije [z-], archäolog. Fundart in N-Iran, südöstlich des Urmiasees. Bei den gefundenen Gegenständen, Gold-, Elfenbein- und Bronzearbeiten (Waffen, Zaumzeug, Schmuck, Gefäße), handelt es sich um Grabbeigaben aus dem 7. Jh. v. Chr. mit Merkmalen des skythischen Tierstils.

Johann Joseph Edler von Zoffany: »Mrs. Oswald« (um 1760; London, Tate Gallery)

Ziya [zi'ja], Mehmed, Pseud. Z. Gök Alp, Sija Gök Alp, Gökalp Z., türk. Soziologe und Schriftsteller, *Diyarbakır 23. 3. 1876, †Konstantinopel (heute Istanbul) 25. 10. 1924; 1913–18 Prof. in Istanbul; 1923 Abgeordneter; beeinflusste mit seiner Lyrik (u. a. »Der rote Apfel«, 1915), seinen Essays und Schriften (u. a. »Türkisierung, Islamisierung und Modernisierung«, 1918; »Die Grundlagen des türk. Nationalismus«, 1923) wesentlich die Herausbildung eines türk. Volksbewusstseins.

ZK, Abk. für →**Z**entral**k**omitee.

Zlín [zli:n] (1949–90 Gottwaldov), Stadt 80 km östlich von Brünn, Südmähr. Gebiet, Tschech. Rep., 83 000 Ew.; Filmarchiv, Schuhmuseum; größte Schuhfabrik (gegr. 1894) der Tschech. Rep., Maschinenbau, Gummiwarenindustrie.

Złotoryja [zuɔtɔ'rija] (dt. Goldberg), Stadt in der Wwschaft Legnica (Liegnitz), Polen, an der Katzbach, 16 000 Ew.; Herstellung von Bergbaueinrichtungen, Textilind., Basaltbruch. – Goldberg erhielt 1211 Magdeburger Stadtrecht; seit Anfang 13. Jh. wurde Gold-, seit etwa 1600 Kupfererzbergbau betrieben; 1742–1945 preußisch; kam 1945 zu Polen.

Złoty ['zuɔti; poln., zu złoto »Gold«] *der,* Abk. **zł,** Währungseinheit in Polen: 1 Z. (Zł, zł) = 100 Groszy (Gr, gr); urspr. der poln. Gulden.

Zn, chem. Symbol für →Zink.

Znaim (tschech. Znojmo), Stadt im Südmähr. Gebiet, Tschech. Rep., an der Thaya, 37 000 Ew.; Leder-, keram., Nahrungsmittel- u. a. Industrie; Zentrum eines Gemüse-, Obst- und Weinbaugebiets. – Barockschloss (an der Stelle der Burg der Přemysliden), Nikolaikirche (14./15. Jh.). – Das 1048 erstmals erwähnte Z. erhielt 1226 Stadtrecht; bis 1914 hoher dt. Bevölkerungsanteil.

Znaniecki [znan'jɛtski], Florian Witold, amerikan. Soziologe poln. Herkunft, *Świątniki Górne (bei Krakau) 15. 1. 1882, †Champaign (Ill.) 23. 3. 1958; Prof. in Posen und an der Univ. von Illinois; vertrat eine kulturwissenschaftlich fundierte Theorie der sozialen Handlungen und lieferte entscheidende Beiträge zur empir. Sozialforschung.

Znojmo ['znɔjmɔ], Stadt in der Tschech. Rep., →Znaim.

ZNS, Abk. für →**Z**entral**n**erven**s**ystem.

Zobel [russ.] *der,* ein →Marder.

Zobten, 1) *der* (poln. Ślęża, Sobótka) Gebirgsstock in Niederschlesien, Polen, 718 m ü. M. Der Z. ist der »heilige Berg« Schlesiens mit kult. und wehrhafter Bebauung seit vorchristl. Zeit (vorgeschichtl. Funde; archäolog. Naturreservat).

2) Stadt in Polen, →Sobótka.

Zodiakallicht [grch.] (Tierkreislicht), symmetrisch zur Ebene der Ekliptik liegender kegelförmiger Lichtstreifen, der bes. gut zur Zeit der Tagundnachtgleiche im Frühling am westl. Himmel nach Sonnenuntergang (Abendhauptlicht), im Herbst am östl. Himmel vor Sonnenaufgang (Morgenhauptlicht) sichtbar ist. Er fällt nahezu in den Tierkreis; in unseren Breiten bildet die Achse des Kegels mit dem Horizont einen Winkel von etwa 64°. Ein schwächerer Lichtschimmer, der **Gegenschein,** erscheint am der Sonne gegenüberliegenden Nachthimmel. Das Z. entsteht v. a. durch Streuung des Sonnenlichts an kosm. Staubpartikeln.

Zodiakus [grch.] *der,* der →Tierkreis.

Zoetermeer [zu:tər'me:r], Gemeinde in der niederländ. Provinz Südholland, Niederlande, östlich von Den Haag, 103 000 Ew.; Maschinenbau, Nahrungsmittel- u. a. Industrie.

Zoffany ['zɔfənɪ] (Zauffaly), Johann Joseph Edler von (seit 1776), engl. Maler dt. Herkunft, getauft Frankfurt am Main 13. 3. 1733, †Strand-on-the-Green (heute zu London) 11. 11. 1810; seit 1760 in England; 1769 Gründungsmitgl. der Royal Academy. Er trat hervor als Maler von Schauspielszenen, Porträts und Gruppenbildern von Vertretern des europ. Adels, von Schauspielern und Künstlern.

Zofingen, Bezirkshauptort im Kt. Aargau, Schweiz, 8 800 Ew.; Journalistenschule; Maschinen- und Apparatebau, chem., Textil- u. a. Ind., graf. Gewerbe. – Stadtkirche (12.–17. Jh.), Rathaus (1792–95), Bürgerhäuser (16.–19. Jahrhundert).

Zogu I. [z-], früher Ahmed Zogu, König der Albaner (1928–39, formell abgesetzt 1946), *Burgajet 8. 10. 1895, †Paris 9. 4. 1961; 1923/24 MinPräs., 1925–28 Staatspräs.; ließ sich am 1. 9. 1928 zum König ausrufen; floh 1939 bei der italien. Besetzung Albaniens.

Zoisit [grch.] *der,* rhomb. Mineral der chem. Zusammensetzung $Ca_2Al_3[O|OH|SiO_4|Si_2O_7]$, grauweiß, bräunlich, grünlich, in Hornblende führenden metamorphen Gesteinen, in O-Afrika stellenweise monomineralisch gesteinsbildend. Der blaue Z. **(Tansanit)** dient als Schmuckstein.

Zoisit: Tansanit

Zola [zɔˈla], Émile, frz. Schriftsteller, *Paris 2. 4. 1840, †ebd. 19. 9. 1902; verlebte Kindheit und Jugend in Aix-en-Provence (Freundschaft mit P. Cézanne), seit 1858 in Paris, seit 1866 freischaffender Schriftsteller; förderte als Kunstkritiker É. Manet und die Impressionisten. Z. ist der wichtigste Vertreter des →Naturalismus in der europ. Literatur. Nach Erzählungen im Geiste der Romantik begann er mit »Thérèse Raquin« (R., 1867), die Forderungen der Brüder E. und J. de Goncourt nach einer wirklichkeitsgetreuen Lit. umzusetzen. Sein Hauptwerk, der Romanzyklus »Die Rougon-Macquart. Natur- und Sozialgesch. einer Familie unter dem 2. Kaiserreich« (20 Bde., 1871–93), verarbeitet die zeitgenöss. Vererbungs- und Milieutheorie (H. Taine, C. Darwin, C. Bernard) zu einem umfassenden Bild der frz. Gesellschaft. Zu dem Zyklus gehören u. a. »Der Totschläger« (1877), »Nana« (1880), »Germinal« (1885), »Der Zusammenbruch« (1892). Theoretisch legte Z. sein determinist. Konzept in »Der Experimentalroman« (1880) nieder. Die späteren Werke, die Zyklen »Die drei Städte« (»Lourdes«, 1894; »Rom«, 1896; »Paris«, 1898) und »Die vier Evangelien« (unvollendet, u. a. »Fruchtbarkeit«, 1899), zeigen idealistisch-sozialreformer. Züge. Nach seinem offenen Brief »J'accuse« (1898) zur →Dreyfusaffäre entzog er sich der Verhaftung durch Flucht nach England (bis 1899). Seine Gestaltungskunst führte Z. weit über die dokumentar. Darstellung des naturalist. Programms hinaus.

📖 Daus, R.: *Z. u. der frz. Naturalismus. Stuttgart 1976.* – Bernard, M.: *É. Z. mit Selbstzeugnissen u. Bilddokumenten. A. d. Frz. Reinbek 30.–32. Tsd. 1990.*

Zöliakie [grch.] *die* (Heubner-Herter-Krankheit, intestinaler Infantilismus), Erkrankung des Dünndarms mit chron. Verdauungsstörung im Säuglings- und Kindesalter (bei Erwachsenen →Sprue genannt); beruht auf einer Unverträglichkeit des Klebereiweißes Gluten (Bestandteil aller Getreidesorten), die zu erhebl. Veränderungen der Dünndarmschleimhaut führt und damit zu einer gestörten Resorption aller Nährstoffe. Kennzeichen sind v. a. die Entleerung massiger, schaumiger Stühle, Unterernährung und Vitaminmangel.

Zölibat [lat.] *der,* auch *das,* die religiös begründete Ehelosigkeit und sexuelle Enthaltsamkeit; in zahlr. Religionen zeitweilig oder dauerhaft von Priestern, Mönchen und Nonnen gefordert. In der kath. Kirche ist der Z. als lebenslang bindende Verpflichtung für die Kleriker mit Ausnahme der zu ständigen Diakonen geweihten verheirateten Männer kirchenrechtlich vorgeschrieben; theologisch wird er als besonderes Geschenk Gottes gedeutet, das einen freien und ungeteilten Dienst an Gott und den Menschen ermögliche. Erstmals im 4. Jh. in der lat. Kirche eingeführt, hält die kath. Kirche trotz Priestermangels und wachsender (auch innerkirchl.) Kritik an der Z.-Verpflichtung fest. Die evang. Kirchen lehnen den Pflicht-Z. ab. In den Ostkirchen besteht eine Z.-Verpflichtung nur für Bischöfe und Mönche; die Priester dürfen vor ihrer Weihe geschlossene Ehen fortführen, jedoch keine neue Ehe mehr eingehen.

📖 Hohmann, J. S.: *Der Z. Geschichte u. Gegenwart eines umstrittenen Gesetzes. Frankfurt am Main u. a. 1993.* – Bez, D.: *Der Z. – ein Machtinstrument der kath. Kirche? Sinzheim 1995.*

Zoll [grch.], auf eine Ware bei Grenzüberschreitung erhobene Abgabe. Urspr. wurde Z. auch für die Benutzung bestimmter Einrichtungen und Verkehrswege erhoben **(Wege-Z., Brücken-Z.).** Diese mannigfaltigen **Binnen-Z.** innerhalb des Dt. Reiches wurden im 19. Jh. aufgehoben und durch Grenz-Z. ersetzt. Heute wird i. Allg. nur noch die Wareneinfuhr mit Z. belegt **(Einfuhr-Z.); Ausfuhr-** und **Durchfuhr-Z.** spielen kaum noch eine Rolle. Nach dem Zweck können unterschieden werden: **Finanzzölle,** die aus rein steuerl. Erwägungen erhoben werden, und **Schutzzölle** zur Abschirmung der einheim. Wirt-

Émile Zola: Gemälde von Édouard Manet, Ausschnitt (1868; Paris, Musée d'Orsay)

schaft gegenüber ausländ. Konkurrenz. Zu den Schutzzöllen zählen u.a.: **Erziehungs-Z.** (zum Schutz im Aufbau befindl. Wirtschaftszweige und deren Anpassung an den Weltmarkt), **Abwehr-Z.** (zum Schutz der einheim. Erzeugnisse gegen ausländ. Waren mit niedrigerem Preis), **Ausgleichs-Z.** zur Abwehr von Dumpingpraktiken bestimmter Länder (→Dumping) und zur Vermeidung von Wettbewerbsverzerrungen. Nach der Bemessungsgrundlage werden unterschieden: **Wert-Z.** (Berechnung nach dem Preis zollpflichtiger Waren), **spezif. Z.** (Berechnung nach Stückzahl, Maß oder Gewicht), **Misch-Z.** (eine Kombination von Wert- und spezif. Z.). Nach der Art der Festsetzung sind zu unterscheiden: **autonomer Z.** (vom Staat oder den Organen einer Gemeinschaft festgelegt) und **Vertrags-Z.** (durch bi- oder multilaterale Vereinbarungen bzw. Verträge festgelegt; z.B. in den Z.-Runden des →GATT).

Das dt. **Z.-Recht,** wurde vom Z.-Recht der EG weitgehend verdrängt. Dieses wurde zum 1.1.1994 in einem **Z.-Kodex** der EU zusammengefasst, der in allen Mitgl.staaten als unmittelbar geltendes Recht für den Warenverkehr mit Drittländern gilt. Der Z.-Kodex regelt die Behandlung der Waren beim Eingang in das Z.-Gebiet der EU, den Z.-Tarif, Z.-Wert und Warenursprung, das Z.-Verfahren, das Entstehen der Z.-Schuld, ihre Entrichtung und Erstattung sowie das Rechtsbehelfsverfahren. Nat. Recht ergänzt den Z.-Kodex, in Dtl. durch das Z.-Verw.gesetz vom 21.12.1992 und die Abgabenordnung. Die Z.-Einnahmen fließen den EG zu. (→Zollgebiet, →Zolltarif, →Zollunion)

📖 SCHOMBERG, W.: *Lexikon der dt. Steuer- u. Z.-Geschichte. München 1992.* – DORSCH, E.: *Das neue Z.-Recht ab 1. 1. 1993. Bonn 1993.*

Zoll [mhd. »abgeschnittenes Holz«], früheres Längenmaß von etwa 2,2–3 cm, 1 Z. = $^1/_{12}$ oder $^1/_{10}$ Fuß (→Fuß). Der angloamerikanische Zoll (Inch) ist 1 Z. = $^1/_{12}$ Fuß = 2,54 cm (exakt), in Zeichen: 1'' = $^1/_{12}$'.

Zollernalbkreis, Landkreis im RegBez. Tübingen, Bad.-Württ., 918 km², (1996) 192900 Ew.; Krst. ist Balingen.

Zollgebiet, das von der **Zollgrenze** umschlossene Hoheitsgebiet. Es wird vom **Zollinland** (das Hoheitsgebiet i.e.S.) und von den **Zollanschlüssen** (ausländ. Staatsgebiete, die Teil eines inländ. Wirtschaftsgebietes sind) gebildet. Nicht zum Z. gehören die **Zollausschlüsse** (im Hoheitsgebiet liegende Gebiete, die einem anderen Z. angeschlossen sind) und die **Zollfreigebiete** (Teile eines Hoheitsgebietes, in denen keine Zolltarife angewendet werden, z.B. Freihäfen). **Zollausland** sind alle Gebiete, die nicht zum Z. und zu den Zollfreigebieten gehören. Das **Z. der EG** regeln Zollverordnungen (abgelöst durch den Zollkodex). Es umfasst unter Beachtung zollrechtlicher Besonderheiten die Hoheitsgebiete der EG-Mitgl.staaten mit den Ausnahmen: Dänemark ohne Färöer und Grönland, Dtl. ohne Helgoland und Büsingen, Frankreich ohne überseeische Territorien, Großbritannien mit Kanalinseln und Isle of Man, Italien ohne Livigno, Campione und den italien. Teil des Luganer Sees, Spanien mit Kanar. Inseln; aufgrund internat. Abkommen gehören auch Monaco, San Marino und Andorra sowie die österr. Zollanschlüsse Jungholz und Mittelberg dazu.

Zollinger, Albin, schweizer. Schriftsteller, *Zürich 24.1.1895, †ebd. 7.11.1941; schrieb zunächst lyrisch-märchenhafte Prosa, später Natur- und Gedankenlyrik (»Stille des Herbstes«, 1938). Sein Werk, das in den Traditionen bürgerlich-progressiver Literatur der Schweiz steht, kam erst nach dem 2. Weltkrieg zu größerer Geltung (»Pfannenstiel. Die Geschichte eines Bildhauers«, »Bohnenblust oder Die Erzieher«, R., 2 Tle., hg. 1942).

Zoll|inhaltserklärung, den zollrechtl. Bestimmungen des Empfängerlandes entsprechende Erklärung auf vorgeschriebenem Formular über den Inhalt von Postsendungen ins Ausland.

Zollkodex, →Zoll.

Zollstrafrecht, der Teil des Steuerstrafrechts, der sich auf Zölle bezieht. Die Zollstraftaten sind gesetzlich insbes. in der Abgabenordnung geregelt (Zollhinterziehung, §370; Bannbruch, §372; gewerbsmäßiger, gewaltsamer und bandenmäßiger Schmuggel, §373; Steuerhehlerei, §374). Die Verfolgung von Zollstraftaten obliegt den Zollbehörden.

Zollstraßen, diejenigen Landstraßen, Wasserstraßen, Rohrleitungen u.a. Beförderungswege, auf denen Zollgut in ein Zollgebiet eingeführt bzw. aus diesem ausgeführt werden darf. Sie beginnen an der Zollgrenze und enden bei einer Zollstelle (Zolllandungsplätze, Zollflugplätze).

Zolltarif, systemat. Zusammenstellung der Zollsätze für einen bestimmten Warenkatalog. Die EG hat die Gesetzgebungshoheit für das tarifl. Zollrecht, das Zollaufkommen fließt (abzüglich eines Verwaltungskostenanteils) der EG zu. Die Angleichung der nat. Zollrechtsvorschriften durch entsprechendes gemeinschaftl. Zollrecht ist fast abgeschlossen. Das gesamte auf den Warenverkehr mit Drittländern anwendbare Zollrecht ist seit 1993 in einem Zollkodex der EG zusammengefasst; nat. Zollrecht findet seit 1994 nur noch in wenigen organisator. Bereichen Anwendung (in Dtl. v.a. das Zollverwaltungs-Ges. vom 21. 12. 1992). Der Dt. Gebrauchs-Zolltarif (GZT) fasst zur Verwaltungserleichterung die im Gemeinschaftsrecht verstreuten tarifl. Vorschriften zusammen.

Zollunion, der Zusammenschluss selbstständiger Hoheitsgebiete zu einem einheitl. Zollgebiet bei gleichzeitiger Abschaffung der Zölle zw. den Mitgliedern und Vereinbarung einheitl. Außenzölle gegenüber Dritten. Letzteres unterscheidet eine Z. von einer Freihandelszone, die den Mitgl. die freie Gestaltung der Außenzölle erlaubt.

Zollverein, →Deutscher Zollverein.

Zölom [grch.] *das,* die sekundäre →Leibeshöhle.

Zölostat [lat.] *der* (Coelostat), ein System aus zwei Planspiegeln, von denen der eine um eine zum Himmelspol zeigende, zur Erdachse parallele Achse drehbar ist, während der andere das von diesem reflektierte Licht in eine bestimmte Richtung lenkt. Die tägl. Bewegung des Himmels wird durch eine entsprechende Drehung des ersten Spiegels um seine Achse aufgehoben, sodass das Licht vom zweiten Spiegel immer in die gleiche Richtung gelenkt wird. Der Z. wird v. a. zur Sonnenbeobachtung in Turmteleskopen eingesetzt.

Zomba [z-], Stadt in S-Malawi, am Fuß der Z.-Berge (2000 m ü.M.), 43000 Ew.; kath. Bischofssitz; Univ. (1964 gegr.), Nat.-Archiv. – Gegr. 1885; bis 1975 Hptst. Malawis.

Zombie [engl. aus afrikan.] *der,* in der Wodu-Religion eine Schlangengottheit; auch die Kraft, die einen Toten wieder belebt, sowie der wieder belebte Tote selbst, der dann willenloses Werkzeug dessen ist, der ihn zum Leben erweckt hat; seit den 1930er-Jahren Motiv des Horrorfilms.

Zone [grch. »Gürtel«] *die,* **1)** *Geologie:* Grundeinheit der biostratigraph. Gliederung, die durch **Zonenfossilien** belegbar ist **(Biozone).**

2) *Pflanzengeographie:* gürtelförmige Anordnung der Vegetation in der Horizontalen, im Unterschied zu »Stufe« bei vertikaler Gliederung in Gebirgen.

3) *Staatsrecht:* Teilgebiet eines nichtsouveränen Staates oder eines besetzten Landes (z.B. die Besatzungs-Z. in Dtl. nach dem 2. Weltkrieg).

4) *Stereometrie:* jedes von zwei parallelen und zur Drehachse senkrechten Kreisen eingeschlossene Stück der Oberfläche eines Rotationskörpers, z.B. die Kugelzone.

Zonenabkommen (Zonenprotokolle), Vereinbarungen Großbritanniens, der USA und der UdSSR im Rahmen der Europ. Beratenden Kommission über die Bildung von Besatzungszonen in Dtl. (in den Grenzen des Dt. Reichs vom 31. 12. 1937). Das **1. Z.** vom 12. 9. 1944 bestimmte die Grenze zw. der sowjet. Besatzungszone und den Besatzungszonen der Westmächte auf der Linie Lübeck–Helmstedt–Eisenach–Hof und einen Sonderstatus für Berlin. Das **2. Z.** vom 14. 11. 1944 legte die brit. und amerikan. Besatzungszone fest. Die Z. wurden auf der Konferenz von Jalta (4.–11. 2. 1945) bestätigt; ein **Ergänzungsabkommen** vom 26. 7. 1945 wies Frankreich eine eigene Zone zu.

Zonengrenzen, urspr. die Demarkationslinien zw. den vier Besatzungszonen in Dtl. nach dem 2. Weltkrieg (→Zonenabkommen); während sie zw. den drei Westzonen 1948 aufgehoben wurden, blieb die Z. zw. ihnen und der sowjet. Besatzungszone bestehen und wurde mit der Bildung zweier dt. Staaten zur Grenze zw. der Bundesrep. Dtl. und der DDR (→innerdeutsche Grenze).

Zonenplatte (Zonenlinse), in der Optik ein System von konzentr., abwechselnd undurchsichtigen und durchsichtigen Ringen (→fresnelsche Zonen), das, ähnlich wie eine opt. Sammellinse (jedoch nicht durch Lichtbrechung, sondern durch Beugung und Interferenz), eine opt. Abbildung ermöglicht. Weiterentwicklungen dieser klass. fresnelschen Z. dienen in der Röntgenoptik zur Fokussierung von Röntgenstrahlung und werden für hochauflösende atomopt. Abbildungen eingesetzt.

Zonenrandförderung, im Zonenrandgebiet der alten Bundesländer (Stadt- und Landkreise in der Nähe der Grenze zur DDR) zum Ausgleich für die wirtsch. und soziokulturellen Folgen der Teilung Dtl.s vom Bund finanzierte Maßnahmen (Z.-Gesetz vom 5. 8. 1971). Die Z. umfasste v.a. regionale Wirtschaftsförderung, steuerl. Vergünstigungen, Verkehrserschließung, Förderung des Wohnungsbaus sowie von sozialen, kulturellen und Bildungseinrichtungen. Nach der Vereinigung Dtl.s wurde die Z. im Rahmen des Steueränderungs-Gesetzes vom 24. 6. 1991 erheblich eingeschränkt und auf bestimmte zeitlich befristete Maßnahmen (u.a. Förderung betriebl. Investitionen durch Sonderabschreibungen und die Möglichkeit steuerfreier Rücklagenbildung) reduziert.

Zonenschmelzverfahren, →Kristallzüchtung.

Zonenzeit, die für eine bestimmte, in der Umgebung eines Bezugsmeridians liegende geograph. Zone gültige Einheitsuhrzeit, z.B. die Mitteleurop. Zeit (→Zeitzonen).

Zonguldak [z-] (Songuldak), Hptst. der türk. Prov. Z., Hafen am Schwarzen Meer, 120300 Ew.; Bergakademie; Mittelpunkt eines bed. Steinkohlenreviers; Fahrzeugbau u.a. Ind.; Eisenbahnanschluss zum Eisenhüttenwerk von Karabük und nach Ankara.

Zönobitentum *das* (Koinobitentum), Bez. der von Pachomius begründeten gemeinschaftl. klösterl. Lebensweise. (→Kloster)

Zons, ehem. selbstständige Stadt in NRW, seit 1975 Teil von →Dormagen. – Ruine der Burg Friedestrom (13./14. Jh.), gut erhaltene Stadtbefestigung in Rechteckanlage (14. Jh.); ehem. Zollstation der Kölner Erzbischöfe.

Zoo [grch.] *der,* Kw. für →zoologischer Garten.

zo|o... [grch. zōon »Lebewesen«], Leben..., Tier...

zo|ogen, durch die Tätigkeit von Tieren oder aus tier. Resten entstanden, z. B. Gesteine wie Muschelkalk.

Zo|ogeographie, → Tiergeographie.

zoologischer Garten: Freigehege mit Störchen und Flamingos im Hamburger Tierpark Hagenbeck

Zo|ologie *die* (Tierkunde), als Teilgebiet der Biologie die Wissenschaft und Lehre von den Tieren. Die Z. befasst sich mit allen Erscheinungen des tier. Lebens, v. a. mit der Gestalt (Morphologie) und dem Bau der Tiere (Anatomie, Histologie, Zytologie), ihren Körperfunktionen (Physiologie), der Individual- (Ontogenese) und Stammesentwicklung (Phylogenese), mit den fossilen Tieren (Paläo-Z.), den verwandtschaftl. Zusammenhängen (Systematik), der Benennung der Arten (Taxonomie), ihren Beziehungen zur Umwelt (Ökologie), ihrer Verbreitung (Tiergeographie) und ihrem Verhalten (Verhaltensforschung und Verhaltensphysiologie). – Diesen Fachdisziplinen der Z., die unter der Bez. **allg. Z.** zusammengefasst werden, steht die **spezielle Z.** gegenüber, die sich mit bestimmten Tiergruppen befasst. Zur **angewandten Z.** zählen u. a. Tierzucht und Parasitologie.

📖 *Grundriß der Z., hg. v.* H. MEHLHORN. *Stuttgart* [2]*1995.* – WEHNER, R.: *Z. Stuttgart u. a.* [23]*1995.*

zo|ologischer Garten (Zoo, Tiergarten), öffentl. oder private, meist wissenschaftlich geleitete, tierärztlich versorgte Einrichtung zur Haltung einheim. und fremdländ. (exot.) Tierarten in Käfigen bzw. Volieren, in Freigehegen und in (entsprechend klimatisierten) Gebäuden, die in eine gärtnerisch, häufig parkartig gestaltete Gesamtanlage eingefügt sind. Als Vorbild für den neuzeitl. z. G. gilt die erstmals von C. Hagenbeck praktizierte Haltung der Tiere in Artengruppen, die der natürl. Population eines bestimmten Lebensraums entsprechen, wobei auch der jeweilige Lebensraum möglichst naturgetreu nachgestaltet wird (z. B. Felsen-, Steppen-, Eislandschaften, Tropenvegetation). Statt störender Absperrgitter werden seit Hagenbeck häufig Trocken- oder Wassergräben mit steiler Begrenzungswand angelegt. – Beim **Kinderzoo** soll Kindern die Möglichkeit zum unmittelbaren Kontakt mit Tieren, v. a. Jungtieren, geboten werden. Der **Themenzoo** beschränkt sich auf relativ wenige, unter einem besonderen Gesichtspunkt zusammengestellte Tierarten, wie z. B. beim Alpenzoo, Heimatzoo, Wildpark, Vogelpark. – Neben seiner ideellen Funktion (u. a. Erholungsraum für die Besucher) vermittelt der z. G. auch wiss. Kenntnisse, v. a. in Bezug auf das Verhalten und die Lebensbedürfnisse noch nicht ausreichend erforschter Tierarten. Darüber hinaus versucht man heute verstärkt, vom Aussterben bedrohte Tierarten durch Nachzucht zu erhalten.

Geschichte: Der wohl erste Tierpark findet sich im altoriental. Assur im 7. Jh. v. Chr. Als ältester z. G. Europas gilt die 1752 vom Kaiserpaar Franz I. Stephan und Maria Theresia im Park von Schönbrunn angelegte Menagerie, der spätere z. G. Wiens. In rascher Folge kam es im 19. Jh. zur Gründung z. G. in London (1828), Antwerpen (1843), Berlin (1844), Frankfurt am Main (1858), Dresden (1861) sowie in Philadelphia (1858; erster z. G. in den USA).

📖 TRUDE, C.: *Letzte Zuflucht Zoo. Die Erhaltung bedrohter Arten in Zoolog. Gärten. A. d. Engl. Berlin u. a. 1993.* – *Zoolog. Anlagen, bearb. v.* U. SCHRECK-OFFERMANN. *Stuttgart* [3]*1993.*

Zoomobjektiv [zu:m-, engl.] (Varioobjektiv, Transfokar), Objektiv mit stetig veränderl. Brennweite, das eine kontinuierl. Veränderung von Abbildungsmaßstab und Bildwinkel ohne Standortveränderung erlaubt.

Zo|onosen (Anthropozoonosen, Zooanthroponosen), Sammelbegriff für erregerbedingte Krankheiten, die von Tieren auf den Menschen und umgekehrt unter natürl. Bedingungen übertragbar sind; zu den wichtigsten Z. in Mitteleuropa gehören Brucellosen, Leptospirosen, Milzbrand, Ornithose, Psittakose, Q-Fieber, Tollwut, Salmonellenenteritis und Toxoplasmose.

Zoon politikon [grch. »geselliges Wesen«] *das,* auf Aristoteles zurückgehende Wesensbestimmung des Menschen als ein auf Gemeinschaft angelegtes und Staaten bildendes Lebewesen.

Zo|osporen (Schwärmsporen, Schwärmer), meist mittels Geißeln frei bewegl. Sporen vieler Algen und Pilze.

Zopf, das lange, geflochtene Haupthaar, eine Tracht, die bei Männern und Frauen schon seit frühster Zeit, im Altertum wie im MA. bis in die Neuzeit vorkommt. Da für Frauen lange Haupthaare bis ins 20. Jh. die Regel waren, sind Z.-Frisuren (z. T. mit künstl. Haar), auch in unterschiedl.

Zoologische und botanische Gärten in Deutschland	
Ort (Gründungsjahr)	*Besonderheiten (Auswahl)*
Zoologische Gärten	
Berlin [Zoo] (1844)	Freisichtgehege, Nachttierhaus, Tropenhaus, Aquarienhaus mit Terrarium und Insektarium, Robbenfreianlage, großes Vogelhaus mit Freiflughalle
Berlin [Tierpark] (1954)	Alfred-Brehm-Haus (Mehrzweckhaus mit Großkatzentrakt und Tropenhalle), Dickhäuterhaus, Reptilienhaus, Eisbärenanlage
Bremerhaven (1913)	Tiere des europ. Nordens, des Atlantiks, Tropenhaus, Aquarium
Cottbus (1954)	Wasservogelhaltung und Zucht, Raubtierhaus, große Huftierfreianlage
Darmstadt (1961)	Tierarten der afrikan. Steppe und trop. Inseln, Aquarium, Terrarium, Volieren
Dortmund (1953)	tiergeographisch besetzte Freigehege, Tropenhaus (Aquarien, Terrarien, Vogelhaus), Seelöwenanlage
Dresden (1861)	Raubtierhaus, Orang-Utan-Haus, Aquarium/Terrarium, Primatenhaus, Zooschule, Streichelgehege
Duisburg (1933)	Freigehege, Warmhaus für trop. Tiere, Aquarium, Delphinarium, Arabergestüt, Schlittenhundezwinger
Düsseldorf (1904)	seltene Fischarten, Reptilien, Amphibien, Wirbellose
Erfurt (1958)	Schlankaffen; vom Aussterben bedrohte einheimische und exotische Haustiere
Essen (1952)	Aquarien- und Terrarienhaus
Frankfurt am Main (1858)	Freisichtgehege, Nachttierhaus, Exotarium (Polarlandschaft; trop. Regenwald; zahlr. Schauaquarienbecken; Reptilienhalle; Insektarium), Vogelhaus mit Freiflughalle
Gelsenkirchen (1949)	Freigehege für afrikan. Steppentiere
Halle (Saale) (1901)	Bergtiergehege, Raubtierhaus, Aquarium, Großflugkäfig
Hamburg (1907) Hagenbecks Tierpark	biotopgemäße Freigehege, Fjordlandschaft, Tropenhaus, Delphinarium, Volieren, japan. Inselgarten
Hannover (1865)	Freisichtgehege, Bärenanlage, Gibbonfreianlage
Heidelberg (1934)	Freigehege, Innen- und Außenvolieren
Karlsruhe (1865)	Robbenfreianlage, Nachzuchten seltener Tierarten
Köln (1856)	Afrika- und Südamerikaanlage, seltene Kleinsäugetiere, Aquarienhaus mit Terrarium und Insektarium
Krefeld (1938)	seltene Raubkatzen, südamerikan. Tierwelt, Affenhaus, Reptilienhaus, Vogelhaus
Leipzig (1878)	traditionelle Zucht von Großkatzen, Hyänen und Bären, Menschenaffenhaus, Elefantenhaus, Aquarium mit Terrarium, Vogelhaus, Huftierfreianlage, Tierkindergarten
Magdeburg (1950)	Dickhäuterhaus, Krallenaffenhaus, Giraffenhaus, Huftierfreianlagen
München (1911) Tierpark Hellabrunn	tiergeographisch angelegte Freigehege, Tropenhaus, Polarium, Großflugkäfig
Münster (1974)	Afrikapanorama, Delphinarium, Polarium, Terrarium, Aquarium, Tropenhaus mit Flughalle
Nürnberg (1911)	Huftiergruppen, Delphinarium, Tropenhaus, Greifvögel
Osnabrück (1936)	Dromedarpark, Damwildpark, Südamerikagehege, Robbenbecken
Rheine (1937)	Affengehege, Seehunddressur
Rostock (1956)	Eisbären- und Kodiakbärenanlage, Seevogelvoliere, Elchanlage
Saarbrücken (1932)	Afrikahaus mit Nachttierabteilung, Tropenhaus, Vögel SO-Asiens
Schwerin (1974)	Wasservogelanlage, Nashorngehege, Bärenanlage, Wisentanlage, Fasanerie, Pinguninanlage
Straubing (1938)	Freigehege für Eis- und Braunbären, Großflugkäfig, Erhaltungszucht bedrohter Hausrindrassen
Stuttgart [Wilhelma] (1949)	Aquarium, Terrarium, Nachttierabteilung
Wuppertal (1879)	Freianlagen für Huftiergruppen, Pinguinanlage, Aquarien- und Terrarienhaus

Zoologische und botanische Gärten in Deutschland (Fortsetzung)

Ort (Gründungsjahr)	*Besonderheiten (Auswahl)*
Botanische Gärten	
Aachen (1965)	Doldenblütler, Fleisch fressende Pflanzen
Augsburg (1936)	Tropenhäuser
Berlin-Dahlem (1679)	pflanzengeograph. Abteilung, großes Tropenhaus
Berlin-Baumschulenweg (1879)	Arboretum mit über 100-jährigen Bäumen
Bielefeld (1912)	Wildrhododendron, Japan. Azaleen, Wildstauden aus aller Welt, Alpinum
Bochum (1968)	geobotan. Abteilung, Arboretum, Rhododendrontal
Bonn (1818)	epiphyt. Kakteen, Pflanzen der Kapverden, Alpenveilchen
Braunschweig (1828)	Wasser- und Sumpfpflanzen in Freilandbecken
Bremen (1936)	Rhododendronpark (16 ha), Pflanzen N-Deutschlands, geographische Abteilungen für Pflanzen Nordamerikas, O-Asiens, Australiens und des Mittelmeergebietes
Darmstadt (1814)	Freilandgehölze aus Europa, Nordamerika, China, Japan
Dortmund (1920)	Arboretum, trop. Regenwald, Kohleflora
Dresden (1820)	Sukkulenten, Zwergkoniferenanlage, Tropenhäuser
Duisburg	
1. Botan. Garten Duisburg-Duissern (1890)	Norddt. Dünenlandschaft, Moorbeetpflanzen, Heideformation
2. Botan. Garten Duisburg-Alt-Hamborn (1905)	Wasserpflanzen, trop. Seerosen
Eberswalde (1830)	forstbotan. Garten mit Arboretum
Erlangen-Nürnberg (1828)	Pflanzen der Kanar. Inseln und mediterraner Hochgebirge
Essen (1927)	Orchideen-, Kakteensammlung, Rhododendrontal
Frankfurt am Main (1763)	geograph.-ökolog. Pflanzengemeinschaften der mitteleurop. Flora, Sammlungen der mediterranen, nordamerikan. und ostasiat. Flora
Freiburg im Breisgau (1620)	Farnpflanzen, Gehölze der arktotertiären Flora Nordamerikas und O-Asiens, phylogenet. Stammbaum der Blütenpflanzen
Gießen (1609)	trop. Nutzpflanzen, systemat., kulturhistor., biolog., pharmazeut., pflanzengeograph. Abteilungen
Göttingen (1736)	Alpinum, Baumfarne, Sukkulenten- und Bromeliensammlung
Greifswald (1763)	Orchideensammlung, Heidegarten, Arboretum
Gütersloh (1951)	Apotheker-, Farb-, Heckengarten, Frühlingsblumenwiese
Halle (Saale) (1698)	Hartlaubgehölze, Sukkulenten, Mangrovegehölze, Braunkohlenflora
Hamburg (1820)	epiphyt. wachsende Orchideen, Bromelien, Farne
Heidelberg (1593)	Sukkulenten-, Bromelien-, Orchideensammlung
Jena (1586)	Arboretum, Alpinum, Sumpf- und Wasserpflanzen
Karlsruhe (1883)	trop. Sumpf- und Wasserpflanzen, trop. Nutzpflanzen
Kiel (1669)	afrikan. Sukkulenten
Köln (1865)	Arznei-, Nutz-, Gift-, Heilpflanzen, Palmen, Agaven
Krefeld (1928)	seltene Kakteen, Fleisch fressende Pflanzen
Leipzig (1542)	trop. Nutzpflanzen, Flora Südamerikas, pflanzengeograph. Abteilung im Freiland
Magdeburg (1896)	Wintergarten, Palmfarne, Farn- und Palmenbestände, Bromeliensammlung
Mainz (1946)	Arboretum, Kakteen- und Sukkulentensammlung
Marburg (1789)	Alpinum (2 ha), Farnschlucht, Rhododendronanlage
Mönchengladbach (1904)	Koniferensammlung, Laubholzsammlung, Blindengarten (Tastpflanzen)
Mühlhausen (1950)	trop. Pflanzen, Systemgarten
München (1914)	Aquarienpflanzen, Fleisch fressende Pflanzen, Baum- und Geweihfarne
Münster (1804)	Orchideen, Bromelien, trop. Nutzpflanzen

Zoologische und botanische Gärten in Deutschland (Fortsetzung)	
Ort (Gründungsjahr)	*Besonderheiten (Auswahl)*
Oldenburg (Oldenburg) (1912)	Moorlandschaft, Pflanzen des Weser-Ems-Gebietes
Potsdam (1950)	Begoniensammlung, Sukkulenten, Farne, Bromelien, trop. Nutzpflanzen
Regensburg (1977)	Arboretum, Arznei- und Nutzpflanzen
Rostock (1885)	Arboretum, Alpinum, Buchenwäldchen, einheim. Pflanzengesellschaften, Japangarten
Saarbrücken (1967)	Rosarium, trop. und subtrop. Nutzpflanzen, Kalthauspflanzen
Stuttgart-Hohenheim	
1. alter botan. Garten (1828)	Arboretum
2. neuer botan. Garten (1975)	prähistor. Nutzpflanzen, vegetationsgeschichtl. Freilandfläche
Tharandt (1811)	forstbotan. Garten mit Arboretum und Waldbodenpflanzen
Tübingen (1675)	Pflanzengesellschaften der Alpen und der Schwäb. Alb
Wilhelmshaven (1947)	Freilandorchideen
Wuppertal (1910)	Schwertliliensammlung
Würzburg (1696)	pflanzengeograph.-soziolog. Abteilungen, »Pflanzensystem«

Weise aufgesteckt, zu allen Zeiten zu beobachten. Im 17. Jh. war ein von der linken Schläfe herabhängender Z. aus wenigen Strähnen mod. Accessoire des Kavaliers. Friedrich Wilhelm I. führte im preuß. Heer den Z. ein, er ging im 18. Jh. auf die mod. Perücke **(Z.-Perücke)** über, eine Frisur mit künstl. Z. am Hinterkopf **(Mozart-Z.)**. Der am Hinterkopf getragene Z. kehrte mehrfach wieder, auch als Mädchenfrisur (aus natürl. Haar). – In China wurde der lang herabhängende Z. für den Mann 1645 eingeführt, 1929 von der republikan. Reg. verboten. (→Haartracht)

Zopfstil, Stilstufe bes. der dt. Kunst im Übergang vom Rokoko zum Klassizismus, in der das Nüchterne und Lehrhafte der Aufklärung hervortritt. Die nur noch selten verwendete Bez. geht auf die Mode des Zopfes zurück, der später – wie der Z. – als steif und veraltet galt.

Zoppot, Stadt in Polen, →Sopot.

Zörbig, Stadt im Landkreis Bitterfeld, Sa.-Anh., 4000 Ew. – Barockschloss (um 1700) mit roman. Bergfried (13. Jh.), roman. Stadtkirche (1537–51 umgebaut). – Z. entstand im 10. Jh. bei einer wettin. Burg; 1253 als Stadt genannt.

Zorn [so:rn], Anders, schwed. Maler, Radierer und Bildhauer, *Mora (Dalarna) 18. 2. 1860, †ebd. 22. 8. 1920; studierte in Stockholm und war 1882–85 in London tätig. In Paris (1888–96) begann er mit seiner durch É. Manet und A. Renoir beeinflussten Ölmalerei und wurde zum führenden schwed. Impressionisten. Er malte v.a. Akte, Bilder seiner Heimat Dalarna (»Mittsommernachtstanz«, 1897, Stockholm) und Porträts und schuf realist. Bronzeskulpturen (Denkmal Gustavs I. Eriksson Wasa in Mora, 1903).

Zoroaster (Zoroastres), pers. Religionsstifter, →Zarathustra.

Zoroastrismus *der,* pers. Religion, →Parsismus.

Zorrilla y Moral [θɔr'riʎa i-], José, span. Schriftsteller, *Valladolid 21. 2. 1817, †Madrid 23. 1. 1893; Hauptvertreter der span. Romantik, gestaltete mittelalterl. Stoffe in Verslegenden (»Cantos del trovador«, 3 Bde., 1840–41; »La leyenda del Cid«, 1882) und Dramen (»Don Juan Tenorio«, 1844).

Zorut (Zorutt), Pieri (italien. Pietro Zorutti), rätoroman. (friaul.) Schriftsteller, *Lonzano (heute zu Dolenga del Collio, Prov. Görz) 27. 12. 1792, †Udine 23. 2. 1867; schrieb u.a. politisch-satir. Almanache (»Strolies«), die er von 1821 an veröffentlichte; gilt als bedeutendster Lyriker Friauls.

José Zorrilla y Moral: Ausschnitt eines Holzstichs (1893)

Zossen, Stadt im Kr. Teltow-Fläming, Brandenburg, südlich von Berlin, 6000 Ew.; Anlagenbau, elektrotechn. Ind., Gärtnereien. – Schloss (16. Jh.). – Z. entstand im 13. Jh. und wurde 1355 erstmals als Stadt erwähnt; bis 1993 Kreisstadt.

Heinrich Zschokke (Ausschnitt eines Stahlstichs von Alexander Zschokke nach einem zeitgenössischen Gemälde)

Zoster [grch.] *der, Medizin:* die →Gürtelrose.

Zotten (Villi), *Anatomie:* zapfenartig vorspringende Gebilde an der Oberfläche versch. Organe (z.B. Dünndarm-Z., Chorion-Z. der Plazenta); sie dienen der Oberflächenvergrößerung und stellen Stoffwechselschranken dar (z.B. in der Plazenta zw. Mutter und Kind).

Zottenhaut, das Chorion (→Mutterkuchen).

ZPO, Abk. für **Z**ivil**p**rozess**o**rdnung.

Zr, chem. Symbol für →Zirkonium.

Zrenjanin [z-] (dt. Großbetschkerek), Stadt in der Wojwodina, Jugoslawien, 81 400 Ew.; kath. Bischofssitz; wirtsch. und kultureller Mittelpunkt des serb. Banats; Maschinenbau, Textil-, Nahrungsmittel- u.a. Ind. – Z., 1351 erstmals erwähnt, war bis 1945 ein dt. Kulturzentrum des Banats.

Zrínyi ['zri:nji] (urspr. Šubić), kroatisch-ungar. Adelsgeschlecht, das 1347 mit der Burg Zerin (heute Zrin bei Bosanski Novi, Slawonien) belehnt wurde, seit 1546 auch in Ungarn begütert war und 1703 ausgestorben ist. Bed. Vertreter:

1) Ilona Gräfin Z., *Burg Ozalj (bei Karlovac) 1643, †İzmit 18. 2. 1703, Tochter von 4); ⚭ seit 1667 mit Franz I. Rákóczi, nach dessen Tod 1681 mit I. Thököly; an seiner Seite organisierte sie den Aufstand der Kuruzen; verteidigte 1685–88 heldenmütig die Burg Munkács (Mukatschewo) gegen die Kaiserlichen und war 1688–92 in habsburg. Gefangenschaft; Mutter von Franz II. Rákóczi.

2) Miklós (Nikola) Graf, Ban von Kroatien (1542–56) und ungar. Magnat, der »Held von Szigetvár«, *Zrin um 1508, ⚔ Szigetvár (Bez. Baranya) 8. 9. 1566, Urgroßvater von 3) und 4); kämpfte 1529 vor Wien gegen die Osmanen; ab 1561 Kapitän der Burg von Szigetvár, fiel beim Ausbruch aus der von Süleiman II. fünf Wochen lang belagerten Burg. – Drama von K. T. Körner (hg. 1814).

Miklós Graf Zrínyi 2): zeitgenössischer Kupferstich

Alexander Zschokke: Bildnisbüste Christian Rohlfs, Bronze (1932; Berlin, Nationalgalerie)

3) Miklós (Nikola) Graf, Ban von Kroatien (1649–64), ungar. Feldherr und Dichter, *Burg Ozalj (bei Karlovac) 1. 5. 1620, †(Jagdunfall) bei Čakovec (Murinsel) 18. 11. 1664, Urenkel von 2), Bruder von 4); kämpfte siegreich gegen die Osmanen; wurde zum polit. Gegner der Habsburger. Im Heldenepos »Der Fall von Sziget« (1651) besang er den heroischen Kampf seines Urgroßvaters gegen die Osmanen.

4) Péter (Petar), Ban von Kroatien (1665–70), kroat. General und Politiker, *Burg Vrbovec (bei Zagreb) 6. 6. 1621, †(hingerichtet) Wiener Neustadt 30. 4. 1671, Vater von 1), Urenkel von 2), Bruder von 3); zeichnete sich in den Türkenkriegen aus, nahm an der ungar. Magnatenverschwörung von 1670/71 teil und wurde 1670 verhaftet.

Zschokke [tʃ-], **1)** Alexander, schweizer. Bildhauer, *Basel 25. 11. 1894, †ebd. 17. 8. 1981, Urenkel von 2); schuf an antiken Werken geschulte Skulpturen (Museumsbrunnen in Basel, 1935–42; Porträtbüsten u.a. von E. Heckel, P. Klee und C. Rohlfs).

2) Heinrich, schweizer. Schriftsteller dt. Herkunft, *Magdeburg 22. 3. 1771, †Aarau 27. 6. 1848, Urgroßvater von 1); Schauspieler, dann Pastor, siedelte 1796 in die Schweiz über und wurde hier Wortführer des heraufkommenden Liberalismus. Er schrieb u.a. den Räuberroman »Abällino, der große Bandit« (1793; Drama 1795), »Das Goldmacher-Dorf« (Erz., 1817), »Bilder aus der Schweiz« (5 Tle., histor. Nov., 1825–26) und geschichtl. Werke.

Zschopau, Stadt im Mittleren Erzgebirgskreis, Sachsen, an der Zschopau (Nebenfluss der Freiberger Mulde), 11 600 Ew.; Motorradwerk, Textilind. – Spätgot. Stadtkirche (1494 ff.). Die aus dem 12. Jh. stammende Burg Wildeck (Bergfried erhalten) wurde um 1545 und im 19. Jh. umgebaut. – 1292 erstmals als Stadt erwähnt; war bis 1994 Kreisstadt.

Zsigmondy ['ʃigmɔndi], Richard Adolf, österr. Chemiker, *Wien 1. 4. 1865, †Göttingen 23. 9. 1929; konstruierte 1902/03 mit Henry F. W. Siedentopf (*1872, †1940) das Ultramikroskop, erfand 1918 ein Membranfilter und 1922 ein Ultrafeinfilter. Z. erhielt 1925 für seine kolloidchem. Arbeiten den Nobelpreis für Chemie.

Zsolnay [ʃ-], Paul, österr. Verleger, *Budapest 12. 6. 1895, †Wien 11. 5. 1961; gründete 1923 den P. Z. Verlag für zeitgenöss. internat. Literatur. Während seines Exils in England 1938–46 gründete Z. mit W. Heinemann den Verlag Heinemann & Z. Seit 1946 baute er in Wien die »P. Z. Verlag GmbH« auf, die seit 1996 zum Hanser Verlag gehört.

Z^0-Teilchen [gesprochen »Z-Null«], *Physik:* →intermediäres Boson (→Weinberg-Salam-Theorie).

Ztr, Einheitenzeichen für →Zentner.

Zuaven (frz. Zouaves, eigtl. Suaveh), Berberstamm im Gebiet von Constantine, im Djurdjuragebirge, Algerien; stand im Ruf großer Tapferkeit; stellte Soldaten für das Osman. Reich, ab 1831 auch für Frankreich; dieses Corps (mit türk. Tracht) wurde ab 1837/41 nur noch durch Franzosen ergänzt und 1963 aufgelöst; es fand vorübergehend in anderen Staaten Nachahmer.

Zubehör, *Privatrecht:* bewegl. Sachen, die dem wirtsch. Zweck einer anderen Sache (Hauptsache) dienen sollen, ohne aber deren Bestandteil zu sein, und zu ihr in einem räuml. Verhältnis stehen, z.B. die zu einem Betrieb gehörenden Maschinen (§§97ff. BGB). Zwar sind Z.-Teile rechtlich selbstständige Sachen, doch ist ihr rechtl. Schicksal oft mit dem der Hauptsache verknüpft; so erstreckt sich der Kaufvertrag über ein Grundstück auch auf das Zubehör.

Zubuße, Nachschusspflicht beim →Kux.

Zuccalli [dz-] (Zugalli), Baumeisterfamilie aus Graubünden. **Enrico Z.** (*um 1642, †1724), in München seit 1673 Hofbaumeister und neben G. A. Viscardi der führende Architekt des noch italienisch bestimmten Barocks, vollendete dort die Theatinerkirche und baute Schloss Nymphenburg aus. Mit der Errichtung des Schlösschens Lustheim (1684–88) begann seine Arbeit für Schloss Schleißheim. Seit 1709 leitete er den Umbau von Kloster Ettal. Sein Neffe Giovanni **Gaspare Z.** (*um 1637, †1717) war seit 1688 Hofbaumeister in Salzburg, wo er St. Erhard und St. Kajetan (1700 vollendet von L. Stumpfegger) erbaute. BILDER Ettal, Schleißheim

Zuccalmaglio [tsukal'maljo], Anton Wilhelm Florentin von, Volksliedsammler und Musikschriftsteller, *Waldbröl 12. 4. 1803, †Nachrodt (heute zu Nachrodt-Wiblingwerde, bei Altena) 23. 3. 1869; gab 1838–40 mit A. Kretzschmer »Dt. Volkslieder mit ihren Original-Weisen« (2 Bde.) heraus, schrieb hierzu Texte und Melodien.

Zuccari [dz-], Federico, italienischer Maler, *Sant'Angelo in Vado (bei Urbino) 1540 (?), †Ancona 20. 7. 1609; tätig in Rom, Florenz und Venedig, 1574 in England, 1585–89 in Spanien; malte in stilist. Anlehnung an die Arbeiten seines Bruders Taddeo Z. (*1529, †1566), dessen Schüler und Mitarbeiter er war, Altarbilder und Fresken (Domkuppel, Florenz; Cappella Paolina, Vatikan; Palazzo Z., Rom, heute Sitz der Bibliotheca Hertziana) im Stil des späten Manierismus, über dessen Kunstlehre er 1607 ein Buch veröffentlichte. Weiteres BILD Großbritannien und Nordirland

Federico und **Taddeo Zuccari:** »Die Begegnung von Karl V. und Franz I.«, Detail eines Freskos (2. Hälfte des 16. Jh.) im Palazzo Farnese in Rom

Zucchini [tsu'ki:ni, italien.] *Pl.,* nicht rankende Kürbisvarietät mit meist grünen, manchmal gelb gestreiften längl. Früchten, die unreif geerntet werden; Feingemüse.

Zucht, →Züchtung.

Zuchthaus, früher Strafanstalt zur Vollstreckung der Z.-Strafe, die in der Bundesrep. Dtl. durch das 1. Strafrechtsreform-Ges. vom 25. 6. 1969 abgeschafft wurde; durch die einheitl. →Freiheitsstrafe ersetzt. – Auch das StGB *Österreichs* kennt keine Z.-Strafe mehr. Im *schweizer.* StGB (Art. 35) ist die Z.-Strafe als schwerste Strafe beibehalten worden (1 bis 20 Jahre oder lebenslänglich).

Züchtigungsrecht, das bisher gewohnheitsrechtlich anerkannte Recht der Personensorgeberechtigten auf maßvolle körperl. Züchtigung des ihrer Erziehung anvertrauten Kindes. Nach §1631 BGB sind entwürdigende Erziehungsmaßnahmen, v.a. körperl. und seel. Misshandlungen, verboten.

Richard Adolf Zsigmondy

Ein allg. Gebot gewaltfreier Erziehung ist nicht darin verankert. Missbrauch des Z. kann als Körperverletzung bestraft werden. Im Arbeitsrecht steht Lehrherren kein Z. zu. Auch die Schulgesetze geben kein Z. mehr; das von der Rechtsprechung bejahte (Gewohnheits-)Recht der Lehrer, als äußerste Maßnahme eine angemessene, die Verhältnismäßigkeit wahrende Züchtigung zu ergreifen, wenn andere Mittel versagt haben, ist sehr umstritten.

Zucker: Produktion von Rohrzucker[1]

Land	Jahr		
	1993	1994	1995
Brasilien	10097	12270	13835
Kuba	4246	4017	3259
Mexiko	4306	3808	4539
Vereinigte Staaten	3296	3126	3276
China[2]	6393	5075	4727
Indien	11750	11745	15337
Indonesien	2490	2450	2174
Pakistan	2740	3014	3085
Thailand	3825	4168	5447
Australien	4488	5217	5129
Welt	72371	74932	81085

[1] Angaben in 1000 t Rohzuckerwert. – [2] ohne Angaben für Hongkong und Taiwan

Zuchtlähme, die →Beschälseuche.

Zuchtmittel, im Jugendstrafrecht eine der Möglichkeiten, die Straftat eines Jugendlichen zu ahnden; geregelt in den §§13–16 Jugendgerichts-Ges. Z. werden vom Jugendgericht (Jugendrichter) angeordnet, wenn Jugendstrafe nicht geboten ist, Erziehungsmaßregeln aber nicht ausreichend erscheinen. Mögliche Z. sind die →Verwarnung, die Erteilung von Auflagen (z.B. Schadenswiedergutmachung, Erbringung von Arbeitsleistungen) und der →Jugendarrest.

Züchtung (Zucht), Beeinflussung von Populationen, Linien, Rassen und Sorten durch Auslese, gelenkte Kreuzungen und künstlich erzeugte Mutationen. (→Pflanzenzüchtung, →Tierzucht)

Zucker: Produktion von Rübenzucker[1]

Land	Jahr		
	1993	1994	1995
Deutschland	3860	3822	4238
Frankreich	5037	4903	4591
Großbritannien	1436	1373	1415
Italien	1542	1621	1618
Polen	2201	1495	1714
Russland	2717	1650	2050
Türkei	2179	1810	1195
Ukraine	4160	3632	3801
Vereinigte Staaten	3749	3795	3962
China[2]	1700	1250	1421
Welt	39853	34884	35899

[1] Angaben in 1000 t Rohzuckerwert. – [2] ohne Angaben für Hongkong und Taiwan

Zucker [zu italien. zucchero, entlehnt aus arab. sukkar], im chem. Sinn kristallines, wasserlösl., meist süß schmeckendes →Kohlenhydrat aus der Reihe der Mono- und Oligosaccharide; im allgemeinsprachl. Sinn Bez. für das Disaccharid →Saccharose, das v.a. aus Z.-Rüben und Z.-Rohr **(Rüben-Z.** bzw. **Rohr-Z.)** gewonnen wird, eine gut kristallisierende, angenehm süß schmeckende Substanz. – Bei den Monosacchariden unterscheidet man nach der Anzahl der Kohlenstoffatome Triosen, Tetrosen, Pentosen, Hexosen und Heptosen. Von den **Pentosen,** $C_5H_{10}O_5$, sind Arabinose, Xylose, Ribose und Desoxyribose bekannte Vertreter. Arabinose und Xylose sind Bausteine pflanzl. Polysaccharide, Ribose und Desoxyribose sind Bausteine der Nucleinsäuren. **Hexosen,** $C_6H_{12}O_6$, kommen natürlich in der Glucose, Mannose, Galaktose und Fructose vor. Die wichtigste natürl. **Heptose,** $C_7H_{14}O_7$, ist die in allen grünen Pflanzen enthaltene Seduheptulose.

Gewinnung: Die auf einen Z.-Gehalt von 15 bis 20% gezüchteten Rüben werden gewaschen, geschnitzelt und nach dem Gegenstromprinzip bis auf einen Restgehalt von 0,2 bis 0,3% Z. extrahiert. Als Nebenprodukt bleiben die entzuckerten Schnitzel zurück, sie sind ein gutes Viehfutter. Der mechanisch vorgereinigte Rohsaft wird mit Löschkalk versetzt; die so gefällten bzw. zerstörten Z.-Begleitstoffe werden nach Einleiten von Kohlendioxid (Karbonatation I) mit dem gebildeten Calciumcarbonat als **Scheideschlamm** (Düngemittel) entfernt. Nach anschließender Karbonatation II mit Feinfiltration und Ionenaustausch zur optimalen Entkalkung wird der gereinigte **Dünnsaft** (12–15% Trockenmasse) mehrstufig zu **Dicksaft** mit 65–68% Trockenmasse eingedampft und dreimal zu **Roh-Z.** kristallisiert, der noch von Dicksaft (Sirup) umgeben ist; zurück bleibt die →Melasse. Roh-Z. wird durch Abwaschen der Sirupreste **(Affination)** zu **Weiß-Z. (Affinade),** der durch Wiederauflösen, Aktivkohlebehandlung und erneute Kristallisation in Z.-Raffinerien die hochreine **Raffinade** ergibt. – Z.-Rohr (mit 12–17% Saccharose) wird zerkleinert und ausgepresst (2–3% Rest-Z.), der Rückstand **(Bagasse)** dient v.a. als Brennstoff oder unter Gewinnung des Zuckerrohrwachses zur Produktion von Papier, Pappe u.a.; Zuckerrohrrohsaft wird zur Z.-Herstellung ähnlich wie Zuckerrübenrohsaft aufgearbeitet. Das Bleichen von Z. oder ein Zusatz opt. Aufheller ist in Dtl. nicht zulässig.

Z.-Arten und Handelsprodukte: Laut Zuckerarten-Verordnung vom 8. 3. 1976 (i.d.F.v. 22. 12. 1981) werden in Dtl. unterschieden: raffinierter Z. (raffinierter Weiß-Z., Raffinade), Z. (Weiß-Z.), Halbweiß-Z., Flüssig-Z., Invertflüssig-Z., Invertzuckersirup, Glucosesirup, getrockneter Glucosesirup, kristallwasserhaltige Dextrose (kristallwasserhaltiger Trauben-Z.) und kristallwasserfreie Dextrose. Im Wesentlichen von der Form abgeleitete Handelsprodukte sind Würfel-Z., Puder-Z., Gelier-Z. (Raffinade mit Pektinzusatz), Kandis-Z., Hagel-Z., Z.-Hüte, Vanille-Z. (Mischung aus Z. und Vanillemark).

Wirtschaft: Die Weltzuckerproduktion betrug 1995 (Rohzuckerwert) 35,90 Mio. t Rüben-Z. und 81,09 Mio. t Rohr-Z.; wichtigste Produktionsländer waren für Rüben-Z. (in Mio. t) Frankreich (4,59), Dtl. (4,24), die USA (3,96) und Ukraine (3,80) und für Rohr-Z. Indien (15,34), Brasilien (13,84), China (4,73), Thailand (5,45) und Australien (5,13).

Geschichte: Die Kristallisation von Z. aus dem Saft des Z.-Rohrs wurde im 4. Jh. n. Chr. in Indien entdeckt. Die Araber vervollkommneten die Raffinationsmethoden, zur Zeit der Kreuzzüge gelangten der Z. und die Kenntnis der Z.-Gewinnung nach Europa. Z. diente zunächst v. a. als Heil- und Stärkungsmittel. Die Möglichkeit der Gewinnung von Z. aus Rüben wurde 1747 von A. S. Marggraf entdeckt. Mit der Kontinentalsperre (1806) kam es in Frankreich und Dtl. zur Gründung von Rübenzuckerfabriken.

📖 HOBHOUSE, H.: *Fünf Pflanzen verändern die Welt. Chinarinde, Z., Tee, Baumwolle, Kartoffel. A. d. Engl. München ⁴1996.*

Zuckeralkohole, mehrwertige, durch Reduktion von Mono- oder Oligosacchariden darstellbare, z. T. in der Natur vorkommende Alkohole. Aus Hexosen entstehen **Hexite,** aus Pentosen **Pentite** usw. Zu den Hexiten gehören z. B. Sorbit, Mannit und Dulcit, zu den Pentosen Arabit und Xylit. Die Z. sind farblos, kristallin, wasserlöslich und meist von süßem Geschmack. Sie finden daher als Zuckeraustauschstoffe Verwendung.

Zuckeraustauschstoffe, süß schmeckende Kohlenhydrate (z. B. Fructose) und Zuckeralkohole (z. B. Sorbit, Xylit), die im menschl. Körper insulinunabhängig verwertet werden können und anstelle von Zucker (Saccharose) und Glucose in der Diabetiker- und Reduktionsdiät verwendet werden. Nicht zu den Z. zählen die →Süßstoffe.

Zuckercouleur [-kulœ:r] *die,* der →Karamell.

Zucker|ester, Ester von Mono- oder Oligosacchariden, i. w. S. auch von Zuckeralkoholen, mit organ. oder anorgan. Säuren. **Zuckeracetate** dienen organ. Synthesen, **Zuckernitrate** haben Sprengstoffeigenschaften, **Zuckerphosphate** haben Bedeutung im Stoffwechsel, **Zuckersulfate** sind in der Natur weit verbreitet. Technisch am wichtigsten sind die Di- und Monoester der Zucker mit höheren Fettsäuren. Sie werden als Tenside **(Zuckertenside)** in Waschmitteln eingesetzt.

Zuckerhut (portugies. Pão de Açúcar), rundkuppiger, steilwandig aufragender, aus Gneis bestehender Berg an der Guanabarabucht, Brasilien; typischer Zuckerhutberg, Wahrzeichen von Rio de Janeiro, 395 m ü. M., Seilbahn zum Gipfel. BILD Rio de Janeiro

Zuckerhutberg (Glockenberg), in den wechsel- und immerfeuchten Tropen sowie in einigen Monsungebieten häufige, steilwandig konvexe Bergform; entstanden durch →Abschuppung).

Zuckerkäfer (Passalidae), Familie der Blatthornkäfer, überwiegend im trop. Amerika verbreitet; bis 80 mm lang, meist braun, glänzend, abgeplattet, die Flügeldecken mit Punktstreifen; sie können ebenso wie ihre sich in morschem Holz entwickelnden Larven zirpen.

Zuckerkrankheit (Zuckerharnruhr), der →Diabetes mellitus.

Zuckerpalme (Arenga pinnata), in Hinterindien und im Malaiischen Archipel heim. Fiederpalme, deren Zuckersaft Palmwein und Palmzucker liefert.

Zuckerrohr (Saccharum), Gattung der Süßgräser. Zur Rohrzuckergewinnung wird die formenreiche Kulturart **Z.** i. e. S. (Saccharum officinarum) angebaut. Die Pflanze wird bis zu 7 m hoch, hat maisähnl. Blätter; der bis zu 7 cm dicke Stängel enthält zuckersafthaltiges Mark, dessen Zuckergehalt (13–20 %) im unteren Teil zunimmt. Anbau in trop. bis subtrop. Gebieten, bes. in Brasilien, Kuba, Indien, Australien, Mexiko, China, Thailand, auf durchlässigen Böden. Das Z. benötigt in der Wachstumsperiode gleich bleibende Temperaturen zw. 25° und 28 °C und regenreiche Sommer. Man erntet nach 11–20 Monaten. Die Pflanzen werden geköpft, entblättert, über dem Boden abgehauen und sofort verarbeitet. Durch Destillation des Z.-Sirups wird Rum hergestellt. – Die Heimat des Z. ist SO-Asien. In Europa wurde es erst durch die Feldzüge Alexanders d. Gr. bekannt. Im 7.–9. Jh. verbreiteten die Araber mit dem Zucker auch das Z. bis in die Mittelmeerländer. Mit den Entdeckungsfahrten kam es nach Mexiko und Brasilien, Anfang des 18. Jh. nach Nordamerika.

📖 MINTZ, S. W.: *Die süße Macht. Kulturgeschichte des Zuckers. A. d. Engl. Frankfurt am Main u. a. 1992.*

Zuckerrübe, zur Gattung Beta gehörende Kulturform der →Runkelrübe, die bes. im gemäßigten Klima auf tiefgrundigem, humosem Lehmboden angebaut wird. Ihre Blätter werden als Viehfutter genutzt, die Rübe zu →Zucker verarbeitet, die Rückstände werden als Nass-, Sauer-, Trocken- oder Z.-Schnitzel verfüttert. BILD S. 430

Zuckersäuren, Polyhydroxycarbonsäuren, die durch Oxidation der Aldehyd- und der primären Hydroxylgruppe von einfachen Zuckern mit konzentrierter Salpetersäure entstehen, z. B. die Uronsäuren.

Carl Zuckmayer

Zuckmayer, Carl, Schriftsteller, *Nackenheim (Kr. Mainz-Bingen) 27. 12. 1896, †Visp (Kt. Wallis) 18. 1. 1977; emigrierte 1933 (Österreich, Schweiz, USA; seit 1946 amerikan. Staatsbürger), kehrte 1946 zurück; lebte ab 1958 in Saas-Fee (Wallis), ab 1966 schweizer. Staatsbürger. Z. hatte zuerst großen Erfolg mit dem vitalen Realismus seines rhein. Volksstücks »Der fröhl. Weinberg« (1925, 1952 verfilmt von E. Engel); es folgten »Schinderhannes« (1927, 1958 verfilmt von H. Käutner), »Katharina Knie« (1929) sowie »Der Hauptmann von Köpenick« (1930, u. a. 1956 verfilmt von H. Käutner), eine Satire auf den preuß. Militarismus. In den Stücken dieser Zeit traf er mit drast. Witz Untertanengeist und spießbürgerl. Engherzigkeit. 1930 schrieb er das Drehbuch zum Film »Der blaue Engel« (nach dem Roman »Prof. Unrat« von H. Mann). Sein Drama »Des Teufels General« (1946, 1955 verfilmt von H. Käutner; Neufassung 1966) um die Gestalt eines dt. Fliegergenerals im 2. Weltkrieg wurde in der Nachkriegszeit häufig aufgeführt. Weniger wirkten seine späteren Problemstücke (»Der Rattenfänger«, 1975). Z. trat auch als Lyriker (»Gedichte. 1916–1948«) und Erzähler (»Eine Liebesgeschichte«, 1934; »Salwàre oder die Magdalena von Bozen«, R., 1935; »Herr über Leben und Tod«, Erz., 1938; »Die Fastnachtsbeichte«, R., 1959) hervor. Seine Autobiographie »Als wär's ein Stück von mir. Horen der Freundschaft« (1966) ist ein wichtiges Dokument zur Literaturgeschichte des 20. Jh. – Z. erhielt 1925 den Kleist-Preis und 1929 den Georg-Büchner-Preis.

📖 Ayck, T.: *C. Z. Reinbek 28.–30. Tsd. 1993.*

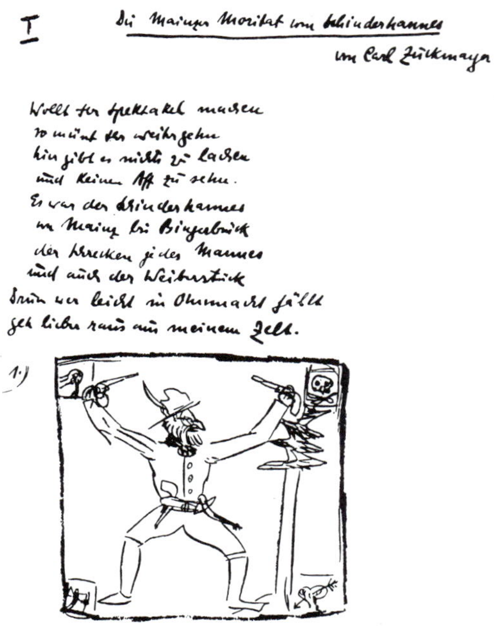

Carl Zuckmayer: Teil der ersten Manuskriptseite des »Schinderhannes« (1927)

Zuckmücken (Federmücken, Schwarmmücken, Chironomidae, Tendipedidae), Familie v. a. über die nördl. gemäßigte Zone verbreiteter Mücken mit zahlr. etwa 2–15 mm großen, gelbl., grünen, braunen oder schwarzen Arten; häufig Stechmücken sehr ähnlich, jedoch nicht stechend. Manche Arten zucken beim Sitzen mit den frei nach vorn gehaltenen Vorderbeinen. Die Männchen bilden zuweilen riesige, (aus der Ferne gesehen) Rauchschwaden ähnelnde arttyp. Schwärme. Die Larven leben entweder frei in Salz- und Süßgewässern oder in Gespinströhren im Schlamm und sind eine wichtige Fischnahrung.

Zuckerrüben

Zufall, 1) *allg.:* das, was ohne erkennbaren Grund und ohne Absicht geschieht (Ggs.: Notwendigkeit), das Mögliche, das eintreten kann, aber nicht eintreten muss. – Während als **absoluter Z.** etwas gilt, das weder durch sein Wesen notwendig (kontingent) noch durch eine Wirk- oder Zielursache eindeutig bestimmt ist (Indeterminismus), versteht man unter **relativem Z.** meist das im Einzelnen wohl kausal bedingte, aber absichtslose, unvorhergesehene, unbestimmbare, plan- oder regellose Zusammentreffen bzw. Eintreten von Dingen, Ereignissen u. a. – Mit den Gesetzmäßigkeiten im Auftreten bestimmter zufälliger Ereignisse befasst sich die Wahrscheinlichkeitsrechnung; in der →Quantenmechanik bildet die Deutung des Z. ein Grundproblem.

📖 Koch, G.: *Kausalität, Determinismus u. Z. in der wissenschaftl. Naturbeschreibung. Berlin 1994.*

2) *Recht:* die weder auf →Vorsatz noch auf →Fahrlässigkeit einer Person beruhende Ursache von Ereignissen. Grundsätzlich trägt jeder, der durch Z. einen Schaden erleidet, diesen selbst, jedoch haften z. B. der Schuldner im Verzug und der Dieb.

Zufallsgenerator, Gerät oder Schaltung zur Erzeugung elektr. Signale (z.B. digitale Bitfolgen) in zufälliger Reihenfolge. Z. dienen zur Steuerung von Messgeneratoren oder Zählschaltungen.

Zufallsgröße (Zufallsvariable), reelle Variable, die bei mehreren, unter gleichen Bedingungen durchgeführten Versuchen versch. Werte annehmen kann, von denen jeder ein zufälliges Ereignis darstellt. Ist Ω die Menge der mögl. Ausfälle eines Zufallsversuches, so heißt die Z. X **endlich** (oder **unendlich**), wenn $X(\Omega)$ endlich (bzw. unendlich) ist. Z., die nur endlich oder abzählbar unendlich viele Werte x_i annehmen können, heißen **diskret;** ist $X(\Omega)$ ein Intervall aus $\mathbb{R}$, so heißt X **stetig.** Ist die Wahrscheinlichkeit P bekannt, mit der die Z. X einen Wert unterhalb der Schranke x annimmt, wird die Verteilung einer Z. durch die **Verteilungsfunktion (Wahrscheinlichkeitsverteilung)** $F(x) = P(X<x)$ eindeutig festgelegt. Für diskrete Z. mit den Wahrscheinlichkeiten $p_i = P(X = x_i)$ und $\sum_i p_i = 1$ lässt sich die Verteilungsfunktion als $F(x) = \sum_{x_i<x} p_i$, für stetige Z. als $F(x) = \int_{-\infty}^{x} f(t)\,dt$ darstellen, wobei $f(x)$ als **Dichtefunktion (Wahrscheinlichkeitsdichte)** bezeichnet wird. Wichtige Kenngrößen einer Z. sind weiterhin ihr →Erwartungswert, ihre Standardabweichung (→Streuung) und die Kovarianz (→Korrelation); eine Z. heißt **zentriert,** wenn sie den Erwartungswert 0 hat, sie heißt **normiert (standardisiert),** wenn sie darüber hinaus die Standardabweichung 1 besitzt.

Zug, 1) *Mechanik:* die Beanspruchung eines Körpers (z.B. Werkstücks) durch zwei in entgegengesetzter Richtung wirkende Kräfte.

2) *Militärwesen:* mehrere Gruppen umfassende Teileinheit unter Leitung eines Z.-Führers. Mehrere Z. bilden eine Kompanie.

Zug, 1) Kanton in der Zentralschweiz, 239 km², (1996) 92 400 (zu 87% deutschsprachige, zu über 70% kath.) Ew. Z. liegt im Schweizer Mittelland, umfasst im SO das Zuger Bergland, im W und NW das Gebiet um den →Zuger See bis zur Reuß sowie das Hinterland von Cham und den Baarer Boden. Erwerbsquellen sind Viehzucht mit Milchwirtschaft und Rindermast, Obstbau (Kirschen, Birnen), elektron. Industrie, Maschinen-, Fahrzeug-, Apparatebau, Papier- und Nahrungsmittelindustrie. – Z. gehörte im frühen MA. zum Thurgau, später zum Zürichgau. 1803 entstand der Kanton in den Grenzen des alten städt. Territoriums; 1845–47 gehörte er zum kath. Sonderbund.

2) Hauptstadt von 1), am NO-Ufer des Zuger Sees, 21 700 Ew.; urgeschichtl., Afrika-, Fischerei-Museum; Elektroapparatebau, Metallwaren- u.a. Ind.; Viehmärkte, Fremdenverkehr. – Spätgot. Pfarrkirche (1478–1511), Rathaus (1505), Burg (13., Umbauten im 16. Jh.), die »Münz« (16.–17. Jh.); zum ältesten Teil der Stadtbefestigung gehört der »Zytturm« (1478–80 erneuert; Dachaufsatz 1557); daneben das 1497 erbaute Stadthaus (1575–83 umgebaut). – Um 1200 von den Kyburgern gegr., kam 1273 an die Habsburger; 1352/64 in die Eidgenossenschaft aufgenommen; 1799–1801 Hauptort des Kt. Waldstätten, seit 1803 des neu gegr. Kt. Zug.

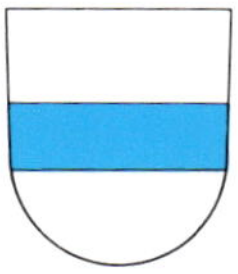

Zug 1) Kantonswappen

Zug 2) Stadtwappen

Zugabe, im Geschäftsverkehr eine unentgeltl. Zuwendung, die dem Kunden zusätzlich zur Ware oder Dienstleistung gewährt wird. Wegen der Gefahr von Wettbewerbsverzerrungen sind Z. nach der Z.-VO vom 9. 3. 1932 mit wenigen Ausnahmen (z.B. übl. Rabatte, ein Paar Socken zum Anzugkauf) verboten. Verstöße begründen ggf. Schadensersatzansprüche.

Zugbeeinflussung, Vorrichtung am Gleis und an Schienenfahrzeugen zur Überwachung des Zuglaufes vor Signalen oder Gefahrenstellen. Durch die Z. kann automatisch eine Zwangsbremsung des Triebfahrzeugs eingeleitet werden, wenn der Triebfahrzeugführer versagt und die Sicherheit des Zugbetriebs gefährdet ist. Weit verbreitet ist die **induktive Zugsicherung** (→Indusi). Außer der punktförmig wirkenden Indusi gibt es die **linienförmige Z.,** bei der über ein im Gleis verlegtes Kabel als Antenne Informationen zw. Triebfahrzeug und Signaleinrichtungen während der gesamten Fahrt ausgetauscht werden. Moderner ist die **Funk-Z.** mit ortsfesten Sende- und Empfangseinrichtungen an den Eisenbahnstrecken.

Zug 2): Altstadtansicht mit dem Stadthaus (15./16. Jh.) in der Bildmitte und dem Zytturm (14./15. Jh., Dachaufsatz 16. Jh.) im Hintergrund

Zügel, zum Führen von Reit- und Zugtieren die beiden an Stahlringen der Trense bzw. an Ösen der Kandare befestigten Lederriemen, Gurte oder Seile (→Zaum).

Zügel, Heinrich von (seit 1907), Maler, * Murrhardt 22. 10. 1850, † München 30. 1. 1941; war 1892 Mitbegründer der Münchner Sezession; spezialisierte sich auf Tierbilder, die er anfangs realistisch, später impressionistisch gestaltete.

Zuger See, Alpenrandsee in den schweizer. Kantonen Schwyz, Zug und Luzern, 413 m ü. M., 38,3 km² groß, rd. 14 km lang, bis 4 km breit, bis 198 m tief, von der Lorze durchflossen; in den reizvollen Uferlandschaften Fremdenverkehr.

Zugspitze

Warum ist die Zugspitze von Süden betrachtet 27 cm höher als wenn man sie von Norden her anschaut?

Das liegt an den nationalen Festlegungen für die Meeresspiegelhöhe (Normalnull). In Deutschland wird die Meereshöhe nach dem »Amsterdamer Pegel«, dem rechnerischen Mittelwasser der Nordsee, bestimmt. Die Definitionen in anderen Ländern richten sich nach anderen Orientierungspunkten, so in Österreich nach dem »Triester Pegel«, etwa 27 cm unter dem deutschen Normalnull.

zugesicherte Eigenschaften, *Recht:* Eigenschaften einer den Gegenstand eines Kauf-, Miet-, Reise- oder Werkvertrags bildenden Sache, deren Vorhandensein der Verkäufer (Vermieter u. a.) ausdrücklich zugesagt hat. Fehlen sie, so tritt → Gewährleistung ein.

zugewandte Orte, (bis 1798) die mit der schweizer. Eidgenossenschaft der »Dreizehn alten Orte« oder einzelnen Orten verbundenen Gebiete, die keinen Einfluss auf die eidgenöss. Politik hatten, aber Schutz genossen und Kriegshilfe leisten mussten: u. a. Graubünden, das Wallis, Basel, Rottweil (16./17. Jh.), Mühlhausen, St. Gallen, Biel, Genf, Neuenburg.

Zugewinngemeinschaft, → eheliches Güterrecht.

Zugfestigkeit, auf den Ausgangsquerschnitt bezogene höchste Zugbelastung, die ein Prüfkörper im → Zugversuch vor dem Bruch aufnehmen kann. Die Z. wird durch Korrosion, Werkstoffalterung u. a. teilweise stark gemindert.

Zugfunk, drahtloser Fernsprechdienst zw. fahrenden Eisenbahnzügen oder aus diesen mit örtl. Stellen. Über den Zugbahnfunk (nichtöffentl. Z.) verständigt sich der Lokführer mit der jeweils übergeordneten betriebsleitenden Stelle. Zum nichtöffentl. Z. gehört auch der Rangierfunk. Der Zugpostfunk (öffentl. Z., Zugtelefon) ermöglicht den Reisenden (bes. beim IC und ICE) Ferngespräche über das öffentl. Fernsprechnetz.

Zugkraft, 1) *Eisenbahnwesen:* die von einem Triebfahrzeug zur Eigenbewegung und zur Bewegung des Wagenzuges am Zughaken abgegebene Kraft. Z. ist abhängig von der Triebfahrzeugleistung und Fahrgeschwindigkeit (Z.-Kennlinie) und ist durch Reibung zw. Rad (Treibachsen) und Schiene oder Fahrbahn begrenzt (Reibungsgrenze).

2) *Mechanik:* jede an einer Querschnittsfläche eines Körpers angreifende, von ihr weg gerichtete Kraft.

Zugmittelgetriebe, Getriebe, bei dem zwei relativ zueinander bewegte Teile über ein **Zugmittel** (Kette, Keilriemen, Seil) gekoppelt sind, z. B. das kraftschlüssige Riemen- oder Seilgetriebe oder das formschlüssige Kettengetriebe.

Zugpflaster, *Medizin:* zur Verbesserung der örtl. Durchblutung angewendete hautreizende Arzneizubereitung, z. B. bei Furunkulose.

Zugriffszeit, bei Digitalrechnern die Zeit, die benötigt wird, um von einer Daten verarbeitenden Systemkomponente (z. B. Zentraleinheit, Kanal) auf eine Daten speichernde Komponente (z. B. Hauptspeicher, Register) zuzugreifen.

Zugspitze, höchster Berg Dtl.s, 2962 m ü. M., im Wettersteingebirge, Bayern, an der österr.

Zugspitze: Ansicht von Südwesten mit Lermoos in Tirol, Österreich

Grenze. Am W-Rand des **Zugspitzplatts,** einem Karrenfeld 2300–2600 m ü. M., liegen der **Schneeferner** (ein Gletscher) und das Schneefernerhaus (2650 m ü. M.). Der W-Gipfel (2962 m ü. M.) trägt das Münchner Haus des Alpenvereins und das Observatorium. Die bayer. Zugspitzbahn (elektr. Zahnradbahn) verbindet Garmisch-Partenkirchen mit dem Schneefernerhaus. Eine Großkabinenseilbahn führt vom Eibsee unmittelbar zur Bergstation. Die österr. Zugspitzbahn (Kabinenseilbahn) verbindet Ehrwald in Tirol mit der Station Zugspitzkamm (2804 m ü. M.).

Zug-um-Zug-Leistung, *Recht:* die Leistung, die gleichzeitig mit der Entgegennahme der Gegenleistung zu bewirken ist. Wer aus einem gegenseitigen Vertrag verpflichtet ist, kann die ihm obliegende Leistung bis zur Bewirkung der Gegenleistung verweigern, es sei denn, dass er zur Vorleistung verpflichtet ist (§ 320 BGB).

Zugversuch (Zerreißversuch), wichtigstes Verfahren zur Festigkeitsprüfung von Werkstoffen unter meist einachsiger stat. Zugbeanspruchung. Beim Versuch wird eine genormte Zugprobe in einer Zerreißmaschine unter Beobachtung der wirksamen Zugkraft stetig gedehnt, wodurch sie zunächst ohne merkl. Querschnittsänderung verlängert wird, sich schließlich an einer Stelle einschnürt und nach weiterer Verlängerung im Bereich der Einschnürung zerreißt. Ermittelt werden die **Zugfestigkeit,** die **Streckgrenze** (→ Fließgrenze), die **Bruchdehnung** (nach Zusammensetzen der Probenteile gemessene Längenänderung, bezogen auf die Ausgangslänge in %) und die **Brucheinschnürung** (Querschnittsänderung an der Bruchstelle, bezogen auf den Ausgangsquerschnitt in %). I. Allg. wird mit einer Schreibeinrichtung das **Kraft-Verlängerungs-Diagramm** der Probe durch die Maschine selbsttätig aufgenommen. Bezieht man die Größen auf den Ausgangsquerschnitt und die Ausgangslänge der Probe, so erhält man hieraus das **Spannungs-Dehnungs-Diagramm.**

Zugvögel, Vögel, die alljährlich in ihre artspezif. Winter- bzw. Brutgebiete ziehen. (→ Vogelzug)

Zuhälterei, Straftat, die begeht, wer einen anderen, der der Prostitution nachgeht, ausbeutet oder ihn seines Vermögensvorteils wegen bei der Ausübung der Prostitution überwacht usw. und im Hinblick darauf Beziehungen zu ihm unterhält, die über den Einzelfall hinausgehen. Die Z. wird nach § 181 a StGB mit Freiheitsstrafe von sechs Monaten bis zu fünf Jahren bestraft. – Auch in *Österreich* (§ 216 StGB) und in der *Schweiz* (Art. 195 StGB) ist Z. strafbar.

Zuidersee ['zœjdər-], → IJsselmeer.

Zuidholland ['zœjd-], die niederländ. Provinz Südholland.

Zukerman, Pinchas, israel. Violinist und Dirigent, * Tel Aviv 16. 7. 1948; hervorragender Interpret v. a. klass. Violinwerke, konzertiert in den internat. bed. Musikzentren sowie bei Festspielen; spielte häufig Kammermusik u. a. mit D. Barenboim, J. du Pré und I. Perlman; 1980–87 Leiter des St. Paul Chamber Orchestra von Minnesota.

Pinchas Zukerman

Zukunft, *Sprachwiss.:* eine Zeitform des Verbs (→ Futur, ÜBERSICHT Verb).

Zukunftsforschung, die interdisziplinären wiss. Bemühungen, die zukünftigen Entwicklungen durchschaubar zu machen und so die Voraussetzungen für verbesserte polit. und gesellschaftl. Planungen und Entscheidungen zu schaffen. Die Z. gliedert sich nach O. K. Flechtheim, der 1943 für sie den Begriff **Futurologie** prägte, in Prognostik, Planungswiss. und Philosophie der Zukunft. Neben Prognosen unterschiedl. Reichweite, die heute mit Vorstellungen der »Grenzen des Wachstums«, zunehmender Umweltschäden und unabsehbarer techn. Risiken verbunden sind, werden v. a. Modelle alternativer Entwicklungsmöglichkeiten als Entscheidungsgrundlagen entwickelt, um die Hauptprobleme für das Überleben der Menschheit in einer menschenwürdigen Zukunft zu bewältigen. Einer der ersten dt. Zukunftsforscher war R. Jungk; wichtige Anstöße stammen u. a. von dem Amerikaner H. Kahn sowie dem internat. Club of Rome. In Dtl. bestehen mehrere wiss. Institute für Z. und Zukunftsstudien. (→ Fortschritt)

Zuladung, bei Landfahrzeugen die → Nutzlast; bei Luftfahrzeugen die Summe der Massen von Nutzlast, Besatzung, Kraft- und Schmierstoffen sowie zusätzl. Ausrüstung; bei Schiffen die Tragfähigkeit, das → Deadweight.

Zulassung, die von bestimmten Voraussetzungen abhängige Eröffnung des Zugangs durch eine öffentlich-rechtl. → Erlaubnis. Bedeutsam ist die Z. zu Gewerben und zu Berufen (→ Berufsfreiheit), z. B. für Rechtsanwälte oder in Heilberufen; verfahrensrechtlich spielt die Z. der Revision eine Rolle, im Straßenverkehrsrecht sind → Kraftfahrzeuge zulassungspflichtig.

Züllig, Hans, schweizer. Tänzer, Choreograph und Tanzpädagoge, * Rorschach 1. 2. 1914, † Essen 8. 11. 1992; studierte u. a. bei K. Jooss in Essen und war 1935–47 Solist in dessen Truppe; wirkte später in Zürich, Düsseldorf sowie 1956–61 als Tänzer, Choreograph und Lehrer an der Univ. in Santiago de Chile; 1968–83 Leiter der Tanzabteilung der Essener Folkwangschule.

Zulliger, Hans, schweizer. Psychologe und Pädagoge, * Mett (heute zu Biel) 21. 2. 1893, † Ittigen (bei Bern) 18. 10. 1965; machte die Erkenntnisse der Psychoanalyse für die Praxis der Schule und Erziehungsberatung fruchtbar; Schöpfer des auf dem Verfahren des Rorschach-Tests basierenden

Hans Zulliger

Zülpich: Das aus dem 14. Jh. stammende Weiertor war Teil der ehemaligen Stadtbefestigung (13./15. Jh.)

Z-Tests; verfasste zahlr. Werke, bes. über Kindertherapie.

Zuloaga y Zabaleta [θulɔ'aɣa i θaβa-], Ignacio, span. Maler und Radierer, *Eibar (Prov. Guipúzcoa) 26. 7. 1870, †Madrid 31. 10. 1945; malte, anknüpfend an El Greco, Velázquez, Goya und in enger Verbindung zum Jugendstil meist Szenen aus dem span. Volksleben, sowie Porträts eleganter Damen und bedeutender Zeitgenossen.

Zülpich, Stadt im Kr. Euskirchen, NRW, vor den nördl. Ausläufern der Eifel, in der **Zülpicher Börde** (südl. Teil der niederrhein. Lössbörden), 19 000 Ew.; Museum; Textilind., Papier- und Maschinenfabrik, Brennerei. – Röm. Badeanlage (um 250), ehem. Benediktiner-Propsteikirche St. Peter (Neubau 1953–55; mit roman. Säulenkrypta, 11. Jh.), köln. Landesburg (14./15. Jh.), Reste der Stadtbefestigung (13.–15. Jh.) mit dem Weiertor (14. Jh.). – Röm. Gründung **(Tolbiacum),** im 6. Jh. merowing. Königspfalz; 1254/55 erstmals als Stadt erwähnt. In der Schlacht bei Z. siegte Chlodwig 496 über die Alemannen.

Zulu [z-] (Ama-Z., Slulu), Volk der →Nguni in Südafrika, für das in Natal das Homeland KwaZulu errichtet worden war (heute zur Prov. KwaZulu-Natal). Die in alter Tradition lebenden Z. sind v. a. Ackerbauern, Viehzüchter und Wanderarbeiter; rd. 8 Mio. Menschen. – 1816 vereinte →Chaka die Z.-Stämme zu einem Reich, das 1879 von brit. Truppen erobert und später mit Europäern besiedelt wurde; das Z.-Königtum blieb erhalten; die Z. erhielten Landesteile zugewiesen, die KwaZulu bildeten. Bei den innenpolit. Auseinandersetzungen in Südafrika spielt die polit. Bewegung der Z. (→Inkatha) eine entscheidende Rolle.

Zumárraga [θ-], Fray Juan de, span. Franziskaner, *Durango (bei Bilbao) um 1476, †Mexiko 3. 6. 1548; 1533 erster Bischof von Neu-Spanien (Mexiko); seit 1546 erster Erzbischof und Metropolit der mexikan. Kirchenprovinz; verteidigte die in den »Neuen Gesetzen« (1542) verbürgten Rechte der Indianer; förderte v. a. die Indianermission; ließ zahlr. Schulen und Hospitäler errichten sowie die erste Druckerei (1539) in der Neuen Welt.

Zumbusch, Kaspar Clemens, Ritter von (seit 1888), Bildhauer, *Herzebrock (heute zu Herzebrock-Clarholz) 23. 11. 1830, †Rimsting (bei Prien a. Chiemsee) 27. 9. 1915; 1873–1901 in Wien Prof. der Akademie. Mit dem Denkmal für Maximilian II. in München (1866–72) schuf Z. seine erste Monumentalplastik; ihr folgte 1873–88 in Wien das Denkmal für Maria Theresia. Sein Stil zeigt den Einfluss von C. D. Rauch und L. von Schwanthaler. – Sein Sohn Ludwig Z. (*1861, †1927) war Maler und Mitgl. der Münchener Sezession.

Zumsteeg, Johann Rudolf, Komponist, *Sachsenflur (heute zu Lauda-Königshofen) 10. 1. 1760, †Stuttgart 27. 1. 1802; war auf der Karlsschule Schillers Freund, komponierte Opern, Singspiele, Melodramen u. a.; mit seinen Liedern und Balladen (»Ritter Toggenburg«, 1796; »Lenore«, 1797) hat er F. Schubert beeinflusst.

Zumthor, Peter, schweizer. Architekt, *Basel 26. 4. 1943; wurde international bekannt mit den »Schutzbauten über römischen Ausgrabungen« (1985/86) in Chur und dem Bau des Internat. Ausstellungs- und Dokumentationszentrums »Topographie des Grauens« (1991 ff.) in Berlin.

Weitere Werke: Kapelle Sogn Benedetg (1985–89) in Sumvitg (Graubünden), Thermalbad (1986–96)

Peter Zumthor: Thermalbad in Vals (1986–96) im Kanton Graubünden in Vals (Graubünden), Wohnsiedlung Spittelhof (1991–96) in Biel-Benken, Kunsthaus Bregenz (1990–97).

Zumutbarkeit, *Recht:* die Angemessenheit einer Anforderung an ein bestimmtes Verhalten. Ist ein Handeln oder Hinnehmen (Dulden) nicht zumutbar, so kann strafrechtlich ein Entschuldigungsgrund gegeben sein und zivil- und arbeitsrechtlich eine Rechtsverpflichtung entfallen. Die Z. gilt für viele Rechtsverhältnisse und Tatbestände, z. B. im Strafrecht bei Unterlassungsdelikten (unterlassene Hilfeleistung nach Unfall), im Zivilrecht beim Immissionsschutz (§ 906 BGB), im Arbeitsrecht bei bestimmten Kündigungen, bei der Vermittlung Arbeitsloser auf bestimmte Stellen (Z. für Art und Ort der angebotenen Beschäftigung in § 121 SGB III).

Zündblättchen, zwei zusammengeklebte Papierblättchen oder -streifen, zw. denen sich ein schlagempfindl. Gemenge von rotem Phosphor und Kaliumchlorat befindet.

Zunder, 1) *Botanik:* leicht brennbare Schicht aus dem Fruchtkörper des →Zunderschwamms; früher zum Feueranmachen verwendet.

2) *Metallkunde:* meist lockere Oxidschicht auf Metalloberflächen, bes. die Eisenoxidschicht auf Stahl und Gusseisen, die sich beim Erhitzen des Werkstoffs in Luft oder anderen oxidierenden Gasen bildet. Im Walzwerk heißt der Z. **Walzsinter,** im Hammerwerk **Hammerschlag.**

Zünder, Vorrichtung zur Einleitung der Zündung von Explosivstoffen, Geschossen und Minen. Durch eingebaute Sicherungselemente werden Handhabungs-, Transport-, Lade-, Abschusssicherheit erreicht. Man unterscheidet nach der Auslösungsweise **Aufschlag-, Zeit-** und **Doppelzünder.** Die Zeit-Z. haben einstellbare Laufzeit entweder zw. Ingangsetzung des Z. (z. B. Abschuss) und Zündung des zu zündenden Stoffes (z. B. Luftsprengpunkt) oder zw. Auslösung des Z. (im Ziel) und Zündung des zu zündenden Stoffes (Langzeit-Z.). Die Doppel-Z. vereinigen Aufschlag- und Zeit-Z. in sich; sie bringen das Geschoss nach Ablauf einer eingestellten Z.-Laufzeit oder beim Aufschlag zur Wirkung. Nach dem Aufbau und der Funktionsweise unterscheidet man z. B. chem., elektr., mechan., pyrotechn. Z.; nach Ort und Lage z. B. Boden-, Innen-, Kopf-, Seitenzünder.

Zunderschwamm (Falscher Feuerschwamm, Wundschwamm, Fomes fomentarius), zu den Porlingen gehörender mehrjähriger Ständerpilz, der bes. auf Buchen und Birken Weißfäule (Kernfäule) erzeugt. An infizierten Bäumen entwickeln sich die bis zu 30 cm großen, konsolenförmigen, anfangs gelbbraunen, später schiefergrauen Fruchtkörper, aus deren getrockneter, mit Salpeterlösung getränkter Mittelschicht bis zur Erfindung der Zündhölzer **Zunder** hergestellt wurde, den man durch auftreffende Funken zum Glimmen brachte.

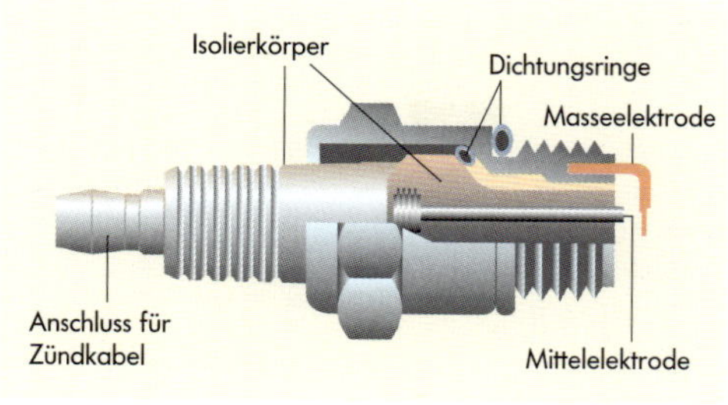

Zündkerze: Teilschnittdarstellung

Zündholz (Streichholz), zur Entfachung und Übertragung von Feuer dienendes Stäbchen aus Holz, Streifen aus Pappe oder anderem Material; mit einem durch Reiben entflammbaren Zündkopf versehen. Man unterscheidet **Sicherheits-Z.** (zum Reiben wird eine besondere Reibfläche benötigt) und **Überall-Z.** Der Zündkopf von Sicherheits-Z. enthält bis 60 % Kaliumchlorat (Oxidationsmittel), bis 7 % Schwefel (Brennstoff), bis 4 % Kaliumchromat (Katalysator), bis 25 % Glasmehl u. a. (Füllstoff und Schlackenbildner) sowie Bindemittel und Farbstoffe. Durch Imprägnieren der Holzstäbchen mit Phosphaten wird das Nachglimmen verhindert. Eine Paraffinschicht erleichtert die Entflammung. Überallzünder benötigen keine spezielle Anstrichfläche. Ihre Köpfe enthalten zusätzlich Tetraphosphortrisulfid.

Zündhütchen, früher die →Sprengkapsel.

Zündkerze, bei Ottomotoren eine Vorrichtung, die die Zündung des im Zylinder verdichteten Luft-Kraftstoff-Gemischs bewirkt. Sie besteht aus einem von einem Stahlgewinde mit Masseelektrode umgebenen Isolierkörper, der im Innern eine im Abstand von 0,4 bis 0,8 mm zur Masseelektrode angeordnete Mittelelektrode trägt. Der Zündfunke springt beim Anlegen der Zündspannung (bis über 20 kV) zw. den Elektroden über. Die Temperatur des Isolierkörpers muss so hoch sein, dass auftreffende Öltropfen verbrennen, also kein Verrußen eintritt, aber niedriger als die Zündungstemperatur des Gemischs, damit keine Glühzündungen entstehen. Z. sind v. a. nach ihrer therm. Belastbarkeit (»Wärmewert«) gekennzeichnet.

Zündmittel, Hilfsmittel zur Auslösung von Sprengladungen, die i. d. R. explosionsfähige Stoffe enthalten. Ältestes Z. ist die →Lunte, weiter gehören zu den Z. die Sprengkapsel, die Zündschnur und die Sprengschnur.

Zündschnur, als Zündmittel dienender, mit einem Explosivstoff gefüllter Gewebeschlauch. Die

Pulver-Z. hat eine Füllung aus Schwarzpulver. Sie dient zum Zünden von Schwarzpulver über eine zwischengeschaltete Sprengkapsel. Ihre Verbrennungsgeschwindigkeit beträgt etwa 1 cm/s. **Sprengschnüre** haben meist eine Füllung aus Pentaerythrittetranitrat (Salz der Salpetersäure). Sie werden von einer elektrisch oder durch eine Pulver-Z. gezündeten Sprengkapsel initiiert. Eine Sprengschnur überträgt die Detonation mit etwa 7000 m/s direkt auf mehrere Sprengladungen.

Zündsicherung, →Gassicherung.

Zündtemperatur (Zündpunkt), niedrigste Temperatur einer heißen Oberfläche, an der sich ein Brennstoff-Luft-Gemisch optimaler Zusammensetzung gerade noch entzündet und ohne Wärmezufuhr selbstständig weiterbrennt.

Zündung, die Entflammung des Kraftstoff-Luft-Gemischs in Verbrennungsmotoren. Bei Dieselmotoren erfolgt die Z. durch das Einspritzen des Kraftstoffs in Luft, deren Temperatur durch hohe Verdichtung über die Zündtemperatur des Kraftstoffs hinaus gesteigert wird (Selbst-Z.). In Ottomotoren wird die Z. durch einen von der **Zündanlage** erzeugten elektr. Funken herbeigeführt. Der von der Fahrzeugbatterie gelieferte Strom fließt durch die Primärwicklung eines Transformators **(Zündspule)** und hält ein Magnetfeld aufrecht. Der Strom wird zum gewünschten Zeitpunkt unterbrochen, wodurch in der Sekundärwicklung ein Stromstoß hoher Spannung (bis zu 30000 V) induziert wird, der über den Zündverteiler der jeweiligen →Zündkerze zugeleitet wird und dort den Zündfunken erzeugt. Die Unterbrechung des Primärstroms erfolgte früher durch einen mechan. Unterbrecher, heute werden meist kontaktlose »Zündgeber« in Form von Hall-Gebern (Hall-Kopf, →Hall-Generator) oder Induktionsgebern verwendet, die einen elektron. Unterbrecher ansteuern (Transistor-Z., elektron. Z.). Der Zündzeitpunkt muss in Abhängigkeit von Drehzahl und Belastung des Motors verändert werden. Dazu dienten früher mechan. Fliehkraft- und Unterdrucksteller, heute übernimmt diese Aufgabe eine elektron. Regelung. In Zukunft dürften sich immer mehr solche Zündanlagen durchsetzen, bei denen jeder Zündkerze eine eigene Zündspule zugeordnet ist. Dadurch werden höhere Zündspannungen möglich, und der Hochspannungsverteiler kann entfallen.

Zündverzug, beim Dieselmotor die von der →Zündwilligkeit des Brennstoffs abhängige Zeitspanne zw. dem Beginn der Kraftstoffeinspritzung und dem Beginn der Verbrennung.

Zündwaren, Gebrauchsgüter zum Entzünden von Feuer, im Unterschied zu den **Zündwerkzeugen,** wie Feuerzeuge oder Gasanzünder. Z. sind z.B. Zündhölzer.

Zündwarenmonopol, in Dtl. 1930 eingeführtes und bis 1983 bestehendes →Finanzmonopol. Das Z. wurde von der Dt. Zündwaren-Monopolgesellschaft, in der alle Zündwarenhersteller zusammengeschlossen waren, ausgeübt und erstreckte sich auf Übernahme, Vertrieb, Im- und Export von Zündwaren.

Zündwarensteuer, in Dtl. 1909 eingeführte Verbrauchsteuer auf Zündhölzer u.ä. Erzeugnisse; zum 1.1.1981 als Bagatellsteuer abgeschafft.

Zündwilligkeit, bei Dieselkraftstoffen die Bereitwilligkeit zur Selbstzündung durch die Kompressionswärme der Verbrennungsluft. Ein Maß für die Z. des Dieselkraftstoffs ist die Cetanzahl (→Cetan).

Zunft [mhd. »Regel«], im Hoch-MA. in allen europ. Städten entstandene Organisationsform von Handwerkern, Handel Treibenden (→Gilden) u.a. Gruppen zur Ausübung des gemeinsamen Gewerbes und Regelung der wirtsch. Verhältnisse v.a. im Interesse der Produzenten.

Zunft: Zunftwappen der Buchdrucker und Schriftsetzer aus der 2. Hälfte des 15. Jahrhunderts

Geschichte: Die Z. entstanden im 11./12. Jh. (früheste Urkunden) in den Städten, nachdem sich ein freier Handwerkerstand herausgebildet hatte (→Handwerk). Im MA. waren auch fast alle nichthandwerkl. Berufstätigkeiten (Notare, Musikanten, Krämer, selbst Bettler und Dirnen) in Z. organisiert. Die Zugehörigkeit zur Z. war v.a. an den freien Stand und die sog. ehrliche Geburt gebunden. Die äußere Organisation der Z., die von der Obrigkeit (Stadt, Landesherr, Kaiser) mit Monopolrecht ausgestattet war (es bestand **Z.-Zwang**), beruhte auf der Gliederung in Meister, Gesellen und Lehrlinge; i.d.R. war eine bestimmte Ausbildung für Lehrlinge und Gesellen vorgeschrieben: Lehrzeit, Gesellenzeit und Wanderzeit (als Wanderzwang erst seit dem 16. Jh.). Das Meisterstück als Nachweis der Kenntnisse und Fähigkeiten wurde erst im 15. Jh. allg. eingeführt. Entscheidungen wurden von den Meisterversammlungen (Morgensprachen) getroffen, denn nur die Meister waren Vollgenossen der Zünfte. An der Spitze standen zunächst landesherrl. Beamte, später die gewählten **Z.-Meister** (Aldermann). Reiche Z. hatten eigene Häuser (Z.-Häuser), andere zumindest eigene Stuben für ihre regelmäßigen Zusammenkünfte. Die **Z.-Ordnungen** (Z.-Statuten, Schragen) wurden von der Stadtobrigkeit, seit dem 15./16. Jh. auch vom Landesherrn (unter Vereinheitlichung) bestätigt oder erlassen und regelten u.a. Zugang zum Handwerk, Betriebsgröße, Arbeitszeit, Wettbewerb (Qualitätsvorschriften) und Rohstoffbezug. – Nach dem Vorbild der Z. waren die Gesellen seit dem 14. Jh. vielfach in → Gesellenbruderschaften (Schächte) zusammengeschlossen. In sozialer Hinsicht unterstützten die Z. auch die Gesellen (u.a. durch Einrichtung von Herbergen) und waren Träger von Kranken- und Sterbekassen. – Seit dem 14. Jh. strebten die Z. in den Z.-Kämpfen nach Beteiligung am Stadtregiment, das oft in den Händen patriz. Familien lag. Nach dem Dreißigjährigen Krieg (1618–48) begann die Krise des Z.-Wesens. Die alten Rechte der Z. wurden zu privatrechtl. Privilegien der Z.-Meister, der Z.-Zwang zum Mittel, Unzünftige vom Gewerbe auszuschließen. 1731 wurde eine Reichshandwerksordnung erlassen (»Reichsbeschluss« gegen die Missbräuche im Handwerk); ab dem 18. Jh. wurde die → Gewerbefreiheit eingeführt, so 1791 in Frankreich, 1810/11 in Preußen, 1859 in Österreich, endgültig in Dtl. 1869. – In den Innungen blieb der Gedanke des berufl. Zusammenschlusses lebendig.

Brauchtum: Die Meister traten im Zunfthaus bei geöffneter **Z.-Lade** zusammen; diese war oft in Form eines dem Zunftheiligen geweihten Klappaltars gearbeitet und enthielt die Namen der Zunftmitglieder (»Zünftigen«). Die Gesellen pflegten eigene Bräuche; die Lehrlinge wurden unter feierl. Zeremonien losgesprochen, die mitunter in derben Scherzen endeten. Einzelne Bräuche haben sich bis heute erhalten, z.B. das »Gautschen« der Drucker, in München der Schäfflertanz und Metzgersprung (mit heute eher folklorist. Charakter). 1968 entstand eine Vereinigung »Europ. Gesellenzünfte«, die v.a. die Wandertradition fortführt.

In den Wappen der Z. wurden Werkzeuge oder Erzeugnisse des betreffenden Handwerks unter mehr oder weniger strenger Beachtung der Regeln der Heraldik dargestellt. Manche Z.-Wappen galten für den gesamten Berufszweig, z.B. das Künstlerwappen. Bei örtl. Z.-Wappen wurde oft ein Stadtwappen hinzugenommen.

📖 *Gilden u. Zünfte. Kaufmännische u. gewerbliche Genossenschaften im frühen u. hohen Mittelalter, hg. v.* B. SCHWINEKÖPER. *Sigmaringen 1985.* – GEORGES, D.: *1810/11–1993: Handwerk u. Interessenpolitik. Von der Z. zur modernen Verbandsorganisation. Frankfurt am Main u.a. 1993.* – MOOS, A. VON: *Zünfte u. Regiment. Zürich 1995.*

Zunge, 1) *Anatomie:* (Lingua, Glossa) muskulöses Organ am Boden der Mundhöhle der meisten Wirbeltiere und des Menschen, das bei der Nahrungsaufnahme und -prüfung, dem Schluckakt, der Körperpflege sowie der Lautbildung beteiligt ist. Der Z.-Muskel weist einen im Körper einmaligen Bau auf. Die Muskelfasern verlaufen dreidimensional (von vorn nach hinten, vom Rand zur Mitte, von oben nach unten). Dadurch erhält die Z. eine ungewöhnl. Beweglichkeit. Die Schleimhaut des Z.-Rückens trägt unterschiedl. Papillen. Die Fadenpapillen rauen die Oberfläche auf und vermitteln die Tastempfindung. Die Z. hat das feinste Tastempfinden des Körpers. Pilz-, Wall- und Blattpapillen sind die Träger der Geschmacksknospen (→ Geschmackssinn).

2) *Musik:* bei Musikinstrumenten elast., den Windstrom in schneller Abwechslung freigebendes und verschließendes und damit tonerregendes Blatt aus Schilfrohr **(Rohrblatt)** oder Metall. Es gibt **aufschlagende** (Klarinette, Saxophon) und **durchschlagende** oder **frei schwebende Z.** (Harmonium, Mund- und Ziehharmonika). Bei **Gegenschlag-Z.** schlagen zwei Z. gegeneinander (Oboe, Fagott).

Zungen (Seezungen), Familie der → Plattfische.

Zungenbecken, durch die Erosion einer Gletscherzunge geschaffene Hohlform, meist von Endmoränen umgeben. Die Z. waren nach dem Abschmelzen des pleistozänen Eises meist von Seen eingenommen (heute noch: Ammersee, Chiemsee, Schweriner See).

Zungenbein (Hyoid), spangenförmiger Knochen oberhalb des Kehlkopfs; dient mehreren Muskeln zur Befestigung.

Zungenbelag, aus abgestoßenen oberflächl., meist verhornten Zellen, Speiseresten und Bakterien bestehender Belag, der auch beim Gesunden vorhanden ist. Eine »belegte Zunge« weist v.a. auf Krankheiten von Mundhöhle, Rachen, Magen und Darm hin.

Zungenpfeife, Pfeife, deren Ton mit einer Zunge aus Metall erzeugt wird. (→ Orgel, → Pfeife)

Zungenreden, *N. T.:* → Glossolalie.

Zungenregister (Zungenstimme), ein aus Zungenpfeifen bestehendes Register der Orgel.

Zungenschlag (Zungenstoß), beim Blasinstrumentenspiel eine Zungenbewegung, die es ermöglicht, nicht gebunden (staccato) zu spielende Töne voneinander zu trennen.

Zungenwürmer (Pentastomida, Linguatulida), Stamm etwa 0,5–14 cm langer, wurmförmiger, meist farbloser Gliedertiere, die vorwiegend in den Atemwegen der Landwirbeltiere parasitieren; mit Mundöffnung und vier Krallen am Vorderende; entwickeln sich (z.T. unter Wirtswechsel) über versch. Larvenstadien.

Francisco de Zurbarán: »Christus am Kreuz und der heilige Lukas« (undatiert; Madrid, Prado)

Zünsler (Pyralididae), Schmetterlingsfamilie mit kleinen, unscheinbaren Arten; Körper schlank, Beine lang, Flügelhaltung in Ruhe dachförmig; meist nachtaktiv; Raupen leben in Gespinströhren und fressen an Wurzeln, Stängeln oder Vorräten pflanzl. Herkunft, z.B. Mehlmotte, Wachsmotten.

Zụnz, Leopold, jüd. Religions- und Literaturhistoriker, *Detmold 10. 8. 1794, †Berlin 17. 3. 1886; 1840–50 Direktor des jüd. Lehrerseminars in Berlin; verfasste zahlr. Arbeiten zur Geschichte der jüd. Literatur; gilt durch seine Schrift »Etwas über die rabbin. Literatur« (1818) als Begründer der →Wissenschaft des Judentums.

Zunzunegui y Lorẹdo [θunθuˈneɣi i-], Juan Antonio de, spanischer Schriftsteller, *Portugalete (heute zu Bilbao) 21. 12. 1901, †Madrid 31. 5. 1982; schrieb Erzählungen aus seiner bask. Heimat, später gesellschaftskrit. Romane mit realist. Milieuschilderungen, vorwiegend aus der Welt des nordspan. Bürgertums (»Die dunklen Straßen von Madrid«, 1954).

Zuoz [ˈtsuo̯ts], Gemeinde im Kt. Graubünden, Schweiz, im Oberengadin, 1750 m ü.M., 1200 Ew.; Lyceum Alpinum; Wintersportplatz; zahlreiche typ. Engadiner Wohnhäuser (16.–18. Jh.), z.T. mit Wohntürmen.

Župančič [ʒuˈpaːntʃitʃ], Oton, slowen. Dichter, *Vinica (Krain) 23. 1. 1878, †Ljubljana 11. 6. 1949; ab 1920 Dramaturg und Leiter des Nationaltheaters in Ljubljana; bereicherte die Dichtung seines Landes um den freien Vers, neue Symbole, kühne Bilder; zahlreiche Übersetzungen aus der engl. (Shakespeare), frz. und dt. Literatur.

Zupfgeige, volkstüml. Bez. für →Gitarre.

Zupfgeigenhansl, von Hans Breuer (*1883, †1918), dem Führer einer Heidelberger Wandervogelgruppe, 1909 hg. Liederbuch der dt. Jugendbewegung.

Zupf|instrumente, Saiteninstrumente, die durch Zupfen oder Anreißen der Saiten mit den Fingern, einem →Plektron oder Schlagring u.a. gespielt werden, z.B. Harfe, Mandoline, Laute, Gitarre, Zither, Balalaika, Banjo und Bandurria.

Zurbarán [θurβaˈran], Francisco de, span. Maler, getauft Fuente de Cantos (Prov. Badajoz) 7. 11. 1598, †Madrid 27. 8. 1664; wirkte in Sevilla und Madrid. Z. ist neben D. Velázquez und J. de Ribera der führende Vertreter der religiösen span. Barockmalerei. Er malte bes. Andachtsbilder und Gemäldefolgen aus dem Mönchsleben sowie Stillleben in der Helldunkelmanier Caravaggios. Der Einfluss der span. Mystik und Quietistenbewegung ist in seinen vorwiegend kontemplativen Bildern spürbar. Zu seinen Hauptwerken zählt der Zyklus aus dem Leben des hl. Bonaventura für die Franziskanerkirche in Sevilla (heute Paris, Louvre; Berlin, Gemäldegalerie, u.a.); daneben schuf er u.a. auch das Gemälde »Christus am Kreuz und der hl. Lukas« (Madrid, Prado).

Zurechnungsfähigkeit, *Recht:* →Schuldunfähigkeit; →Deliktsfähigkeit.

Zurechnungszeit, *gesetzl. Rentenversicherung:* die Zeit zw. Eintritt des Versicherungsfalls und (seit 1. 1. 1992) des 60. Lebensjahres des Versicherten, die den anrechnungsfähigen Versicherungsjahren entsprechend der gesetzl. Vorschrift hinzuzurechnen ist (§ 59 SGB VI).

Zürgelbaum (Celtis), Gattung der Ulmengewächse v.a. in den Tropen, einige Arten auch in der nördl. gemäßigten Zone; Bäume oder Sträucher mit unscheinbaren Blüten und kugeligen Steinfrüchten. In S-Europa, N-Afrika und W-Asien heimisch ist der **Südliche Z.** (Celtis australis), dessen zähes, elast. Holz u.a. zur Herstellung von Blasinstrumenten verwendet wird.

Zürich, 1) Kt. der Schweiz, 1729 km², (1996) 1,18 Mio. Ew.; umfasst die Bezirke Affoltern, Andelfingen, Bülach, Dielsdorf, Hinwil, Horgen, Meilen, Pfäffikon, Uster, Winterthur und Z.; im Schweizer Mittelland, erstreckt sich vom Hochrhein über das hügelige Alpenvorland bis zu den Voralpen (im Schnebelhorn 1293 m ü. M.) beiderseits des Zürichsees; östlich des Zürichsees das Zürcher Oberland, nördlich von Winterthur das Zürcher Unterland. Haupterwerbszweige sind Maschinenbau, Elektro-, Uhren-, Textil-, Möbel-, Nahrungsmittelind.; Landwirtschaft (auch Weinbau) nimmt ab.

2) Hauptstadt von 1), am Ausfluss der Limmat aus dem Zürichsee, 343 900 Ew.; größte Stadt sowie wirtsch. Zentrum der Schweiz; Univ., Eidgenöss. TH, Konservatorium, Musikakademie und Musikhochschule, Opernhaus, Schauspielhaus u. a. Theater, zahlr. Museen (u. a. Schweizer Landesmuseum, Kunsthaus Z., Museum Rietberg, Völkerkundemuseum u. a. der Univ. angeschlossene Museen), Zentralbibliothek, Schweizer. Inst. für Auslandsforschung, zoolog. und botan. Garten. Z. ist bedeutendster Bank-, Versicherungs- und Handelsplatz der Schweiz; Kongress- und Messestadt; Fremdenverkehrszentrum; wichtigstes Ind.zentrum der Schweiz: Maschinenbau, Textil-, Elektroindustrie, graf. Betriebe und Buchverlage; Hauptverkehrsknotenpunkt, internat. Flughafen Z.-Kloten.

Stadtbild: Beiderseits der Limmat liegt die Altstadt mit zahlr. Zunfthäusern, meist aus dem 17. und 18. Jh.; rechts der Limmat das Großmünster, eine dreischiffige roman. Pfeilerbasilika (11.–13. Jh.) mit spätgot. Doppelturmfassade (1487–92), die spätgot. Wasserkirche (1479–84) und die Predigerkirche (1269 vollendet, Chor 1. Hälfte 14. Jh., Langhaus 1609–14 barockisiert); Rathaus (1694–98); links der Limmat steht das Fraumünster (auf Vorgängerbau, 12.–14. Jh.), eine dreischiffige Pfeilerbasilika mit roman. Chor, Chorflankentürmen und got. Langhaus; Chorfenster von M. Chagall (1970); bed. auch St. Peter mit roman. Chorturm (13. Jh.) und barockem Langhaus (1705/06). Weitere bed. Bauten: das klassizist. Neumünster (1836/39), die spätklassizist. Villa Wesendonck (1853/57, darin heute Rietberg-Museum), die historist. Eidgenöss. TH (1861–64, nach Entwürfen von G. Semper) und die Univ. (1911–14). Ein herausragendes Beispiel des »Neuen Bauens« ist die Werkbundsiedlung Neubühl (1930–32).

Geschichte: Urspr. von kelt. Helvetiern **(Pagus Tigurinus),** im 1.–4. Jh. n. Chr. von Römern besiedelt **(Castellum Turicum);** seit dem 5. Jh. alemann. Siedlung, seit dem 9. Jh. Marktflecken (929 Stadt gen.). Um 800 Errichtung einer karoling. Königspfalz und des geistl. Stiftes Großmünster, 853 der Reichsabtei Fraumünster; kam 1098/1173 an die Zähringer, ab 1218 freie Reichsstadt (bis 1499/1648); 1291 erstes Bündnis mit Uri und Schwyz, 1351 Anschluss an die Eidgenossenschaft (der Waldstätte); im 14.–16. Jh. Erwerbung eines stadtstaatl. Untertanengebiets (u. a. Amt Knonau, Grafschaft Kyburg, östl. Aargau); unter H. Zwingli ab 1523 Zentrum der Reformation in der Schweiz, ab 1712 mit Bern polit. Führung der Eidgenossenschaft; gehörte 1798–1803 zur Helvet. Republik; seit 1803 Hptst. des gleichnamigen neuen Kantons.

📖 *Z. 1967–92. Notizen u. Bilder zu einer Stadt u. einer Zeit, hg. v.* H. VOGEL. *Zürich 1992.* – BAU-

Zürich 1) Kantonswappen

Zürich 2) Stadtwappen

Zürich 2): Blick über die an beiden Seiten der Limmat gelegene Altstadt auf den Zürichsee; links am Bildrand ist der Turm der Predigerkirche zu erkennen, in der Mitte die Doppelturmfassade des Großmünsters, rechts im Bild das Fraumünster und dahinter die Kirche Sankt Peter

MANN, W.: *Z.s Kirchen, Klöster u. Kapellen bis zur Reformation. Zürich 1994. – Z. zurückgeblättert 1870–1914. Werden u. Wandel. Zürich ⁴1994.*

Zürichsee, See in der Schweiz, in den Kantonen St. Gallen, Schwyz und Zürich, 406 m ü. M., 90 km², 40 km lang, 1–4 km breit, bis 143 m tief; in einem eiszeitl. Zungenbecken. Der Z. ist durch den Linthkanal mit dem Walensee verbunden und entwässert durch die Limmat.

Zurichtung, 1) *graf. Technik:* vorbereitender Arbeitsgang für den Fortdruck (v. a. im Hochdruck), durch den Höhendifferenzen zw. Druckmaschine und Druckform ausgeglichen werden.

2) *Rauchwaren:* alle Arbeitsgänge, die vom Rohfell zum kürschnerfertigen Fell führen.

Zur Mühlen, Hermynia, österr. Schriftstellerin, *Wien 12. 12. 1883, †Radlett (bei Watford) 20. 3. 1951; Tochter eines adligen Diplomaten, mit Sympathien für die proletar. Bewegung; nach 1938 Emigration (Tschechoslowakei, Großbritannien). Sie schrieb politisch engagierte Romane, Erzählungen und Märchen (»Das Schloß der Wahrheit«, Erz., 1924; »Die weiße Pest«, R. 1926).

Zürn, oberschwäb. Stein- und Holzbildhauerfamilie, tätig seit Ende des 16. Jh. Bed. Vertreter:

1) Jörg, *Waldsee (heute Bad Waldsee) um 1585, †Überlingen zw. 1635 und 1638, Bruder von 2), Onkel von 3); schnitzte 1613–19 (unter Mitarbeit seines Vaters Hans Z. d. Ä. sowie von Martin und Michael Z. d. Ä.) für das Münster in Überlingen den Hochaltar, ein aus spätgot. Überlieferung erwachsenes, Formen des niederländ. Manierismus verarbeitendes Werk. Es gehört zu den Hauptleistungen des dt. Frühbarock.

2) Martin, *Waldsee (heute Bad Waldsee) um 1590, †Braunau am Inn nach 1658, Bruder von 1), Onkel von 3); arbeitete seit 1624 meist gemeinsam mit seinem Bruder Michael Z. d. Ä. (*um 1590, †nach 1651) im bayerisch-österr. Innviertel; sie entwickelten in ihren Werken aus dem späten Manierismus eine barocke Formensprache.

3) Michael d. J., *Wasserburg a. Inn 18. 2. 1654, †Passau 1698, Neffe von 1) und 2); 1675–81 in Olmütz, seit 1681 in Gmunden am Traunsee. Sein Hauptwerk sind 16 überlebensgroße Engelsgestalten aus Marmor (1682/84 und 1685/86, Kremsmünster, Stiftskirche), die zu den besten Werken der österr. Plastik am Ende des 17. Jh. gehören.

Zurückbehaltungsrecht (Retentionsrecht), das Recht des Schuldners, die geschuldete Leistung zu verweigern, bis die ihm gebührende Gegenleistung bewirkt wird. Es besteht nur, wenn beide Ansprüche auf demselben rechtl. Verhältnis beruhen (Konnexität der Ansprüche) und der Anspruch des Schuldners fällig ist (§ 273 Abs. 1 BGB). Auch wer zur Herausgabe eines Gegenstandes verpflichtet ist, hat an diesem ein Z., wenn ihm ein fälliger Anspruch wegen Verwendungen auf den Gegenstand oder wegen eines durch diesen verursachten Schadens zusteht (§§ 273 Abs. 2, 1000 BGB). Im Prozess führt die Geltendmachung des Z. zur Verurteilung auf Erfüllung Zug um Zug (§ 274 BGB). Das **kaufmänn. Z.** besteht wegen aller Ansprüche aus beiderseitigen Handelsgeschäften; es setzt keine Konnexität voraus und gibt über die bloße Leistungsverweigerung hinaus einen Anspruch auf Befriedigung nach den Regeln des Pfandverkaufs beim Pfandrecht (§§ 369 ff. HGB). – Nach *österr.* Recht ist das Z. ähnlich dem des BGB geregelt (§§ 471, 1052, 1062 ABGB; § 369 HGB); ebenso im *schweizer.* Recht (Art. 700 und 895 ff. ZGB, für Einzelfälle Art. 268 ff. OR).

Jörg Zürn: Der Hochaltar im Überlinger Münster wurde in den Jahren 1613–19 unter Mitarbeit weiterer Familienmitglieder geschaffen

Zurückverweisung, die Verweisung einer Prozesssache vom Rechtsmittelgericht an die Vorinstanz oder ein anderes Gericht gleicher Ordnung zur erneuten Verhandlung und Entscheidung; geschieht überwiegend im Revisionsverfahren zur weiteren Tatsachenfeststellung.

Zurzach, Bezirkshauptort im Kanton Aargau, Schweiz, am Hochrhein, 3900 Ew.; Messe- und Bezirksmuseum; Thermalbad; Sodafabrik, Schuh- und Textilind.; got. Stiftskirche (1347; 1733/34 barockisiert). – Von der röm. Siedlung **Tenedo** sind die Fundamente eines Kastells erhalten.

Zusammenlegung, 1) *Aktienrecht:* die Vereinigung mehrerer Aktien zu einer einzigen (unter

Verringerung des Nennbetrags) zum Zwecke der Kapitalherabsetzung.

2) *Grundstücksrecht:* →Grundstückszusammenlegung.

Zusammenrottung, der auf Begehung von Gewalttätigkeiten ausgerichtete Zusammenschluss mehrerer Personen; bedeutsam bei Gefangenenmeuterei und schwerem Hausfriedensbruch.

Zusammensetzung, *Sprachwissenschaft:* Art der →Wortbildung mithilfe selbstständiger Wörter, auch das aus diesem Verfahren hervorgegangene Wort **(Kompositum).**

Zusammentragmaschine, *Buchbinderei:* eine Maschine, die die gedruckten und nummerierten Bogen oder -teile in die für die einzelnen Exemplare richtige Reihenfolge bringt.

Zusammenveranlagung, →Ehegattenbesteuerung.

zusammenziehende Mittel (adstringierende Mittel, Adstringenzien), Arzneimittel, die durch oberflächl. Proteinfällung in den obersten Zellschichten der behandelten Gewebe (Wunden, Schleimhäute) örtlich blutstillend und entzündungshemmend wirken. Zu den z. M. gehören v. a. Gerbstoffe (z. B. Tannin) und Oxidationsmittel (z. B. Kaliumpermanganat).

Zusatzstoffe, *Lebensmittelrecht:* Stoffe, die Lebensmitteln zur Beeinflussung ihrer Beschaffenheit oder zur Erzielung bestimmter Eigenschaften oder Wirkungen beim gewerbsmäßigen Herstellen und Behandeln in fest umgrenzten Fällen zugesetzt werden dürfen (Z.-Zulassungsverordnung vom 22. 12. 1981). Ein Teil der Z. unterliegt (seit 1984) der Kennzeichnungspflicht, zu benutzen sind die innerhalb der EU verwendeten E-Nummern. Von der Verordnung ausgenommen sind Stoffe wie Zucker, Kochsalz und natürl. Gewürze oder diesen chemisch gleiche (naturident.) Stoffe sowie Trink- und Tafelwasser. Die Z. werden in Gruppen aufgeführt, u. a.: Lebensmittelfarbstoffe, Konservierungsstoffe, Antioxidantien, Emulgatoren (und Stabilisatoren), Gelier- und Verdickungsmittel, Aromastoffe, Geschmacksverstärker, Säuerungsmittel, Schmelzsalze und Süßstoffe. Den Z. gleichgestellt werden Mineralstoffe und Spurenelemente sowie deren Verbindungen, außer Kochsalz, Aminosäuren und deren Derivate, Vitamine A und D und deren Derivate, Zuckeraustauschstoffe (außer Fructose), Nitritpökelsalz u. a.

Für die landwirtschaftl. Tierhaltung gibt es Bestimmungen über Futtermittelzusatzstoffe.

Zuschlag, 1) *Bautechnik:* (Zuschlagstoffe) mineral. oder organ. Stoffe, die mit Bindemittel und Wasser zu Beton oder Mörtel gemischt werden.

2) *Hüttenkunde:* Zusatzstoffe bei metallurg. Schmelzverfahren zur Bildung einer günstigen Schlacke, z. B. Kalkstein, Kalk, Salz, Sand, Flussspat, und zum Entfernen der Eisenbegleiter wie Kohlenstoff, Schwefel, Phosphor.

3) *Recht:* Annahmeerklärung des Versteigerers gegenüber dem letzten Höchstgebot (→Versteigerung).

Zuschreibung, 1) *Betriebswirtschaftslehre:* Erhöhung des Buchwerts von Gegenständen des Umlauf- und Anlagevermögens als Folge einer Wertzunahme ohne Änderung der Substanz oder der Wesensart des Wirtschaftsgutes oder als Korrektur überhöhter Abschreibungen früherer Rechnungsperioden. Obergrenze für die Z. sind die Anschaffungs- oder Herstellungskosten. Handels- und steuerrechtlich sind Z. nur zulässig, wenn die Gründe für außerplanmäßige Abschreibungen in früheren Perioden nicht mehr bestehen.

2) *Kunstgeschichte:* Bestimmung des Autors eines Kunstwerks, das weder durch eine Signatur noch durch Urkunden als authent. Arbeit eines Künstlers ausgewiesen ist.

3) *Recht:* →Grundstückszusammenlegung.

Konrad Zuse

Zuse, Konrad, Ingenieur, *Berlin 22. 6. 1910, †Hünfeld 18. 12. 1995; entwickelte 1934–38 die erste programmgesteuerte Rechenanlage (Z1), die bereits mit dem binären Zahlensystem arbeitete; schuf 1941 den ersten voll arbeitsfähigen programmgesteuerten elektromechan. Digitalrechner, den Rechner Z3 mit 2000 Relais. Gleichzeitig arbeitete Z. an der Röhrenrelaistechnik für Computer (Z4, 1942). Die von ihm 1949 gegr. Z. KG, die ab 1955 elektron. Rechner baute (insbes. Z22, Z33), ging später in der Siemens AG auf.

Zustand, *Physik, physikal. Chemie:* momentane Bewegungsform eines physikal. Systems. Physikal. Größen, deren Messwerte den Z. vollständig oder teilweise beschreiben, werden als **Z.-Größen** bezeichnet; sie sind Observable. Neben den i. Allg. betrachteten thermodynam. Z. spricht man auch von Bewegungs-, Spannungs-Z. u. a. und unterscheidet allg. **stationäre (Gleichgewichts-)Z.,** in denen die Energie eines Systems einen festen Wert besitzt, von **nichtstationären,** zeitlich veränderl. Z. In der klass. →Thermodynamik untersucht man stationäre (quasistationäre) Z., die im thermodynam. Gleichgewicht durch die Angabe zweier unabhängiger Z.-Größen bestimmt und durch Z.-Gleichungen verknüpft sind. Je nach physikal. Betrachtungsweise werden die Z. der untersuchten Systeme makroskopisch oder mikroskopisch beschrieben. – In der klass. Mechanik ist der Z. durch die Angabe der Orte und Impulse aller Teilchen, d. h. durch einen Punkt (bzw. durch eine Verteilungsfunktion) im Phasenraum, bestimmt. In der Quantentheorie wird der Z. eines mikrophysikal. Systems durch einen Satz von Quantenzahlen als Eigenwerten von Observablen gekennzeichnet. Der Z. niedrigster Energie heißt Grund-Z.; **ange-**

regte Z. werden durch Energiezufuhr erreicht; ihre Lebensdauer ist begrenzt. Spezielle angeregte Z. sind die →metastabilen Zustände.

Zuständigkeit (Kompetenz), der einer Behörde oder einem Beamten zustehende Geschäftsbereich, bes. die einem Gericht zugewiesene Gerichtsbarkeit. Im Gerichtsverfahren sind zu unterscheiden: die **sachl. Z.**, die bestimmt, welches Gericht in erster Instanz einen Rechtsstreit seiner Art nach zu entscheiden hat (z.B. Amts- oder Landgericht), die **örtl. Z.** (→Gerichtsstand) sowie die **funktionelle Z.**, die die versch. Aufgaben in derselben Sache an versch. Rechtspflegeorgane verteilt (z.B. Richter, Rechtspfleger, Urkundsbeamter). Wird ein nicht zuständiges Gericht angerufen, so erklärt es durch Beschluss seine **Unzuständigkeit** und verweist auf Antrag des Klägers den Rechtsstreit an das zuständige Gericht, sofern dieses bestimmt werden kann (§§281 ZPO; →Kompetenzkonflikt).

Zustandsänderung, in der Thermodynamik jede Änderung des Zustandes eines thermodynam. Systems, z.B. der Übergang eines Stoffes aus einem Aggregatzustand in einen anderen (→Phasenübergang). Z. werden durch die Änderung von Zustandsgrößen verursacht und durch Zustandsgleichungen beschrieben. Z. können **reversibel** (umkehrbar) ablaufen (z.B. →carnotscher Kreisprozess) oder **irreversibel** (nicht umkehrbar). Bei irreversiblen Z., zu denen alle in der Natur vorkommenden makroskop. Prozesse gehören, nimmt die →Entropie zu. **Quasistatische Z.** verlaufen so langsam, dass das System in jedem Augenblick als im Gleichgewicht befindlich angesehen werden kann. Die Z. heißt **isotherm, isobar** bzw. **isochor,** wenn Temperatur, Druck bzw. Volumen konstant bleiben, **adiabatisch,** wenn kein Wärmeaustausch mit der Umgebung erfolgt; entsprechend sind die Z. als Isotherme usw. in →Zustandsdiagrammen grafisch darstellbar.

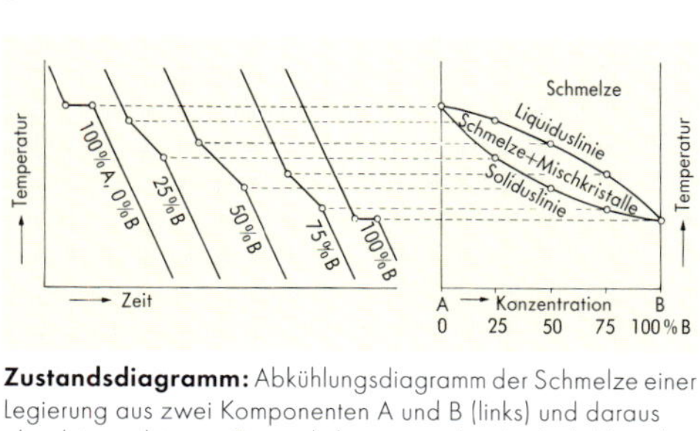

Zustandsdiagramm: Abkühlungsdiagramm der Schmelze einer Legierung aus zwei Komponenten A und B (links) und daraus abgeleitetes binäres Zustandsdiagramm, das die Löslichkeit der Komponenten in flüssigem und festem Zustand zeigt

Zustandsdiagramm, zwei- oder dreidimensionale Darstellung des Zusammenhangs von Zustandsgrößen und/oder Zusammensetzung thermodynam. Systeme. Z. dienen der Beschreibung von Ein- oder Mehrstoffsystemen (Legierungen, Lösungen, Schmelzen u.a.) in ihren versch. Zuständen (Phasen) und sind z.B. zur Charakterisierung des Wärme- und Stoffaustauschs in der chem. Verfahrenstechnik und der Metallurgie von Bedeutung. Zur Beschreibung der Phasengleichgewichte von Einstoffsystemen, z.B. Wasser, werden Druck-Temperatur-(p-T-) oder Druck-Volumen-(p-V-)Diagramme aufgestellt, in die die Dampfdruck-, Schmelzdruck- und Sublimationsdruckkurven eingetragen sind, die sich im gemeinsamen Tripelpunkt treffen. Die Dampfdruckkurve endet dabei im krit. Punkt (→kritischer Zustand). Auch Enthalpie-Temperatur- und Enthalpie-Entropie-Diagramme sind gebräuchlich. Mehrstoffsysteme erfasst man in Schmelz- und Siedediagrammen, ferner in Dampfdruck- und Gleichgewichtsdiagrammen. Je nachdem, wie viele Stoffkomponenten (2, 3, ...) beteiligt sind, werden binäre, ternäre, ... Z. aufgestellt; ein Beispiel für ein Z. ist das →Eisen-Kohlenstoff-Diagramm.

Zustandsfunktion, →Zustandsgrößen.

Zustandsgleichung, *Thermodynamik:* Beziehung zw. den Zustandsgrößen eines thermodynam. Systems, das meist in thermodynam. Gleichgewicht betrachtet wird. Die **therm. Z.,** die in der allg. Form $f(V, T, p) = 0$ geschrieben werden können, verknüpfen die Zustandsgrößen Volumen V, Temperatur T und Druck p. Spezialfälle sind u.a. die für ideale Gase geltende **allg. Gasgleichung** $pV = nRT$ (n Molzahl, R allg. Gaskonstante) und die für reale Gase in guter Näherung geltende →Van-der-Waals-Gleichung. Die **kalor. Z.** beschreiben die Abhängigkeit der Zustandsfunktionen, wie innere Energie oder Enthalpie, von den Zustandsgrößen.

Zustandsgrößen, 1) *Astronomie:* diejenigen Eigenschaften, die einen Stern als physikal. Körper beschreiben, wie Masse, chem. Zusammensetzung, Spektralklasse, Radius, Dichte, Temperatur, Leuchtkraft, Rotation, Schwerebeschleunigung und magnet. Zustand.

2) *Thermodynamik:* thermodynam. Parameter, die den Zustand eines thermodynam. Systems charakterisieren und von dessen Vorgeschichte unabhängig sind, z.B. die »einfachen Z.« Druck, Temperatur und Volumen. Die daraus abgeleiteten Z., wie innere und freie Energie, Entropie und Enthalpie werden als **Zustandsfunktionen** (auch **kalor. Z.** oder **thermodynam. Funktionen**) bezeichnet.

Zustandshaftung, polizei- oder deliktsrechtl. Haftung für bewegl. oder unbewegl. Sachen hinsichtlich der Gefahren, die von ihnen ausgehen. Verantwortlich ist der Eigentümer oder der sonstige Inhaber der tatsächl. oder rechtl. Gewalt, unabhängig davon, ob er die Gefahr verschuldet hat (z.B. bei Einsturzgefahr von Gebäuden).

Zustellung, 1) *Recht:* beurkundete Übergabe eines Schriftstücks in bestimmter, vorgeschriebener Form. Sie hat den Zweck, den Nachweis der Zeit und der Art des Zugegangenseins zu sichern. Z.-Beamte sind i.d.R. die Gerichtsvollzieher, daneben auch Postbedienstete. Ist der Aufenthalt dessen, dem zugestellt werden soll, unbekannt, so kann die **öffentl. Z.** erfolgen, d.h. durch öffentl. Bekanntmachung (z.B. im Bundesanzeiger, Aushang an der Gerichtstafel). Von **Ersatz-Z.** spricht man bei Übergabe des Schriftstücks an Familienangehörige, Hausangestellte u.a. zur Weiterleitung Berechtigte.

2) *Technik:* das Auskleiden chemisch und thermisch beanspruchter Konstruktionen (insbesondere metallurg. Öfen) mit feuerfestem Material.

Zustimmung, *Recht:* →Einwilligung.

Zustimmungsgesetz, in Dtl. ein Gesetz, zu dem nach Verabschiedung durch den Bundestag die Zustimmung des Bundesrats erforderlich ist. Bei Z. hat der Bundesrat ein absolutes Veto. Welche Gesetze Z. sind, bestimmt das GG. Es handelt sich v.a. um Gesetze, die das Verhältnis von Bund und Ländern betreffen. Eine Besonderheit gilt für verfassungsändernde Gesetze, bei denen der Bundesrat seine Zustimmung mit Zweidrittelmehrheit beschließen muss (→Gesetzgebungsverfahren).

Zutphen ['zytfə], Stadt in der niederländ. Prov. Gelderland, 31000 Ew.; Museen, Maschinenbau, Textil-, Leder-, Papierind. – Ehem. Stadtbefestigung (14./15. Jh.); Grote Kerk oder St. Walburgskirche (13.–15. Jh.; urspr. romanisch-got. Basilika, im 14./15. Jh. zur got. Halle umgebaut; spätgot. Lesesaal mit wertvollen Manuskripten und Inkunabeln), got. Broederenkirche mit Gebäuden des ehem. Dominikanerklosters (15. Jh.; heute Museum). – Z. war Hauptort der Grafschaft Z., die im 12. Jh. an die Grafen von Geldern fiel; erhielt 1190 Stadtrecht, wurde vor 1400 Hansestadt.

Zuverlässigkeit, *Technik:* Fähigkeit einer betrachteten Einheit (z.B. Bauelement, Gerät, Anlage oder System), eines Materials oder Verfahrens, innerhalb der vorgegebenen Toleranzen den durch den Verwendungszweck bestimmten Anforderungen, die an das Verhalten ihrer Eigenschaften während einer gegebenen Zeitdauer gestellt werden, zu genügen. Wichtige Größen der Z.-Theorie sind Lebensdauer, Ausfallrate und Verfügbarkeit.

zu versteuerndes Einkommen, Bemessungsgrundlage für die →Einkommensteuer.

Zuwachsrate, in Prozenten ausgedrücktes Verhältnis der Zunahme einer ökonom. Größe innerhalb einer Periode zum Basiszeitraum.

Zuweisung, zwischen öffentl. Aufgabenträgern, v.a. Gebietskörperschaften, übertragene Finanzmittel. Eine Z. im Rahmen des →Finanzausgleichs zur Beeinflussung der Finanzkraft-Finanzbedarf-Relationen wird als **Ausgleichs-Z. (allg. Z.)** bezeichnet, eine Z. zur Beeinflussung der Ausgabenentscheidung des Z.-Empfängers als **Lenkungs-Z. (spezielle Zuweisung).**

Zutphen: Der Westturm der aus Backstein erbauten Grote Kerk (13.–15. Jh.) ist mit Tuffstein verkleidet

Zuwendung, rechtsgeschäftl. Handlung, durch die einem anderen bewusst ein Vermögensvorteil verschafft wird. Die unentgeltl. Z. ist die →Schenkung.

ZVG, Abk. für das »Gesetz über die Zwangsversteigerung und die Zwangsverwaltung«.

ZVS, Abk. für →**Z**entralstelle für die **V**ergabe von **S**tudienplätzen.

Zwang, 1) *Psychopathologie:* das immer wiederkehrende Phänomen des Beherrschtwerdens von Vorstellungen oder Handlungsimpulsen, die von den betroffenen Personen selbst als unsinnig, fremdartig oder als mit dem Ich-Ideal nicht vereinbar beurteilt werden.

2) *Recht:* →unmittelbarer Zwang.

Zwanglauf, in Getrieben und Elementenpaaren derjenige Beweglichkeitszustand, der die Einleitung nur einer einzigen unabhängigen Bewegung erlaubt. Wird z.B. am zwangläufigen Schubkurbelgetriebe eine Bewegung durch die Kurbel eingeleitet, so werden hierdurch Koppel (Pleuel, Treibstange) und Schieber ebenfalls, aber in Abhängigkeit von der Bewegung der Kurbel, bewegt.

Zwangsanleihe, meist unverzinsl. oder nur niedrig verzinsl. Anleihe, die aufgrund staatl. Anordnung von einem bestimmten Kreis Steuerpflichtiger übernommen werden muss.

Zwangsarbeit, »i. Allg. jede Art von Arbeit oder Dienstleistung, die von einer Person unter

Androhung irgendeiner Strafe verlangt wird und für die sie sich nicht freiwillig zur Verfügung gestellt hat« (Definition der Internat. Arbeitsorganisation, IAO, von 1930); i.e.S. ein selbstständiger Typ der schweren Freiheitsstrafe. In Dtl. setzt Art. 12 Abs. 2 und 3 GG der Z. grundrechtl. Grenzen; danach sind Arbeitszwang, bei dem es um die zwangsweise Heranziehung zu einer bestimmten Arbeit oder zu einzelnen Dienstleistungspflichten geht, und Z., bei der es um den Zwang zur Arbeit überhaupt geht, ohne dass dieser inhaltlich oder zeitlich begrenzt ist, zu unterscheiden. Z. ist nur bei einer gerichtlich angeordneten Freiheitsentziehung zulässig und muss sich dabei im Rahmen der Menschenwürde und der Verhältnismäßigkeit halten. Die im Strafvollzugs-Ges. vorgesehene Arbeitspflicht hat keinen Sanktionscharakter, sondern soll der Vorbereitung des Gefangenen auf eine Erwerbstätigkeit in Freiheit dienen. Sie ist ihrerseits mit Disziplinarmaßnahmen durchsetzbar und wird in gewissem Umfang entlohnt. Sowohl von Z. als auch von Arbeitszwang sind die im Rahmen der →Notstandsverfassung zulässigen Dienstverpflichtungen zu unterscheiden. Entsprechende Bestimmungen zur Arbeitspflicht kennen auch *Österreich* und die *Schweiz.*

In diktatorisch regierten Staaten wurde bes. im 20. Jh. die Z. als polit. Machtmittel missbraucht. Die UdSSR entwickelte seit 1917 ein weitverzweigtes Netz von Straflagern (Archipel →GULAG), in dem die Insassen bestimmter Lager unter meist inhumanen Bedingungen Z. verrichten mussten. – Mit der Verschärfung des Arbeitskräftemangels im nat.-soz. Dtl. bes. ab 1942 wurden zur Sicherung der erforderl. Produktion Millionen von Menschen (im August 1944: 7,65 Mio.) v.a. aus den besetzten Gebieten zur Z. nach Dtl. deportiert oder in diesen Gebieten direkt zur Z. herangezogen, ebenso Kriegsgefangene und KZ-Häftlinge. Ihre Arbeits- und Lebensbedingungen lagen insgesamt weit unter dem für dt. Arbeitskräfte übl. Standard; Arbeitskräfte aus Polen und der UdSSR wurden aus rassenideolog. Gründen meist unter völlig menschenunwürdigen Bedingungen beschäftigt. Wegen der anhaltenden Entschädigungsforderungen von ehem. Zwangsarbeitern und anderen NS-Opfern konzipierten dt. Großunternehmen 1999 einen Stiftungsfond. – Nach 1945 wurden v.a. Deutsche sowie Gegner der KP-Regime in O- und SO-Europa zur Z. in die UdSSR deportiert. Auch in China (seit 1949), in ganz Vietnam und Kambodscha (seit 1975) wurden die Gegner einer marxistisch-leninist. Gesellschaftsordnung im Sinne einer polit. Bestrafung zu Z. verurteilt.

📖 *Konzentrationslager u. dt. Wirtschaft 1939–1945, hg. v.* H. Kaienburg. *Opladen 1996.* – Gruner, W.: *Der geschlossene Arbeitseinsatz dt. Juden. Zur Z. als Element der Verfolgung 1938–1943. Berlin 1997.*

Zwangsaussiedlung (Zwangsumsiedlung), durch amtl. Aufforderung und (militär.) Gewalt veranlasstes Verlassen des ursprüngl. Wohngebietes und die Ansiedlung in einem anderen (→Vertreibung); größere Z. waren in der UdSSR die Deportation der Wolgadeutschen, Inguschen, Balkaren, Kalmücken u.a. (1944/45; →Umsiedlung). – Mit dem Aufbau eines besonderen Grenzregimes an der innerdt. Grenze und in Berlin wurden in der DDR 1952 und 1961 insgesamt etwa 11500 Personen aus dem grenznahen Raum zwangsausgesiedelt; die im »2. SED-Unrechtsbereinigungsgesetz« von 1994 und 1997 vorgesehene →Rehabilitation und Entschädigungsregelung bleibt umstritten.

Zwangsbehandlung, bei zwangsweise in einer Kranken- oder Heilanstalt untergebrachten Personen sowie bei Straf- und Untersuchungsgefangenen mögl. ärztl. Untersuchung und Behandlung gegen den Willen des Betroffenen unter Anwendung unmittelbaren Zwangs. Zur Z. gehört auch die **Zwangsernährung.** Voraussetzung ist, dass die Maßnahmen notwendig, zumutbar und nicht mit erhebl. Gesundheits- oder Lebensgefahr verbunden sind (geregelt u.a. in § 101 Strafvollzugsgesetz).

Zwangsgeld, im Verwaltungsvollstreckungsverfahren ein Zwangsmittel, das den mit dem Z. Belasteten zwingen soll, eine bestimmte Handlung vorzunehmen, andernfalls ist **Ersatzzwangshaft** anzuordnen.

Zwangshypothek, eine Sicherungshypothek, die im Wege der Zwangsvollstreckung auf Antrag eines Gläubigers in das Grundbuch eingetragen wird, falls die Vollstreckungsforderung 1500 DM übersteigt.

Zwangskraft, *Physik:* Kraft, die bewirkt, dass die Massenpunkte eines Systems sich nicht frei bewegen können, sondern in Lagern, Führungsschienen u.a. geführt werden, z.B. die Fadenspannung beim Kreispendel oder die nach innen gerichtete Zentripetalkraft bei einer Kreisbewegung. Bei der Bewegung auf einer →geneigten Ebene wird die Normalkraft $\boldsymbol{F}_n$ durch die Z. $\boldsymbol{F}_z$ kompensiert ($\boldsymbol{F}_n = -\boldsymbol{F}_z$). Die Z. steht immer senkrecht auf der Fläche oder Kurve, an die die Bewegung gebunden ist; sie kann daher bei zeitlich unveränderl. Bindung keine Arbeit verrichten.

Zwangskurs, Kurs, zu dem Banknoten in unbegrenzter Höhe angenommen werden müssen, wobei die Notenbank nicht zur Einlösung der Banknoten in Gold verpflichtet ist. Z. bestehen in allen Staaten für jedes Papiergeld, das in dem betreffenden Land gesetzl. Zahlungsmittel ist.

Zwangslizenz, *Patentrecht:* die Erteilung der Befugnis zur Benutzung einer Erfindung gegen den Willen des Erfinders durch das Patentamt aufgrund der Klage eines Interessenten; Voraussetzungen sind u.a. öffentl. Interesse an der Erlaubnis und angemessene Vergütung. Z. sind auch im Urheberrecht möglich.

Zwangsmittel, im Verwaltungsverfahren die spezif. Beugemittel zur Durchsetzung von Verwaltungsakten, um die Herausgabe einer Sache, die Vornahme einer Handlung sowie eine Duldung oder eine Unterlassung zu erzwingen. Z. sind die →Ersatzvornahme, die Verhängung von →Zwangsgeld und die Anwendung →unmittelbaren Zwangs.

Zwangsneurose, Neuroseform, die durch Zwangssymptome (Zwangsgedanken, -impulse, -handlungen) gekennzeichnet ist; häufig chron. Verlauf. Die Zwänge werden als sinnlos erkannt, können vom Betroffenen aber nicht willentlich unterlassen werden.

Zwangssparen, →Sparen.

Zwangsvergleich, nach bis 31. 12. 1998 gültigem Recht der aufgrund eines Vergleichsvorschlags des Gemeinschuldners während des Konkursverfahrens geschlossene Vertrag zw. dem Gemeinschuldner und den nicht bevorrechtigten Konkursgläubigern nach den §§173ff. Konkursordnung (in den neuen Bundesländern §16 Gesamtvollstreckungsordnung). Der Z. bezweckt die Vermeidung der sofortigen und vollständigen Verwertung der Konkursmasse durch eine beschleunigte, aber nur teilweise Befriedigung der Gläubiger gegen den Erlass ihrer Restforderungen. Er kommt zustande, wenn die Mehrzahl der im Vergleichstermin anwesenden stimmberechtigten Gläubiger dem Vergleich zustimmt (Kopfmehrheit) und die Gesamtsumme der den zustimmenden Gläubigern zustehenden Forderungen wenigstens ¾ der Gesamtsumme aller Konkursforderungen ausmacht. Der Z. bedarf der Bestätigung durch das Konkursgericht. Der rechtskräftig bestätigte Z. führt zum Erlöschen der durch den Z. nicht gedeckten Forderungen, wirkt gegen alle nicht bevorrechtigten Konkursgläubiger, führt zur Aufhebung des Konkursverfahrens und ist Vollstreckungstitel. – In *Österreich* wird der Z. im Konkursverfahren (§§140–165 Konkursordnung) **Zwangsausgleich** genannt. Im *schweizer.* Recht heißt der Z. **Nachlassvertrag** und ist im Schuldbetreibungs- und Konkursgesetz geordnet (Art. 293 bis 317).

Zwangsversteigerung (Subhastation), eine der gesetzlichen Formen der Zwangsvollstreckung in Grundstücke, grundstücksgleiche Rechte und im Schiffsregister eingetragene Schiffe. Für die Z. gelten neben den allg. Bestimmungen für die →Zwangsvollstreckung die Vorschriften des Ges. über die Z. und die Zwangsverwaltung (ZVG) vom 24. 3. 1897. Die Z. wird grundsätzlich von dem Amtsgericht durchgeführt, in dessen Bezirk das Grundstück liegt. Das Verfahren beginnt auf Antrag des Gläubigers mit einem gerichtl. Beschluss, der die Z. anordnet. Er gilt zugunsten des Gläubigers als Beschlagnahme des Grundstücks: Einerseits wird dem Schuldner (Eigentümer) die Verfügung über das Grundstück entzogen, anderseits erlangt der betreibende Gläubiger nunmehr ein Recht auf Befriedigung aus dem Grundstück (sofern ihm ein solches nicht schon vorher, etwa in seiner Eigenschaft als Hypothekengläubiger, zustand). Das Gericht beraumt den Versteigerungstermin an und macht ihn öffentlich bekannt. Bei der Versteigerung wird nur ein Gebot zugelassen, durch das die dem Anspruch des betreibenden Gläubigers vorgehenden Rechte und die Kosten des Verfahrens gedeckt werden (**geringstes Gebot;** §§44, 109 ZVG). Bar zu zahlen ist vom Ersteher das **Bargebot,** d.h. der zur Deckung der Verfahrenskosten, der Kosten einer →Zwangsverwaltung und der rückständigen öffentl. Grundstückslasten bestimmte und der das geringste Gebot übersteigende Betrag des Meistgebots; die übrigen in das Mindestgebot fallenden Rechte, insbesondere die Hypotheken, bleiben bestehen, sind also neben dem Bargebot zu übernehmen. Auf Verlangen bestimmter Beteiligter hat der Bieter sofort Sicherheit (i.d.R. in Höhe von $^1/_{10}$ des Bargebots) zu leisten (§§67–70). Nach Schluss der Versteigerung ist dem Meistbietenden der Zuschlag zu erteilen. Dieser ist auf Antrag zu versagen, wenn das Meistgebot einschl. des Werts der bestehen bleibenden Rechte hinter $^7/_{10}$ des Grundstückswerts zurückbleibt (§74a). Durch den Zuschlag wird der Ersteher Eigentümer des Grundstücks; ferner erlöschen die nicht in das geringste Gebot aufgenommenen Grundstücksrechte, soweit nicht die Beteiligten etwas anderes vereinbaren (§§90, 91). Nach Durchführung der Z. verteilt das Gericht den Erlös nach einem von ihm aufzustellenden Teilungsplan, über den im Verteilungstermin mit den Beteiligten verhandelt wird. Ein Verteilungsverfahren findet nicht statt, wenn sich die Beteiligten außergerichtlich über die Verteilung des Erlöses einigen. Die Z. ist auch möglich zur Aufhebung einer Gemeinschaft an einem Grundstück. Hier ist kein Vollstreckungstitel erforderlich. Sie darf dann aber nur auf Antrag eines im Grundbuch eingetragenen Miteigentümers, des Erben eines solchen oder einer Person, die deren Recht auf Aufhebung der Gemeinschaft ausübt, angeordnet werden (§§180–184).

Im *österr.* Recht ist die Z. durch §§133ff. der Exekutionsordnung vom 27. 5. 1896 (mit Novellen) ähnlich geregelt. Im *schweizer.* Recht wird die Z. vom Betreibungsamt, im Konkurs durch die Konkursverwaltung vorgenommen (Art. 125, 133–143

Schuldbetreibungs- und Konkurs-Ges.). Das Verfahren ist ähnlich dem dt. Recht geregelt.

📖 HINTZEN, U.: *Z. Grundlagen u. aktuelle Probleme. Köln ²1996.*

Zwangsverwaltung (Sequestration), Form der Zwangsvollstreckung in ein Grundstück, die im Unterschied zur →Zwangsversteigerung das Eigentum des Schuldners an dem Grundstück unberührt lässt und zur Befriedigung des Gläubigers nur aus den Grundstückserträgen führen soll. Die Voraussetzungen der Z. entsprechen denen der Zwangsversteigerung. Die Z. wird von einem gerichtlich bestellten **Zwangsverwalter (Sequester)** durchgeführt. Bei land- und forstwirtsch. Grundstücken ist grundsätzlich der Schuldner zum Zwangsverwalter zu bestellen. Gefährdet der Schuldner den Zweck der Z., so kann ihm aufgegeben werden, das Grundstück zu räumen. Ist der Gläubiger befriedigt, hebt das Gericht die Z. auf, wozu es auch berechtigt ist, wenn die Fortsetzung des Verfahrens besonderen Aufwand erfordert und der Gläubiger den nötigen Geldbetrag nicht vorschießt (§§ 146–161 ZVG). – Die *österr.* Exekutionsordnung (EO) kennt die Z. von Liegenschaften (§§ 97 ff. EO), Rechten (§§ 334 ff. EO) und gewerbl. Unternehmungen (§§ 341 ff. EO). Das Verfahren ist dem dt. Recht ähnlich. In der *Schweiz* führt die Pfändung oder Pfandverwertung von Grundstücken zur Z. (Art. 102 Bundes-Ges. über Schuldbetreibung und Konkurs).

Zwangsvollstreckung (Exekution), die Verwirklichung vollstreckbarer privatrechtl. Ansprüche durch staatl. Zwangsmaßnahmen in das Vermögen des Schuldners (§§ 704–945 ZPO; §§ 246 ff. Abgabenordnung, Verw.vollstreckungs-Ges. des Bundes und der Länder). Die ZPO unterscheidet zw. der Z. wegen Geldforderungen und wegen sonstiger Ansprüche (Herausgabe von Sachen, Vornahme oder Unterlassung einer Handlung). Innerhalb der Geldvollstreckung wird nach dem Ziel des Zugriffs unterschieden zw. einer Z. in das bewegl. oder das unbewegl. Schuldnervermögen sowie in Forderungen und sonstige Rechte des Schuldners. Voraussetzung der Z. ist das Vorliegen eines **Vollstreckungstitels,** d.h. einer Urkunde, die die Z. zulässt. Vollstreckungstitel sind neben rechtskräftigen oder für vorläufig vollstreckbar erklärten Urteilen bes. der vor Gericht geschlossene Vergleich, der Vollstreckungsbescheid (→Mahnverfahren) und →vollstreckbare Urkunden. Zur Vornahme der Z. bedarf es einer **vollstreckbaren Ausfertigung,** d.h. einer Ausfertigung des Titels, auf der die Vollstreckbarkeit des Titels amtlich bescheinigt ist **(Vollstreckungsklausel).** Die Z. darf nicht beginnen, bevor dem Schuldner der Vollstreckungstitel zugestellt ist. Vollstreckungsorgan ist der →Gerichtsvollzieher oder das →Vollstreckungsgericht. Vollstreckungsgericht ist gewöhnlich das Amtsgericht, in dessen Bezirk das Vollstreckungsverfahren stattfinden soll. Der Gerichtsvollzieher ist für alle nicht den Gerichten übertragenen Vollstreckungshandlungen, insbesondere für die Pfändung und Versteigerung bewegl. Sachen wegen Geldforderungen, und für die Z. auf Herausgabe von Sachen zuständig. Er nimmt bei der Pfändung Geld, Wertpapiere und Kostbarkeiten in seinen unmittelbaren Besitz, andere Sachen dagegen, v.a. Möbelstücke, belässt er im Gewahrsam des Schuldners, macht sie aber durch Anbringung von Pfand-(Siegel-)Marken als gepfändet äußerlich kenntlich. Über die Pfändung wird ein Protokoll aufgenommen. Der Gläubiger hat an der gepfändeten Sache ein Pfandrecht, das **Pfändungspfandrecht,** d.h. die Befugnis erworben, sich für seine vollstreckbare Forderung aus dem Geldwert der Sache zu befriedigen. Die Pfändung darf nicht weiter ausgedehnt werden, als zur Befriedigung des Gläubigers notwendig ist **(Verbot der Überpfändung).** Im Interesse der sozialen Sicherung des Schuldners darf die Z. nicht in den Grundbedarf des Schuldners eingreifen, weswegen bestimmte Dinge unpfändbar sind (→Pfändungsschutz). Die gepfändeten Sachen sind vom Gerichtsvollzieher öffentlich zu versteigern, wobei das Mindestgebot wenigstens die Hälfte des gewöhnl. Verkaufspreises erreichen muss. Gepfändetes Geld ist dem Gläubiger abzuliefern. Vor der Verwertung ist dem Schuldner, soweit angängig, Gelegenheit zu geben, seine Schuld freiwillig zu tilgen. Führt die Z. nicht oder nur teilweise zur Befriedigung des Gläubigers, so kann dieser vom Schuldner die Leistung einer eidesstattl. Versicherung über seinen Vermögensbestand (bei Aufstellung eines Vermögensverzeichnisses in der Art, dass dem Gläubiger der Vollstreckungszugriff ermöglicht wird) verlangen. – Die Z. in Grundstücke und grundstücksgleiche Rechte erfolgt durch Eintragung einer →Zwangshypothek, durch Zwangsversteigerung oder Zwangsverwaltung, die miteinander verbunden werden können. – Für die Z. in Forderungen u.a. Vermögensrechte des Schuldners ist das Vollstreckungsgericht zuständig; es erlässt auf Antrag des Gläubigers einen Pfändungsbeschluss, durch den die Beschlagnahme des Rechts verfügt, dem Schuldner die Einziehung, dem Drittschuldner die Leistung an den Schuldner verboten wird. Mit der vom Vollstreckungsgericht angeordneten Überweisung der Forderung zur Einziehung (die Regel) – die meist mit der Pfändung in einem Beschluss, dem **Pfändungs- und Überweisungsbeschluss,** verbunden wird – oder an Zahlungs statt (selten) wird der Gläubiger selbst zur Geltendmachung des gepfändeten Rechts ermächtigt. Die Pfändung von Lohn-, Gehalts- und ähnl. Forderungen ist aus sozialen Gründen erheblich beschränkt (→Lohnpfändung). Werden Vollstreckungshandlungen beanstandet (»Erinnerungen gegen die Art und Weise der Z.« nach §766 ZPO), so entscheidet das Vollstreckungsgericht. Dritte, in deren Rechte die Z. eingreift, können gegen den Gläubiger mit der →Drittwiderspruchsklage (§§771ff. ZPO) vorgehen. Behauptet der Schuldner, das Urteil dürfe nicht mehr vollstreckt werden, da der darin festgestellte Anspruch durch nachträglich eingetretene Umstände verändert, etwa infolge Zahlung des Schuldners erloschen sei, so muss er gegen den widersprechenden Gläubiger nach §767 ZPO beim Prozessgericht des ersten Rechtszuges Klage auf Unzulässigkeit der Z. erheben **(Vollstreckungsgegenklage).** In manchen Fällen kann das Gericht auf Antrag die Einstellung der Z. anordnen.

In *Österreich* erfolgt die Z. zugunsten privatrechtl. Ansprüche mithilfe der **Exekutionsgerichte** (i.d.R. Bezirksgerichte); es gilt die Exekutionsordnung vom 27. 5. 1896 (1991 novelliert). Das Verfahren ist dem dt. Recht ähnlich. Die Z. in Arbeitseinkommen ist nur begrenzt zulässig (Lohnpfändungs-Ges. 1985). In der *Schweiz* ordnet das Bundes-Ges. über Schuldbetreibung und Konkurs vom 11. 4. 1889 die Z. von Geldforderungen einheitlich, für die Z. anderer Ansprüche gelten die kantonalen Zivilprozessrechte.

📖 BERG, R.: *Z. Ein Ratgeber für Schuldner u. Gläubiger. Köln 1992.* – BRUCKMANN, E.-O. *u.* WALDHEIM, J.: *Die Praxis der Z. Bonn 1994.* – WIESER, E.: *Begriff u. Grenzfälle der Z. Köln u.a. 1995.* – HEUSSEN, B.: *Z. für Anfänger. München* [5]*1996.*

Zwangswirtschaft, →Zentralverwaltungswirtschaft.

Zwanzigster Juli 1944, Datum eines Attentats auf A. Hitler im Rahmen des wichtigsten Umsturzplans der dt. →Widerstandsbewegung; häufig auch Bez. der Aktion selbst. Nachdem 1938/39 (wenig konkrete) Pläne führender Heeresoffiziere (L. Beck, F. Halder, E. von Witzleben) zum Sturz Hitlers und 1943 mehrere Attentate der Gruppe um H. von Tresckow fehlgeschlagen waren, erhielt der Widerstand neue Impulse durch C. Graf Schenk von →Stauffenberg. Die Verschwörer wollten durch Auslösung des Alarmplans »Walküre«, der eigtl. für eine Mobilisierung des Ersatzheeres bei inneren Unruhen im Reich vorgesehen war, nach Hitlers Tod eine vom Widerstand gebildete Reg. an die Macht bringen (Reichsverweser L. Beck oder Reichspräs. W. Leuschner, Reichskanzler C. F. Goerdeler, Oberbefehlshaber der Wehrmacht E. von Witzleben, Außenmin. U. von Hassell, Innenmin. J. Leber); diese sollte den Krieg beenden und ein demokrat. Staatswesen errichten. Die militär. Lage Dtl.s (alliierte Landung in der Normandie am 6. 6. 1944, Einbruch an der Ostfront) verringerte die Chancen für einen Waffenstillstand zw. den Westmächten und einer neuen dt. Reg. und drängte zum Handeln. Da Stauffenberg als Stabschef beim Befehlshaber des Ersatzheeres direkten Zugang zu Hitler in dessen Hauptquartier »Wolfsschanze« bei Rastenburg (Ostpreußen) hatte, entschloss er sich, das Attentat selbst auszuführen und dann nach Berlin zurückzufliegen; am 20. 7. 1944 zündete er die in einer Aktentasche ins Hauptquartier mitgebrachte Bombe, die Hitler aber nur leicht verletzte. Die Nachricht, dass Hitler überlebt hatte, löste in Berlin Unentschlossenheit bei versch. Eingeweihten, aber auch Gegenmaßnahmen regimetreuer Kräfte aus, so-

Zwanzigster Juli 1944: Hermann Göring (in weißer Uniform) und weitere NS-Funktionäre in der zerstörten Baracke in Hitlers Hauptquartier »Wolfsschanze« bei Rastenburg (Ostpreußen) nach dem gescheiterten Attentat vom 20. Juli 1944

dass das Unternehmen am Abend zusammenbrach. Im Ggs. dazu lief die Aktion in Paris zunächst planmäßig ab (Verhaftung von SS- und SD-Führung durch die Wehrmacht). – Viele Verschwörer (u.a. auch F. Olbricht, F.-D. Graf von der Schulenburg, A. von Trott zu Solz, P. Graf Yorck von Wartenburg) verloren ihr Leben in den Tagen und Monaten nach dem Umsturzversuch durch Selbstmord, durch militär. Standgerichte oder nach Verhören und Folterungen durch das Todesurteil des Volksgerichtshofs unter R. Freisler. Die Zahl der Verhafteten betrug etwa 1000, die der Hingerichteten etwa 200.

📖 VENOHR, W.: *Patrioten gegen Hitler. Der Weg zum 20. Juli 1944. Eine dokumentar. und szen. Rekonstruktion. Bergisch-Gladbach 1993.* – FEST, J.: *Staatsstreich. Der lange Weg zum 20. Juli. Berlin 1994.* – *20. Juli: Porträts des Widerstands, hg. v.* R. LILL *u.* H. OBERREUTER. *Neuausg. Düsseldorf 1995.* – ACHMANN, K.: *20. Juli 1944. Lebens-*

bilder aus dem militär. Widerstand. Hamburg u.a. [2]*1996.*

Zweck, die bewusste Absicht einer Handlung, Ziel eines Tuns oder Vorgangs.

Zweckrationalität, Handlungsprinzip, das das soziale Handeln am rationalen, d.h. weder emotional noch traditionsgesteuerten Abwägen von Handlungszwecken, einzusetzenden Mitteln und Nebenfolgen ausrichtet. Als Grundlage für Nutzen-Kosten-Kalkulationen stellt die Z. das für die Entwicklung von modernen Industriegesellschaften entscheidende gesellschaftl. Prinzip dar; von M. Weber der Wertrationalität entgegengestellt.

Zweibrücken
Stadtwappen

Zwecksparen, Sparform, bei der die Sparbeträge für bestimmte Zwecke festgelegt sind, z.B. das Bausparen; auch der Abschluss von Versicherungen (bes. Lebens-, Pensions- und Aussteuerversicherungen) kann als Z. gelten.

Zweckursache (Finalursache, Zielursache, Causa finalis), der das Ziel eines Geschehens oder Handelns bestimmende Grund. Die Priorität der Z. vor der Wirkursache betonten Aristoteles und Thomas von Aquin, während z.B. Demokrit, der Mechanizismus und C. Darwin eine Erklärung mithilfe von Z. ablehnten. G. W. Leibniz strebte nach einer Synthese. Nach I. Kant ist der Begründungszusammenhang der Naturphänomene allein durch die Wirkursächlichkeit bestimmt, Zwecke sind in ihnen nicht nachweisbar. Es sind die Subjekte, die die Natur so betrachten, als ob es Zwecke in ihr gäbe.

Zweckverband, eine auf landesrechtl. Grundlage gebildete, von Gemeinden und Gemeindeverbänden getragene Selbstverwaltungskörperschaft zur gemeinsamen Erfüllung bestimmter Aufgaben (z.B. Bau von Schulen) in Form der Körperschaft des öffentl. Rechts. **Freiverbände** sind die auf freiwilliger Einigung der Beteiligten beruhenden Z.; **Pflichtverbände** werden zur Durchführung von Auftragsangelegenheiten und von gesetzl. Pflichtaufgaben gebildet. Die Z. stehen unter Staatsaufsicht. Die Rechtsverhältnisse des Z. werden durch eine Verbandssatzung geregelt.

Zwei, als Ziffer **2,** kleinste und einzige gerade Primzahl; sie gilt meist als böse Zahl, als Symbol des Dualismus, des Unvollkommenen. – In der Mathematik ist die Z. Grundzahl des →Dualsystems.

Zweibrücken, kreisfreie Stadt im RegBez. Rheinhessen-Pfalz, Rheinl.-Pf., im Westrich, 35900 Ew.; Mannlich-Museum, Bibliotheca Bipontina (alte Handschriften und Inkunabeln), Rosengarten; Maschinenbau; Landgestüt; Bundeswehrstandort; auf dem Flugplatz Z. Automobilrennen (Rundkurs 2,79 km). – Nach schwerer Zerstörung 1945 wurden die spätgot. Alexanderkirche (etwa 1493–1514) und das Residenzschloss (1720–25) vereinfacht wieder aufgebaut. – Z. entstand um die 1170 gen. Burg Z.; 1352 Stadtrecht. Ab 1185/90 Sitz der Grafschaft Z., die 1385 an die Kurpfalz fiel; ab 1477 Residenz des wittelsbach. Fürstentums (Herzogtums) Pfalz-Z. (ab 1734 Pfalz-Z.-Birkenfeld); 1793/1801–16 zu Frankreich, 1816–1945 zu Bayern.

Zweibund, 1) gegen Russland gerichtetes Verteidigungsbündnis zw. dem Dt. Reich und Österreich-Ungarn, am 7./15. 10. 1879 abgeschlossen, am 3. 2. 1888 öffentlich bekannt gegeben; 1882 durch Beitritt Italiens zum →Dreibund erweitert.

2) frz.-russisches Bündnis, →Zweiverband.

Zweidrahtbetrieb, *Nachrichtentechnik:* Betriebsart, bei der ein Aderpaar (zwei Drähte oder eine koaxiale Leitung) für beide Gesprächsrichtungen gemeinsam benutzt wird.

Zweifel, Unsicherheit, Ungewissheit gegenüber einem möglichen Sachverhalt, einer Behauptung und dem entsprechenden Tun und Verhalten; mangelnder Glaube, inneres Schwanken. – In der *Philosophie* **method. Infragestellen** zur Begründung sicherer Erkenntnis (z.B. bei Descartes); auch die Erkenntnisunsicherheit oder **prinzipielle, allgemeine Leugnung** von Erkenntnismöglichkeit (→Skeptizismus).

Zweifelderwirtschaft, alte Form der Bodennutzung, bei der Getreideanbau mit Brache wechselte.

Zweiflügler (Diptera), seit dem Lias existierende, heute mit rd. 80000 Arten weltweit verbreitete Ordnung 1–60 mm langer Insekten; unterschiedlich gestaltete Tiere, die nur ein (meist durchsichtiges) Vorderflügelpaar haben, das hintere Flügelpaar ist zu stabilisierenden Schwingkölbchen (Halteren) reduziert; Kopf frei beweglich, mit stechend-saugenden (v.a. bei den sich auf räuber. oder Blut saugende Weise ernährenden Mücken) oder mit leckend-saugenden Mundwerkzeugen (bei Fliegen); Körper oft stark beborstet. Die Fortpflanzung der Z. erfolgt v.a. durch Ablage von Eiern. Die extremitätenlosen

Zweck

Der Zweck heiligt die Mittel

Die oft ohne Skrupel angewandten Methoden des streng hierarchisch gegliederten Jesuitenordens, die sich besonders in der Inquisition und in Eingriffen in die Politik verschiedener Staaten zeigten, trugen sicherlich mit dazu bei, dass dieser Satz den Jesuiten als Quintessenz ihrer Moral zugeschrieben worden ist. In der Moraltheologie des Jesuitenpaters Busenbaum von 1652 ist der Grundsatz aber mit deutlichen Einschränkungen versehen. So dürfte die Wendung in ihrer unumschränkten Bedeutung denn auch vor allem auf ein altes Prinzip der Machtpolitik zurückgehen, das sinngemäß schon bei Niccolò Machiavelli zu finden ist, der zur Erreichung politischer Ziele, die letztlich dem Allgemeinwohl dienten, jedes Mittel für erlaubt hielt.

Larven der Z. (Maden) leben in feuchter Umgebung oder in sich zersetzender organ. Substanz.

Zweig, *Botanik:* Bez. für die aus Seitensprossanlagen entstehende Seitenachse.

Zweig, 1) Arnold, Schriftsteller, * Glogau (heute Głogów) 10. 11. 1887, † Berlin (Ost) 26. 11. 1968; ging 1933 nach Palästina, kehrte 1948 nach Berlin (Ost) zurück. Z. begann mit zarten psycholog. Analysen (»Die Novellen um Claudia«, R., 1912), wurde zum scharfen Zeit- und Sozialkritiker v. a.

Arnold Zweig: zeitgenössische Radierung

mit dem Roman »Der Streit um den Sergeanten Grischa« (1927), der das Kernstück des Romanzyklus über die Zeit des 1. Weltkriegs »Der große Krieg der weißen Männer« (»Die Zeit ist reif«, 1957; »Junge Frau von 1914«, 1931; »Erziehung vor Verdun«, 1935; »Einsetzung eines Königs«, 1937; »Die Feuerpause«, 1954) bildet. Der 1943 im Exil veröffentlichte Roman »Das Beil von Wandsbek« (hebr. 1943, dt. 1947) beschäftigt sich mit der Analyse des Mitläufertums in der Zeit des Nationalsozialismus; auch Dramen und Essays.

📖 HERMAND, J.: *Engagement als Lebensform. Über A. Z. Berlin 1992.*

2) Stefan, österr. Schriftsteller, * Wien 28. 11. 1881, † (Selbstmord) Petrópolis (bei Rio de Janeiro) 22. 2. 1942; emigrierte 1938 nach Großbritannien, 1941 nach Brasilien, war pazifistisch-humanistisch gesinnt, ein einfühlsamer Mittler zw. den Nationen. Eindringl. Schilderung von Gefühlsverwirrungen und untergründigen Leidenschaften sowie ein sinnlich-farbiger Stil sind Merkmale seiner Novellen (»Verwirrung der Gefühle«, 1927; »Schachnovelle«, 1942; »Legenden«, hg. 1945). Als Biograph und Essayist stellte er die psycholog. Analyse großer Persönlichkeiten und des schöpfer. Prozesses in den Mittelpunkt (»Romain Rolland«, 1921; »Sternstunden der Menschheit«, 1927; »Joseph Fouché«, 1929; »Triumph und Tragik des Erasmus von Rotterdam«, 1934); ferner Dramen (»Jeremias«, 1917; »Die schweigsame Frau«, nach B. Jonson, Operntext für Richard Strauss, 1935) und Autobiographisches (»Begegnungen ...«, 1937; »Die Welt von Gestern«, 1942). Z. war auch ein bedeutender Übersetzer.

📖 BAUER, A.: *S. Z. Berlin ^{7}1996.*

Zweigeschlechtigkeit, → Bisexualität.

zweigestrichen, *Musik:* Bez. für den Tonraum c^2–h^2, die zweigestrichene Oktave.

Zweigniederlassung, → Filiale.

Zweihänder (Bidenhander), mit beiden Händen geführtes Schwert, im 15./16. Jh. von Elitemannschaften der Söldnerheere getragen.

Zweihäusigkeit, *Botanik:* die → Diözie.

Zweikammersystem, *Verfassungsrecht:* im Unterschied zum Einkammersystem die Organisation der gesetzgebenden Körperschaft (Legislative, Parlament) in zwei »Kammern« (»Häusern«), die i. d. R. getrennt tagen und abstimmen. Während die eine das Volk in seinen historisch gewachsenen Untergliederungen vertritt (historisch spricht man von ihr als der Ersten Kammer), repräsentiert die andere das Volk als Ganzes, d. h. den Souverän (Zweite Kammer). Oft ist die Erste Kammer auch die Repräsentanz geographisch-regionaler oder berufsständ. Einheiten (z. B. das brit. Oberhaus). Im klass. Z. sind beide Kammern gleichberechtigt an der Gesetzgebung beteiligt. In der neuzeitl. Entwicklung kann die Erste Kammer vielfach nur ein aufschiebendes Veto einlegen. In einem Bundesstaat ist die Erste Kammer die Vertretung der Gliedstaaten, die entweder von der wahlberechtigten Bev. der einzelnen Gliedstaaten gewählt wird (z. B. der Senat des US-amerikan. Kongresses oder der Ständerat der Schweiz) oder durch die Parlamente der Gliedstaaten (z. B. der Bundesrat in Österreich). Der Dt. Bundesrat ist keine Erste Kammer im strengen Sinn, sondern ein ständiges Organ des Gesamtstaats, in dem die Einzelstaaten durch weisungsgebundene Regierungsbevollmächtigte vertreten sind.

Stefan Zweig: Holzschnitt von Frans Masereel (1926)

Zweikampf, verabredeter Kampf zweier Personen nach vereinbarten oder hergebrachten Regeln, meist zur Austragung eines Ehrenhandels **(Duell).** In Dtl. ist die Strafbarkeit des Z. durch das erste Strafrechtsreform-Ges. vom 25. 6. 1969 aufgehoben worden. Die student. Schlägermensur

(→Mensur) wurde vom Bundesgerichtshof für straflos erklärt.

Zweikeimblättrige (zweikeimblättrige Pflanzen, Dikotylen, Dikotyledonen, Dicotyledoneae, Magnoliatae), Klasse der Bedecktsamer mit etwa 174 000 Arten, die bis auf wenige Ausnahmen zwei Keimblätter aufweisen. Die Hauptwurzel bleibt bei den meisten Z. zeitlebens erhalten; Blätter meist deutlich gestielt und netzadrig, charakteristisch sind vier- oder fünfzählige Blüten. – Zu den Z. gehören der überwiegende Teil der Samenpflanzen, u. a. (mit Ausnahme der Palmen) alle Holzgewächse.

Zweikomponentenkleber, lösungsmittelfreie Reaktionsklebstoffe, die erst nach dem Mischen des sie zusammensetzenden **Klebharzes** und des **Härters** infolge chem. Reaktionen sehr feste und dauerhafte Verbindungen ergeben.

Zweikörperproblem, die Bestimmung der Bewegung zweier als Massepunkte der Massen m_1 und m_2 idealisierter Körper oder Teilchen unter dem alleinigen Einfluss ihrer gegenseitigen Wechselwirkung. Von besonderem Interesse ist das (exakt lösbare) **Z. der Himmelsmechanik (keplersches Problem),** das die Bewegung zweier, sich gravitativ anziehender Körper untersucht und zu den keplerschen Gesetzen führt. Mathematisch lässt sich das Z. auf die Berechnung der Bewegung eines fiktiven Massepunktes, dem die reduzierte Masse $m = m_1 \cdot m_2/(m_1 + m_2)$ zugeordnet wird, zurückführen.

Zweikreisanlage, aus zwei getrennten Teilen bestehende, aber der gleichen Funktion dienende techn. Anlage, meist ein Leitungssystem, z. B. beim Kraftwagen die →Zweikreisbremse, beim Zweikreistriebwerk die Trennung von Primär- und Sekundärluftstrom (→Strahltriebwerk).

Zweikreisbremse, *Kraftfahrzeugtechnik:* zur Erhöhung der Sicherheit in zwei voneinander unabhängige hydraul. oder pneumat. Kreise getrennte Bremsanlage, die bei Ausfall eines Kreises funktionstüchtig bleibt.

Zweikreistriebwerk, ein →Strahltriebwerk.

Zweinaturenlehre, der durch das Konzil von Chalkedon (451) beschlossene Glaubenssatz, dass in der Person Jesu Christi zwei Naturen, die göttliche und die menschliche, »unvermischt« und »ungetrennt« vereint sind, Jesus Christus also im vollen Sinn zugleich Gott und Mensch ist. Im Ggs. dazu steht die Lehre der →Monophysiten.

Zweiphasenstrom, →Wechselstrom.

Zwei-plus-vier-Vertrag Kurzbez. für den »Vertrag über die abschließenden Regelungen in bezug auf Dtl.« vom 12. 9. 1990, der im Zuge der Entwicklung zur dt. Einheit zw. den beiden dt. Staaten und den vier Siegermächten des 2. Weltkrieges (Frankreich, Großbritannien, Sowjetunion, USA) geschlossenen wurde. Durch den Vertrag wird die volle Souveränität Dtl.s (im Sinne einer völkerrechtl. Identität von Dt. Reich und dem vereinigten Dtl.) wiederhergestellt; die Außengrenzen Dtl.s werden unter Verzicht auf dt. Gebietsansprüche als endgültig betrachtet; Dtl. verzichtet auf den Besitz atomarer, chem. und biolog. Waffen und begrenzt seine Truppenstärke auf 370 000 Mann. BILD deutsche Geschichte

Zweipol, elektr. Netzwerk mit zwei Anschlussklemmen, das aus einem oder mehreren Bauelementen besteht.

Zweipunktregelung, selbsttätige Regelung, bei der die Stellgröße (Träger des Stellsignals) nur zwei Stellungen einnimmt, die durch festgelegte Grenzwerte der Messgröße bestimmt sind. Zweipunktregler sind einfach im Aufbau, wenig störanfällig, aber nicht sehr genau.

Zweiquellentheorie, von K. Lachmann angeregte und von der religionsgeschichtl. Schule aufgenommene Hypothese, dass dem Matthäus- und dem Lukasevangelium zwei gemeinsame Quellen zugrunde liegen: als Hauptvorlage das Markusevangelium (oder ein ihm nahe stehender »Urmarkus«) sowie die Logienquelle Q. Die Z. hat sich heute als Erklärungsmodell der synopt. Frage (→Synoptiker) weitgehend durchgesetzt.

Zweireichelehre, systematisch-theologisches Denkmodell der luth. Theologie zur Erklärung der beiden unterschiedl. Weisen der Regierung Gottes in Kirche und Welt als »den beiden Reichen Gottes«. In seinem **Reich zur Rechten** (die Kirche) regiert Jesus Christus allein durch die Mittel des geistl. Regiments (Wort, Sakrament, Vergebung), in seinem **Reich zur Linken** (die Welt) die staatl. Obrigkeit (der Kaiser) durch Gesetz, Zwang und Strafe als den Mitteln des weltl. Regiments. Der Christ gehört beiden Reichen an und ist ihren sich widersprechenden Ansprüchen ausgesetzt. Urspr. mit der Absicht der Befreiung der Kirche von weltl. Rücksichtnahmen und des Staates von kirchl. Vormachtsansprüchen formuliert, führte die Z. zeitweilig in Teilen des Luthertums zu einem apolit. Verständnis christl. Existenz, verbunden mit einer generellen kritiklosen Akzeptanz staatl. und gesellschaftl. Ordnungen als »von Gott gesetzt«.

Zweischwerterlehre (Zweigewaltenlehre), in der lat. Kirche entwickelte Lehre vom Verhältnis zw. Staat und Kirche; urspr. formuliert von Papst Gelasius I. (unter exegetisch falscher Berufung auf Lk. 22, 35–38) als Lehre von zwei gleichberechtigten Gewalten, symbolisiert durch zwei Schwerter, die Gott verleiht, im Hoch-MA. von den Kaisern so verstanden; durch das Papsttum im Sinne des Vorrangs der geistl. vor der weltl. Macht (Bulle →Unam sanctam, 1302) interpretiert. Der Papst verleihe als Nachfolger des Apostels Petrus das weltl. Schwert an den Kaiser, der es im Auftrag der Kirche zu führen habe.

Zweisimmen, Hauptort des Bezirks Obersimmental, Kt. Bern, Schweiz, 954 m ü. M., am Zusammenfluss von Großer und Kleiner Simme, 3000 Ew.; Fremdenverkehr, bes. Wintersport; Seilbahn zum Rinderberg 2079 m ü. M. – Kirche (2. Hälfte 15. Jh.) mit wertvollen Wandmalereien.

Zweispitz, Hut der Herrenmode, dessen Krempe an zwei Seiten aufgeschlagen war und der quer aufgesetzt wurde; auch mit den Spitzen nach vorn und hinten von Marineoffizieren, Diplomaten und bei Hof getragen **(Wellingtonhut);** der **Napoleonhut** (mit seitl. Spitzen) verdrängte Ende des 18. Jh. den →Dreispitz.

Zweistaatentheorie, →deutsche Nation.

Zweistromtriebwerk, ein →Strahltriebwerk.

Zweitaktmotor, ein →Verbrennungsmotor.

zweite Front, Bez. für die im 2. →Weltkrieg mit der Landung in der Normandie am 6. 6. 1944 begonnene Großoffensive angloamerikan. Streitkräfte gegen die in W-Europa stationierten Verbände der dt. Wehrmacht.

zweiter Arbeitsmarkt, nichtamtliche Bez. für ein staatlich subventioniertes Beschäftigungsprogramm, das über arbeitsmarktpolit. Instrumente gemäß Sozialgesetzbuch III (→Arbeitsbeschaffungsmaßnahmen, Lohnkostenzuschüsse u. a.) v. a. Langzeitarbeitslose ins Erwerbsleben integrieren soll. Gefördert werden Tätigkeiten im öffentl. Interesse. Dem z. A. liegt die Idee zugrunde, staatl. Mittel nicht für die Finanzierung von Arbeitslosigkeit, sondern für produktive Beschäftigung einzusetzen.

zweiter Bildungsweg, Sammelbez. für Bildungseinrichtungen, in denen Berufstätige Bildungsabschlüsse bis zur Hochschulreife nachholen können. Institutionen des z. B. sind →Volkshochschulen, →Berufsaufbauschulen, →Fachoberschulen, →Abendschulen, das →Telekolleg sowie →Kollegs zur Erlangung der Hochschulreife. Der Unterricht erfolgt entweder zusätzlich zur Berufstätigkeit (z. B. Abendschulen) oder als Vollzeitunterricht. Voraussetzung zum Besuch der Einrichtungen des z. B. ist der Haupt- und Berufsschulabschluss. Innerhalb der Einrichtungen des berufl. Bildungswesens kann die fachgebundene Hochschulreife in den Fachoberschulen erlangt werden. – In *Österreich* und in der *Schweiz* gibt es entsprechende Einrichtungen, v. a. als Abendschulen.

📖 *Für eine Reform des Hochschulzugangs für Berufserfahrene. Hochschulzugang und Z. B. im Umbruch – auf dem Weg nach Europa, Beiträge v.* H. D. Hammer *u.* S. Leittretter. *Köln 1991.*

Zweiter Orden, ein im Anschluss an einen männl. Orden (Erster Orden) gegr. weibl. Orden.

Zweites Deutsches Fernsehen, Abk. **ZDF,** Anstalt des öffentl. Rechts, gegr. durch Staatsvertrag der Länder der Bundesrep. Dtl. am 6. 6. 1961, Sitz: Mainz; strahlt seit 1. 4. 1963 ein 2. Fernsehprogramm für die Bundesrep. Dtl. aus. (→Rundfunk)

ZDF

Zweites Deutsches Fernsehen

zweites Gesicht (grch. Deuteroskopie), die Befähigung mancher Menschen, in Form einer Vision von räumlich entfernten oder zeitlich bevorstehenden Ereignissen Kenntnis zu erhalten; Untersuchungsgegenstand der Parapsychologie.

Zweitstimme, *Wahlrecht:* →Erststimme.

Zweitwohnungssteuer, in einigen Bundesländern (z. B. in Berlin, dort 5 % des Mietzinses) als Gemeindeabgabe (erstmals 1973 in Überlingen) erhobene örtl. Aufwandsteuer für Inhaber von Wohnungen im Gemeindegebiet, die sich dort nicht überwiegend aufhalten.

Zweiverband, die dem →Dreibund entgegengestellte frz.-russ. Verständigung (»Entente«). Begründet durch den Notenwechsel vom Aug. 1891 über ein außenpolit. Einvernehmen und die Militärkonvention vom 17. 8. 1892, wurde sie wirksam durch den Notenaustausch vom 27. 12. 1893 und 4. 1. 1894. Durch Einbeziehung Großbritanniens erweiterte sich der Z. zur →Tripelentente (1907).

Zweiwegefahrzeug, bes. im Eisenbahnbau verwendetes gleis- und straßengängiges, mit verstellbaren Rädern ausgerüstetes und von Benzin- oder Dieselmotor getriebenes Universalfahrzeug, z. B. Zweiwegebagger, -bettungsreinigungsmaschine, -traktor.

Zweizahn (Bidens), Gattung weltweit verbreiteter Korbblütler; Kräuter mit gegenständigen Blättern; Früchte mit meist 2–4 durch rückwärts gerichtete Zähnchen rauen oder widerhakigen Pappusborsten (Klettfrüchte). Einheimisch u. a. der bis zu 1 m hohe **Dreiteilige Z.** (Bidens tripartita) mit braungelben, 15–25 mm breiten Blütenköpfchen.

Zweizahn: Dreiteiliger Zweizahn (Höhe bis zu 1 m)

Zwenkau, Stadt im Landkreis Leipziger Land, Sachsen, am Rand der Elsterniederung, 8400 Ew.; Elektrogeräte- und Anlagenbau, Druckerei; nahebei Braunkohlenabbau. – Stadtkirche St. Laurentius (urspr. spätgotisch, nach 1712–27 neu errichtet); Haus Rabe im Bauhausstil (1930/31; von A. Rading und O. Schlemmer). – 1195 als Marktort und 1475 als Stadt bezeugt.

Zwenke (Brachypodium), Gattung der Süßgräser in Eurasien, Mittelamerika, S- und O-Afrika. Einheimisch die **Fieder-Z.** (Brachypodium pinnatum), bis 1 m hoch, mit kriechendem, Ausläufer treibendem Wurzelstock, wächst auf trockenem Grasland und in lichten Wäldern.

Zwerchfell [ahd. twerh »quer«] (Diaphragma), quer verlaufende, peripher muskulöse, zentral sehnige, gegen die Brusthöhle kuppelförmig vorspringende Scheidewand zw. Brust- und Bauchhöhle der Säugetiere, beim Menschen etwa 3 mm dick. Der muskulöse Teil des Z. enthält die Durchtrittsöffnung für die Speiseröhre und die Aorta, der sehnige Abschnitt die für die untere Hohlvene. Das Z. ist ein wichtiger Atemmuskel, der vor allem die Bauchatmung ausführt. Bei seiner Kontraktion erfolgt eine Senkung und damit verbunden die Einatmung, bei der Erschlaffung kommt es zur Hebung und Ausatmung.

Zwergböckchen: Afrikanisches Hirschferkel

Zwerchfellbruch (Zwerchfellhernie), Bruch (→Eingeweidebruch), bei dem sich Bauchorgane durch angeborene oder erworbene Zwerchfellöffnungen in den Brustraum verlagern. Die häufigste Form des Z. ist die →Hiatushernie.

Zwerchhaus, *Baukunst:* aus der Fassade aufsteigendes, das Dachgesims überragendes, oft mehrgeschossiges Dachhäuschen, mit zu einem Giebel (Zwerchgiebel) ausgebauter Front und quer zum Hauptdach stehendem Dach. Das Z. war ein beliebtes Architekturmotiv in der dt. Renaissance.

Gerhard Zwerenz

Zwerenz, Gerhard, Schriftsteller, *Gablenz (heute zu Chemnitz) 3. 6. 1925; lebt seit 1957 in der Bundesrep. Dtl.; gesellschaftskrit., polemisch-essayist. Arbeiten sowie zeitkrit., auch erot. Romane und Erzählungen: »Heldengedenktag« (1964), »Casanova oder Der kleine Herr in Krieg und Frieden« (1966), »Kopf und Bauch« (1971), »Die Erde ist unbewohnbar wie der Mond« (1973; Vorlage für R. W. Fassbinders Stück »Der Müll, die Stadt und der Tod«, 1976), »Soldaten sind Mörder. Die Deutschen und der Krieg« (1988), »Vergiss die Träume deiner Jugend nicht. Eine autobiograph. Deutschlandsaga« (1989).

Zwerg, 1) *Astronomie:* die →Zwergsterne.

2) *Volksglauben:* Erdgeist von kleiner Gestalt, auch Wichtelmann, Heinzelmännchen, Erdbiberli (Schweiz) u. a. genannt. Die Z. wohnen unter der Erde und hüten dort ungeheure Schätze (wie der Zwergenkönig →Alberich); im Märchen oft heiml. Helfer der Menschen.

Zwergalpenrose (Höhe bis zu 40 cm)

Zwerg|alpenrose (Zwergröschen, Rhodothamnus chamaecistus), bis zu 40 cm hohes geschütztes Heidekrautgewächs mit ledrigen Blättern und rosa Blüten; wächst im Knieholz der Alpen, als Zierpflanze in Steingärten.

Zwerg|antilopen, die →Böckchen.

Zwergböckchen (Zwergmoschustiere, Zwerghirsche, Hirschferkel, Tragulidae), Familie 0,5–1 m langer und 0,2–0,4 m schulterhoher Paarhufer (Unterordnung Wiederkäuer), v. a. in Wäldern und Trockengebieten W- und Zentralafrikas sowie S- und SO-Asiens; gedrungene, auf braunem Grund meist weiß gezeichnete Tiere; Männchen mit säbelartig verlängerten Eckzähnen.

Zwerggalerie, *Baukunst:* an roman. Kirchen, bes. der Rheinlande und der Lombardei, ein sich in Arkaden öffnender Laufgang unter dem Dachansatz, meist um die Apsis, auch um den ganzen Bau.

Zwergmispel, die →Steinmispel.

Zwergmoschus|tiere, die →Zwergböckchen.

Zwergpalme (Chamaerops), Gattung der Palmen mit der einzigen, formenreichen Art **Chamaerops humilis,** verbreitet in den Mittelmeerländern; etwa 1 m hohe, sich verzweigende Fächerpalme; Blätter endständig, tief geschlitzt, mit scharf bedorntem Blattstiel; Zimmerpflanze.

Zwergsterne (Zwerge), die in unserer Galaxie am häufigsten vorkommende Sternart, die über 90 % der Sterne im Milchstraßensystem und etwa 60 % ihrer Gesamtmasse ausmacht. Die Z. der Leuchtkraftklasse V, zu denen auch die Sonne gehört, liegen im →Hertzsprung-Russell-Diagramm auf der Hauptreihe **(Zwergreihe),** die von den **Blauweißen Z.** hoher Temperatur und Leuchtkraft über die **Gelben Z.** zu den **Roten Z.** niedriger Temperatur und Leuchtkraft reicht. Aufgrund ihrer geringen Energieproduktion weisen Rote Z. die größte Lebensdauer von allen Sternen im Milchstraßensystem auf (bis zu mehreren Mio. Jahren) und bilden den häufigsten Sterntyp. Einige, wie Proxima Centauri, sind →Flare-Sterne. Besondere Untergruppen der Z. bilden neben den Roten Z. die →Weißen Zwerge und die →Schwarzen Zwerge.

Zwergwal, Art der →Furchenwale.

Zwergwuchs (Nanismus, Nanosomie), **1)** *Medizin:* das Zurückbleiben der Körperhöhe beim erwachsenen Menschen unter 130 cm. Das Erscheinungsbild des Z. ist äußerst vielfältig. Im Wesentlichen unterscheidet man den **proportionierten Z.** (harmon. Verkleinerung aller Körperteile) und den **disproportionierten Z.** (meist erhebl. Verkürzung der oberen und unteren Gliedmaßen bei normaler Größe von Kopf, Hals und Rumpf). Dabei ist das Längenwachstum der langen Röhrenknochen gestört, weil der Umbau von Knorpel in Knochen an den Wachstumsfugen verzögert ist. Die Wachstumsstörung ist erblich. Der Z. beruht meist auf einer gestörten Funktion endokriner Drüsen, z. B. der Hypophyse oder der Schilddrüse.

2) *Physiologie:* eine charakterist. Erbeigentümlichkeit bestimmter Kategorien von Menschen, die als → Pygmide zusammengefasst werden, sowie bestimmter Tier- und Pflanzenrassen (v.a. Zuchtrassen und -formen). Es bestehen keine krankhaften Wuchsstörungen.

Zwetajewa, Marina Iwanowna, russ. Dichterin, *Moskau 8. 10. 1892, † (Selbstmord) Jelabuga (Tatarstan) 31. 8. 1941; lebte 1922–39 im Ausland (Berlin, Prag, Paris). Ihre von Emotionen, Leidenschaften und einer z. T. tragischen Weltsicht geprägte Lyrik (»Maßlos in einer Welt nach Maß«, Samml., russ. und dt. 1980; »Vogelbeerbaum«, dt. Auswahl 1986) steht u.a. in der Tradition F. Hölderlins, R. M. Rilkes, A. Belys sowie der frz. Lyrik (A. Rimbaud) und hat große Ausstrahlung bes. auf die russ. Gegenwartslyrik; auch ep. und satir. Werke, Dramen, Erinnerungen (»Mein Puschkin«, Essay, hg. 1967; »Mutter und die Musik«, dt. Auswahl 1987).

Zwetschge (Zwetsche), *oberdt., rhein.:* Frucht einer Unterart des → Pflaumenbaums.

Zwettl-Niederösterreich: Das 1159 geweihte Zisterzienserstift Zwettl, hier das Brunnenhaus am Südflügel des Kreuzganges, wurde im 14./15. Jh. gotisch umgebaut

Zwettl-Niederösterreich, Bezirkshauptstadt in NÖ, im Waldviertel, 11400 Ew.; Museum für Medizin-Meteorologie, österr. Freimaurermuseum Schloss Rosenau; Textilfabrik, Holzverarbeitung. – Roman. Propsteikirche (12. Jh.) mit Karner (13. Jh.), Pfarrkirche (urspr. spätroman. Pfeilerbasilika, um 1490 gotisch umgebaut), Rathaus (1307), großenteils erhaltene Stadtmauer. In der Nähe liegt das Zisterzienserstift Zwettl (1137 gegr.) mit Stiftskirche (1159 geweiht, im 14./15. Jh. gotisch umgebaut; barocke Einturmfassade, 1722–27), roman. Kapitelhaus (12. Jh.), Kreuzgang (frühes 13. Jh.) sowie barocken Klostergebäuden.

Zwickau, kreisfreie Stadt in Sachsen, im nördl. Erzgebirgsvorland, an der Zwickauer Mulde, 104000 Ew.; FH, philosoph. Fakultät der TU Chemnitz-Z., Robert-Schumann-Haus (Museum), Automobilmuseum, Theater; Maschinenbau, Autozubehör-, pharmazeut. und Textilindustrie. – Spätgot. Marienkirche (1453–1565; u.a. mit Hochaltar aus der Werkstatt M. Wolgemuts, Vesperbild von P. Breuer), Katharinenkirche (im Wesentlichen 15. Jh.; großer Altar mit Gemälden aus der Cranach-Werkstatt, Christusfigur von Breuer); Rathaus (mehrfach umgebaut, spätgot. Jakobskapelle erhalten, 1473–77; neugot. Fassade, 19. Jh.), Gewandhaus (1522–26, seit 1823 Stadttheater), Bürgerhäuser des 16. Jh.; Schloss Osterstein (1587–90). – Urspr. slaw. Dorf; 1118 erstmals erwähnt; vor 1150 Kaufmannssiedlung; nach 1170 Ausbau zur Stadt, 1258 Stadt genannt; kam 1308 endgültig zur Mark Meißen (Wettiner).

Zwickauer Land, Landkreis in Sachsen, 540 km², (1996) 143700 Ew.; Krst. ist Werdau.

Zwicke, weiblich angelegtes, unfruchtbares Tier von verschiedengeschlechtigen zweieiigen Rinder- und Ziegenzwillingen.

Zwickel, *Baukunst:* das sich bei einem rechteckig umrahmten Bogen beiderseits ergebende dreieckige Flächenstück **(Bogen-Z., Spandrille);** bei Kuppelbauten das → Pendentif.

Zwickel, Klaus, Gewerkschafter, *Heilbronn 31. 5. 1939; Werkzeugmacher, seit 1959 Mitgl. der SPD, ab 1965 hauptamtlich für die IG Metall tätig, seit 1993 Erster Vors. der IG Metall.

Zwicky, Fritz, schweizerisch-amerikan. Astronom, *Warna (Bulgarien) 14. 2. 1898, † Pasadena (Calif.) 8. 2. 1974; seit 1925 in den USA, als Astrophysiker an den Sternwarten von Mount Palomar und Mount Wilson tätig. Z. lieferte wichtige Beiträge zu extragalakt. Sternsystemen und Supernovae, von denen er zahlr. in benachbarten Galaxien entdeckte; sagte die Existenz von Neutronensternen voraus.

Zwieback, zweimal gebackene, trockene Dauerbackware aus Weizenmehl, Milch, Butter, auch Zucker.

Zwiebel, *Botanik:* **1)** (Küchen-Z., Sommer-Z., Speise-Z., Zipolle, Allium cepa) aus dem westl. Asien stammende, in zahlr. Sorten kultivierte Lauchart; ausdauerndes (in Kultur zweijähriges) Kraut mit grünlich weißen Blüten in kugeliger Trugdolde und einer Schalenzwiebel.

2) (Bulbus) meist unterirdisch wachsender, gestauchter Spross mit abgeflachter Sprossachse, die am Z.-Boden bewurzelt ist und oberseits stoffspeichernde, verdickte Blattorgane trägt. Diese können schuppenförmig (**Schuppen-Z.;** z.B. beim Türkenbund) oder schalenartig (**Schalen-Z.;** z.B. bei Küchen-Z. und Gartentulpe) sein. Z. sind die Speicherorgane der Zwiebelpflanzen.

Zwiebelhaube, Turmbedachung mit kielbogenartigem Umriss, bes. in der russ. und islam.

Marina Zwetajewa

Zwickel: Bogenzwickel

Klaus Zwickel

Zwickau Stadtwappen

Baukunst; in der Renaissance und im Barock durch eine Laterne gestreckt als →welsche Haube.

Zwiebelmuster, unterglasurblauer Porzellandekor, der ostasiat. Pflanzenornamenten in Form von Blüten, Blättern und Früchten nachgebildet wurde. Die stilisierten Früchte (Granatäpfel), in Europa als Zwiebeln gedeutet, sind eigtl. ein Asternmuster, das in Meißen (seit 1739) u.a. Porzellanmanufakturen bis heute als beliebter Dekor verwendet wird.

Zwiebelpflanzen, mehrjährige Pflanzen, die ungünstige Vegetationsbedingungen (winterl. Kälte, Trockenheit) durch Ausbildung unterird., Reservestoffe speichernder Zwiebeln überdauern. Z. sind bes. unter den einkeimblättrigen Pflanzen verbreitet (z.B. Amaryllisgewächse).

Zwiedineck-Südenhorst, Otto von, österr. Volkswirtschaftler, *Graz 24. 2. 1871, †ebd. 4. 8. 1957; bekannt v.a. durch das von ihm entwickelte »Gesetz der zeitl. Einkommensfolge«, mit dem er Konjunkturschwankungen aus dem Phänomen erklärte, dass die in einer bestimmten Periode gekauften Konsumgüter nicht von dem Arbeitslohn aus dieser Periode erworben werden, sondern von Arbeitslohn aus versch. Wirtschaftsperioden.

Zwiefacher (Zwiefaltiger), Volkstanz oder Tanzlied, bes. in Bayern und Tirol, mit Wechsel zw. $^2/_4$-Takt und $^3/_4$-Takt innerhalb einer Melodiezeile.

Zwiefalten, Gemeinde im Landkreis Reutlingen, Bad.-Württ., am S-Rand der Schwäb. Alb, 2300 Einwohner. – Die Klosterkirche der Benediktinerabtei (1089 gegr., 1803 aufgehoben) ist ein Hauptwerk des dt. Spätbarock, 1739–65 (1741–50 unter Leitung von J. M. Fischer) erbaut, Innenausstattung von J. M. Feuchtmayer, J. J. Christian, F. J. Spiegler.

Zwielicht, gleichzeitige Beleuchtung mit zwei Lichtquellen unterschiedl. Farbtemperatur.

Zwiefalten: Die Klosterkirche (1739-65) der ehemaligen Benediktinerabtei ist ein Hauptwerk des deutschen Spätbarock

Zwiebelmuster: Die Terrine mit Zwiebelmuster stammt aus der Meißener Porzellanmanufaktur (1739; Privatbesitz)

Zwiesel, bes. bei Laubbäumen vorkommende Doppelbildung: zwei Stämme (und Kronen), die einem gemeinsamen unteren Stammteil entspringen.

Zwiesel, Stadt im Landkreis Regen, Bayern, 585 m ü.M., im Bayer. Wald am Zusammenfluss von Großem und Kleinem Regen, 10600 Ew.; Berufsbildungszentrum für Glas, Fachakademie für Sozialpädagogik, Wald-, Spielzeug-, Glasmuseum; Zentrum der bayer. Glasindustrie; Fremdenverkehr (v.a. Wintersport).

Zwijndrecht ['zwɛjndrɛxt], Industriestadt in der niederländ. Prov. Südholland, an der Oude Maas, gegenüber von Dordrecht, 42400 Ew.; Schiff- und Maschinenbau, chem., elektrotechn. u.a. Ind.; Hafen.

Zwillich, ein Gewebe, →Drell.

Zwillinge, 1) *Astronomie:* (Gemini) Tierkreissternbild (→Tierkreis) am nördl. Himmel mit den Sternen Kastor und südlich davon Pollux.

2) *Biologie:* (Gemelli, Gemini) bei Mensch und Tieren Mehrlinge in Form zweier Geschwister, die sich zur gleichen Zeit im Uterus des mütterl. Organismus entwickelt haben. **Eineiige Z.** (EZ; ident. Z.) gehen aus einer einzigen befruchteten Eizelle (Zygote) hervor. Bei ihnen teilt sich der Keim in einem sehr frühen Entwicklungsstadium in zwei i.d.R. gleiche Teile auf, weshalb EZ immer erbgleich und daher auch gleichen Geschlechts sind und (annähernd) gleich aussehen. Verläuft die Teilung des Keims unvollständig, so entstehen →siamesische Zwillinge oder sonstige Doppelbildungen. **Zweieiige Z.** (ZZ) gehen auf zwei befruchtete Eizellen zurück; sie haben daher ungleiches Erbgut, können also auch zweierlei Geschlechts sein. Im Aussehen sind sie einander nicht ähnlicher als sonstige Geschwister. Die Tendenz zu Zwillingsgeburten beruht beim Menschen auf nicht geschlechtsgebundenen rezessiven Erbanlagen. (→Zwillingsforschung)

3) *Kristallographie:* gesetzmäßige, symmetr. Verwachsung zweier stoffgleicher Kristallindividuen, die entweder spiegelbildlich zu einer Kristallfläche (Z.-Ebene) oder gegeneinander gedreht um eine dazu senkrechte Achse (Z.-Achse) orientiert sind.

Zwillingsforschung, in der Humangenetik vergleichende Untersuchung ein- und zweieiiger Zwillinge zur Erforschung des Zusammenwirkens von Erbanlagen und Umweltfaktoren bei der Entwicklung von Merkmalen und Eigenschaften. Voraussetzung für die Z. ist die Tatsache, dass eineiige Zwillinge erbgleich sind. Die Z. soll ermitteln, ob und in welchem Grad ein Merkmal durch die Erbanlagen festgelegt bzw. durch Umweltfaktoren abgeändert ist. Am besten lassen sich Umweltstabilität oder -labilität von Erbanlagen an eineiigen Zwillingen studieren, die von Kindheit an unter gänzlich unterschiedl. Umweltverhältnissen aufgewachsen sind.

Zwillingsmythen, in der Mythologie vieler Völker wiederkehrendes Motiv, das die Besonderheit der doppelten Geburt im Bewusstsein der Menschen belegt. Göttl. Zwillinge wirken als kosm. Kräfte (Sonne und Mond, so z.B. Schu und Tefnut in der ägypt. Mythologie), gelten als Kulturbringer (Apoll und Artemis), als Helfer der Menschen (die altind. Aschwins, die mit der Sonne den Himmel umrunden), als myth. Vorfahren ird. Herrscher (Isis und Osiris). In der grch. Mythologie existieren Zwillinge, die unterschiedl. Väter haben (einen göttl. und einen menschl.: so Polydeukes und Kastor, Herakles und Iphikles). Einen anderen Typ verkörpern jene Z., in denen sich die Geschwister feindlich gegenüberstehen oder Gegensätze symbolisieren, wie im A.T. Jakob und Esau, im röm. Mythos Romulus und Remus. – Das Zwillingsmotiv wurde erstmals von Plautus in die Dramatik übernommen und seitdem in Verwechslungsspielen immer wieder bühnenwirksam verwendet (Shakespeare, Bibbiena, F. M. Klinger).

Zwillingsparadoxon (Uhrenparadoxon), ein aus der Zeitdilatation der →Relativitätstheorie und aus der Erfahrung sich ergebender scheinbar paradoxer Sachverhalt, wonach eine Uhr B, die sich nahezu mit Lichtgeschwindigkeit von einer ruhenden Uhr A fort- und danach wieder zurückbewegt, nach ihrer Rückkehr gegenüber A nachgeht, im übertragenen Sinne also ein Mensch nach der Rückkehr von einem Raumflug jünger ist als sein auf der Erde verbliebener Zwillingsbruder. Im Ruhsystem von B ist aber gerade das Gegenteil zu erwarten, da sich A relativ zu diesem bewegt. Das Z. löst sich auf, wenn man beachtet, dass das Ruhsystem von B wegen der notwendigen Geschwindigkeitsänderungen kein →Inertialsystem ist.

Zwingenberg, 1) Gemeinde im Neckar-Odenwald-Kreis, Bad.-Württ., 135 m ü.M., am Neckar, 750 Ew.; Schlossfestspiele; mittlere Industriebetriebe. – Spätgot. Burg (1403 begonnen, anstelle einer 1364 zerstörten Anlage, von der der Bergfried erhalten ist), eine der besterhaltenen Anlagen des Neckartals.

2) Stadt im Landkreis Bergstraße, Hessen, am Fuß des Melibocus, 6600 Ew.; chem. Ind.; in der Umgebung Wein-, Obst- und Gemüsebau. – Fachwerkhäuser. – 1012 erstmals erwähnt, 1274 Marktrecht und Stadtfreiheit.

zwingendes Recht (lat. Ius cogens), →Ius.

Zwinger, 1) *Befestigungswesen:* der zw. der inneren und äußeren Ringmauer einer mittelalterl. Stadtbefestigung oder Burg liegende Umgang oder der zur Vorburg gehörende freie Platz, der bei größeren Burgen zu ritterl. Übungen, zur Haltung von wilden Tieren (Bären-Z.), als Baumgarten, auch als Acker diente. Z.-Anlagen verbreiteten sich im Abendland seit den Kreuzzügen, kommen aber bereits bei altgerman. Burgen vor. Der **Dresdner Zwinger,** dessen Bez. auf einen Z.-Garten des ehem. Festungsgeländes zurückgeht, wurde von M. D. Pöppelmann als großzügige Barockanlage gestaltet (1711–28; Plastik von B. Permoser u.a. Dresdner Bildhauern). Nach dem 2. Weltkrieg erfolgte der Wiederaufbau, die Originalplastiken wurden größtenteils durch Kopien ersetzt. BILD S. 456; weiteres BILD deutsche Kunst

2) *Zoologie:* 1) eingezäunter, mit einer Hütte versehener Auslauf u.a. für Hunde; auch Raubtierkäfig; 2) Zuchtbetrieb für Rassehunde.

Zwingli, Ulrich (Huldrych), schweizer. evang. Theologe, Reformator der deutschsprachigen

Zwingenberg 2): Die spätgotische Burganlage ist eine der besterhaltenen Anlagen des Neckartals

Zwinger 1): Kronentor des 1711–28 von Matthäus Daniel Pöppelmann erbauten Dresdner Zwingers; im Vordergrund der Zwingerteich

Schweiz, *Wildhaus (Kt. St. Gallen) 1. 1. 1484, ⚔ bei Kappel am Albis 11. 10. 1531; Studium der scholast. Theologie (via antiqua) in Wien und Basel; 1506–16 Pfarrer in Glarus und Feldprediger in den Schlachten von Novara (1513) und Marignano (1515); seit 1516 Leutpriester (Seelsorger ohne eigene Pfarrstelle) in Einsiedeln, seit 1519 am Großmünster in Zürich; 1515 Bekanntschaft mit Erasmus von Rotterdam; gelangte über dessen Schriften zu einer humanist. Auffassung des Christentums, entwickelte jedoch in der Folgezeit schrittweise über Paulus und Augustinus, beeinflusst auch durch persönl. Erlebnisse (Erkrankung in der Pestzeit, 1519/20) und die Lektüre von Schriften Luthers, ein reformator. Verständnis des Evangeliums; trat 1522 mit einer gegen das Fastengebot gerichteten Schrift (»Von erkiesen und fryheit der spysen«) erstmals öffentlich im Sinne der Reformation auf; entwickelte in der Folge unabhängig von Luther und konsequenter als dieser ein kirchl. Reformprogramm, das er seit 1523 in Zürich im Bündnis mit dem Rat der Stadt durchsetzte. Nach der Hl. Schrift als der »(Richt-)Schnur Christi« sollte alles beseitigt werden, was sich nicht aus ihr begründen ließ; Heiligenbilder, Klöster, Prozessionen, Orgelspiel, Gemeindegesang, Firmung, Letzte Ölung u.a. wurden abgeschafft, das Abendmahl auf vier Sonntage im Jahr beschränkt. Von Zürich aus breitete sich die reformator. Bewegung in der deutschsprachigen Schweiz aus und entwickelte sich zu einem eigenständigen Zweig der Reformation. Z.s Versuch, die Reformation in der ganzen Schweiz durchzusetzen, führte zu polit. Konflikten mit den katholisch gebliebenen Kantonen und schließlich zum 2. Kappeler Krieg, in dem Z. als Feldprediger auf der Seite Zürichs fiel. – Die Theologie Z.s betont die unbedingte Souveränität Gottes, Glaube ist Zeichen seiner Erwählung. Gott kann aber auch Nichtchristen zum Heil erwählen. Die Sakramente werden als Zeichenhandlungen des Menschen angesehen, in denen sich diese symbolisch an das durch Jesus Christus erworbene Heil erinnern (theolog. Hauptgegensatz zu Luthers Lehre von der →Realpräsenz; →Abendmahl). Staat (polit. Gemeinde) und Kirche verhalten sich zueinander wie Leib und Seele und stehen beide unter dem Evangelium als dem neuen Gesetz Jesu Christi, weshalb für Z. ihre Trennung in zwei separate Bereiche nicht möglich ist. Die einzelne Gemeinde ist für ihn Kirche im vollen Sinn, aber auch Trägerin des polit. Lebens.

🕮 HAAS, M.: *Huldrych Z. u. seine Zeit. Leben u. Werk des Zürcher Reformators. Zürich ^{3}1982.* – GÄBLER, U.: *Huldrych Z. Eine Einführung in sein Leben u. sein Werk. München 1983.* – ALAND, K.: *Die Reformatoren Luther, Melanchthon, Z., Calvin. Gütersloh ^{4}1986.*

Zwing und Bann, im MA. die dörfl. Herrschafts- und Gerichtsgewalt; sie stand urspr. dem Grundherrn, später auch der bäuerl. Genossenschaft zu und wurde zum Kern der öffentlichrechtl. Gemeindehoheit.

Zwirn, durch Zusammendrehen (Zwirnen) von zwei oder mehr Einzelfäden gleicher oder versch. Art entstandener Faden, der gegenüber Einzelfäden v.a. höhere Festigkeit aufweist.

Zwirner, Ernst Friedrich, Baumeister, *Jakobswalde (heute Kotlarnia, Wwschaft Opole) 28. 2. 1802, †Köln 22. 9. 1861; Schüler von K. F. Schinkel; leitete seit 1833 den Kölner Dombau, der nach seinen Plänen von R. Voigtel vollendet wurde; errichtete mehrere neugot. Kirchenbauten, u.a. die Wallfahrtskirche Sankt Apollinaris (1839 bis 1843) in Remagen.

Zwischenahn, Bad, →Bad Zwischenahn.

Ulrich Zwingli: Gemälde von Hans Asper, Ausschnitt (1549; Zürich, Zentralbibliothek)

Zwischenakt, Bez. für die Zeitspanne zw. den Akten einer dramat. Aufführung, die durch →Zwischenspiel oder Z.-Musik (→Bühnenmusik) ausgefüllt werden kann.

Zwischenbilanzen, Bilanzen, die regelmäßig neben der Jahresbilanz (Monats- und Quartalsbilanzen) oder bei speziellen Anlässen (z.B. bei Kreditanfragen, Überschuldung oder im Verlauf eines Konkursverfahrens) aufgestellt werden.

Zwischenbuchhandel, zw. Verlagen und Einzelbuchhandel vermittelnde Einrichtung (→Buchhandel).

Zwischeneiszeit, das →Interglazial.

Zwischenfeststellungsklage, in einem anhängigen Prozess erhobene Klage zur Feststellung eines im Laufe des Prozesses streitig gewordenen Rechtsverhältnisses, von dessen Bestehen oder Nichtbestehen der Klageanspruch abhängt (u.a. §256 Abs. 2 ZPO).

Zwischenfrequenz, Abk. **ZF,** durch Mischung einer modulierten Hochfrequenzschwingung mit einer zusätzl. Oszillatorfrequenz gewonnene konstante Frequenz, wird in jedem Überlagerungsempfänger vor der Verstärkung und Demodulation gebildet.

Zwischenfruchtbau, Anbau von Kulturpflanzen zw. zwei Hauptfrüchten auf demselben Feld zur Produktion von Futter oder zur Gründüngung. Z. erfolgt als **Untersaat** (z.B. Klee) zur zuerst geernteten Hauptfrucht (z.B. Getreide), als **Stoppelsaat** unmittelbar nach der Ernte der vorhergehenden Hauptfrucht (z.B. Leguminosengemenge) oder als **Winterzwischenfrucht,** die im Herbst bestellt und im Frühjahr geerntet wird (z.B. Futterroggen).

Zwischengitterplätze, zw. den regulären Gitterpunkten des idealen Kristallgitters befindl. Stellen, die in Realkristallen mit Kristallbausteinen besetzt sein können.

Zwischengoldglas, →Goldglas.

Zwischenhandel, der Handel zw. zwei Produktionsstufen, d.h. zw. Erzeugern und Weiterverarbeitern (Produktionsverbindungshandel).

Zwischenhirn (Dienzephalon), Abschnitt des Wirbeltiergehirns, der beim Menschen zw. den beiden Hemisphären des Großhirns liegt und den 3. Hirnventrikel begrenzt. Zum Z. gehören der paarig angelegte Thalamus (Sehhügel) und der Hypothalamus. Der **Thalamus** ist z.T. nervöse Schaltstation für alle Empfindungsbahnen, die vom Rückenmark oder vom Hirnstamm zum Großhirn ziehen, z.T. Bestandteil des extrapyramidal-motor. Systems. Der **Hypothalamus** ist ein wichtiges Integrationszentrum für vegetative und hormonelle Funktionen. Er ist u.a. zuständig für die Erhaltung der Körpertemperatur, die Regulation von Blutkreislauf, Menstruationszyklus, Wasser- und Mineralstoffhaushalt, Schlaf-wach-Rhythmus und ist außerdem Sitz des Hunger-, Sattheits- und Durstzentrums. Dabei ist der Hypothalamus eng mit der Hypophyse verbunden, die wiederum übergeordnete Instanz für das vielgestaltige System der Drüsen mit innerer Sekretion ist; mit ihr bildet er als **Z.-Hypophysen-System** eine funktionelle Einheit.

Zwischenkern, *Kernphysik:* der →Compoundkern.

Zwischenkieferknochen (Prämaxillare, Intermaxillare), in der Mitte zw. den beiden Oberkieferknochen liegender Deckknochen des Kieferschädels der Wirbeltiere, der bei den Säugetieren die oberen Schneidezähne trägt. Bei einigen Säugetieren und beim Menschen verschmilzt der Z. völlig mit den benachbarten Oberkieferknochen.

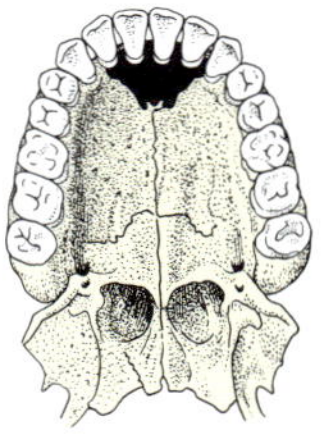

Zwischenkieferknochen: Ansicht des Gaumens von unten; der Zwischenkieferknochen ist schwarz dargestellt

Zwischenkredit, der Vorfinanzierung dienender kurzfristiger Überbrückungskredit, der durch einen bereits vereinbarten langfristigen Kredit abgelöst wird; bes. bei der Baufinanzierung üblich (Ablösung des Z. erfolgt nach Fertigstellung des Gebäudes durch einen Hypothekarkredit).

Zwischenlagerung, allg. die zeitlich begrenzte Lagerung von Abfällen bis zu deren Verwertung, Behandlung oder Endlagerung; in der *Kerntechnik* Teil der nuklearen →Entsorgung. Die abgebrannten Brennelemente werden nach ihrer Entnahme aus dem Reaktorkern in sog. Abklingbecken innerhalb der Kernkraftwerke gelagert. Bei der **Nasslagerung** werden die Brennelemente aus den Transportbehältern entladen und in ein Lagerbecken gestellt. Das Beckenwasser führt die Nachzerfallswärme ab und dient gleichzeitig zur Abschirmung der radioaktiven Strahlung. Bei der **Trockenlagerung** bleiben die Brennelemente im Transportbehälter (Transportbehälterlager), der mit Kühlrippen ausgestattet ist, sodass durch natürl. Konvektion die Nachwärme abgeführt wird. Diese Art der Lagerung erfordert im Ggs. zur Nasslagerung keine aktiven Kühlsysteme und ist frühestens ein Jahr nach der Entnahme der Brennelemente aus dem Reaktor möglich.

zwischenmolekulare Kräfte, anziehende oder abstoßende Wechselwirkungskräfte zw. valenzmäßig abgesättigten Molekülen. Z. K. wirken i. Allg. bei größeren Molekülabständen anziehend und ermöglichen z.B. die Existenz von Molekülkristallen und Flüssigkeiten. Die Anziehungskräfte werden auch als **Van-der-Waals-Kräfte** bezeichnet. Sie sind die Ursache für das abweichende Verhalten realer Gase vom idealen Gaszustand. Bei elektrisch neutralen polaren Molekülen liefert die **Dipolwechselwirkung (Dipol-Dipol-Kräfte),** die auf der Wirkung von Orientierungskräften zw. permanenten Dipolen beruht, den Hauptanteil der Van-der-Waals-Kräfte. Die gleichzeitig auftretende **Induktionswechselwirkung** wird dadurch hervorgerufen, dass ein permanenter Dipol in einem benachbarten Molekül ein Dipolmoment induziert. Die **Dispersionskräfte (London-Kräfte)**

treten zw. allen Atomen und Molekülen auf. Sie entstehen durch quantenmechanisch bedingte Schwankungen der atomaren elektr. Felder, die auch in Atomen und dipollosen Molekülen Dipole hervorrufen, die die Elektronensysteme benachbarter Atome und Moleküle polarisieren. Besondere Formen z. K. und Grenzfälle zu echten chem. Bindungen bilden z.B. die Wasserstoffbrückenbindungen und die Wechselwirkungen in Charge-Transfer-Komplexen.

Zwischenschein (Interimsschein), Wertpapier, das die sich aus einer Aktie ergebenden Mitgliedschaftsrechte verbrieft und den Aktionären vor Ausgabe von Aktien ausgehändigt wird. Z. müssen auf den Namen lauten (§ 10 Aktiengesetz) und dürfen nicht vor Eintragung der AG (bzw. einer Kapitalerhöhung) ins Handelsregister ausgegeben werden.

Zwischenseengebiet, Landschaft im ostafrikan. Hochland zwischen Victoriasee und den Seen im Zentralafrikan. Graben (Albert-, Rutanzige-, Kiwu- und Tanganjikasee); gehört zu Uganda, Ruanda, Burundi und Tansania.

Zwischenspiel, 1) *Musik:* a) in der Oper eine szen. Einlage zw. den Akten (Intermedium); b) ein überleitender Teil für Orgel zw. Hymnen-, Psalm- oder Choralversen oder -strophen, der zu improvisieren ist (Interludium); c) das → Intermezzo; d) das → Divertimento.

2) *Theater:* kleine dramat., meist kom. Einlage vor, nach oder v.a. zwischen den Akten (während des Szenenwechsels) eines Bühnenstücks. In hellenistisch-röm. Zeit waren die Z. musikalisch-pantomimisch. Das Z. hat bes. vom 16. Jh. an vielfältige Erscheinungsformen, dazu gehören die engl. Interludes, die aus Volkslied und Balletteinlagen entwickelten italien. Intermezzi, teils auch die aus England übernommenen Hanswurst- und Clownszenen, die span. Entremeses und Sainetes. Seit dem 18. Jh. wurden die Z. allmählich von der Zwischenaktmusik abgelöst.

Zwischenstreit, *Prozessrecht:* der Streit der Parteien über einzelne, das Verfahren betreffende Fragen, über den nach mündl. Verhandlung durch → Zwischenurteil entschieden wird.

Zwischenurteil, *Zivilprozess:* Urteil über einzelne Streitpunkte, die für das Endurteil wichtig sind, wie prozessuale Vorfragen (§ 303 ZPO), besondere Prozessvoraussetzungen (§ 280 ZPO) und über den Grund eines nach Grund und Betrag streitigen Anspruchs (§ 304 ZPO). Das Z. ist nur bei entsprechender gesetzl. Zulässigkeit selbstständig mit Rechtsmitteln anfechtbar. Ähnl. Vorschriften bestehen in anderen Verfahrensordnungen.

Zwischenverfügung, Entscheidung im Bereich der freiwilligen Gerichtsbarkeit, mit der dem Antragsteller aufgegeben wird, behebbare Hindernisse, die der beantragten Entscheidung entgegenstehen, in einer bestimmten Frist zu beseitigen. Die Z. dient bes. der Erhaltung des Ranges eines Grundstücksrechtes.

Zwischenwirbelscheibe, die → Bandscheibe.

Zwischenwirt, bei Parasiten mit obligatem Wirtswechsel Bez. für Organismen, an oder in denen die Jugendstadien parasitieren.

Zwischenzellräume, *Biologie:* die → Interzellularräume.

Zwittau, Stadt in der Tschech. Rep., → Svitavy.

Zwitter (Hermaphrodit), Organismus mit der Fähigkeit, über entsprechende Geschlechtsorgane sowohl männl. als auch weibl. befruchtungsfähige Geschlechtsprodukte auszubilden. **Tierische Z.** finden sich v.a. bei Schwämmen, Nesseltieren, Strudel-, Saug-, Band- und Ringelwürmern (Regenwurm, Blutegel) sowie Lungenschnecken. Unter den Wirbeltieren kommen echte Z. nur bei Fischen vor. – Soweit in der Medizin von Z. gesprochen wird, handelt es sich um unechte Z. (Schein-Z.). **Pflanzl. Z.** sind alle Pflanzen mit Z.-Blüten und die einhäusigen Pflanzen (→ Monözie).

Zwitter|ionen, chem. Verbindungen, die sowohl eine Gruppe mit positiver als auch eine Gruppe mit negativer Ladung enthalten, z.B. Aminosäuren und Betain.

Zwittertum (Zwittrigkeit, Hermaphroditismus), das Vorhandensein funktionsfähiger männl. und weibl. Geschlechtsorgane (bzw. einer Zwitterdrüse) in einem tier. oder pflanzl. Organismus. Selbstbefruchtung wird z.B. dadurch ausgeschaltet, dass die männl. Keimzellen eher reifen als die weiblichen. Zwittrige Tiere tauschen bei der Paarung Geschlechtsprodukte aus und begatten sich gegenseitig. – Außer diesem **echten Z.** als einer normalen Erscheinung bei den Lebewesen kennt man ein (abnormes) **Schein-Z.** (→ Pseudohermaphroditismus).

zwölf, als Ziffer **12.** Die Z. ist die Grundzahl des Zwölfersystems (→ Duodezimalsystem); sie spielt u.a. eine Rolle in der Himmelskunde (12 Zeichen des Tierkreises), in der Zeiteinteilung (12 Tages- und Nachtstunden, 12 Monate), in der Religionsgeschichte (z.B. 12 Stämme Israels), im grch. Mythos (12 Arbeiten des Herakles) und im Volksglauben (→ Zwölf Nächte).

Zwölfapostellehre, eine Kirchenordnung, → Didache.

Zwölffingerdarm, → Darm.

Zwölffingerdarmgeschwür (Duodenalgeschwür, Ulcus duodeni), v.a. durch vermehrte Sekretion von Magensaft hervorgerufener tieferer Schleimhautdefekt im oberen Teil des Zwölffingerdarmes. Die im Sekret der Magendrüsen enthaltene Salzsäure und das Eiweiß spaltende Enzym Pepsin greifen unter bestimmten Bedingungen die empfindl. Zwölffingerdarmschleimhaut an und führen zu einer begrenzten Selbstverdauung der Darmwand. Das Z. kommt bei Männern etwa zwei- bis dreimal so häufig vor wie bei Frauen. Kennzeichen sind u.a. period. Nüchtern- und Nachtschmerzen im Oberbauch. Die Bedeutung des Z. liegt außer in seinen lebensgefährl. Komplikationen (Darmblutungen, Durchbrüche in die freie Bauchhöhle) v.a. in den Rückfällen, die Wohlbefinden, Arbeits- und Leistungsfähigkeit des Kranken immer wieder auf Wochen und Monate beeinträchtigen. Die Behandlung umfasst Ruhigstellung (möglichst Bettruhe, Beruhigungsmittel, Psychotherapie), Nikotin- und Alkoholverzicht, Antazida zw. den Mahlzeiten u.a. Medikamente, bei Erfolglosigkeit und Komplikationen auch chirurg. Maßnahmen.

Zwölfflächner, das →Dodekaeder.

Zwölfkampf, früher olympischer Mehrkampf (Kunstturnen, Männer), heute vom olymp. Sechskampf abgelöst.

Zwölfmeilenzone, →Freiheit der Meere, →Küstengewässer.

Zwölf Nächte (Zwölften), im Volksglauben und Brauchtum bes. hervorgehobene Tage, i.d.R. (mit landschaftl. Abweichungen) zw. Weihnachten und Dreikönigstag; galten als die Zeit von Spukgeistern (Wilde Jagd, Frau Holle, Bercht), die mit mancherlei Arbeitsverbot belegt war, sowie als Lostage; zum Schutz vor den Geistern besprengte man in kath. Gegenden Zimmer und Ställe mit Weihwasser (Raunächte). Aus dem Wetter der Z. N. leitete man Voraussagen für das Wetter der 12 Monate des kommenden Jahres ab, auch Träume galten als vorbedeutend.

Zwölfstädte, 1) alter Bund der kleinasiat. Städte der →Ionier; Kultmittelpunkt war das Heiligtum des Poseidon Helikonios bei Priene.

2) im antiken Italien der polit. und kult. Bund der wichtigsten Städte der Etrusker. Der Bund zerfiel durch das Vordringen der Römer nach Etrurien im 4./3. Jh. v. Chr.

Zwölftafelgesetz (lat. Lex duodecim tabularum), früheste Aufzeichnung des röm. Rechts 451/450 v. Chr. durch eine Zehnmännerkommission **(Decemviri legibus scribundis).** Auf Bronzetafeln auf dem Forum Romanum öffentlich aufgestellt, bildete es bis in die frühe Kaiserzeit die Grundlage des gesamten Rechtslebens; 387 v. Chr. beim Galliersturm vernichtet; überliefert sind nur Zitate im Schrifttum der späteren Rep. und der Kaiserzeit. (→römisches Recht)

Zwölftonmusik, Musik, die unter Anwendung der Zwölftontechnik komponiert wird.

Zwölftontechnik (Dodekaphonie), um 1920 von A. Schönberg entwickelte »Kompositionstechnik mit 12 nur aufeinander bezogenen Tönen«. Dies setzt die temperierte Stimmung voraus, welche die Oktaven in 12 gleiche Intervalle teilt. Grundlage der Z. ist eine Reihe, die alle Töne der chromat. Skala (ohne Wiederholung eines Tones) enthält. Aus einer Reihe können, da die Rhythmisierung und die Oktavlage frei bestimmbar sind, die verschiedensten musikal. Gedanken (Motive, Themen u.a.) abgeleitet werden. Die Reihe erscheint in 48 grundsätzlich gleichberechtigten Gestalten: in ihrer Original- oder Grundgestalt, in der Umkehrung, in der rückläufigen Gestalt (Krebs) oder in der umgekehrten rückläufigen Gestalt (Umkehrung des Krebses), die jeweils auf die 12 versch. Stufen transponiert werden können. Die Satztechnik der Z. ist überwiegend polyphon. Vorausgesetzt ist die grundsätzl. Gleichberechtigung aller Akkorde, d.h. das quantitative und bedeutungsmäßige Überwiegen der Dissonanz und (damit eng verbunden) die Atonalität (→atonale Musik). In Z. komponierten nach Schönberg A. Berg, A. von Webern, H. Eisler, E. Krenek, L. Dallapiccola u.a., nach 1947 auch H. W. Henze, W. Fortner, I. Strawinsky u.a. Galt es zunächst, eine Komposi-

Zwölftontechnik: Die vier Reihengestalten aus Arnold Schönbergs Suite für Klavier op. 25 (G Grundgestalt, K Krebs, U Umkehrung, KU Umkehrung des Krebses); darunter die Verwendung der einzelnen Töne der Grundreihe in diesem Werk tion aus nur einer einzigen Reihe zu entwickeln, so leitete Schönberg bereits seit 1929 Nebenformen aus Reihenteilen ab; Berg entwickelte in »Lulu« aus einer Reihe neue Reihen, während Krenek versuchte, den Reihenzwang zu brechen, indem er einzelne Töne innerhalb bestimmter Gruppen nach bestimmten Regeln umstellte. Die Übertragung der Reihenidee von der Tonhöhe auf die anderen Eigenschaften der Töne führte zur →seriellen Musik. – Die von J. M. Hauer unabhängig von Schönberg seit 1918 entwickelte Z. beruht nicht auf Reihen, sondern auf **Tropen.** Jede Trope besteht aus zwei sich zu einer Zwölftongruppe ergänzenden Sechstongruppen, innerhalb deren die Töne allerdings beliebig umgestellt werden können. Die Aufeinanderfolge der Tropen (es gibt insgesamt 44) ist keinen bestimmten Regeln unterworfen.

🕮 EIMERT, H.: *Lehrbuch der Z. Wiesbaden* [9]*1981.* – MILSTEIN, S.: *Arnold Schoenberg: notes, sets, forms. Cambridge u. a. 1992.* – SCHÖNBERG, A.: *Stil u. Gedanke. Tb.-Ausg., hg. v.* I. VOJTECH. *Frankfurt am Main 1992.* – WUORINEN, C.: *Simple composition. Leipzig u. a. 1994.*

Zwolle [z-], Hptst. der Prov. Overijssel, Niederlande, zw. IJssel und Vechte, 98 300 Ew.; Prov.-Museum; Fahrzeug- und Maschinenbau, elektrotechn., Nahrungsmittel- u. a. Industrie. – Got. Sint Michaelskerk (14./15. Jh.), spätgot. Liebfrauenkirche (15. Jh.; 91 m hoher Turm), Rathaus (15. Jh., im 19. Jh. umgebaut), Torhaus Sassenpoort (1409) der Stadtbefestigung. – 1230 Stadtrecht; seit 1407 Mitgl. der Hanse.

Zwönitz, Stadt im Landkreis Stollberg, Sachsen, in einer Talmulde des mittleren Erzgebirges, 9 200 Ew.; Papiermühle (Museum); Messgeräte- und Telexgerätebau, Spezialpappenwerk, Schuhherstellung. – Stadtkirche (1458, Neubau 1688–92). – Um 1200 gegr., seit 1460 Stadt.

Zyanose [grch.] *die, Medizin:* die →Blausucht.

zygomorph [grch. »jochgeformt«], nur eine Symmetrieebene zeigend (→Blüte).

Zygote [grch.] *die,* die aus einer Befruchtung (Verschmelzung zweier →Gameten) hervorgehende (diploide) Zelle.

Zyklentheorie, geotekton. Hypothese, nach der die Erdkruste im Lauf der Erdgeschichte in mehreren Zyklen (Ären) gebildet wurde, d. h., dass Zeiten ruhiger Entwicklung **(Evolution)** mit solchen gesteigerter geolog. Kräfte und Vorgänge **(Revolution)** miteinander wechselten. In der lang dauernden Phase der Evolution bildeten sich große Senkungsräume, die Geosynklinalen, die sich mit dem Abtragungsschutt der benachbarten aufsteigenden Gebiete, den Geantiklinalen, füllten (Epirogenese). In der Phase der Revolution wurden die Geosynklinalsedimente zusammengestaucht, verfestigt und als Gebirge über den Meeresspiegel herausgehoben (Orogenese). – Es wird angenommen, dass in der Erdfrühzeit die Erdkruste mehrfach durch eine Reihe solcher **Großzyklen** verfestigt, in einer anschließenden Regenerationsphase aber immer wieder mobilisiert wurde. Der **algonkische Umbruch** leitete den Großzyklus ein, der bis heute anhält und die assyntische, kaledon., varisk. und alpid. Ära umfasst.

zyklisch [zu Zyklus], kreisförmig, regelmäßig wiederkehrend.

zyklische Dichter (Kykliker), diejenigen griechischen Epiker, die bis zur Mitte des 6. Jh. v. Chr., z. T. im Anschluss an Homer, Stoffe der grch. Heldensage behandelten. Die Bez. z. D. erklärt sich wohl daraus, dass diese Dichtungen zu einem Zyklus mit »Ilias« und »Odyssee« als Mittelpunkt geordnet wurden. Zum **troischen Kreis** gehören die »Kypria« (Vorgeschichte des Trojan. Krieges und erste Kämpfe), die »Aithiopis« (Penthesilea, Memnon, Tod des Achill), die »Iliupersis« (Einnahme und Zerstörung von Ilion, daneben wohl mit demselben Inhalt die »Kleine Ilias«), die »Nostoi« (Rückfahrten der Helden von Troja), die »Telegonie« (Tötung des Odysseus durch seinen Sohn Telegonos). Zum **theban. Kreis,** der inhaltlich dem troischen vorangeht, gehören die »Ödipodie« (Geschichte des Ödipus), die »Thebais« (Kampf der Sieben gegen Theben) und »Epigonen« (Eroberung von Theben durch die Söhne der Sieben). Am Anfang des Zyklus steht die »Titanomachie« (Kampf der Götter mit den Titanen).

zyklische Kurve, die →Zykloide.

zyklischer Budgetausgleich [- by'dʒe-, frz.], Konzept der öffentl. Budgetpolitik für einen Ausgleich der Staatseinnahmen und -ausgaben nicht mehr für eine Haushaltsperiode, sondern über einen Konjunkturzyklus hinweg. Zur Nachfragesteuerung sollen im Aufschwung Überschüsse (z. B. Stilllegung von Steuereinnahmen), im Abschwung Defizite angestrebt werden (z. B. Kreditaufnahme).

zyklische Verbindungen (cyclische Verbindungen), chem. Verbindungen, in denen alle oder ein Teil der Atome eine ringförmig geschlossene Struktur bilden. Die Ringe können entweder aus gleichartigen Atomen (z. B. nur Kohlenstoffatomen) aufgebaut sein **(homozykl. Verbindungen)** oder aus verschiedenartigen Atomen bestehen **(heterozykl. Verbindungen).** Außer Verbindungen mit einem Ring **(monozykl.** oder **einkernige Verbindungen)** gibt es auch solche mit mehreren Ringsystemen **(polyzykl.** oder **mehrkernige Verbindungen).** Es wird weiterhin zw. **alizyklischen,** d. h. aliphatisch-zykl. Ringsystemen (v. a. Cycloalkane, →Alkane) und **aromatischen** Ringsystemen (→Aromaten) unterschieden. Sind mindestens zwei ungesättigte Ringe über mindestens zwei gemeinsame Kohlenstoffatome miteinander verbunden (z.B. im Naphthalin), so spricht man von **kondensierten** polyzykl. Verbindungen; **verbrückte** polyzykl. Verbindungen sind gesättigte Verbindungen, in denen mindestens zwei Ringe wenigstens zwei gemeinsame Kohlenstoffatome haben (z.B. Adamantan, Cuban).

zyklo... [grch.], kreis..., kreisförmig...

Zykloide [grch.] *die* (zyklische Kurve, Rollkurve), ebene Kurve, die von einem Punkt *P* auf dem (verlängerten) Radius *r* eines rollenden Kreises beschrieben wird. Je nachdem, ob der sich im Abstand *a* vom Kreismittelpunkt befindende Punkt auf der Kreislinie ($a=r$), innerhalb ($a<r$) oder außerhalb ($a>r$) des Kreises liegt, spricht man von einer **spitzen Z.**, einer **gestreckten (verkürzten)** oder einer **geschlungenen (verlängerten) Z.**; Z. mit $a \neq r$ werden als **Trochoide** bezeichnet. Rollt der Kreis auf einer Geraden, so erhält man **gewöhnl. Z.**, rollt er auf einem Kreis, so entstehen **Epi-Z.**, rollt ein kleinerer Kreis auf der Innenseite eines größeren, so erhält man **Hypo-Z.**; diese spielen z.B. bei Zahnradgetrieben eine Rolle.

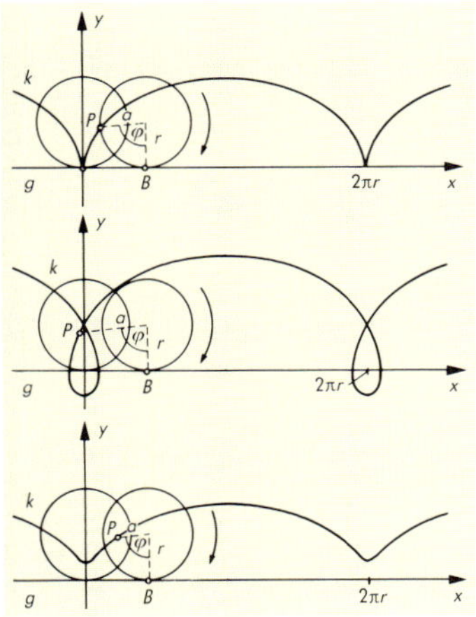

Zykloide (von oben): schematische Darstellung einer spitzen ($a=r$), geschlungenen ($a>r$) und gestreckten ($a<r$) Zykloide

Zyklon [grch.] *der,* **1)** *Meteorologie:* Luftwirbel, i.e.S. regionaler trop. Wirbelsturm über dem Indischen Ozean.

2) *Technik:* (Fliehkraftabscheider) ein Gerät zum Abscheiden von Feststoffen aus gasförmigen **(Wirbler)** oder flüssigen Tragmedien **(Hydro-Z.)**. Das Verfahren beruht auf der Wirkung der Zentrifugalkraft: Das Gemisch wird oben in den zylindr. Teil des am unteren Ende trichterförmig zulaufenden Gehäuses mit großer Geschwindigkeit tangential eingeführt; die schwereren Teile schleudern an die Wandung, setzen sich an ihr ab und fallen in den Trichter. Die leichteren Teile werden nach oben ausgeführt. Z. werden u.a. zur Staubabscheidung aus Gasen sowie zur Sortierung von Erzen und Kohlen verwendet.

Zyklone [grch.] *die, Meteorologie:* das →Tiefdruckgebiet.

Zyklopen, *grch. Mythos:* die →Kyklopen.

zyklothym [grch.], nach E. Kretschmer dem pyknischen Körperbau (→Konstitutionstypen) entsprechender Temperamentstypus mit aufgeschlossenem, geselligem, extravertiertem Wesen und Disposition zur manisch-depressiven Erkrankung.

Zyklothymie [grch.] *die,* **1)** *Psychiatrie:* →manisch-depressive Erkrankung.

2) *Psychologie:* der zyklothyme Temperamentstypus.

Zyklotron [grch.] *das,* von E.O. Lawrence 1931 entwickelter →Teilchenbeschleuniger, bes. zur Beschleunigung von Protonen und leichten Atomkernen. Das Z. besteht aus zwei flachen, evakuierten D-förmigen Elektroden **(Duanten),** zw. denen eine hochfrequente Wechselspannung konstanter Frequenz anliegt. Die von einer Ionenquelle im Zentrum der Anordnung erzeugten Teilchen werden durch ein starkes homogenes Magnetfeld infolge der Wirkung der Lorentz-Kraft auf Kreisbahnen gezwungen. Jeweils beim Übergang von einem Duanten in den anderen erfahren die Teilchen durch das elektr. Wechselfeld eine (phasengleiche) Beschleunigung, wodurch sie sich spiralförmig mit wachsender Geschwindigkeit nach außen bewegen. Nach Erreichen einer Energie bis zu etwa 40 MeV werden sie durch eine Ablenkelektrode tangential aus dem Z. herausgeführt. In modernen Z. erfolgt bei einem Umlauf eine mehrmalige Beschleunigung. Bei höheren Energien (Geschwindigkeiten), bei denen die relativist. Massenzunahme der Teilchen nicht zu vernachlässigen ist, verringert sich die Umlauffrequenz der Teilchen. Die notwendige Synchronisation zw. Umlauf- und Beschleunigungsfrequenz wird im **Synchro-Z.** erzielt, das im Energiebereich bis etwa 1 GeV arbeitet. Noch höhere Energien erreicht man im →Synchrotron.

Zyklotronresonanz, die Resonanzabsorption elektromagnetischer Strahlung in Halbleitern und Metallen, die sich in einem starken Magnetfeld befinden. Z. tritt ein, wenn die Strahlungsfrequenz (im Mikrowellenbereich oder fernen Infrarot) mit der Umlauffrequenz der Ladungsträger (Elektronen, Defektelektronen) im homogenen Magnetfeld **(Zyklotronfrequenz)** übereinstimmt. Die Z. ermöglicht die Bestimmung der effektiven Massen der Ladungsträger und die Untersuchung der Energiebänder.

Zyklus [grch. kýklos »Kreis«] *der,* **1)** *allg.:* periodisch ablaufendes Geschehen, Kreislauf regelmäßig wiederkehrender Ereignisse (z.B. Jahreszeiten); Folge inhaltlich zusammenhängender literar., musikalischer u.a. Werke oder Darbietungen.

2) *Medizin:* periodische Regelblutung der Frau (→ Menstruation).

Zykluszeit, bei digitalen Datenverarbeitungsanlagen die Zeit für einen sich periodisch wiederholenden Vorgang (z.B. Befehls-, Speicher-, Schreib-, Lesezyklus). Insbesondere bezeichnet die Z. die Zeitdauer, die zw. den Zugriffen auf die Inhalte zweier versch. Speicherplätze (z.B. im Arbeitsspeicher) vergeht.

Zylinder [grch.] *der,* **1)** *Maschinenbau:* bei Kolbenmaschinen lang gestreckter Hohlkörper, in dem der Kolben eine oszillierende Bewegung ausführt und in dem der Energieumwandlungsprozess stattfindet. Bei Mehrzylindermotoren werden die Z. häufig zu einem **Z.-Block** zusammengegossen. Als Werkstoff wird Grauguss, bei luftgekühlten Motoren auch Leichtmetallguss verwendet. Bei wassergekühlten Motoren besteht der Z. aus der Z.-Laufbüchse und dem sie umgebenden Wassermantel (Kühlwasser).

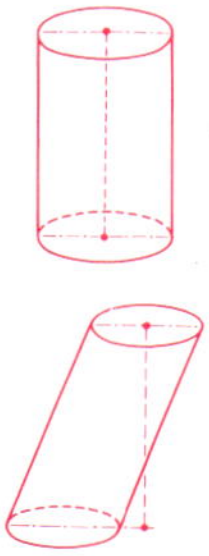

Zylinder 2): gerader und schiefer Kreiszylinder

2) *Mathematik:* (Z.-Körper) Körper, der entsteht, wenn eine geschlossene Z.-Fläche durch zwei parallele Ebenen **(Grund-** und **Deckfläche)** so geschnitten wird, dass alle Mantellinien von jeder der beiden Ebenen getroffen werden. Die **Z.-Fläche (Z.-Mantel)** entsteht durch Parallelverschiebung einer Geraden (der Erzeugenden) längs einer Kurve (der Leitkurve) im dreidimensionalen Raum. Ist die Kurve ein Kreis, dann ist die von den Geraden erzeugte Fläche eine Kreiszylinderfläche. Schneidet man diese Fläche mit einer zu der gegebenen Kreisfläche parallelen Ebene, dann heißt der von den beiden Kreisflächen und der Z.-Fläche umschlossene Raum **Kreis-Z.** Stehen die Erzeugenden auf der gegebenen Kreisfläche senkrecht, dann handelt es sich um einen geraden Kreis-Z. (Rotations-Z.), andernfalls um einen schiefen. Das Volumen eines Kreis-Z. mit der Höhe h (h Abstand der beiden parallelen Kreisflächen) und dem Grundkreisradius r ist $V = \pi r^2 h$, die Fläche des Mantels eines geraden Kreis-Z. ist $A = 2\pi rh$.

3) *Mode:* (Z.-Hut) Herrenhut aus Filz, Seide, Seidenplüsch, auch Stroh, mit hohem, steifem Kopf und fester Krempe. Er kam, zuerst als **hoher Hut,** dann wegen der Röhrenform als Z. bezeichnet, im letzten Jahrzehnt des 18. Jh. auf, war die bevorzugte Kopfbedeckung der ersten Hälfte des 19. Jh. und hielt sich bis zum Ende des 19. Jh. Seitdem ist er auf feierl. und festl. Gelegenheiten beschränkt. (→ Chapeau claque)

Zylindergläser (Zylinderlinsen), *Optik:* von zwei Zylinderflächen mit parallelen Achsen begrenzte opt. Linsen, Verwendung u.a. als Brillengläser zum Ausgleich des Astigmatismus.

Zylinderkopf, bei Verbrennungsmotoren der Abschluss (Deckel) des aus Kolben und Zylinder gebildeten Arbeitsraums. Er enthält i.d.R. die Ein- und Auslassventile, die Zündkerze (Ottomotor) und ggf. Einspritzdüse sowie häufig die Ventilsteuerung.

Zylinderlaufbüchse, bei wassergekühlten Kolbenmaschinen die in das Gehäuse eingesetzte oder eingegossene Laufbüchse, um die das Kühlwasser strömt **(nasse Büchse).** In besonderen Fällen (Hochleistungsmotoren, luftgekühlte Motoren mit Leichtmetallgehäuse) dient die eingebaute Z. (meist aus Stahl) zur Verbesserung der Laufeigenschaften **(trockene Büchse);** Nachteil trockener Büchsen: schlechtere Kühlung, da der Wärmeübergang zum Kühlmittel beeinträchtigt wird.

Zylinderprojektion, → Kartennetzentwürfe.

Zymbelkraut (Cymbalaria), Gattung der Rachenblütler mit zehn Arten in W-Europa und im Mittelmeergebiet. Die bekannteste Art ist das **Mauerzymbelkraut** (Venusnabel, Cymbalaria muralis), eine in S-Deutschland vorkommende Pflanze mit kriechendem, dünnem Stängel und kleinen, hellvioletten Blüten.

Zymogen [grch.] *das, Biochemie:* inaktive Enzymvorstufe (Proenzym), aus der zumeist durch proteolyt. Abspaltung von Peptidresten das aktive Enzymmolekül erst am Wirkort gebildet wird.

Zyniker, grch. Philosophenschule, → Kyniker.

Zynismus [von Kyniker] *der,* destruktive Kritik, Missachtung und Verhöhnung von Gefühlen; radikale Infragestellung aller Wahrheiten, Werte und Normen.

Zypergras [nach der Insel Zypern] (Cyperus), Gattung hauptsächlich in den Tropen und Subtropen verbreiteter Riedgräser, wenige Arten auch in gemäßigten Zonen; Ufer-, Sumpf- und Wasserpflanzen mit meist dreikantigen Stängeln; Ährchen in von Blättern umhüllten Blütenständen. Das in Madagaskar beheimatete **Wechselblättrige Z.** (Cyperus alternifolius) wird häufig als Zimmerpflanze kultiviert.

Zypern (Cypern, ngrch. Kypros, amtlich ngrch. Kypriaki Dimokratia, türk. Kıbrıs Cumhuriyeti, engl. Republic of Cyprus), Insel im östl. Mittelmeer, die 1960 als Rep. selbstständig wurde und seit 1974 geteilt ist in ein griechisch-zypr. Gebiet (5 896 km², 620 000 Ew.) im S und ein türkisch-zypr. Gebiet (proklamiert zur »Türkischen Rep. Nord-Z.«; 3 355 km², 180 000 Ew.) nördlich der Linie Lefka, Nikosia, Famagusta.

Staat und Recht: Nach der formal noch gültigen Verf. von 1960 ist Z. eine präsidiale Rep.; de facto besteht Z. jedoch aus dem internat. anerkannten grch.-zypr. S-Teil und dem türkisch-zypr. N-Teil, der nur von der Türkei anerkannt wird.

Griechisch-zypr. Teil: Staatsoberhaupt und oberster Inhaber der Exekutive (Reg.chef) ist der Präs. (auf fünf Jahre direkt gewählt). Er ernennt und

Zypern

Fläche: 9251 km²
Einwohner: (1995) 800 000
Hauptstadt: Nikosia
Verwaltungsgliederung: 4 Bezirke im S-Teil, 2 im N-Teil
Amtssprachen: Neugriechisch bzw. Türkisch
Nationalfeiertag: 1. 10.
Währung: 1 Z.-Pfund (Z£) = 100 Cents (c); im türkisch besetzten Teil: 1 Türkisches Pfund/Türkische Lira (TL.) = 100 Kuruş (krş.)
Zeitzone: MEZ +1 Std.

entlässt die Mitgl. des Kabinetts. Die Legislative liegt beim Repräsentantenhaus, bestehend aus 80 Abg., auf fünf Jahre gewählt, davon 56 für den grch. Bevölkerungsteil und 24 für die türk. Zyprer (vakant). Einflussreichste Parteien: Demokrat. Sammlung (DISY), Fortschrittspartei des werktätigen Volkes (AKEL), Demokrat. Partei (DIKO), Vereinigte Demokrat. Union (EDEK).

Türkisch-zypr. Teil: Staatsoberhaupt ist der auf fünf Jahre direkt gewählte Präsident. Die Legislative liegt bei der Gesetzgebenden Versammlung (50 Abg., auf fünf Jahre gewählt), die Exekutive bei der Reg. unter Vorsitz des Premierministers. Wichtigste Parteien: Nationale Einheitspartei (UBP), Demokratische Partei (DP), Republikanisch Türkische Partei (CTP).

Landesnatur: Z. ist die drittgrößte Mittelmeerinsel. Im N erhebt sich hinter einer schmalen Küstenebene steil die N- oder Kyreniakette (im Kyparisso 1024 m ü.M.). Südlich davon erstreckt sich eine weite Ebene (Mesaoria), das frühere Hauptanbaugebiet Zyperns. An sie schließt sich das Troodosgebirge an (im Olympos 1951 m ü.M.), das nach W, S und O allmählich in unterschiedlich breite Küstenebenen übergeht. Z. hat mediterranes Klima mit heißen, trockenen Sommern und milden, feuchten Wintern; durchschnittlich 480 mm Jahresniederschläge, im Troodos bis 1000 mm.

Bevölkerung: Auf Z. leben Griechen (größtenteils Orthodoxe), die mit rd. 80% in der Überzahl sind, und muslim. Türken, die etwa 18% der Bev. stellen, ferner Armenier, Maroniten u.a. Aus dem kulturell und historisch begründeten Ggs. erwuchs die polit. Krise, die zur De-facto-Teilung der Insel mit der Umsiedlung eines Teils der Bev. geführt hat. In den griechisch-zypr. Teil kamen 1974 etwa 160 000 grch. Zyprer aus dem türk. N-Teil, außerdem etwa 70 000 Flüchtlinge aus dem Libanon. Umgekehrt flohen etwa 50 000 türk. Zyprer aus dem S in den türkisch-zypr. Teil der Insel. Außerdem wurden hier rd. 80 000 Türken aus Anatolien angesiedelt und 30 000 türk. Soldaten stationiert; nur etwa 500 Griechen blieben; im grch. Z. dagegen leben über 90 000 türk. Zyprer. – Im griechisch-zypr. Gebiet besteht neunjährige Schulpflicht; Univ. in Nikosia (grch. Teil); vier Univ. im türk. Teil.

Wirtschaft, Verkehr: Im griechisch-zypr. Teil konnten die durch die Ereignisse von 1974 entstandenen wirtsch. Verluste und Disproportionen schnell überwunden werden. Bei einer niedrigen Inflationsrate ist die ökonom. Leistungsfähigkeit höher als die der gesamten Insel vor 1974. Getreide- und Kartoffelanbau erfolgen in der zentralen Ebene, der Mesaoria, die aber künstlich bewässert werden muss. Zitruskulturen sind um Limassol, Rebflächen in den südl. und östl. Troodosvorbergen konzentriert. Die Ind. ist der Hauptwirtschaftszweig mit Textil-, Schuh-, Nahrungsmittel- und Getränkeherstellung sowie dem Bauwesen. Größter Betrieb ist die Erdölraffinerie in Larnaka. Der Bergbau auf Asbest, Kupfer- und Chromerz wurde eingestellt, abgebaut werden u.a. noch Marmor, Bentonit, Gips. Z. entwickelt sich zunehmend zu einem Offshorefinanzzentrum. Im internat. Schiffsregister steht das Land an dritter Stelle. Größter Devisenbringer ist der sich ständig ausweitende Tourismus; Zentren sind Limassol, Larnaka, Pafos (Paphos). – Der türkisch-zypr. Teil ist ohne Wirtschaftshilfe der Türkei kaum lebensfähig, obwohl die landwirtschaftlich wertvollsten Anbaugebiete und die wichtigsten Ind.schwerpunkte nach der fakt. Teilung des Landes zum N-Teil kamen. Bei einer hohen Inflationsrate liegt das Pro-Kopf-Einkommen nur bei einem Drittel des Wertes im Süden. Hauptanbau- und -exportprodukte sind Zitrusfrüchte; weiterhin Anbau von Tabak und Gemüse. Die Kapazität der Ind.standorte Nikosia, Famagusta und Kythrea wird aus Mangel an Arbeits- und Fachkräften nicht ausgelastet. Der ehemals bed. Tourismus beginnt sich wieder zu entwickeln. – Auf Z. gibt es keine Eisenbahn. Durch die Demarkationslinie wurde das Straßennetz zerschnitten. Im grch. Teil ist das Straßennetz 9800 km lang (davon 50% asphaltiert), im türk. Teil 6000 km (über 80% asphaltiert). Der vor der Teilung als Haupthafen von Z. geltende Hafen von Famagusta

Staatswappen

CY

Internationales Kfz-Kennzeichen

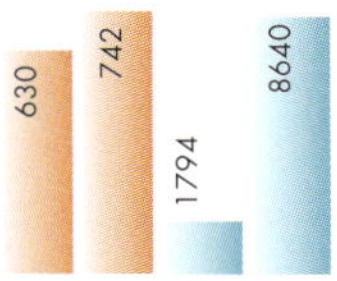

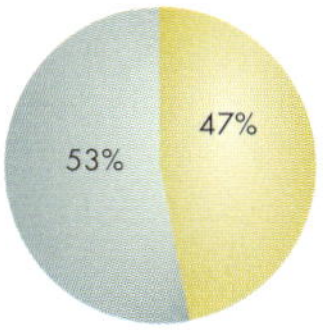

Bevölkerungsverteilung 1993

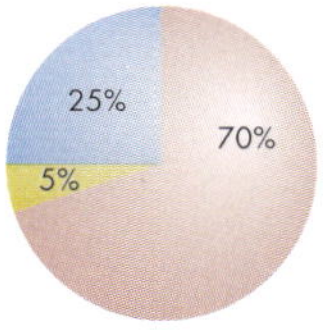

Bruttoinlandsprodukt 1994

Zypern: Ansicht des Luftkurorts Pdehoulas am terrassierten Nordwesthang des Troodosgebirges

dient nur noch dem türk. Teil. Für den grch. Teil wurden Limassol und Larnaka (beide seit 1990/91 Freihäfen) als Tiefwasserhäfen ausgebaut. Da der internat. Flughafen von Nikosia auf der Demarkationslinie liegt, kann er derzeit nur von den UN benutzt werden. Im S wurde der Militärflughafen von Larnaka zum internat. Flughafen ausgebaut, 1983 der von Pafos eröffnet. Im N wurde östlich von Nikosia der Flughafen Ercan und 1986 der von Geçitkala eingerichtet.

Geschichte: Dank seiner geograph. Lage berührten sich seit jeher auf Z. (grch. **Kypros,** in hethit., akkadischen und ägypt. Zeugnissen **Alasia,** hebr. **Kittim,** nach der phönik. Stadt Kition) die kulturellen und polit. Strömungen Europas und des Orients. Seit Ende der Jungsteinzeit bestimmte der Kupferbergbau (u.a. in Kalavassos) die Entwicklung der Insel: die Bez. des Metalls wird aus dem Namen der Insel hergeleitet (»aes Cyprium«). Seit Beginn der Bronzezeit (etwa 2300 v.Chr.) vermittelte Z. zw. Griechenland, Kleinasien, Mesopotamien, Syrien und Ägypten. Seit etwa 1400 v.Chr. gehörte Z. in den Kulturkreis Mykenes. Etwa ab 1200 war es von Achäern, später von Griechen aus Kleinasien (Gründung u.a. von Salamis), seit etwa dem 10. Jh. von Phönikern besiedelt (Entstehung von Burgsiedlungen, die von Stadtkönigen beherrscht wurden). Ab 709 v.Chr. stand Z. zeitweilig unter assyr., ab 569 v.Chr. unter ägypt., ab 538 v.Chr. unter pers. Oberhoheit; es fiel 333 v.Chr. (Schlacht von Issos) an Alexander d. Gr., 294 v.Chr. an das Ptolemäerreich (Ägypten). Ab 58 v.Chr. römisch, gehörte Z. zur Prov. Cilicia (Kilikien). Durch die Missionsreise des Paulus wurde Z. 45 n.Chr. zu einem der ersten Missionsgebiete und hatte zu Beginn des 4. Jh. bereits drei Bischofssitze (die Selbstständigkeit der zypr. Kirche wurde 431 anerkannt). Nach Teilung des Röm. Reiches (395 n.Chr.) fiel es an Ostrom (Byzanz), nach arabisch-byzantin. Auseinandersetzungen um Z. (ab 647/649) stand es 688–965 unter gemeinsamer Herrschaft von Byzanz und dem Kalifat, dann unter der alleinigen Oberhoheit von Byzanz. Während des 3. Kreuzzuges 1191 von Richard I. Löwenherz erobert, kam Z. 1193–1489 als Kreuzfahrerstaat unter die Herr-

Zypern – Kulturgeschichtliche Denkmäler und Stätten

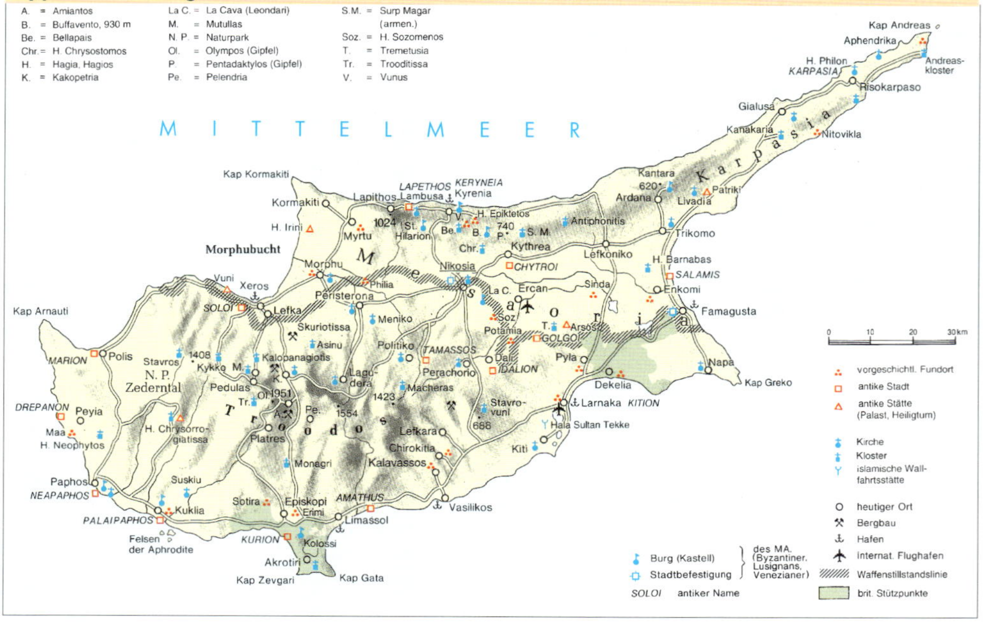

schaft der frz. Dynastie Lusignan (Zurückdrängung des byzantin. Einflusses, Öffnung zum Abendland), danach unter die Herrschaft Venedigs, das Z. nach türk. Eroberung 1570/71 im venezianisch-osman. Sonderfrieden 1573 an die Osmanen abtrat. Allmählich entstand eine starke türk. Minderheit. Nach dem Russisch-Türk. Krieg (1877/78) wurde die Insel ab 4. 6. 1878 (bei formeller Anerkennung der türk. Oberhoheit) von Großbritannien verwaltet und nach dem Eintritt des Osman. Reiches in den 1. Weltkrieg am 5. 11. 1914 von Großbritannien formell annektiert; im Frieden von Lausanne (24. 7. 1923) von der Türkei und Griechenland anerkannt und seit 1. 5. 1925 brit. Kronkolonie. Unter Führung der orth. Kirche seit dem 19. Jh. zunehmende Forderungen nach Anschluss (»Enosis«) an Griechenland: erfolgloser Aufstand Sept. 1931, Unruhen nach 1945 (seit 1950 unter Führung des Erzbischofs Makarios III.). Seit 1955 Guerillakampf der griechisch-nationalist. Widerstandsorganisation E. O. K. A. unter G. Grivas gegen die brit. Kolonialmacht; 19./23. 2. 1959 britisch-griechisch-türk. Dreimächtevertrag (Z.-Abkommen) über die Unabhängigkeit von Z. und die Stationierung grch. und türk. Truppen.

Am 16. 8. 1960 Proklamation der Unabhängigkeit durch Staatspräs. Makarios (Beibehaltung der brit. Hoheitsrechte auf zwei militär. Stützpunkten; ab 14. 3. 1961 Commonwealth-Mitgl.). Nachdem Makarios das (durch die Verf. von 1960 garantierte) Proporzsystem hinsichtlich Reg. und Verw. entsprechend dem Bevölkerungsanteil (70 : 30) zugunsten der grch. Bevölkerungsmehrheit ändern wollte, kam es zu blutigen Kämpfen zw. den Volksgruppen der Griechen und Türken (21. 12. 1963; Austritt der türk. Vertreter aus der Reg. und Rückzug der türk. Volksgruppe in Enklaven). Im März 1964 Entsendung einer UN-Friedenstruppe; Bildung eigener Streitkräfte durch die türk. Zyprer (Z.-Türken) als Gegengewicht gegen die griechisch-zypr. Nationalgarde, im Dez. 1967 Errichtung der »Provisor. türkisch-zypr. Verw.«; Juni 1968 Aufnahme von Verhandlungen zw. R. Denktasch und G. Klerides u. a. über polit. Mitspracherecht und Selbstverwaltung der Z.-Türken. Am 15. 7. 1974 Putsch der von grch. Offizieren befehligten Nationalgarde und Flucht Makarios' ins Ausland (bis Dez. 1974); am 20. 7. Landung türk. Truppen an der N-Küste, die trotz eines von den USA und der ergebnislosen Genfer Z.-Konferenz (25. 7.–14. 8. 1974; Großbritannien, Griechenland, Türkei) vermittelten Waffenstillstandes rd. 40 % des zypr. Territoriums im N und NO der Insel besetzten. In der Folgezeit entstanden, v. a. durch Flucht und Vertreibung zahlreicher grch. Zyprer (Z.-Griechen) aus dem N, nahezu geschlossene Siedlungsgebiete der beiden Volksgruppen.

Im türkisch besetzten Teil erfolgte am 13. 2. 1975 die einseitige Proklamation des Türk. Föderationsstaates von Z. (nur von der Türkei anerkannt; Präs.: Denktasch, 1985, 1990 und 1995 wieder gewählt), am 15. 11. 1983 der Türk. Rep. Nord-Z. – Nach Makarios' Tod wurde S. Kiprianu (1977–88) Präs. der völkerrechtlich allein anerkannten Rep. Z.; die zypr. Türken und die Türkei betrachteten ihn aber nur als Repräsentanten des **griechisch-zypr. Teils**. Er lehnte verfassungspolit. Vorschläge der zypr. Türken (Umwandlung Z.s in eine Konföderation bzw. zwei separate Staaten) ab. Am 22. 2. 1988 wurde G. Vassiliou zum Präs. gewählt; er leitete neue polit. Verhandlungen mit der türk. Volksgruppe im N ein. Die Parlamentswahlen im Mai 1991 festigten die Stellung der konservativen DISY unter Klerides als stärkste Partei; Klerides wurde am 14. 2. 1993 zum Präs. gewählt (Wiederwahl am 15. 2. 1998).

Die am 5. 5. 1985 im **türkisch-zypr.** Teil (N-Teil) durch Volksentscheid angenommene Verf. hielt die Umwandlung Z.s in einen Bundesstaat offen. – In den von den UN 1984/85, 1988–92 und seit 1993/94 verstärkten Vermittlungsversuchen (1997 wieder aufgenommen) zur Lösung des **Z.-Konflikts** (»Volksgruppengespräche«) sowie für den angestrebten EU-Beitritt Z.s (Aufnahmeantrag in die EG Juli 1990, von der EU-Kommission 1993 grundsätzlich bejaht) wird die Überwindung der Teilung und der Ausgleich zw. Z.-Griechen und -Türken gefordert.

📖 SCHNEIDER, A.: *Z. 8000 Jahre Geschichte: archäolog. Schätze, byzantin. Kirchen, got. Kathedralen. Köln [2]1989.* – GALLAS, K.: *Byzantin. Griechenland. Festland, Inselwelt, Z. Dortmund 1993.* – GALLAS, K.: *Z., Beiträge v.* K. HILLENBRAND. *Nürnberg 1994.* – PFEIFER, H.-G.: *Z. Kultur u. Geschichte, Landschaft u. Brauchtum auf der Insel der Aphrodite. München 1994.* – *Z. Der vergessene europ. Konflikt, hg. v.* K. LIEBE. *Unkel 1994.* – TZERMIAS, P.: *Geschichte der Republik Z. Tübingen [2]1995.*

Zypresse *die* (Cupressus), Gattung der Z.-Gewächse mit etwa 15 Arten, verbreitet vom Mittelmeergebiet bis zum Himalaja, in der Sahara und in Nordamerika; immergrüne, meist hohe Bäume mit kleinen schuppenförmigen, beim Keimling noch nadelförmigen Blättern, einhäusigen Blüten und nussgroßen, kugeligen, im zweiten Jahr verholzenden Zapfen. Die bekannteste Art ist die aus dem östl. Mittelmeergebiet stammende, schon im Altertum nach Italien eingeführte, heute im gesamten Mittelmeerraum verbreitete, bis zu 25 m hohe **Echte Z.** (**Mittelmeer-Z.**, Cupressus sempervirens) mit seitlich ausgebreiteten (Wildform) oder hoch strebenden, eine

Makarios III.

Rauf Denktasch

Glafkos Klerides

dichte, schmale Pyramide formenden Ästen **(Säulen-Z., Trauerbaum)**; aus ihren Nadeln und Früchten wird ein äther. Öl **(Z.-Öl)** gewonnen. In China beheimatet ist die **Trauer-Z.** (Cupressus funebris) mit ausladender Krone, hängenden Zweigen und hellgrünen Blättern.

Geschichte: Bei Assyrern und Phönikern war die Echte Z. der heilige Baum der Astarte. Aus dem dauerhaften Holz wurden in der Antike Gebrauchsgegenstände und Götterstatuen gefertigt. Bei den Römern und später im Islam und Christentum galt die Säulen-Z. als Baum des Todes. In der Antike und im MA. wurden Holz, Zweige und Zapfen vielfach medizinisch verwendet. Der Rauch verbrannter Zweige galt als Abwehrmittel gegen böse Geister und Seuchen.

Zypressenkraut (Santolina chamaecyparissus), staudiger Korbblütler des westl. Mittelmeergebiets mit weißfilzigen, zypressenähnl. Ästchen und langstieligen, gelben, strahlenlosen Blütenkörbchen.

Zypriot (Zyprer, Zyprier), Bewohner von →Zypern.

Zyrtolith (Cyrtolith) [grch.] *der,* eine radioaktiv veränderte Varietät des Minerals Zirkon, die (neben Zirkonium) bis 5% Hafnium sowie weitere Begleitelemente (v.a. Thorium und Uran) enthält.

zyst..., zysto... [grch. kýstis »Blase«], (Harn-)Blase(n)...

Zyste [grch. »Blase«] *die,* **1)** *Biologie:* von einer kapselartigen Hülle umschlossene Ruheform niederer Pflanzen und Tiere zum Überdauern ungünstiger Lebensbedingungen, z.B. Trockenheit.

2) *Medizin:* blasenartiger, ein- oder mehrkammriger sackförmiger Hohlraum in einem Organ mit breiigem oder flüssigem Inhalt.

Zystenleber, angeborene, wahrscheinlich erbl. Missbildung der Leber. Aufgrund einer Entwicklungsstörung der Gallengangsdifferenzierung kommt es zur Ausbildung einer Vielzahl flüssigkeitsgefüllter Zysten unterschiedl. Ausdehnung mit erhebl. Vergrößerung des Organs und Verminderung des funktionstüchtigen Parenchyms. Häufig treten entsprechende Veränderungen auch in Nieren und Bauchspeicheldrüse auf.

zystische Fibrose, die →Mukoviszidose.

Zystitis [grch.] *die,* die →Blasenentzündung.

Zystizerken [grch.], die Finnen bestimmter Bandwürmer; sie bewirken die **Zystizerkose** (→Finnenkrankheit).

Zystoskopie [grch.] *die* (Blasenspiegelung), Untersuchung der mit steriler Flüssigkeit gefüllten Harnblase mithilfe eines Spezialendoskops (Zystoskop); ermöglicht v.a. das Erkennen von Erkrankungen der Harnblase (z.B. entzündl. Veränderungen), die Entnahme von Gewebe, aber auch therapeut. Maßnahmen (z.B. Zertrümmerung von Blasensteinen, Entfernung von Blasentumoren). (→Endoskopie)

zyt(o)... (cyt[o]...) [grch. kýtos »Hohlraum«], auf die Zelle bezüglich, zell...

Zypresse: Die Echten Zypressen erreichen eine Höhe von bis zu 25 m

Zytochrome [grch.] (Cytochrome), Enzyme, die bei der Zellatmung, bei der Photosynthese und bei anderen biochem. Vorgängen als Redoxkatalysatoren (Oxidoreduktasen) wirken. Z. kommen in allen lebenden Zellorganellen (Mitochondrien, Chloroplasten u.a.) vor. Die biolog. Funktion der Z. besteht in der Elektronenübertragung. Nach ihren charakterist. Absorptionsspektren unterscheidet man die Z. a, b und c.

Zytodiagnostik, mikroskop. Untersuchung der Zellen von Körpergeweben, -flüssigkeiten oder -ausscheidungen im Abstrich-, Ausstrich- oder Punktionsmaterial zur Früherkennung von Krankheiten; sie ist von besonderer Bedeutung für die Krebsdiagnostik. In der Gynäkologie wird die zytolog. Untersuchung des Vaginalabstrichs **(Papanicolaou-Abstrich)** zur Krebsvorsorgeuntersuchung und hormonalen Diagnostik verwendet.

zytogen [grch.], von der Zelle gebildet.

Zytogenetik, Arbeitsrichtung der Biologie, die die Methoden und Ergebnisse der Zytologie und der Genetik verbindet; Hauptgegenstand der zytogenet. Forschung sind die Chromosomen, von besonderem Interesse ist die Untersuchung der Chromosomenaberrationen beim Menschen.

Zytokinine [grch.] (Cytokinine, Phytokinine), im gesamten Pflanzenreich verbreitete, bes. in Wurzelspitzen und jungen Samen synthetisierte Gruppe von Pflanzenhormonen mit einer die Zellteilung aktivierenden Wirkung (z.B. Kinetin,

Zeatin). Ihre Wirkungen sind u.a.: Förderung von Knospenaustrieb und Fruchtwachstum, Verzögerung von Alterungsprozessen (z.B. Blattvergilbung) und Brechung der Samenruhe.

Zytologie [grch.] *die* (Zellenlehre), die Wissenschaft von der pflanzl., tier. und menschl. Zelle als Teilgebiet der allg. Biologie. Die Z. befasst sich mit dem Bau und den Funktionen der Zelle und ihrer Organellen; sie bedient sich zunehmend moderner molekularbiolog., immunolog. und gentechn. Verfahren.

Zytomegalie [grch.] *die* (Speicheldrüsenviruskrankheit, Einschlusskörperchenkrankheit), eine durch das Z.-Virus (150–200 nm großes DNS-Virus aus der Gruppe der Herpesviren) hervorgerufene Infektionskrankheit, die vorwiegend Säuglinge im 1.–4. Lebensmonat befällt und bei Erwachsenen nur selten Krankheitserscheinungen auslöst. Bei Neugeborenen und abwehrgeschwächten Personen können jedoch schwere Krankheitsverläufe auftreten. Kommt es bei Infektion der Mutter zur Übertragung auf die Frucht, so entsteht beim Neugeborenen ein sept. Krankheitsbild sehr unterschiedl. Verlaufsform mit Beteiligung der Atemorgane, des Magen-Darm-Kanals, bes. der Speicheldrüsen oder des zentralen Nervensystems. Das Virus ist bei erkrankten Kindern in Speicheldrüsen, Leber und Körperflüssigkeiten nachweisbar. Zur Abschwächung des Verlaufs dienen z.B. Immunglobuline und Interferone; eine Schutzimpfung befindet sich in Erprobung.

Zytoplasma, außerhalb des Zellkerns gelegenes Zellplasma der eukaryot. Zellen, von der →Zellmembran nach außen begrenzt. Grundkomponente des Z. ist das wasserreiche **Grundplasma (Hyaloplasma),** das alle wesentlichen chem. Zellbausteine (Wasser, Salze, Proteine, Lipide, Nucleinsäuren) enthält. In das Z. sind die Zellorganellen sowie für spezielle Zellleistungen erforderl. Strukturen (z.B. Mikrotubuli) oder auch tote Einschlüsse in flüssiger oder fester Form (z.B. Sekrete, Fette, Proteinkristalle, Pigmente) eingebettet.

Zytosin [grch.] *das* (Cytosin), zu den Nucleinsäurebasen zählende Pyrimidinbase, die in der RNS bzw. in der DNS enthalten und stets mit Guanin gepaart ist.

Zytoskelett [grch.], aus Proteinfilamenten (z.B. Mikrotubuli) bestehendes, dreidimensionales Netzwerk in Zellen; bestimmt die Anordnung einiger Zellorganellen. Das Z. ist in der Zellmembran verankert und an Bewegungen innerhalb der Zelle sowie der Zelle selbst beteiligt.

zytostatische Mittel (Zytostatika, Cytostatika), Substanzen, die wegen ihrer hemmenden Wirkung auf das Wachstum und die Vermehrung bes. von rasch wachsenden Zellen zur Chemotherapie von Tumoren verwendet werden. Die zytostat. Therapie geht dabei von der Vorstellung aus, dass sich Tumorzellen von normalen Zellen durch eine der Wachstumsregulation entzogene, erhöhte Zellteilungsrate unterscheiden. Die Chemotherapie mit z. M. steht in dieser Hinsicht allerdings vor dem grundsätzl. Problem, dass die Unterschiede zw. normalen Zellen und Tumorzellen nur in Ausnahmefällen so groß sind, dass eine selektive Hemmung der Tumorzellen ohne gravierende Nebenwirkungen auf die normalen Zellen möglich ist. Nach dem Wirkungsmechanismus werden mehrere Gruppen von z. M. unterschieden: Die **alkylierenden Substanzen** (z.B. Cisplatin, Nitrosoharnstoffverbindungen, Thiotepa) verzögern die Zellteilung. Sie hemmen v.a. das Wachstum krebsartiger Wucherungen des Blut bildenden Systems und werden deshalb zur Behandlung chron. Leukämien, der Lymphogranulomatose und des Lymphosarkoms eingesetzt. Mögl. Nebenwirkungen der alkylierenden Substanzen sind Appetitlosigkeit, Übelkeit, Durchfall und Haarausfall. Die **Antimetaboliten** sind in ihrem chem. Aufbau einigen für die Zellteilung und -vermehrung unentbehrl. Stoffen »zum Verwechseln« ähnlich. Daher sind sie imstande, normale Zellwuchsstoffe von ihrem Wirkungsort zu verdrängen und so z.B. den Aufbau der für die Zellteilung unentbehrl. Nucleinsäuren zu hemmen. Zur Wirkstoffgruppe der Antimetaboliten gehören die Folsäureantagonisten (z.B. Aminopterin, verdrängt die Folsäure von ihrem Wirkungsort) und die Purinantagonisten (z.B. Mercaptopurin). Die Antimetaboliten wirken auch am besten gegen krebsartige Wucherungen der Blut bildenden Organe. Sie werden bes. bei akut verlaufenden Leukämien im Kindesalter eingesetzt. Da die Antimetaboliten ebenfalls unspezifisch nicht nur die krankhaft übermäßige Neubildung weißer Blutkörperchen, sondern auch den Aufbau gesunder Zellen hemmen, erzeugen sie starke Nebenwirkungen, z.B. Knochenmarkschäden sowie Geschwüre der Mund-, Magen- und Darmschleimhaut. – Neben den genannten z. M. gibt es eine Reihe pflanzl. Wirkstoffe, die **Mitosehemmstoffe** (z.B. Colchicin, Vinblastin, Vincristin), die, ebenfalls durch Hemmung der Zellteilung, das Wachstum von Tumoren einschränken können.

📖 *Zytostatika-Handbuch, Beiträge v.* S. DONISLAWSKI *u.a. Hamburg 1991.* – SAUER, H.: *Zytostatika, Hormone, Zytokine. Indikation, Dosierung, Wirkung. Stuttgart u.a. 1995.*

zytotoxisch [grch.], zellschädigend; zytotoxisch wirken zahlreiche Gifte, z.B. Blei, Benzol, aber auch Bakterien und Lymphozyten.

ZZ-Ceti-Sterne, kurzperiodisch veränderliche →Weiße Zwerge der Spektralklasse DA.

Bildquellenverzeichnis

M. Abakanowicz, Warschau 1: 10; 2: 294
Acropolis Museum, Athen 8: 15
M. Adelmann, Zürich 2: 16, 428
Aerofilms, Borehamwood, Herts, Großbritannien 2: 390; 13: 142
A.G.E. Foto Stock, Barcelona 1: 441; 2: 240, 256, 260, 378; 3: 97; 8: 93, 376, 457; 9: 17, 41; 10: 318; 11: 32, 71, 340; 12: 141, 480; 13: 183
Agence photographique de la Réunion des musées nationaux, Paris 1: 80; 7: 244; 8: 378; 10: 128; 11: 133
Ägyptisches Museum, Kairo 2: 321, 453; 14: 161, 341; 1: 80; 4: 95; 6: 125; 10: 204; 12: 198, 311
Air France, Frankfurt am Main 3: 62
aisa, Archivo iconografico, Barcelona 13: 172
Akademie der Künste, Berlin 4: 420
Dr. R. Albach, Bonn 6: 29
P. Alechinsky, Bougiral, Frankreich 1: 110
Fratelli Alinari, Florenz 3: 14; 4: 425; 6: 169, 417; 7: 42; 8: 305; 9: 263; 11: 72f.; 12: 420; 14: 127
Alpine Luftbild & Co., Innsbruck 5: 459; 7: 129; 8: 305; 15: 78, 238
Altair Photo, Madrid 2: 385
Alte Pinakothek, München 8: 78; 9: 199
Altonaer Museum in Hamburg, Norddeutsches Landesmuseum, Hamburg 10: 227
Dr. H. Altrock, Schorndorf 3: 267
L'Amieté Charles Peguy, Paris 10: 427
E. Andres (†), Hamburg 5: 126; 6: 327; 7: 222
T. Angermayer, Holzkirchen 1: 55; 4: 177; 8: 242; 9: 188, 378; 10: 360; 11: 449; 12: 360; 15: 294
Animal Photography, London 3: 45; 5: 406; 8: 308, 372; 10: 234; 11: 9, 62, 98; 14: 64, 173
H. Antes, Karlsruhe 1: 200
Anthony-Verlag, Starnberg 1: 399, 466; 3: 415; 4: 13; 8: 130, 167, 171, 463
Antikenmuseum und Sammlung Ludwig, Basel 15: 391
Agencja Antorska, Warschau 8: 471
J. Apel, Elmshorn 7: 314; 8: 260; 9: 243; 12: 7, 199; 15: 387
APN, Wien 8: 25; 11: 318
Arbeitsgemeinschaft Deutscher Tierzüchter, Bonn 11: 459
Arcaid, Surrey, Großbritannien 13: 104
Archaeological Museum, Delphi 13: 206
Archäologisches Museum, Ankara 6: 220
Archäologisches Museum, Heraklion 2: 294; 14: 363; 15: 352
Archäologisches Museum, Ostia 6: 244; 14: 85, 139
Archäologisches Museum, Palermo 1: 277
Archäologisches Museum, Teheran 6: 470
Archäologisches Museum, Tirana 6: 191
Archäologisches Nationalmuseum, Athen 1: 68; 6: 199; 11: 18; 13: 297, 385; 14: 89
Archer M. Huntington Art Gallery, University of Texas at Austin 4: 306, 428; 13: 327
ARCHITEKTON, D. Leistner, Mainz 6: 47; 7: 20; 9: 376; 11: 161; 15: 434
Archiv Dr. Karkosch, Inh. M. Kube, Gilching 3: 80; 4: 345; 6: 47; 7: 281; 8: 153, 206; 9: 434; 10: 282; 14: 194
Archiv für Kunst und Geschichte, Berlin 1: 23, 46, 110, 113, 116, 147, 156, 162, 166, 173, 177, 190, 232, 237, 258, 271, 302, 328f., 331, 342–344, 389, 392, 415, 418, 420, 440, 454, 475; 2: 10, 15f., 44, 48, 54, 57, 63f., 66–68, 74, 81, 85, 96, 103, 110, 118, 125, 130, 136, 156, 159, 174, 188, 190, 202, 207, 244, 247, 262, 276, 299, 302, 305, 315, 319, 351, 376f., 392, 404, 408f., 432, 453f.; 3: 8, 10, 18f., 30, 38, 44, 49, 68, 71, 81, 92, 99, 110, 127, 132, 147, 200, 217, 219, 224f., 240, 285, 288, 298, 307, 313, 315, 326, 328, 336, 369, 378, 386, 388, 421, 436, 479; 4: 16, 53, 62, 72, 74, 82, 84, 90, 179, 192f., 196, 204, 236, 249, 281, 286, 301, 307, 323, 326, 331, 335, 340, 355, 365, 392, 414, 432, 444, 452, 459, 469, 472; 5: 6, 15, 17, 25–27, 34, 36–39, 46, 64, 73, 81f., 87, 90f., 106f., 130, 154, 197, 204f., 214, 255, 287, 297, 300, 303, 308, 324, 331, 333, 349, 361f., 372f., 375–377, 414, 420–422, 426, 428, 448, 461; 6: 26, 48f., 69, 75f., 80, 107, 115, 128, 141, 155, 167, 169, 193, 202, 205f., 239, 255, 274, 289f., 305, 329, 331f., 371, 425, 445; 7: 17, 35f., 43, 48, 52, 57, 63, 65, 80, 88, 96, 109, 112f., 120, 122, 136, 140, 145, 148, 211, 234, 236, 243f., 269, 281f., 293, 300, 326, 342, 352, 370, 385, 387; 8: 11, 31, 35, 50, 75, 106, 109, 160, 171, 173, 179f., 189, 202, 207, 222f., 226, 253, 296, 306, 309, 311, 343, 351, 353, 362, 378, 391, 397, 400, 432, 441, 444, 458; 9: 8, 37, 43, 48, 65, 92f., 102–104, 108, 116, 135, 150, 164, 168, 177, 194, 212, 219, 225, 243, 251, 257, 268, 297, 299, 316, 330, 344, 370, 372, 384, 387, 421, 425, 429, 464; 10: 16, 20, 39, 43, 50f., 54, 83, 114, 123, 169, 179, 212, 228, 247, 255, 262, 280, 293–296, 323, 341f., 362, 388, 391, 404, 419, 421, 432, 439, 464, 467; 11: 60, 73, 78, 96, 122, 138, 160, 165, 224, 230, 266, 274, 278, 297, 300, 308, 322, 363, 369, 414, 428, 440, 444, 448, 457, 466f., 472; 12: 5, 10, 20, 26, 28, 31, 35, 42–44, 81, 85, 88, 94f., 98, 112–114, 131, 146f., 153, 163, 176, 195, 218f., 222, 249, 252, 254, 268, 272, 285, 289, 310, 323, 327f., 331, 333, 344, 347, 358f., 361, 365, 378, 388f., 406, 422f., 447f., 466, 480; 13: 23, 29, 36, 41, 49, 64, 79, 89, 102, 105, 113, 134f., 138, 146, 148, 160, 176, 180, 183, 187f., 201, 220, 260, 267, 289f., 301, 318, 342, 367, 372, 381, 384, 411, 419, 421, 439, 471; 14: 47, 52, 70, 74, 82, 101, 105, 128, 146, 163, 167, 173, 191, 195, 230, 237, 247f., 278, 287, 301, 311, 344, 352, 361, 401–403, 410, 413, 418, 420, 454f., 458, 472f., 475, 479; 15: 32, 44, 55, 59f., 74, 99, 123f., 137, 165, 174f., 182, 200, 211, 228f., 233, 237, 250, 252, 259, 288, 309, 385, 388, 408, 425, 465
ARDEA, London 4: 74, 101, 406; 5: 456; 7: 229; 8: 119, 461; 9: 187; 10: 148, 254; 11: 86, 220, 236, 308, 373, 405, 410; 12: 38, 261, 369, 449, 480; 13: 89, 202; 14: 6, 121, 355; 15: 306
Prof. F. Arens (†), Mainz 1: 171, 426; 3: 183; 5: 366; 6: 21
argus FOTOARCHIV, Hamburg 4: 10
BMG Ariola Musik, Foto: A. Jansen, Hamburg 10: 68
Tierbildarchiv B. Arndt, Lübeck 4: 101
Gräfin G. von Arnim, Nürnberg 1: 426
Dr. M. Arnold, München 2: 167; 5: 57, 283
Arnold Schönberg Institut, Los Angeles 14: 286
Kunstarchiv Arntz, Haag 3: 214; 8: 144, 443, 470; 9: 103, 211, 225; 10: 97, 211; 11: 56, 81; 14: 48
ARRI Arnold & Richter, München 4: 343
Arte, Baden-Baden 1: 276
Art Institute of Chicago 15: 307; 6: 178
Artothek, J. Hinrichs, Peißenberg 1: 94, 171, 332, 439; 2: 279, 298; 3: 88, 355; 4: 329; 5: 15, 79, 337, 366; 6: 363, 417; 7: 105, 194, 234, 394; 8: 256; 9: 101, 331, 428, 459; 10: 32, 139; 11: 53, 344, 392; 12: 5, 18, 295, 453; 13: 39, 231, 270, 327, 375f.; 15: 76, 202, 279
ASC electronic, Hösbach 13: 228
Ashmolean Museum of Art and Archaeology, Oxford 1: 225
Y. Asisi, Berlin 2: 68
The Associated Press, Frankfurt am Main 1: 125, 413, 424, 445; 2: 95, 105, 223; 3: 353; 4: 391, 439, 456; 5: 87, 130, 262, 317; 6: 357, 478; 7: 22, 51, 84, 104, 189, 299; 8: 30, 308, 468; 9: 89, 118, 196, 230, 287, 322, 343; 10: 9, 44, 247, 358, 368, 465; 11: 110, 125, 143, 171, 314, 442; 12: 157, 160, 177, 180f., 194, 197, 240, 324f., 403, 474, 479; 13: 17, 20, 52, 62, 185, 342, 380; 14: 141, 144, 212, 337, 347, 405, 412, 459, 468; 15: 8
E. Astor, Reilingen 2: 203
Atlantic Pressebilderdienst, Berlin 13: 122, 184
Atlas-Photo, Paris 2: 154; 3: 101; 4: 446; 8: 176; 10: 388
K. Augenstein, Bonn 8: 209
Australische Botschaft, Bonn 1: 367; 2: 301
Eric Bach Superbild, Grünwald 10: 472
E. Bachmann, Kaiserstuhl, Schweiz 1: 154
B. Back, Frankfurt am Main 14: 279
Badische Landesbibliothek, Karlsruhe 2: 321
Badisches Landesmuseum, Karlsruhe 6: 53; 12: 268
Dr. W. Bahnmüller, Geretsried 6: 21
S. Ballenweg, Ludwigshafen 10: 424; 12: 181; 14: 397
Barbara Hepworth Museum and Sculpture Garden, Saint Ives 6: 190
Bärenreiter-Verlag, Kassel 2: 224; 3: 32; 7: 292; 9: 211
G. und E. Barker, Berlin 7: 84; 14: 340
Barnaby's Picture Library, London 2: 370
R. Barten, Köln 7: 415
G. von Bassewitz, Hamburg 14: 305
J. Bauer, Rom 1: 38; 2: 144, 405; 8: 232f.
W. Bauer, Bamberg 4: 160
Bauhaus-Archiv, Berlin 1: 470; 7: 206
BILDAGENTUR BAUMANN, Würlingen, Schweiz 15: 431
PRESSE-FOTO baumann, Ludwigsburg 11: 439, 461
J. Bautze, Berlin 6: 434; 14: 62
BAVARIA Bildagentur, Gauting 1: 51, 88, 117, 121, 163, 174, 204, 213, 253, 327, 366, 400, 404, 407, 423, 430; 2: 11, 30, 45, 149, 163, 171, 237, 324, 328f., 444; 3: 9, 57, 69f., 102, 156, 226, 240, 273, 281, 307, 314, 358, 406, 422, 430, 440, 457, 475; 4: 30, 61, 123, 171, 251, 262, 302, 318, 355, 365, 446f.; 5: 56, 65, 89, 161, 188, 298, 362, 386, 454; 6: 80, 187, 228, 236, 270, 285, 333, 394, 402, 422f., 452; 7: 30, 72f., 157, 195, 327, 371, 397, 410, 465; 8: 40, 103, 201, 216, 229, 243, 254f., 267, 344, 353, 362, 364, 416, 430, 434f., 462, 475; 9: 86, 97, 153, 189, 207,

CAF, Warschau 11: 108; 13: 53
Camel, München 1: 380
Camera Press Deutschland, Hamburg 2: 215; 3: 85; 10: 450
Canton Elektronik, Weilrod 8: 251
Dr. L. C. Caviedes, Santiago de Chile 2: 460
CBS-Schallplattengesellschaft, Frankfurt am Main 12: 421, 478
M. Cedri, Paris 1: 36, 233; 2: 150
Central Office of Information, London 11: 54
Centre national d'art et de culture Georges Pompidou, Paris 4: 299
C.E.R.N., Genf 2: 424
CESA-DIAARCHIV, Cölbe 9: 135, 140, 302; 11: 229; 15: 5, 301
J. Chambon, Paris 6: 421
J.-L. Charmet, Paris 14: 46
Stvw. Chemnitz 2: 452
Chester Beatty Library, Dublin 1: 268
V. Chiara-Schultz, Cardaillac, Frankreich 3: 462
Botschaft der Volksrepublik China, Bonn 2: 468
China Cultural Relics Promotion Center, Peking 8: 370
Christian Verlag, München 1: 44
E. Ciomotti, Wolfenbüttel 3: 32
Claassen Verlag, Hildesheim 10: 420
W. Claus, Fulda 5: 62
R. Clausen (†), Hamburg 1: 459; 2: 220; 9: 285
CNRS, Paris 13: 256
Collection Arts Council of Great Britain, London 10: 93
I. Collignon, München 14: 157
Comet-Photo, Zürich 2: 269; 8: 158; 14: 456; 15: 439
Comisaria Nacional del Patrimonio Artistico, Madrid 5: 299; 11: 25
Concerto C. W. Winderstein, München 13: 459; 15: 337
Consolidated News Pictures, Washington D. C. 10: 131; 14: 405
Conti-Press, Hamburg 1: 383; 2: 165; 3: 36, 58
Corbis Bettmann Archive, London 15: 183
H. P. Cordes, Hamburg 4: 239
G. Costa 14: 252
Courtauld Institute Galleries, London 11: 402; 13: 8
Dr. M. Cuadra, Frankfurt am Main 14: 29
T. Cugini, Zürich 7: 146
Cyprus Museum, Nikosia 15: 385
Dänisches Fremdenverkehrsamt, Hamburg 1: 257
DAS FOTOARCHIV, Essen 12: 151
DB Museum im Verkehrsmuseum, Nürnberg 4: 10
Prof. Dr. H. Deilmann, Münster 3: 164
Dr. J. Demek, Brünn 13: 29
DESY – Deutsches Elektronen-Synchroton, Hamburg 3: 262
DET KONGELIGE BIBLIOTHEK, Kopenhagen 6: 102
Deutsche Aerospace, München 4: 197, 199
Deutsche Akademie der Künste, Berlin 6: 144
Deutsche Bahn, Bildarchiv, Berlin, München und Nürnberg 3: 201; 4: 10; 6: 359; 8: 410
Deutsche Bibliothek, Deutsches Exilarchiv 1933–1945, Frankfurt am Main 10: 463
Deutsche Botschaft, Teheran 11: 409
Deutsche Bundesbank, Frankfurt am Main 1: 435; 4: 198; 7: 105
Deutsche Forschungsanstalt für Luft- und Raumfahrt e. V., Köln 5: 93; 13: 112
Deutsche Fotothek der Sächsischen Landesbibliothek, Dresden 2: 18, 235; 10: 449; 12: 71, 462
Deutsche Gesellschaft zur Rettung Schiffbrüchiger, Bremen 3: 237
Deutsche Grammophon, Hamburg 1: 257; 8: 24
Deutsche Luftbild, W. Seelmann & Co., Hamburg 1: 145, 410; 2: 216, 272, 305; 3: 402, 454, 457; 4: 224, 229, 294; 5: 18, 93; 6: 49, 71, 177, 278, 417; 7: 324; 8: 208, 423, 437; 9: 5, 399; 10: 89, 310, 432; 11: 309; 12: 292, 295; 13: 342; 14: 71; 15: 73
Deutsche Lufthansa, Köln 4: 399; 7: 150
Deutsche Oper am Rhein, Düsseldorf 15: 82
Deutscher Genossenschaftsverlag, Wiesbaden 12: 357
Deutscher Kunstverlag, München 5: 254, 312
Deutscher Verlag, Berlin 12: 462
Deutscher Wetterdienst, Offenbach am Main 6: 339; 15: 223
Deutsches Archäologisches Institut, Athen 10: 240
Deutsches Archäologisches Institut, Berlin 1: 87
Deutsches Brauereimuseum, München 5: 103
Deutsches Dampflokomotiv-Museum, Neuenmarkt 4: 11
Deutsches Elfenbeinmuseum, Erbach 4: 51
Deutsches Institut für Filmkunde, Frankfurt am Main 1: 303; 2: 352, 436, 455; 3: 478; 4: 345, 347, 383, 410; 5: 83, 110; 6: 109, 119, 190; 9: 381; 10: 76, 237, 336, 424; 11: 24, 267, 472; 13: 87, 194, 377; 14: 21, 355; 15: 105, 121, 138, 162
Deutsches Ledermuseum/Deutsches Schuhmuseum, Offenbach am Main 6: 24; 8: 270; 12: 346; 13: 326
Deutsches Museum, München 1: 15, 37, 274, 304, 371; 2: 81, 92, 144, 211f., 227, 237, 246, 329, 396; 3: 63, 110f., 123, 160, 305; 4: 255, 313, 399; 5: 154; 6: 55, 189; 7: 345, 356, 367; 8: 35, 286, 357, 374, 422, 452; 9: 21, 246, 251, 285, 387; 10: 315, 320, 397; 11: 98, 162, 250, 281, 295; 12: 82, 86, 331, 464; 13: 20, 122, 378; 14: 33; 15: 207, 226, 360
Deutsches Röntgenmuseum, Remscheid 12: 31
Deutsches Tabak- und Zigarrenmuseum, Bünde 13: 462
Deutsches Tapetenmuseum, Kassel 14: 13
Deutsches Zweirad-Museum, Neckarsulm 3: 369
Deutsche Verlags-Anstalt, Stuttgart 7: 372; 13: 373
Diafrance, Paris 1: 247; 3: 43
Die neue Sammlung, Staatliches Museum für angewandte Kunst, München 1: 470
Die Weltwoche Bildarchiv, Zürich 1: 451; 2: 456; 3: 82; 5: 71; 11: 49, 296; 12: 300, 322, 403, 407
Documenta, Mailand 2: 188; 10: 404
documenta archiv, Kassel 2: 104; 6: 431
H. Dollhopf, Nürnberg 14: 254
Das Domkapitel-Domschatzkammer, Aachen 11: 363
Dommuseum, Mailand 4: 63
Prof. Dr. M. Domrös, Mainz 13: 241
Domstiftsarchiv und -bibliothek, Brandenburg 7: 125
Donald Young Gallery, Seattle 6: 233
H. Dossenbach, Oberschlatt, Schweiz 1: 127, 331; 11: 312; 13: 390
dpa Bildarchiv, Frankfurt am Main und Stuttgart 1: 10, 17, 25, 37, 43, 51, 91, 104f., 107, 111, 144, 150, 154, 157, 173, 180, 191, 193, 208f., 232, 246, 251, 258, 269, 274, 287, 310, 327, 342, 353, 358, 375, 379f., 389f., 395, 413, 421f., 427, 430, 442, 445, 449, 451, 453, 459, 464, 473; 2: 17, 19, 23, 28, 31, 36, 47f., 54, 57, 59, 62f., 67, 74, 77, 80, 110, 112, 114, 132, 145, 156–158, 165, 172–174, 177, 186, 198, 201, 204, 210, 220, 231f., 234f., 239, 243, 252–254, 260, 263, 269, 278f., 292, 298, 303, 314, 324, 333f., 338, 360f., 366, 375, 381, 388f., 392, 400–403, 405–407, 409, 411, 419, 423, 427, 431, 438–440, 443f., 452, 455, 476; 3: 13, 19, 23, 27, 29, 40f., 45, 49, 67–69, 73, 90, 94, 96, 101, 104, 113, 117, 144, 146, 148–150, 157, 161f., 165, 171, 175, 181, 183–185, 189, 196, 224, 226–228, 230, 232–234, 262, 282, 292, 294, 300, 305, 307, 321, 323, 325f., 329, 333, 337, 340, 345, 349, 352, 366, 368, 384, 396, 409, 418, 421, 423, 425, 428, 434f., 437, 440f., 447, 474; 4: 15, 52, 55, 62, 72, 75, 82, 126–128, 150, 156, 175, 180, 185, 205, 216, 227, 244, 251, 279, 282, 291, 309, 317, 330, 335, 342f., 357, 363, 365, 368, 371, 382, 387, 390, 407, 410, 412f., 425, 431, 438, 441, 457–459, 469f.; 5: 8, 26, 33, 36, 44–46, 48, 61–63, 74, 83, 88, 90, 94, 105, 110f., 124, 127, 156, 186, 219, 229, 259, 278, 280, 282, 287, 291, 293f., 306, 324, 329, 343–345, 354f., 357–359, 373, 381–383, 387f., 398, 400f., 426, 429f., 434, 436, 450–453, 463f.; 6: 11, 14, 17, 27, 36, 41, 51, 57, 60, 66f., 71f., 81f., 84, 98, 102, 105, 108, 110, 112f., 117, 121, 123, 133, 140, 150, 156, 171, 180f., 187, 190, 204, 208, 212, 223, 226, 234, 241, 243, 245, 251, 269, 280, 285, 301, 307, 317, 320f., 340–343, 356f., 367, 458, 465, 468; 7: 8, 24, 31, 36f., 43, 49–51, 57, 67, 72, 74f., 83–85, 91, 94–96, 102, 106–108, 111, 113, 124, 132, 140, 144, 148, 151f., 157, 161, 189, 192, 207, 212f., 220, 226, 228, 237f., 240, 246, 254, 257, 263, 290f., 295, 297f., 316, 320f., 326, 329f., 337f., 360, 365, 367, 372, 374, 381, 383, 385, 399, 403, 405, 408, 412, 443, 448; 8: 5, 7, 15, 24, 29, 31, 35, 38, 53, 61, 70, 75, 102, 108f., 112, 118, 122, 124, 133, 157, 159f., 162–164, 167f., 181, 188, 190, 197–199, 207, 213, 231, 233–235, 240, 257, 264, 267, 270, 273, 291, 297, 299, 303, 307, 317, 325, 327, 329, 333, 337, 348, 357, 364, 371, 373, 375, 382, 389–391, 395, 400, 405, 408, 413, 419, 422, 425, 427, 445, 456, 462, 466f., 471; 9: 6–8, 11, 16, 26, 42, 48, 65, 80, 89, 93f., 97, 99, 101, 112, 116, 118, 120, 136, 140, 157, 159, 168–170, 196, 200, 213f., 222f., 227, 238, 246, 255, 257f., 260, 270f., 284–286, 291, 293, 296, 302, 307, 309, 318f., 324, 333f., 336, 359f., 366f., 379, 384, 386, 394f., 399, 404f., 410, 443, 465, 473; 10: 5, 8, 22, 38, 41, 55, 83, 92f., 103f., 137, 139, 161, 165f., 169, 184, 186, 188, 190, 202, 205f., 209, 221, 237, 239, 241, 267, 275, 278, 281, 286, 298–300, 318, 331, 336, 341, 344f., 348, 352–354, 363, 381, 383, 397, 404, 418, 425, 431, 435, 438, 441, 446, 450, 460, 462; 11: 6, 10, 24, 29, 49, 54, 62–64, 73, 84, 88f., 91, 97f., 100, 104, 109, 111, 118, 122f., 134, 136, 138, 142f., 148f., 152, 163, 173, 197, 210, 221, 224, 238, 250, 252, 264, 271, 274, 277, 287–290, 298, 300, 305f., 308f., 320, 323, 326,

Reproduktionsgenehmigungen für Abbildungen künstlerischer Werke von Mitgliedern und Wahrnehmungsberechtigten wurden erteilt durch die Verwertungsgesellschaft BILD-KUNST/Bonn.

Stvw. = Stadtverwaltung
Gvw. = Gemeindeverwaltung

Weitere grafische Darstellungen, Karten und Zeichnungen
Bibliographisches Institut & F. A. Brockhaus, Mannheim.

J. RIZZI